L'EXÉGÈSE DE SAINT JÉRÔME
d'après son « Commentaire sur Isaïe »

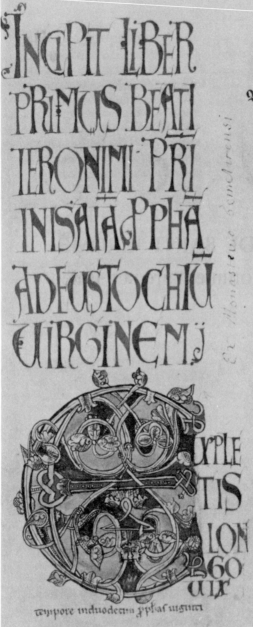

Manuscrit du XIe siècle de l'abbaye de Jumièges
Bibliothèque municipale de Rouen (cat. 443)

Pierre JAY
Professeur à l'Université de Rouen

L'EXÉGÈSE
DE SAINT JÉRÔME

d'après son « Commentaire sur Isaïe »

ÉTUDES AUGUSTINIENNES
3, rue de l'Abbaye
75006 PARIS
1985

ISBN : 2-85121-056-4

Ignoratio scripturarum ignoratio Christi est
Saint Jérôme
Commentaire sur Isaïe

*A la mémoire
de Georges AUZOU
et de Pierre HUSSON*

Introduction[*]

Dans l'essor qu'ont connu, depuis quelques dizaines d'années, les études patristiques, saint Jérôme a longtemps fait figure de parent pauvre, et il est encore vrai de dire, en dépit d'importants travaux récents, qu'il reste l'un des Pères latins les plus mal étudiés. Alors que la bibliographie d'un Augustin s'enrichit bon an mal an de dizaines, voire de centaines de titres, c'est en unités qu'il faut compter pour lui. Le fait est là : Jérôme n'a pas encore retenu l'attention des patristiciens, comme en témoignent aussi bien la liste des communications présentées aux récents congrès d'Oxford [1] que la place plus que modeste qu'occupent encore ses œuvres dans une collection comme celle des *Sources Chrétiennes* [2].

On peut s'en étonner à plus d'un titre. Notre époque a vu en effet les études bibliques s'affirmer comme une discipline majeure de l'histoire des origines chrétiennes. Or, parmi les écrivains latins des premiers siècles, nul plus que Jérôme n'a été l'homme de la Bible. La traduction qu'il en a faite constitue le noyau de la *uulgata editio*, cette « Vulgate » qui s'est imposée jusqu'à une date toute récente comme la version autorisée de l'Église romaine. Sans doute cette traduction fait-elle actuellement l'objet d'une édition critique monumentale,

---

[*] Il m'est agréable de reconnaître ici ma dette envers M. Jacques Fontaine, professeur à la Sorbonne, membre de l'Institut, *« praeceptor meus »*. Il sait mieux que personne combien ce travail de fort longue haleine est redevable aux observations, aux suggestions, aux encouragements dont son amitié confiante et tonique n'a cessé de l'accompagner. Je suis heureux de pouvoir lui exprimer aujourd'hui par ce livre toute ma reconnaissance.

1. Le nom de Jérôme apparaît dans le titre de deux seulement des cent-soixante-huit communications présentées à la *6th International Conference on Patristic Studies* (Oxford, 1971) et publiées dans les *Studia Patristica* XII-XIV (= Texte und Untersuchungen 115-117), Berlin, 1975-1976. La proportion était encore la même à la *9th Conference* (Oxford, 1983).

2. Les œuvres de Jérôme n'y représentaient en 1982 que trois volumes sur trois cents, pour deux titres : le *Commentaire sur Jonas* édité par P. Antin en 1956 (une nouvelle édition en est préparée par Y.-M. Duval), et le *Commentaire sur Matthieu* édité par E. Bonnard en deux volumes (1978 et 1979). On pourrait faire la même remarque à propos du *Corpus* de Vienne (CSEL) qui, depuis l'édition Hilberg des *Lettres* (3 vol. 1910-1918) et l'édition Reiter du *Commentaire sur Jérémie* (1913), c'est-à-dire depuis plus de soixante ans, n'a publié aucune œuvre de Jérôme.

par les soins des Bénédictins de l'abbaye San Girolamo, à Rome [3]. Mais, en dépit de la documentation que cette édition rassemble dans ses préfaces, le bénéfice en est moindre pour Jérôme lui-même que pour la Bible. Car, sur son activité propre de traducteur, ses choix avoués ou implicites, son attitude envers les anciennes versions latines, on ne peut encore citer aujourd'hui, depuis les quelques essais du début du siècle [4], qu'une ou deux études modernes de quelque portée [5].

Sa bibliographie récente ne reflète pas davantage l'importance que revêtait, pour l'histoire de l'exégèse elle-même, le simple fait d'une traduction nouvelle, qui prétendait en appeler de la version traditionnelle des Septante à l'original hébreu de l'Écriture, et qu'ont prolongée, dans le même esprit, des commentaires sur tous les prophètes.

Alors que l'exégèse de Jérôme n'a fait que rarement jusqu'ici l'objet de travaux systématiques, on la trouve pourtant invoquée à juste titre dans des études de portée générale, que l'on cherche en elle un témoin des sens de l'Écriture, ou une source de l'exégèse ultérieure [6]. Elle constitue effectivement une référence importante pour l'exégèse des Pères. Il n'est donc pas indifférent qu'on puisse être en mesure de s'y reporter avec un minimum de garanties. Car, à ne l'aborder qu'à travers les préoccupations particulières en raison desquelles on la sollicite, on court le risque de l'enfermer dans des visions partielles et d'en fausser les perspectives.

L'essor présent des études patristiques légitime d'ailleurs, en même temps qu'il la facilite, une étude renouvelée de l'exégèse hiéronymienne. En effet, la meilleure connaissance que nous avons acquise de plusieurs de ses émules et de ses devanciers, la vision plus souple des « écoles » exégétiques qui en découle [7], modifient en quelque sorte le paysage intellectuel sur lequel se profile l'œuvre exégétique de Jérôme. Plus qu'aux récents travaux de Jean Doignon sur Hilaire de Poitiers [8] ou d'Hervé Savon sur l'exégèse d'Ambroise [9], je pense ici à l'élargissement de notre connaissance de Didyme l'Aveugle par l'exploitation des découvertes faites à Toura il y a quarante ans [10], et plus

3. *Biblia sacra iuxta latinam uulgatam uersionem ad codicum fidem*, Rome (depuis 1926).

4. Par exemple les articles de A. Condamin sur *Les caractères de la traduction de la Bible par saint Jérôme*, dans les *Recherches de science religieuse* 2, 1911, p. 425-440 et 3, 1912, p. 105-138, et sur *L'influence de la tradition juive dans la version de saint Jérôme*, ibid. 5, 1914, p. 1-21.

5. Celle de G.Q.A. MEERSHOEK, *Le latin biblique d'après saint Jérôme* (= Latinitas Christianorum Primaeua 20), Nijmegen-Utrecht, 1966, xv-256 pages, et, sur un livre biblique déterminé, celle de C. ESTIN, *Saint Jérôme traducteur des Psaumes*, thèse de 3ᵉ cycle ronéotypée, Paris, 1977, 2 vol., xv-308 pages (pagination continue).

6. On pense en particulier à l'importance des références à Jérôme dans la première partie de la magistrale synthèse d'H. DE LUBAC, *Exégèse médiévale. Les quatre sens de l'Écriture* (Première partie, 2 vol., Paris, 1959).

7. Voir déjà sur ce point l'article de J. GUILLET, *Les exégèses d'Alexandrie et d'Antioche. Conflit ou malentendu ?* dans les *Recherches de science religieuse* 34, 1947, p. 257-302.

8. J. DOIGNON, *Hilaire de Poitiers avant l'exil*, Paris, 1971, 667 pages, et son édition du *Commentaire sur Matthieu*, 2 vol. (SCh 254 et 258), Paris, 1978 et 1979.

9. H. SAVON, *Saint Ambroise devant l'exégèse de Philon le Juif*, Paris, 1977, 2 vol., 392 et 221 pages. Voir aussi L.F. PIZZOLATO, *La dottrina esegetica di sant' Ambrogio* (= Studia Patristica Mediolanensia 9), Milano, 1978, xxi-359 pages.

10. Des commentaires de Didyme retrouvés à Toura, l'un intéresse très directement l'exégèse de Jérôme, c'est le *Sur Zacharie*, édité par L. Doutreleau (3 vol., SCh 83-85, Paris, 1962), source immédiate du Commentaire correspondant de Jérôme.

encore au développement des études origéniennes [11]. Car la confrontation de Jérôme avec ses contemporains latins peut, certes, fournir d'utiles repères ; mais une connaissance plus complète et plus exacte de ceux qu'il reconnaît lui-même comme ses sources présente d'autant plus d'intérêt que les jugements contradictoires que n'a cessé de susciter son exégèse tiennent pour une bonne part aux appréciations divergentes portées sur l'usage qu'il a fait de ces sources, en particulier d'Origène.

On le vérifie dès son époque. D'un côté, un Sulpice Sévère ou un Augustin vantent l'exceptionnelle ampleur de ses lectures [12]. De l'autre, avec une sévérité toute « antiochienne », Julien d'Éclane lui reproche précisément de n'avoir fait que suivre le double courant « des allégories d'Origène et des traditions narratives des juifs [13] ». C'est pourtant de Jérôme que le Moyen Age, quand il voudra résumer en des patronages illustres sa théorie des quatre sens de l'Écriture, fera le symbole indiscuté du sens littéral [14], ce qui ne va guère dans le même sens. La persistance au XVIIᵉ siècle sous la plume de Richard Simon, le père de l'exégèse moderne, d'appréciations élogieuses sur son exégèse littérale [15] pouvait laisser penser que c'était là une vue désormais admise. Mais les tentations de la *Quellenforschung* du XIXᵉ siècle, prompte à réduire une œuvre à la somme de ses sources, ont relancé le débat ancien. Lorsque au début de ce siècle Grützmacher, son biographe, estimait que Jérôme avait puisé tous ses commentaires à deux sources, Origène et les Hébreux, auxquelles, à ses yeux, ils se réduisaient pour l'essentiel, et qu'il n'était guère plus qu'un compilateur [16], disait-il autre chose que Julien d'Éclane ? A la même époque Bardenhewer ne portait pas sur l'exégèse de Jérôme un jugement plus complaisant quand il dénonçait chez lui « le manque de méthode herméneutique, l'inconsistance et le peu de netteté de ses principes d'interprétation scripturaire [17] ». Ce n'étaient pas les quelques travaux hiéronymiens contemporains qui pouvaient tempérer alors ces jugements péremptoires. L'*Essai sur saint Jérôme exégète* d'A. Röhrich [18] est une dissertation superficielle et de seconde main, marquée par les préjugés du temps. Les *Études sur saint Jérôme* de L. Sanders [19] touchent plus à sa conception de l'Écriture qu'à son exégèse.

---

11. La *Bibliographie critique d'Origène* d'H. Crouzel avec son Supplément I (Instrumenta Patristica VIII et VIII A, Steenbrugge 1971 et 1982) en témoigne éloquemment.

12. Voir Svlp. Sev. *Dial.* I, 8, 3 : CSEL 1, 159-160 ; Avg. *Contra Iulianum*, I, 7, 34 : PL 44, 665.

13. Ivl. Aeclan. *in Osee*, prol. : « (Hieronymus) quasi inter geminas traditiones ire contentus (...) ; ita uel per allegorias Origenis uel per fabulosas Iudaeorum traditiones tota eius defluxit oratio » (PL 21, 962 A = CC 88, 116). Ce jugement porte précisément sur les commentaires des prophètes.

14. Voir les références rassemblées par H. de Lubac dans l'introduction de son ouvrage (*Exégèse médiévale...*, 1ʳᵉ partie, t. I, p. 26 et suiv.).

15. « Nous n'avons point, au reste, d'ancien auteur où l'on puisse mieux apprendre le sens littéral de l'Écriture que saint Jérôme » (R. Simon, *Histoire critique du Vieux Testament*, Rotterdam, 1685, p. 394).

16. « Aus zwei Quellen hat Hieronymus vor allem seine Kommentare geschöpft und aus diesen Quellen besteht im wesentlichen der ganze Inhalt seiner Kommentare. Es sind wieder Origenes und die Hebräer. Er selbst ist nicht viel mehr als Kompilator » (G. Grützmacher, *Hieronymus, Eine biographische Studie zur alten Kirchengeschichte*, t. II, Berlin, 1906, p. 144).

17. O. Bardenhewer, *Patrologie*, Freiburg im Breisgau, 1894, p. 433-434. La traduction citée est celle de l'édition française : *Les Pères de l'Église, leur vie et leurs œuvres*, Paris, 1899, t. II, p. 378.

18. Genève, 1891, 72 pages (thèse de la Faculté de théologie). C'est un travail médiocre, dont le titre fait illusion : la part de « Jérôme exégète et critique », le plus important de l'étude, de l'aveu de l'auteur, s'y ramène à moins de dix pages.

19. Bruxelles, 1903, 394 pages. Elles portent sur plusieurs aspects de Jérôme.

Au lendemain de la Première Guerre mondiale, plus que la synthèse trop générale de F. Cavallera sur *Saint Jérôme et la Bible* [20], dont les conclusions touchant l'exégèse sont contestables [21], les observations de A. Vaccari, plus limitées mais plus précises, sur les composantes de l'exégèse hiéronymienne [22] préfigurent ce que pourrait être une enquête moderne sur l'exégèse de Jérôme. Mais c'est seulement il y a une trentaine d'années qu'ont paru deux études qui témoignent véritablement d'un regain d'intérêt pour l'exégèse hiéronymienne.

Publié en 1950, le livre d'Angelo Penna sur les principes et les caractères de cette exégèse entreprend d'en présenter une étude d'ensemble [23]. L'ouvrage témoigne d'une solide connaissance de l'œuvre de Jérôme, à laquelle il est fait largement référence, et à ce titre il peut rendre de grands services. Mais si les appréciations justes et motivées n'y manquent pas, on peut regretter, outre une démarche un peu confuse, un manque de rigueur dans certaines analyses et surtout de précision et de sûreté dans l'étude des sources du commentateur [24].

Parue deux ans plus tard, mais indépendante du travail de Penna, la contribution de Louis N. Hartmann à l'ouvrage collectif destiné à marquer, aux Etats-Unis, le seizième centenaire de la naissance de Jérôme [25] est une mise au point sur Jérôme exégète plus ramassée, et en même temps plus attentive aux influences subies par lui, celles en particulier de l'exégèse rabbinique.

Quoi qu'il en soit de leurs mérites respectifs, ces deux études se heurtaient à une commune limite : elles étaient en quelque façon prématurées. En effet, bien des acquis importants des recherches contemporaines sur l'exégèse patristique leur sont postérieurs. Mais, surtout, tenter une synthèse sur un sujet aussi vaste que l'exégèse de saint Jérôme, tant que manquaient à peu près totalement des études ponctuelles sur des œuvres précises ou des aspects particuliers de cette exégèse, tenait de la gageure. Car, si des intuitions heureuses peuvent toujours naître d'une familiarité suffisante avec une œuvre, le risque est grand, aussi, de ne pas se dégager des clichés antérieurs [26], ou de ne pas éviter les formules dangereusement vagues [27].

---

20. Dans le *Bulletin de littérature ecclésiastique* 22, 1921, p. 214-227 et 265-284.

21. Telles surtout que l'auteur les durcira dans sa notice du *Supplément au Dictionnaire de la Bible*, t. IV, Paris, 1949 (col. 896 pour l'exégèse).

22. A. Vaccari, *I fattori dell' esegesi geronimiana*, dans *Biblica* 1, 1920, p. 457-480, repris dans les *Scritti di erudizione e di filologia*, t. 2, Roma, 1958, p. 147-170. Il est intéressant d'observer que les *Miscellanea geronimiana* parus la même année (Rome, 1920, 330 pages) ne contiennent aucune contribution touchant l'exégèse.

23. A. Penna, *Principi e carattere dell' esegesi di s. Gerolamo*, Roma, 1950, xvi-235 pages.

24. Voir sur cet ouvrage le CR très suggestif de J. Daniélou dans les *Recherches de science religieuse* 38, 1951-1952, p. 277-280.

25. *A monument to saint Jerome. Essays on some aspects of his life, works and influence*, edited by Francis X. Murphy, New York, 1952, xv-295 pages. L'essai de L.N. Hartmann *(St Jerome as an exegete)* occupe les pages 35 à 81.

26. A. Penna, on le verra, n'y échappe pas toujours.

27. Une étude assez précise comme celle de Hartmann, qui conclut contre Bardenhewer à l'existence chez Jérôme exégète d'une méthode bien déterminée et cohérente, n'en propose finalement que cette définition : « to borrow what is good from all three schools of exegesis, the Alexandrian, the Antiochian and the Rabbinical » *(St Jerome..., p. 72).*

La situation n'a pas sensiblement évolué depuis[28]. Aussi le propos de qui prétend aborder sérieusement aujourd'hui l'étude de l'exégèse hiéronymienne ne peut-il être que plus modeste. En effet, comme on le constate d'ailleurs pour bien des Pères, les principes herméneutiques auxquels cette exégèse obéit sont à découvrir à travers une pratique où convergent, dans le cas de Jérôme, d'une façon qui peut paraître inextricable, une multiplicité d'apports de méthode autant que de contenu. Il n'y a guère d'autre manière d'y parvenir que de se fixer, au sein d'une œuvre dont on connaît l'ampleur, un champ d'observation délimité raisonnablement. Ainsi seulement l'analyse pourra reconnaître, à travers leur mise en œuvre, les principes qui guident notre exégète, repérer les procédés qui lui sont familiers, dégager les préoccupations dominantes que reflète sa recherche des significations du texte sacré.

Dans cette perspective aucune œuvre n'est à écarter, puisque c'est de la multiplication de telles analyses que pourra naître une synthèse crédible sur l'exégèse hiéronymienne considérée dans son ensemble. Tous les Commentaires de Jérôme cependant n'ont pas sous ce rapport la même importance, ni le même intérêt. De même que, comme traducteur, Jérôme est l'homme de *l'hebraica ueritas*, comme exégète il est l'homme des *Prophètes*[29]. Parmi les Latins, il est non seulement le premier, mais le seul à les avoir tous expliqués. En pleine possession de ses moyens, il avait déjà largement dépassé la quarantaine quand il a entrepris de le faire[30], pour ne plus s'en détourner jusqu'à sa mort. Avec le recul du temps, ses autres commentaires de l'Écriture, pour la plupart antérieurs, font figure de coups d'essai ou apparaissent un peu en marge. C'est donc vers ses explications des prophètes que doit s'orienter de préférence l'enquête.

Parmi les seize Commentaires — un par prophète — que comporte cet *opus prophetale*, le *Commentaire sur Isaïe* s'impose à l'attention d'une façon particulière. Il le doit d'abord à son objet : recueil prophétique le plus important par ses dimensions, le livre d'Isaïe l'est aussi par son contenu, qui a fait de son auteur le prophète messianique par excellence aux yeux des premiers siècles chrétiens. Les dix-huit livres de commentaire que Jérôme lui consacre sont également son travail exégétique le plus considérable. Et c'est aussi l'un des plus achevés. Avant de l'entreprendre à soixante ans passés[31], Jérôme en avait d'abord terminé avec les derniers commentaires sur les « petits » prophètes, parmi lesquels figuraient — était-ce un hasard ? — les plus volumineux d'en-

---

28. Aussi les observations précédentes valent-elles encore, quoique à un degré moindre, pour l'ouvrage de W. HAGEMANN, *Wort als Begegnung mit Christus. Die christozentrische Schriftauslegung des Kirchenvaters Hieronymus* (= Trierer Theologische Studien 23), Trier, 1970, XXXI-236 pages. Issu d'une thèse de la Grégorienne, ce travail plus théologique qu'exégétique se préoccupe du contenu de l'exégèse plus que de sa méthode et tire profit, dans cette perspective, de l'étude d'Y. Bodin sur *St Jérôme et l'Église* (Paris, 1966). Mais il reste fort près de ses sources, en particulier de Penna qu'il utilise beaucoup, sans recul critique.

29. Les deux aspects ne sont d'ailleurs pas sans lien. Les commentaires des prophètes, dans lesquels Jérôme part désormais de sa traduction sur l'hébreu, traduisent au plan de l'exégèse le choix qu'il a fait de *l'hebraica ueritas*. Voir plus loin p. 46.

30. C'est en effet de l'hiver 392-393 qu'on peut dater avec une très grande probabilité les premiers commentaires sur les petits prophètes. (Voir la note 89 du ch. II). Jérôme vient alors d'avoir quarante-cinq ans.

31. Sur la composition du *Commentaire sur Isaïe* voir plus loin p. 66.

tre eux [32]. Le *Commentaire sur Isaïe* est donc le fruit d'une méthode expérimentée de longue date [33].

Les vastes dimensions de l'œuvre pourraient cependant constituer un obstacle sérieux, s'il s'agissait d'étudier pour son contenu et dans son ensemble l'exégèse que Jérôme y présente d'Isaïe. L'ampleur du champ d'investigation, où s'accumulent des prophéties de première importance, les difficultés de la recherche des sources rendraient en effet la tâche presque impossible. On peut en juger par les deux volumes de l'enquête qu'Yves-Marie Duval a consacrée au petit livre de Jonas [34] et qui est un modèle du genre. Sans doute de telles recherches peuvent-elles apporter des éclairages non négligeables sur la pratique exégétique des commentateurs qu'elles concernent, mais elles le font pour ainsi dire en passant, car là n'est pas leur objectif.

C'est au contraire Jérôme comme praticien de l'exégèse, et non comme témoin de l'interprétation d'un livre biblique, c'est sa conception exégétique envisagée pour elle-même, avec ses méthodes et ses procédés, que se propose d'éclairer cette étude du *Commentaire sur Isaïe*. Dans cette perspective, loin de présenter des inconvénients, l'ampleur de l'ouvrage, qui ne laisse pas d'être impressionnante, offre entre autres avantages celui de donner à l'étude statistique, là où elle a son intérêt, des bases d'autant plus solides qu'elles sont plus larges. Elle préserve aussi des erreurs d'optique qui peuvent naître de l'intervention de facteurs occasionnels, quand le champ d'observation est trop étroit pour qu'apparaisse leur caractère exceptionnel.

Ainsi, que ce soit par son ampleur, par l'importance du prophète qu'il explique, par la situation privilégiée qu'il occupe dans l'œuvre exégétique de Jérôme, le *Commentaire sur Isaïe* offre sans doute pour la connaissance de l'exégèse hiéronymienne le meilleur terrain d'observation qui soit [35]. A défaut de synthèses générales actuellement prématurées, son étude, plus que celle d'aucun autre commentaire, devrait permettre de dégager sur cette exégèse des conclusions partielles sans doute, mais néanmoins de quelque ampleur et de quelque portée.

Encore faut-il l'aborder sans préjugé, et la chose ne va pas de soi. Effectivement, des siècles d'exégèse chrétienne et, au long de ces siècles, l'intérêt témoigné à l'œuvre de Jérôme, s'interposent entre lui et nous, si bien qu'il semble presque impossible de porter aujourd'hui sur son exégèse un regard neuf. C'est pourtant ce à quoi une telle recherche doit tendre sous peine de

---

32. L'*In Zachariam*, l'*In Osee* et l'*In Amos* qui, avec l'*In Ioelem* et l'*In Malachiam*, terminent à l'automne 406 la série de ces commentaires sont en effet les seuls à atteindre trois livres. Manifestement Jérôme avait évité de commencer par les plus longs. Le moment venu de passer aux grands prophètes, le même réflexe probablement lui fera choisir de commencer, en 407, par le livre de Daniel, de beaucoup le plus court des quatre.

33. Assez avisé pour s'apercevoir que la nouvelle formule, plus rapide et plus elliptique, qu'il avait essayée dans l'*In Danielem*, n'était pas satisfaisante, Jérôme revient en effet pour l'*In Isaiam* à sa méthode antérieure.

34. Y.-M. DUVAL, *Le livre de Jonas dans la littérature chrétienne grecque et latine. Sources et influence du Commentaire sur Jonas de saint Jérôme*, Paris, 1973, 2 vol., 748 pages (pagination continue).

35. Le *Commentaire sur Zacharie* mériterait aussi une attention particulière, du fait de la découverte du commentaire correspondant de Didyme (ci-dessus n. 10) qui permet de confronter les deux œuvres.

manquer son objet. Le but poursuivi commande, à vrai dire, la méthode. Il n'y en a pas d'autre, en l'occurrence, qu'un examen aussi attentif que possible des huit cents pages de notre *Commentaire* [36]. Les versions différentes dans lesquelles s'y présente le texte du prophète, la manière dont y apparaissent les sens divers de l'Écriture, le vocabulaire par lequel ils y sont désignés, les procédés qui concourent à les établir, la visée ou le contenu de ces niveaux d'interprétation, tous ces éléments constitutifs d'une exégèse sont autant de réalités observables, sur lesquelles des analyses rigoureuses devraient mener à des constatations précises permettant de rejoindre Jérôme exégète dans son langage et ses démarches de pensée.

C'est là, très exactement, l'ambition de cette étude. Cela ne veut pas dire, bien entendu, qu'elle renonce aux éclairages latéraux venus du reste de l'œuvre. On verra au contraire qu'ils ont leur importance. Elle n'écartera pas non plus les confrontations entre Jérôme et ses émules, tout en se défiant des assimilations hâtives qui obnubileraient ou gauchiraient les résultats de l'enquête. Mais elle devra absolument se garder des pièges de l'anachronisme. Observer en effet l'exégèse de Jérôme à travers le prisme des élaborations ultérieures serait en quelque sorte aplatir le relief, escamoter les différences, s'interdire en définitive de saisir quelle était, au moment où elle est apparue, la spécificité de cette exégèse. A plus forte raison doit-on se refuser à la ramener trop vite à des catégories de pensée et à un vocabulaire modernes, qui ne peuvent que lui être extérieurs. C'est à ce prix qu'on peut espérer, à travers l'étude d'une œuvre majeure, ressaisir dans leur vérité l'intention et la démarche de Jérôme commentateur de l'Écriture [37].

La même exigence implique qu'en revanche on ne laisse pas dans l'ombre ce qui, en amont de cette œuvre, peut permettre de bien la situer pour mieux la comprendre. Il faudra donc, avant de s'engager dans cette recherche, assurer d'abord les éclairages indispensables sur les influences au carrefour desquelles le *Commentaire sur Isaïe* est apparu : héritage d'une tradition exégétique antérieure, sans doute, mais, tout autant, d'un itinéraire personnel de Jérôme.

On pourra alors interroger l'œuvre elle-même sur la conception du commentaire qui s'y exprime, sur la manière dont le texte du prophète y est présenté, sur le rôle que jouent aux yeux de l'exégète, dans l'établissement de

---

36. Dans l'édition du *Corpus Christianorum* (= CC 73 et 73 A). Dans la *Patrologie Latine* de Migne l'*In Isaiam* occupe 660 colonnes du tome 24, auquel il sera renvoyé dans la suite de l'étude par la seule indication de la colonne et de sa lettre-guide. Pour les références aux autres œuvres de Jérôme voir plus loin la Bibliographie, Première section : I. Œuvres de Jérôme, p. 435.

37. L'état de l'édition de l'œuvre de Jérôme ne simplifie pas la tâche. La dernière édition complète en est celle de la PL qui se borne à reprendre les travaux de Vallarsi. Il est vrai que depuis quelques années on peut lire tous les commentaires touchant l'A.T. dans les volumes du *Corpus Christianorum, Series Latina*. Mais lorsque cette collection ne peut reproduire une édition critique moderne, ses ambitions comme sa réussite sont inégales. L'édition de l'*In Isaiam* qu'y a donnée M. Adriaen en 1963 n'est malheureusement pas de celles qui font oublier les précédentes. On comprend que l'ampleur démesurée de la tradition manuscrite ait fait reculer l'éditeur. Mais il ne nous dit pas la valeur qu'il accorde aux quelques témoins qu'il retient et dont il laisse d'ailleurs les leçons dans l'apparat. Même si l'on admet avec lui que « pour le sens le texte a été transmis assez fidèlement tant par les manuscrits que par les éditeurs » (CC 73, p. VI), l'insuffisance de l'édition qu'il en donne au regard des exigences critiques ne laisse pas d'être gênante pour des études textuelles précises.

la traduction latine du texte sacré, l'original hébreu et ses différentes versions grecques, à commencer par les Septante. Il y a là autant de préalables philologiques à éclaircir avant d'aborder, avec l'étude des différents sens de l'Écriture dans la pratique exégétique de Jérôme, le cœur de la recherche.

Exégèse littérale puis interprétation spirituelle, telles qu'elles apparaissent sous leurs multiples aspects dans notre Commentaire, feront ainsi l'objet d'une enquête minutieuse. Et, en un troisième temps, une mise au point indispensable clarifiera la notion de prophétie et ses rapports aux deux grands sens traditionnels.

Il restera à préciser la vision de l'Écriture qu'implique et que reflète à la fois l'exégèse mise en œuvre par Jérôme dans son *Commentaire sur Isaïe*, avant d'essayer de dégager en conclusion les traits majeurs de cette exégèse hiéronymienne et de mesurer la part d'originalité qu'elle présente par rapport à ses devanciers et à ses contemporains.

CHAPITRE PREMIER

Situation du « Commentaire sur Isaïe »

Si, sur la foi de Prosper d'Aquitaine, on situait en 331 [1] la naissance de Jérôme, comme le faisait encore Érasme, c'est à plus de soixante-quinze ans qu'il aurait entrepris de consacrer à Isaïe le plus volumineux et le plus remarquable de ses commentaires de l'Écriture. En fait il n'était pas si âgé et la critique moderne, écartant à juste titre la chronologie de Prosper [2], l'a considérablement rajeuni. Il reste que la date de 347 jusqu'à laquelle invite à descendre F. Cavallera, le plus sérieux de ses récents biographes [3], fait encore du *Commentaire sur Isaïe*, commencé en 408, l'œuvre d'un sexagénaire. C'est dire de quelle longue expérience cet ouvrage recueille les fruits. On ne saurait donc l'aborder correctement sans se remettre d'abord en mémoire les composantes de la formation intellectuelle de Jérôme, les cheminements de son œuvre antérieure et aussi les influences qu'ont exercées sur lui, outre les conditions mêmes de son existence, son entourage et ses relations.

Héritage d'une vie, le *Commentaire sur Isaïe* l'est encore d'un genre : le commentaire, c'est-à-dire l'explication suivie d'un livre biblique, n'est pas la seule forme qu'ait revêtue, dans la littérature des premiers siècles chrétiens, l'explication de l'Écriture ; ce n'en est même pas la plus ancienne, bien que

---

1. Ou plutôt en 330. Les deux notices de la *Chronique* de Prosper qui intéressent Jérôme ne concordent pas exactement. On peut lire à l'année 331 : « Hieronymus nascitur » (PROSPER, *Chronique*, MGH, *Chronica minora*, éd. Mommsen, t. I, p. 451) et à l'année 420 : « Hieronymus presbyter moritur anno aetatis suae XCI prid. Kal. octobris » (*ibid.*, p. 469), ce qui place sa naissance en 330, avant le 30 septembre.
2. Cette chronologie entraîne en effet à des contradictions insurmontables avec les données fournies par l'œuvre même de Jérôme. La tentative de Pierre Hamblenne pour la réhabiliter (*La longévité de Jérôme : Prosper avait-il raison ?* dans *Latomus* 28, 1969, p. 1081-1119), à laquelle s'est rallié Kelly (ci-dessous n. 8), n'est pas convaincante. Voir mon étude *Sur la date de naissance de saint Jérôme*, dans la *Revue des études latines* 51, 1973, p. 262-280.
3. CAVALLERA (F.), *Saint Jérôme, sa vie et son œuvre*, 1re partie, t. I et II, Louvain-Paris, 1922 (la deuxième partie n'a jamais vu le jour). La question de la date de naissance de Jérôme y est traitée de façon systématique au début du t. II (p. 3-12). Voir à l'appui de ses conclusions, outre mon étude mentionnée note précédente, l'article d'Alan D. BOOTH, *The date of Jerome's birth*, dans *Phoenix* 33, 1979, p. 346-353.

Jérôme le reçoive d'une tradition vieille de deux siècles. Il importe donc d'en saisir les caractères spécifiques pour en mesurer la portée.

Enfin la lecture du livre d'Isaïe dans l'éclairage de la foi chrétienne commence dès le Nouveau Testament, en écho probable à la pratique de Jésus lui-même [4]. Très vite le recueil prophétique dont Jérôme écrira qu'il « renferme tous les mystères du Seigneur [5] » donne lieu à une utilisation liturgique, il nourrit la réflexion chrétienne et on y recourt dans les controverses doctrinales [6], il alimente la prédication courante [7], avant même que lui soient consacrées des œuvres proprement exégétiques. A ce plan également l'héritage est donc riche. Il faudra en dresser un rapide inventaire avant d'aborder l'étude de la genèse du commentaire hiéronymien.

I — LA PRÉPARATION LOINTAINE

A — Le « Commentaire sur Isaïe » héritage d'une vie

Il n'est pas question d'ajouter ici à la série déjà longue des biographies modernes de Jérôme. La tâche serait doublement inutile. Tout d'abord, en effet, pour les données biographiques, on peut encore aujourd'hui renvoyer commodément le lecteur à l'ouvrage de F. Cavallera qui reste valable pour l'essentiel et dont le deuxième volume fournit de toute façon sur chaque point délicat, notamment de chronologie [8], toutes les pièces du dossier. Ensuite et surtout, ce qui importe à cette étude, c'est moins le détail des événements d'une vie que les aspects majeurs d'une biographie intellectuelle, les étapes d'un itinéraire, les rencontres qui l'ont jalonné, bref les influences qui ont marqué Jérôme de façon décisive et d'abord celle de ses maîtres.

1. L'empreinte des maîtres

Jérôme n'a rien en effet d'un autodidacte. A Domnion qui se faisait l'écho discret des critiques que répandait à Rome, contre l'*Aduersus Iouinianum*,

---

4. Voir en particulier *Luc.* 4, 16-21 (épisode de la synagogue de Nazareth).
5. *In Is.*, Prol. : « ... cum uniuersa Domini sacramenta praesens Scriptura contineat... » (18 AB).
6. Qu'on pense par exemple à la place d'Isaïe dans les *Testimonia* de Cyprien.
7. On en a des témoignages à travers l'homilétique postérieure, avec les *Homélies sur Isaïe* d'Origène dont plusieurs nous ont été conservées par une traduction de Jérôme (voir plus loin p. 62), ou encore, au IVe siècle, avec certains *tractatus* de Zénon de Vérone (PL 11, 462-473).
8. CAVALLERA (F.) *Saint Jérôme...* (ci-dessus n. 3). Des correctifs doivent cependant lui être apportés sur quelques points de chronologie, à la suite notamment de plusieurs études de P. Nautin, auxquelles il sera renvoyé dans la suite de ce travail. Voir également l'article d'Alan D. BOOTH, *The chronology of Jerome's early years* (dans *Phoenix* 35, 1981, p. 237-259), ainsi que mon étude sur *La datation des premières traductions de l'Ancien Testament sur l'hébreu par saint Jérôme* (dans la *Revue des études augustiniennes* 28, 1982, p. 208-212) et, ci-dessous, l'ANNEXE I. L'ouvrage récent de J.N.D. KELLY, *Jerome, his life, writings and controversies* (London, 1975, XI-353 pages), qui comble heureusement une lacune des études hiéronymiennes de langue anglaise, ne marque pas, pour les données biographiques, un progrès décisif par rapport à Cavallera, dont le second volume reste un précieux instrument de référence.

« parmi les cercles d'ignorants et les banquets de bonnes femmes », un moine braillard, il rappelle avec fierté ses propres études philosophiques et ses maîtres en Écriture sainte avant d'accabler de son ironie un adversaire qui a pu devenir parfait « *absque praeceptore* »[9]. Il se donnerait plutôt quant à lui pour un perpétuel étudiant, toujours en quête de guides compétents capables de l'initier aux savoirs nouveaux vers lesquels le pousse son insatiable curiosité ou dont ses travaux scripturaires lui révèlent la nécessité. « Quand j'étais jeune », écrit-il, la cinquantaine passée, à ses amis Pammachius et Océanus, « j'étais entraîné par une extraordinaire ardeur à m'instruire, loin d'être à moi-même mon maître selon la présomptueuse manière de certains. J'ai à Antioche souvent écouté Apollinaire de Laodicée et l'ai fréquenté... Ma tête commençait à blanchir et convenait plutôt à un professeur qu'à un étudiant ; j'ai pourtant fait le voyage d'Alexandrie pour écouter Didyme... Les gens croyaient que j'avais fini de m'instruire : derechef, à Jérusalem et à Bethléem, avec quelle peine, et à quel prix, ai-je suivi, la nuit, les leçons de Baranina !...[10] » Ces maîtres de son âge mûr qui furent ses guides sur les sentiers des Écritures, nous allons les retrouver. Mais le souci, qui l'a porté vers eux, de se faire inlassablement disciple sans égard à son âge lui vient de plus loin ; sans doute Jérôme le doit-il à l'empreinte profonde laissée en lui par celui qui avait, le premier, incarné à ses yeux d'adolescent le prestige du savoir, au maître qu'il n'évoque jamais sans l'appeler *praeceptor meus*, le grammairien Aelius Donatus[11].

Donat   Jérôme ne nous dit pas ce que lui ont apporté les années passées à l'école de Donat. Mais nous sommes assez bien renseignés sur ce qu'il a dû y faire. La tâche du *grammaticus* était en effet bien définie, elle recouvrait traditionnellement deux domaines : étude théorique de la bonne langue et explication des poètes, dont Quintilien nous rappelle qu'ils correspondaient aux deux catégories de la grammaire hellénique, la « méthodique » et l'« historique »[12]. Que Jérôme ait tiré profit de la science grammaticale du

---

9. *Epist.* 50, 1 et 2, en 393 (trad. Labourt, t. II, p. 150). Voir aussi le Prologue du *De uiris* où, conscient d'avancer sans guide, Jérôme déclare « avoir, comme on dit, le plus mauvais des maîtres », c'est-à-dire lui-même (PL 23, 603 B). Il écrira encore en répliquant à Rufin : « Si ce n'était trop long et si cela ne sentait son vaniteux, je pourrais te montrer l'intérêt qu'il y a à fouler le seuil des maîtres et à recevoir le savoir de savants » (*Apol. adu. Rufinum* I, 20 : PL 23, 414 A). Il est bien, en cela, d'un temps où les milieux lettrés tendaient de plus en plus à confondre la culture avec l'érudition (Voir J. FONTAINE, *Isidore de Séville et la culture classique dans l'Espagne wisigothique*, Paris, 1959, t. I, p. 30-31 et H.I. MARROU, *Saint Augustin et la fin de la culture antique*, 4ᵉ éd., Paris, 1958).

10. « Dum essem iuuenis, miro discendi ferebar ardore, nec iuxta quorumdam praesumptionem ipse me docui. Apollinarem Laodicenum audiui Antiochiae frequenter et colui... Iam canis sparge-batur caput et magistrum potius quam discipulum decebat. Perrexi tamen Alexandriam, audiui Didymum... Putabant me homines finem fecisse discendi : rursum Hierosolymae et Bethleem quo labore, quo pretio Baraninam nocturnum habui praeceptorem ! » (*Epist.* 84, 3, en 399).

11. En 380-381 Jérôme note dans la *Chronique* à l'année 354 : « Victorinus rhetor et Donatus grammaticus praeceptor meus Romae insignes habentur » (*Chronique*, a. 354, éd. Helm = GCS Eusebius Werke 7, 239). Dans le *Commentaire sur l'Ecclésiaste* en 388 (voir ANNEXE I), il évoque une boutade du maître à propos d'un vers de Térence : « Vnde praeceptor meus Donatus, cum istum uersiculum exponeret... » (PL 23, 1019 A). Enfin, en 401, répliquant à Rufin, il mentionne, parmi les commentaires d'autres grammairiens, ceux de Donat sur Térence et Virgile (*Apol. adu. Rufinum* I, 16 : PL 23, 410 AB. Texte ci-dessous note 15).

12. QUINTILIEN, *I.O.* I, 9, 1 : « ... partes duae quas haec professio pollicetur, id est ratio loquendi

maître, quelques réminiscences probables, dans son œuvre, de l'*Ars Maior* de Donat le donnent à penser [13].

Mais l'essentiel était l'explication des poètes ou, pour mieux dire, des auteurs. Car, observe encore Quintilien, « lire les poètes ne suffit pas, il faut passer au crible des écrivains de tous les genres [14] ». C'est bien ce qu'a fait Jérôme, d'après les échos que nous renvoie son œuvre des lectures qui furent alors les siennes [15]. Cicéron, Salluste y côtoient Virgile, qui reste « le Poète », et Térence, dont la fortune auprès des grammairiens de l'époque impériale est attestée par les nombreux commentaires qui lui sont consacrés. Il y en a d'autres, prosateurs et surtout poètes, de moindre envolée, ou simplement moins en faveur, mais aucun ne menace la suprématie du prestigieux « quadrige » qui constitue alors la base solide de l'enseignement du grammairien. Par-delà les souvenirs anecdotiques qu'il en a gardés, et sans parler des citations et des réminiscences qui émaillent en foule son œuvre [16], cette lecture

---

et enarratio auctorum, quarum illam methodicen, hanc historicen uocant. » Cf. aussi I, 4, 2 : « Haec igitur professio, cum breuissime in duas partes diuidatur, recte loquendi scientiam et poetarum enarrationem... » (éd. Winterbottom, Oxford, 1970, t. I, p. 57 et p. 22). Sur cet enseignement et ses méthodes, voir H.I. MARROU, *Histoire de l'éducation dans l'Antiquité*, 6ᵉ éd. revue et augmentée, Paris, 1965, p. 400 et suiv.

13. G. BRUGNOLI (*Donato e Girolamo*, dans *Vetera Christianorum* 2, Bari, 1965, p. 139-149) rapproche HIER. *Lib. Hebr. Nom.* PL 23, 799 et 841 = Lag. 22, 27 et 61, 25 de DONAT, *Ars Gramm.*, éd. Keil = *Grammatici Latini* 4, 368, 9-10 (sur la lettre H), et HIER. *Epist.* 78, 35 de DONAT, *Ars Gramm.*, *ibid.*, 4, 402, 3-5 (sur l'antiphrase). On peut y ajouter HIER. *in Danielem* 11, 17 a (PL 25, 564 B) à rapprocher de DONAT, *Ars Gramm.* 4, 395, 3-4 (cf. note de Glorie dans CC 75 A, p. 911). Sur Donat et Jérôme, l'étude de Brugnoli, meilleure que les relevés incomplets et sans vues synthétiques de F. LAMMERT (*De Hieronymo Donati discipulo, Commentationes Philologiae Ienenses* 9, 2, 1912), reste superficielle. Mais on dispose maintenant de l'ouvrage de L. HOLTZ, *Donat et la tradition de l'enseignement grammatical*, Paris, 1981.

14. QUINTILIEN, *I.O.* I, 4, 4 : « Nec poetas legisse satis est ; excutiendum omne scriptorum genus... » Il est vrai que plus loin (*ibid.* II, 5, 1) il paraît vouloir réserver au rhéteur la lecture des historiens et des orateurs. Mais il ressort du contexte que cela correspond à une expérience pédagogique personnelle plutôt qu'à l'usage ordinaire. Il reconnaît de toute façon, quelques lignes plus bas, que la lecture commentée qui s'arrête aux questions de langue et de vocabulaire « doit être considérée comme bien au-dessous de la tâche du rhéteur » (*ibid.* 5, 4). Du reste, dans le chapitre même où il déplore, au début du livre II, l'évolution qui a amené le grammairien à déborder sur le domaine du rhéteur, il associe sur le même plan, comme apanage du grammairien, poètes et historiens, l'empiétement portant visiblement à ses yeux non sur les limites d'un programme d'auteurs, mais sur l'intrusion du *grammaticus* dans des domaines propres à la rhétorique comme les *suasoriae* (*ibid.* II, 1, 2).

15. Voir par exemple *Apol. adu. Rufinum* I, 16 : « Puto quod puer legeris Aspri in Vergilium et Sallustium Commentarios, Vulcatii in Orationes Ciceronis, Victorini in Dialogos eius et in Terentii Comoedias praeceptoris mei Donati aeque in Vergilium, et aliorum in alios : Plautum uidelicet, Lucretium, Flaccum, Persium atque Lucanum » (PL 23, 410 AB).

16. Sur les citations et réminiscences des auteurs païens dans l'œuvre de Jérôme et d'une façon générale sur son attitude vis-à-vis de la culture profane, voir les études de A.S. PEASE, *The attitude of St Jerome towards pagan literature*, dans les *Transactions and Proceedings of the American Philological Association* 50, 1919, p. 150-167 et de E.A. QUAIN, *St Jerome as a humanist*, dans le recueil de F.X. MURPHY, *A monument to saint Jerome*, New York, 1952, p. 201-232. Mais l'ouvrage fondamental est désormais celui de Harald HAGENDAHL, *Latin Fathers and the Classics. A study on the Apologists, Jerome and other christian Writers* (= Studia Graeca et Latina Gothoburgensia VI, Göteborgs Universitets Årsskrift, LXIV, 2), Göteborg, 1958 (chapitre II, Jerome and Latin Literature, p. 89-328). Voir le compte rendu, riche de suggestions, qu'en a donné J. Fontaine, dans la *Revue des Études Anciennes* 61, 1959, p. 534-540. Les dépouillements minutieux et méthodiquement exploités de Hagendahl rendent caduque, pour les auteurs latins, l'étude de E. LÜBECK, *Hieronymus quos nouerit scriptores et ex quibus hauserit*, Lipsiae, 1872.

commentée des grands auteurs à l'école d'un maître exceptionnel a laissé en Jérôme une empreinte profonde. C'est dans la familiarité de ces textes que s'est formée son intelligence, éveillée sa sensibilité, modelé son goût littéraire. Il s'en apercevra plus tard lorsqu'il éprouvera, comme Augustin et pour la même raison, un premier mouvement de recul à la lecture des Écritures : après la lecture des classiques, « *sermo horrebat incultus* », confessera-t-il à Eustochium [17]. Pour le moment, non content d'en nourrir sa mémoire, qui était assez bonne pour lui permettre de rétorquer à Rufin quelque quarante ans plus tard qu'il lui faudrait pour le moins boire de l'eau du Léthé pour oublier ce qu'il avait appris [18], il met encore « tout son soin et sa peine » à se constituer une bibliothèque classique, qui l'accompagnera — ô paradoxe ! — jusque sur les chemins de sa tentative ascétique [19]. En un moment où Jérôme voyait sa vocation chrétienne sous l'aspect d'une rupture radicale avec le monde, une telle fidélité n'allait pas sans problèmes. L'orage éclata sous la forme du fameux songe dont il fait une dizaine d'années plus tard à Eustochium le récit haut en couleurs. « Tu es cicéronien, non pas chrétien », s'entend-il reprocher, avant de jurer à son tour : « Seigneur, si jamais je possède des ouvrages profanes, si j'en lis, je t'aurai renié [20] ». Promesse audacieuse ! Jérôme semble l'avoir pourtant tenue un certain temps [21]. Outre le récit du songe, dans la même période une lettre au pape Damase en fait foi. A l'exclamation de la lettre à Eustochium : « Que fait Virgile avec l'Évangile ? » fait écho la condamnation sévère des « prêtres de Dieu qui négligent les évangiles et les prophètes pour lire les comédies, fredonner les mots d'amour des vers bucoliques, s'attacher à Virgile... », oubliant que « les chants des poètes, la sagesse profane, la pompe verbale des rhéteurs », ce sont « nourritures offertes par les démons [22] ».

---

17. HIER. *Epist.* 22, 30 en 384. Cf. AUGUSTIN, *Confessions*, 3, 5 éd. Labriolle, t. I, p. 51. Voir plus loin chapitre III, note 65.

18. HIER. *Apol. adu. Rufinum* I, 30 : « Bibendum igitur mihi erit de Lethaeo gurgite iuxta fabulas poetarum, ne arguar scire quod didici... » (PL 23, 422 C). Il est vrai qu'il élude ainsi l'accusation d'avoir relu ses classiques.

19. Voir *Epist. ad Eustochium* 22, 30 : « bibliotheca quam mihi Romae summo studio ac labore confeceram carere non poteram ». Peut-être Jérôme distinguait-il encore mal la retraite monastique du *secessus* dans la compagnie purificatrice des Muses.

20. « Ciceronianus es, non christianus (...). Domine, si unquam habuero codices saeculares, si legero, te negaui » (*Ibid.*). Le songe a suscité une littérature assez abondante qui n'a pas à nous retenir ici. Bornons-nous à signaler l'article de P. ANTIN, *Autour du songe de Saint Jérôme* (paru dans la *REL* 41, 1963, p. 350-377 et repris, revu et augmenté, dans le *Recueil sur Saint Jérôme*, coll. Latomus XCV, Bruxelles, 1968, p. 71-100), qui fourmille de références bibliographiques.

21. ... Du moins pour ce qui est du deuxième point. Il en prend à témoin Paula et Eustochium dans le prologue du livre III de son *Commentaire sur l'Épître aux Galates* : « Vous savez bien vous-mêmes », écrit-il, « que depuis plus de quinze ans mes mains ne se sont jamais baissées vers un Cicéron, ni vers un Virgile, ni vers aucun des auteurs païens » (PL 26, 399 CD). Mais il ne dit nulle part qu'il ait dispersé ou détruit sa bibliothèque classique...

22. « ... Sacerdotes Dei omissis euangeliis et prophetis uidemus comoedias legere, amatoria bucolicorum uersuum uerba cantare, tenere Vergilium... » (*Epist.* 21, 13). « Daemonum cibus est carmina poetarum, saecularis sapientia, rhetoricorum pompa uerborum » (*ibid.*). Jérôme déborde ici, dans sa sévérité du moment, les positions rigoristes qu'on trouve encore par exemple dans les *Statuts de l'Église ancienne* (sans doute de la fin du Ve siècle) et qui interdisent à l'évêque la lecture des auteurs païens. Sur le christianisme devant la culture classique, voir H.I. MARROU, *Histoire de l'éducation...*, 3e partie, ch. 9, p. 451 et suiv.

C'est dans ce contexte, on ne l'a pas assez remarqué, qu'apparaît pour la première fois sous la plume de Jérôme, pour symboliser la culture profane, l'image de la belle captive du *Deutéronome*, qui ne peut être prise pour épouse par son vainqueur qu'après avoir été purifiée [23]. Quoi d'étonnant, dans ces conditions, à ce qu'il en donne une interprétation plus étriquée qu'Origène à qui il l'emprunte [24] ? Sans doute concède-t-il que si l'on s'est laissé séduire, on peut « tourner au profit de la foi chrétienne ce qu'on trouve en elle d'utile ». Mais il faut bien « se garder de vouloir prendre la captive pour épouse [25] » !

Lorsqu'une quinzaine d'années plus tard, en 398, Jérôme reprendra l'image, l'accent ne sera plus le même. Son ami Pammachius, qu'il encourage à la vie parfaite, est encore invité à choisir la seule sagesse, qui est le Christ. Mais s'il a été « séduit par la beauté de la femme captive, qui est la sagesse profane [26] », qu'il la purifie ; devenue son épouse, elle lui donnera de nombreux enfants... L'extension de l'image ici amorce, si l'on peut dire, un changement de signe. A plus forte raison toute restriction est-elle absente de la lettre à Magnus où, vers la même époque, Jérôme utilise le thème de la captive pour présenter avec vigueur sa propre défense. « Quoi d'étonnant », s'écrie-t-il après s'être couvert de l'autorité de Paul qui a cité lui-même les poètes, « si à mon tour je désire faire de la culture profane, à cause de la beauté de ses membres, c'est-à-dire de la grâce de son style, de servante et captive qu'elle était, une Israélite... et si, m'unissant à son corps purifié, j'ai avec elle des enfants pour le Seigneur [27] ? » Et Jérôme d'invoquer hardiment l'exemple du prophète Osée à qui Dieu a donné un fils de la prostituée qu'il avait prise pour épouse [28]. Quels sont ces « enfants » de la culture profane mise au service de la foi ? Il est difficile de le préciser. Le contexte de la lettre suggère que Jérôme songe en particulier à l'utilisation des textes païens dans une visée apologétique, témoin l'exemple de David utilisant, pour trancher la tête de Goliath, la propre épée de son ennemi [29]. Mais — glissement révélateur — son palmarès des auteurs chré-

---

23. *Deutéronome* 21, 10-14. Dans son étude sur l'*Exégèse médiévale*, H. de Lubac restitue à juste titre à Origène la paternité de cette lecture allégorique, que les modernes semblent avoir oubliée. Mais il ne tient pas compte, en étudiant les textes où Jérôme la reprend, de leur chronologie relative. Son analyse s'en trouve faussée, car l'évolution qu'ils permettent de saisir lui échappe (*cf. Exégèse médiévale...*, 1ʳᵉ partie, t. I, p. 291-293).

24. Voir Origène, *In Lev. hom.* 7, 6. Le passage est traduit par le P. de Lubac, *op. cit.*, p. 291-292. Chez Jérôme (*Epist.* 21, 13) l'utilisation de l'image est étroitement associée à une interprétation également restrictive de la pensée de l'Apôtre Paul à propos des viandes consacrées aux idoles dans sa première lettre aux Corinthiens (cf. I *Cor.* 1, 8, 1-13). L'accent est mis non sur la liberté théorique qu'a le chrétien éclairé de manger de ces viandes puisque à ses yeux les idoles ne sont rien, mais sur les limites qu'apporte à cette liberté le souci, dicté par la charité, de ne pas être pour d'autres occasion de scandale.

25. Hier. *Epist.* 21, 13 (en 383) : « Si quid in eis utile repperimus, ad nostrum dogma conuertimus (...) Cauendum igitur ne captiuam habere uelimus uxorem ».

26. Hier. *Epist.* 66, 8 : « Sin autem adamaueris captiuam mulierem, id est sapientiam saecularem, et eius pulchritudine captus fueris, decalua eam..., laua eam,... et multos tibi fetus captiua dabit ac de Moabitide efficietur Israhelitis ». Jérôme ne fait pas l'hypothèse au hasard. Condisciple de Pammachius, il est bien placé pour savoir leur commune faiblesse en ce domaine. Il évoque du reste au paragraphe suivant des souvenirs de leurs années de rhétorique.

27. « Quid ergo mirum si et ego sapientiam saecularem, propter eloquii uenustatem et membrorum pulchritudinem ex ancilla atque captiua Israhelitin facere cupio, si (...) mixtus purissimo corpori uernaculos ex ea genero Domino sabaoth ? » (*Epist.* 70, 2).

28. Cf. *Osée* 1, 2-4.

29. Hier. *Epist.* 70, 2. Cf. I *Sam.* 17, 51.

tiens commencé dans cette perspective dévie finalement vers un éloge de leurs qualités formelles [30].

Il faut attendre le *Commentaire de Daniel*, en 407, pour voir Jérôme se rapprocher de la largeur de vue origénienne, avec l'exégèse des *uasa domus Dei*, qui lui vient peut-être aussi de l'Alexandrin : ces vases du Temple dont Nabuchodonosor n'a emporté qu'une partie symbolisent les éléments de vérité qu'on rencontre nécessairement quand on feuillette tous les livres des philosophes [31]. La remarque cependant est faite comme en passant, et Jérôme n'ira pas jusqu'à reprendre à Origène l'image, biblique également, des dépouilles des Égyptiens emportées par les Hébreux lors de l'Exode, image plus dynamique qui aurait pu l'aider à dépasser ses vues un peu courtes sur le bon usage des classiques expurgés [32]. Peut-être lui suffisait-il de s'être trouvé des raisons d'assouplir des positions théoriques que risquait de démentir une pratique de plus en plus ouvertement infidèle à l'imprudente promesse du songe [33].

Car on peut se demander si ces justifications, dont il vérifiait d'ailleurs la validité dans son travail de commentateur, ne voilaient pas à ses propres yeux une motivation plus secrète qui l'entraînait à laisser resurgir sous sa plume et dans sa pensée les incantations virgiliennes et les balancements cicéroniens naguère tenus pour coupables. Le Père de Lubac a bien noté que, plus que les richesses de fond — « les paroles sages et savantes » — auxquelles est sensible Origène, ce sont les prestiges de la forme — « la grâce et l'expression » — qui le retiennent chez la « belle captive [34] ». Il suffirait pour s'en convaincre de

---

30. Ainsi Hilaire « a imité les douze livres de Quintilien et dans leur nombre et dans leur style » (allusion aux douze livres du *De trinitate*), et Juvencus « a développé en vers l'histoire du Seigneur et n'a pas craint de soumettre la majesté de l'Évangile aux lois de la métrique » (*Epist.* 70, 5 ; trad. Labourt, t. III, p. 214).

31. HIER. *In Danielem* 1, 2 : « ... animaduertendum secundum anagogen quod rex Babylonis non potuerit uniuersa Dei uasa transferre... sed partem uasorum domus Dei, quae intellegenda sunt dogmata ueritatis. Si enim cunctos philosophorum reuoluas libros, necesse est ut in eis reperias aliquam partem uasorum Dei » (PL 25, 495 C). Mais Jérôme ne manque pas de souligner la limite de cette possession de la vérité par les païens : c'est « une partie des vases de la maison de Dieu, non tous les vases dans leur intégralité et leur perfection que (Nabuchodonosor) a pris » (*ibid.* 496 A). Sans en être véritablement un nouvel avatar, cette exégèse est bien dans l'esprit de la vieille rivalité heurématique entre traditions juive et païenne que connaissait déjà l'apologétique judéo-alexandrine dès l'époque d'Aristobule (cf. EUSÈBE, *Praep. euang.* XIII, 12). Philon ne l'a pas ignorée. Chez les chrétiens, Justin est le premier à reprendre l'idée d'une connaissance des écrits mosaïques par les philosophes grecs. Parmi les Latins contemporains de Jérôme, Ambroise croit à une influence de Jérémie sur Platon en Égypte, et pour Augustin la thèse des emprunts grecs à la tradition judéo-chrétienne a la solidité des évidences historiques (cf. AUGUSTIN, *De doctrina christiana* II, 43, éd. Combès-Farge = Bibliothèque Augustinienne, 1re série, t. XI, Paris, 1949, p. 306 et la note 40, p. 579). Sur cette rivalité heurématique en d'autres domaines, voir J. FONTAINE, *Isidore...* t. I, p. 169-172.

32. Voir *Exode* 3, 22 ; 11, 2-3 ; 12, 35-36 et ORIGÈNE, *Philocalie* XIII, 1 éd. Robinson 65 (= lettre à Grégoire le Thaumaturge sur l'utilité des disciplines profanes pour l'explication des Écritures, SCh 148, 188). Dans le second livre du *De doctrina christiana*, Augustin s'appuie sur cette image pour dépasser des considérations assez utilitaires également et ébaucher une conception plus large et plus libre de la culture chrétienne (*De doctr. christ.* II, 60-61, éd. Combès-Farge, p. 320-332. Cf. aussi *Confessions* 8, 9, éd. Labriolle, t. I, p. 183 et *Contra Faustum* 22, 91, où il renvoie à son développement du *De doctrina christiana*). Voir à ce propos, outre le chapitre d'H. de Lubac déjà cité (ci-dessus n. 23), l'article de E.A. QUAIN, *St Jerome as a humanist* (ci-dessus n. 16), notamment p. 221-223.

33. Voir HAGENDAHL, *Latin Fathers...*, p. 320 et suiv.

34. H. DE LUBAC, *Exégèse médiévale*, p. 293 ; cf. ORIGÈNE, *In Lev. hom.* 7, 6 : « Quaecumque

prêter attention aux termes dans lesquels il évoque, au moment où il se dit et se veut pourtant le plus décidé à y résister, la puissance de séduction des chants des poètes : « On est charmé par cet agrément qui est le leur. Et tandis qu'ils ravissent l'oreille par le rythme des vers et sa douce musique, ils pénètrent aussi l'âme et captivent le cœur jusqu'au tréfonds [35] ». Reste-t-on longtemps insensible au chant de telles sirènes, quand on en a une fois éprouvé la douceur ? Que Jérôme n'ait pu résister, en définitive, à cet enchantement du cœur et de l'esprit atteste la profondeur et la qualité de l'attachement qu'avait su faire naître et développer en lui pour les grands textes classiques l'enseignement de Donat.

Mais là n'en est peut-être pas pour Jérôme, dans la perspective de cette étude, l'acquis le plus important. En effet, plus encore que le contenu de ses lectures d'étudiant, c'est la méthode suivie par le maître pour les commenter qui pouvait marquer notre exégète [36]. Elle n'était pas nouvelle : quelle autre ambition un grammairien, au IVe siècle, aurait-il pu nourrir que de porter à sa perfection le modèle traditionnel ? Comme l'ἐξήγησις (notons le mot) du grammairien alexandrin dont elle était la réplique, l'explication revêtait deux aspects. L'un, plus littéral, l'*interpretatio uerborum*, prenait appui sur la langue et faisait intervenir pour expliquer les mots du texte morphologie, syntaxe, lexicologie, étymologie. L'autre, littéraire, portait sur le fond. Cette *historiarum cognitio*, disons cette étude de tout « ce que racontait » le texte, puisait largement aux sources mythologiques, utilisant catalogues de noms et généalogies. D'autres branches du savoir : histoire, géographie, sciences étaient également mises à contribution. Ainsi s'acquéraient du même coup ces connaissances générales que Quintilien souhaitait voir l'enfant posséder avant de passer aux mains du rhéteur [37]. Les Commentaires conservés de Donat [38] et de Servius permettent de se faire une idée de la manière dont les choses se passaient dans la pratique. La méthode était simple, purement analytique : on avançait lentement, vers par vers, mot par mot, épuisant ce qu'il y avait à dire sur chacun. Le commentaire sur « le fond » prenait le relais de l'explication grammaticale dès que le sens en offrait l'occasion. Une remarque en appelant une autre, le contexte était vite perdu de vue. Essentiellement fragmentaire, la méthode favorisait la compilation des sources, mais elle ne portait guère aux

---

enim bene et rationaliter dicta inuenimus apud inimicos nostros, si quid apud illos sapienter et scienter dictum legimus... » (Or. W. 6, 391).

35. « Haec sua omnes suauitate delectant et dum aures uersibus dulci modulatione currentibus capiunt, animam quoque penetrant et pectoris interna deuinciunt » (*Epist.* 21, 13).

36. Il ne s'agit ici que d'évoquer les aspects majeurs de cette méthode, dont Jérôme a acquis le maniement à l'école de Donat. Ce qu'il en a retenu au plan de sa conception du commentaire et dans sa propre pratique exégétique apparaîtra dans la suite de l'étude, notamment au ch. II, I.

37. Voir QUINTILIEN, *I.O.*, I, 10, 1 : « Nunc de ceteris artibus quibus instituendos priusquam rhetori tradantur pueros existimo strictim subiungam, ut efficiatur orbis ille doctrinae quem graeci ἐγκύκλιον παιδείαν uocant ». Je traduis avec Marrou ἐγκύκλιον παιδείαν par « culture générale » et non, comme P. Antin, par « éducation encyclopédique », les résonances du terme français faussant les perspectives. Il s'agit en fait du cycle complet des études libérales. Voir H.I. MARROU, *Histoire de l'éducation...*, p. 244 et *Saint Augustin et la fin de la culture antique*, p. 227-235.

38. *Commentum Terenti*, éd. P. Wessner, 2 vol., Leipzig, 1902-1905. Le *Commentum Vergili*, perdu, survit à travers le commentaire de Servius. En sont conservées la *Vita Vergili*, la dédicace et l'introduction aux *Bucoliques* (Voir C. HARDIE, *Vitae Vergilianae Antiquae*, 2e éd., Oxford, Clarendon Press, 1960).

regards d'ensemble. Ainsi conduite, l'explication perdait trop souvent de vue son objet pour se complaire dans les minuties d'une érudition gratuite. Sensible dès l'école hellénistique, cette tendance n'avait fait que s'aggraver à Rome. Déjà Juvénal s'était plaint que l'on exigeât du grammairien qu'il sût dire à brûle-pourpoint « le nom de la nourrice d'Anchise ou le nom et la patrie de la belle-mère d'Anchemolus... [39] ». Depuis, plus de deux siècles, où la veine créatrice tarie avait fait place à la prolifération des commentaires, n'avaient rien arrangé. Les *Saturnales* de Macrobe témoigneraient bientôt, à leur façon, de ce goût pour la curiosité érudite à quoi tend à se réduire la culture quand arrive le temps des grammairiens.

C'est dans cet univers intellectuel que le jeune Jérôme s'est trouvé introduit par les leçons de Donat. Plus tard, aidé peut-être par le sérieux de sa foi chrétienne, il semble en avoir pressenti certaines limites [40]. Mais il n'en était pas moins tributaire de ce qu'il avait reçu. Ambitionnant de se faire à son tour commentateur, comment ne se serait-il pas souvenu, fût-ce à son corps défendant, des méthodes à travers lesquelles un maître exceptionnel avait su lui faire découvrir les richesses de Virgile et le charme de Térence ? L'étude du *Commentaire sur Isaïe* nous permettra de préciser ce que leur doit sa conception du commentaire et de mesurer quelle est dans la pratique l'étendue de sa dette.

Pour parfaire sa formation classique, il restait à Jérôme à étudier rhétorique et philosophie. Il nous a laissé ignorer quels furent ses maîtres en ces deux disciplines [41]. Sans doute ne jouissaient-ils ni de la notoriété de Donat, ni du même prestige à ses yeux. Ils n'eurent certainement pas la même importance pour sa formation intellectuelle. Jérôme n'est pas Augustin : ses études philosophiques l'ont, semble-t-il, peu marqué. Comme l'a écrit fort justement Cavallera, « il y vit matière à érudition [42] ». Quant à la rhétorique, dont son style porte si fort l'empreinte, il est certain qu'il a dû s'y complaire — il en fait

---

39. Il est vrai que tout ce que Virgile nous apprend de ce héros dans le seul vers qu'il lui consacre, ce sont précisément ses relations incestueuses avec sa belle-mère (« ... Anchemolum thalamos ausum incestare nouercae ». *Aen.* X, 389). Cf. JUVÉNAL, *Satire* VII, 234-235.

40. Voir HIER. *Epist.* 33, 3 où il exerce son ironie sur l'érudition culinaire sans failles de ses contemporains. Mais c'est pour l'opposer à l'ampleur des connaissances d'un Varron ou d'un Didyme Chalcentère auxquels il va comparer Origène. Dans le *Commentaire sur Isaïe*, nous le verrons résister le plus souvent aux tentations d'une érudition gratuite.

41. On a voulu que, pour la rhétorique, il ait eu pour maître Marius Victorinus. Mais il ne le dit dans aucun des textes où il parle de lui (*Chronique* a. 354 ; *In Epist. ad Gal. praef.* : PL 26, 308 A ; *De uiris illustr.* 101 : PL 23, 702 A). Tout porte à croire au contraire qu'il n'en fut rien. On peut en voir la preuve dans le passage de la *Chronique* (a. 354) où il évoque à la fois Victorinus et Donat. Seul celui-ci est appelé *praeceptor meus* ; c'est donc que l'expression ne pouvait convenir à l'autre. Comme Victorinus fut contraint d'interrompre son enseignement à la suite des mesures scolaires prises par Julien l'Apostat, Jérôme qui était encore à ce moment-là chez le *grammaticus* n'a donc pas pu s'adresser à lui.

42. CAVALLERA, *Saint Jérôme...*, p. 11. C'est bien l'impression que laisse, par exemple, ce passage de l'*Apologie contre Rufin* où Jérôme se complaît à rappeler les divers modes d'argumentation : « Septem modos conclusionum dialectica me elementa docuerunt, quid significet ἀξίωμα, quod nos pronuntiatum possumus dicere, quomodo absque uerbo et nomine nulla sententia fit, soritarum gradus, pseudomeni, argutias, sophismatum fraudes » (I, 30 : PL 23, 422 B). Ce qui semble l'avoir retenu dans l'enseignement philosophique, c'est surtout la dialectique, c'est-à-dire la partie formelle, celle qui touche aux mécanismes et aux procédés de la pensée. Ce ne sont pas les problèmes de fond.

lui-même l'aveu [43] — et elle influença plus durablement qu'il ne le reconnaît ses modes d'expression ; mais son apport restait superficiel. Avec l'enseignement de Donat, l'essentiel était acquis. Jérôme était prêt, le moment venu, à tirer profit, en de tout autres domaines, de l'enseignement de nouveaux maîtres.

Il fallait d'abord pour cela qu'il entrât véritablement dans l'univers de la foi chrétienne. Il avait reçu le baptême à Rome vers la fin de ses études, mais c'est son séjour à Trèves, commencé sans doute avec des espérances d'un autre ordre, qui marqua, avec la naissance de son aspiration à la vie monastique, l'éveil de sa curiosité pour la littérature ecclésiastique. La lecture d'ouvrages comme le *Commentaire sur les Psaumes* d'Hilaire de Poitiers, qu'il transcrivit alors de sa main [44], devait lui faire sentir bientôt la nécessité de s'initier sérieusement à l'étude de l'Écriture, source et raison d'être de cette littérature. C'est en Orient qu'il trouva les trois maîtres qui devaient l'y guider : Apollinaire de Laodicée qu'il écouta à Antioche, Grégoire de Nazianze avec qui il se lia d'amitié à Constantinople, Didyme l'Aveugle enfin qu'il alla entendre à Alexandrie. En matière d'Écriture sainte, il eût pu difficilement mieux choisir.

Apollinaire   Ancien professeur de rhétorique [45], Apollinaire de Laodicée était un homme de grande culture qui, écrit Tixeront, « a passé de son temps pour un des meilleurs et des plus pénétrants théologiens qu'ait eus l'Église [46] ». Ses liens d'amitié avec Athanase d'Alexandrie, la vigueur de son attachement à la foi de Nicée lui valurent, en cette période de lutte contre l'arianisme, un crédit qui détourna longtemps de lui les accusations que finirent par lui attirer ses conceptions christologiques [47]. C'était aussi

---

43. Voir par exemple, dans la lettre 52 à Népotien, l'évocation d'une lettre écrite jadis à Héliodore : « Dans cette œuvre, comme le voulait notre âge d'alors, nous avons fait des jeux littéraires ; fervents encore des exercices et des enseignements des rhéteurs, nous avons brossé quelques tableaux parés de fleurs scolaires » (*Epist.* 52, 1 : trad. Labourt, t. II, p. 172).

44. Voir HIER. *Epist.* 5, 2 : « Interpretationem quoque psalmorum dauidicorum et prolixum ualde de Synodis librum sancti Hilarii quae ei (= Rufin) apud Treueris manu mea ipse descripseram aeque ut mihi transferas peto ».

45. Voir HIER. *De uir. ill.* 104 : « magis grammaticis in adulescentia operam dedit » (PL 23, 703 A). Pour faire pièce à la loi scolaire de l'Empereur Julien, il s'essaya même à composer des « classiques » chrétiens à partir des livres de la Bible (cf. MARROU, *Histoire de l'éducation...*, p. 464 s.). Tentative unique, et sans lendemain, la loi de Julien ayant été rapidement rapportée.

46. TIXERONT (J.) *Histoire des dogmes*, t. II : *De Saint Athanase à Saint Augustin (318-430)*, 2ᵉ éd., Paris, 1909, p. 94. Tout en condamnant ses conceptions hétérodoxes sur la personne du Christ, Épiphane de Salamine, son contemporain, rend hommage à sa vaste culture hellénique et à sa dialectique (*Haer.* 77, 24 : GCS 37 éd. Holl, 1933).

47. Sur les conceptions christologiques d'Apollinaire, voir TIXERONT, *op. cit.*, p. 95 s., et AIGRAIN (R.), article *Apollinaire* dans le *Dictionnaire d'Histoire et de Géographie ecclésiastiques*, t. III (1924), col. 964-965. Très attaché, comme son ami Athanase, à l'orthodoxie trinitaire définie au Concile de Nicée, c'est par réaction contre la théologie antiochienne qu'Apollinaire développa ses conceptions bientôt jugées hétérodoxes concernant la personne du Christ. A l'inverse de la théologie alexandrine qui tendait à partir, dans sa réflexion, de l'unicité de personne dans le Christ, l'école d'Antioche, alors représentée par Diodore de Tarse, était plutôt sensible à la distinction des deux natures, divine et humaine, en Jésus-Christ. La difficulté, dans cette perspective nettement dualiste, était de bien sauvegarder l'unité de personne du Christ, comme le montrera bientôt l'hérésie nestorienne. Soucieux de maintenir cette parfaite unité, Apollinaire n'évita pas l'écueil inverse. Il attribua au Christ une nature humaine incomplète, supposant, dans une perspective dichotomiste, que le Verbe en s'incarnant n'avait pris de l'humanité qu'un corps. Puis, ces idées ayant donné prise à la critique

un maître en exégèse. De Laodicée il venait à Antioche commenter l'Écriture. C'est là que Jérôme l'entendit et le fréquenta assidûment [48]. Etait-ce lors du premier séjour qu'il y fit à son arrivée en Orient, ou quelques années plus tard après son retour du désert de Chalcis, il est difficile d'en décider en toute certitude. Les raisons avancées par Cavallera en faveur de la deuxième hypothèse : brièveté du premier séjour hypothéqué par la maladie, maîtrise encore insuffisante de la langue grecque, n'ont pas paru décisives à P. Courcelle, qui tient pour la première période. Mais cette position a surtout pour elle d'être traditionnelle, et elle n'est nullement étayée par des raisons plus décisives qui contraindraient à s'y tenir [49].

En toute hypothèse, Apollinaire est, chronologiquement, le premier maître que Jérôme se reconnaît dans la science des Écritures et la manière dont il l'évoque plus tard, quand cette fréquentation suspecte pouvait lui être opposée, résume parfaitement son attitude à son égard. « Tandis qu'il m'enseignait l'exégèse biblique », écrit-il à Pammachius et à Océanus, « je n'ai jamais accepté ses opinions litigieuses sur l'intelligence du Christ [50] ». Aussi estime-t-il normal de continuer à le lire, avec les précautions qui conviennent également pour un certain nombre d'écrivains ecclésiastiques qui, par quelque côté, ont suscité des réserves, c'est-à-dire « en recueillant ce qu'ils ont de bon et en évitant le contraire [51] ». De fait, le nom d'Apollinaire se présente souvent sous la plume de Jérôme, accompagné parfois d'un jugement réprobateur, plus fréquemment invoqué avec faveur [52]. Plusieurs passages permettent d'apporter

---

au concile d'Alexandrie de 362, il reconnut ensuite au Christ, dans une perspective trichotomiste, le corps (σῶμα) et l'âme (ψυχή) d'un homme, mais non le νοῦς. Condamnée également comme hérétique, cette explication contenait en germe l'erreur monothéliste, voire le monophysisme, qui tend, à la limite, à vider l'Incarnation de son sens. C'est ce qui explique sans doute que Grégoire de Nazianze ait aussi accusé, à tort, Apollinaire de docétisme (*Epist.* 202 : PG 37, 332-333).

48. « Apollinarem Laodicenum audiui Antiochiae frequenter et colui » (*Epist.* 84, 3).

49. Cf. CAVALLERA, *Saint Jérôme...*, t. II, p. 19 et P. COURCELLE, *Les lettres grecques en Occident de Macrobe à Cassiodore*, Paris, 1943, p. 38, n. 4. La période retenue par Cavallera présente l'avantage de dissocier dans le temps les leçons d'Apollinaire et le premier Commentaire, perdu, sur Abdias, écrit pendant le premier séjour. Or, d'après la manière dont Jérôme parle de cet essai de jeunesse dans le prologue de l'*In Abdiam* (« allegorice interpretatus sum Abdiam prophetam cuius historiam nesciebam » : PL 25, 1097 A), il est à peu près certainement antérieur à la rencontre d'Apollinaire (Voir ma note sur *Jérôme auditeur d'Apollinaire de Laodicée à Antioche*, dans la *Revue des études augustiniennes* 20, 1974, p. 36-41). Sur la date de l'arrivée de Jérôme à Antioche (l'été 374 selon Cavallera) voir l'article d'Alan D. Booth mentionné ci-dessus p. 20, n. 8, qui l'avance, non sans vraisemblance, à l'été 368.

50. « Cum me in sanctis scripturis erudiret, numquam illius contentiosum super sensu dogma suscepi » (*Epist.* 84, 3).

51. « ... Ut bona eorum eligamus uitemusque contraria » (*Epist.* 62, 2 : trad. Labourt, t. III, p. 116).

52. Jérôme mentionne explicitement Apollinaire une quarantaine de fois. En voici les références dans l'ordre chronologique : *In Eph.*, prol. (PL 26, 442 C). *In Gal.*, prol. (*ibid.* 309 A). *In Eccl.* 4, 13-16 (PL 23, 1050 A) ; 12, 5 (*ibid.* 1111 B). *De uir. ill.* 18 (notice sur Papias) et 104 (PL 23, 637 B et 702 B-703 A). *Epistulae* 48, 3 ; 49, 13 ; 61, 1 ; 62, 2 ; 70, 3. *In Mattheum*, prol. (PL 26, 20 C) ; 24, 16-18 (*ibid.* 178 A). *Epist.* 84, 2 et 3. *Apol. adu. Rufinum* I, 13 (PL 23, 407 C) ; I, 16 (*ibid.* 409 C) ; I, 21 (*ibid.* 414 C) ; II, 33 (*ibid.* 455 C) ; II, 34 (*ibid.* 456 A) ; III, 13 (*ibid.* 467 B). *Epist.* 97, 3. *Epist.* 98, 4 et 6 = traduction de la lettre pascale de Théophile. *Epist.* 112, 4 (= citation d'*In Gal.*, prol.) et 20. *In Malachiam*, prol. (PL 25, 1544 A). *In Osee*, prol. (*ibid.* 819 A). *Epist.* 119, 4. *In Danielem*, prol. (PL 25, 491 A, 492 B, 493 A) ; 9, 24 s. (*ibid.* 548 AB, 548 D) ; 11, 44-45 (*ibid.* 575 A) ; 13, 13 (*ibid.* 580 A). *In Isaiam*, prol. (21 A-22 A) ; livre XI, prol. (377 B) ; livre XVIII, prol. (627 C). *Epist.* 126, 1. *In Ezechielem* 36, 1-15 (PL 25, 339 B). Ces références se répartissent

quelques précisions à la notice du *De uiris* qui, à côté de « trente livres contre Porphyre, son meilleur ouvrage », fait état « d'innombrables volumes sur les Saintes Écritures [53] ». Ces indications, qui figurent souvent dans les prologues des Commentaires correspondants de Jérôme, attestent l'utilisation qu'il a faite, tout au long de sa carrière, de l'œuvre de l'exégète de Laodicée. Elles permettent aussi, à défaut de l'œuvre elle-même malheureusement disparue [54], de se faire une idée de la manière d'Apollinaire, telle que la voyait Jérôme.

C'est incontestablement une tendance extrême à la concision qui l'a le plus frappé ! Le mot *breuis* revient trois fois, qualifiant ici un *libellum*, ailleurs des *commentariolos* [55]. C'est là, assure Jérôme, « sa manière habituelle [56] », assez caractéristique pour avoir marqué sans doute aussi son enseignement oral sur lequel nous ne savons rien. Jérôme multiplie les formules, voire les images en ce sens. Dans ses exégèses des prophètes, Apollinaire « effleure le sens plus qu'il ne l'explique », au point que, sur le prophète Osée, on lui a demandé d'écrire un second commentaire ; plus abondant que le premier, il reste encore trop concis, aux yeux de Jérôme qui l'a lu, pour amener le lecteur à une pleine intelligence du texte sacré [57]. Sur Malachie, mieux vaudrait « parler de points d'explication que d'une explication [58] ». Son *Commentaire d'Isaïe* « survole » le texte, sautant d'un point à un autre, prenant des raccourcis, « si bien

---

pratiquement sur l'ensemble de l'œuvre. Huit d'entre elles sont purement négatives et visent son millénarisme (trois), sa christologie (une), des questions d'exégèse (quatre). Quatre autres concèdent qu'Apollinaire est à lire avec discernement ; elles se présentent toutes en contexte d'apologie personnelle lors de la controverse origéniste. Les autres sont neutres ou favorables. La réfutation de Porphyre, en particulier, vaut à Apollinaire de vigoureux superlatifs (*fortissime, plenissime, fortissimos libros, solertissime*).

53. Voici le texte intégral de cette notice : « Apollinarius, Laodicenus Syriae episcopus, patre presbytero, magis grammaticis in adolescentia operam dedit et postea in sanctas Scripturas innumerabilia scribens uolumina, sub Theodosio imperatore obiit. Exstant eius aduersus Porphyrium triginta libri, qui inter cetera eius opera uel maxime probantur » (*De uir. ill.* 104 : PL 23, 701 B-703 A). Il est remarquable qu'elle ne contienne aucune condamnation ni aucune réserve à l'égard de l'évêque hétérodoxe, sorti de l'Église (comme Jérôme le signale ailleurs) d'années avant sa mort récente. Sur le contenu de son œuvre exégétique, nous apprenons par Jérôme qu'il a commenté les Psaumes, Malachie, Osée (à deux reprises) et « d'autres prophètes » (ou « les autres » ? cf. le prologue de l'*In Os.* : « breues et in hunc et in "alios" prophetas commentariolos... »), en tout cas Isaïe. Sur Daniel il a écrit « un gros volume, le vingt-sixième » de son ouvrage contre Porphyre, pour réfuter les attaques contenues dans le douzième livre du Κατὰ χριστιανῶν. Du Nouveau Testament il a commenté, toujours d'après les indications éparses de Jérôme, l'*Évangile de Matthieu* et trois épîtres de Paul : la *Première aux Corinthiens*, l'*Épître aux Galates* et l'*Épître aux Éphésiens*.

54. Il n'en reste que des fragments conservés principalement par les *Chaines* et dont l'étude reste à faire. Cf. DEVREESSE (R.), Article : *Chaines exégétiques grecques*, dans *DBS*, t. I, 1928. Voir pour Isaïe A. MAI, *Noua Patrum Bibliotheca*, VII, 2, p. 128-130, Roma, 1854.

55. « Breui libello... » (*In Malachiam*, prol. : PL 25, 1544 A) ; « breues commentariolos (...) nimia breuitate » (*In Osee*, prol. : *ibid*. 819 A). Cf. *In Eccl*. 4, 13-16 : « breui sermone... » (PL 23, 1050 A).

56. « More sibi solito... » (*In Eccl*. 4, 13-16 : PL 23, 1050 A). Cf. « more suo... » (*In Is*., prol., 21-22).

57. Voici le texte complet du passage : « ... Apollinarem Laodicenum, qui cum in adulescentia sua breues et in hunc et in alios prophetas commentariolos reliquisset, tangens magis sensus quam explicans, rogatus est postea ut in Osee plenius scriberet : qui liber uenit in nostras manus ; sed et ipse nimia breuitate ad perfectam intellegentiam lectorem ducere non potest. » (*In Osee*, prol. : PL 25, 819 A).

58. « ... Non tam interpretatio quam interpretationis puncta dicenda sunt » (*In Malachiam*, prol. : PL 25, 1544 A).

qu'on croirait lire moins des commentaires que des têtes de chapitres [59] ». Une citation que Jérôme lui emprunte dans son *Commentaire sur l'Ecclésiaste* corrobore bien ces appréciations : un commentaire littéral qui va à l'essentiel dégage en deux phrases l'intention d'une suite de plusieurs versets [60]. Le contraste est frappant avec l'exégèse que, selon Jérôme, Origène a faite du même passage, prenant appui sur quelques mots du texte pour en faire une application allégorique au Christ et au diable. Netteté, concision, sens de l'essentiel qui le rend attentif au sens littéral et aux ensembles de versets liés par le sens, tels paraissent bien avoir été les traits marquants de l'exégèse d'Apollinaire, qui l'apparentent à l'école d'Antioche [61]. La perte de l'œuvre rend difficile une exacte appréciation de la dette de Jérôme à son égard. Une chose est certaine cependant : il n'a pas été indifférent qu'il ait reçu cette empreinte avant de s'ouvrir, avec Grégoire de Nazianze, à la tradition alexandrine.

Grégoire   Si Jérôme avait été tenté de suivre Apollinaire dans ses conceptions christologiques, la rencontre de Grégoire de Nazianze l'en eût probablement détourné. Absorbé à Constantinople par la lutte autrement plus urgente contre l'arianisme, celui-ci devait en effet, de retour dans sa ville natale, prendre nettement parti contre l'apollinarisme, comme l'avait fait au moment décisif son ami Basile [62]. Mais ce n'est pas au théologien que pense Jérôme quand il fait mention, à plusieurs reprises, de Grégoire dans ses œuvres, c'est à l'orateur et à l'exégète. Séduit, comme il était prévisible, par sa remarquable éloquence [63], il l'est plus encore par sa science scripturaire et il

---

59. Voici le texte : « Apollinaris autem more suo sic exponit omnia ut uniuersa transcurrat et punctis quibusdam atque interuallis, immo compendiis grandis uiae spatia praeteruolet, ut non tam Commentarios quam indices capitulorum nos legere credamus » (*In Is.*, prol., 21-22).

60. Voici le passage de Jérôme avec la citation d'Apollinaire : « Laodicenus Interpres res magnas breui sermone exprimere contendens, more sibi solito etiam hic locutus est : "De commutatione, inquiens, bonorum in mala nunc Ecclesiastae sermo est, insipientem hominem conantis exprimere, qui futura non cogitans, praesentibus et caducis quasi magnis atque perpetuis delectatur. Et post diuersa quae solent hominibus accidere in uita sua atque mutari, quasi generalem infert de morte sententiam, quod innumerabilis multitudo intereat et paulatim consumatur et transeat, unoquoque in suo loco alium relinquente, et rursum alium, successore moriente"... » (*In Eccl.* 4, 13-16 : PL 23, 1050 AB).

61. Sans doute en était-il moins proche pour l'établissement du texte biblique et l'usage des différentes versions. Jérôme le critique sur deux points de détail, une fois pour avoir suivi Symmaque, jugé aberrant en l'occurrence (*In Eccl.* 12, 5 : PL 23, 1111 B), l'autre pour avoir escamoté, en suivant les Septante, un mot difficile (*In Danielem*, PL 25, 575 A). Il juge surtout sévèrement sa manière assez personnelle de « faire à partir de toutes les versions un vêtement unique de pièces cousues ensemble », au détriment non seulement de la « science », mais de la « norme de vérité » que constitue l'utilisation par les auteurs du Nouveau Testament et le Christ lui-même de la version hébraïque des Écritures (*Apol. adu. Rufinum* II, 34 : PL 23, 456 A). Ce trait, s'il est exact, confirmerait l'indépendance d'esprit d'Apollinaire mais pourrait faire planer un doute sur ses exigences philologiques. Peut-être était-il plus théologien qu'exégète. Voir ci-dessous la note 65.

62. Voir les lettres 101 et 102 de Grégoire à un prêtre de Nazianze, Clédonius (PG 37, 176-193), et sa lettre 202 à l'évêque de Constantinople (*ibid.* 329-333).

63. Après ses études à Césarée et à Athènes avec Basile, Grégoire a dû comme lui « tâter un court moment du métier de rhéteur » (J. BERNARDI, *La prédication des Pères Cappadociens*, Publications de la Faculté des Lettres et Sciences Humaines de l'Université de Montpellier XXX, 1968, p. 94). Sur les huit mentions que Jérôme fait de lui dans son œuvre, six mettent l'accent sur son éloquence. Il le qualifie de *ualde eloquens* (*In Eph.* 5, 32 : PL 26, 535 D), de *uir eloquentissimus* (*De uir. ill.* 117 : PL 23, 707 ; *Apol. adu. Rufinum* I, 13 : *ibid.* 407 C ; *In Isaiam* 6, 1 b :

reconnaît en lui son véritable maître, le qualifiant, comme il le faisait de Donat, de *praeceptor meus* [64]. Il y a là quelque paradoxe si l'on songe que Grégoire n'a pratiquement pas laissé d'œuvre proprement exégétique [65].

C'est, nous dit-il, à Constantinople, dont Grégoire était alors évêque, qu'il fut formé par lui à l'étude des saintes Écritures [66]. Cela situe leur rencontre dans les années 379 à 381 ; Jérôme venait d'Antioche, il avait alors dépassé la trentaine. Cet enseignement n'eut apparemment rien d'officiel ni de public. Jérôme, qui ne dit jamais qu'il a été « l'auditeur » de Grégoire — expression qui caractérise au contraire sous sa plume ses rapports avec Apollinaire et Didyme [67] — lisait l'Écriture avec le maître qui la commentait : tête-à-tête au cours duquel il était facile au disciple de poser des questions, de soumettre ses doutes, d'obtenir des précisions [68]. Jérôme a gardé de ces moments un souvenir très vif, qu'atteste notamment l'anecdote qu'il raconte à Népotien quelque quinze ans plus tard. Interrogé par lui sur un point difficile, Grégoire avec un sourire lui promet la réponse « dans l'église où le peuple l'acclamera ». Il faudra bien alors que Jérôme se contente de ce qui aura suscité les applaudissements des fidèles ! L'épisode témoigne tout à la fois de l'humour du maître et de la simplicité et de la familiarité de leurs rapports [69]. Sa reconnaissance et

---

91 CD) ou *disertissimus* (*Apol. adu. Rufinum* 1, 30 : PL 23, 422 C). Enfin l'anecdote rapportée plus bas (p. suiv. et n. 69) illustre la conscience que Grégoire avait lui-même du pouvoir de son éloquence.

64. Il emploie l'expression trois fois : dans la note qu'il lui consacre dans le *De uiris* 117 (PL 23, 707), dans l'*Aduersus Iouinianum* (I, 13 : *ibid.* 230 C) et dans la lettre 52 à Héliodore (*Epist.* 52, 8). Il l'appelle encore *magister* dans l'*Apologie contre Rufin* (I, 13 : PL 23, 407 C). Et Didyme et lui ont été ses « καθηγητάς in scripturis sanctis » (*Epist.* 50, 1).

65. Il est vrai que, pour Grégoire comme pour Basile et l'immense majorité des Pères, grecs comme latins, la théologie, loin d'être une spéculation indépendante, doit suivre l'Écriture et y puiser les aliments de sa réflexion et les matériaux de son argumentation. Basile reprochait précisément à Apollinaire de traiter la théologie par raisonnements et non par preuves scripturaires (cf. BASILE, *Epist.* 263 : PG 32, 980).

66. « ... Ante annos circiter triginta, cum essem Constantinopoli et apud uirum eloquentissimum Gregorium Nazianzenum, tunc eiusdem urbis episcopum, sanctarum scripturarum studiis erudirer... » (*In Isaiam* 6, 1 b : 91 CD. L'*In Isaiam* a été commencé en 408). Grégoire n'a été confirmé dans ses fonctions d'évêque de Constantinople qu'en mai 381 par le deuxième concile œcuménique tenu dans cette ville. Mais six mois plus tôt, l'empereur Théodose, après avoir écarté Maxime, un philosophe sacré évêque clandestinement, et repris aux ariens les églises de la capitale, avait lui-même conduit Grégoire le 27 novembre 380 à la basilique des Saints-Apôtres où le peuple et le clergé l'avaient acclamé évêque. En réalité, on peut dire qu'il exerçait un épiscopat de fait depuis que la petite communauté nicéenne de la ville, singulièrement réduite par la persécution arienne, lui avait demandé, après la mort de Valens et devant les bonnes dispositions de Théodose envers l'orthodoxie, de prendre sa direction. C'est dans la petite église de l'ἀνάστασις ouverte à ce moment-là que Grégoire avait prononcé ses homélies défendant la foi trinitaire contre l'hérésie arienne. Il n'est pas douteux que Jérôme fait remonter à cette période-là, c'est-à-dire en 379, le début de son épiscopat. Leurs relations cessèrent par la force des choses en juin 381 lorsque Grégoire, poussé par la mort de Mélèce à la présidence du Concile, et n'ayant pas réussi à faire approuver la solution qu'il préconisait pour mettre un terme au schisme d'Antioche, se démit de sa charge et retourna dans sa ville natale. Jérôme pour sa part devait partir pour Rome à la fin du Concile, ayant accepté d'y accompagner les évêques Paulin d'Antioche et Épiphane de Salamine qui allaient y exposer, à un nouveau concile, les problèmes des églises d'Orient.

67. HIER. *Epist.* 84, 3 : « Apollinarem Laodicenum *audiui* Antiochiae (...) Perrexi tamen Alexandriam, *audiui* Didymum ».

68. Cf. HIER. *In Eph.* 5, 32 : « Gregorius Nazianzenus... cum de hoc mecum tractaret loco »... (PL 26, 535 D) ; *Epist.* 52, 8 (texte note suivante).

69. Voici le texte de l'anecdote : « Praeceptor quondam meus Gregorius Nazianzenus rogatus a

son admiration éclatent encore après vingt ans lorsqu'il crie à Rufin sa fierté et sa joie d'avoir eu Grégoire pour maître : « Qui est son égal chez les Latins [70] ? » De fait, il lui devait beaucoup.

Certes, Grégoire n'avait pas composé de commentaires de l'Écriture, mais il avait constitué, probablement avec Basile, plusieurs années auparavant, ce recueil de morceaux choisis d'Origène que constitue la *Philocalie* [71]. Sans parler du quatrième livre du *Periarchôn*, véritable traité d'herméneutique, les extraits de commentaires bibliques y abondent. Cela montre bien à quelle source s'abreuvait Grégoire dans sa propre lecture des Écritures. Il la fit goûter à Jérôme qui s'initia avec passion au vaste univers de l'œuvre origénienne dont l'ampleur ne cessa de l'impressionner [72]. On ne saurait sous-estimer pour l'avenir de ses travaux scripturaires l'importance de cette rencontre. La belle ardeur avec laquelle il entreprend dès ce moment-là de « latiniser Origène » témoigne de son enthousiasme. Il commence par la traduction d'un choix d'homélies sur les prophètes : Jérémie, Ézéchiel et, sans doute aussi à cette date, Isaïe [73]. Des amis l'y encouragent, en particulier le prêtre Vincent, qui lui fournit ses secrétaires et auquel il « promet de traduire non pas toutes les œuvres (exégétiques d'Origène), — ce serait folie de l'assurer — mais un très grand nombre d'entre elles [74] ». Cette promesse ambitieuse connaîtra un commencement d'exécution. A Rome Jérôme traduit deux homélies sur le *Cantique* qui donneront au pape Damase comme un avant-goût des dix tomes de commentaires consacrés par l'Alexandrin à ce livre biblique [75]. Il traduira

---

me ut exponeret quid sibi uellet in Luca sabbatum δευτερόπρωτον, id est "secundoprimum", eleganter lusit : Docebo te, inquiens, super hac re in ecclesia, in qua omni mihi populo acclamante cogeris inuitus scire quod nescis, aut certe, si solus tacueris, solus ab omnibus stultitiae condemnaberis ». Et Jérôme de conclure : « Rien de plus facile que de séduire une plèbe vulgaire et ignorante par un discours volubile car moins elle comprend, plus elle admire ». (*Epist.* 52, 8 : trad. Labourt, t. II, p. 183). Il rappelle en effet cette anecdote pour détourner son jeune correspondant, appelé à prononcer des homélies, de la vanité des succès oratoires.

70. HIER. *Apol. adu. Rufinum* I, 13 : « Numquid... Gregorium uirum eloquentissimum non potui nominare ? Quis apud Latinos par sui est ? Quo ego magistro glorior et exsulto » (PL 23, 407 C).

71. Sur la composition de la *Philocalie*, É. Junod (*Remarques sur la composition de la « Philocalie » d'Origène par Basile de Césarée et Grégoire de Nazianze*, dans la *Revue d'histoire et de philosophie religieuses* 52, 1972, p. 149-156) a apporté aux vues traditionnelles des nuances importantes. L'auteur, qui n'exclut pas que l'ouvrage « ait été compilé par Grégoire pour être ensuite soumis au jugement de Basile » (p. 150), estime que son contenu est sans rapport avec les préoccupations monastiques et ascétiques qui étaient celles des deux amis lors du séjour de Grégoire auprès de Basile près de Néocésarée, et il propose d'en repousser la composition après 360 ou 364 (*l.c.* p. 155).

72. Voir par exemple sa *Lettre* 33 à Paula, dans lequel il rapproche l'œuvre d'Origène de celle de Didyme Chalcentère, le compilateur alexandrin du premier siècle. Dans sa préface à sa traduction des homélies d'Origène sur Ézéchiel, il l'appelle « le premier maître des Églises après l'Apôtre » (PL 25, 583).

73. A Constantinople, Jérôme a traduit quatorze homélies sur Jérémie (PL 25, 583-692), puis quatorze homélies sur Ézéchiel (*ibid.* 691-786). On peut sans doute dater aussi de cette période la traduction de neuf homélies sur Isaïe (PL 24, 901-936). Sur les questions d'authenticité et de datation concernant ces dernières homélies, voir plus loin la deuxième partie de ce chapitre, p. 62-63.

74. *Translatio homiliarum Origenis in Ezechielem*, prol. : « Hoc spondeo quia (...) non dicam cuncta, quia hoc dixisse temerarium est, sed permulta sum translaturus ». (PL 25, 586 A).

75. *Interpret. hom. Origenis in Cant.*, prol. : « ... hos duos tractatus (...) interpretatus sum, gustum tibi sensuum eius, non cibum offerens, ut animaduertas quanti sint illa aestimanda quae

encore à Bethléem trente-neuf homélies sur Luc, faute de pouvoir répondre au vœu de Blésilla qui lui avait demandé naguère une traduction des volumineux commentaires sur Matthieu, sur Luc et sur Jean [76]. S'il s'en tint là [77], c'est sans doute qu'il préférait désormais une autre manière, plus personnelle, de se faire l'écho auprès des Latins des travaux des exégètes grecs qui l'avaient précédé, en écrivant lui-même des commentaires [78]. Mais, quelles que soient les vicissitudes de la controverse origéniste, Jérôme ne cessera de puiser, jusque dans ses derniers Commentaires, à la masse des matériaux rassemblés par son savant devancier.

Dès son séjour auprès de Grégoire, et sans doute avec ses encouragements, il s'était d'ailleurs essayé à commenter, sur deux registres différents, la vision inaugurale du prophète Isaïe, à laquelle touchaient cinq des homélies qu'il venait de traduire [79]. Cette double tentative exégétique se révéla plus réussie que le malheureux essai qu'il avait consacré au petit livre d'Abdias quelques années plus tôt : non seulement Jérôme ne la reniera pas, mais il y renverra encore dans son grand commentaire du prophète [80]. Il avait en effet tiré profit de ses lectures et des leçons de ses maîtres. On y perçoit déjà l'essentiel de sa méthode exégétique et s'il y suit de très près Origène, il sait aussi recourir à d'autres sources et se démarque même de son modèle sur des points importants [81]. On aimerait pouvoir mesurer la part, dans cet essai, de l'influence de

---

magna sunt, cum sic possint placere quae parua sunt » (PL 23, 1118 A). Rufin interprétera plus tard cette phrase comme une promesse non tenue de Jérôme de traduire également les dix volumes du *Commentaire sur le Cantique*. Mais bien qu'il résume cette préface avec une grande précision, il se fie peut-être à sa mémoire, car la promesse qu'il mentionne de « faire bénéficier les oreilles romaines du plus grand nombre possible de livres d'Origène » ne s'y trouve pas. Rufin confond sans doute avec celle que faisait Jérôme à Vincent en lui dédiant la traduction des homélies sur Ézéchiel. (RUFIN, Préface à la traduction des premiers livres du *Periarchón*, éd. Koetschau, Or. W. 5, 3 = HIER. *Epist.* 80, 1).

76. Voir *Transl. homil. Origenis in Luc.*, prol. : « ... illud quod olim Romae sancta Blaesilla flagitauerat ut uiginti quinque tomos illius in Mattheum et quinque alios in Lucam et triginta duos in Iohannem nostrae linguae traderem, nec uirium mearum nec otii nec laboris est » (PL 26, 219 A). La traduction de ces trente-neuf homélies occupe les colonnes 221 à 306. Elle date des alentours de l'année 389 et semble avoir été provoquée par la lecture du commentaire d'Ambroise sur Luc pour lequel Jérôme n'est pas tendre *(ibid.)*.

77. La traduction par Jérôme du *Periarchón* en 399 au fort de la controverse origéniste relève de tout autres préoccupations.

78. Tout en accédant à la demande de Paula et Eustochium pour lesquelles il traduit les *homélies sur Luc*, il leur laisse clairement entendre que ce rôle de simple traducteur ne le satisfait plus : « molestam rem et tormento similem », leur dit-il, « alieno, ut ait Tullius, stomacho et non suo scribere » *(Transl. hom. Orig. in Luc.*, prol. : PL 26, 219 A). Dans sa préface à sa traduction du *Periarchón*, Rufin présentera son entreprise comme la continuation du programme ébauché puis abandonné par Jérôme (Or. W. 5, 3 = HIER. *Epist.* 80, 1).

79. Ce sont les *Lettres* 18 A, commentaire systématique du passage du prophète, et 18 B, notes d'exégèse plus techniques, qui rappellent davantage les scholies d'Origène. Il en fera bientôt l'hommage au Pape Damase. Sur ces deux essais, voir également la deuxième partie de ce chapitre, p. 63-64.

80. Voir *In Is.* 6, 1 : « ad illum itaque libellum mitto lectorem oroque ut breui huius temporis expositione contentus sit » (92 A). Sur le premier commentaire d'Abdias voir plus loin p. 63 et la note 237.

81. Ainsi il refuse, preuves scripturaires à l'appui, l'interprétation d'Origène qui voyait dans les deux *seraphim* le Fils et l'Esprit *(Epist.* 18 A, 4. Cf. *Epist.* 61, 2 et 84, 3). Dans cette dernière lettre, il semble bien présenter comme sienne l'interprétation qui voit en eux les deux Testaments : « Nonne ego detestandam expositionem in duo testamenta mutaui ? »

Grégoire de Nazianze. Il est malheureusement impossible d'en juger sur le contenu de l'exégèse, faute de points de comparaison dans l'œuvre du Cappadocien. Mais un passage du *Discours* 45, sermon prononcé à Nazianze pour la fête de Pâques 383, permet de se faire une idée assez précise de ses vues en matière d'exégèse. Grégoire y rappelle la formule paulinienne sur « la Loi, ombre des réalités à venir », fondement d'une lecture « spirituelle » de l'Écriture dont on peut voir une première annonce dans l'invitation faite par Dieu à Moïse de « regarder et de tout exécuter d'après le modèle (τύπος) qui lui a été montré sur la montagne [82] ». Conception traditionnelle, assurément, que n'eût pas désavoué Origène mais qui, dans sa généralité, déborde les clivages d'école. Avant de la mettre en œuvre dans une minutieuse exégèse du rituel de la Pâque juive, il précise d'une phrase sa méthode, en la présentant comme une voie moyenne entre deux types d'interprétation également condamnables : une lecture pesante et à ras de terre qui vise explicitement le littéralisme juif, et une interprétation qui, à l'inverse, se perdrait dans des spéculations aussi fragiles que l'interprétation des songes et dans laquelle on peut reconnaître les excès de l'allégorisme. Ainsi, tout comme Basile, l'auteur de la *Philocalie* savait prendre ses distances vis-à-vis des dangers de la tradition dont il se voulait l'héritier [83].

La rencontre de Grégoire de Nazianze a donc été pour Jérôme particulièrement importante. Familiarisé avec la Bible par la lecture assidue qu'il en avait faite à Antioche et au désert, mûri par la fréquentation d'Apollinaire, il était prêt à reconnaître dans l'évêque de Constantinople, dont la grande culture était faite pour le séduire, le maître qui pouvait lui faire franchir une étape décisive dans la maîtrise des Écritures. Il ne s'y est pas trompé, et l'attachement sans réserve qu'il a toujours manifesté à son égard témoigne à l'évidence qu'il a vu en lui son véritable maître.

Un des apports essentiels de Grégoire aura été de lui faciliter la découverte, avec Origène, de la grande tradition alexandrine. Le moment ne pouvait être plus favorable ni le médiateur mieux choisi. Doté désormais d'une expérience suffisante pour en apprécier les richesses sans abdiquer toute réaction personnelle, Jérôme trouvait en outre dans l'attitude équilibrée du grand Cappadocien, que l'admiration pour Origène ne rendait pas aveugle sur les dangers de l'allégorisme, un modèle véritablement exemplaire. Nul doute que son esprit n'en ait gardé l'empreinte.

---

82. Cf. Grégoire de Nazianze, *Disc.* 45, 11 : PG 36, 637 A. Sur la loi « σκιὰν τῶν μελλόντων », cf. *Col.* 2, 7 et *Hebr.* 10, 1. L'invitation faite par Dieu à Moïse se trouve dans l'*Exode* 25, 40 et concerne la construction de l'Arche de l'Alliance. On peut remarquer que le verset de l'*Exode* est cité par Grégoire non d'après la version des LXX mais dans le texte de la citation qu'en fait l'*Épître aux Hébreux*, 8, 5 : ὅρα γὰρ φησιν, ποιήσεις πάντα κατὰ τὸν τύπον τὸν δειχθέντα σοι ἐν τῷ ὄρει (LXX, *Ex.* 25, 40 : ὅρα ποιήσεις κατὰ τὸν τύπον τὸν δεδειγμένον σοι ἐν τῷ ὄρει).

83. Voici le passage de Grégoire : "Ὅμως δὲ μέσην χωροῦντες ἡμεῖς τῶν τε πάντῃ παχυτέρων τὴν διάνοιαν καὶ τῶν ἄγαν θεωρητικῶν τε καὶ ἀνηγμένων, ἵνα μήτε παντελῶς ἀργοὶ καὶ ἀκίνητοι μένωμεν, μήτε περιεργότεροι τοῦ δέοντος ὦμεν, καὶ τῶν προκειμένων ἔκπτωτοι καὶ ἀλλότριοι (τὸ μὲν γὰρ Ἰουδαϊκόν πως καὶ ταπεινόν, τὸ δὲ ὀνειροκριτικόν, καὶ ὁμοίως ἀμφότερα κατεγνωσμένα)· οὕτω περὶ τούτων διαλεξόμεθα, κατὰ τὸ ἡμῖν ἐφικτόν, καὶ οὐ λίαν ἔκτοπον, οὐδὲ τοῖς πολλοῖς καταγέλαστον (*Discours* 45, 12 : PG 36, 637 C). Sur la netteté des réserves de Basile, voir par exemple *In Hexam. hom.* 3, 9 où, visant certainement Origène (*In Gen. hom.* 1, 2 ; cf. Hier. *Epist.* 51, 5 et Ambr. *Hexam.* 1, 8, 28), il s'en prend explicitement aux « auteurs de l'Église qui, sous prétexte d'anagogie et de sens plus élevés, se réfugient dans l'allégorie » (PG 29, 73 C). Sur la prudence des philocalistes dans leur présentation de l'herméneutique d'Origène voir É. Junod, *Remarques...*, p. 153.

Didyme   La pure tradition alexandrine telle qu'elle se prolongeait à son
                époque, c'est à Alexandrie même que Jérôme devait la rencon-
trer quelques années plus tard. Entre temps, ses activités à Rome auprès du
pape Damase n'avaient pu que le confirmer dans l'intérêt qu'il portait à
l'Écriture. Conscient que ce serait là désormais une des perspectives dominantes qu'il se donnerait à Bethléem où il était résolu à se fixer, il saisit l'occasion que lui offrait la visite que voulait faire Paula aux monastères de Nitrie
pour pousser jusqu'à Alexandrie et y entendre Didyme, qui dirigeait depuis de
longues années, bien que simple laïc, l'école catéchétique de la métropole
égyptienne [84]. Rufin a souligné non sans acrimonie que ce séjour n'avait pas
été bien long : il dura un mois à peine [85]. Jérôme le mit à profit non seulement pour suivre l'enseignement de l'illustre aveugle, mais encore pour lui
soumettre toutes les difficultés qu'il avait rencontrées dans sa lecture de
l'Écriture [86]. Il obtint même de lui qu'il dictât à son intention un commentaire
d'Osée et un commentaire de Zacharie qui viendraient combler l'un et l'autre
une lacune de l'œuvre d'Origène, qui n'avait pas expliqué intégralement ces
deux prophètes [87]. C'est assez dire quel accueil il rencontra de la part du vieux
maître.

La renommée de Didyme était grande. Son érudition, la pénétration de son
esprit avaient déjà fait, plusieurs décades auparavant, l'admiration d'Antoine,
l'ermite de Thébaïde qui l'avait rencontré [88]. Celle de Jérôme se reconnaît dans
l'épithète de « voyant » que, jouant par antiphrase sur sa cécité, il se plaît à lui
donner [89]. Tout en demeurant réservé envers son origénisme, il loue chez lui

---

84. HIER. *In Osee*, prol. : « ante annos circiter uiginti duos, cum rogatu sanctae et uenerabilis
socrus... Paulae... essem Alexandriae, uidi Didymum et eum frequenter audiui » (PL 25, 819-820).
Jérôme s'adresse à Pammachius auquel est dédié le Commentaire ; peut-être est-ce la raison pour
laquelle il évoque le rôle de Paula dans sa venue à Alexandrie. Mais le but essentiel de son voyage
semble bien avoir été d'entendre Didyme pour mettre à profit sa science scripturaire. Il le dit
nettement dans le prologue de son *Commentaire sur la lettre aux Éphésiens*, plus proche de
l'événement et adressé à Paula elle-même et à sa fille : « nuper ob hanc uel maxime causam
Alexandriam perrexi ut uiderem Didymum... » (PL 26, 440 B). Voir encore *Epist.* 84, 3. On ne sait
à quelle date Didyme l'Aveugle fut placé par Athanase, évêque d'Alexandrie de 328 à 373, à la tête
de l'école catéchétique de la ville. Mais ce que dit Rufin de la rapidité avec laquelle il acquit une
réputation de savant incite à penser qu'il se vit confier assez jeune cette responsabilité (cf. RUFIN,
Hist. Eccl. 11, 7 éd. Mommsen = *Eusebius Kirchengeschichte : die lat. Übersetz. des Rufinus*, Eus.
W. 2, 2, p. 10-12 s.). A l'époque où Jérôme alla l'entendre, il était déjà septuagénaire, étant né en
313 d'après le témoignage de Palladius (*Histoire Lausiaque* 4), qui ne coïncide pas avec celui de
Jérôme dans la notice du *De uiris* (Voir G. BARDY, *Didyme l'Aveugle*, Paris, 1910, p. 3).

85. Voir RUFIN, *Apol. contra Hieronymum* II, 15 : « iste, qui in tota uita sua non totos triginta
dies Alexandriae, ubi erat Didymus, commoratus est,... se iactat Didymi uidentis esse discipulum »
(PL 21, 594). Jérôme ne l'a pas démenti.

86. HIER. *In Eph.*, prol. : « ... Alexandriam perrexi ut uiderem Didymum et ab eo in scripturis
omnibus quae habebam dubia sciscitarer » (PL 26, 440 B).

87. HIER. *In Osee*, prol. : « ... rogauique eum ut, quod Origenes non fecerat, ipse compleret et
scriberet in Osee commentarios ; qui tres libros, me petente, dictauit, quinque quoque alios in
Zachariam. Nam et in ipsum duo tantum Origenes scripsit uolumina, uix tertiam partem a
principio libri usque ad uisionem quadrigarum edisserens » (PL 25, 820 A). Cf. *De uir. ill.* 109 :
PL 23, 705 A et *In Zach.*, prol. (PL 25, 1418 A).

88. Voir *Epist.* 68, 2 où Jérôme fait à Castricianus le récit de cette rencontre. Il y qualifie
Didyme de « uir eruditissimus » et parle à son propos de « ingenium et acumen animi ». Cf. *Epist.*
84, 3 : « ... hominem eruditum » ; *In Osee*, prol. : « ... uirum sui temporis eruditissimum » (PL 25,
820 A).

89. Cf. *Translatio hom. Orig. in Ezechielem*, prol. : PL 25, 583, *Interpretatio lib. Didymi de*

l'orthodoxie trinitaire du théologien dont, à Rome, avant leur rencontre, il avait commencé de traduire le traité sur le Saint-Esprit [90]. Mais c'est comme exégète qu'il l'avoue pour maître en dépit de l'envie, comme Apollinaire [91]. Il le présente au même titre que Grégoire de Nazianze comme son guide en Écriture sainte et reconnaît en avoir beaucoup reçu [92]. Le possessif *meus* vient plusieurs fois donner une coloration affective à l'attachement qu'il lui manifeste assez fidèlement pour évoquer vingt-deux ans plus tard en termes d'amitié, dans la dernière mention qu'il en a faite, leurs relations passées [93].

Jérôme fait référence à Didyme une trentaine de fois dans son œuvre mais c'est certainement beaucoup plus souvent qu'il utilise les nombreux travaux exégétiques de son aîné [94]. La découverte à Toura, en 1941, du *Commentaire sur Zacharie* de l'Alexandrin, en permettant une comparaison précise avec l'ouvrage correspondant de Jérôme, a transformé en certitude ce qui était déjà une sérieuse présomption [95]. Nous aurons l'occasion d'y revenir à propos du *Commentaire sur Isaïe*, et d'apprécier l'ampleur de sa dette mais aussi ses limites, qu'il convient de ne pas oublier. Invoquons simplement ici, pour préciser en quel sens pouvait s'exercer sur lui l'influence de Didyme, son propre témoignage. Rapprochant dans le prologue de son *Commentaire sur Zacharie* l'ouvrage de Didyme de ceux d'Origène et d'Hippolyte sur ce prophète, il observe que « leur exégèse est tout entière allégorique et qu'ils ont à peine touché à l'histoire [96] ». C'est bien aussi notre sentiment à lire l'œuvre retrouvée de l'Alexandrin : Didyme y apparaît comme un pur produit de la tradition alexandrine. Mais Jérôme avait passé l'âge des entraînements irréfléchis et il se trouvait prémuni contre les excès d'un allégorisme mal contrôlé,

---

Spiritu sancto, prol. : PL 23, 104 A, *Epist.* 112, 4. Même idée, sans le terme, dans la lettre à Castricianus (68, 2) : « ... multo melius sit spiritu uidere quam carne... »

90. HIER. *Interpretatio libri Didymi de Spiritu sancto* PL 23, 103-154. Jérôme en a achevé la traduction dans les premiers temps de son séjour à Bethléem.

91. Cf. *Epist.* 84, 3 et *In Eph.*, prol. (PL 26, 440 B).

92. HIER. *Epist.* 50, 1 : « Gregorium Nazianzenum et Didymum in scripturis sanctis κατηγητὰς habui... » *Epist.* 84, 3 : « in multis ei gratias ego. Quod nesciui, didici : quod sciebam, illo docente, non perdidi. »

93. « Didymus, cuius amicitiis nuper usi sumus... » (*In Isaiam*, prol. 21 A). Cf. *Interpr. Did. de Spiritu sancto*, prol. : « ... Didymus meus... » (PL 23, 104 A) ; *Epist.* 112, 4 : « ... Didymum uidentem meum. »

94. Dans sa notice du *De uiris*, Jérôme mentionne les commentaires de Didyme sur les Évangiles de Matthieu et de Jean, sur Isaïe, Osée, Zacharie et Job et « une foule d'autres *(infinita alia)* dont l'énumération demanderait une liste particulière ». (PL 23, 705 A). On trouve encore chez Jérôme mention d'un commentaire sur les Psaumes (*Epist.* 112, 20) et d'une explication de la *Première Épître aux Corinthiens* (*Epist.* 119, 5). La liste est loin d'être complète. Jusqu'aux importantes découvertes de Toura, en 1941, qui nous ont restitué plusieurs de ces œuvres, on n'en connaissait qu'une très faible fraction conservée par les Chaînes.

95. DIDYME L'AVEUGLE, *Sur Zacharie*, éd. Doutreleau, 3 vol., SCh 83-85, Paris, 1962. Comparant les deux œuvres, L. Doutreleau parle dans son introduction de la « copie conforme » de Jérôme (t. I, p. 129). L'expression est à la fois exacte et dangereuse, car elle peut donner à penser que le commentaire hiéronymien se réduit à une imitation servile de son modèle. Or la réalité n'est pas si simple. « Exégèse spirituelle et citations scripturaires sont les deux seuls domaines où Jérôme pille Didyme ; c'est ce qui constitue toute l'exégèse de Didyme et ce à quoi celle de Jérôme ne se limite pas » (C. BRIFFARD, *L'exégèse de Jérôme dans le premier livre du Commentaire sur Zacharie*, Mémoire de maîtrise, Rouen, 1969, ex. dactyl., p. 55).

96. « ... Tota eorum ἐξήγησις allegorica fuit et historiae uix pauca tetigerunt » (*In Zach*, prol. : PL 25, 1418 A).

dont le danger était inhérent à cette tradition, par les traces qu'avait laissées en lui l'enseignement d'Apollinaire et par l'attitude pleine de mesure dont Grégoire de Nazianze lui avait donné l'exemple. Il était dans de bonnes conditions pour tirer avec le minimum de risque le maximum de profit de sa rencontre avec Didyme.

Si Jérôme a dû à un homme sa formation classique, nous l'avons donc vu, pour son apprentissage biblique, reconnaître sa dette envers trois maîtres bien différents par leur personnalité comme par les traditions intellectuelles qu'ils reflétaient. Cette diversité a été sa chance. Tout d'abord, à une époque où, dans l'Orient grec, sous la pression de facteurs sur lesquels nous reviendrons, s'opérait une lente diversification des attitudes exégétiques, il ne s'est pas trouvé enfermé au départ dans les horizons limités d'une tendance. L'ordre même des étapes de son initiation scripturaire, tout comme l'âge auquel il s'est ouvert à l'influence des maîtres, n'a pas été sans importance. Qu'eût donné la rencontre de Didyme par le jeune auteur du premier commentaire d'Abdias ?

Accusée sur un autre plan par des divergences théologiques qui pouvaient aller jusqu'à l'hérésie, cette diversité contenait aussi en germe, par la force des choses, une invite au discernement. « Chez les maîtres », écrira plus tard Jérôme en réplique à Rufin, « ce ne sont pas les défauts que l'on doit imiter mais les qualités [97] ». Phrase à première vue surprenante par le recul critique qu'elle suppose chez un homme dont on a vu l'attachement et la fidélité à ses maîtres. On peut y percevoir l'écho de l'expérience qu'il avait faite quand il avait dû, pour concilier l'admiration qu'il leur portait avec les contradictions qui les opposaient entre eux ou, parfois, à la foi de l'Église, opérer un tri dans l'enseignement qu'il recevait. De là procède sans doute l'état d'esprit qui lui a fait revendiquer hautement, lorsqu'on a paru la lui contester, la liberté de lire qui bon lui semblait, se réservant d'opérer lui-même, à l'exemple de l'Apôtre Paul, les discernements nécessaires [98]. Cette attitude, que lui facilitait peut-être l'absence de responsabilités ecclésiales, n'était pas forcément comprise : témoin l'étonnement d'Augustin à le voir invoquer dans une discussion doctrinale ceux dont il avait dénoncé les erreurs [99]. Grâce à elle, en tout cas, Jérôme a pu franchir le cap de la controverse origéniste sans avoir à renier l'apport exégétique d'Origène et de Didyme [100]. Elle lui avait déjà permis, durant ses

---

97. « Magistrorum enim non uitia imitanda sunt sed uirtutes » (*Apol. adu. Rufinum* III, 27 : PL 23, 477 B).

98. Cf. *Epist.* 61, 1 à Vigilance, en 396 : « Operis mei est et studii multos legere ut ex plurimis diuersos flores carpam, non tam probaturus omnia quam quae bona sunt electurus... » ; *Epist.* 62, 2 à Tranquillinus, en 397 : « Origenem propter eruditionem sic interdum legendum arbitror quomodo Tertullianum et Nouatum, Arnobium et Apollinarem et nonnullos ecclesiasticos scriptores Graecos pariter et Latinos, ut bona eorum eligamus uitemusque contraria, iuxta apostolum Paulum dicentem : "omnia probate, quae bona sunt retinete"... »

99. *Epist.* 116, 23 d'Augustin en réponse à la *Lettre* 112, 4 de Jérôme : « ... quattuor auctoritatem tu quoque infringis. Nam Laodicenum, cuius nomen taces, de ecclesia dicis nuper egressum ; Alexandrum autem ueterem hereticum ; Origenem uero et Didymum reprehensos abs te lego in recentioribus opusculis tuis, et non mediocriter... »

100. Voir, par exemple, la *Lettre* 61 à Vigilance : « Origenes hereticus ? quid ad me qui illum in

années d'apprentissage, de se mettre sans éprouver de gêne à l'école de maîtres beaucoup plus compromettants.

Maîtres hébreux   Pour être à même de remonter aux textes originaux de l'Ancien Testament, Jérôme n'avait pas hésité en effet à aller chercher auprès de juifs compétents une connaissance non seulement de la langue mais des traditions hébraïques. De ces maîtres hébreux Jérôme parle volontiers. Il les invoque même beaucoup plus fréquemment que ses maîtres chrétiens, qu'il se contente souvent d'utiliser sans le dire. Les formules abondent qui le montrent instruit par eux des Écritures [101] ; il souligne à l'occasion qu'il ne les a pas écoutés qu'en passant [102] ; surtout il rapporte leurs exégèses. Ils apparaissent multiples, mais leurs traits ne s'estompent pas totalement dans un anonymat sans contours : des premiers commentaires qui suivent son installation à Bethléem jusqu'au *Commentaire sur Isaïe* revient souvent l'évocation, en termes voisins, de « l'Hébreu qui l'a formé dans les saintes Écritures [103] ». La Correspondance fournit même un nom, Baranina, que Rufin saisit au vol et déforme en Barabbas, pour reprocher à Jérôme d'avoir, comme la foule juive de la Passion, préféré Barabbas à Jésus, en l'occurrence « la Synagogue de Satan » aux traditions ecclésiastiques [104]. Ce Baranina, qui se voit qualifié de *praeceptor*, comme Donat et Grégoire [105], semble donc avoir joué, parmi ces maîtres hébreux, un rôle dominant. Mais nous ne connaissons guère de lui que ses exigences financières et le caractère nocturne des leçons de ce nouveau Nicodème [106], détails qui nous renseignent plus sur le climat de défiance qui régnait alors en Palestine entre les communautés juive et chrétienne que sur sa personnalité, sa méthode ou son influence. Quant aux autres, leur silhouette est encore plus indécise.

Pour juger de ce que notre exégète doit à l'enseignement de ses maîtres hébreux, force est donc d'interroger son œuvre. A première vue la tâche paraît facile. Des discussions fréquentes sur des points de vocabulaire attestent une connaissance réelle de la langue hébraïque ; et sur les traditions juives Jérôme

---

plerisque hereticum non nego ? (...) At idem et scripturas in multis bene interpretatus est... » (*Epist.* 61, 2).

101. En voici quelques exemples parmi beaucoup d'autres : « Hebraeus qui me in Scripturis erudiuit... » (*In Nahum* PL 25, 1260 A) ; « Nos autem ab Hebraeo qui nos in Scripturis sanctis erudiuit didicimus... » (*In Abdiam, ibid.*, 1115 B) ; « ... quae a peregrinae linguae magistris didicimus... » (*In Zachariam, ibid.* 1424 B) ; et pour l'*In Isaiam* : « Nos, docti ab Hebraeis... » (244 B), etc. Autres références dans les notes suivantes. Ces formules ne sont pas antérieures à l'installation à Bethléem. Sur l'Hébreu (ou les deux Hébreux) de l'*Epist.* 18 A, voir l'article de G. Bardy indiqué ci-dessous n. 109.

102. « Hebraeorum... a quibus non modico tempore eruditus... » (*In Nahum* 2, 1 : PL 25, 1243 D).

103. « Hebraeus qui me in sanctis Scripturis erudiuit... ». La formule est de l'*In Amos* (PL 25, 1019 B). Formules similaires dès l'*In Galatas* et l'*In Ecclesiasten* (PL 26, 361 C et PL 23, 1022 B, 1038 B, etc. Sur la date de ces premiers commentaires voir l'ANNEXE I). Cf. *In Is.* 157 A : « Hebraeus quo ego praeceptore usus sum » et 273 D : « H. autem qui nos in Veteris Instrumenti lectione erudiuit... »

104. Cf. HIER. *Epist.* 84, 3, 2 (ci-dessous n. 106) et RUFIN, *Apol. contra Hieronymum* II, 15 (CC 20, 95).

105. HIER. *Epist.* 84, 3, 2 (texte note suivante). Cf. *In Is.* 157 A (ci-dessus n. 103).

106. HIER. *Epist.* 84, 3, 2 : « ... Hierosolymae et Bethleem quo labore, quo pretio Baraninam nocturnum habui praeceptorem ! Timebat enim Iudaeos et mihi alterum exhibebat Nicodemum ».

paraît bien renseigné puisqu'il lui arrive de rattacher explicitement telle exégèse à tel docteur [107] et de donner sur les écoles rabbiniques des renseignements dignes de foi [108]. Cependant, quand on cherche à cerner exactement l'étendue de son information, des doutes surgissent : doit-il vraiment à une initiation directe toutes les indications dont il fait état ? G. Bardy, après d'autres, a observé qu'il arrive à Jérôme de se réclamer de l'enseignement des Hébreux là où précisément, et parfois dans les mêmes termes, l'une de ses sources, Origène ou Eusèbe, le faisait déjà [109]. Cette constatation troublante incite à la circonspection ; elle fait apparaître le danger qu'il y aurait, dans le cas précis, à vouloir apprécier le rôle de ces maîtres en se fiant sans les contrôler aux affirmations de Jérôme. Mais elle n'est pas si généralisable qu'elle doive conduire à mettre en doute la réalité de leur existence et de leur influence sur lui [110]. Il paraît donc légitime d'essayer de dégager quelques données solides sur les étapes de la formation hébraïque de Jérôme et sur l'usage qu'il en a fait.

C'est à trois niveaux : connaissance de la langue, établissement du texte sacré, traditions exégétiques, que Jérôme a éprouvé le besoin de faire appel aux compétences des juifs et qu'il en a tiré profit.

Apprendre l'hébreu n'exigeait pas nécessairement qu'il eût recours à un disciple de la Synagogue. De fait, il se trouve que c'est avec un juif converti au christianisme, menant comme lui la vie de moine au désert de Chalcis, qu'il fit

---

107. Voir par exemple *In Eccl.* 4, 13-16 : PL 23, 1048 C (Jérôme rapporte une exégèse de Bar Akiba).

108. Voir *Epist.* 121, 10, 20 et surtout *In Isaiam* 8, 11-15 (119 A).

109. Voir G. BARDY, *Saint Jérôme et ses maîtres hébreux*, dans la *Revue bénédictine* 46, 1934, p. 145-164. Cf., dans une perspective plus large, l'article très systématique d'E. DEKKERS, *Hieronymus tegenover zijn lezers*, Handelingen van het XXVIe Vlaams Filologencongres, Gent, 1967, p. 125-135. Montfaucon estimait déjà que « partout où Eusèbe dit avoir appris quelque chose d'un maître hébreu ou des Hébreux, Jérôme affirme aussi avoir reçu le même enseignement d'un maître hébreu » (*Praef. in Eus. Comm. in Is.* PG 24, 88 C). Cela demande cependant à être vérifié (Voir note suivante).

110. On s'en convaincra aisément en partant de l'*In Isaiam*. Dans son commentaire du prophète Eusèbe déclare à trois reprises tenir directement d'un juif l'exégèse qu'il rapporte, et Bardy a raison d'observer, pour deux de ces exégèses, qu'elles se retrouvent chez Jérôme, introduite l'une par la formule « Referebat mihi Hebraeus », qui paraît bien tromper son monde, l'autre par la simple expression « Tradunt Hebraei », plus honnête, encore que la dépendance de Jérôme envers son prédécesseur ne fasse pas de doute. Reste pourtant un troisième passage dont on chercherait en vain l'écho chez le Latin. Ce n'est donc finalement que dans un cas sur les trois que « l'Hébreu » d'Eusèbe revit curieusement chez Jérôme. Or, dans le même Commentaire, celui-ci se réclame à deux reprises d'un maître hébreu (*In Is.* 157 A et 273 D, ci-dessus n. 103 ; cf. 79 C et 244 B) qui l'a formé à la lecture des Écritures, sans que cela corresponde à rien chez Eusèbe. Faut-il donc supposer qu'on le découvrirait chez Origène si l'on avait conservé son Commentaire ? On observe aussi qu'à la quinzaine de références explicites que fait Jérôme à des exégèses des Hébreux dans les quatre premiers livres de l'*In Isaiam* ne correspond jamais rien chez Eusèbe. On pourrait encore invoquer le cas de l'*In Zachariam*. Sur le dernier chapitre du prophète, qu'Origène ni Eusèbe n'ont commenté, on note une référence à un Hébreu précis auquel Jérôme déclare avoir soumis une question (*In Zach.* 14, 20 : PL 25, 1539 A. Cf. 1424 B et 1442 A). Cet Hébreu est évidemment absent de Didyme, et sans doute l'était-il aussi du commentaire perdu d'Hippolyte connu de Jérôme, si l'on en juge par le *Commentaire de Daniel* du prêtre romain. Il paraît donc tout aussi abusif d'affirmer sans examen que les références de Jérôme à des exégèses hébraïques lui viennent de ses sources, qu'il serait imprudent de soutenir que, là où Jérôme fait référence à son Hébreu, il faut le croire sur parole.

cet apprentissage. La chose lui coûta et il est bien près de la présenter comme la plus rude des ascèses. Il en frémit encore en évoquant dans sa vieillesse ces « mots sifflants et haletants » qu'il devait répéter. « Quel effort à soutenir », s'exclame-t-il, « quelles difficultés à vaincre, que de fois j'ai désespéré, que de fois j'ai renoncé, puis, m'entêtant dans mon étude, j'ai recommencé ! [111] » Avait-il alors conscience que de cette « semence amère » il recueillerait un jour des « fruits savoureux [112] » ? Toujours est-il que, surmontant ses répugnances, il alla jusqu'au bout de l'effort et apprit même le chaldéen, dont la lecture du livre de Daniel lui avait révélé la nécessité [113]. Il fut payé de sa peine puisque, quelques années plus tard, il se trouvait capable d'initier à l'hébreu Paula, Marcella et quelques-unes de leurs compagnes de l'Aventin [114].

Il s'apprêtait en même temps à mettre son savoir au service du texte de l'Écriture. A Rome il transcrit dans la hâte les rouleaux que lui faisait parvenir clandestinement un juif qui les empruntait pour lui à sa synagogue, et il les collationne avec la version d'Aquila [115]. Ce travail minutieux qu'il faisait passer avant tout autre préludait, sans qu'il en eût encore conscience, à la grande entreprise de traduction sur l'*hebraica ueritas* dont l'idée allait lui venir plus tard à Bethléem. Pour mener celle-ci à bien, nous le verrons se donner, outre Baranina dont le nom est associé à Jérusalem et Bethléem [116], des maîtres occasionnels qu'il choisit pour leur réputation de compétence auprès de leurs coreligionnaires, tel ce « docteur de la Loi de Tibériade que les Hébreux entourent d'admiration » et avec lequel il vérifie le texte des *Paralipomènes* alors même qu'il ne prétend encore en donner qu'une révision sur le grec [117], ou encore ce rabbin de

---

111. HIER. *Epist.* 125, 12 : « ... cuidam fratri qui ex Hebraeis crediderat me in disciplinam dedi ut (...) alphabetum discerem, stridentia anhelantiaque uerba meditarer. Quid ibi laboris insumpserim, quid sustinuerim difficultatis, quoties desperauerim quotiensque cessauerim et contentione discendi rursus inceperim, testis est conscientia (mea) ». La lettre est postérieure à l'année 411. Jérôme y évoque ses souvenirs du désert de Chalcis, vieux au bas mot de trente-cinq ans, pour convaincre son correspondant le moine Rusticus de l'utilité de l'ascèse pour « briser l'ardeur de la nature » et dompter les mauvaises pensées. Il faut qu'il ait gardé de cet apprentissage de l'hébreu un souvenir bien amer (*Epist.* 30, 2, 2 : « barbaries linguae »).

112. « Et gratias ago Domino quod de amaro semine litterarum dulces fructus capio » (*Epist.* 125, 12, 2).

113. C'est ce qu'il dit dans la préface à sa traduction du *Livre de Daniel* : « ... impegi nouissime in Danielem et tanto taedio affectus sum ut desperatione subita omnem ueterem laborem uoluerim contemnere. Verum, adhortante me quodam Hebraeo (...), coepi rursum discipulus esse Chaldaicus » (PL 28, 1292 B).

114. Voir *Epist.* 108, 10, 6 dans laquelle Jérôme prête à Paula, à son arrivée en Orient, ces propos à lui adressés : « Le mot hébreu "zoth" *comme je l'ai appris de ton propre enseignement...* » (trad. Labourt, t. V, p. 169). Rien ne nous est parvenu de la correspondance de Jérôme avec Paula ou Marcella à Rome, qui double et prolonge leurs entretiens directs de l'Aventin, fait une grande place aux explications de termes hébreux. Vingt ans plus tard, dans la même *Lettre* 108 (26, 3), Jérôme souligne qu'il ne cesse de s'entretenir dans la connaissance de l'hébreu.

115. HIER. *Epist.* 36, 1, 2 à Damase, de 384 : « ... subito Hebraeus interuenit, deferens non pauca uolumina quae de synagoga quasi lecturus acceperat. Et illico : "habes", inquit, "quod postulaueras"... » Sur l'usage qu'il fait de ces rouleaux, voici ce qu'il écrit à Marcella à la même époque : « Iampridem cum uoluminibus Hebraeorum editionem Aquilae confero... Nunc iam Prophetis, Salomone, Psalterio Regnorumque libris examussim recensitis, Exodum teneo quem illi ele smoth uocant, ad Leuiticum transiturus. Vides igitur quod nullum officium huic operi praeponendum est. » (*Epist.* 32, 1, 2).

116. Voir *Epist.* 84, 3, 2 (ci-dessus, n. 106).

117. HIER. *Praef. lib. Paralipomenon iuxta LXX* : « Cum a me nuper litteris flagitassetis ut uobis

Lydda qu'il paie fort cher pour qu'il l'aide à comprendre le *Livre de Job* [118].

De la traduction d'un texte à son explication, la distance est courte : ce sont les deux étapes d'une compréhension complète. Aussi, tout en lisant l'Écriture avec les Hébreux, Jérôme recueillit-il l'écho des interprétations que véhiculaient les traditions rabbiniques. C'est ainsi que, lorsqu'il invoque l'autorité de l'Hébreu sous la conduite de qui il dit avoir lu l'Écriture de bout en bout [119], c'est plus souvent pour lui emprunter des exégèses que de simples remarques de langue [120]. Nous aurons plus loin l'occasion de constater quelle place occupent dans le *Commentaire sur Isaïe* ces « traditions des Hébreux », de quelque manière — directe ou indirecte — qu'elles lui soient parvenues [121]. Rufin était-il fondé pour autant à insinuer qu'à l'école de Baranina-Barabbas Jérôme était devenu « ami de la lettre qui tue et ennemi de l'esprit qui fait vivre [122] » ? Le reproche était manifestement injuste. Il ignorait délibérément l'attitude critique de Jérôme vis-à-vis de ces traditions, contre lesquelles il portait de son côté la même accusation dès lors qu'elles impliquaient une négation de la lecture chrétienne de la Bible [123]. Mais peut-être traduisait-il le sentiment confus, et sans doute plus justifié, que l'influence de ses maîtres hébreux poussait Jérôme à majorer l'importance du sens littéral par rapport aux habitudes des écrivains ecclésiastiques ses devanciers. Ne se proposera-t-il pas, dans le *Commentaire sur Zacharie*, d'associer à la « tropologie » chrétienne « l'histoire » des Hébreux [124] ?

On peut encore faire une remarque sur ces maîtres hébreux. Si l'on a du mal à se les représenter, et même à les dénombrer exactement, c'est qu'ils n'ont pas joué auprès de Jérôme le même rôle que les autres maîtres qu'il a fréquentés. Il manifeste sans doute pour « l'érudition des Hébreux », dont la connaissance lui importe, une estime globale ; mais nulle part on ne pressent

---

librum Paralipomenon Latino sermone transferrem, de Tiberiade Legis quondam doctorem, qui apud Hebraeos admiratione habebatur, assumpsi ; et contuli cum eo a uertice, ut aiunt, usque ad extremum unguem » (PL 29, 401 B). La révision sur les LXX de la version latine des *Paralipomènes* se situe dans les années 389-392.

118. HIER. *Praef. in libr. Iob iuxta hebr.* : « Memini me ob intellegentiam huius uoluminis Lyddaeum quemdam praeceptorem qui apud Hebraeos primus haberi putabatur non paruis redemisse nummis » (PL 28, 1081 A). Il cherchera encore, pour traduire le livre de Tobie écrit en « chaldéen » et qui ne figure pas au canon juif, un homme d'une parfaite compétence en hébreu et en chaldéen (*Praef. in Tob.* PL 29, 23-26).

119. « Hebraeus quo Scripturas sacras instituente perlegi... » (*In Eccl.* PL 23, 1022 B).

120. Voir par exemple *In Eccl.* PL 23, 1038 B, 1048 C, 1053 A (« Hebraeus ita sensit »...) ; *In Nahum* 3, 8 : PL 25, 1260 A ; *In Isaiam* 22, 17 (273 D), etc.

121. Voir au chapitre III les pages 194-200.

122. RUFIN. *Apol. contra Hieron.* II, 15 : « Ille uero de synagoga Barabbas tuus, pro Christo electus, docuit (...) litterae occidentis amicum fieri et inimicum spiritus uiuificantis » (PL 21, 595 C = CC 20, 95).

123. Voir plus loin ch. III, p. 197 et suiv.

124. « Historiae Hebraeorum tropologiam nostrorum miscui » (*In Zach.*, prol. : PL 25, 1418 A). Ce lien entre exégèse rabbinique et sens littéral ne relevait pas seulement du refus par les juifs d'une lecture spirituelle de l'A.T. La place prise par l'allégorie dans l'exégèse chrétienne avait sans doute découragé dès le IIIᵉ siècle le courant allégorique au sein du rabbinisme palestinien. C. Hanson observe même : « No Jewish school of thought with which Origen was in touch was willing to allegorize » (*Allegory and Event. A study of the sources and significance of Origen's interpretation of Scripture*, London, 1958, p. 35 n. 1). Jérôme rencontrait donc plutôt chez ses contemporains palestiniens un judaïsme littéraliste qui véhiculait cependant des traditions plus anciennes.

une admiration ou un attachement personnels de disciple à maître, comme cela s'observe pour Donat ou Grégoire, dont il parle pourtant infiniment moins souvent. A vrai dire il recourait à eux — au prix fort [125] — pour compléter des connaissances, il respectait leur compétence, indispensable à ses yeux pour ce qu'il en attendait ; mais on ne saisit de lui à eux aucun lien spirituel, aucune relation affective, qui seraient les signes d'une étroite dépendance intellectuelle. Dans l'apprentissage scripturaire de Jérôme ils interviennent plus comme les médiateurs d'une tradition, — comme des « experts », en quelque sorte, — que comme des « maîtres » qu'auréole un prestige personnel et dont la personnalité marque les disciples. Le constater n'est pas minimiser leur rôle.

Couronnant sa formation classique et son initiation biblique, la formation hébraïque de Jérôme le plaçait dans une position unique par rapport aux écrivains ecclésiastiques de son temps. Non seulement elle faisait de lui l'homme « trilingue » qu'il a eu conscience d'être [126], mais par ce triple héritage convergeaient en sa personne des méthodes et des traditions dont il éprouverait peut-être des difficultés à maîtriser la diversité, mais qui feraient la richesse d'une œuvre dont il importe de parcourir les étapes pour en saisir l'unité et la progression jusqu'aux Commentaires sur Isaïe et les autres grands prophètes qui en sont le terme.

2. Le cheminement de l'œuvre : de la traduction à l'exégèse

A l'orée de cette œuvre, deux faits ont valeur de symbole. Avant même que Jérôme se préoccupe d'écrire, au moment où à Trèves s'éveille son intérêt pour les auteurs chrétiens, figure parmi les ouvrages qu'il transcrit pour sa bibliothèque un *Commentaire des Psaumes* [127]. Quelques années plus tard, quand se précise à Antioche son aspiration à l'ascétisme, c'est avec un *Commentaire d'Abdias* qu'il fait l'essai, d'ailleurs malheureux, de son talent. L'œuvre hiéronymienne s'ouvre donc sous le signe de l'Écriture.

Cela ne veut pas dire, toutefois, que le futur exégète ait dès lors trouvé sa voie. Des tâtonnements marquent en effet sa recherche. La traduction, à Constantinople, de la *Chronique* d'Eusèbe qu'il complète et prolonge manifeste un goût pour l'histoire que confirme le projet qu'il caresse d'écrire une histoire de son temps [128]. Mais dans le même temps, nous l'avons vu, il traduit aussi des homélies d'Origène. Ces prémices d'un programme plus ambitieux portent

---

125. Cf. *Praef. in libr. Iob* : « ... non paruis nummis » (PL 28, 1081 A) ; *Epist.* 84, 3 : « quo pretio... »

126. Voir *Apol. adu. Rufinum* III, 6 : « Ego... Hebraeus, Graecus, Latinus, trilinguis » (PL 23, 462 A).

127. Celui d'Hilaire de Poitiers (HIER. *Epist.* 5, 2). Jérôme soulignera plus tard l'enracinement origénien de ce Commentaire, postérieur à l'exil en Orient de l'évêque gaulois (*De uir. ill.* 100 : PL 23, 699 B).

128. « ... reliquum tempus Gratiani et Theodosii latioris historiae stylo reseruaui » (*Interpr. Chron. Eus. praef.* PL 27, 40 A = éd. Helm, Eus. W. 7, 7). Après son retour en Orient il forme encore le projet d'une histoire de l'Église « ab aduentu Saluatoris usque ad nostram aetatem » (*Vita Malchi*, 1 : PL 23, 53 BC) qui ne verra pas davantage le jour. En revanche il sera avec son *De uiris illustribus*, pour lequel il se réclame de Suétone et du *Brutus*, le premier historien latin de la littérature chrétienne.

à penser qu'à l'époque il se donnait pour rôle de mettre les richesses de la littérature ecclésiastique de langue grecque à la portée de l'Occident latin ; celui-ci ne les connaissait guère jusqu'alors que par l'utilisation qu'en avaient faite Hilaire, après son exil, et surtout Ambroise [129]. Ce faisant, il ne renonçait pas à s'essayer à l'exégèse [130], à laquelle le provoqueraient bientôt, à Rome, les questions du pape Damase, qui allait aussi l'orienter vers la tâche qui devait absorber le meilleur de ses énergies : la révision du texte des Évangiles, puis de toute l'Écriture. Ces tentatives diverses, à la lumière de l'œuvre ultérieure, prennent l'allure de travaux d'approche qui, pour la plupart, n'auront pas été inutiles au futur bibliste.

En répondant au vœu de Damase, Jérôme était lucide sur les risques que comportait une entreprise qui allait déranger de vénérables habitudes [131]. La manière dont il s'apprête à la poursuivre à Bethléem montre qu'il en percevait aussi toutes les exigences. Les premières années de son installation en Orient font en effet figure, par certains côtés, d'un temps d'apprentissage. A la bibliothèque de Césarée où était soigneusement conservé l'héritage littéraire d'Origène, Jérôme prolonge par l'étude et la transcription des *Hexaples* le travail amorcé à Rome par la collation des rouleaux de la synagogue avec la version grecque d'Aquila [132]. C'est l'époque où il s'assure le concours de spécialistes hébreux avec qui il relit toute l'Écriture. Sans doute profite-t-il aussi de leur science pour enrichir la documentation qu'il va mettre en œuvre dans le *Livre des noms hébreux*, que suit de près un *Livre des noms de lieux*, adaptation latine d'un opuscule d'Eusèbe. Quelles que soient leurs limites au regard des exigences scientifiques modernes, ces deux ouvrages techniques, qui tiennent du dictionnaire spécialisé, apparaissent comme de précieux instruments de référence que Jérôme s'est forgés en vue des travaux bibliques à venir. Tout en lui servant dans sa révision de l'Ancien Testament sur le grec à laquelle il travaillait, ils le préparaient, comme sa fréquentation des *Hexaples* et des maîtres hébreux, à franchir une nouvelle étape en remontant à la source même : l'*hebraica ueritas*, sur laquelle, laissant inachevée la révision en cours, il entreprit bientôt de retraduire l'Ancien Testament hébreu.

Cette traduction devait être son grand œuvre. Complétée pour les autres livres bibliques par les révisions sur les originaux grecs, elle était promise à une fortune étonnamment durable dans l'Église latine qui y a reconnu jusqu'à

---

129. Jérôme, d'ailleurs, n'apprécie guère la façon dont Ambroise utilise les Grecs. C'est lui qu'il vise dans sa préface à la traduction du traité de Didyme sur le Saint-Esprit, quand il dit préférer « traduire l'œuvre d'un autre, plutôt que, corneille sans grâce, se parer des couleurs d'autrui, comme font certains » (PL 23, 103 B). Et il suffit que le commentaire d'Ambroise sur l'*Évangile de Luc* parvienne à Bethléem pour que Jérôme se mette à traduire les homélies sur cet Évangile dans lesquelles il estime pourtant qu'Origène est encore « comme un enfant qui joue aux dés » (*Transl. hom. Orig. in Lucam*, prol. : PL 26, 220 A = Or. W. 9, 2). Sur le projet qu'avait Jérôme de traduire les œuvres exégétiques d'Origène, voir ci-dessus p. 33 et les notes 73 et 74.

130. De Constantinople date son premier essai sur les *seraphim* du chapitre 6 d'Isaïe (= *Epist.* 18 A). A Rome, il explique en particulier pour Damase la parabole du fils prodigue (*Epist.* 21). Jérôme choisit donc de commenter de courts passages, mais il le fait déjà avec quelque ampleur. La *Lettre* 18 A a une vingtaine de pages dans l'édition Labourt, la *Lettre* 21 en a vingt-sept.

131. Sa préface à la traduction des *Évangiles* ne laisse aucun doute à ce sujet (PL 29, 525-530).

132. HIER. *Epist.* 32, 1, 2 (texte ci-dessus n. 115). Sur Jérôme et les *Hexaples* voir l'ANNEXE III.

une date récente sa version « autorisée », l'*editio uulgata*, ιa « Vulgate [133] ». C'était une tâche considérable, mais Jérôme l'abordait à plus de quarante ans, en pleine possession de ses moyens, après une préparation remarquablement complète. Il était capable de travailler vite, comme il le prouva en traduisant à la file en quelques mois tous les prophètes, les Psaumes, Samuel et les Rois, Job enfin. Il n'eût sans doute pas mis treize ans à la mener à son terme si des circonstances extérieures, au premier rang desquelles il faut placer la maladie et les péripéties de la controverse origéniste, ne l'en avaient détourné à plusieurs reprises et pour de longues périodes. Mais quand il l'achève après la mort de Paula, ce n'est pas pour poser sa plume : avant même qu'il y ait mis la dernière main, sa préface des derniers livres de l'*Octateuque* avertit le lecteur de son intention de se consacrer à l'explication des prophètes [134].

Il ne s'agissait pas, en fait, d'une nouvelle entreprise, mais, selon ses propres termes, de la « reprise d'un travail laissé de côté depuis longtemps ». En s'orientant vers la tâche de traducteur de l'Écriture, Jérôme, en effet, n'avait pas renoncé aux essais exégétiques. Son premier commentaire suivi d'un livre de l'Ancien Testament, le *Commentaire sur l'Ecclésiaste*, date des premières années de son installation en Orient. Des Commentaires sur quelques épîtres de Paul l'avaient précédé de peu [135], sans parler du curieux essai que constituent les *Questions hébraïques sur la Genèse*, contemporaines de ses deux « dictionnaires » qu'elles rappellent par leurs indications onomastiques et toponymiques, et où se laissent deviner en même temps la vocation du traducteur de l'*hebraica ueritas* et celle du futur commentateur de l'*opus prophetale* [136]. Mais ce n'est pas à ces titres-là que renvoie Jérôme quand il parle de « reprendre l'œuvre laissée de côté depuis longtemps ». De fait, quelques semaines peut-être après avoir commencé par les Psaumes et les Prophètes ses traductions sur l'hébreu, il avait consacré à cinq des « petits » prophètes des Commentaires suivis, auxquels devaient s'ajouter quelques années plus tard les Commentaires de Jonas et d'Abdias [137].

Le fait est beaucoup plus digne de retenir l'attention que ses tentatives exégétiques antérieures. Il permet en effet de saisir le lien qu'il y a, dans la démarche de Jérôme, entre le travail de traduction et la tâche de commentateur. Dans son étude sur Jérôme exégète, Louis N. Hartmann a fort bien analysé ce rapport : « Every translation », écrit-il, « unless it is a merely me-

---

133. Cette « Vulgate » moderne n'est pas l'œuvre de Jérôme dans sa totalité. Certains livres tant de l'Ancien que du Nouveau Testament représentent des révisions d'anciennes versions latines qui ne sont pas son œuvre. Voir la préface de l'éd. Weber (*Biblia sacra*, Stuttgart). Quant à l'expression *uulgata editio* sous sa plume pour désigner la « version courante » en usage à son époque, voir le chapitre suivant p. 113-114.

134. « ... decreuimus, dum spiritus hos regit artus, prophetarum explanationi incumbere et omissum iamdiu opus quodam postliminio repetere, praesertim cum et admirabilis sanctusque uir Pammachius hoc idem litteris flagitet » (Préface aux livres de *Josué*, des *Juges* et de *Ruth*, PL 28, 464 B).

135. Sur la date de ces premiers Commentaires voir l'ANNEXE I.

136. Jérôme y remonte en effet à l'hébreu et s'y fait l'écho des traditions juives sur la *Genèse*.

137. Sur la date de ces traductions sur l'hébreu voir mon article de la *RÉAug* 28, 1982 (ci-dessus p. 20, n. 8). Les cinq prophètes par lesquels Jérôme a inauguré ses commentaires sont Nahum, Michée, Sophonie, Aggée, Habacuc. Antérieurs d'environ trois ans à l'*In Ionam* qui date, comme l'*In Abdiam*, des derniers mois de 396, ces premiers commentaires sont de l'hiver 392-393 (voir plus loin p. 82, n. 89).

chanical word-for-word rendering of the original, must be based on and *include an interpretation* of the mind of the original author [138] ». Jérôme était un traducteur trop avisé pour ne pas en avoir fait l'expérience. C'est cette vérité qu'il exprime sous les dehors d'un truisme quand, dans la préface à sa traduction de Job, il justifie son recours à un Hébreu compétent « pour comprendre ce volume » en déclarant qu'il « n'aurait pu le traduire sans l'avoir préalablement compris [139] ». En prolongeant par l'exégèse son travail de traducteur, Jérôme obéissait donc à une logique interne, logique d'autant plus pressante que le retour à l'*hebraica ueritas* constituait une véritable révolution : à travers l'original hébreu préféré aux Septante sur lesquels s'appuyait jusqu'alors la tradition ecclésiastique, c'était en effet non seulement un texte différent mais bien une autre tradition qu'atteignait Jérôme. Il est révélateur qu'il ait songé sans tarder à faire écho à cette tradition dans des ouvrages exégétiques qui partiraient de sa traduction.

Ainsi, préparés par les pierres d'attente qui, des lettres sur les *seraphim* aux *Questions hébraïques*, jalonnent la production hiéronymienne, les *Commentaires des Prophètes* apparaissent surtout comme le terme logique d'une œuvre qui, de la recherche du meilleur texte à la traduction puis à l'exégèse, trouve sa raison d'être et son unité dans le service de l'Écriture. La date tardive du *Commentaire sur Isaïe* au sein de cet *opus prophetale* le fait bénéficier en outre de l'expérience accumulée par l'exégète au fil des commentaires qui l'ont précédé.

3. *Les influences extérieures*

La cohérence interne d'une œuvre n'exclut pas qu'elle soit aussi tributaire des circonstances dans lesquelles s'est déroulée la vie de son auteur. Jérôme ne vivait pas au milieu d'un désert. L'expérience de Chalcis n'avait duré qu'un temps ; elle avait d'ailleurs pris fin dans les tracasseries d'un voisinage insupportable. A Antioche, plaque tournante de l'Orient, où il disposait de l'introduction d'Evagrius, puis dans la nouvelle métropole impériale où il était l'ami de l'évêque avant d'y hanter les couloirs d'un concile, les relations ne lui avaient pas manqué. On sait aussi l'audience qu'il acquit à Rome, tant auprès du pape Damase que dans le milieu aristocratique de l'Aventin, pépinière de ses meilleures amitiés, jusqu'à ce que la jalousie se déchaînât contre cette personnalité trop en vue. Même dans sa cellule de Bethléem, dont il sort d'ailleurs facilement pour se mêler aux controverses locales ou pour accueillir pèlerins et amis occidentaux, la correspondance qu'il échange avec le monde qu'il a quitté en fait le contraire d'un solitaire. Cependant à la différence d'un Hilaire, d'un Ambroise ou d'un Augustin, liés à tout un peuple par leur charge épiscopale, Jérôme est resté toute sa vie libre de véritables responsabilités ecclésiales.

---

138. L.N. HARTMANN. *Saint Jerome...* p. 37 (c'est moi qui souligne). Cf. en latin l'ambivalence du mot *interpretatio* (voir plus loin p. 146).

139. HIER. *Praef. in lib. Iob* : « ... scio non potuisse me interpretari nisi quod ante intellexeram » (PL 28, 1081 A).

La situation ecclésiale de Jérôme

Ce fut là un fait déterminant pour la nature de son œuvre. Quelle orientation aurait-elle prise si, par une hypothèse qui n'est pas tout à fait gratuite, il avait succédé à Damase sur le siège épiscopal de Rome [140] ? Il n'y a guère de risque d'erreur à supposer que les préoccupations pastorales en auraient profondément modifié l'équilibre, en l'infléchissant vers d'autres urgences [141].

Sans être évêque, Jérôme avait pourtant reçu le sacerdoce. Paulin, l'évêque d'Antioche, lui avait, à vrai dire, un peu forcé la main ; mais la chose n'était pas rare à l'époque, comme l'attestent, chacun à sa manière, les exemples d'Ambroise et de Paulin de Nole, voire d'Augustin [142], et, plus près de Jérôme, l'ordination forcée de son frère Paulinien par l'évêque Épiphane [143]. Mais — chose beaucoup moins fréquente — Jérôme s'appliqua à sauvegarder sa liberté avec une telle constance que cette ordination resta sans effet pratique. Il se refusait même à célébrer l'Eucharistie pour les moines de son monastère. L'ami de la maison, Épiphane, qui rapporte le fait, le met au compte de la modestie et de l'humilité de Jérôme [144]. Sans mettre celles-ci en doute, on peut y reconnaître tout autant sa volonté de défendre sa vocation de moine, volonté que, si on l'en croit, il avait manifestée sans ambiguïté à l'évêque qui l'ordonnait [145]. Mais, ce faisant, c'était sa vocation de savant et son travail biblique qu'il défendait du même coup.

Il ne pouvait toutefois sans se renier refuser d'assumer la direction spirituelle des moines et des moniales qu'il avait entraînés dans la vie monastique. Nous avons conservé un certain nombre des entretiens familiers dans lesquels, rejoignant le genre homilétique, Jérôme a commenté pour eux en termes

---

140. Ce qu'il dit à Asella au moment de quitter Rome semble bien indiquer qu'il a dû faire, un temps, figure de successeur possible. « Au jugement quasi unanime », lui écrit-il, « j'étais estimé digne du sacerdoce suprême ; c'était moi qui inspirais les paroles de Damase, de bienheureuse mémoire... » (*Epist.* 45, 3). Il impute le revirement de l'opinion aux calomnies que lui vaut sa fréquentation de la maison de Paula.

141. La prédication y eût certainement tenu une grande place, et aussi sans doute, à en juger par l'exemple d'Augustin, les ouvrages dogmatiques, l'évêque étant, particulièrement en cette période de bouillonnement théologique, le défenseur et le protecteur de la foi des siens.

142. Celui-ci ne prenait-il pas soin, quand il quittait Thagaste, « de ne pas se rendre dans une ville dont le siège épiscopal, vacant, risquât de lui être proposé » ? (Marrou. *Saint Augustin et l'Augustinisme*, Paris, 1955, p. 33. Cf. Augustin, *Sermon* 355, 1, 2 : PL 39, 1568). Il ne pouvait prévoir, le jour de 391 où il entra dans l'église d'Hippone, que l'évêque Valérius allait y proposer au peuple de choisir un prêtre pour l'aider dans son ministère. On sait la suite (voir Possidius, *Vita* 3-4).

143. Fait par l'évêque lui-même, le récit de cette ordination par surprise ne manque pas de saveur : « ... ignorantem eum et nullam penitus habentem suspicionem per multos diaconos adprehendi iussimus et teneri os eius, ne forte liberare se cupiens adiuraret nos per nomen Christi (...). Valdeque obnitebatur, indignum esse se contestans. Vix ergo compulimus eum... » (= Hier. *Epist.* 51, 1. C'est la traduction par Jérôme de la lettre d'Épiphane à Jean de Jérusalem).

144. « ... propter uerecundiam et humilitatem » *(ibid.)*.

145. « Num rogaui te ut ordinarer ? Si sic presbyterium tribuis ut monachum nobis non auferas, tu uideris de iudicio tuo. Sin autem sub nomine presbyteri tollis mihi propter quod saeculum dereliqui, ego habeo quod semper habui. » (*Contra Iohannem Hierosolymitanum* 41 : PL 23, 393 BC). C'est du moins ainsi qu'il rapporte les faits à Jean de Jérusalem, son évêque, moine lui-même, pour lui signifier que, eût-il été ordonné par lui, il ne lui aurait pas tenu un autre langage et s'estimerait donc tout aussi libre à son égard. Les relations de Jérôme avec son évêque sont alors dans leur plus mauvaise phase.

simples à l'église de Bethléem les Psaumes et les passages des Évangiles utilisés dans la liturgie du jour [146]. Mais, à les lire, on a le sentiment qu'ils occupent dans l'œuvre de Jérôme une place assez marginale et qu'ils ne l'ont guère influencé dans sa tâche de commentateur.

De fait, ce n'est pas chez ses moines de Bethléem que Jérôme a trouvé les incitations au travail scripturaire dont il avait parfois besoin pour ne pas se laisser absorber par d'autres tâches pressantes. Il ne tenait pas non plus école d'exégèse, comme son maître Didyme, dont les Commentaires sont l'écho direct de l'enseignement donné à l'auditoire de l'école catéchétique d'Alexandrie [147]. Nulle trace de la présence d'un public dans ceux de Jérôme. Ce ne sont pas des auditeurs, mais des lecteurs que parfois il y interpelle. Ces lecteurs sans visage s'effacent cependant, dans les prologues, derrière la silhouette précise et vivante d'un lecteur privilégié, le destinataire de l'œuvre, aux instances duquel il n'est pas rare que Jérôme dise avoir cédé en prenant la plume [148]. De même reportait-il déjà sur Damase la responsabilité de la révision des Évangiles [149]. On aurait tort de ne voir dans cette manière de présenter les choses qu'un artifice littéraire. Sans doute beaucoup des Commentaires de Jérôme n'ont-ils pas eu besoin pour voir le jour d'une sollicitation directe. On le voit par exemple en dédier deux à son vieil ami d'Aquilée, l'évêque Chromace, qui n'avait, semble-t-il, rien demandé. Il explique de même aux deux moines à qui il adresse son *Commentaire sur Malachie* qu'il trouve aussi expédient de leur envoyer cet ouvrage qu'il a en train que d'entreprendre spécialement à leur intention un autre travail [150]. Mais c'est bien parce que l'évêque Amabilis a tenu à avoir l'explication littérale de dix visions d'Isaïe particulièrement obscures que Jérôme s'est résigné à cette tâche qu'il trouve passablement pénible et qui violente ses habitudes [151]. Cas extrême, sans doute : ici non seulement l'intervention extérieure est l'occasion du Commentaire, mais elle en détermine l'orientation. Si elle était libre des contraintes qu'eût entraînées une responsabilité ecclésiale de Jérôme, son

---

146. Ce sont les *Tractatus siue Homiliae in Psalmos, in Marci euangelium aliaque uaria argumenta*, publiées par G. Morin dans les *Anecdota Maredsolana* III, II et III, Maredsous, 1897 et 1903 et repris dans le volume 78 du *Corpus Christianorum, series Latina*, 2e éd., 1958. L'authenticité hiéronymienne de ces homélies sur les Psaumes a été remise en cause par l'étude récente de V. PERI, *Omelie Origeniane sui Salmi. Contributo all' identificazione del testo latino*, Rome, 1980, qui y voit une traduction hiéronymienne d'homélies d'Origène. Mais sa démonstration sous-estime ou ignore trop d'éléments qui ne vont pas dans son sens.

147. Voir les remarques de L. Doutreleau dans son introduction à l'édition du *Sur Zacharie* de Didyme l'Aveugle (t. 1, SCh 83, 43).

148. Cf. *In Is.* V, prol. à Amabilis (154 C, ci-dessous n. 151) ; *In Ez.*, prol. : « ... quia et tu indesinenter flagitas... » (PL 25, 16 A). Ici c'est la réalisation d'une promesse ancienne à sa mère et à elle-même qu'Eustochium réclame. Cf. le prologue de l'*In Matthaeum* où Jérôme fait mention d'une demande de Principia touchant le *Cantique des cantiques*, qu'il n'a pû encore satisfaire.

149. HIER. *Praef. in quattuor Euangelia* : « Nouum opus facere me cogis ex ueteri » (PL 29, 525 C).

150. « ... ne susceptum opus dimitterem prophetarum et extraordinario uobis labore sudarem... » (PL 25, 1542 D-1543 A).

151. HIER. *In decem Isaiae uisiones*, prol. : « ... per litteras flagitabas ut tibi decem uisiones quae in Isaia obscurissimae sunt historica expositione dissererem (...) meque retractantem et molestissimum explanationis genus in tempus aliud differentem saepissime commonebas » (PL 24, 153-154). C'est cet ouvrage que Jérôme reprend sans modification pour en faire le livre V de son *Commentaire sur Isaïe*. Voir plus loin p. 64.

œuvre exégétique n'était donc pas à l'abri des influences d'un entourage proche ou lointain qu'un coup d'œil sur les prologues de ses Commentaires va nous permettre de mieux cerner.

L'entourage de Jérôme

La liste de leurs destinataires est tout à fait instructive. Quelques évêques, quelques moines y côtoient le cercle étroit de ses amis romains Marcella, Pammachius, surtout Paula et Eustochium, qui s'y taillent la part du lion [152]. On voit déjà dans quel sens pouvaient peser les exigences d'un tel public. On est aussi porté à s'interroger sur ce que l'exégèse de Jérôme a pu devoir aux causeries de l'Aventin, puis aux entretiens quotidiens de Bethléem avec Paula et Eustochium. Le prologue du *Commentaire sur l'Ecclésiaste* est à cet égard éclairant ; il fournit une bonne illustration de la manière dont la *lectio diuina* qu'il pratiquait souvent en tête à tête dans son petit cercle ascétique pouvait être à l'origine d'une œuvre écrite. « Je me souviens », y déclare-t-il à Paula et Eustochium, « qu'il y a à peu près cinq ans, alors que j'étais encore à Rome et que je lisais l'*Ecclésiaste* à la sainte Blésilla pour l'amener au mépris de ce monde et à tenir pour rien tout ce qu'elle y voyait, elle m'avait prié de lui en expliquer les obscurités dans une sorte de petit commentaire pour qu'elle pût comprendre sans mon aide ce qu'elle lisait. La mort l'ayant enlevée soudainement comme je me mettais à l'ouvrage, (...) profondément atteint alors par cette blessure, je me suis tu. Aujourd'hui, installé dans la cité certainement plus sainte de Bethléem, j'acquitte ma dette à sa mémoire et à vous-même [153] ».

---

152. Voici le tableau des différents commentaires de Jérôme, à leur date, avec l'indication de leurs destinataires :

386-387	*In Philemonem*	Paula et Estochium	
	In Galatas	«	»
	In Ephesios	«	»
	In Titum	«	»
388-389	*In Ecclesiasten*	«	»
392-393	*In Nahum*	«	»
	In Michaeam	«	»
	In Sophoniam	«	»
	In Aggaeum	«	»
	In Habacuc	Chromace, évêque d'Aquilée	
396	*In Ionam*	«	»
	In Abdiam	Pammachius	
397	*In Visiones Isaiae*	Amabilis, évêque	
398	*In Matthaeum*	Eusèbe de Crémone, moine	
406	*In Zachariam*	Exupère, évêque de Toulouse	
	In Malachiam	Minervius et Alexandre, moines	
	In Osee	Pammachius	
	In Ioelem	«	
	In Amos	«	
407	*In Danielem*	Pammachius et Marcella	
408-410	*In Isaiam*	Eustochium	
410-414	*In Ezechielem*	«	
414-416	*In Hieremiam*	Eusèbe de Crémone, moine	

153. « Memini me ante hoc ferme quinquennium, cum adhuc Romae essem et Ecclesiasten sanctae Blesillae legerem ut eam ad contemptum istius saeculi prouocarem et omne quod in mundo cerneret putaret esse pro nihilo, rogatum ab ea ut in morem commentarioli obscura quaeque

Né d'un besoin dont les explications orales ont fait prendre conscience, le Commentaire n'en est pas la simple transposition ; il les prolonge, mais en constituant une œuvre originale, composée sinon à loisir (Jérôme se plaint toujours de manquer de temps), du moins pour elle-même. Bien des Commentaires de Jérôme ont pu naître en réponse à des appels semblables dont l'écho s'est perdu pour nous [154].

Mais il faut aller plus loin. Si Jérôme a su faire partager aux meilleures de ses disciples — et c'est ici le féminin qui convient — sa passion pour les Écritures au point de susciter leurs demandes en retour, il n'est pas possible qu'au cours d'entretiens si nombreux ne se soit pas au moins esquissée une réciprocité d'influence. On pense ici aux personnalités les plus riches, à Paula, à Marcella, qui ont été pour Jérôme de véritables interlocutrices. Sans doute serait-il vain de chercher à cerner dans telle œuvre précise l'influence de l'une ou de l'autre. Mais Jérôme livre sur elles assez de renseignements, soit par ce qu'il en dit, soit par ce que sa correspondance livre de leurs questions et de la manière dont il cherche à les satisfaire, pour que nous entrevoyions les traits de leur physionomie spirituelle et intellectuelle qui ont pu exercer quelque influence sur l'exégèse hiéronymienne.

Marcella   Marcella partage avec Pammachius la dédicace du seul *Com-*
                  mentaire sur Daniel. Il n'en eût certainement pas été de même si Jérôme avait écrit ses Commentaires dès son séjour à Rome, au moment des rencontres de l'Aventin. Car c'est Marcella qui sut, par son insistance, le décider à faire profiter de son savoir biblique le cercle de jeunes filles et de veuves qu'elle réunissait autour d'elle [155]. Paula elle-même et Eustochium se reconnaîtront ses disciples [156]. Jérôme avait amorcé avec elle cette correspondance scripturaire qui prolongeait fréquemment la lecture faite en commun de l'Écriture et les explications qui l'accompagnaient, et qu'il poursuivit plus tard, à Bethléem, avec Paula et Eustochium [157]. De ces échanges épistolaires la Correspondance nous a conservé dix-neuf lettres adressées par Jérôme à Marcella [158]. La majorité date de l'époque des rencontres de l'Aventin et

---

dissererem ut absque me posset intellegere quae legebat... Quoniam in procinctu nostri operis subita morte subtracta est (...), tanto uulnere tunc perculsus obmutui ; nunc in Bethleem positus, augustiori uidelicet ciuitate, et illius memoriae et uobis reddo quod debeo » (PL 23, 1009-1011). Le terme de *commentarioli* permet de supposer que Jérôme avait d'abord pensé à des scolies rapides expliquant les points difficiles, comme les notes qui constituent ses *Commentarioli in Psalmos*, plutôt qu'à un commentaire suivi, forme pour laquelle il a finalement opté.

154. Le besoin avait pu naître parfois non d'une lecture de l'Écriture avec Jérôme, mais des lectures personnelles de ses amies. C'est ce qui s'est passé non, à vrai dire, pour un Commentaire, mais pour la traduction des Homélies d'Origène sur l'*Évangile de Luc* dont le prologue commence ainsi : « Ante paucos dies quorumdam in Matthaeum et in Lucam Commentarios uos legisse dixistis, e quibus alter et sensibus hebes esset et uerbis, alter in uerbis luderet, in sententiis dormitaret. Quamobrem petistis ut, contemptis istiusmodi nugis... », etc. (PL 26, 219 A).

155. Voir *Epist.* 127, 7 : « Cum... uerecunde nobilium feminarum oculos declinarem, ita egit, secundum Apostolum, "opportune, importune" ut pudorem meum sua superaret industria ».

156. Hier. *Epist.* 46, 1 de Paula et Eustochium à Marcella : « ... magistram cupimus docere discipulae ».

157. Hier. *Epist.* 26, 1 : « ... non per epistulam, ut ante consueueras, sed praesens ipsa quaesisti... » Cf. *De uir. ill.* 135 : « Epistularum autem ad Paulam et Eustochium, quia quotidie scribuntur, incertus est numerus » (PL 23, 719 A).

158. Ce sont les lettres 23 à 29, 32, 34, 37, 38, 40 à 44, 46, 59 et 97. On peut y joindre la lettre 127 à Principia sur la mort de Marcella, dont c'est l'éloge funèbre.

l'Écriture y tient une grande place : sur onze lettres de cette période, sept lui sont exclusivement consacrées [159]. Elles sont très éclairantes. On y perçoit d'abord l'intérêt que prend Marcella à l'Ancien Testament, ce qui pourrait s'expliquer par le « programme de lecture » des réunions de l'Aventin où Jérôme semble avoir insisté sur les Psaumes, dont l'utilité spirituelle était immédiate. Mais ce n'est pas dans ce sens-là que vont les questions de Marcella ; la plupart du temps elles portent sur des points précis de vocabulaire, voire de ponctuation hébraïque, que Jérôme ne craint pas de traiter à son tour avec une grande technicité. On comprend, à lire ses réponses, l'estime dans laquelle il tenait son « chef de corvée », comme il l'appelle avec humour [160], qui ne se relâchait pas de son insistance avant d'avoir obtenu satisfaction. Cette estime apparaît à maints détails. C'est ainsi qu'il refuse de lui donner les Commentaires de Réticius d'Autun sur le *Cantique* (qu'il fait pourtant lire à d'autres dont elle n'a ni l'âge, ni l'autorité), car ils ne seraient pas pour elle, à cause de leurs insuffisances, une nourriture solide [161]. Il souligne dans une autre lettre la qualité des questions qu'elle lui soumet sur le Nouveau Testament, et qui, de fait, témoignent d'un grand souci d'exigence logique [162]. Et c'est à elle que, plus tard, il lui arrive de renvoyer ses correspondants romains quand il n'est plus lui-même sur place pour les conduire « à travers les prés verdoyants et les fleurs diaprées des livres divins [163] ».

« Pour les divines Écritures son ardeur était incroyable », dira-t-il d'elle en lui rendant le dernier hommage d'un éloge funèbre [164]. Sans doute était-ce à lui qu'elle le devait. Mais, au bout du compte, la dette était loin d'être unilatérale. En effet Marcella a probablement contribué de façon décisive à confirmer Jérôme dans sa vocation scripturaire en lui fournissant au moment opportun un auditoire dont l'avidité spirituelle et la confiance ne pouvaient que l'encourager. Par ses remarquables aptitudes, sa rigueur intellectuelle, sa requête d'explications précises, son goût des réalités linguistiques, elle a certainement pesé sur Jérôme dans le sens de l'exigence, l'obligeant sans cesse à se dépasser et à ne pas se contenter d'approximations.

Paula L'influence de Paula a été différente. Cette patricienne de haute lignée, descendante des Scipions [165], qui renonça à son rang et à

---

159. Ce sont les lettres 25 sur les noms désignant Dieu chez les Hébreux, 26 (explication de certains mots hébreux), 27 (sur la traduction des Évangiles), 28 (sur le *diapsalma*, signe de ponctuation hébraïque), 29 (sur les mots hébreux *ephod* et *teraphim*), 34 (sur un passage du Psaume 126) et 37 (autour des *Commentaires sur le Cantique des Cantiques* de Réticius d'Autun).

160. HIER. *Epist.* 28, 1 : « Verum quid prode est ad ἐργοδιώκτην meum ? » (Cf. *Epist.* 60, 1.) Le terme est énergique. C'est le mot qui désigne dans les LXX les Égyptiens chargés de surveiller le travail des Hébreux et qui les bousculent sans ménagement pour qu'ils accomplissent chaque jour la tâche imposée (*Ex.* 3, 7 et 5, 6, 10 et 13). Dans le même esprit Origène avait appelé son disciple et admirateur Ambroise qui le poussait sans cesse au travail le « chef de corvée de Dieu » (OR. *Comm. in Ioh.* V, prol. : SCh 120, 372. Cf. HIER. *De uir. ill.* 61 : PL 23, 673 A).

161. HIER. *Epist.* 37, 4 : « Frustra igitur a me eiusdem uiri commentarios postulas (...) Quod si opposueris cur ceteris dederim, audies non omnes eodem uesci cibo (...) Neque uero eorum qui a me exemplaria acceperunt uel auctoritate uel aetate ducaris... »

162. Voir *Epist.* 59 sur cinq problèmes du NT : « Magnis nos prouocas quaestionibus... »

163. HIER. *Epist.* 65, 2 à Principia : « ... te per prata uirentia et uarios diuinorum uoluminum flores ducat... »

164. HIER. *Epist.* 127, 4 : « Diuinarum scripturarum ardor incredibilis. »

165. Voir son *epitaphium* (*Epist.* 108, 1, 1).

la vie romaine pour réaliser à Bethléem le projet de vie monastique ébauché sur l'Aventin, occupe dans la vie de Jérôme une place à part. Elle incarne
en quelque façon la réussite parfaite de sa prédication ascétique et de
son enseignement scripturaire. Ce n'est pas un hasard si c'est à elle et à
sa fille Eustochium que sont dédiés les neuf premiers Commentaires de Jérôme, ceux qu'il écrivit dans les premières années de son séjour à Bethléem.
En lui permettant, par leur présence, d'y poursuivre avec elles cette *lectio
diuina* dont il leur avait donné le goût dans le cercle de Marcella, en l'y
contraignant même par ses instances [166], Paula a certainement aidé Jérôme à
prolonger dans des commentaires écrits les explications orales qu'il leur
réservait.

De la correspondance de Jérôme avec Paula seules trois lettres nous sont
parvenues : à côté de l'éloge funèbre de sa fille Blésilla et d'un catalogue des
œuvres d'Origène, figure une lettre exégétique qui date du séjour à Rome [167].
Mais dans l'ample *epitaphium* qu'il lui a consacré, Jérôme nous a livré sur
celle qui fut associée à l'essentiel de son œuvre de précieux renseignements [168].

Paula manifestait pour la Bible le même attachement que Marcella. Elle la
savait par cœur [169] et avait tenu à ce que toutes les religieuses de son
monastère connaissent le Psautier et apprennent chaque jour un passage des
Écritures [170]. La connaissance qu'elle en a elle-même transparaît dans le récit
que fait Jérôme du pèlerinage en Terre sainte par lequel elle inaugure son
séjour en Orient [171]. Mais cette connaissance n'était pas érudition. Paula y
puisait avant tout une nourriture spirituelle, lui empruntant spontanément et
en toutes circonstances les paroles qui exprimaient sa situation et sa disposition d'esprit [172].

Jérôme trouvait en elle une disciple modèle [173], ce qui ne signifie pas qu'elle
ait manqué de personnalité. La lettre qu'il lui adresse, à propos du *Psaume*
118, sur l'alphabet hébreu permet de saisir les nuances qui la distinguent de
Marcella. Jérôme ne s'y attarde pas aux questions purement linguistiques, il
s'empresse de dégager pour elle la signification spirituelle du groupement de
lettres qui caractérise ce psaume alphabétique [174]. De même il explique dans
son éloge funèbre, en une formule qui doit d'ailleurs sans doute autant à lui
qu'à elle, que « tout en aimant le sens littéral qu'elle appelait le soubassement
de la vérité, elle s'attachait davantage au sens spirituel et donnait à l'édification

---

166. Voir *Epist.* 108, 26, 2 : « Denique compulit me ut et uetus et nouum Instrumentum cum
filia, me disserente, perlegeret. Quod propter uerecundiam negans, propter adsiduitatem tamen et
crebras postulationes eius praestiti ut docerem quod didiceram... »

167. C'est la *Lettre* 30, sur le sens des lettres de l'alphabet hébreu à propos du *Psaume* 118. Elle
se rattache donc, comme l'essentiel des lettres à Marcella de cette période, à la lecture des Psaumes
faite par Jérôme avec ses amies.

168. C'est à cet éloge funèbre, c'est-à-dire à la *Lettre* 108, que sont empruntés les renseignements qui suivent.

169. « Scripturas tenebat memoriter » (*ibid.*, 26, 1).

170. « Nec licebat cuiquam sororum ignorare Psalmos et non de Scripturis sanctis cotidie aliquid
discere » (*ibid.*, 20, 2).

171. Particulièrement dans les propos qu'il lui prête au chapitre 10. La *peregrinatio Paulae*
occupe les chapitres 7 à 14 de cette *Lettre* 108.

172. Jérôme en donne de nombreux exemples *ibid.*, 18 et 19.

173. « Nihil ingenio eius docilius fuit » (*ibid.*, 26).

174. Voir *Epist.* 30.

de son âme la protection de ce faîte [175] ». Notons surtout qu'elle ne se résignait pas aux aveux d'ignorance de Jérôme et qu'elle le poursuivait d'interrogations continuelles jusqu'à ce qu'il indiquât, parmi les opinions derrière lesquelles il s'effaçait, celle qui lui semblait la meilleure [176]. Par cette exigence absolue de vérité elle allait directement à l'encontre des habitudes du commentaire grammatical que Jérôme avait apprises dans sa jeunesse et dont il retrouvait des traces à travers les commentaires alexandrins [177].

Par la qualité de telle exigence, par l'accent particulier de telle requête, le réseau d'amitiés qui entourait Jérôme a donc joué, parmi les influences qui ont orienté son travail scripturaire, un rôle non négligeable. Des évêques soucieux d'instruire leur peuple, des femmes passionnées par l'amour du Dieu manifesté dans les Écritures ont ainsi contribué, par l'appel qu'a constitué pour Jérôme leur désir de mieux comprendre et goûter la Bible, à faire sourdre, voire à orienter une œuvre dans laquelle Jérôme a mis le meilleur de lui-même. Après les impulsions initiales et probablement décisives d'un Damase ou d'une Marcella, leur action a pu paraître d'autant plus efficace qu'à la pesée qu'ils exerçaient sur Jérôme en quelque sorte de l'extérieur répondait l'exigence interne d'une œuvre désormais entraînée par sa propre logique, bénéficiaire qu'elle était de surcroît d'une des formations les plus complètes et les mieux adaptées qu'ait reçue jusqu'alors un exégète chrétien.

De ces influences conjuguées, sources souvent de tensions fécondes, le *Commentaire sur Isaïe*, mûri tardivement, au terme de longues et multiples expériences, est certainement le fruit le plus riche et le plus savoureux.

B — Le « Commentaire sur Isaïe » héritage d'un genre

Héritier d'influences qui ont contribué à façonner l'exégèse de Jérôme, le *Commentaire sur Isaïe* l'est aussi d'un genre dont il faut avoir à l'esprit la spécificité par rapport à d'autres manières d'expliquer l'Écriture, si l'on veut éviter des erreurs d'appréciation.

Dès le début l'Écriture a été au cœur de la vie de l'Église. La chose s'explique aisément. Les écrits qui étaient en train de devenir le Nouveau Testament lui fournissaient sur l'événement central qui lui avait donné naissance les récits et les interprétations des témoins sur la foi desquels s'appuyait la sienne. Ils dévoilaient en même temps, aux yeux des premières communautés issues du judaïsme, le sens véritable de l'Écriture ancienne en faisant apparaître cet événement comme l'accomplissement de l'attente messianique qui la traversait. « L'argument prophétique » était donc au cœur de cette relecture chrétienne de ce qui devenait « l'Ancien Testament ».

---

175. « ... cum amaret historiam et illud ueritatis diceret fundamentum, magis sequebatur intellegentiam spiritalem et hoc culmine aedificationem animae protegebat » (*Epist.* 108, 26). Sur ce vocabulaire voir plus loin, ch. III, p. 138.

176. *Ibid.* 26. Paula était morte depuis quelques années au moment de l'*In Isaiam*, mais le prologue du livre XVI montre que Jérôme trouvait en Eustochium une interlocutrice digne de sa mère (547 A).

177. Sur le goût érudit de l'accumulation des opinions diverses qui donnait à l'abstention personnelle les couleurs de l'objectivité, voir ch. II, p. 73.

Suivant la voie tracée par les Évangiles et surtout les épîtres pauliniennes, les Pères apostoliques, pour éclairer et affermir la foi de leurs églises, avaient émaillé leurs lettres pastorales de citations de l'Écriture, ancienne et nouvelle, tandis que les nécessités de la polémique anti-juive et des controverses doctrinales naissantes tendaient à en faire un arsenal d'arguments. Cependant, dans le cadre des assemblées chrétiennes, ce qui allait devenir le genre homilétique accompagnait déjà sans doute la lecture liturgique de la Bible, héritage de la Synagogue. Mais nul ne songeait à en donner des commentaires suivis, genre qui supposait un type d'exigences intellectuelles et de besoins spirituels qui ne s'étaient pas encore manifestés. Tout autre est la situation à l'époque d'Origène.

Nous sommes assez bien renseignés par Jérôme sur les formes diversifiées qu'avait prises dès ce moment-là l'explication des Écritures. Il les définit clairement en présentant au prêtre Vincent l'œuvre exégétique de l'Alexandrin, dont il vient de traduire des homélies sur Jérémie et sur Ézéchiel. « Sache », lui dit-il, « que les ouvrages d'Origène sur toute l'Écriture sont de trois sortes : tout d'abord des "recueils de notes" (excerpta), qu'on appelle en grec des "scolies" (σχόλια), dans lesquels il a ramassé sommairement et brièvement ce qui à ses yeux était obscur et comportait une difficulté ; ensuite le genre homilétique auquel appartient la présente traduction ; en troisième lieu ce qu'il a intitulé "tomes" (τόμοι) et que nous pouvons appeler "volumes" (uolumina), genre dans lequel il a livré aux souffles des vents toutes les voiles de son talent et, s'éloignant de la terre, a gagné la pleine mer [178] ».

De ces trois genres exégétiques le plus ancien est donc l'homélie, qui prolonge la lecture liturgique de l'Écriture. C'était aussi le plus répandu dans la vie concrète de l'Église puisque chaque assemblée chrétienne offrait à l'évêque ou à son délégué l'occasion d'en prononcer une. Comme il ne s'agissait pas d'un genre écrit, ces homélies ont sombré dans l'oubli, à moins que le talent ou la notoriété de leurs auteurs n'ait été l'occasion de leur publication [179]. C'est ainsi qu'il nous en est parvenu de très grands noms comme Augustin, mais aussi d'évêques de moindre renom comme Zénon de Vérone. Jérôme, on l'a vu, a lui-même sacrifié au genre à l'église de Bethléem.

Deux traits principaux définissent l'homélie : son public et sa visée. Comme l'étymologie l'indique, l'homélie implique une assemblée [180] ; s'adressant au public indifférencié de l'assemblée chrétienne, elle doit être accessible à tous.

---

178. *Praef. in transl. Or. hom. in Ezechielem* : « ... illud breuiter admonens ut scias Origenis opuscula in omnem Scripturam esse triplicia. Primum eius opus Excerpta quae graece σχόλια nuncupantur, in quibus ea quae sibi uidebantur obscura atque habere aliquid difficultatis summatim breuiterque perstrinxit. Secundum homileticum genus, de quo et praesens interpretatio eius est. Tertium quod ipse inscripsit τόμους, nos uolumina possumus nuncupare, in quo opere tota ingenii sui uela spirantibus uentis dedit et recedens e terra in medium pelagus aufugit » (PL 25, 585-586).

179. Encore doit-on constater que de tels recueils sont quasi introuvables avant la seconde moitié du IVᵉ siècle. Cela s'explique peut-être en partie par le fait que, les homélies relevant de la vie interne de la communauté chrétienne, il n'y avait guère de raisons pour qu'elles échappent à la règle de discrétion dont s'est longtemps entouré le culte chrétien avant l'ère constantinienne.

180. Dans une certaine mesure les homélies renvoient le reflet des assemblées auxquelles elles sont adressées. Elles sont ainsi une source importante de la connaissance que nous pouvons avoir des communautés chrétiennes de l'époque patristique. Voir par exemple J. BERNARDI, *La prédication des Pères cappadociens, passim.*

Les considérations techniques, les développements trop scientifiques ne sauraient donc y trouver place. Lorsque dans celles de Jérôme le savant pointe, il se reprend et s'en excuse auprès de ses auditeurs. C'est que le but de l'homélie est avant tout l'instruction et l'édification des fidèles. Au service de la Parole qui vient d'être lue, son rôle est d'en dégager la portée pour la vie chrétienne, d'où son aspect volontiers parénétique. L'homélie, c'est en somme l'exégèse au service de l'enseignement. Aussi est-elle normalement l'apanage du sacerdoce.

Fort différent est le genre d'exégèse que Jérôme mentionnait en premier lieu. Les différents termes par lesquels il le désigne dans son œuvre en montrent bien les caractères. A la nuance de savoir érudit sous-jacente au nom grec de « scolies », le latin *excerpta*, « recueil de notes », ajoute l'idée d'une « cueillette », d'un choix [181]. Il s'agit en effet de brèves annotations qui ne touchent qu'à certains points, non d'une explication complète et suivie, le choix portant évidemment sur ce qui a le plus besoin d'être élucidé [182]. On pourrait aussi parler de « notes explicatives », ce qui est le sens du grec σημειώσεις, mot par lequel ce genre est désigné dans le *Commentaire sur Isaïe* [183]. Le terme d'*enchiridion* en confirmerait bien le caractère « maniable » de « manuel », si, comme il est probable, c'est bien l'exemplaire des Psaumes annoté par Origène et non le simple Psautier que Jérôme lui fait désigner dans le court prologue de ses *Commentarioli in Psalmos* [184]. Il n'est pas exclu, enfin, que ce dernier diminutif puisse évoquer parfois sous sa plume ce genre d'exégèse bref et ramassé [185].

C'est au contraire, on l'aura remarqué, à une image suggérant l'ampleur que Jérôme associe l'évocation des Commentaires proprement dits. D'un point de vue formel, en effet, ils se distinguent de l'allure ponctuelle et fragmentaire des scolies par leur caractère suivi ; par là ils se rapprocheraient plutôt, sans préjudice d'une orientation différente, du genre homilétique, qu'ils débordent néanmoins largement par leurs dimensions puisqu'ils ne se limitent pas à quelques versets mais portent d'ordinaire sur un livre entier, comme le faisaient, *mutatis mutandis*, les commentaires des grammairiens. C'est d'ail-

---

181. Traduire *excerpta* par « extraits », comme on le fait d'ordinaire, n'est pas très heureux, car ce mot évoque plus des « textes choisis » au sein d'une œuvre qu'un choix d'annotations rapides. Outre le texte déjà cité, Jérôme emploie le mot *excerpta* dans la *Lettre 33, passim* (c'est le catalogue des œuvres d'Origène adressé à Paula) et dans le prologue de l'*In Isaiam* (21 A).

182. Cf. *Praef. in transl. hom. Orig. in Ez.* : « ... ea quae sibi uidebantur obscura atque habere aliquid difficultatis... » (PL 25, 585).

183. *In Isaiam*, prol. (21 A).

184. Voici le début de ce prologue : « Proxime cum Origenis psalterium, quod Enchiridion ille uocabat, strictis et necessariis interpretationibus adnotatum in commune legeremus... » (*Comment. in Psalmos*, prol. : CC 72, 177 = Morin p. 1). Il faut sans doute comprendre : « Dernièrement comme nous lisions ensemble le psautier d'Origène, qu'il appelait "le Manuel" pour l'avoir annoté d'explications réduites au strict nécessaire... » Il est douteux qu'il s'agisse ici des *Excerpta in totum Psalterium* d'Origène que Jérôme mentionne dans sa *Lettre* 33 (4, 8). Voir sur ce point V. PERI, *Omilie...*, p. 13 et suiv.

185. Le titre de *Commentarioli in Psalmos* ne vient pas des manuscrits, qui portent soit *enchiridion*, soit *excerpta (excerptum)*. Mais à la fin de son prologue Jérôme emploie le terme pour désigner son ouvrage, en le distinguant des tomes et des homélies. On peut aussi penser que c'est à des notes de ce genre que correspondait la demande de Blésilla sur l'*Ecclésiaste* pour laquelle il emploie ce mot (voir ci-dessus n. 153). En revanche, en d'autres passages, le terme désigne simplement des Commentaires, sans même qu'apparaisse toujours la tonalité de modestie que comporte le diminutif (voir par exemple *Epist.* 119, 1).

leurs ce que suggèrent les termes par lesquels Jérôme les désigne : « tomes », « volumes », ou simplement « livres » [186].

Destiné à la lecture, même s'il est parfois le fruit d'un enseignement oral, le Commentaire est libéré des sujétions qu'imposent à l'homélie un auditoire trop fruste ou mélangé et le souci de tirer du texte sacré des leçons pratiques ou immédiates. Bien entendu, l'objectif reste toujours pour l'exégète de mieux comprendre les Écritures et d'aider à mieux les comprendre. Il n'y a pas, à l'époque patristique, de connaissance de la Bible qui ne soit ordonnée en définitive à une *lectio diuina*. Mais, dans le Commentaire, l'exégète peut se donner tous les moyens intellectuels requis pour mener à bien sa tâche, sans autre frein que la crainte de lasser l'intérêt du lecteur par des dimensions excessives. En d'autres termes, comme dans les notes brèves des scolies mais de façon systématique, l'exégèse méthodique et scientifique y prend nettement le pas sur le propos d'édification.

Quand on aborde l'exégèse de Jérôme il est bon d'avoir conscience que si les occasions ne lui ont pas manqué de sacrifier à l'homélie, il a donné essentiellement à son œuvre exégétique la forme du Commentaire [187]. La différence de genre entraîne nécessairement une différence d'optique qui ne doit pas être perdue de vue lorsqu'on veut apprécier sainement son exégèse à travers le *Commentaire sur Isaïe*.

C — L'héritage des sources : les « Commentaires sur Isaïe » avant Jérôme

Jérôme n'était donc pas le premier à s'attaquer à l'exégèse d'Isaïe. Pourtant, de son propre aveu, la tâche était rude. « C'est se donner beaucoup de peine et de mal », note-t-il dans le prologue de son Commentaire, « que de vouloir donner une explication complète du livre entier d'Isaïe, qui a fait couler la sueur de nos talentueux devanciers [188] ». De fait, les seules dimensions du recueil prophétique avaient de quoi décourager, et sans doute peut-on voir là une des raisons qui avaient retenu Jérôme d'élargir à un commentaire

---

186. *Tomi* se trouve dans le prologue des *Commentarioli in Psalmos*. C'est également le terme qu'emploie Rufin dans sa préface à sa traduction du *Periarchón* (CC 20, 245 = HIER. *Epist.* 80, 2, 2). On rencontre *uolumina* dans la préface citée plus haut (n. 178) et dans le prologue de l'*In Isaiam* (21 A). *Libri* est le terme courant dans le catalogue des œuvres de la *Lettre* 33. Sur le genre profane du commentaire grammatical auquel ce type d'ouvrage s'apparente, voir la première partie du chapitre suivant.

187. On pourrait encore mentionner, parmi les genres exégétiques plus récents, les *Quaestiones et responsiones*, genre d'exposition qui permet de traiter de points particuliers et qui seraient à mi-chemin des scolies et du Commentaire (voir G. BARDY, *La littérature patristique des "Quaestiones et Responsiones" sur l'Écriture Sainte*, dans la *Revue biblique* 41, 1932, p. 210-236 ; 341-369 ; 515-537). Les *Hebraicae Quaestiones in Genesim* de Jérôme pourraient y être rattachées. Il faudrait mentionner surtout, dans son cas, la lettre exégétique, dont il a considérablement développé l'usage. Ce genre souple tantôt est réponse effective à des questions réelles, tantôt offre la commodité d'un cadre étroit pour commenter un texte limité. Dans le premier cas, son contenu dépend beaucoup des questions posées, qui peuvent ne pas se rapporter à une seule œuvre ou à un seul problème, et qui peuvent soulever aussi bien des questions de vocabulaire ou d'institutions que de théologie. Il serait très souhaitable que le genre de la lettre exégétique chez Jérôme fasse l'objet d'une étude systématique.

188. *In Is.*, prol. : « Magnique laboris et operis est omnem Isaiae librum uelle disserere, in quo maiorum nostrorum ingenia sudauerunt » (20 BC).

de l'ensemble du prophète l'explication historique des oracles sur les nations entreprise sur les instances d'Amabilis. Ainsi s'explique aussi, probablement, le nombre limité de ses prédécesseurs. En effet, nous dit-il, chez les Latins c'est le silence, hormis Victorin de Pettau ; quant aux quatre Commentaires grecs qu'il mentionne, tous ne couvrent pas l'ensemble du recueil.

C'est le cas du premier d'entre eux, celui d'Origène. Jérôme déclare en effet que l'Alexandrin avait écrit sur Isaïe, en suivant les quatre versions des *Hexaples*, trente volumes qui allaient jusqu'à la vision des animaux du désert [189], le livre XXVI étant déjà introuvable à son époque. Et il ajoute : « On rapporte aussi sous son nom deux livres à Grata, qu'on estime apocryphes, sur la vision des "quadrupèdes", vingt-cinq homélies, et des "annotations" que nous pouvons appeler des recueils de notes [190] ». Ces indications recoupent, avec quelques décalages de chiffres, celles du catalogue des œuvres d'Origène dressé jadis dans la *Lettre* 33 [191]. Neuf de ces homélies ont été sauvées de l'oubli par la traduction qu'en a faite Jérôme, qui s'en est servi pour son essai sur les *seraphim* [192] ; on en retrouve des échos dans le Commentaire. Des trente volumes d'explication — comme des scolies — nous n'avons à peu près rien conservé [193]. Jérôme s'y réfère explicitement à deux reprises dans son propre travail [194] ; on peut aussi reconnaître l'Alexandrin derrière plusieurs des *quidam* dont il rapporte l'exégèse pour la critiquer ; et, bien qu'il dénonce à Amabilis son allégorisme [195], il n'est pas douteux qu'il le suit en d'autres endroits sans le dire, soit par emprunt direct, soit à travers le Commentaire d'Eusèbe de Césarée.

Celui-ci fait l'objet, dans le *Commentaire sur Isaïe*, de plusieurs mentions [196], notamment dans le livre V. Jérôme lui fait grief en particulier d'oublier trop souvent sa promesse initiale d'une explication « historique » pour tomber dans l'allégorisme d'Origène [197]. Mais il semble à la fois que le reproche soit

---

189. C'est-à-dire jusqu'à *Is.* 30, 6 où commence l'oracle en question.

190. « Feruntur et alii sub nomine eius de uisione τετραπόδων duo ad Gratam libri, qui pseudographi putantur, et uiginti quinque homiliae, et σημειώσεις quas nos "excerpta" possumus appellare » (21 A).

191. HIER. *Epist.* 33, 4, 2 et 6. Adressée à Paula, cette lettre date du séjour à Rome. Pour les chiffres, il faut s'en tenir à ceux du Commentaire, ceux de la Lettre provenant d'erreurs de transcription, comme l'a montré Klostermann (voir P. COURCELLE, *Les Lettres grecques...*, p. 95, n. 1). Cf. EUSÈBE, *HE* VI, 32, 1.

192. Voir plus loin p. 62-64.

193. Voir, sur les rares fragments conservés, la note de R. Devreesse, dans son étude sur l'*édition du Commentaire d'Eusèbe de Césarée sur Isaïe*, dans la *Revue biblique* 42, 1933, p. 541, n. 3. Il y indique aussi la distribution de la plus grande partie des tomes d'après des indications d'Eusèbe et surtout de quelques manuscrits.

194. *In Is.* 56 BC : « Origenes hunc locum ita interpretatus est... » (sur *Is.* 2, 22) et 99 A : « ... audiat Origenem quid in octauo uolumine explanationum Isaiae huic respondeat quaestiunculae... » (sur la prétendue altération du texte de la Bible par les juifs).

195. *In Is.* V, prol., ci-dessous p. 222, n. 29.

196. Dans le prologue, Jérôme le présente ainsi : « Eusebius quoque Pamphili iuxta historicam explanationem quindecim edidit uolumina » (21 A). Dans le *De uiris illustribus* (n. 81) il avait parlé de dix livres (PL 23, 689 A). On n'en connaissait que d'importants éléments rassemblés des *Chaines* par Montfaucon, puis à la fois complétés et critiqués par R. Devreesse (*op. cit.* ci-dessus n. 193), jusqu'à la découverte du texte intégral par A. Möhle il y a cinquante ans et sa récente édition par J. Ziegler (EUSEBIUS, *Der Jesajakommentar*, Berlin, 1975 = GCS Eus. W. 9).

197. *In Is.* (livre V) 154 C et 179 B. Textes ci-dessous n. 29 et 30 du ch. IV.

excessif [198] et que Jérôme se soit mépris, comme on le verra, sur les intentions d'Eusèbe [199]. Cela ne l'empêche pas d'utiliser largement le travail de son devancier, qu'il cite d'ailleurs plus souvent que les autres. Toutefois il en est moins étroitement tributaire que son *Commentaire sur Zacharie* ne l'était de celui de Didyme [200].

Au maître alexandrin qu'il était allé entendre avant de s'installer à Bethléem Jérôme attribue un commentaire en dix-huit tomes de la fin du recueil prophétique, à partir de l'actuel chapitre 40 [201]. A cela s'accordent les dires de Didyme lui-même qui, dans son *Commentaire sur Zacharie*, renvoie, à propos d'un verset de ce chapitre, à son traité *Sur la vision finale d'Isaïe* [202]. Mais, dans le même Commentaire, il renvoie aussi à six reprises à un *Commentaire sur Isaïe* qu'il paraît difficile de réduire au précédent. Car, si dans un cas l'occasion de ce renvoi est un verset du chapitre 63 d'Isaïe [203], dans trois autres la formule employée implique que les versets visés, qui appartiennent aux chapitres 10 et 11, étaient expliqués à leur place dans un commentaire suivi [204]. Il paraît donc impossible de ne pas admettre que Didyme avait commenté, vraisemblablement en deux fois, tout Isaïe, et ce avant d'entreprendre à la demande de Jérôme son *Commentaire sur Zacharie*. Comment alors expliquer que celui-ci n'en ait pas fait état ? Est-ce distraction de sa part [205] ? ou n'a-t-il mentionné dans son prologue que le commentaire qu'il aurait eu alors à sa disposition ? En toute hypothèse, faut-il attribuer le nombre de volumes indiqué au seul Commentaire final ? ou à l'ensemble de l'œuvre [206] ? Autant de questions sans réponse dans l'état de notre information, puisque

---

198. Voir l'introduction de J.-N. Guinot à son édition du *Commentaire sur Isaïe* de Théodoret de Cyr, SCh 276, p. 26-27.

199. Voir plus loin la note 96, p. 84.

200. Sur la dépendance de l'*In Zachariam* de Jérôme envers Didyme, voir ci-dessus n. 95.

201. *In Is.*, prol. : « Didymus, cuius amicitiis nuper usi sumus, ab eo loco ubi scriptum est : "Consolamini, consolamini populum meum, sacerdotes ; loquimini ad cor Hierusalem", usque ad finem uoluminis decem et octo edidit tomos » (21 A). Le verset cité correspond pour l'exégèse moderne au début du « Second Isaïe ».

202. DIDYME, *In Zachariam* I, 303 à propos d'*Is.* 40, 9.

203. *Ibid.* I, 24 à propos d'*Is.* 63, 1 et 2. La remarque vaut pour la formule vague de renvoi à une explication antérieure qui accompagne une citation d'*Is.* 44, 24 (*Ibid.* IV, 179).

204. Voir en particulier DIDYME, *In Zachariam* II, 171 : « Nous nous sommes étendus davantage sur ce sujet quand, en commentant clairement le passage du prophète Isaïe, *nous sommes arrivés au texte suivant* : ... (= *Is.* 11, 8-9). » (Trad. Doutreleau, SCh 84, 503). Cf. IV, 289 et surtout V, 83. En revanche, les deux références au *Commentaire sur Isaïe* à propos des persécutions (*In Zach.* II, 285 et V, 123) sont trop imprécises pour prouver quoi que ce soit.

205. Il a pu commencer par dicter une description du commentaire paru le premier, puis passer par inadvertance à Apollinaire. Jérôme, en effet, dicte, et cette technique de composition ne permet guère de revenir en arrière (voir ARNS, *La technique du livre d'après saint Jérôme*, Paris, 1953, ch. II).

206. De toute façon Jérôme ne connaît de Didyme que dix-huit tomes sur Isaïe, comme l'atteste sa notice du *De uiris* qui indique sans précision : « In Isaiam tomos decem et octo » (*De uir. ill.* 109 : PL 23, 705 A). Malgré la prolixité de l'Alexandrin, le chiffre peut paraître élevé s'il ne concerne que la « Vision finale » du prophète (c'est-à-dire vingt-six chapitres), à moins que Didyme ne s'y soit proposé de compléter à un rythme voisin l'explication d'Origène qui avait consacré à la première partie du recueil à peu près un livre par chapitre. En revanche, comparé aux trois livres de son *In Osee* (voir HIER. *In Os.*, prol. : PL 25, 821 A) et surtout aux cinq livres de son *In Zachariam*, le chiffre de dix-huit livres est proportionnellement un peu faible pour l'ensemble d'Isaïe. Notons que c'est aussi le nombre des livres du Commentaire de Jérôme, mais on n'en peut rien conclure, car le début du chapitre 40, qui ouvre pour l'Alexandrin la vision finale du prophète, n'y coïncide pas avec une coupure entre deux livres.

de ces commentaires de Didyme rien ne nous est parvenu. Une chose est sûre : à en juger par le cas du *Commentaire sur Zacharie*, Jérôme a certainement mis à contribution le travail de son devancier, qu'on peut sans doute reconnaître derrière certaines exégèses anonymes qu'il rapporte avec des réserves.

A ces trois Commentaires, qui reflètent à des degrés divers les traditions exégétiques alexandrines, Jérôme ajoute la mention d'Apollinaire de Laodicée, qui fut son premier maître. Il a expliqué, nous dit-il, l'ensemble du prophète à sa manière habituelle que caractérise la rapidité, « si bien qu'on croirait lire moins des commentaires que des têtes de chapitres [207] ». Deux autres références à Apollinaire dans la suite du Commentaire ne concernent pas son explication d'Isaïe [208]. Comme celle-ci ne survit que par de brèves scolies conservées par les *Chaînes* [209], il est difficile d'apprécier ce que doit exactement le *Commentaire sur Isaïe* à l'exégèse de l'évêque de Laodicée.

Il n'y a aucune raison de supposer que Jérôme ait disposé, pour expliquer Isaïe, d'autres sources grecques que celles qu'il a indiquées dans son prologue. Du reste, sa liste correspond bien aux œuvres de ses devanciers auxquelles il pouvait normalement avoir accès [210]. Aussi n'y a-t-il sans doute pas lieu d'interpréter comme le signe d'une dépendance de Jérôme les correspondances qu'on a pu relever entre son œuvre et l'abondant Commentaire des seize premiers chapitres du prophète attribué à Basile de Césarée [211]. Plusieurs de ces correspondances peuvent s'expliquer suffisamment par une source commune : soit Eusèbe, plus rarement que ne l'avait cru Garnier, l'éditeur de Basile [212], soit probablement Origène [213]. L'unique référence du *Commentaire sur Isaïe* à une explication d'un *quidam* non identifié qui ne corresponde à

---

207. *In Isaiam*, prol., 21-22. Texte ci-dessus n. 59.

208. Il s'agit d'*In Is*. 377 B et 627 C. Sur les références à Apollinaire dans l'ensemble de l'œuvre hiéronymienne, voir la note 52 de ce chapitre. Jérôme le mentionne souvent parmi ses sources.

209. Voir ci-dessus n. 54.

210. On ne voit pas pourquoi, si Jérôme avait possédé le Commentaire d'Hippolyte sur Isaïe, il ne l'aurait pas indiqué, puisqu'il en mentionne clairement l'*In Zachariam* parmi ses sources pour son commentaire de ce prophète.

211. Sur l'attribution à Basile, jadis vigoureusement contestée par Garnier, l'éditeur du grand Cappadocien (voir PG 29, CCXVI et s.), voir R. LOONBEEK, *Étude sur le Commentaire sur Isaïe attribué à S. Basile*, Mémoire de licence dactylographié, Louvain, 1955 (en particulier ch. 2, p. 233-295 et la conclusion générale p. 329 et suiv.), qui conclut avec prudence à « l'authenticité probable » du Commentaire. Toutefois la question, semble-t-il, reste ouverte. Les Actes du récent colloque de Toronto (*Basil of Caesarea : christian, humanist, ascetic*, ed. by P.J. Fedwick, Toronto, 1981) rangent encore l'œuvre dans les « dubious works » (p. 713. Cf. p. 51 une prise de position de S.Y. Rudberg défavorable à l'authenticité). C'est en tout cas « certainement l'œuvre d'un Cappadocien du IVe siècle » (P.J. FEDWICK, *The Church and the Charisma of Leadership in Basil of Caesarea*, Toronto, 1979, p. 154).

212. R. Loonbeek ne retrouve dans le Commentaire d'Eusèbe édité par Ziegler aucun des vingt-quatre rapprochements entre Jérôme et le Ps. Basile relevés par Garnier d'après l'édition de Montfaucon. On peut noter cependant entre les deux œuvres une correspondance sur *Is*. 1, 8 (PL 24, 31 A/PG 30, 152 C) qui peut remonter à Eusèbe (Eus. W. 9, 7 § 13), mais elle porte essentiellement sur l'explication d'un usage agricole, non sur une interprétation.

213. C'est le cas pour *Is*. 4, 1 (Hier. 73 A/Ps. Bas. PG 30, 336 D qui renvoie à « τισιν ») que Loonbeek (*op. cit.*, p. 288, n. 4) hésite à rattacher à Eusèbe et estime convenir très bien à Origène (*ibid.* p. 289, n. 1). De fait, tous les éléments de cette exégèse des sept femmes qui se saisissent d'un seul homme se trouvent dans l'homélie correspondante d'Origène sur Isaïe (*Hom.* 3 : PL 24, 909-912 = Or. W. 8, 253-257).

aucune autre exégèse connue que celle du Ps. Basile peut fort bien être origénienne [214].

Parmi les Latins, Jérôme ne se connaît qu'un devancier, le martyr Victorin, plus estimable à ses yeux par son savoir que par son style [215]. La mention de l'évêque de Pettau dans ce catalogue ne surprend pas : son œuvre est familière à Jérôme, comme le montre la notice précise qu'il lui consacre dans le *De uiris illustribus* [216]. Il en parle à plusieurs reprises dans sa correspondance [217] et dès la *Lettre* 18 A lui emprunte une exégèse d'Isaïe [218]. Dans la suite de son Commentaire il le nomme parmi les exégètes de Daniel [219] et de l'*Apocalypse* [220], et sans doute fait-il partie des *quidam nostrorum* critiqués dans un autre passage pour leur millénarisme [221]. Mais la perte de son œuvre nous interdit toute vérification.

Jérôme connaissait-il le *Commentaire sur Isaïe* d'Ambroise dont Augustin nous a conservé quelques passages et qui semble n'avoir pas eu une grande diffusion [222] ? Son silence permet d'en douter. Il est vrai qu'il pourrait s'expliquer par la piètre estime dans laquelle il tenait les travaux exégétiques de l'évêque de Milan [223]. De toute manière c'était encore la source origénienne qu'il y aurait atteinte. De fait, à l'exception d'Apollinaire, tous les commentateurs dont il fait état dans son prologue sont connus pour être tributaires, à des degrés divers, de l'exégèse du grand Alexandrin. Puisant à un tel héritage, il y avait peu de chances que Jérôme fît exception, mais ses manifestations d'indépendance n'en ont que plus d'intérêt. Il est d'autant plus regrettable que la perte de la plupart de ces commentaires nous empêche de bien les mesurer.

---

214. *In Is.* 5, 26 s. : « Legi in cuiusdam commentariis... » (90 D. Cf. Ps. Bas. PG 30, 425 AB). C'est l'application à l'appel des païens du « signal levé parmi les nations » interprété comme la Croix.

215. « Apud Latinos grande silentium est, praeter sanctae memoriae martyrem Victorinum, qui cum Apostolo dicere poterat : "Etsi imperitus sermone, non tamen scientia"... » (20 C). Il connaissait en effet moins bien le latin que le grec, dit Jérôme dans sa notice du *De uiris* (voir note suivante).

216. Hier. *De uir. ill.* 74 (PL 23, 683 B). Jérôme y énumère une dizaine de titres, dont un *In Isaiam.*

217. Voir en particulier *Epist.* 61, 2, 4 et 84, 7, 6 qui le présentent comme un traducteur et un utilisateur d'Origène.

218. Hier. *Epist.* 18 A, 6, 8 sur les ailes des *seraphim* interprétées des douze apôtres.

219. *In Isaiam* XI, prol. (377 B).

220. *In Isaiam* XVIII, prol. (627 B).

221. *In Is.* 187 C.

222. Ambroise y fait allusion une fois (*In Lucam* II, 56 : « ... nisi in Esaiae commentis ante dixissem... ») mais on n'en a aucun manuscrit ; déjà Cassiodore (*Inst.* 3), l'avait cherché en vain. Seul Augustin, ce qui s'explique, en cite quelques passages, rassemblés à la suite de l'*Expositio in Lucam* dans CC 14, 405-408.

223. Voir en particulier la flèche qu'il lui décoche dans la préface à sa traduction des homélies d'Origène sur Luc (PL 26, 220 A) et, quelques années plus tard, la notice lourde de sous-entendus du *De uir. ill.* (124 : PL 23, 771 C).

II — LA GENÈSE DU « COMMENTAIRE SUR ISAÏE »

On pourrait s'étonner que Jérôme, l'exégète des prophètes, ait tant tardé à consacrer un commentaire à un livre biblique aussi abondamment utilisé qu'Isaïe depuis le Nouveau Testament. Sans doute reculait-il, malgré des promesses antérieures à Paula et Pammachius [224], devant l'effort et la peine que représentait l'explication intégrale du plus volumineux des recueils prophétiques [225]. On ne saurait, en tout cas, le soupçonner d'indifférence envers un texte dans lequel il invite le lecteur de son Commentaire à découvrir « tous les mystères du Seigneur », et même davantage, s'il fallait prendre à la lettre les amplifications rhétoriques auxquelles l'entraînent à la fois son admiration et les règles de la *praefatio* [226]. Au demeurant, ce prophète privilégié, dont il entend montrer qu'il est « un évangéliste et un apôtre autant qu'un prophète [227] », avait depuis longtemps retenu son attention.

A — Saint Jérôme et Isaïe avant le « Commentaire sur Isaïe »

C'est même le seul livre biblique qu'il ait abordé par étapes successives au long de sa carrière exégétique. Avant même qu'il en explique *iuxta historiam* pour Amabilis, en 397, les dix visions les plus difficiles [228], c'est, on s'en souvient, un passage d'Isaïe qui, dès son séjour à Constantinople, lui avait fourni l'occasion et la matière de sa première tentative exégétique [229]. La vision grandiose de Dieu trônant dans le Temple entre les *seraphim*, qui entraîna la vocation du prophète [230], avait de quoi tenter par sa grandeur majestueuse et sa signification spirituelle la plume d'un débutant qui brûlait d'essayer son talent. Mais sans doute ce choix fut-il également influencé par la découverte que, grâce à Grégoire de Nazianze, Jérôme faisait alors d'Origène ; c'est, en effet, selon toute vraisemblance de ce moment-là que date aussi la traduction qu'il fit de plusieurs homélies sur Isaïe, dont la moitié porte sur ce chapitre [231].

---

224. *In Isaiam*, prol. : « ... cogis me, uirgo Christi Eustochium, transire ad Isaiam et, quod sanctae matri tuae Paulae, dum uiueret, pollicitus sum, tibi reddere. Quod quidem et eruditissimo uiro fratri tuo Pammachio promisisse me memini » (17 A).

225. *Ibid.* 20 BC, ci-dessus n. 188.

226. *Ibid.* 18 B-19 A. Voir ci-dessous p. 307-308, n. 517 et 518.

227. *Ibid.* 18 A : « ... sic exponam Isaiam ut illum non solum prophetam sed euangelistam et apostolum doceam ». A rapprocher de la présentation lapidaire que Jérôme faisait déjà d'Isaïe à Paulin de Nole : « ... non prophetiam mihi uidetur texere sed euangelium » (*Epist.* 53, 8, 10).

228. C'est-à-dire les oracles sur les nations du ch. 13 à 23. Voir ci-dessous p. 64-65.

229. ... si l'on oublie, selon le souhait de Jérôme, son essai — perdu — sur Abdias, lors de son premier séjour à Antioche (voir ci-dessous n. 237).

230. C'est le début du ch. 6 d'Isaïe, auquel Jérôme consacre les *Lettres* 18 A et B (ci-dessous p. 63-64).

231. Ce sont les seules des vingt-cinq homélies d'Origène sur Isaïe mentionnées par Jérôme qui nous soient parvenues, précisément grâce à cette traduction, qui figure dans PL 24, col. 901-936 et dans l'édition Baehrens d'Origène (*Origenes Werke* 8, Lipsiae, 1925, p. 242-289). En voici la liste :

Hom. I sur *Is.* 6, 1-4   Hom. IV sur *Is.* 6, 1 sq.   Hom. VII sur *Is.* 8, 18

Hom. II sur *Is.* 7, 14 sq.   Hom. V sur *Is.* 41 et 6   Hom. VIII sur *Is.* 20, 11-12

Hom. III sur *Is.* 11 et 4, 1   Hom. VI sur *Is.* 6, 8-10   Hom. IX sur *Is.* 6, 8 et 7, 11

1. La traduction des Homélies d'Origène sur Isaïe

Cette traduction, qui serait donc la manifestation la plus ancienne de l'intérêt porté par Jérôme à ce prophète, soulève une série de problèmes. Le moins surprenant n'est pas le silence que garde sur elle Jérôme tout au long de son œuvre. Il n'en dit mot dans sa propre notice du *De uiris illustribus*, alors qu'y figure celle des homélies sur Jérémie et sur Ézéchiel. Il n'en parle pas davantage dans son Commentaire, où il fait pourtant état des vingt-cinq homélies qui constituent, avec trente « tomes » et des scolies, la contribution d'Origène à l'explication d'Isaïe [232]. Il ne fait cependant pas de doute que cette traduction est de lui et qu'elle a fait l'objet d'une certaine diffusion. Le témoignage de Rufin enlèverait, s'il était nécessaire, toute hésitation à ce sujet. Non seulement, en effet, il la mentionne dans son *Apologie contre Jérôme*, mais il cite même à deux reprises un passage précis de la première homélie, pour montrer comment Jérôme y a atténué par une petite addition la portée de l'interprétation fâcheuse qu'Origène y donne des deux *seraphim* [233].

Cette discrétion de Jérôme ne simplifie pas les problèmes de datation. On pourrait être tenté, à cause du silence du *De uiris illustribus*, de situer la traduction de ces homélies peu après cet ouvrage, avant que ne commence la controverse origéniste [234]. Mais le silence de Jérôme à leur sujet, dans son livre à Amabilis et dans le grand Commentaire lui-même, n'en serait que plus inexplicable : de plus, une datation tardive ne s'accorde guère avec la relative médiocrité du style qui, de l'avis unanime, en est moins aisé que celui des homélies sur Jérémie ou Ézéchiel, fermement datées de Constantinople. D'où l'idée que les *homélies sur Isaïe* y auraient été traduites les premières [235]. Mais à cela s'oppose la préface de Jérôme à sa traduction des *homélies sur Ézéchiel* : son silence, alors qu'elle fait mention des *homélies sur Jérémie*, ne se comprendrait absolument pas dans cette hypothèse.

Il faut donc admettre que cette traduction est sans doute la dernière, mais il n'est guère douteux qu'elle date encore du séjour à Constantinople [236]. On y relève d'ailleurs avec la lettre sur les *seraphim* non seulement des coïncidences

---

Baehrens (*l.c.* XLI-XLII) a mis en doute l'authenticité origénienne de la dernière et, partant, l'authenticité hiéronymienne du texte que nous avons. Mais son argumentation n'a pas fait l'unanimité (voir. G. Bardy, *Saint Jérôme et ses maîtres hébreux*, dans la *RBen* 46, 1934, p. 147, n. 4).

232. Sur le nombre d'homélies consacrées par Origène à ce prophète, il y a contradiction entre le chiffre fourni par le catalogue de la *Lettre* 33 et celui du prologue de l'*In Isaiam*. C'est le chiffre de vingt-cinq donné par le prologue qui est exact. Voir ci-dessus n. 191.

233. Rufin, *Apol. contra Hieronymum* II, 31 : « ... in interpretationibus tuis, siue in his ipsis homeliis (= sur Luc), siue in Hieremia uel Isaia, maxime autem in Ezechiele... » (CC 20, 106). Le texte essentiel est celui-ci : « ... in homeliis Isaiae uisio Dei Filium et Spiritum Sanctum retulit. Ita tu ista transtulisti, adiciens ex te quod sensum auctoris ad clementiorem traheret intellectum. Ais enim : "Quae sunt ista duo seraphim ? Dominus meus Iesus Christus et Spiritus Sanctus." Et ex tuo addidisti : "Nec putes Trinitatis dissidere naturam si nominum seruantur officia"... » (*ibid.* Cf. II, 50 : CC 20, 122). La citation est exacte : cf. Hier. *Transl. Or. in Is. hom.* 1, 2 : PL 24, 904 A.

234. C'était la position de Vallarsi et de Bardenhewer. Mais le délai est bien court entre les deux événements si, comme le pense avec vraisemblance P. Nautin (*RHE* 56, 1961), le *De uiris* n'est pas antérieur au printemps 393.

235. Voir Grützmacher, *Hieronymus...*, t. I, p. 56-57.

236. On aura remarqué que, dans son *Apologie* (ci-dessus, n. 233), Rufin mentionne groupées les homélies sur les trois prophètes, les distinguant des *homélies sur Luc*.

d'expression, mais, pour le fond même, une correspondance plus sensible encore : le chapitre 6 d'Isaïe sur lequel porte cet essai exégétique fournit en effet le thème de cinq de nos neuf homélies. On peut raisonnablement supposer qu'en entreprenant de poursuivre par un choix d'homélies sur Isaïe le travail de traduction commencé, Jérôme a été frappé par l'intérêt que présentait la vision inaugurale du prophète rapportée dans ce chapitre. D'où son désir d'exploiter lui-même, en une explication systématique qui les regrouperait, les matériaux dispersés dans les homélies qu'il traduisait. Ayant choisi de faire œuvre personnelle, il aura interrompu la traduction en cours sans y mettre la dernière main. Ainsi s'expliquerait, d'ailleurs, l'état d'inachèvement dans lequel nous est parvenue la neuvième homélie.

Une douzaine d'années plus tard, au moment où il rédige son *De uiris*, jugeant sévèrement ce travail imparfait, il a pu l'y passer sous silence pour cette raison, la même, sans doute, qui lui a fait garder un silence semblable sur son premier travail sur Abdias, dont nous ignorerions l'existence s'il n'avait tenu qu'à lui [237]. En revanche, l'essai personnel qui s'était substitué à cette traduction non seulement a trouvé place dans la notice du *De uiris*, mais il servira encore de référence au moment du grand commentaire.

2. Les lettres 18 A et B à Damase sur les seraphim

En effet, lorsqu'au début du livre III du *Commentaire sur Isaïe* Jérôme aborde l'explication du chapitre 6 du prophète, il évoque en ces termes cet essai de jeunesse : « Sur cette vision, il y a une trentaine d'années, alors que j'étais à Constantinople en train de me former à l'étude des Saintes Écritures auprès de Grégoire de Nazianze, cet homme si éloquent, alors évêque de ladite ville, je sais que j'ai dicté un rapide traité improvisé, pour faire l'épreuve de mon humble talent et obéir aux instances de mes amis. Je renvoie donc le lecteur à ce petit ouvrage et le prie de se satisfaire du rapide commentaire de cette époque [238] ». Ce texte fournit deux certitudes : Jérôme, après trente ans, estime encore assez valable cet essai de son talent pour y renvoyer le lecteur et s'épargner ainsi de longs développements. Aucun doute n'est possible non plus sur la date et les circonstances de composition. Il reste pourtant à éclaircir un point essentiel : quel est ce *breuis subitusque tractatus* ? L'œuvre hiéronymienne fournit en effet sur les *seraphim* deux petits traités et non pas un seul : ce sont les *Lettres* 18 A et 18 B, toutes deux adressées à Damase d'après la tradition manuscrite [239]. En fait, l'hésitation n'est guère possible : c'est à la

---

237. Voir le prologue de l'*In Abdiam* dans lequel il raconte comment il a vu resurgir à sa honte un exemplaire de cet essai malheureux qu'il espérait définitivement tombé dans l'oubli (PL 25, 1097 AB).

238. *In Is.* 6, 1 : « De hac uisione ante annos circiter triginta, cum essem Constantinopoli et apud uirum eloquentissimum Gregorium Nazianzenum, tunc eiusdem urbis episcopum, sanctarum Scripturarum studiis erudirer, scio me breuem dictasse subitumque tractatum ut et experimentum caperem ingenioli mei et amicis iubentibus oboedirem. Ad illum itaque libellum mitto lectorem oroque ut breui huius temporis expositione contentus sit » (91-92). Grégoire quitta Constantinople en juin 381 (voir ci-dessus n. 66).

239. C'est à juste titre qu'Hilberg a rétabli dans son édition de la Correspondance la division en deux parties de la *Lettre* 18 dont Vallarsi avait fait un tout en dépit de la tradition manuscrite, que confirme parmi d'autres indices la présence d'une formule de conclusion indiscutable au § 16.

Lettre 18 A que renvoie le Commentaire. Antérieure à la *Lettre* 18 B qui y fait référence, elle est bien le premier essai de Jérôme, ce que semblait impliquer sa formule. Outre quelques coïncidences d'expression, elle utilise de façon nette pour le fond les homélies d'Origène sur Isaïe, celles aussi sur Jérémie, que Jérôme a traduites ou lues à Constantinople [240]. La critique qu'elle contient de l'interprétation de l'Alexandrin sur les *seraphim* permet d'y reconnaître à coup sûr le « livre publié vingt ans auparavant » dont il fait état en 399 dans son apologie à Pammachius [241]. Le genre d'exégèse pratiqué correspond d'ailleurs mieux que celui de la *Lettre* 18 B à la méthode du Commentaire ; il n'est donc pas illogique que Jérôme y renvoie son lecteur. De fait, une explication suivie y établit d'abord, à chaque fois, le sens littéral du verset, avant de passer à l'interprétation spirituelle par divers procédés de l'exégèse allégorique. Sur cette trame, les rapprochements bibliques et le recours aux exégèses antérieures fournissent une riche matière.

Assez différente est l'exégèse pratiquée dans la *Lettre* 18 B, d'un caractère plus bref et plus technique, qui commente seulement les versets 6 à 8. La confrontation des différentes versions grecques y est systématique pour l'établissement du texte, quelques explications nouvelles complètent l'apport de la *Lettre* 18 A à laquelle il est fait allusion. Pour expliquer cette seconde lettre et ses caractères particuliers, on peut supposer qu'après avoir achevé à Constantinople son premier traité, — ou peut-être seulement à Rome, quand il l'adressa au pape Damase, — Jérôme a repris dans un style différent quelques notes techniques qu'il n'avait pas exploitées ; mises en forme et étoffées, elles furent remises à Damase en complément de l'explication précédente.

3. *Le commentaire « iuxta historiam » sur dix visions d'Isaïe*

Écrit en 397 à la demande de l'évêque Amabilis, le commentaire des oracles sur les nations, qui occupent les chapitres 13 à 23 d'Isaïe, n'est plus un coup d'essai. Depuis ses premières tentatives exégétiques, en effet, plus de quinze ans se sont écoulés, pendant lesquels Jérôme a acquis de l'expérience et rodé une méthode, en écrivant en dix ans une douzaine de commentaires, dont sept sur des prophètes. Et pourtant c'est dans une voie neuve qu'il s'engage ici : l'ouvrage se limite délibérément à l'explication *littérale* de ces chapitres particulièrement obscurs. Le point de départ du commentaire y est *l'hebraica ueritas* ; les autres versions, y compris les Septante, n'interviennent qu'occa-

---

J'estime inutile de revenir ici sur la question du *Tractatus contra Origenem de uisione Isaiae* dans lequel Dom Amelli, qui l'avait découvert au début de ce siècle, voulait reconnaître le *breuis subitusque tractatus* de Constantinople (*Un trattato di S. Girolamo scoperto nei codici di Montecassino*, dans les *Studi religiosi* I, 1901). Depuis, on a amplement montré que, si ce traité est apparemment de la plume de Jérôme, il représente une traduction d'un original grec qui a des accents antiorigénistes beaucoup plus âpres que n'en a jamais eus Jérôme, à plus forte raison au moment où il découvrait Origène auprès de Grégoire de Nazianze. Sur l'historique des discussions et sur l'attribution probable à Théophile d'Alexandrie, voir l'article de L. CHAVOUTIER, *Querelle origéniste et controverses trinitaires à propos du Tractatus contra Origenem de Visione Isaiae*, dans *Vigiliae christianae* 1960, p. 9-14.

240. G. Bardy l'a montré en particulier pour le développement comparant l'attitude d'Isaïe à celle de Moïse dans la lettre 18 A, 15, à rapprocher d'ORIGÈNE, *Hom.* 6 et 9 sur Isaïe, et *Hom.* 20 sur Jérémie (BARDY, *Saint Jérôme et ses maîtres hébreux*, dans *RBen* 46, 1934, p. 145 s.).

241. HIER. *Epist.* 84, 3, 4.

sionnellement, quand la discussion s'y prête. Assez volumineux, ce livre fournit une foule d'explications précises qui attestent la connaissance que Jérôme a acquise non seulement de l'histoire biblique, mais des sources profanes qui la recoupent et la complètent. Les traditions des Hébreux y tiennent aussi une large place. Il y a là un document privilégié, et même unique, sur la conception qu'a Jérôme de ce type d'exégèse, dans lequel il ne s'est d'ailleurs laissé enfermer qu'avec réticence par les instances d'Amabilis sur qui il en rejette la responsabilité. « Si je colle à la lettre », s'excuse-t-il en cours de commentaire, « et si je mange la terre comme les serpents, c'est toi qui l'as voulu dans ta volonté de n'entendre qu'un commentaire historique [242] ». La réserve, on le voit, ne porte pas sur l'explication littérale elle-même, mais sur son caractère exclusif. De fait, Jérôme ne recommencera pas ce genre d'expérience.

Il n'est pas pour autant mécontent du résultat de son travail. Il le cite sans réticence dans une lettre de l'année suivante [243] et l'envoie même en cadeau à un de ses correspondants pour que, « chaque fois qu'il le regardera, il se souvienne ainsi d'un ami très cher [244] ». Qui plus est, lorsque dans la rédaction de son grand commentaire il en sera arrivé aux oracles sur les nations, il reprendra purement et simplement son livre *iuxta historiam* pour en faire le livre V de son Commentaire [245], consacrant ensuite deux livres à leur explication spirituelle, avant de retrouver au livre VIII sa manière habituelle.

On aurait pu penser qu'amené par l'insistance d'Amabilis à travailler sur Isaïe, Jérôme aurait poursuivi dès ce moment par ce prophète la série de commentaires qu'il avait déjà largement amorcée. Il n'en fut rien. Peut-être la difficulté des visions commentées et le fait d'avoir dû s'en tenir à un type d'exégèse dont il mesurait les limites contribuèrent-ils à l'en retenir. Dans l'année qui suivit, sa santé très défaillante aurait d'ailleurs suffi à le détourner d'un travail aussi important. Il préféra poursuivre sa traduction de l'Ancien Testament sur l'hébreu. Quand, après l'avoir achevée plusieurs années plus tard, il se remit à l'automne 406 à l'*opus prophetale*, la prudence le poussa à terminer d'abord les Commentaires sur les petits prophètes. Ce n'est même qu'après avoir expliqué le livre de Daniel qu'il se décida à tenir à Eustochium la promesse faite autrefois à sa mère [246].

---

242. *In Is.* 160 C : « Quod haereo litterae et in more serpentum terram comedo, tuae est uoluntatis, qui historicam tantum interpretationem audire uoluisti ».

243. HIER. *Epist.* 72, 4, 3 à Vital, de 398 : « ... iuxta prophetiam Isaiae quam inter decem uisiones nuper interpretatus sum ».

244. HIER. *Epist.* 71, 7 à Lucinus. Il lui envoie « ... codicem, hoc est uisiones Isaiae ualde obscurissimas, quas nuper historica explanatione disserui, ut quotienscumque mea opuscula uideris, totiens amici dulcissimi recordatus... ».

245. On n'y décèle pas d'indices d'un remaniement.

246. *In Is.*, prol. (texte ci-dessus n. 224). Écrit en 407 et dédié à Pammachius et Marcella, le *Commentaire sur Daniel* réalisait lui-même avec beaucoup de retard une promesse faite jadis à Paulin de Nole dont l'exécution avait déjà été ajournée en 399 au profit de la traduction du *Periarchôn* (cf. *Epist.* 85, 3).

B — La composition du « Commentaire sur Isaïe »

C'est à Eustochium en effet qu'est adressé le *Commentaire sur Isaïe*. Depuis la mort de Paula, elle assumait la direction des communautés de Bethléem. Jérôme prolongeait avec elle seule désormais les entretiens qu'il avait eus pendant vingt ans avec elle et sa mère, et dans lesquels l'Écriture tenait tant de place. En lui dédiant l'ouvrage et en évoquant sa promesse ancienne à Paula, Jérôme renouait avec le geste qui lui avait fait consacrer ses premiers Commentaires conjointement à ces deux compagnes de sa vocation monastique.

Commencé après l'achèvement du *Commentaire sur Daniel* qui suivit les derniers Commentaires des petits prophètes [247], et terminé avant que ne parvienne à Bethléem la nouvelle du sac de Rome le 24 août 410 par les Wisigoths d'Alaric, que Jérôme apprit au moment où il se mettait à dicter le *Commentaire sur Ézéchiel* [248], le *Commentaire sur Isaïe* se date des années 408-410. Il n'est pas étonnant que ses dix-huit livres aient demandé près de deux ans de travail : à l'ampleur de la tâche s'ajoutait l'entrave de circonstances contraires, dont nous apportent l'écho les prologues de l'œuvre et les lettres contemporaines de sa rédaction. Si la mort de Stilicon, en août 408, libère Jérôme d'une sérieuse inquiétude pour sa sécurité personnelle [249], sa santé le tourmente. Il se dit accablé par l'âge et la faiblesse physique [250] ; des charges multiples pèsent sur lui et il rencontre des difficultés jusque dans le manque de secrétaires [251]. Il ne peut travailler que par intervalles : il signale lui-même qu'il se met au neuvième livre un certain temps après avoir terminé le huitième [252]. Il puise cependant l'énergie nécessaire dans l'idée que peut-être la vie lui est laissée pour qu'il achève son œuvre [253].

Malgré les dimensions du livre d'Isaïe, le plus volumineux des recueils prophétiques, Jérôme renonce pour le commenter à la méthode qu'il avait essayée avec le *Commentaire sur Daniel*. Par souci de brièveté et en s'inspirant peut-être de la manière d'Apollinaire de Laodicée, il s'y était arrêté sur les seuls points difficiles, passant radicalement sur le reste [254]. La formule en effet

247. L'*In Danielem* est donc postérieur à 406, et le prologue du livre XI de l'*In Isaiam* (ci-dessous n. 249) implique qu'il est antérieur de plusieurs mois à la mort de Stilicon tué à Ravenne le 22 août 408.

248. HIER. *Epist.* 126, 2 de 411 : « Ezechielis uolumen olim adgredi uolui, et sponsionem creberrimam studiosis lectoribus reddere ; sed in ipso dictandi exordio ita animus meus Occidentalium prouinciarum et maxime urbis Romae uastatione confusus est ut... », etc.

249. Voir *In Is.* XI, prol. (377-378). C'est Stilicon qui est visé. Le prologue du livre XI est donc postérieur au moment où la mort de Stilicon fut connue en Orient. Le contexte indique que c'est l'application de la vision de la statue à l'Empire romain par Jérôme dans l'*In Danielem* qui lui aurait valu des difficultés de ce côté-là.

250. *In Is.* X, prol. : « ego et aetatis et corporis imbecillitate confectus... » (351 A).

251. *Ibid.* : « ... notariorumque penuria... »

252. *In Is.* IX, prol. : « Variis molestiis occupati, explanationes in Isaiam prophetam per interualla dictamus. Unde expleto octauo uolumine, nunc post aliquantum temporis spatium transimus ad nonum » (313 D). La suite du passage, qui fait allusion aux morsures des jaloux, semble indiquer que les premiers livres de l'*In Isaiam* avaient fait l'objet d'attaques, et donc que Jérôme les publiait à mesure. Eustochium en tout cas lira la préface du livre XV avant que ne soit écrite celle du livre XVI (547 AB).

253. *In Is.* XIV, prol. (477 BC).

254. HIER. *In Danielem*, prol. : « ... non iuxta consuetudinem nostram proponentes omnia et

n'avait pas plu à tout le monde[255]. Sans doute ne l'avait-elle pas pleinement satisfait lui-même, car il revient à sa manière antérieure, et se livre donc à une explication suivie de l'ensemble du texte.

Avait-il prévu dès le départ le nombre de volumes et la répartition entre eux des chapitres du prophète ? Certains indices le donneraient à penser. Au moment où il commence à rédiger le livre X, par exemple, il annonce au lecteur que ce livre sera moins important en volume que le livre IX et le livre XI, lequel n'est certainement pas encore composé[256]. Faut-il déduire de la suite du passage que Jérôme veille à faire coïncider la coupure entre les livres avec des divisions naturelles du texte d'Isaïe ? Car il ajoute : « Après le livre X, vient en effet l'histoire de Sennachérib, de Rabsacès et du roi Ézéchias, qui ne pourra ni être jointe à ce qui précède à cause du volume énorme que cela ferait, ni être divisée à cause de la continuité des faits[257] ».

On peut douter pourtant qu'il ait fait de ce respect des ensembles du texte biblique une règle formelle. Effectivement il déclare en sens inverse au début du livre III, pour s'y dispenser d'une longue préface, que la division en livres ne répond qu'à un aspect pratique[258]. Et c'est bien l'impression que laisse la coupure totalement artificielle qui sépare le livre XI du livre XII : elle tombe en plein milieu du chapitre 40 d'Isaïe, ce qui ne correspond ni à la logique, ni même à ce que laissait attendre le prologue du livre X[259]. Les événements qui y sont évoqués comme formant la substance du livre suivant ne dépassent pas en effet la fin du chapitre 39. C'est donc là que se trouverait la coupure logique, qui est si nette qu'elle marque pour l'exégèse moderne la séparation entre le « premier » et le « second » Isaïe. Or, même si Jérôme ne pouvait voir les choses de cette façon, il disposait, parmi les sources qu'il mentionne, d'un Commentaire de Didyme l'Aveugle sur la vision finale d'Isaïe qui commençait précisément avec le chapitre 40[260]. Il est donc probable que Jérôme n'a pas dû prévoir dès le début une répartition précise du texte biblique en dix-huit parties ; du moins, s'il l'avait envisagée dans ses grandes lignes, il ne s'y est pas tenu mais a souvent obéi à des considérations pratiques et plus humbles. Il n'en faudrait pas conclure qu'il n'a pas eu, dans son exégèse, le sens de l'unité logique que peut présenter une suite de versets. Mais on touche là à l'un des problèmes fondamentaux de cette « philologie sacrée » dont nous sommes maintenant en mesure d'aborder l'étude.

---

omnia disserentes, ut in duodecim prophetis fecimus, sed breuiter et per interualla ea tantum quae obscura sunt explanantes, ne librorum innumerabilium magnitudo lectori fastidium faciat » (PL 25, 494 A). C'est ainsi qu'il avait pu limiter à un seul livre l'ensemble de son commentaire.

255. Voir *In Is.* XI, prol. (377 C).

256. *In Is.* X, prol. : « Decimus liber quem nunc habemus in manibus nono et undecimo minor erit numero uersuum, non sensuum magnitudine » (349 D).

257. « Sequitur enim eum Sennacherib atque Rabsacis et Ezechiae regis historia, quae nec iungi cum praecedentibus poterit, propter enormem uoluminis magnitudinem, nec diuidi propter gestorum continentiam » (*ibid.*).

258. *In Is.* III, prol. : « ... in singulis libris qui tantum numerum ordinemque significant... » (91 A).

259. Voir ci-dessus n. 257.

260. *In Is.*, prol. (ci-dessus n. 201).

CHAPITRE II

« Philologia sacra »

Avant d'examiner la manière dont Jérôme aborde le texte sacré qu'il se propose d'expliquer, la façon dont il le morcèle en lemmes plus ou moins importants, l'usage qu'il fait des différentes versions qui le véhiculent à son époque, il faut s'arrêter au cadre littéraire dans lequel il a conscience d'inscrire sa démarche exégétique.

I — LA CONCEPTION DU COMMENTAIRE

Sur ce point Jérôme n'est pas avare de confidences. Que ce soit dans ses Commentaires, dans ses autres ouvrages ou sa correspondance, les formules ne manquent pas pour éclairer l'idée qu'il se faisait de sa tâche de commentateur. Voici ce qu'il en dit en 401, vers le milieu de sa carrière, dans son *Apologie contre Rufin* :

> « En quoi consiste le travail du commentaire ? Développer ce qu'un autre a dit, expliciter dans un langage clair les textes qui comportent des obscurités, exposer de multiples opinions et dire : voici les développements de certains sur ce passage ; d'autres l'interprètent ainsi ; tels s'efforcent d'appuyer leur sentiment et leur façon de voir sur telles citations et telle argumentation. Ainsi le lecteur avisé, après avoir lu les diverses explications et s'être instruit des nombreux avis qui méritent d'être ou retenus ou rejetés, pourra juger de ce qui est le plus exact et, comme un bon changeur, refuser l'argent de mauvais aloi [1]. »

Sur la visée du commentaire, la matière qu'il met en œuvre, le résultat qu'on en escompte, sur certains aspects techniques également que cette page

---

1. HIER. *Apol. adu. Ruf.* 1, 16 : « Commentarii quid operis habent ? Alterius dicta edisserunt ; quae obscure scripta sunt, plano sermone manifestant ; multorum sententias replicant et dicunt : Hunc locum quidam sic edisserunt, alii sic interpretantur, illi sensum suum et intelligentiam his testimoniis et hac nituntur ratione firmare, ut prudens lector, cum diuersas explanationes legerit et multorum uel probanda uel improbanda didicerit, iudicet quid uerius sit et, quasi bonus trapezita, adulterinae monetae pecuniam reprobet » (PL 23, 409 C-410 A).

n'aborde pas, le *Commentaire sur Isaïe* fournit en abondance recoupements et précisions.

A — Le rôle du commentaire

Jérôme ne définit presque jamais la visée du commentaire sans y associer de façon quasi automatique l'indication de ce qu'il ne doit pas être. « Nous voulons en effet », écrit-il à Amabilis en 397, en prologue à ce qui deviendra le livre V, « non pas qu'on loue notre œuvre mais que l'on comprenne ce qu'a dit le prophète, et nous ne faisons pas parade de notre éloquence mais nous recherchons la connaissance des Écritures [2] ». Il affirmera de même dans le prologue du livre II qu'il recherche « le sens des Écritures plutôt que les mots d'un discours apprêté [3] », qu'eussent préféré, à l'en croire, ses compatriotes latins aux oreilles délicates [4].

Ce refus affiché de toute ambition rhétorique ne va sans doute pas sans quelque coquetterie, car Jérôme en même temps ne nous laisse pas ignorer les circonstances qui en tout état de cause l'excuseraient : il dicte au lieu d'écrire, et même dans la hâte, comme il peut et non comme il veut... [5]. Mais sur le fond on peut le croire quand il assure que son propos est de faire comprendre Isaïe et nullement de s'attirer des louanges sous le couvert du prophète [6]. Il sait bien, d'ailleurs, comme il l'avait écrit à ce fin lettré qu'était son ancien condisciple Pammachius, que l'exégèse de l'Église, même si elle possède la beauté du style, doit la dissimuler et la fuir, de façon à s'adresser non aux *happy few* de quelques cercles philosophiques mais « au genre humain tout entier [7] ». Et son ton est sans ambiguïté lorsqu'il déclare au même Pammachius qu'en expliquant le prophète Osée il ne doit pas s'amuser à des « déclamationnettes » *(declamatiunculis)* et moduler à la mode asiatique narrations et péroraisons, mais bien « ouvrir ce qui est fermé [8] ». On verra plus loin tout ce que recouvre cette dernière formule quand on a en vue l'Écriture [9]. En

---

2. *In Is.* V, prol. : « Nolumus enim nostra laudari sed prophetae dicta intellegi, nec iactamus eloquentiam sed scientiam quaerimus Scripturarum » (155 A). C'est en substance la conception qui lui faisait déjà refuser à Marcella, une douzaine d'années plus tôt, les *Commentaires sur le Cantique* de Réticius d'Autun aux prétentions littéraires *(Epist.* 37, 3-4).

3. *In Is.* 57 A : « ... sensum potius Scripturarum quam compositae orationis uerba perquirens. »

4. *In Is.,* prol. 22 A.

5. *In Is.* 57 A (« ... ut potui, non ut uolui, celeri sermone dictaui... ») ; 155 A (« Dictamus haec, non scribimus : currente notariorum manu currit oratio »).

6. *In Is.* VIII, prol. : « Nobis propositum est Isaiam per nos intellegi et nequaquam sub Isaiae occasione nostra uerba laudari » (281 BC). Il vient de renvoyer ceux qui voudraient des fleuves d'éloquence et des déclamations balancées à Cicéron et ses émules et, pour les chrétiens, à Tertullien et quelques autres dont la réputation d'éloquence est établie.

7. HIER. *Epist.* 48, 4, 3 en 393 : « Ecclesiastica interpretatio, etiam si habet eloquii uenustatem, dissimulare eam debet et fugere ut non otiosis philosophorum scholis paucisque discipulis, sed uniuerso loquatur hominum generi. » Cf. l'ultime précepte du Christ aux apôtres : « Euntes docete omnes gentes. » *(Mt.* 28, 19.)

8. « ... aperire quae clausa sunt » *(In Os.* PL 25, 839 A). Sur le mode visée par Jérôme cf. CIC. *Or.* 57 et QUINT. *I.O.* XI,3, 57-58.

9. Cf. *In Is.* 452 B : « ... ut Christi misericordia clausa reseremus... » Voir ci-dessous, au chapitre VI, « Le Christ clé des Écritures », p. 388.

termes moins imagés, il est clair pour notre exégète que l'objectif du commentateur, c'est d'aider l'éventuel lecteur à rejoindre la pensée de l'écrivain qu'il explique [10] et de serrer de près, sinon toujours le sens véritable (il sait fort bien que ce peut être difficile), du moins ce qui s'en approche avec le plus de vraisemblance [11]. Si en dépit de ses efforts le résultat ne le satisfait pas, Jérôme n'exclut pas, encore que son caractère ombrageux ne l'y porte guère, de se rallier à d'éventuelles explications qui lui paraîtraient plus exactes, ou du moins plus probables que les siennes [12].

Il s'agit donc essentiellement pour le commentateur d'être au service de la pensée d'autrui, en l'occurrence de l'Écriture. Or celle-ci — et particulièrement les prophètes, Jérôme le répète volontiers — s'enveloppe d'obscurités qui rendent sa compréhension difficile [13]. Aussi paraîtrait-il naturel que, selon une autre définition de son rôle que donne le *Commentaire sur Zacharie*, le commentaire « passe sur ce qui est manifeste pour expliquer ce qui est obscur [14] ». Mais, contrairement à une autre déclaration similaire du *Commentaire sur Isaïe*, Jérôme ne laisse pas totalement « de côté ce qui est clair pour n'expliquer que ce qui recèle un sens caché [15] ». Il se contente d'aller vite sur les évidences ou sur les détails, pour avoir le temps de s'attarder sur ce qui est plus obscur et a besoin d'explication [16]. De fait il lui faut aussi, pour éviter de lasser le lecteur, se soucier des dimensions de l'œuvre [17]. Car, outre les difficultés, voire l'ampleur, du livre biblique [18], et sans parler des tentations rhétoriques dont il se garde somme toute assez bien [19], la matière même du commentaire telle que la voit Jérôme comporte de sérieux risques de longueurs.

---

10. HIER. *Epist.* 49, 17, 7 : « Commentatoris officium est non quid ipse uelit sed quid sentiat ille quem interpretatur exponere. » Cf. *Epist.* 37, 3 et le prologue du livre III de l'*In Galatas* (PL 26, 400 C).

11. HIER. *In Os.* PL 25, 909 B : « ... ut si non ueritatem, quod difficillimum est, saltem suspicionem uerisimilium inuestigare ualeamus. »

12. Cf. la réflexion un peu pincée d'*In Is.* 271 B (« Quibus ergo nostra disciplicuerint debent proferre sua ut explanationi eorum, si uera fuerit, acquiescamus ») et la page plus sereine, encore que sur la défensive, de l'*In Michaeam* 2, 1-5 : PL 25, 1168 B.

13. Références nombreuses, par ex. *In Is.* 246 B. Voir ci-dessous ch. V, p. 361-362.

14. HIER. *In Zach.* PL 25, 1463 C : « ... commentarios scribimus quorum officium est praeterire manifesta, obscura disserere. » Jérôme réagit sans doute ici contre la prolixité de l'explication spirituelle de Didyme *ad locum* (sur *Zach.*, 7, 12-14). Sur la question soulevée dans ce paragraphe voir aussi le chapitre suivant p. 148-149.

15. *In Is.* 37, 1-7 : 383 B, texte ci-dessous p. 149, note 112. Mais la formule ne vise que le lemme commenté. Dans l'*In Danielem* Jérôme avait précisément renoncé à sa « manière habituelle de présenter tout et d'expliquer tout », comme il dit explicitement l'avoir fait pour les petits prophètes (*In Dan.*, prol. : PL 25, 494 A).

16. *In Is.* 1, 4 : « Manifesta transcurrimus ut in obscurioribus et in his quae explanatione indigent immoremur » (28 C). *Transcurrere* est le terme habituel : cf. 255 C, 343 A, 385 A, 457 A, etc.

17. Voir par exemple *In Is.* 123 C, 375 C. Ailleurs il précise néanmoins : « Sic studendum breuitati ut nullum damnum fiat intellegentiae » (378 B).

18. Le livre d'Isaïe égale, voire dépasse en nombre de lignes les douze petits prophètes (*In Is.*, prol. 22 A).

19. Cf. *In Zach.* PL 25, 1463 C.

B — Le contenu du commentaire

C'est en 406, dans le *Commentaire sur Zacharie* par lequel il renoue avec l'*opus prophetale* interrompu depuis dix ans, que Jérôme indique de la façon la plus nette ce qu'il a voulu qu'on trouve dans ses ouvrages exégétiques. « Je me suis proposé une bonne fois », y écrit-il, « de livrer aux oreilles latines les secrets de la science hébraïque et le savoir caché des maîtres de la Synagogue, pour autant du moins qu'il touche aux saintes Écritures [20] ». Mais ce n'est là que la moitié du programme. « Je dois aussi », continue Jérôme, « faire connaître ce que j'ai reçu des écrivains de l'Église [21] ». Double dessein, donc, que le prologue du Commentaire avait résumé en une phrase lapidaire : « J'ai mêlé à "l'histoire" des Hébreux, "la tropologie" des nôtres [22] ». Vérifiable dès les premiers Commentaires des prophètes, la réalisation s'en poursuivra, par-delà le *Commentaire sur Isaïe*, jusqu'au terme de l'œuvre [23].

Dans sa tâche de commentateur Jérôme se présente donc essentiellement comme le médiateur auprès du public latin d'une double tradition exégétique à laquelle ce public ne pouvait accéder directement, par ignorance non seulement de l'hébreu mais du grec, que le cycle traditionnel des études en Occident ne faisait plus qu'effleurer [24]. Ce faisant, et sans préjuger de la nouveauté que constituait le jumelage de ces deux sources, il ne fait que se conformer à ce qu'il regarde comme la règle habituelle du commentaire, c'est-à-dire « exposer les opinions des divers interprètes [25] ». Or, comme il se plaît à le faire remarquer à Rufin, cette tradition n'est autre que celle du commentaire grammatical, dont l'héritage l'atteignait indirectement à travers ses prédécesseurs les écrivains ecclésiastiques [26], mais qu'incarnait surtout à ses yeux l'exemple prestigieux de son maître Donat et des commentateurs des grands

---

20. « Semel proposui arcana eruditionis hebraicae et magistrorum synagogae reconditam disciplinam, eam dumtaxat quae Scripturis sanctis conuenit, latinis auribus prodere » (*In Zach.* PL 25, 1455 CD). Sur la place qu'occupent effectivement ces traditions des Hébreux dans l'*In Isaiam*, voir plus loin p. 194 à 200.

21. « ... sic quae ab ecclesiasticis uiris accepi, proferre in medium... » (*ibid.* 1455 D). Cette intention prolonge d'une autre façon l'entreprise amorcée par Jérôme à Constantinople de « latiniser Origène », selon le souhait de son ami Vincentius, en traduisant des homélies de l'Alexandrin (cf. aussi à la même époque sa traduction de la *Chronique* d'Eusèbe et, plus tard, celle du *Traité sur l'Esprit saint* de Didyme).

22. HIER. *In Zach.*, prol. : « Historiae Hebraeorum tropologiam nostrorum miscui » (PL 25, 1418 A). Formule un peu trop lapidaire pour être totalement exacte : tout l'apport des *ecclesiastici uiri* ne se résume pas à la « tropologie ».

23. Pour les premiers Commentaires, voir *In Nah.* PL 25, 1240 A ; *In Mich. ibid.* 1189 CD. L'*In Isaiam* parle, à propos de l'*In Danielem*, des *antiquorum opiniones* et fait souvent mention, on le verra, tant des Hébreux que des *ecclesiastici uiri*. Pour l'*In Hieremiam* l'index de l'édition Reiter (CSEL 59) donne une quinzaine de références aux *Hebraei* et presque autant à Origène.

24. Voir sur ce point H.I. MARROU, *Histoire de l'éducation...*, p. 384-385.

25. HIER. *In Hier.* 22, 24-27 (PL 24, 817 B), texte ci-dessous n. 32. Cf. dans l'ordre chronologique *Epist.* 20, 2 ; *Apol. adu. Ruf.* 1, 22 : PL 23, 415 B ; *Epist.* 112, 5 ; *In Hier.*, prol. PL 24, 681 A.

26. On sait par Eusèbe (*HE* VI, 2, 7 et 15) qu'Origène était lui-même passé à Alexandrie par « le cycle des études » et qu'il avait même enseigné la grammaire après la mort de son père pour subvenir aux besoins des siens. Du côté latin J. Doignon (*Hilaire de Poitiers...*, 2e partie, *passim*) a bien montré les contacts de l'exégèse hilarienne avec la tradition grammaticale.

classiques qu'il avait fréquentés à son école [27]. « Va leur reprocher », s'écrie-t-il pour sa défense, « de n'avoir pas suivi une explication unique et d'énumérer sur un même point aussi bien les opinions d'autrui que les leurs ! [28] » Contexte polémique, sans doute, comme c'est d'ailleurs presque toujours le cas lorsque Jérôme invoque cette loi du commentaire. Il est commode, en effet, de se défendre ainsi de l'accusation de se contredire [29], ou du soupçon de glisser ses opinions personnelles sous le couvert d'un « autrui » anonyme [30], facile aussi de jouer les modestes pour mieux faire ressortir la prétention d'un Augustin naïvement audacieux [31]. Mais la pratique hiéronymienne n'en vérifie pas moins cette fidélité proclamée à la tradition grammaticale, et Jérôme en est très conscient. Parvenu presque au terme de son travail sur les prophètes, il observe : « J'ai l'habitude dans les commentaires et les explications, dont l'usage est de présenter les opinions de divers interprètes, de mêler des propos de ce genre : certains disent ceci, d'autres soutiennent cela, d'aucuns pensent ainsi [32] ». De fait, de telles formules abondent dans le *Commentaire sur Isaïe* [33], avec d'autres du même type : beaucoup estiment..., il y a des gens pour croire..., autre interprétation... [34]. Or elles sont l'exacte réplique de celles par lesquelles un Donat ou un Servius commentant Térence ou Virgile introduisaient les interprétations de leurs prédécesseurs [35].

L'aboutissement logique d'une telle conception, selon laquelle le commentateur semble s'effacer derrière ses devanciers, ce ne peut être que de valoriser le rôle du lecteur présumé « avisé », que l'on a mis à même d'exercer un choix personnel [36]. C'est ce qu'exprime clairement la page du *Contre Rufin*, et l'on

---

27. HIER. *Apol. adu. Ruf.* 1, 16 (PL 23, 410 AB).
28. « Argue interpretes eorum quare non unam explanationem secuti sint et in eadem re quid uel sibi uel aliis uideatur enumerent » (*ibid.* 410 B).
29. C'est le cas dans le passage de l'*Apologie contre Rufin* 1, 16.
30. HIER. *In Hier.* 22, 24-27 (PL 24, 817 C). Jérôme voudrait nous faire croire que s'il tait les noms des auteurs dont il rapporte les interprétations, c'est par charité, « ne aliquem certo nomine uidear lacerare ».
31. HIER. *Epist.* 112, 5 à Augustin : « Ego (...) de magnis statuere non audeo, nisi hoc ingenue confiteri me maiorum scripta legere et in commentariis secundum omnium consuetudinem uarias ponere explanationes, ut e multis sequatur unusquisque quod uelit. »
32. HIER. *In Hier.* 22, 24-27 : « Soleo in commentariis et explanationibus, quorum mos est diuersas interpretum sententias ponere (= CSEL ; PL : diuersas sententias ponere interpretum), huiuscemodi miscere sermonem : quidam hoc dicunt, alii hoc autumant, nonnulli sic sentiunt » (PL 24, 817 B).
33. Par exemple, pour *quidam* : *In Is.* 22 D, 115 A, 174 C, 326 C, 350 B, 370 C... ; pour *alii* : 179 A, 185 B, 204 C, 289 C, 350 C, 357 B (*alius*) ; pour *nonnulli* : 140 A.
34. « Multi putant... » : 137 B, 332 A, 50 B (intellegunt) ; « plerique arbitrantur... » : 133 B, 361 B, 370 C... ; « sunt qui... » : 136 D ; « aliter » : 111 B, etc.
35. Voir par exemple SERVIVS *ad Buc.* 5, 20 : « Multi dicunt (...) Alii dicunt significari per allegoriam (...) Alii uolunt... » ; *ad Georg.* 1, 344 : « Alii hunc locum aliter accipiunt » ; *ad Aen.* 3, prol. : « ut multi putant » ; *ibid.* 12, 10 : « ... licet nonnulli dicant... » Cf. DONAT, *Eun.* 458 ; *Phorm.* 213.
36. Si Jérôme pense parfois au lecteur *simplex* que peuvent instruire des exemples courants (*In Is.* 596 B), il s'adresse habituellement dans l'*In Isaiam* au lecteur *prudens*, capable de saisir la règle des promesses prophétiques (*ibid.* 152 B), voire de sentir une objection (*ibid.* 510 A, 615 D), et fait confiance à son sens critique (443 B). *Diligens* (126 A, 295 A), voire *doctus* (187 C), ce lecteur est invité à revenir en arrière si sa mémoire le trahit (662 C) malgré le souci qu'a Jérôme de la ménager (144 B), ou à se faire lui-même des aide-mémoire (629 A). Sur « saint Jérôme et son lecteur » d'une façon plus large, voir en particulier l'étude de Dom Antin qui porte ce titre (*Recueil sur saint Jérome*, coll. Latomus XCV, Bruxelles, 1968, ch. 28, p. 345-363, cf. *RecSR* 34, 1947).

aurait tort de n'y voir, de la part de Jérôme, qu'une forme subtile de *captatio beneuolentiae* ou qu'une affirmation provisoire, tactiquement commode pour faire pièce aux accusations de son ancien ami. N'avait-il pas déjà expliqué très sereinement au pape Damase près de vingt ans plus tôt : « Il faut classer les opinions de tous les interprètes ; ainsi ce qu'il faut penser là-dessus, en passant tous ces matériaux en revue, *le lecteur pourra* plus aisément *le découvrir* pour soi-même [37] ? » Et il rappellera encore dans son dernier Commentaire que les lois du genre impliquent qu'on présente les multiples opinions des divers interprètes, de façon que le lecteur ait la liberté *(arbitrium)* de décider celle qu'il doit retenir *(eligere)* de préférence [38].

Dans le *Commentaire sur Isaïe* l'idée figure aussi, et dans les mêmes termes, au début du livre XI. Évoquant la difficile vision des soixante-dix semaines du *Livre de Daniel*, Jérôme y rappelle qu'il a dû, en expliquant cette prophétie, rapporter les opinions de ses prédécesseurs, abandonnant à la liberté du lecteur le soin de faire son choix parmi elles [39]. Mais la portée de ce texte est ambiguë, car il pourrait bien illustrer l'exception plutôt que la règle. Il est tout à fait exceptionnel, en effet, que Jérôme accumule, comme il l'avait fait à cette occasion, non seulement des analyses détaillées, mais de fort longues citations de plusieurs exégètes nommément désignés [40]. Il déclare d'ailleurs lui-même que c'est l'obscurité considérable de la vision commentée qui l'y a contraint [41]. Aussi peut-on se demander si le respect proclamé de la liberté du lecteur ne traduit pas ici — et donc peut-être ailleurs —, autant qu'une loi du commentaire, un aveu discret d'impuissance. On en aurait d'autres exemples [42]. Il faut observer cependant que le renvoi au lecteur « avisé » apparaît aussi lorsque coexistent sous la plume de Jérôme interprétations rapportées et opinion personnelle [43]. Cette perspective était d'ailleurs présente dans le chapitre de l'*Apologie contre Rufin* cité tout à l'heure [44].

La reprise, même anonyme [45], des opinions antérieures, à propos desquelles

---

37. HIER. *Epist.* 20, 2 de 383 : « ... omnium interpretum opinio digerenda, quo facilius quid super hoc sentiendum sit ex retractatione cunctorum ipse sibi lector inueniat » (trad. Labourt, t. I, p. 80).

38. HIER. *In Hier.*, prol. : « ... ut lectoris arbitrium sit quid potissimum eligere debeat decernere » (PL 24, 681 A). Début de cette phrase ci-dessous n. 45. Cf. *Epist.* 112, 5 à Augustin en 404.

39. *In Is.* XI, prol. : « ... quid Africanus (...) et Tertullianus senserint breuiter comprehendi, lectoris arbitrio derelinquens quid de pluribus eligeret » (377 B).

40. Cf. HIER. *In Dan.* 9, 24 s. Jérôme y cite textuellement ou y résume successivement Jules l'Africain, Eusèbe, Hippolyte, Apollinaire, Clément, Origène, Tertullien et enfin les Hébreux, le tout dépassant dix colonnes de la *Patrologie* (PL 25, 542 C-553 A).

41. *In Is.* XI, prol. : « ... in Commentariolis Danielis (...) in quibus me necesse fuit ob obscuritatis magnitudinem sermonem tendere... » (377 B).

42. Cf. *In Is.* 521 B et *In Mich.* PL 25, 1168 B. Voir plus loin, ch. IV, p. 238 et 331.

43. Par exemple *In Zach.* PL 25, 1509 AB, à propos de *Zach.* 12, 1-3. Cette attitude est d'ailleurs dans la ligne de la tradition éclectique du commentaire depuis l'âge hellénistique.

44. HIER. *Apol. adu. Ruf.* 1, 16, ci-dessus notes 1 et 28 (quid *uel sibi* uel aliis uideatur...). Cette intervention personnelle de l'exégète est à vrai dire un aspect que Jérôme ne tient pas à souligner dans le contexte de ce chapitre.

45. HIER. *In Hier.*, prol. : « ... leges commentariorum, in quibus multae diuersorum ponuntur opiniones, uel *tacitis*, uel expressis auctorum nominibus » (PL 24, 681 A). Il apparaît dans sa réplique à Rufin (*Apol.* 1, 28) que, dans son *Commentaire sur l'Épître aux Éphésiens* 5, 29 (PL 26, 534 AB), Jérôme avait reproduit purement et simplement une page d'Origène sans signaler qu'il s'agissait d'un emprunt.

dans cette perspective Jérôme conteste évidemment l'accusation de plagiat[46], n'épuise donc pas sa définition du contenu du commentaire : comme chez les grammariens derrière lesquels il s'abrite, il y a place à côté des interprétations d'autui pour des vues personnelles[47]. C'est ce dont il informait déjà son lecteur dans les prologues de ses premiers Commentaires, sur les Épîtres de Paul, après avoir livré ses références[48]. Et le *Commentaire sur l'Ecclésiaste*, celui qui reflète sans doute le mieux les tendances de l'exégèse grammaticale à la compilation des sources[49], n'en laisse pas moins paraître ici ou là une autonomie de jugement[50] qui préfigure, à une vingtaine d'années de distance, cette déclaration d'intention du *Commentaire sur Zacharie* : « En suivant plusieurs de ces opinions et en en écartant d'autres, présentons ce que nous pensons[51] ».

De cette liberté de jugement de l'exégète vis-à-vis de ses devanciers le *Commentaire sur Isaïe*, dans lequel Jérôme est en pleine possession de ses moyens, offre mainte illustration, qu'il s'agisse de problèmes textuels[52] ou de contenus d'interprétation. On en rencontre l'expression tranquille dès l'explication du premier verset, où se trouve traitée de haut une exégèse eschatologique[53], attitude qui prélude aux nombreux « *Mihi (nos) autem...* » par les-

---

46. Dans l'*In Michaeam* il se fait gloire au contraire du reproche qu'on lui adresse « de compiler les volumes d'Origène et de fondre ensemble les écrits des anciens » (*In Mich.* II, prol. : PL 25, 1189 CD). Cf. la judicieuse remarque de Dom Dekkers : « Ce que nous appelons aujourd'hui plagiat était dans l'Antiquité une habitude tout à fait admise dont personne n'avait honte. Cela passait plutôt pour un signe de culture quand on ne faisait pas mention de sources connues de tout le monde, en laissant au lecteur ou à l'auditeur le plaisir de les reconnaître lui-même » (*Hieronymus tegenover zijn lezers*, Handelingen van het XXVIe Vlaams Filologencongres, Gent, 1967, p. 130).

47. Voir, outre la phrase du *Contre Rufin* (ci-dessus n. 28), les textes cités dans les notes qui suivent. Sur les prises de position originales d'un grammairien comme Asper, voir A. Tomsin, *Étude sur le Commentaire Virgilien d'Aemilius Asper*, Paris, 1952, en particulier p. 44 à 62.

48. Hier. *In Epist. ad Gal.*, prol. : « Vt simpliciter fatear, legi haec omnia et in mente mea plurima coaceruans, accito notario *uel mea* uel aliena dictaui » (PL 26, 309 A). Cf. *In epist. ad Eph.*, prol. : « ... ut studiosus statim in principio lector agnoscat hoc opus uel alienum esse *uel nostrum* » (*ibid.* 442 D). Sur la chronologie relative de ces Commentaires et de l'*In Ecclesiasten* voir plus loin l'Annexe I.

49. Un indice parmi d'autres en est la fréquence dans l'*In Ecclesiasten* du mot *aliter* : « autre interprétation. » Voir par exemple PL 23, 1015 B, 1016 A, 1017 A, 1068 B, 1069 A et B, 1070 B, etc. Mais la multiplicité des interprétations d'un même passage est aussi une caractéristique de l'exégèse rabbinique. Voir C. Estin, *Saint Jérôme traducteur...*, p. 35, qui cite le début des *Commentarioli in psalmos* (CC 72, 178-179).

50. Par exemple expression d'une préférence (*ibid.* 1017 C : « Melius autem Hebraei... »), d'une critique (1111 B, sur Apollinaire), d'une réfutation (1019 B : « Legi in quodam libro... Sed excluditur... »). Jérôme se vantera d'ailleurs auprès de Pammachius (*Epist.* 84, 3, 4) de s'être démarqué d'Origène dès son essai sur la vision d'Isaïe (*Epist.* 18 A, 4). La préface de l'*In Matthaeum* dix ans plus tard montrera qu'il estime du rôle du commentateur de « recueillir avec discernement ce qu'il y a de meilleur » (PL 26, 20 B).

51. Hier. *In Zach.* PL 25, 1444 B : « ... quorum pleraque sectantes et alia repudiantes, quid nobis placeat inferamus. » Cf. à la même époque le prologue de l'*In Osee* : « ... non in omnibus secutus sum, ut *iudex* potius operis eorum quam interpres existerem diceremque quid mihi uideretur... » (PL 25, 820 AB).

52. Par exemple *In Is.* 45, 1-7 : « Scio in hoc capitulo non solum Latinorum sed et Graecorum plurimos uehementer errare... » (440 D).

53. *In Is.* 1, 1 : « Quae nos... uniuersa despicimus... » (23 B). Cf. au livre VII : « Nec mihi placet illa expositio... » (269 B). A noter dans l'*In Hieremiam* cette curieuse retenue dans la condamnation d'une exégèse millénariste : « Quae licet non sequamur, tamen damnare non possumus, quia multi ecclesiasticorum uirorum et martyres ista dixerunt » (*In Hier.* 19, 10-11 a : PL 24, 802 A).

quels, tout au long de l'ouvrage, Jérôme se démarque d'interprétations qu'il récuse. Son propos semble bien être dans cette œuvre « de lire les anciens, d'éprouver chaque opinion, de retenir ce qui est bon », comme il l'avait écrit peu d'années auparavant dans une perspective un peu différente [54]. On mesure le déplacement d'accent depuis la définition de la lettre à Damase [55]. Sans doute Jérôme avait-il d'ailleurs été poussé dans ce sens par l'insistance de ses disciples [56] ou l'attente de certains lecteurs qui voulaient connaître sa pensée à lui [57]. « La coutume de ce savant Père dans ses Commentaires de l'Écriture », observait Richard Simon, « est plutôt de rapporter ce qu'il a lu dans les autres commentateurs que d'établir ses sentiments [58] ». La formule, qui vise à rendre compte des contradictions qu'on relève sous sa plume, a l'avantage de souligner la fidélité de Jérôme à la conception du commentaire grammatical dont il n'a cessé de se réclamer [59]. Mais en privilégiant ainsi la transmission de l'héritage des devanciers, elle correspond peut-être plus à la manière de ses premiers commentaires qu'elle ne reflète sa pratique effective lorsque, avec la liberté que lui donnait une longue expérience, il entreprenait enfin l'explication du plus grand des prophètes.

C — La technique du commentaire : « commaticum genus » ?

Lorsqu'on feuillette les Commentaires de Donat sur Térence ou de Servius sur Virgile, l'impression qui prévaut, à s'en tenir à l'apparence, est celle d'un grand morcellement : l'explication porte parfois sur un seul mot, elle avance le plus souvent fraction de vers par fraction de vers, s'étendant rarement à un vers entier. Or les choses apparaissent beaucoup moins nettes quand on ouvre un Commentaire de Jérôme sur l'Écriture. Un coup d'œil rapide sur le *Commentaire sur l'Ecclésiaste* ou le *Commentaire sur Matthieu* pourrait encore laisser, au moins par moments, une impression voisine : le texte commenté s'y présente souvent en lemmes assez brefs ; mais on peut déjà observer un allongement très notable des explications données sur chacun. A plus forte raison aurait-on le sentiment d'un genre différent si l'on parcourait par exemple certains livres du *Commentaire sur Ézéchiel*, où des développements de plusieurs colonnes sur des lemmes dépassant vingt lignes ne sont pas rares. Jérôme, que nous venons de voir si fidèle à la tradition du commentaire grammatical, aurait-il pris vis-à-vis de l'aspect technique de ce commentaire des distances croissantes ?

---

54. Hier. *Epist.* 119, 11, 5 aux moines toulousains Minervius et Alexandre, de l'automne 406 : « Meum propositum est antiquos legere, probare singula, retinere quae bona sunt... » Jérôme démarque ici l'appel au discernement de la *Première aux Thessaloniciens* (5, 21) qu'il a cité une page plus haut.

55. Ci-dessus n. 37.

56. Sur celle de Paula en particulier, voir *Epist.* 108, 26, 2 (ci-dessus p. 53 et la note 176).

57. « ... quibusdam forte non placeat, qui non antiquorum opiniones sed nostram sententiam scire desiderant », écrit-il à propos des réactions à son *In Danielem* (*In Is.* XI, prol. 377 C).

58. *Histoire critique du Nouveau Testament*, ch. 22, p. 265.

59. Il ne faut pas perdre de vue cependant qu'il invoque d'autant plus volontiers cette conception qu'il est amené à se défendre d'accusations visant le contenu de ses commentaires. Ainsi, dans le prologue de l'*In Hieremiam* (ci-dessus n. 45), il polémique avec Pélage qui, après Rufin, avait critiqué son *Commentaire sur l'Épître aux Éphésiens*.

C'est pourtant sous sa plume, et non chez Donat, Servius ou leurs devanciers, que l'on rencontre l'expression qui paraît qualifier le mieux l'allure morcelée de ce type d'ouvrage. A diverses reprises en effet il parle de *commaticum (interpretationis) genus* [60]. Ce n'est pas que Donat ignore, pour désigner les éléments d'une phrase complète, les *cola et commata* [61], termes translittérés du grec, que Cicéron pour sa part avait proposé de traduire — et Quintilien à sa suite — par *membra* et *incisa* [62]. Mais il semble bien que Jérôme ait été le premier à utiliser l'adjectif *commaticus* et l'adverbe *commatice* [63] pour caractériser une manière soit de disposer soit de commenter un texte par membres de phrase. C'est ainsi qu'il écrit du recueil du prophète Osée qu'il est « composé de stiques [64] », et qu'à propos d'Origène, mais aussi de passages de ses propres travaux scripturaires, il parle d'un genre d'explication « membre par membre » [65]. Or on s'aperçoit, non sans étonnement, que ce n'est pas la manière ordinaire de ses commentaires qu'il désigne ainsi. Voyons donc les textes.

Présentant dans le prologue de son *Commentaire sur Matthieu* les travaux de ses devanciers, Jérôme mentionne d'Origène « vingt-cinq volumes, autant d'homélies et une sorte d'explication "verset par verset" *(commaticum)* [66] ». Il ne vise donc par cette dernière expression ni les commentaires proprement dits (τόμοι ou *uolumina*), ni les homélies. S'agirait-il de scolies ? Mais dans le prologue du *Commentaire sur l'Épître aux Galates* il avait dit du même Origène qu'il avait écrit sur cette Épître « cinq volumes proprement dits » et qu'il avait « rempli le dixième livre de ses *Stromates* d'entretiens par verset *(commatico sermone)* touchant l'explication de cette épître », sans préjudice

60. HIER. *In Matthaeum*, prol. : PL 26, 20 B. Expressions similaires ci-dessous n. 71 à 74.

61. DONAT, *Ars Grammatica* I, 5 : « In lectione tota sententia periodus dicitur, cuius partes sunt cola et commata » (*Gramm. lat.*, éd. Keil, t. IV, 372, 22-23). Cf. SERVIVS, *In Donatum, ibid.* 428, 5. Dans son *Commentaire de Térence* Donat parle aussi de « apta κόμματα fesso et anhelanti » pour désigner les mots « hachés » traduisant l'essoufflement de Géta dans les *Adelphes* (*Ad.* 324).

62. CICÉRON, *Orator* 211 : « ... quae nescio cur, cum Graeci κόμματα et κῶλα nominant, nos non recte incisa et membra dicamus » (cf. *ibid.* 223). Pour Quintilien voir *I.O.* IX, 4, 22, 67 et 122. La tradition rhétorique ultérieure préférera souvent *caesa* à *incisa* ; cf. *Index des Rhetores Latini Minores*, éd. Halm. Ces termes peuvent aussi désigner les éléments d'un vers : cf. QUINT., *ibid.* 4, 78. Jérôme dans l'*In Isaiam* (48 B) parle d'un « fragment de vers » *(comma uersiculi)* d'Horace.

63. Le ThLL ne signale d'autres références qu'à Sidoine Apollinaire (*Epist.* 4, 3, 8 : hymnus c., et *Carm.* 23, 451 : rythmis c.), et à une scolie de Stace (*Theb.* 7, 123, pour caractériser une prononciation « hachée »). L'adjectif en grec semble d'ailleurs très rare : une seule référence à Lucien dans le Bailly, aucune mention dans le Lampe. Quant à l'adverbe, également rare en grec (une référence à Denys d'Halicarnasse dans le Bailly), on en relève dans le ThLL, en dehors de Jérôme, une seule référence, plus tardive, à Arnobe le jeune (*In Ps.* 104).

64. « Osee commaticus est, et quasi per sententias loquens » (HIER. *praef. in XII prophetas* PL 28, 1015 A). Même genre d'appréciation chez les modernes : cf. OSTY, Introduction à Osée, Bible p. 1943 et 1944 (« caractère abrupt et concis... », « ... stiques de l'hébreu... »). Jérôme explique aussi en prélude à sa traduction d'Isaïe que, bien qu'ils relèvent de la prose, il a présenté le texte des prophètes comme cela se faisait de la prose de Démosthène ou de Cicéron, « per cola et commata », pour en faciliter la lecture (PL 28, 771 B ; cf. *praef. in libr. Ez., ibid.* 939 A et CASSIODORE, *Inst.* 12 : PL 70, 1124 C).

65. Voir les notes suivantes.

66. HIER. *In Matthaeum*, prol. : « ... viginti quinque uolumina et totidem eius homilias commaticumque interpretationis genus » ; il mentionne ensuite les *Commentarios* de Théophile d'Antioche, d'Hippolyte, etc. (PL 26, 20 B).

d'homélies *(tractatus)* diverses et de « notes choisies » *(excerpta)*[67]. Ici, donc, impossible de ramener ce type d'explication aux scolies *(= excerpta)* ; il s'apparente en fait aux livres, puiqu'il en est rapproché, mais sans en être « à proprement parler » *(proprie)*. L'ouvrage malheureusement ne nous est pas parvenu, mais le Commentaire hiéronymien nous restitue précisément un long passage de ce dixième livre[68], qui nous permet de constater qu'il consiste en effet non en scolies mais en une explication suivie qui intègre au fur et à mesure plusieurs versets du chapitre 5. Que voulait donc dire exactement Jérôme en parlant de *commatico sermone* ? Visait-il l'insertion successive de ces versets dans la trame du commentaire ? ou simplement une disposition du texte, peu probable, en membres de phrase ?

Une notice du *De uiris illustribus* paraît aller dans ce dernier sens : on y lit que Théotime, évêque de Tomes, « a publié à la manière des dialogues et de l'éloquence d'autrefois de brefs sermons disposés en versets[69] », sans doute comme cela se faisait pour les discours de Cicéron, au témoignage de Jérôme lui-même qui utilise précisément cette disposition pour rendre plus accessible au lecteur sa traduction des prophètes sur l'hébreu[70]. Mais la disparition de l'œuvre de l'évêque scythe interdit toute vérification.

On avance sur un terrain plus ferme avec les quelques passages où l'épithète qui nous occupe caractérise sous la plume de notre exégète ses propres ouvrages. Expliquant le troisième chapitre de l'*Ecclésiaste*, il vient de se livrer à un commentaire global de quatre versets cités d'un bloc, et il poursuit : « Revenons-en au détail, et en procédant verset par verset *(commatico genere dicendi)*, donnons nos explications en suivant l'ordre du texte[71] ». C'est ce qui se passe effectivement, chacun de ces « versets »[72] se trouvant repris à sa place au sein d'un commentaire suivi. Observation de valeur voisine, à quelque temps de là, dans le *Commentaire sur Habacuc* : Jérôme, qui a donné sa traduction sur l'hébreu d'un ensemble de quatre de nos versets pour ne pas rompre l'unité du passage, prévient qu'il expliquera ensuite les Septante « en les morcelant par petites sections *(commatice per capitula)*[73] » ; ce qu'il fait, le texte éclatant en neuf membres de phrases commentés un par un. Enfin, dans son *Commentaire sur Matthieu*, Jérôme qui, contrairement à la manière morcelée dont il a usé auparavant, vient de se laisser entraîner à une explication globale de la parabole de l'ivraie, reconnaît en abordant le verset suivant : « Arrêtés par les nombreuses obscurités des paraboles, nous débor-

---

67. Hier. *In epist. ad Gal.*, prol. : « Scripsit... quinque propria uolumina et decimum Stromatum suorum librum commatico super explanatione eius sermone compleuit, tractatus quoque uarios et excerpta... » (PL 26, 308 B-309 A).

68. Hier. *In epist. ad Gal.* 5, 13 : PL 26, 406 C-408 B = PG 11, 105-108. Cette citation représente environ deux colonnes de la *Patrologie*.

69. Hier. *De uir. ill.* 131 : « Theotimus... in morem dialogorum et ueteris eloquentiae breues commaticosque tractatus edidit » (PL 23, 715 A).

70. Voir la note 64 ci-dessus.

71. Hier. *In Eccl.* 3, 18-21 : « Recurramus ad singula, et commatico genere dicendi iuxta ordinem suum breuiter disseramus » (PL 23, 1042 A).

72. On sait que la division du texte sacré en chapitres et versets n'est pas antérieure, dans son état actuel, au XIIIᵉ siècle pour les chapitres et remonte à Robert Estienne pour les versets (cf. *DB* t. II, col. 564 et t. V, col. 2404).

73. « Solam nostram editionem posuimus ut iuxta eam, id est iuxta hebraicum, texentes consequentiam loci, postea LXX commatice per capitula disseramus » (*In Hab.* PL 25, 1321 A).

dons l'exégèse par verset au point de paraître presque avoir passé d'un genre d'exégèse à un autre [74] ». Il a donc le sentiment, à ce moment de son Commentaire, d'être aux frontières de deux modes d'explication. Celui que définit le mot *commaticus* correspond au choix particulier qu'il avait fait pour cet ouvrage, pour lequel, à en croire le prologue, les contraintes du temps l'acculaient à ne proposer qu'un commentaire « historique » [75]. L'exégèse « par verset » apparaît donc adaptée à un travail rapide, car elle demande moins d'élaboration qu'un commentaire plus synthétique ; elle ne semble pas permettre, en revanche, de réaliser « l'ouvrage achevé » dont le prologue manifeste le regret. C'est donc qu'elle ne représente pas pour Jérôme le tout du genre du commentaire [76].

Une page ultérieure du *Commentaire sur Matthieu* témoigne encore que Jérôme perçoit les limites, voire les dangers, du procédé. Avant de tirer d'un verset la leçon globale de plusieurs paraboles, il a cette nette mise en garde : « J'avertis toujours le lecteur avisé de ne point souscrire aux interprétations minutieuses et qui sont données "bout par bout" *(commatice)* selon la fantaisie de ceux qui les imaginent. Qu'il considère ce qui précède, les textes intermédiaires et ce qui suit, qu'entre tout cela il établisse un lien [77] ».

La connotation péjorative qui caractérise cet emploi confirme que Jérôme regarde ce *commaticum genus* avant tout comme une manière de procéder, dont le propre — et le risque — est de morceler le texte. Or c'était la méthode du commentaire grammatical, telle qu'il l'avait d'ailleurs évoquée sans réticence quinze ans plus tôt dans une lettre à Damase [78]. De ce caractère morcelé le commentaire hiéronymien garde certes plus que des traces, dans l'attention portée notamment, comme on le verra, à la critique textuelle et à l'étude sémantique, très favorables l'une et l'autre aux observations ponctuelles. Il en reste tributaire également dans le ressort même de sa progression, qui voit se succéder les explications des éléments ainsi isolés. Mais sur ce point le commentaire de l'Écriture, tel que Jérôme le reçoit de ses prédécesseurs, témoigne déjà d'une évolution formelle vers un émiettement moindre. Les lemmes dont la succession scande son déroulement constituent en effet bien

---

74. HIER. *In Mt.* 13, 44 : « Crebris parabolarum obscuritatibus retardati, commaticam interpretationem excedimus ut prope de alio interpretationis genere ad aliud transisse uideamur » (PL 26, 94 B).

75. HIER. *In Matthaeum*, prol. : « ... tu in duabus hebdomadibus... dictare me cogis (...) Igitur... historicam interpretationem quam praecipue postulasti digessi breuiter et interdum spiritalis intellegentiae flores miscui, perfectum opus reseruans in posterum » (PL 26, 20 C).

76. Faut-il aller plus loin et déceler entre elle et l'interprétation littérale une relation de convenance particulière ? Les deux références précédentes (ci-dessus n. 71 et 73), à vrai dire, n'autorisent guère à aller dans cette voie. Mais on peut garder la question à l'esprit en étudiant le découpage du texte prophétique dans le livre V *iuxta historiam*, proche dans le temps de l'*In Matthaeum*.

77. HIER. *In Mt.* 25, 13 : « Prudentem semper admoneo lectorem ut non superstitiosis acquiescat interpretationibus et quae commatice pro fingentium dicuntur arbitrio, sed consideret priora, media et sequentia, et nectat sibi uniuersa quae scripta sunt » (PL 26, 186 AB). La mise en garde vise sans doute l'exégèse d'Origène *ad locum* (Or. W. 11, 150). Sur un autre plan l'*Apologie contre Rufin* (2, 18) dénoncera le parti malhonnête que la mauvaise foi peut tirer d'une traduction « bout par bout *(commatice)* » (PL 23, 441 A).

78. HIER. *Epist.* 21, 3 de 383. Jérôme y passe en ces termes de considérations générales à l'explication du détail de la parabole des deux fils : « ... *in modum commentatoris* quid mihi uideatur ad *singula quaeque* subnectam ».

souvent — à la différence des κόμματα classiques — des unités de sens complètes : phrases, voire ensembles de phrases, entre lesquelles est même soulignée, au besoin, la continuité.

Ainsi le *commaticum interpretationis genus* à quoi se ramenait tout le commentaire grammatical ancien ne désigne, semble-t-il, sous la plume de Jérôme, qu'un mode d'approche particulier du texte au sein du genre du commentaire. L'exégète ne s'interdit pas d'y recourir mais, sauf exception due à des circonstances particulières [79], c'est en concurrence avec d'autres types de démarche plus respectueux des enchaînements du texte sacré [80]. Plus soucieux, en règle générale, d'une investigation exhaustive du texte commenté que les grammairiens dans leurs commentaires des classiques [81], l'ancien élève de Donat manifeste, dans les déclarations que nous venons de voir, sa liberté à l'égard d'une technique propice à l'explication du détail [82], mais dont le caractère fragmentaire peut devenir préjudiciable à la saisie des perspectives d'ensemble. L'étude de la manière dont il opère concrètement la répartition en lemmes du texte du prophète dans son *Commentaire sur Isaïe* devrait permettre de mieux mesurer cette liberté et, peut-être, d'en entrevoir les raisons.

II — LE DÉCOUPAGE DU TEXTE SACRÉ

Pour commenter le *Livre de Daniel* Jérôme s'était borné, dans un souci de brièveté, à rendre compte des seuls passages qui faisaient difficulté. L'expérience n'ayant pas été satisfaisante, avec le *Commentaire sur Isaïe* il revient, malgré le volume du livre biblique, à sa manière habituelle. C'est donc l'intégralité du texte du prophète qu'il y soumet à explication, comme il l'avait toujours fait antérieurement.

A — *Morcellement et groupement des lemmes*

Une analyse formelle rapide montre que, pour ce faire, Jérôme divise le texte d'Isaïe en un peu plus de lemmes que l'ouvrage n'occupe de colonnes dans la *Patrologie Latine* de Migne : 731 lemmes pour 660 colonnes. Il consacre ainsi, en moyenne, à l'explication d'un lemme près d'une colonne de

---

79. Ainsi le manque de temps pour l'*In Matthaeum*. Mais on a vu (ci-dessus n. 74) que même alors il a du mal à s'y tenir.

80. C'est particulièrement net dans le passage de l'*In Habacuc* : « ... iuxta hebraicum texentes consequentiam loci, postea LXX commatice... » (ci-dessus n. 73). Voir aussi *In Mt.* 25, 13 (ci-dessus n. 77).

81. La seule exception concerne l'*In Danielem*, pour lequel Jérôme déclare renoncer à sa manière habituelle qui consiste à tout expliquer, pour se borner à éclaircir ce qui est obscur (PL 25, 494 A). Quant aux *Questions hébraïques sur la Genèse*, elles relèvent d'un genre différent.

82. On aura noté le rapprochement de *commaticus* avec *singula* (*In Eccl.*, ci-dessus n. 71) et *per capitula* (*In Hab.*, ci-dessus n. 73).

cette Patrologie, ou, si l'on préfère un autre repère, un peu plus d'une page de l'édition du *Corpus Christianorum* [83]. Quant à la dimension des lemmes, si l'on prend pour mesure de référence, à défaut de divisions du texte remontant à Jérôme lui-même, les versets de nos Bibles modernes, c'est à un chiffre moyen de deux versets par lemme que l'on arrive [84].

A ce niveau de généralité, les chiffres permettent une première constatation : l'image qu'ils donnent du commentaire hiéronymien le distingue des commentaires des grammairiens chez qui des lemmes beaucoup plus morcelés donnent lieu, même chez Servius, le plus prolixe d'entre eux, à des explications sensiblement plus brèves. Mais cette impression mérite d'être vérifiée sur d'autres œuvres exégétiques de Jérôme, celles en particulier qui offrent des possibilités de comparaison sur l'explication d'Isaïe lui-même.

Le premier témoignage de son activité exégétique, on l'a vu, c'est précisément, à Constantinople, près de trente ans avant son grand Commentaire, l'explication de la vision d'Isaïe dont il fera l'hommage au pape Damase. Cette *Lettre* 18 A s'apparente suffisamment au genre du commentaire par son objet et sa méthode pour pouvoir servir de point de comparaison. Les neuf versets du chapitre 6 qu'il y commente y apparaissent en une vingtaine de lemmes, non sans reprises et retours en arrière, d'ailleurs [85]. Or il lui suffira de huit lemmes pour présenter, au livre III du Commentaire, les mêmes versets [86]. Sans doute pouvait-il s'y permettre une plus grande rapidité, puisque pour ce chapitre il avait renvoyé le lecteur à son essai d'antan [87]. Mais cela n'explique pas tout puisque, avec trente et un lemmes pour soixante-sept versets, le livre III pris dans son ensemble s'éloigne encore davantage de la pratique de la lettre à Damase.

Le futur livre V *iuxta historiam*, où Jérôme commente pour Amabilis en 397 les oracles d'Isaïe sur les nations, fournit un second repère, moins éloigné dans le temps. Cent quatre-vingt-huit versets s'y trouvent présentés en cent quarante-trois lemmes dont l'explication occupe une soixantaine de colonnes. Or quand le Commentaire proposera dans les soixante-quinze colonnes des livres VI et VII l'interprétation spirituelle de ces mêmes oracles, quatre-vingt-quatorze lemmes suffiront [88]. Moins spectaculaire que le précédent, ce décalage confirme une évolution vers un moindre morcellement dans la présentation du texte biblique, si du moins il ne relève pas d'autres explications, comme la différence des types d'exégèse pratiqués, dissociés ici de façon exceptionnelle.

---

83. L'*In Isaiam* y occupe 799 pages des tomes 73 et 73 A.

84. Ce sont en effet 1475 versets qui sont expliqués dans les 731 lemmes du Commentaire, car il faut compter deux fois les 188 versets des chapitres 13 à 23, qui font successivement l'objet de deux explications distinctes ; littérale au livre V, spirituelle aux livres VI et VII. Voir en ANNEXE II le tableau de la composition des lemmes pour l'ensemble du Commentaire.

85. Pour rendre compte de ce caractère un peu désordonné, il y aurait probablement à chercher du côté des homélies d'Origène sur ce chapitre d'Isaïe (PL 24, hom. 1, 4, 5 et 6) que Jérôme a utilisées abondamment.

86. Voici, en référence aux versets modernes, la composition de ces lemmes dans la *Lettre* (1re ligne) et dans le *Commentaire* (2e ligne) :

| : 1ab,1ab,1b,1bc-2a, | 1c,2-3,2b,2c,3a,3b,3c, | 4a,4b,2ab, | 5a,5b,5c, | 6-7,8-9a, | 9bc. |
| : 1ab, | 1c,2-3, | 4, | 5, | 6-7,8, | 9-10. |

87. *In Is.* 92 A : « Ad illum itaque libellum mitto lectorem... »

88. Voir le tableau de l'ANNEXE II.

Aussi convient-il de vérifier cette tendance par quelques sondages dans d'autres commentaires.

Parmi les premiers, le *Commentaire sur l'Épître aux Galates* explique dans son premier livre cinquante-quatre versets présentés en quarante-six lemmes. Si l'on observe que près des trois quarts de ces lemmes ne correspondent qu'à un verset ou une fraction de verset, on a le sentiment d'un assez grand émiettement du texte sacré.

Dans le *Commentaire sur l'Ecclésiaste*, proche dans le temps des Commentaires pauliniens, les cent soixante versets que comptent les huit premiers chapitres du livre biblique se répartissent en cent quatorze lemmes, dont soixante-dix-huit ne dépassent pas la dimension d'un verset. La dispersion y reste donc assez grande, malgré la présence d'une douzaine de lemmes de plus de deux versets.

Avec le *Commentaire sur Aggée* qui figure dans le premier train de commentaires sur les petits prophètes, quelques années plus tard, la proportion moyenne atteint deux versets pour un lemme [89]. Et lorsqu'à l'automne 406 Jérôme achève l'explication de ces petits prophètes, on se rapproche, avec le *Commentaire sur Joël*, de la proportion de trois versets pour un lemme, qui caractérise à la même date le premier livre du *Commentaire sur Zacharie* [90].

Le rapport moyen d'un lemme à deux versets observé dans le *Commentaire sur Isaïe* ne marque donc pas — au contraire — une nouvelle progression vers une présentation plus groupée du texte à expliquer. L'observation vaut également pour les deux ouvrages qui le suivent : un sondage effectué sur sept des quatorze livres du *Commentaire sur Ézéchiel* montre que le volume moyen d'un lemme y reste inférieur à deux versets et demi [91] ; et dans les six livres de l'ultime *Commentaire sur Jérémie* inachevé, ce volume n'atteint pas deux versets [92]. Ces données relativement homogènes donnent à penser que le *Commentaire sur Isaïe* constitue, tout compte fait, un bon témoignage de l'équilibre auquel est parvenu en gros Jérôme dans ses Commentaires des prophètes, après s'être éloigné plus nettement que dans ses premiers essais de la pratique morcelée des commentaires grammaticaux.

Encore faut-il rester prudent dans l'exploitation de ces observations. Car si l'on affine l'analyse numérique, on s'aperçoit que ces données moyennes recouvrent parfois de singuliers décalages. Ainsi le bref *Commentaire sur Aggée* réserve aux deux chapitres de ce prophète un traitement bien différent : le premier y est présenté en une douzaine de lemmes dont aucun ne dépasse

---

89. Exactement dix-huit lemmes pour trente-neuf versets. Le groupe des cinq premiers commentaires sur des petits prophètes dont fait partie l'*In Aggaeum* se date par référence au *De uiris illustribus* qui les mentionne et à l'*In Ionam*, écrit « environ trois ans » après eux (*In Ion.*, prol.). Celui-ci étant fermement daté de l'automne 396 et le *De uiris* de 393 (cf. P. NAUTIN, *La date du « De uiris illustribus »*..., dans la *Rev. d'hist. eccl.* 56, 1961, p. 33-35), on aboutit pour ces commentaires au début de 393, disons à l'hiver 392-393.

90. L'*In Ioelem* compte trente lemmes pour soixante-treize versets, soit une moyenne d'à peu près deux versets et demi par lemme. Le premier livre de l'*In Zachariam* explique soixante-dix-sept versets en vingt-six lemmes.

91. Il s'agit des livres I et II, V et VI, X, XII, XIV, dont les 230 lemmes correspondent à 553 versets.

92. Soit, pour 829 versets, 479 lemmes.

deux versets, tandis que le second, pourtant plus long, n'en fournit que six, qui vont de deux à neuf versets. L'écart n'est pas moindre dans le *Commentaire sur Ézéchiel* entre le livre II dont les cinquante-huit versets forment cinquante-cinq lemmes et le livre X qui pour quatre-vingt-trois versets n'offre que sept lemmes, dont un seul compte moins de neuf versets. On ne s'attendrait pas non plus à trouver dans le *Commentaire sur Jérémie* des pages, si rares soient-elles, où l'accumulation rapide de lemmes courts brièvement commentés rejoint presque l'allure du *commaticum genus* des grammairiens [93]. Sans être aussi accusées, des différences sensibles sont observables également au sein du *Commentaire sur Isaïe*.

B — Limites de l'étude statistique

Une telle souplesse à l'intérieur des données moyennes constatées plus haut dans le découpage du texte sacré confirme certes la liberté d'allure de Jérôme commentateur à l'égard du modèle grammatical ; mais elle marque aussi les limites d'une enquête purement formelle, impuissante à rendre compte des variations qu'elle fait apparaître.

Sans doute l'étude statistique n'est-elle pas incapable de suggérer dans certains cas une direction d'explication. On constate par exemple que les deux premiers livres de notre Commentaire offrent, avec un nombre de lemmes supérieur à celui des versets commentés, une présentation du texte prophétique plus fragmentaire que les deux livres suivants, à plus forte raison que tel livre du milieu de l'ouvrage où l'on atteint une moyenne de six versets pour un lemme. On ne saurait y voir, bien entendu, une évolution dans la manière de Jérôme, que démentiraient d'ailleurs les pourcentages des derniers livres [94]. Et comme le *Commentaire sur Ézéchiel* permet des observations similaires [95], on est amené à penser qu'en commençant le commentaire d'un livre biblique, notre exégète est habité d'un souci d'explication détaillée qui s'émousse au fil de l'ouvrage. Mais une telle constatation, outre qu'elle n'est guère significative, demanderait à être vérifiée par le contenu de l'exégèse pratiquée. De fait, c'est bien à ce niveau-là qu'on peut espérer trouver l'explication des variations que l'enquête formelle permet seulement de saisir de l'extérieur.

On ne peut pour le moment, dans cette étude technique du commentaire hiéronymien, qu'entrevoir les facteurs de fond susceptibles d'éclairer les variations de l'exégète dans sa manière de découper le texte sacré. On a évoqué tout à l'heure, à propos de l'évolution constatée du livre V *iuxta historiam* aux livres VI et VII qui lui correspondent, la différence des types d'exégèse. On trouverait dans l'ensemble du Commentaire d'autres occasions de s'interroger sur ce point.

La question se pose également de l'influence des sources utilisées. Question

---

93. Voir par exemple *In Hier.* 25, 18-26 (PL 24, 837-838 B), où l'on rencontre douze lemmes en une colonne et demie. Cf. 2, 26-30 (*ibid.* 696-697 B : dix lemmes) ; 9, 18-22 (*ibid.* 740 : sept lemmes en une colonne).

94. Voir sur toutes ces données numériques le tableau de l'ANNEXE II.

95. Les deux premiers livres de l'*In Ezechielem* présentent 139 versets en 116 lemmes, alors que dans le livre X sept lemmes suffisent pour quatre-vingt-trois versets.

délicate puisque celles que Jérôme avoue ont pour la plupart disparu. Cependant le *Commentaire sur Zacharie* de son maître Didyme et celui d'Eusèbe sur Isaïe permettent des comparaisons précises.

Dans son *Commentaire sur Isaïe* celui-ci, comme le relève Jérôme, avait laissé attendre une explication historique [96]. En confrontant son interprétation des oracles du prophète sur les nations (ch. 13 à 23) avec la double exégèse, historique puis spirituelle, qu'en donne à son tour Jérôme, on constate qu'Eusèbe en cite le texte en lemmes moins nombreux, et donc en moyenne plus volumineux, non seulement que le livre V *iuxta historiam*, mais que les deux livres d'interprétation spirituelle [97]. L'écart est encore plus net si l'on fait porter la comparaison sur le début des deux commentaires. Pour y introduire le texte des cinq premiers chapitres d'Isaïe, il faut au Latin à peu près trois fois plus de lemmes qu'à son devancier [98]. Pourtant c'est très curieusement la tendance inverse que révèlent des sondages portant, dans la deuxième moitié des deux ouvrages, sur des livres dans lesquels, il est vrai, Jérôme avait mutiplié les lemmes démesurés [99]. Quant aux deux derniers chapitres du prophète, ils fournissent aux deux exégètes un nombre de lemmes à peu près équivalent. Quoi qu'il en soit de ces variations contradictoires et de leurs explications, elles attestent que Jérôme n'est guère dépendant de son prédécesseur pour sa présentation du texte d'Isaïe. Il est vrai que, d'une façon générale, l'ouvrage d'Eusèbe n'apparaît pas pour ce commentaire comme une source privilégiée.

Depuis la découverte du *Commentaire sur Zacharie* de Didyme on a pu vérifier, en revanche, l'étroite dépendance de l'ouvrage correspondant de Jérôme envers son modèle [100]. A s'en tenir au premier livre de chacune de ces œuvres [101], on constate que Didyme offre du texte du prophète une présentation en moyenne plus émiettée : une quarantaine de lemmes pour l'ensemble du livre contre vingt-six chez Jérôme. Sensible surtout pour le premier chapitre du recueil prophétique, cette différence globale n'exclut pas cependant,

---

96. « Eusebium (...) historicam expositionem titulo repromittens... » (*In Is.* 154 C ; cf. 179 B) ; Jérôme conteste d'ailleurs vivement qu'Eusèbe se soit tenu à son propos. Mais il semble bien qu'il ait mal compris le prologue d'ailleurs un peu embrouillé de l'*In Isaiam* d'Eusèbe (Eus. W. 9, 3, 1-17). Celui-ci n'y promet pas une « interprétation historique ». Il distingue chez les prophètes des visions directes des événements, donc à prendre à la lettre, et des visions symboliques, qui suggèrent un autre sens. C'est ce dernier sens qui prête à malentendu. La manière dont Eusèbe en parle (... τρόπων ἀλληγορίας..., ἐμφαντικοῖς ῥήμασιν... ἑτέραν ὑποβαλλόντων διάνοιαν) et l'exemple qu'il en prend dans Isaïe (la parabole de la vigne au ch. 5) ont pu donner à penser à Jérôme que le Grec avait en vue le sens figuré (qui pour Jérôme fait partie du sens littéral : voir plus loin ch. III, p. 150 et suivantes), alors qu'en fait il pense très probablement les choses non selon les catégories grammaticales, mais selon celles de la prophétie et de l'histoire du salut.

97. Pour les 188 versets que comptent ces onze chapitres, le livre V *iuxta historiam* a 143 lemmes, les livres VI et VII en ont 94, et Eusèbe seulement 80. De plus, les coïncidences de détail entre les deux ouvrages dans le découpage des lemmes sont fort limitées.

98. Exactement, pour les deux premiers chapitres, soixante-cinq lemmes contre vingt-sept à Eusèbe, pour les trois suivants soixante-sept contre vingt et un. Seul le ch. 4 offre un découpage à peu près identique chez les deux auteurs.

99. Le renversement le plus spectaculaire se constate pour le livre X de Jérôme : à ses seize lemmes (pour 87 versets) correspondent cinquante-deux lemmes d'Eusèbe.

100. Sur cette dépendance, et aussi sur ses limites, voir ci-dessus p. 37, n. 95.

101. Bien qu'ils n'aient pas le même nombre de volumes, les deux ouvrages dans leur premier livre se correspondent étroitement : ils expliquent tous deux le début du prophète jusqu'au verset 8 du chapitre 6.

pour les derniers lemmes du livre, une exacte coïncidence entre les deux auteurs, qui porterait à admettre une dépendance au moins occasionnelle de notre exégète envers telle ou telle de ses sources [102]. Ces lemmes, il est vrai, relativement longs puisqu'ils comportent de trois à huit versets, correspondent à autant de divisions naturelles du texte qui se seraient peut-être imposées de toute façon à l'esprit de Jérôme [103].

Car, à partir du moment où le commentaire s'éloigne de l'émiettement du *commaticum genus* des grammairiens pour partir d'unités de sens complètes, la délimitation des lemmes n'est sans doute pas non plus sans rapport avec la nature et la signification du texte commenté. Ainsi s'explique peut-être la différence de traitement observée tout à l'heure entre les deux chapitres du prophète Aggée. Le premier, centré sur la reconstruction du Temple, ne pouvait guère être expliqué que pas à pas. Le second, recouvrant plusieurs unités naturelles de dimensions plus restreintes, poussait davantage à une présentation globale de chacune [104].

De ce rapport entre le découpage du texte et son contenu de signification le *Commentaire sur Isaïe* fournit non seulement des indices par les variations qu'on y observe dans la longueur des lemmes, mais des témoignages explicites. Ainsi, après avoir cité en bloc quinze versets du chapitre 44, Jérôme précise qu'il a « présenté toute la péricope d'un coup pour ne pas rompre la continuité d'une signification unique [105] ». Et le cas n'est pas isolé.

Ailleurs pourtant, avec un sentiment tout aussi aigu de l'unité profonde d'un passage, il n'en déclare pas moins qu'il n'a pas voulu tout présenter d'un coup pour ne pas accabler l'esprit du lecteur [106]. Un souci pédagogique peut donc contrarier la tendance à respecter les ensembles dans la présentation du texte sacré. Inversement il arrive qu'une citation globale d'un passage s'accompagne d'une reprise fragmentaire [107], voire d'une explication de détail assez peu unifiée [108].

On touche donc, là encore, aux limites d'une étude formelle, puisque l'impression morcelée ou groupée que laissent les dimensions des lemmes peut fort bien n'être pas en rapport avec le regard porté réellement par l'exégète sur la structure du texte qu'il commente.

---

102. A noter que la citation par le Nouveau Testament d'un groupe de versets de l'Ancien paraît entraîner automatiquement leur présentation par Jérôme en un seul lemme, même si leur unité de signification ne lui semble pas évidente. Cf. *In Ioelem* 2, 28-32 (PL 25, 974 C) cité par *Act.* 2, 17-21.

103. Ces lemmes correspondent en effet à autant de visions introduites comme telles : *Zach.* 4, 11-14 est l'explication de la vision des deux oliviers ; *Zach.* 5, 1-4 est la vision du rouleau qui vole ; *Zach.* 5, 5-8 celle du boisseau et 5, 9-11 celle des deux femmes qui viennent l'emporter ; *Zach.* 6, 1-8 enfin correspond à la vision des quatre chars.

104. Cf. *In Eccl.* PL 23, 1025 B où Jérôme introduit une explication globale de plusieurs versets (*Eccl.* 2, 4 à 14) avant de les citer et de les commenter isolément.

105. *In Is.*, 44, 6-20 : « περικοπὴ quam totam simul proposuimus ne unius sensus diuideremus continentiam » (437 A). Cf. 232 C ci-dessous n. 113.

106. *In Is.* 11, 1-3 a : « ... omnis haec prophetia de Christo est, quam per partes uolumus explicare, ne simul proposita ac disserta lectoris confundat memoriam » (144 A). Cf. 463 D-464 A.

107. Voir par exemple *In Is.* 188 C, au livre V : « Totam posuimus capituli huius (= *Is.* 20) continentiam, ut per partes singula disseramus. » Formulation similaire, au livre VI, pour *Is.* 15, 2b-9 (232 C).

108. Voir par exemple *In Is.* 33, 7-12 (364 D-366 B).

Il est sûr, en tout cas, que le souci qu'a Jérôme de faire saisir l'unité d'un passage déborde largement la présentation plus ou moins globale qu'il en fait. Inutile, pour s'en rendre compte, d'entrer dans le contenu même de l'exégèse. Il suffit de prêter attention à la fréquence des termes qui soulignent la cohérence interne d'un oracle ou ses liens avec le contexte. Le *Commentaire sur Isaïe* parle en effet volontiers d'enchaînement (*consequentia*), de continuité (*continentia*), d'unité du contexte (*contextus*) ; il dégage la suite (*ordo*) des idées [109]. Souvent il est question de rattacher (*copulare*) ou de relier (*iungere, coniungere*) un texte à ce qui précède ou à ce qui suit [110]. L'exégète constate que tel passage tient (*haerere*) à ce qui est dit avant, ou en dépend (*pendere*) [111] ; il se demande comment tel autre s'accorde (*congruere*) ou s'ajuste (*coaptare*) à la suite des idées [112]. Ou encore il se refuse à mettre en pièces (*lacerare*) une prophétie en la présentant par morceaux [113]. Sans même qu'apparaisse un tel vocabulaire, reprises, rappels ou résumés, voire références à ce qui va suivre, ne cessent de souligner, à travers la continuité des interprétations, l'unité des textes commentés, le cas échéant contre des exégèses qui la nieraient [114].

On comprend pourquoi Jérôme, pourtant fort attaché, on l'a vu, à la conception du commentaire grammatical, en use fort librement, en fin de compte, avec la technique morcelée qui caractérise celui-ci. Ce n'est pas qu'il ait fait le choix délibéré d'une technique différente. Mais il était naturellement conduit, par un souci des unités textuelles qu'on n'observe guère chez les grammairiens ses maîtres, à ne pas s'y laisser enfermer. Il faut sans doute aller plus loin. Le décalage formel sur ce point est signe d'une différence plus radicale qui déborde le plan littéraire. A une curiosité intellectuelle, si raffinée soit-elle, à quoi se ramène peu ou prou l'érudition grammaticale qui s'est substituée à une veine créatrice tarie, s'oppose chez l'exégète de l'Écriture une aspiration encore neuve à découvrir derrière les multiples facettes du « Livre » une unique parole de vie. L'attention portée au détail ne peut avoir le même

---

109. Voir pour *consequentia* : *In Is.* 81 D, 184 C, 290 B, 80 D (*consequentius*) ; pour *continentia* : 34 A, 188 C, 203 B, 350 D, 437 A (ci-dessus n. 105), 665 A ; pour *contextus* : 447 D (« ... unum contextum esse sermonis, nec posse sensum diuidi... ») ; pour *ordo* : 36 C, 90 A, 156 A, 177 B, 178 B (ordo pulcherrimus..., cf. 526 B), 286 A, etc. Voir aussi sur ce mot l'étude de Dom Antin dans son *Recueil sur saint Jérôme*, p. 229 et suivantes.

110. « Cum superiori sensu sequens capitulum *copulandum*... » (*In Is.* 487 D ; cf. 90 A, 324 A, 358 C...) ; « sensus sic cum superioribus *iungitur* » (569 A ; cf. 312 B...) ; « Et haec prioribus *coniunguntur* » (50 B...).

111. « *Haerent* superioribus quae dicuntur... » (*In Is.* 207 D ; cf. 443 B). « *Pendent* ex superioribus quae dicuntur... » (351 C).

112. « Quomodo cum ceteris *congruant* et consummationis mundi temporibus *coaptentur*, difficilis interpretatio est » (312 B ; cf. 92 A).

113. *In Is.* 15, 2b-9 : « Quia omnis prophetiae huius paene unus est sensus, ne eam per partes proponendo *lacerarem*, simul uniuersam posui... » (232 C).

114. Références innombrables. Dès le premier chapitre, par exemple, Jérôme introduit l'explication du quatrième verset par un résumé précis des trois premiers (28 A, texte ci-dessous p. 206, n. 383) ; cf. 556 C où il remonte en arrière d'une bonne douzaine de colonnes jusqu'au livre précédent. Il souligne ailleurs que le sujet n'a pas changé (521 D), qu'il faut prendre en bonne part la fin d'un chapitre comme son début (258 BC) ou que le prophète revient à son sujet initial, qu'il avait provisoirement abandonné (129 C, 354 D). Contre une exégèse juive il marque « iuxta coeptam interpretationem » l'unité d'un chapitre (526 C ; cf. 105 A, etc.). Fréquents renvois également à ce qui précède (*superiora..., post..., postquam...*), moins souvent à ce qui suit (136 D, 345 C, 453 C), pour marquer une continuité. Etc.

sens dans les deux perspectives, et il n'est pas surprenant que cette différence apparaisse dans la manière de le traiter. Sans doute ne peut-on conclure sans abus du découpage du texte sacré à la conception qu'aurait Jérôme de l'unité globale de l'Écriture [115]. Mais, tel qu'il est, ce découpage s'accompagne, dans le *Commentaire sur Isaïe*, d'assez d'observations dont la portée déborde les dimensions d'un oracle particulier pour permettre d'entrevoir dans la structure du recueil prophétique des ensembles plus vastes.

C — *Le livre d'Isaïe*

Des cinq premiers chapitres n'est perceptible qu'une unité chronologique rappelée brièvement au moment de dater l'importante vision du chapitre 6, qui avait déjà retenu à Constantinople l'attention du traducteur des homélies d'Origène, lui inspirant son essai sur les *seraphim*. Vision à part, dont l'extrême difficulté, dit le prologue du livre III, tient à la grandeur de son sujet [116]. Ce n'est qu'ensuite que viennent les observations les plus intéressantes.

On lit en effet en conclusion de ce même livre : « La prophétie de l'Emmanuel et de l'enfant qui naît d'une vierge, prophétie qui commence à ces paroles adressées à Achaz : "Demande pour toi un signe au Seigneur ton Dieu", se termine avec le verset où il est dit : "L'amour jaloux du Seigneur des armées fera cela" [117] ». Jérôme délimite donc avec la plus grande netteté un vaste ensemble de plus de deux chapitres (7, 11 à 9, 7), dont l'unité excuse à ses yeux les dimensions du livre III par rapport au livre suivant : il n'a voulu ni faire l'impasse sur le chapitre expliqué jadis (= ch. 6) ni « diviser ce qui allait ensemble » (la prophétie de l'Emmanuel) [118]. Mieux encore : cette ample prophétie, que met à part son caractère messianique, il l'insère explicitement dans l'ensemble plus vaste des oracles contre Samarie et Jérusalem liés à la guerre syro-ephraïmite, et qui, commencés avec le chapitre 7, se terminent à ses yeux avec les premiers versets du chapitre 10 [119]. Autre unité soulignée un peu plus loin : celle des chapitres 11 et 12, prophétie du rameau de Jessé « tout entière sur le Christ [120] », que Jérôme met aussi en rapport avec la prophétie de l'Emmanuel [121].

---

115. Elle apparaîtra plus loin, au chapitre VI.

116. Voir *In Is.* 91 C et 91 A.

117. « Coepta Emmanuelis et nascentis pueri de uirgine prophetia, ex eo loco ubi dicitur ad Achaz : "Pete tibi signum a Domino Deo tuo", uersiculo isto finita est quo infertur : "Zelus Domini exercituum faciet hoc"... » (128 CD).

118. Voir le prologue du livre IV (129 A). Jérôme y fait observer que par ses dimensions ce livre est inférieur d'un tiers au précédent et ne représente qu'à peu près la moitié du livre V qui le suit. De fait il correspond à vingt-cinq colonnes de la *Patrologie* de Migne, le livre III en occupant trente-huit et le livre V cinquante-deux.

119. *In Is.* 129 C, en particulier : « ... Multis ergo mysteriis in medio positis, nunc reuertitur ad id quod coeperat... », c'est-à-dire le début du ch. 7. Cf. 134 B.

120. *In Is.* 11, 1-3 : « Usque ad principium uisionis uel ponderis Babylonis (= *Is.* 13)... omnis haec prophetia de Christo est » (144 A).

121. « Dixerat supra nomen de uirgine pueri nascituri (...) Nunc in prologo aduentus eius... », etc. (143 BC).

Limité à son début par celle-ci, le livre IV du Commentaire l'est à l'autre extrémité par l'ensemble que constituent les oracles sur les nations, ces « dix visions particulièrement obscures » dont Jérôme avait accepté dès 397 d'expliquer pour Amabilis le sens littéral [122] et dont l'exégèse spirituelle occupe les livres VI et VII.

Les quatre chapitres suivants (ch. 24 à 27) présentent, dans leur visée eschatologique, une unité non moindre, que Jérôme souligne au terme du livre VIII qui leur est consacré, en annonçant avec le livre suivant le début d'une autre prophétie [123].

Les choses apparaissent moins nettes ensuite. Le résumé rapide qui ouvre l'explication du chapitre 31 inscrit bien celui-ci dans la continuité du chapitre 30, lui-même distingué du chapitre précédent [124]. Mais il faut attendre le prologue du livre X pour retrouver une délimitation nette d'un vaste ensemble. Jérôme a parfaitement saisi, en effet, la spécificité des chapitres 36 à 39 qui redoublent des récits du second livre des *Rois* et qu'il se refuse à diviser « à cause de la continuité des faits [125] ». D'où leur report au livre XI, dont ils vont occuper les deux premiers tiers [126].

La suite se perd à nouveau en enchaînements partiels beaucoup plus limités [127], ce qui reflète peut-être le caractère peu structuré de ce qu'on appelle aujourd'hui le « Second Isaïe ». A noter que Jérôme marque, en abordant le chapitre 56, la coupure qui coïncide avec le début de la troisième section du recueil [128]. Le dernier groupement qu'il observe est celui des chapitres 60 à 62 dans une unité de lecture eschatologique qu'il ne prend d'ailleurs pas à son compte : il rattache au contraire le chapitre 63 aux deux précédents en les comprenant tous du Christ, interprétation qu'impose à ses yeux l'application que se fait Jésus du début du chapitre 61 dans l'*Évangile de Luc* [129].

On voit que ces indications éparses laissent subsister dans le recueil de larges zones d'ombre. Mais elles mettent aussi en lumière plusieurs des groupements essentiels reconnus par la critique moderne : « livre de l'Emmanuel », « oracles sur les peuples étrangers », « apocalypse » d'Isaïe, « appendice » historique clôturant la première section du livre [130]. Du coup, l'on

---

122. *In Is.* V, prol. à Amabilis (153 C). Il en récapitule la liste au livre IX, en 340 B.

123. *In Is.* 27, 13 : « Hucusque de consummatione mundi dictum est ab eo loco in quo exponere coepimus : "Ecce Dominus dissipabit terram"... (= *Is.* 24, 1) quod praesenti uolumine continetur. Nunc (...) transeamus ad nonum, quod alterius prophetiae habebit exordium » (314 BC).

124. *In Is.* 354 D. Cf. 338 A (coupure avec le ch. 29) et aussi 358 D (coupure avec le ch. 32).

125. *In Is.* X, prol. : « Sequitur enim eum (= livre X) Sennacherib atque Rabsacis et Ezechiae regis historia, quae nec iungi cum praecedentibus poterit, propter enormem uoluminis magnitudinem, nec diuidi propter gestorum continentiam » (349 D).

126. Voir *In Is.* XI, prol. (378 B).

127. Voir par exemple *In Is.* 515 A.

128. *In Is.* 56, 1 : « Gentium uaticinio terminato... » (538 A).

129. *In Is* 609 D-610 A (cf. *Luc* 4, 21).

130. Ces désignations sont celles de la Bible de Jérusalem. On sait que l'exégèse moderne distingue dans le livre d'Isaïe trois grandes sections : la première correspond à la prédication du prophète lui-même, avec des insertions postérieures d'importance variable, comme « l'apocalypse » des ch. 24 à 27 ; la deuxième (ch. 40-55) est l'œuvre, vers la fin de l'exil, d'un disciple du prophète, qu'on appelle le second Isaïe ; la troisième enfin (ch. 56-66) groupe des oracles en général postérieurs à l'exil.

s'étonnerait presque que, alors qu'il avait sous les yeux un commentaire de Didyme « sur la vision finale d'Isaïe » commençant précisément au chapitre 40 du prophète [131], Jérôme n'ait pas souligné davantage la coupure fondamentale qui, pour l'exégèse contemporaine, marque le début du « Second Isaïe ».

Qu'il s'agisse de ces vastes ensembles ou de l'unité plus limitée d'oracles particuliers, le *Commentaire sur Isaïe* témoigne donc chez Jérôme d'un souci constant de la continuité du texte, que nous retrouverons plus loin. Cette préoccupation explique sans doute que, tout en se montrant fidèle pour l'essentiel à la conception du commentaire grammatical expérimentée auprès de Donat, il s'en soit largement affranchi, comme nous avons pu le constater, dans le découpage du texte sacré.

III — LE TEXTE D'ISAÏE

Ce recueil d'Isaïe, Jérôme le commente en suivant une méthode inaugurée dès ses premiers Commentaires des prophètes : il part pour chaque lemme d'une traduction personnelle de l'hébreu qui, dans son esprit, restitue donc au lecteur latin la teneur du texte original de l'Écriture, l'*hebraica ueritas* [132]. A cette traduction sur l'hébreu vient en principe s'ajouter celle du grec des Septante. Mais la chose est beaucoup moins systématique et obéit à des modalités variées. Jérôme recourt aussi de façon ponctuelle, pour éclairer un mot ou expliquer des divergences d'interprétation, aux autres versions grecques qu'Origène avait rassemblées dans ses *Hexaples*.

A — L'« hebraica ueritas »

L'expression est célèbre. Apparue sous la plume de Jérôme dans la préface à ses *Questions hébraïques sur la Genèse* [133] dont le titre reflète le propos, elle se retrouve naturellement dans plusieurs des prologues à sa nouvelle traduction de l'Ancien Testament pour en désigner « l'original hébreu » [134], comme

---

131. Sur ce commentaire auquel renvoie explicitement l'*In Zachariam* de l'Alexandrin voir plus haut p. 58. Pour sa part, non seulement Jérôme ne fait pas coïncider cette grande division du recueil prophétique avec une coupure entre deux livres de son commentaire, mais il rapproche le début de cette nouvelle prophétie de l'attitude d'Ézéchias décrite au chapitre précédent (399 C).

132. Cette règle ne connaît dans l'*In Isaiam* qu'une exception véritable, d'ailleurs limitée : au livre VII, qui donne la seule exégèse spirituelle des oracles sur les nations déjà commentés « selon l'histoire » au livre V, l'explication part, pour le chapitre 23 du prophète, mais pour lui seul, d'une traduction des LXX. Dans le même livre, Jérôme précise à propos d'un verset du ch. 22 : « Dans ce passage nous avons suivi l'interprétation des LXX parce que pour le sens elle ne s'éloigne pas beaucoup de l'hébreu » (268 B). Mais ici l'exception n'est qu'apparente. Sur ce texte voir ci-dessous p. 92 et la note 150.

133. HIER. *Hebr. quaest. in Gen.*, prol. ; PL 23, 938 A. L'ouvrage n'est vraisemblablement pas antérieur à 389. On trouvait déjà dans l'*In Eccl.* : « iuxta sensus hebraici ueritatem » (*ibid.* 1078 B).

134. HIER. *Praef. in libr. Ps.* PL 28, 1125 A ; *in libr. Sam., ibid.* 558 A. On la rencontre aussi, bien entendu, dans ses Commentaires des prophètes, depuis les premiers (par ex. *In Mich.* PL 25, 1164 C) jusqu'à l'*In Hier.* (PL 24, 787 A...).

la *graeca ueritas* avait désigné dans la préface à sa révision des Évangiles
« l'original grec » du Nouveau [135]. Elle revient un certain nombre de fois dans
le *Commentaire sur Isaïe*, dès le futur livre V à Amabilis [136], bien que Jérôme
emploie le plus souvent pour désigner le texte hébreu les neutres substantivés
hebraeum et *hebraicum* [137].

Cette version sur l'hébreu, qui à chaque fois sert de point de départ à
l'explication, est en principe celle que Jérôme a donnée du livre d'Isaïe plus de
quinze ans auparavant, quand il a abandonné sa révision de l'Ancien Testament sur le grec pour revenir directement au texte original [138]. Conscient des
critiques auxquelles il allait prêter le flanc, c'était alors en toute connaissance
de cause que, nouveau Scaevola, il avait « avancé la main dans la flamme »,
selon les termes de sa préface au livre d'Isaïe précisément [139]. L'entreprise, en
effet, était audacieuse. Symétrique et complémentaire dans son esprit de la
révision des évangiles sur le grec [140], qui avait déjà suscité contre lui une levée
de boucliers malgré la caution du pape Damase, elle donnait prise à une
double critique beaucoup plus radicale : revenir à l'hébreu, c'était, négativement, paraître mépriser, sinon condamner, la version traditionnelle des Septante consacrée par l'usage constant des églises ; grief répété, contre lequel
Jérôme ne cesse de se défendre en invoquant non seulement ses révisions
antérieures sur le grec, mais sa propre pratique au sein de son monastère [141].
Bien plus, c'était faire confiance à un texte dont étaient les dépositaires ceux
que définissait dans la conscience chrétienne leur refus sacrilège du Christ. Le
Commentaire sur Isaïe, qui dénonce plusieurs fois les efforts des juifs pour
ruiner la portée messianique de certaines prophéties [142], se fait aussi l'écho du
soupçon de falsification qui pouvait naître à leur égard des différences constatées entre l'hébreu et la version traditionnelle. Mais c'est pour le réfuter
vigoureusement, en s'appuyant sur Origène dont les travaux des *Hexaples*
avaient donné occasion à l'expression d'une méfiance identique. « Si l'on
déclare », écrit Jérôme, « que les livres hébreux ont été ultérieurement (à la
traduction des Septante) falsifiés par les juifs, qu'on écoute la réponse d'Origène à ce petit problème dans le livre VIII de ses explications d'Isaïe : jamais le

135. HIER. *Praef. in quattuor euang.*, PL 29, 525 C. Jérôme n'emploie jamais, en revanche,
graeca ueritas pour parler des LXX qui ne sont qu'une traduction.

136. *In Is.* V : 199 A, 154 C, 206 B (sur la portée de l'expression dans ces deux derniers emplois,
voir plus loin ch. III, p. 144-145). Pour le reste du Commentaire : 51 A, 126 A, 234 A, 284 C,
290 B, 421 B, 501 A, 595 D...

137. Emplois innombrables : généralement, pour *hebraeum*, à l'ablatif prépositionnel avec *in...,
ab..., de...* (par ex. 139 B, 231 A, 246 C... ; 123 C... ; 234 B, 268 B...) ; plus larges pour *hebraicum* :
nominatif ou accusatif (261 C, 346 C, 552 A... ; 407 B...) ; ablatif prépositionnel (134 C, 135 A,
277 D, 675 C...), et assez souvent *iuxta hebraicum* (235 D, 302 D, 346 D, 417 C, 519 B...).

138. Le livre d'Isaïe n'a pas fait l'objet d'une révision sur le grec. Sa traduction sur l'hébreu n'est
certainement pas postérieure à 392. Contrairement à l'opinion traditionnelle, mais aussi à celle
de Cavallera, elle est vraisemblablement la deuxième, après celle des Psaumes. Sur la chronologie
de ces premières traductions sur l'hébreu, voir mon article de la *RÉAug* 28, 1982 (ci-dessus p. 20,
n. 8).

139. HIER. *Praef. in libri. Is.* : « Sciens ego et prudens in flammam mitto manum » (PL 28,
772 B).

140. Voir *Epist.* 71, 5, 3 et 106, 2, 3.

141. Défense la plus complète dans l'*Apol. adu. Ruf.* 2, 24 (PL 23, 448 A). Cf. *Praef. in libr. ps.
(iuxta hebr.)* : PL 28, 1126 A ; *in libr. Sam., ibid.* 557 A.

142. Voir par exemple *In Is.* 55 B, 364 B, 478 D...

Seigneur ni les apôtres, qui n'épargnent aux scribes et aux pharisiens aucune accusation, n'auraient gardé le silence sur celle-ci, qui était la plus importante. Et si l'on déclare que c'est après la venue du Seigneur et la prédication des apôtres que les livres hébreux ont été falsifiés, je ne pourrai me demander sans rire comment le Sauveur, les évangélistes et les apôtres ont pu en faire des citations qui correspondent aux falsifications ultérieures des juifs [143] ». Au rire fait place l'irritation quand il constate que le refus de l'*hebraica ueritas* fait ignorer par exemple un verset particulièrement rude contre les juifs, mais absent des Septante. « J'ai honte », s'écrie-t-il, « des chicaneries des nôtres qui s'en prennent à l'original hébreu. Les juifs lisent ce qui les condamne, et ce qui est en sa faveur, l'Église ne veut pas le savoir [144] ! » De même n'arrive-t-il pas à s'expliquer que l'hébreu soit seul à contenir certaines prophéties évidentes du Christ [145].

Ainsi persuadé, non sans raison, que la Bible hébraïque n'a pas été l'objet, de la part des juifs, d'altérations volontaires, Jérôme accorde donc à l'hébreu la confiance aveugle que mérite à ses yeux un texte original par rapport à ses traductions. Mais alors qu'à propos des Septante on va le voir conscient de la marge inévitable d'erreurs imputable à la tradition manuscrite, un même souci ne l'habite nullement pour l'hébreu. Et l'idée moderne que l'ancienneté de la version grecque traditionnelle pourrait refléter un état du texte original différent de celui qu'on atteint à son époque ne l'effleure pas davantage. Jérôme ne doute donc pas d'avoir, en revenant à l'hébreu, retrouvé le chemin du texte authentique de l'Écriture. On le sent persuadé, en somme, que, comme on l'a écrit naguère, pour son lecteur latin « la vérité hébraïque c'est lui [146] », pour peu que la traduction qu'il en a donnée soit exacte.

Éprouve-t-il, avec le recul du temps, quelque doute à ce sujet en abordant l'explication d'Isaïe ? Une confrontation rapide du texte du prophète présenté dans le Commentaire avec sa traduction de jadis permet de vérifier une fidélité globale de Jérôme envers son travail antérieur, qui atteste qu'il l'a entre les mains pendant qu'il dicte.

Il lui arrive d'en faire la critique et d'y reconnaître une erreur. C'est ainsi qu'au livre V, après avoir reproduit sa traduction, il déclare avec un peu d'emphase, avant d'introduire un correctif à son interprétation d'un terme : « Je pense que mieux vaut critiquer ma propre erreur qu'y persister par honte d'avouer mon impéritie [147] ». Il avait déjà reconnu quelques lignes plus haut

---

143. *In Is.* 99 A : « Quod si aliquis dixerit hebraeos libros postea a Iudaeis esse falsatos, audiat Origenem quid in octauo uolumine Explanationum Isaiae huic respondeat quaestiunculae, quod numquam Dominus et apostoli, qui cetera crimina arguunt in scribis et pharisaeis, de hoc crimine quod erat maximum reticuissent. Sin autem dixerint post aduentum Domini Saluatoris et praedicationem apostolorum libros hebraeos fuisse falsatos, cachinnum tenere non potero, ut Saluator et euangelistae et apostoli ita testimonia protulerint, ut Iudaei postea falsaturi erant. » Jérôme vient de rappeler que dans le Nouveau Testament les évangélistes Matthieu et Jean en particulier citent l'Ancien d'après l'hébreu et non d'après les LXX.
144. « Pudet me contentionis nostrorum qui hebraicam arguunt ueritatem. Iudaei contra se legunt et quid pro se sit, nescit ecclesia. » C'est un passage de l'*In Hier.* 17, 2-4 (PL 24, 787 A).
145. Voir *In Is.* 56 A, à propos d'*Is.* 2, 22 (Texte p. 278, n. 371).
146. C. Estin, *Saint Jérôme traducteur...*, p. XIII.
147. *In Is.* 19, 16-17 : « Melius reor etiam proprium errorem reprehendere quam, dum erubesco imperitiam confiteri, in errore persistere » (184 C).

qu'il s'était laissé prendre à l'ambiguïté d'un mot hébreu [148]. Il n'en reprendra pas moins sa traduction inchangée lorsqu'au livre VII il retrouvera ce chapitre, preuve qu'à nouveau c'est d'elle qu'il part [149].

Un souci d'exactitude inspire sans doute aussi dans le même livre VII cette observation plus surprenante : « Dans ce passage nous avons suivi l'interprétation des Septante parce que, pour le sens, elle ne s'éloigne pas beaucoup de l'hébreu [150] ». Or il n'a fait que reprendre, comme il l'avait déjà fait dans le lemme correspondant du livre V, le texte de sa version antérieure. C'est donc celle-ci qui s'en était tenue au grec, au détriment d'une fidélité scrupuleuse à l'*hebraica ueritas* dont il va proposer ici une traduction littérale en effet légèrement différente. De même signale-t-il ailleurs que le verset qu'il vient de donner au pluriel — ce qui, si on le comprend bien, correspond au grec — est au singulier dans l'hébreu [151]. Là encore, le correctif atteint sa traduction ancienne fidèlement reproduite. En revanche, c'est une traduction modifiée qu'on trouve dans un lemme du chapitre 58. L'explication vient ensuite : en traduisant jadis le recueil d'Isaïe, Jérôme avait ici suivi les Septante pour ne pas donner l'impression d'innover sur un verset universellement connu [152].

Ces repentirs plus ou moins avoués supposent en tous les cas que l'exégète a sous les yeux sa traduction antérieure quand il compose son Commentaire. On peut en faire la contre-épreuve par les citations d'autres versets du prophète qui lui viennent à l'esprit au fil de l'explication d'un lemme. Le plus souvent, en effet, il paraît bien citer de mémoire, et ce n'est pas alors sa version de l'hébreu qu'il a en tête. Il est aisé de le montrer. Par exemple, au moment d'aborder l'explication du chapitre 6, il évoque dans le bref prologue du livre III cette vision grandiose du prophète qui lui avait inspiré à Constantinople une de ses premières tentatives exégétiques [153]. Or il le fait, pour l'essentiel, en des termes qui reflètent non pas sa traduction sur l'hébreu, qui va pourtant lui fournir quelques lignes plus bas les lemmes à commenter, mais le texte des Septante [154]. Peut-être vient-il de relire son essai de jadis, dans lequel il avait

---

148. *In Is.* 19, 14-15 (184 A). Cf. 393 C où il invoque la même excuse mais donne une traduction rectifiée.

149. Peut-être aussi n'est-il plus tout à fait sûr des corrections qu'il proposait : l'une d'elle n'y apparaît plus que comme l'interprétation d'Aquila (254 D-255 A).

150. *In Is.* 22, 3 : « In hoc loco Septuaginta interpretationem secuti sumus, quia non multum ab hebraico distat in sensu » (268 B).

151. *In Is.* 10, 21 : « Reliquiae conuertentur, reliquiae, inquam, Iacob ad Dominum fortem » (139 AB). Ce passage pose d'ailleurs un problème. Car il est sûr que les LXX pas plus que l'hébreu n'ont le pluriel. Sans doute faut-il supposer que la référence au grec qui introduit la reprise du verset (« Vbi in graeco dicitur... ») ne vise que l'expression « Deum fortem » qui va être commentée, et qu'ensuite Jérôme voudrait simplement expliquer que le pluriel latin n'est qu'une manière de rendre le singulier hébreu, qui n'est autre que le nom du fils d'Isaïe mentionné au ch. 7, 3. En tout cas la répétition du mot *reliquiae* correspond à l'hébreu et non au grec. Voir ci-dessous la note 159.

152. *In Is.* 58, 12 (572 C). Des aveux de ce genre trahissent le souci qu'avait eu Jérôme, particulièrement dans ses traductions des Psaumes et des prophètes (cf. MEERSHOEK, *Le latin biblique...*, p. 244), de ne pas s'éloigner, quand cela était possible, de la traduction reçue.

153. *In Is.* 91 AB. Jérôme y résume à très grands traits les versets 1 à 7 du chapitre. Dans son essai de Constantinople, c'est-à-dire sa *Lettre* 18 A, il en avait expliqué les versets 1 à 9.

154. Expressions qui, dans ce prologue, diffèrent de façon caractéristique de sa traduction sur l'hébreu : « in sua... maiestate » (v. 1) ; « in circuitu eius » (v. 2) ; « Dominum Sabaoth » (v. 3) ; « immunda labia habere » (v. 5) ; missum ad (Isaiam)..., carbone... » (v. 6). En revanche au v. 4 « commotum liminare templi et concussum » rejoint pour le sens cette traduction (« commota

donné de ceux-ci une traduction latine très minutieuse. Pourtant la seule citation explicite que comporte ce prologue, celle de la triple acclamation des *seraphim*, ne reprend pas exactement cette traduction, mais suit simplement la version latine en usage à son époque [155]. La chose pourrait ici s'expliquer par l'usage liturgique du verset, bien propre à le fixer dans les mémoires [156]. Mais tout au début du *Commentaire sur Isaïe*, comme à plusieurs reprises en d'autres œuvres où il n'avait aucune raison d'avoir sous les yeux ce chapitre 6, c'est encore dans l'ancienne version italique qu'il en cite plusieurs versets. Les variantes légères qu'on relève parfois entre ces citations confirment que c'est à ses souvenirs que Jérôme fait alors appel [157]. On pourrait multiplier les exemples où la mémoire de Jérôme lui fournit ainsi non seulement l'idée mais, au détail près, le texte même du verset utile à son propos du moment, sans qu'il ait besoin d'ouvrir sa Bible [158]. Or, dans de tels cas, ce qui se présente à son esprit, ce n'est donc pas d'ordinaire sa version sur l'hébreu, mais la version traditionnelle dont il était imprégné depuis longtemps [159].

---

sunt superliminaria ») d'ailleurs conforme à Symmaque (ἐσαλεύθη), alors que les LXX ont ἐπήρθη (cf. *Epist*. 18 A « eleuatum » et *Vetus Italica*, éd. P. Sabatier : « leuatum »). Mais sur ce verset un souci d'exactitude semble avoir poussé Jérôme à rejeter définitivement leur traduction. Citant en effet dans l'*In Ioelem* plusieurs versets de ce chapitre dans une version en tout point conforme au grec, il écrit pourtant : « superliminare *motum* est » (PL 25, 977 A).

155. Voir *In Is*. III, prol. (91 A) : « Sanctus sanctus sanctus Dominus Sabaoth, plena est omnis terra gloria eius » (= *Is*. 6, 3b ; cf. *Vetus Italica*, qui ajoute *Deus* après *Dominus*) ; au lieu de quoi la *Lettre* 18 A portait pour la fin du verset : « plena est uniuersa terra maiestate eius. »

156. Sur la présence très ancienne du *Sanctus* dans la liturgie chrétienne, voir J.-A. JUNGMANN, *Missarum sollemnia*, t. III, p. 37 et suiv. La formule liturgique que connaissait Jérôme comportait-elle le mot *Deus* qu'y ajoute l'ancienne version latine, peut-être sous l'influence d'*Apoc*. 4, 8 ? Il est difficile d'en décider. Le mot ne se trouve pas dans la formulation rapportée par Clément de Rome (*Ad Cor*. 34), ni dans l'*Eucologe* de Sérapion, ni, à l'époque de Jérôme, dans Cyrille de Jérusalem (*Cat. myst*. 5, 6) ou dans les *Constitutions apostoliques* (éd. Funk, VII, 35, 3 et VIII, 12, 27).

157. Voir par exemple le verset 1 tel que Jérôme le cite au début de l'*In Isaiam* : « Vidi Dominum Sabaoth sedentem super thronum excelsum et eleuatum » (23 A). C'est le texte de l'ancienne traduction latine ; on le lisait déjà tel quel dans l'*In Abdiam*, en 396 (PL 25, 1099 CD). Quelques pages plus loin (33 A), Jérôme cite à nouveau le verset en omettant *Sabaoth* qui, d'ailleurs, n'est ni dans les LXX (d'où son absence dans *Epist*. 18 A), ni dans l'hébreu. C'est sous cette forme qu'on avait pu le lire dans l'*In Osee* (PL 25, 928 A) et qu'on en a une citation libre au livre VI de l'*In Isaiam* (228 B). Autre citation, également sans *Sabaoth*, dans un sermon sur le psaume (*Tract. de ps*. 81, 1 : CC 78, 83, 20 = Morin p. 74). L'*In Zachariam* (PL 25, 1423 A) en offre une variante qui omet en outre le participe *sedentem*. Ces légères variations sur une même traduction montrent bien que Jérôme cite de mémoire. Dans sa version sur l'hébreu il avait traduit : « Vidi Dominum sedentem super *solium* excelsum et eleuatum. »

158. En voici encore un exemple parmi bien d'autres. L'explication d'*Is*. 30, 26 à la fin du livre IX amène Jérôme à citer *Is*. 35, 10 : « Fugit dolor et maeror et gemitus » (350 B). Ces trois termes, qui correspondent aux LXX, reproduisent l'ancienne traduction latine, tandis que, conformément à l'hébreu, sa traduction, reprise *ad locum* dans le Commentaire (375 C), ne comportait que deux termes : « dolor et gemitus. »

159. La chose apparaît si habituelle chez lui que, sur des versets pour lesquels nous n'avons ni ancienne traduction latine ni traduction de Jérôme sur le grec, il est probable que ces citations faites au fil du commentaire nous font rejoindre, à l'imprécision de détail près que comporte le recours à la mémoire, l'ancienne traduction latine dans laquelle il s'était familiarisé avec l'Écriture. C'est peut-être le cas pour la citation, vers la fin du livre III, des versets 10, 20-21 d'Isaïe évoqués partiellement tout à l'heure (ci-dessus n. 151) : « Erunt confidentes super Deo sancto Israel in ueritate, et quod residuum est Iacob super Deo forti » (127 D-128 A). Cette traduction colle en tout cas très étroitement au grec des LXX.

Les exceptions confirment la règle. Il arrive en effet qu'on rencontre dans la trame du commentaire des citations d'Isaïe conformes au texte de sa traduction sur l'hébreu. Mais il s'agit le plus souvent de la reprise de versets qui viennent d'être commentés quelques lignes, au maximum quelques pages plus haut. Joue alors soit la mémoire immédiate, soit le fait que Jérôme a encore son texte sous les yeux [160]. La chose est patente en particulier dans le livre V où il s'en tient systématiquement à l'hébreu.

Quelques cas cependant ne s'expliquent pas de cette façon. Ainsi au livre XVI surgit une citation du chapitre 22 commenté au bas mot trois cent cinquante pages plus haut [161]. Or elle correspond, à une variante près, à sa version sur l'hébreu et non à la traduction traditionnelle. En réalité Jérôme ici ne dépend ni de l'une ni de l'autre, mais de la citation qu'avait faite du passage la *Première aux Corinthiens* qu'il reproduit exactement, et certainement de mémoire, comme il l'avait déjà fait dans son *Commentaire sur l'Ecclésiaste* antérieur à sa version sur l'hébreu [162]. Autre exemple à première vue aberrant : les deux citations du chapitre 22 qu'il fait au livre XI en expliquant le début du chapitre 36 [163]. La conformité exacte des trois versets qu'elles comportent avec sa traduction sur l'hébreu reproduite aux lemmes correspondants des livres V et VII ne permet guère de douter que Jérôme s'est reporté à son texte [164]. Mais il avait pour le faire une raison : le verset expliqué lui fournissait le nom de Sobna déjà rencontré au chapitre 22. Sans doute alerté par une tradition juive, l'exégète était naturellement amené à confronter les deux passages [165].

Tous ces témoignages se rejoignent. Si c'est une ancienne version latine qui lui fournit les citations qui lui viennent spontanément en mémoire, les quelques cas où pour des raisons particulières il cite Isaïe dans sa propre traduction confirment qu'il a réellement celle-ci sous les yeux.

Mis à part les rares passages où il signale lui-même les corrections à lui apporter, c'est donc cette traduction que Jérôme reproduit fidèlement dans les lemmes de son Commentaire. Mais, comme l'ont noté les derniers éditeurs de la Vulgate hiéronymienne, cette fidélité n'est pas toujours au mot près [166]. Il faut donc se demander si les variantes, légères mais assez nombreuses, qu'on

---

160. Par exemple, en expliquant *Is.* 6, 6-7, Jérôme reprend le verset précédent dans la traduction qu'il vient d'en donner (*In Is.* 96 D, cf. 95 C), alors que la citation qu'il fait ailleurs de ce verset 5 est très proche de l'ancienne traduction latine (cf. *Tract. de ps.* 119, 4 : CC 78, 255 = Morin p. 227 ; *In Habacuc*, PL 25, 1324 C). Voir encore, au livre V, *Is.*, 17, 10-11 cité dans l'explication de 17, 12-14 (177 B) ; 22, 2 dans celle de 22, 12 (198 A) ; ou, dans le Commentaire lui-même, 14, 30 cité à propos de 14, 31-32 (230 C), etc.

161. *In Is.* 553 D : « Manducemus et bibamus ; cras enim moriemur. » Il s'agit d'*Is.* 22, 13 que Jérôme a cité, au moment de le commenter au livre V puis au livre VII, dans sa traduction sur l'hébreu sous la forme : « *Comedamus* et bibamus.. », etc. (cf. *In Is.* 197 D et 272 A).

162. I *Cor.* 15, 32. Cf. *In Eccl.* PL 23, 1039 A.

163. *In Is.* 379 D-380 A, où sont cités successivement *Is.* 22, 20-21 et 22, 15.

164. Sur plus d'une quarantaine de mots on ne relève en effet qu'une variante insignifiante et purement stylistique : l'adjonction d'une coordination (« *Vade et* ingredere... »), absente de l'hébreu mais naturelle en latin.

165. Il était peut-être d'autant plus amené à le faire qu'il a changé d'avis depuis le livre V (cf. 199 A). La tradition juive qu'il rapporte (380 A) sur le Sobna du ch. 22, déjà évoquée *ad locum* au livre V (199 A), pourrait lui venir d'Eusèbe (EUS. *In Is.* 22, 15-25 : Eus. W. 9, 147, 25 s.).

166. *Biblia sacra...*, t. XIII, *Isaias*, prol. p. XXI.

observe, pour insignifiantes qu'elles apparaissent le plus souvent, obéissent à une cohérence et si elles donnent prise à des explications discernables. Il faudrait, pour une comparaison aussi minutieuse, disposer de part et d'autre d'un texte parfaitement assuré. Or ce n'est pas le cas, on l'a vu, pour le *Commentaire sur Isaïe*. On peut même se demander si, en tout état de cause, le jeu des influences réciproques entre les traditions manuscrites de la version hiéronymienne et du Commentaire n'a pas gravement compromis les chances de la critique moderne d'atteindre avec certitude le texte d'Isaïe présenté par Jérôme dans son ouvrage. Une marge d'imprécision subsiste donc sur la portée exacte des observations qui vont suivre [167].

Le terrain d'enquête le plus intéressant pour une telle confrontation est sans doute fourni par les chapitres des oracles sur les nations. On dispose en effet pour eux au sein du Commentaire, avec le livre V à Amabilis puis les livres VI et VII, de deux états successifs du texte biblique étalés dans le temps. Or ils ne coïncident exactement ni avec la traduction antérieure de Jérôme, ni entre eux. Une étude portant sur cent seize versets, soit environ les deux tiers de ces chapitres [168], fait apparaître près de soixante-dix points sur lesquels cette version se trouve modifiée soit dans le livre V, soit dans le Commentaire lui-même, soit dans les deux. Une bonne moitié de ces variantes interviennent dans le livre V, mais elles ne passeront pas toutes dans le Commentaire. Dans une vingtaine de cas, en effet, Jérôme y reviendra à sa traduction antérieure. Ce n'est pas seulement parce qu'il l'a sous les yeux, car dans les autres il conserve la version modifiée, à deux exceptions près pour lesquelles il s'éloigne à la fois du livre V et de sa traduction [169]. Cette différence de traitement n'est sans doute pas le fruit du hasard. A ces modifications maintenues s'ajoutent d'autre part une trentaine de variantes propres aux livres VI et VII. On peut penser qu'elles non plus ne sont pas fortuites. Peut-on préciser davantage ?

Sur la bonne vingtaine de points sur lesquels, dans les livres VI et VII, Jérôme revient à sa version initiale, on observe qu'il renonce à deux additions en effet superflues [170]. Au contraire il rétablit trois mots omis au livre V, mais dont la présence se justifie, au moins pour deux d'entre eux, par un souci de clarté et le sens du rythme du texte. C'est dans un cas au détriment de la fidélité à l'hébreu, auquel en revanche il revient dans les deux autres [171]. Sur sept modifications qu'on peut qualifier de grammaticales, deux portent sur un

---

167. Elles prennent appui d'une part sur le texte de CC 73 pour le Commentaire, d'autre part, pour la Vulgate d'Isaïe, sur celui de la grande édition romaine (cf. note précédente), avec laquelle l'éd. Weber présente de très légères divergences.

168. Compte non tenu du ch. 23 qui, au livre VII, n'est cité que d'après les LXX, l'étude porte sur les ch. 13, 14, 17, 20, 21 et 22.

169. *In Is.* 14, 19 (162 C et 223 A) et 17, 4 (175 A et 242 B). Dans le premier cas la clarification apportée au livre V par l'adjonction de *cum his* est prolongée par une refonte du verset (voir plus loin la note 205). Dans le second Jérôme revient au singulier mais en changeant de terme sans grande nuance de sens.

170. *In Is.* 14, 9 (cf. 161 B et 218 B) : om. *te* (mais non d'après PL) et 21, 12 (cf. 192 C et 264 B) : om. *et.*

171. Sont rétablies deux coordinations utiles (*Is.* 13, 21 et 14, 32), la seconde conformément à l'hébreu ; et la préposition *in* reparaît en *Is.* 14, 28 : « In anno... » Sur ce groupe l'usage de Jérôme dans le Commentaire paraît hésitant : la préposition, présente dans la Vulgate, disparaît du livre V, puis revient ici, mais non au ch. 20 (cf. *Is.* 6, 1). On ne voit pas pourquoi.

changement de préposition qui, dans un cas au moins, marque un retour au mot précis [172]. Deux autres concernent des noms : un pluriel assez surprenant disparaît [173] ; un datif accompagnant *uae* cède la place au nominatif de la version initiale, moins classique mais sans doute conforme à l'ancienne version proche des Septante [174]. Les trois autres intéressent des verbes. Dans sa traduction du chapitre 13, Jérôme avait primitivement exprimé par des relatives au subjonctif la description des Mèdes et de leur action brutale. Au livre V, peut-être sur la lancée d'une présentation du texte assez fragmentée, il cite ces versets en deux lemmes distincts et met au futur le second ainsi devenu autonome. Revenant, au livre VI, à un lemme unique, il perçoit mieux à nouveau l'unité grammaticale de l'ensemble, d'où le retour au subjonctif [175]. Ailleurs il reviendra de l'actif au passif impersonnel, logique dans un contexte où l'on n'aperçoit pas de sujet à l'horizon [176]. Un dernier cas ramène d'un pluriel à un singulier, plus conforme là encore au contexte [177]. Ces repentirs de Jérôme correspondent donc à un souci logique aisément perceptible. Les modifications touchant la forme ou le choix des mots sont moins significatives : des verbes perdent le préfixe ou la forme complexe dont les avait dotés le livre V [178], un *dicit* redevient un *ait* [179], deux coordinations par -*que* repassent à *et* [180]. *Dominus* redevient *Deus* conformément à l'hébreu [181].

Parmi les variantes apparues au livre V et que Jérôme a maintenues, plusieurs, notamment de vocabulaire, ne sont guère significatives [182]. Quelques-unes touchent à des formes verbales. Deux d'entre elles sont assez déroutantes par leur caractère illogique, mais ne sont pas néanmoins sans explication [183] ; les deux autres manifestent une attention très précise au contexte [184]. D'autres modifications, comme le passage du personnel au réflé-

---

172. Retour de *in* à *super* en *Is*. 13, 2 et à *ad* en *Is*. 13, 20.

173. *In Is*. 14, 21 : « facies orbis » (livre V) redevient « faciem orbis », plus conforme à l'habitude (cf. 27, 6).

174. *In Is*. 17, 12 : « Vae multitudo... » Dans les LXX aussi l'exclamation est suivie du nominatif. Au livre V, le datif avait peut-être été préféré par Jérôme pour rendre l'état construit du nom hébreu.

175. *In Is*. 13, 18. Mais le dernier verbe (*parcet*) reste au futur, car en réalité il ne dépend pas du relatif (voir plus loin la note 184).

176. *In Is*. 14, 32.

177. *In Is*. 22, 18. Le discours du prophète s'adresse au seul Sobna et évoque *son* carrosse.

178. *In Is*. 14, 4 : *requieuit* (160 C)/*quieuit* (217 C) ; 14, 3 : *seruiuisti* (160 C)/*seruisti* (216 C).

179. *In Is*. 14, 22.

180. *In Is*. 20, 3 et 21, 8.

181. *In Is*. 13, 19 (hébreu : *Elohim*) et 14, 3 (hébreu : *Yahve*). Le grec a θεός dans les deux cas.

182. Par exemple, variantes de préverbes : *conscendam*/*ascendam* (*Is*. 14, 13) ; *stupefecerunt*/*obstupefecerunt* (*Is*. 21, 4 ; mais Jérôme reprend le verbe simple dans son explication, tant au livre V qu'au livre VII) ; substitution de *sidera* à *astra* (*Is*. 14, 13).

183. En *Is*. 17, 8 le maintien du pluriel *respicient* au lieu du singulier initial n'apparaît guère logique : il s'accorde mal avec le contexte (le sujet logique de tout le verset est *homo*) et ne correspond pas à l'hébreu. Peut-être a-t-il été entraîné par la présence au verset précédent de la même forme verbale. Quant au maintien au ch. 22, 12 d'un futur substitué au parfait initial, il ne peut s'expliquer ni par le contexte, ni par l'influence du grec, ni par un souci de fidélité à l'hébreu, à moins que Jérôme n'ait été abusé par la forme invertie du verbe, qui en renverse la valeur. Encore faudrait-il être sûr d'atteindre en la circonstance la leçon authentique du texte hiéronymien. (Cf. la complexité du partage des témoins entre parfait et futur dans l'apparat critique *ad locum* de l'édition romaine de la Vulgate.)

184. Elles se trouvent au ch. 13. Au verset 16, le passif *adlidentur* s'explique par un alignement

chi [185], l'introduction de possessifs [186], l'adjonction de deux groupes de mots vont dans le sens d'une plus grande clarté [187], fût-ce au détriment, parfois, d'une fidélité littérale à l'hébreu.

Restent les variantes qu'apporte le Commentaire sur des points sur lesquels le livre V ne s'était pas écarté de la traduction initiale de Jérôme. Cinq additions, sur les six qu'il introduit, relèvent d'un souci de clarté et de précision : trois ont l'allure de gloses explicatives [188], une établit une coordination, naturelle dans le contexte mais absente de l'hébreu [189] ; une répétition de terme est conforme au contraire à celui-ci, mais non au grec auquel correspondait sur ce point sa traduction, probablement restée proche de l'ancienne version latine [190]. En revanche, au chapitre 14, la répétition dans le même verset de *(Dominus) exercituum* obéit à un automatisme d'expression qu'encourage le contexte, mais elle ne respecte pas l'hébreu [191].

On note aussi des omissions, à première vue moins justifiées. Deux *et* disparaissent du chapitre 14, l'un figurant dans l'hébreu, l'autre non [192]. La suppression d'un *in* correspond peut-être à une légère modification de sens [193], celle d'un *eius* ne s'imposait pas [194]. Ailleurs la disparition d'un mot redondant peut s'expliquer par la distraction [195]. Plus curieuse est celle d'un groupe de trois mots pourtant présents dans l'hébreu comme dans le grec. Elle semble correspondre à une coupure différente de la phrase, déjà esquissée au sein de l'explication du lemme dans le passage correspondant du livre V. On n'en saisit pas la raison [196].

---

très logique sur le contexte (tous les verbes voisins ont pour sujet les victimes). Quant au v. 18, le maintien à l'indicatif futur du verbe *parcet*, alors que Jérôme revient pour les verbes précédents au subjonctif initial, montre qu'il a mieux vu qu'au moment de sa traduction que ce dernier verbe ne dépendait plus, en réalité, du système relatif, comme le montre le changement de sujet.

185. *In Is.* 14, 21.

186. *In Is.* 14, 20 b.

187. *In Is.* 14, 19 (adjonction de *cum*) et 22, 15 : Jérôme ajoute « et dices ei » pour introduire les paroles que le prophète devra adresser à Sobna. Les LXX, repris par l'ancienne version latine, en avaient fait autant.

188. *In Is.* 13, 1 (seu uisio) ; 13, 2 (siue campestrem) ; 14, 11 (putredo). Mais les deux premières ne sont peut-être que la mention du mot des LXX (= *Vetus italica*) que Jérôme ne cite pas autrement sur ces deux versets.

189. *In Is.* 14, 17 (*et* uinctis).

190. *In Is.* 17, 13. La reprise du mot *sonabunt* correspond en effet très exactement à l'hébreu.

191. *In Is.* 14, 22. C'est la Vulgate qui respecte ici strictement l'hébreu en omettant, comme d'ailleurs les LXX, *exercituum*, mais la locution complète était présente non seulement au début du verset, mais à deux reprises dans les deux suivants. De même en *Is.* 13, 22, un sixième *ibi* vient s'ajouter à tort aux cinq qui s'accumulent dans les deux versets précédents. (C'est un des points où il y a divergence entre la grande édition de la Vulgate et l'édition Weber qui comporte déjà cet *ibi*).

192. *In Is.* 14, 23 (la coordination existe dans l'hébreu) ; 14, 19.

193. *In Is.* 14, 30. Jérôme passe de « in fame » à « fame ». Il n'est pas sûr qu'il y ait changement de signification, *in* et l'ablatif pouvant rejoindre à l'époque la valeur de moyen. Sans doute y a-t-il plutôt abandon d'un hébraïsme pour un tour plus latin. En tout cas la correction lève l'ambiguïté.

194. *In Is.* 17, 7.

195. *In Is.* 13, 13 (omission de *irae*).

196. *In Is.* 14, 20. La fin du verset se lit dans la traduction de Jérôme et le livre V : « non uocabitur in aeternum semen pessimorum. » Au livre VI, « non uocabitur in aeternum » disparaît, « semen pessimorum » étant reporté au verset suivant, et cela aussi bien selon les LXX (cf., au livre V, 163 C) que selon l'hébreu. Le verset n'est cité nulle part ailleurs dans les commentaires de Jérôme.

Sur une douzaine de modifications grammaticales quelques-unes n'ont guère de signification [197]. L'influence d'un rapprochement scripturaire joue probablement dans le passage d'un singulier à un pluriel [198], dont rend compte ailleurs une meilleure attention à la logique du contexte [199]. Un passage du parfait au futur, moins favorable au contexte, exprime sans doute un souci de coller à l'hébreu [200]. Est-ce aussi le cas pour un changement de personne qui va de pair avec une coupure différente du texte ? Si oui, Jérôme se serait mal tiré d'une difficulté de l'hébreu [201]. L'adjonction d'une préposition, d'ailleurs conforme à l'ancienne version latine, introduit une précision de sens en même temps qu'une fidélité plus littérale à l'hébreu [202]. Restent des modifications de vocabulaire. Plusieurs sont sans importance réelle [203] ; deux apportent exactitude et précision accrues [204]. Une autre enfin déborde le plan des mots pour remodeler tout un verset qui y gagne en clarté et en élégance, sinon en classicisme, mais encore plus en conformité à l'hébreu [205].

Dans l'apparition de ces variantes multiples, pour la plupart minimes, dont on peut constater l'existence d'un bout à l'autre du Commentaire [206], il faut faire la part de l'involontaire : l'omission d'un détail peut tenir à une inattention, un réflexe stylistique inconscient a pu peser sur une coordination, un automatisme verbal entraîner une répétition abusive, une correspondance de termes infléchir subtilement un accord.

Mais, on s'en est rendu compte, beaucoup de ces retouches, même légères, postulent une intervention consciente. L'élimination d'éléments superflus, l'attention portée ici ou là au rythme du texte, comme d'ailleurs le simple fait que Jérôme ne réagisse pas de la même façon ni sur les mêmes points en 397 et une dizaine d'années plus tard dans le Commentaire en sont des témoignages. A plus forte raison le souci de clarté, la recherche de la précision traduisent-ils un propos délibéré du traducteur. On peut s'interroger sur son intention

---

197. Voir par exemple *In Is.* 17, 3 (*de* au lieu de *a*) ; 22, 21 (*habitantium* au lieu de *habitantibus*).

198. *In Is.* 13, 11 où Jérôme passe de *iniquitatem* (conforme à l'hébreu) à *iniquitates*. Sans doute a-t-il déjà dans l'esprit le verset 33 du Psaume 88 qu'il va citer quelques lignes plus bas : « Visitabo in uirga iniquitates eorum... » (211 C).

199. C'est le cas pour *In Is.* 20, 6 où, dans le contexte, le singulier n'a guère de sens. En *Is.* 13, 8 et 13, 14 le pluriel marque le passage de l'accord grammatical (sujet : *unusquisque*) à l'accord logique.

200. *In Is.* 14, 8.

201. *In Is.* 17, 9 fin. Jérôme passe de « ... et erit deserta. Quia oblita es... » à « Et eris deserta quia... » etc. Il a pu y être poussé par un souci de clarification. Mais l'hébreu a bien une troisième personne au féminin. Une minime erreur de vocalisation (*hàyitàh* au lieu de *hàyetàh*) pourrait lui avoir fait lire une deuxième personne mais du masculin, ce qui ne résout rien. Il y a de toute façon rupture entre les deux versets : « Le prophète change de ton ; il parle désormais à la seconde personne » (P. Auvray, *Isaïe* 1-39, 1972, p. 179).

202. *In Is.* 22, 5 : « ... *a* Domino... » La particule *le* indique l'auteur de l'action.

203. Voir par exemple *In Is.* 13, 7 ; 14, 20 ; 20, 6 ; 22, 11.

204. *In Is.* 13, 14 (ouis/grex ouium) ; 14, 18 (uir/unusquisque).

205. *In Is.* 14, 19. Voici le texte de sa traduction initiale : « ... obuolutus, qui interfecti sunt gladio et descenderunt ad fundamenta laci... » Au livre V (162 C) il avait déjà introduit pour plus de clarté *cum his* comme antécédent du relatif. Mais au livre VI il va beaucoup plus loin : « ... inuolutus cum interfectis et confossis gladio qui descendunt ad lapides laci » (223 A). Or ce passage au double participe colle très littéralement à l'hébreu.

206. Voir par exemple *Is.* 2, 3, 7, 10, 12, 20, 21 (livre I) ; 26, 10, 11, 17, 18... (livre VIII) ; 41, 17, 18, 25... (livre XII) ; 65, 1, 9, 10, 19... (livre XVIII).

dominante. S'agit-il surtout pour lui, en considérant en quelque sorte sa traduction en elle-même, de la parfaire en la polissant ? Certaines améliorations formelles et plus encore l'attention portée à la logique du contexte, fût-ce au détriment, parfois, de la conformité au détail de l'hébreu, autoriseraient à le penser. Pourtant il ne fait pas de doute, en premier lieu, que plusieurs de ces modifications servent tout autant l'exactitude que la clarté d'expression ; et surtout certaines visent de toute évidence à affirmer davantage la conformité de sa traduction à l'*hebraica ueritas*. Jérôme semble donc considérer son travail de jadis comme perfectible non seulement dans sa forme, mais dans son rapport à l'original [207].

Les retouches qu'il apporte ainsi à sa traduction antérieure du texte d'Isaïe ne doivent pas faire perdre de vue la fidélité globale qu'il observe à son égard tout au long de son Commentaire. Leur portée, on l'a vu, reste en effet limitée [208]. Mais elles attestent à leur manière le respect absolu que mérite seul aux yeux de Jérôme l'original hébreu, auquel il continue de confronter directement sa traduction pour en éprouver l'exactitude. Certaines des corrections qu'il lui apporte ne permettent pas d'en douter.

A l'appui de cette traduction Jérôme n'hésite pas à fournir un certain nombre de justifications. Trois motifs, semble-t-il, l'y incitent : tantôt la difficulté qu'il a pu rencontrer lui-même pour l'établir, tantôt l'existence de divergences entre les versions grecques des *Hexaples*, mais aussi le simple souci d'éclairer son lecteur, que l'ignorance de l'hébreu prive de toute possibilité de vérification. On relève ainsi dans le *Commentaire sur Isaïe* près de deux cent cinquante observations qui mettent en œuvre orthographe, morphologie ou sémantique hébraïques.

Pour prouver, par exemple, que le mot *shamaim* qu'il a traduit par le singulier *caelum* est bien un pluriel, il précise qu'en hébreu la désinence -*im* est la marque du masculin pluriel, comme la désinence -*oth* celle du pluriel féminin [209]. Il ne lui paraît pas non plus inutile de noter que *spiritus* y correspond à un nom féminin [210], ou que le mot *mesraim* signifie à la fois l'Égypte, un Égyptien ou les Égyptiens, ce qui peut expliquer un curieux décalage de genre dans sa traduction [211]. Il observera ailleurs d'une forme verbale qu'elle exprime aussi bien le futur que le passé. La formule, pour surprenante qu'elle soit pour un lecteur latin, ne trahit pas la valeur de l'inaccompli hébreu [212]. Commentant le verset central de la prophétie de

---

207. Sans doute se sent-il plus libre, en particulier, vis-à-vis de l'ancienne version latine qu'au moment où il effectuait sa traduction. Du reste la présentation simultanée, dans son Commentaire, de sa version sur l'hébreu et d'une traduction des LXX ne pouvait que l'inciter à marquer les différences.

208. On ne constate par exemple sur les vingt-deux versets du chapitre 2 d'Isaïe que neuf modifications touchant sept versets, dont une seule a quelque portée (substitution au pluriel de l'hébreu d'un singulier cohérent avec le contexte).

209. *In Is.* 1, 2 : « Audi, caelum... » (25 B ; cas similaire en 293 C ; cf. 96 B : *seraphim*).

210. *In Is.* 115 A, 404 C. C'est le mot *rûah*. Voir déjà *Epist.* 18 B, 1.

211. *In Is.* 178 C.

212. *In Is.* 1, 21 : « Verbum hebraicum *ialin* (...) et praeteritum et futurum tempus significat » (37 B).

l'Emmanuel, il note encore que le verbe « que tous les interprètes ont traduit "tu appelleras" peut aussi être compris "elle appellera" [213] ».

Ce n'est pas la seule occasion où Jérôme prête à un mot hébreu une double signification. Plus d'une fois il souligne le caractère « ambigu » d'un terme, source éventuelle d'erreur [214]. Cette ambiguïté peut tenir au contexte : chacun des *seraphim* de la vision du prophète voile-t-il de ses ailes sa face ou celle de Dieu ? Ce n'est pas le suffixe possessif de l'hébreu qui permet d'en décider [215]. Mais d'ordinaire c'est le mot hébreu par lui-même qui en est porteur. De fait, Jérôme relève le double, voire le triple sens de certains vocables [216]. Mais comme à son époque la vocalisation hébraïque n'est pas encore notée dans l'écriture avec précision, le fait qu'il dise par exemple que deux mots s'écrivent avec les mêmes lettres n'exclut pas qu'en réalité ils diffèrent par leurs voyelles [217]. C'est le cas, comme il le note lui-même, pour *saion*, la soif, que les Septante ont lu *Sion* qui, effectivement, s'écrit avec les mêmes consonnes [218]. Le même phénomène rend compte, ailleurs, d'une divergence entre Symmaque et les deux autres versions [219].

A l'inverse, un vocalisme parallèle appuyé sur des consonnes différentes aboutit parfois à une prononciation identique [220]. Ainsi s'explique l'erreur de certains commentateurs qui ont confondu le nom d'un prince madianite, Oreb, avec celui de la montagne de Dieu [221].

---

213. *In Is.* 7, 14 : « Verbum *carathi*, quod omnes interpretati sunt uocabis, potest intelligi et uocabit » (109 B). La remarque serait en partie justifiée si Jérôme raisonnait sur la forme *cara'th* donnée par le texte massorétique. C'est en effet une forme possible de troisième personne singulier féminin, et c'est la forme normale de la deuxième personne singulier, mais également féminin (ce que le contexte exclut : une deuxième personne ne peut ici que viser Achaz). Quant à la forme qu'il donne et que paraît garantir la tradition manuscrite, elle est fort embarrassante car c'est une première personne, à la rigueur une deuxième personne « more Syrorum » si l'on suit Martiannay. Il ne peut donc y lire une troisième personne qu'en faisant erreur, ou bien au seul vu du contexte, au mépris de la grammaire.

214. Voir *In Is.* 72 C, 93 C, 106 D, 128 B, 129 D, 170 A, 184 A, 185 B, 264 B, 287 B, 301 A, 316 C, etc.

215. *In Is.* 6, 2 (93 BC).

216. Voir par exemple *In Is.* 4, 1 : « ... uerbum *saba* nunc "septem" nunc "plures" nunc "iuramentum" interpretantur... » (72 CD). De fait le mot hébreu *shéba'* a bien la première et la troisième signification que lui prête Jérôme, mais c'est avec un *sin* au lieu d'un *schin* que s'exprime l'idée d'abondance. (Voir aussi 642 C.) Cf. 185 B : « *ares* uerbum ambiguum et *testa* dicitur et *sol*. » Il n'est pas évident que ce mot ait deux sens, mais celui de « soleil » montre que Jérôme a sous les yeux un texte hébreu conforme au MS A de Qumran (*h ḥ r s* ; cf. Symmaque), mais différent du texte massorétique *(hahérés)* retenu par Kittel et reflété par Aquila et Théodotion (voir Auvray, *Isaïe...*, p. 191-192 et la note de Koenig *ad locum* dans la Bible de la Pléiade).

217. Dès le moment de son séjour à Rome, Jérôme en était déjà tout à fait conscient : « idem sermo et eisdem litteris scriptus diuersas apud eos et uoces et intellegentias habeat... », écrivait-il à Damase en 384 (*Epist.* 36, 13, 3). On s'aperçoit d'ailleurs que ses translittérations de l'hébreu ne rencontrent pas toujours la vocalisation massorétique (voir les mots cités dans la note précédente).

218. Cf. *In Is.* 290 C et 359 A.

219. *In Is.* 31, 9 (357 C). Exemples de même nature en 129 CD, 244 B, 264 B, 300 C, 544 D, etc.

220. ... du moins pour une oreille peu exercée à distinguer les nuances des gutturales sémitiques notamment. Voir la note suivante.

221. *In Is.* 10, 26 (141 B). Le verset parle de la « pierre d'Oreb ». Outre d'autres différences ce nom commence par un *'ain*, alors que l'Horeb commence par un *ḥeth*. Cf. 466 C. Sur une fausse étymologie d'Israël appuyée sur une confusion du même type, voir plus loin p. 296 et la note 468.

On voit que les considérations d'orthographe hébraïque apparaissent importantes à Jérôme. Elles lui sont indispensables, en particulier, pour justifier dans sa traduction des choix qui pourraient surprendre. « On pourrait se demander », écrit-il par exemple au livre VII, « pourquoi au lieu de "belles et bonnes plantations", comme ont traduit Aquila, Symmaque et Théodotion, nous avons dit "plantation fidèle". Le mot hébreu *neemanim*, s'il est écrit avec un *aleph*, veut dire πιστούς, c'est-à-dire "fidèles" ; mais s'il a un *ain* et se prononce *neamenim*, il signifie "belle" [222] ». L'orthographe est donc déterminante pour éviter des confusions et assurer le sens du texte original. C'est elle qui permet d'écarter la « pieuse erreur » de ceux qui ont assimilé le nom d'une ville, Bosra, au mot *basar*, la chair, pensant que le prophète avait en vue le Christ [223]. Dans sa « recherche de la cause de l'erreur », que signalent souvent à l'attention des divergences entre les versions, Jérôme relève également entre deux mots presque semblables la différence d'une lettre, présente dans l'un et absente de l'autre [224]. Mais l'explication peut être à chercher tout simplement dans une lecture erronée, confondant deux lettres de forme voisine : *iod* et *waw* « qui ne diffèrent que par leur dimension [225] », plus souvent encore *daleth* et *resh* « qui se distinguent par une légère pointe [226] ». Jérôme s'excuse enfin d'une traduction inexacte sur une interversion de consonnes [227]. En revanche, des précisions orthographiques lui permettent de faire saisir à son lecteur un jeu de correspondances phonétiques intraduisible dont l'harmonie l'a frappé [228].

Mais l'orthographe ne suffit pas à rendre compte d'une traduction : faute d'avoir reconnu la particule de coordination, les Septante ont fait, de deux noms distincts qu'ils ne connaissaient pas, un seul peuple [229]. A plus forte raison est-elle impuissante à expliquer des divergences qui proviennent du sens même d'un terme correctement identifié. C'est aux observations de caractère sémantique à prendre alors le relais. Ce sont en fait les plus nombreuses. Elles

---

222. *In Is.* 17, 10 b (245 A). Les deux mots diffèrent en effet par la gutturale qui suit le *nun* initial, mais le texte massorétique *(na'amanim)* donne raison aux versions contre Jérôme. Même critique des versions en 365 A, qui correspond à un *locus desperatus* du TM. Jérôme explique bien leur interprétation. Sur les limites de la sienne qui invoque une tradition juive, voir AUVRAY, *Isaïe...*, p. 287.

223. *In Is.* 63, 1 (610 D, cf. 371 B) : confusion du *sin* et du *ṣadé* ; cf. 185 B : confusion de *ares* (*ḥ r ṣ*) avec *eres* (*'éréṣ*), la terre. C'est Eusèbe qui est visé (Eus. W. 9, 133, 9 : πόλις τῆς γῆς...). Autre confusion possible : celle du *ṣadé* et du *zain* (144 B).

224. Voir par exemple *In Is.* 26, 19, où l'explication est particulièrement claire : « Quaerimus quae erroris causa sit ut pro *raphaim* hebraico alii "gigantes", alii "medicos" posuerint. Verbum hebraicum *raphaim* si post *res* primam litteram sequentem habeat *vau*, legitur *rophaim* et significat "medicos" ; sin autem absque *vau* littera scribatur, legitur "raphaim" et transfertur in "gigantes"... » (303 D ; cf. 330 B). Voir aussi 167 A *(aleph)* ; 231 B *(iod)* ; 306 D *(daleth)*. En 365 A, la différence d'un *he* supplémentaire se complique d'une division du mot en deux (*'r'h lhm* au lieu de *'r'lm*).

225. *In Is.* 135 A : « ... quae litterae sola inter se distant magnitudine. »

226. *In Is.* 321 B : « ... paruo apice distinguuntur. » Cf. 117 BC, 193 B, 393 A, 440 B. Parfois le fait des Hébreux (193 B), cette erreur est généralement imputée aux Septante. Même vocabulaire dans un vers de Juvencus (1, 488).

227. *In Is.* 38, 11 (393 C). Formule assez curieuse : « le mot *holed* », dit Jérôme, « s'il est lu ou écrit *eled* veut dire "repos", mais "couchant" si c'est *edel*. »

228. *In Is.* 5, 7 b (79 C). Il s'agit du balancement *mesphat* (jugement)/*mesphaa* (injustice), puis *sadaca* (justice)/*saaca* (cri).

229. *In Is.* 37, 13 (385 A).

peuvent être très développées et prendre l'allure de véritables discussions lorsque l'enjeu en est théologique : c'est le cas pour le mot *'almah*, dans la prophétie de l'Emmanuel : faut-il traduire « vierge » ou « jeune femme » [230] ? On voit qu'alors elles déterminent pratiquement non seulement l'exégèse littérale du texte mais son interprétation spirituelle. D'ordinaire, il s'agit plus modestement pour Jérôme d'assurer sa traduction en rendant compte d'un mot [231], en apportant une précision [232], en mentionnant les interprétations des divers traducteurs avant de marquer et de justifier une préférence qui parfois sera moins fonction du terme hébreu lui-même que de son contexte [233].

Ces observations nombreuses, souvent précises, touchant la langue hébraïque confirment tout à fait le souci qu'a Jérôme de garantir l'exactitude du texte d'Isaïe qu'il propose à son lecteur, en lui fournissant à l'occasion les preuves de sa conformité à l'original. On peut donc y reconnaître un nouveau témoignage de la place privilégiée qu'occupe à ses yeux l'*hebraica ueritas*. C'est encore cette place qu'atteste, dans le cours de ses remarques, l'appui que celles-ci prennent plus d'une fois sur les diverses versions grecques, rassemblées par Origène dans ses *Hexaples*, pour éclairer le sens du texte et justifier la traduction proposée.

B — Les versions des « Hexaples »

Plutôt que celle des Septante, dont Jérôme avait pris le risque de se démarquer par son entreprise de retour à l'hébreu, ce sont les traductions d'Aquila, de Symmaque et de Théodotion qui lui fournissent les éléments critiques d'une justification, voire d'une amélioration, de sa propre traduction.

Sans doute était-ce auprès de Grégoire de Nazianze qu'il avait appris à les connaître et qu'il s'était familiarisé avec elles [234]. On imagine mal, en effet, que le fervent admirateur d'Origène qu'était le coauteur de la *Philocalie* ait laissé ignorer à celui qu'il initiait à l'étude de l'Écriture la monumentale synopse de l'Alexandrin dont il possédait peut-être une copie au moins partielle [235]. On voit en tout cas Jérôme dès son séjour à Constantinople, dans la préface à sa traduction de la *Chronique* d'Eusèbe, caractériser brièvement Aquila, Symmaque et Théodotion, et même faire mention d'une cinquième, d'une sixième et d'une septième « édition » [236], dont il précisera, dans la description qu'il

---

230. *In Is.* 108 A-109 A, sur *Is.* 7, 14.

231. Par exemple 38 B : « ... *sigim*, rubigo uidelicet metallorum... »

232. *In Is.* 38 A : « Pro iustitia in hebraeo scriptum est *sedec*, quod iustum magis sonat quam iustitiam... »

233. Par exemple, après avoir cité les trois traductions d'un même mot qu'il a trouvées dans les versions et fait un rapprochement avec le Nouveau Testament Jérôme conclut : « Puto autem melius esse *busim* labruscas quam spinas intellegi, ut coeptae translationis similitudo seruetur » (*In Is.* 5, 2 b : 77 A).

234. Ce ne pouvait être en tout cas auprès d'Apollinaire qui, si l'on en croit l'*Apologie contre Rufin* (2, 34), « de omnium translationibus in unum uestimentum pannos assuere conatus est » (PL 23, 456 A).

235. Jérôme, en effet, paraît disposer à Rome d'une copie d'un psautier hexaplaire (voir ANNEXE III, p. 413). On ne voit pas où il aurait pu se la procurer ailleurs qu'auprès de Grégoire.

236. HIER. *praef. Chron.* : (Aquila et Symmachus et Theodotion) « ... Alio nitente uerbum de

donnera plus tard des *Hexaples* après les avoir vus à la bibliothèque de Césarée, qu'elles n'existent que pour certains livres, en particulier les livres poétiques [237]. Ce n'est pas le cas pour le recueil d'Isaïe, sur lequel son Commentaire n'atteste pas l'existence d'autres traductions que « les quatre éditions » qui, nous dit-il, ont servi de base à celui d'Origène [238], c'est-à-dire, outre les Septante, les trois versions d'Aquila, de Symmaque et de Théodotion. C'est dans cet ordre, qui reflète leur disposition dans les colonnes de la synopse origénienne [239], que Jérôme mentionne d'ordinaire leurs auteurs.

Aquila   Dans le *Commentaire sur Isaïe*, le nom d'Aquila apparaît environ cent vingt fois, accompagné, à trois exceptions près, d'une citation de sa version en latin et, dans plus du tiers des cas, également en grec [240]. Limitées à un mot dans leur majorité, ces citations peuvent atteindre la dimension d'un verset [241]. Si l'on tient compte d'une bonne trentaine d'autres passages faisant référence, sous des termes divers, à l'accord des trois traducteurs [242], c'est donc plus de cent cinquante témoignages que notre Commentaire nous livre sur le texte d'Isaïe dans la version d'Aquila, en la confrontant dans la majorité des cas à celui des autres versions [243].

Sur la personnalité d'Aquila comme sur celle des deux autres traducteurs, Jérôme reflète les données de la tradition ecclésiastique, qui s'accordent avec les sources rabbiniques [244]. Prosélyte originaire du Pont, Aquila est un disciple d'Aqiba [245]. Jérôme ne doute pas de sa parfaite connaissance de l'hébreu, au

---

uerbo exprimere, alio sensum potius sequi, tertio non multum a ueteribus discrepante. Quinta autem et sexta et septima editio... », etc. (éd. Helm = Eus. W. 7, 3).

237. Hier. *In epist. ad Tit.* 3, 9 : « Nonnulli uero libri, et maxime hi qui apud Hebraeos uersu compositi sunt, tres alias editiones additas habent, quam quintam et sextam et septimam translationes uocant, auctoritatem sine nominibus interpretum consecutas » (PL 26, 595 B). Sur la connaissance directe que Jérôme a pu avoir des *Hexaples*, voir l'annexe III.

238. *In Is.*, prol. : « Scripsit enim in hunc prophetam iuxta editiones quattuor... » (21 A). Aucune référence à d'autres traductions grecques n'apparaît dans l'*In Isaiam* à la différence des Commentaires sur les petits prophètes qui mentionnent plusieurs fois la *Quinta* et la *Sexta*. Aux trente-cinq références à la *Quinta* qu'y a relevées D. Barthélemy (« *Quinta* » ou version selon les Hébreux ?, dans *Theologische Zeitschrift* 16, 1960, p. 342-353), on peut ajouter, outre deux références à la *Sexta* (*In Hab.* 3, 5b et 13a : PL 25, 1314 C et 1326 C), deux passages de l'*In Habacuc*. Dans l'un (2, 11), Jérôme indique qu'il a trouvé, outre les quatre versions et la *Quinta*, « in duodecim prophetas et duas alias editiones », dont il va citer un verset complet (*ibid.* 1296 C). Dans l'autre (1, 5), après avoir mentionné les quatre versions, il donne des variantes qu'il dit avoir trouvées « in alia quadam editione ἀνωνύμῃ... » et « in alia similiter absque auctoris titulo » (*ibid.* 1277 C).

239. Jérôme rappelle cet ordre dans le *Commentaire sur l'épître à Tite* : « Aquila etiam et Symmachus, Septuaginta quoque et Theodotio suum ordinem tenent » (PL 26, 595 B).

240. Voir, par exemple, *In Is.* 39 A : « pro uino Aquila συμπόσιον, id est conuiuium, interpretatus est. » En 602 A, la citation atteint six mots.

241. C'est le cas pour *Is.* 51, 16 où Aquila s'accorde d'ailleurs avec l'hébreu (490 A).

242. Plusieurs mots servent à les désigner : *omnes, cuncti, ceteri, reliqui, alii, tres interpretes*...

243. Aquila n'est mentionné seul que dans un cas sur six. A noter qu'il n'est jamais question dans l'*In Isaiam* de deux éditions d'Aquila. L'*In Ezechielem* et l'*In Hieremiam* attestent au contraire à plusieurs reprises l'existence de deux recensions successives de ces deux prophètes par Aquila. Voir en particulier *In Ez.* 3, 15 : « Aquilae uero secunda editio, quam Hebraei κατὰ ἀκρίβειαν nominant... » (PL 25, 39 C).

244. Voir D. Barthélemy, *Les devanciers d'Aquila*, Leiden, 1963, p. 15.

245. *In Is.* 119 A : « ... Akibas quem magistrum Aquilae proselyti autumant... » (PL et CC : autumat). L'indication concorde avec la date de 128-129 que donne Épiphane pour sa traduction

point de le soupçonner de mauvaise foi plutôt que d'admettre qu'il ait pu faire une confusion grossière [246]. De fait, il ne lui reproche qu'exceptionnellement de s'être laissé abuser par l'ambiguïté d'un terme [247].

Dans sa lettre à Pammachius sur la meilleure manière de traduire, il avait décrit avec beaucoup de précision et d'exactitude, mais pour s'en démarquer, la méthode très littérale de ce « traducteur méticuleux » [248] ; il y relevait en particulier sa traduction systématique de la particule hébraïque d'accusatif par un σύν qui, accompagné de ce cas, ne peut que paraître contraire aux habitudes du grec [249]. Dans son *Commentaire sur Isaïe*, il reprend pour caractériser cette méthode une formule qui figurait déjà dans la préface à sa traduction de la *Chronique* d'Eusèbe ; Aquila, écrit-il, s'applique à « rendre mot pour mot [250] ». Il lui arrive, pour respecter un idiotisme de l'hébreu, de traduire d'une façon que le latin ne peut rendre [251]. Assez rarement, il est vrai, il se borne à transposer en caractères grecs le terme hébreu lui-même, mais il s'agit, sauf exception, de mots pour lesquels Symmaque et Théodotion en font autant [252]. Les adverbes qui parfois qualifient une de ses traductions : « proprement » *(proprie)*, « de façon plus expressive » *(significantius)* répondent aussi à ce souci de rigoureuse exactitude [253]. Ils n'entraînent pas pour autant que Jérôme se rallie alors à son texte, ce qu'il fait pourtant explicitement en

---

(De mensuris et ponderibus 13 : PG 43, 260 C). Cf. *De uir. ill.* 54 : « Aquilae, Pontici proselyti... » (PL 23, 665 B). Note légèrement discordante dans la préface de la traduction du livre de Job sur l'hébreu, proche dans le temps du *De uiris*. Jérôme y qualifie Aquila de *Iudaeus*. Mais le contexte polémique explique ce durcissement du trait : à ceux qui dénigrent sa traduction sur l'hébreu par l'attachement aux Septante, Jérôme réplique vertement qu'Origène n'a pas hésité à accueillir dans ses *Hexaples* les traductions d'un juif et de deux hérétiques judaïsants (*Praef. in libr. Iob* PL 28, 1082 B). Par rapport à ceux-ci, un prosélyte ne peut qu'être regardé comme juif. Cf. *In Habacuc* 1326 C où, par rapport au « juif » Aquila, les ébionites Symmaque et Théodotion sont qualifiés de « demi-chrétiens ».

246. *In Is.* 49, 5-6 : 466 B : « De Aquila autem non miror quod homo eruditissimus linguae hebraicae, et uerbum de uerbo exprimens, in hoc loco aut simularit imperitiam, aut pharisaeorum peruersa expositione deceptus est, qui interpretari uoluit... », etc. Sa traduction suppose en effet une confusion entre *lw* (*lamed* et *waw*) et la négation *lo'* (*lamed* et *aleph*). C'est la seule pointe que contient l'*In Isaiam* contre la mauvaise foi anti-chrétienne possible d'Aquila, dont la deuxième hypothèse tend même à le dédouaner. Un contexte polémique peut expliquer que Jérôme ait été plus sévère jadis, dans la préface à sa traduction du livre de Job, pour les trois traducteurs juifs « qui ont dissimulé bien des mystères du Sauveur par une interprétation malhonnête » (PL 28, 1082 B ; voir note précédente). Épiphane, pour sa part, prêtait à Aquila une volonté délibérée de fausser certains passages de l'Écriture touchant le Christ (*De mensuris et ponderibus* 15 : PG 43, 261 D).

247. *In Is.* 128 B, 231 A.

248. Hier. *Epist.* 57, 11, 2 : « contentiosus interpres ». Cf., dès 384, *Epist.* 28, 2, 2 : « Aquila qui uerborum hebraeorum diligentissimus explicator est » ; *In Os.* PL 25, 839 A : « diligens et curiosus interpres. »

249. D. Barthélemy estime que σύν, dans ce cas, avait valeur d'adverbe pour Aquila, qui avait pu trouver dans Homère l'idée de cet usage adverbial du mot (*Les devanciers...*, p. 16).

250. *In Is.* 58, 8-9 a : « Aquila, uerbum de uerbo exprimens... » (568 A). Cf. 466 B (ci-dessus n. 246) et *Praef. Chron.* (ci-dessus n. 236) ; voir aussi *Praef. in libr. Iob*, PL 28, 1079 A.

251. *In Is.* 22, 1 b (267 C).

252. En 274 D Aquila est seul à conserver deux mots hébreux translittérés. En 210 D il le fait en compagnie du seul Théodotion. Ailleurs, c'est-à-dire dans une demi-douzaine de passages, dont une fois (429 C) pour un nom propre, cette translittération est le fait des trois versions, mais non des LXX.

253. *Proprie* : 317 D. *Significantius* : 87 A, 184 B, 374 C. Cf. *In Hier.* 32, 26-29 : « Melius Aquila... », avec un commentaire soulignant que le terme employé rend plus exactement l'idée (PL 24, 895 D).

d'autres occasions [254], signalant ailleurs qu'Origène a rétabli dans son édition en l'empruntant à Aquila un verset absent des Septante [255]. Jérôme n'éprouve donc pas à l'égard de la version d'Aquila de réticences a priori. S'il reste réservé sur le parti pris très littéraliste qui préside à sa traduction, il ne l'en utilise pas moins comme un témoin possible de l'*hebraica ueritas*, fidèle, en somme, à la confiance qu'il lui avait accordée jadis lorsqu'à Rome il collationnait son édition avec les rouleaux des Hébreux [256].

Symmaque   Sur la personnalité de Symmaque, qualifié ailleurs par Jérôme d'ébionite [257], le *Commentaire sur Isaïe* ne fournit pas d'indication. Sa traduction est pourtant celle des trois versions des *Hexaples* qu'on y trouve mentionnée le plus souvent : plus de cent soixante fois, compte tenu des points d'accord entre elles présentés sous un terme collectif anonyme. La plupart de ces mentions correspondent à des citations effectives [258] en traduction latine, le grec intervenant sensiblement moins que pour Aquila : dans un cas sur huit environ. Souvent très brèves, d'un mot ou deux, elles atteignent plus fréquemment que ce n'était le cas pour la première version la dimension d'un verset [259].

Cette plus grande fréquence de citations un peu développées tient peut-être à la qualité essentielle que Jérôme, comme d'ailleurs d'autres écrivains ecclésiastiques, reconnaît à Symmaque, c'est-à-dire la clarté. Des adverbes variés la soulignent plusieurs fois : *apertius, significantius*, surtout *manifestius* qu'accompagne dans trois cas sur six l'observation que c'est là sa manière habituelle [260]. Cette qualité n'est pas sans rapport avec la façon dont Symmaque concevait sa traduction. Bien qu'appelée par un cas particulier, une formule du *Commentaire sur Isaïe* en rend compte assez heureusement. Symmaque a traduit, nous dit Jérôme, « en rendant non pas un mot par un mot, mais la signification contenue dans le mot [261] ». Près de trente ans plus tôt, lorsqu'il caractérisait d'un trait rapide, dans la préface à sa traduction de la *Chronique*

---

254. *In Is.* 32 A : « nos, secuti Aquilam... » Cf. 75 A, 308 C et aussi 317 D (note précédente), où l'on constate que la traduction d'*Is.* 28, 7 donnée par Jérôme selon l'hébreu coïncide avec la version d'Aquila.

255. *In Is.* 2, 22 : « Hoc praetermisere LXX et in graecis exemplaribus ab Origene sub astericis de editione Aquilae additum est » (55 A).

256. HIER. *Epist.* 32, 1 à Marcella. Sur Isaïe il avait déjà utilisé, à l'époque, Aquila comme les autres versions dans la *Lettre* 18 B sur les *seraphim*. De même, dans le livre à Amabilis où les versions interviennent peu, on trouve huit mentions d'Aquila, soit autant que de Symmaque.

257. HIER. *De uir. ill.* 54 : « (Theodotionis ebionei) et Symmachi eiusdem dogmatis » (PL 23, 665 B). Cf. *In Habacuc* PL 25, 1326 C et *praef. in libr. Iob* PL 28, 1082 B (voir ci-dessus la fin de la n. 245).

258. Simple mention du nom, sans citation, en 48 A, 70 B et 320 C. L'*In Isaiam* ne connaît qu'une seule édition de ce prophète par Symmaque. L'*In Hieremiam*, au contraire, en mentionnera deux de Jérémie (*In Hier.* 32, 30 a et aussi 20, 1-2 : PL 24, 896 B et 803 C). De même l'*In Nahum* (PL 25, 1254 A).

259. Voir, entre autres exemples, 91 C, 162 D, 357 A, 461 D...

260. *Apertius* : 203 B. *Significantius* : 70 B. *Manifestius* : 474 B, 600 A, 614 B ; accompagné de *more suo* : 21 C, 75 D, 299 B. Cf. THÉODORET DE CYR, *In Isaiam* 1, 4 : σαφέστερον (PG 81, 221 A, cf. 221 C, 1737 A, etc.).

261. « ... non uerbum e uerbo, ut mihi uidetur, exprimens, sed sensum qui tenetur in uerbo » (76 B). Cf. *In Amos* PL 25, 1019 B : « Symmachus, qui non solet uerborum κακοζηλίαν sed intellegentiae ordinem sequi... »

d'Eusèbe, les différentes versions, il avait déjà dit de Symmaque qu'il « s'attachait plutôt au sens [262] », à la différence d'Aquila avant tout soucieux de littéralisme.

La clarté n'est pas dissociable chez Symmaque du sens de la précision. On s'en aperçoit dès le titre du recueil prophétique où « à son habitude il a traduit *manifestius* (ici : plus exactement) : *au sujet de* Juda et de Jérusalem », pour conserver l'ambiguïté du tour hébraïque qui recouvre le double caractère, heureux et malheureux, de l'oracle [263]. Le principal mérite de cette clarté est cependant le plus souvent de rendre le sens parfaitement intelligible, et l'on n'est pas surpris de voir par exemple au livre VIII la présentation d'un verset selon l'hébreu, puis selon les Septante, se prolonger par sa traduction d'après Symmaque, « plus clair à son habitude [264] ». Il lui arrive malgré tout de reproduire le terme hébreu lui-même sans chercher à le traduire, mais c'est presque toujours en compagnie des autres versions [265], de Théodotion en particulier, à qui, à un autre moment, dit Jérôme, « il emboîte le pas [266] ». Il est vrai qu'ailleurs, faute d'avoir comme lui gardé le mot hébreu, il se fourvoie en compagnie d'Aquila [267]. Plus souvent, cependant, que les deux autres, il est « seul », souligne Jérôme, à faire un choix qui lui vaut plus d'une fois une approbation explicite [268]. Mais quelquefois aussi il se rencontre avec Théodotion sur une traduction avec laquelle Jérôme manifeste son accord [269].

Théodotion   Avec environ cent quarante mentions, y compris la trentaine de citations présentées sous un terme global désignant les trois versions, la traduction de Théodotion intervient un peu moins souvent que les deux autres dans le *Commentaire sur Isaïe*. Peut-être faut-il en voir une explication dans le fait que, comme le notait déjà la préface à la *Chronique* d'Eusèbe, elle « ne présente pas une grande discordance avec les anciennes versions [270] », entendez les Septante. Mais la différence numérique n'est pas telle [271] qu'elle témoignerait d'un désintérêt de Jérôme pour

---

262. HIER. *Praef. Chron.*, ci-dessus n. 236.

263. *In Is.* 1, 1 : « Symmachus more suo manifestius "de Iuda et Hierusalem", ut nec prospera nec aduersa uelit titulo demonstrari... » ; les LXX et Théodotion ont « *contra* Iudaeam... » (21 C).

264. *In Is.* 299 B.

265. Exceptions à cette règle en 159 B et 215 B pour le même mot *ohim*.

266. *In Is.* 569 A : « Symmachus in Theodotionis scita concedens... » Il serait sans doute imprudent de conclure de cette seule formule à l'antériorité de Théodotion sur Symmaque dans l'esprit de Jérôme (L'ordre du *De uir. ill.* 54 est encore moins exploitable en ce sens, vu le contexte). En fait, nous ignorons sa pensée sur ce point, les données chronologiques qu'il trouvait chez Épiphane étant d'ailleurs contradictoires (voir BARTHÉLEMY, *Les devanciers...*, p. 145 et, sur Symmaque identifié au disciple de Rabbi Meir, *Études d'histoire du texte de l'A. T.*, p. 307-321).

267. *In Is.* 231 AB, sur *Is.* 15, 1 b.

268. *In Is.* 670 B : « Solus interpretatus est Symmachus quem nos in hoc loco (= *Is.* 66, 19-20) secuti sumus » ; 612 B : « Sed melius in hoc loco Symmachum quem et nos secuti sumus. » Cf. 563 B, 185 B. Coïncidence de fait entre une version de Symmaque « solus » et la traduction de Jérôme en 66 B, 76 B, 229 C, 357 C, 373 B ; divergence en 521 D.

269. *In Is.* 49, 5-6 : « ... cum Theodotio et Symmachus nostrae interpretationi congruant » (466 B). Cf. 457 C, 563 B.

270. HIER. *Praef. Chron.*, ci-dessus n. 236.

271. Environ cent quarante mentions pour Théodotion contre un peu plus de cent cinquante pour Aquila et de cent soixante pour Symmaque.

cette traduction placée par Origène après la version traditionnelle dans la dernière colonne des *Hexaples*.

Sur son auteur notre Commentaire est muet, mais plusieurs œuvres antérieures avaient donné quelques renseignements, qui ne sont pas totalement cohérents. Comme Symmaque c'est un ébionite, lit-on dans les années 393, tant dans le *Commentaire sur Habacuc* que dans le *De uiris illustribus*[272], ou, en termes équivalents quoique moins précis, un « hérétique judaïsant[273] ». Mais une dizaine d'années plus tard, une lettre à Augustin le présente comme « un juif et un blasphémateur après la passion du Christ[274] ». On pourrait croire à une outrance imputable au contexte polémique[275] si le prologue du *Commentaire sur Daniel*, postérieur de trois ans, ne disait à nouveau de lui « qu'à coup sûr il n'avait pas adhéré à la foi après la venue du Christ », sans autre précision de date[276], tout en mentionnant l'opinion de ceux qui voient en lui un ébionite. Jérôme paraît donc ne plus s'en tenir à cette dernière manière de voir, qui pourrait d'ailleurs provenir d'une lecture hâtive d'un passage d'Irénée cité par Eusèbe[277].

Sensible, on l'a vu, aux rapports que sa traduction garde avec la version traditionnelle, Jérôme avait caractérisé jadis Théodotion comme suivant une voie moyenne : entre l'ancienne version et les nouvelles[278], voire entre la manière d'Aquila et celle de Symmaque[279]. L'explication d'un verset d'Isaïe le montre malgré tout plus soucieux de dégager la portée d'un terme que d'en donner une traduction littérale[280].

Pourtant, ce qui, aux yeux de Jérôme, caractérise le plus souvent sa manière

---

272. HIER. *In Habacuc* PL 25, 1326 C : « Theodotion autem uere quasi pauper et ebionita sed et Symmachus eiusdem dogmatis... » Cf. *De uir. ill.* 54, ci-dessus n. 257.

273. « S. et Th. iudaizantes haeretici » (*Praef. in libr. Iob* PL 28, 1082 B). Cf. *Apol. adu. Ruf.* 2, 33 : haereticum et iudaizantem (PL 23, 455 C).

274. HIER. *Epist.* 112, 19, 2 en 404 : « ... ex hominis Iudaei atque blasphemi post passionem Christi editione... »

275. Jérôme y est en effet très mordant. Il s'y étonne ironiquement qu'Augustin, qui lui fait grief de sa traduction sur l'hébreu, lise pour sa part les LXX dans l'édition d'Origène qui les a corrigés et même complétés d'après la traduction de Théodotion, c'est-à-dire d'un juif blasphémateur.

276. HIER. *In Dan.*, prol. : « Theodotion, qui utique post aduentum Christi incredulus fuit, licet eum quidam dicant ebionitam » (PL 25, 493 A). Sur la date de Théodotion les vues traditionnelles ont été remises en cause il y a quelques années par D. Barthélemy. Par une série d'études précises (*op. cit.* ci-dessus n. 244) il a montré qu'il fallait situer sa version dans l'effort de recension grecque de la Bible entrepris au cours du premier siècle sous l'égide du rabbinat palestinien pour tenter de réduire les divergences entre les textes utilisés dans la *diaspora* et la forme autorisée du texte hébraïque qu'ils essayaient de fixer. Postérieur à la venue du Christ, Théodotion serait donc antérieur à Aquila, ce qui rejoint l'ordre dans lequel Irénée mentionnait les deux hommes (*Adu. haer.* III, 21, 1 ; cf. EUS. *HE* V, 8, 10). L'hypothèse s'accorde avec le fait que sa version s'éloigne moins des LXX que ne le fait le travail plus systématique d'Aquila, tributaire d'une herméneutique différente ; d'où la place que lui assigne Origène dans ses *Hexaples*. Peut-être aussi pourrait-elle expliquer que Théodotion soit celui des trois traducteurs qui conserve sans les traduire le plus de mots hébreux.

277. IREN. *Adu. haer.* III, 21, 1 (= EUS. *HE* V, 8) à propos de la traduction d'*Is.* 7, 14. Épiphane (*De mens. et pond.* 17 : PG 43, 264 D) n'en dit rien.

278. « ... Theodotion inter nouos et ueteres medius incedat » (*Praef. in quat. euang.* PL 29, 527 A en 384).

279. « uel ex utroque (= Aq. et S.) commixtum et medie temperatum genus translationis... » (*Praef. in libr. Iob* PL 28, 1079 A).

280. *In Is.* 13, 11 b : 211 D.

dans le *Commentaire sur Isaïe*, c'est l'habitude qu'il a, plus que les autres et donc souvent seul, de transposer purement et simplement des mots du texte hébreu [281]. Si cela lui attire parfois les réserves de l'exégète [282], il arrive aussi qu'il s'en trouve implicitement loué, comme sur ce verset du chapitre 15 où il a évité ainsi l'erreur des autres traducteurs qui n'ont pas su reconnaître un nom propre [283].

Mais, en fait, lorsque Jérôme déclare explicitement le suivre, c'est d'ordinaire sur une traduction qui est en même temps celle de Symmaque [284], à une ou deux exceptions près où l'idée d'aller lui emprunter la solution d'une difficulté apparaît peu sérieuse [285].

La rareté de ces ralliements à des choix propres à Théodotion n'empêche pas Jérôme de rappeler toutes les fois qu'il est nécessaire que c'est « de l'hébreu et de l'édition de Théodotion » que proviennent les versets absents de la vulgate des Septante qu'Origène a insérés sous astérisques dans son édition [286]. Et s'il lui arrive de s'étonner de lire sous sa plume un mot grec inconnu [287], il souligne ailleurs, après avoir fait suivre ses propres traductions de l'hébreu et des Septante de celle de Théodotion, que celle-ci « s'applique manifestement à la personne du Christ [288] ». Du reste, comme il l'avait rappelé en traduisant puis en commentant le prophète Daniel, les Églises ne lisent-elles pas ce livre non d'après les Septante, mais d'après l'édition de Théodotion, alors que, pourtant, « aucun prophète n'a parlé aussi ouvertement du Christ [289] » ? Au total l'attitude de Jérôme apparaît donc un peu flottante envers cette traduction de juste milieu.

Il reste que la simple comparaison des données numériques atteste que Jérôme n'a négligé, pour rejoindre au plus près le texte hébreu et sa signification, aucune des trois versions issues du monde juif qu'Origène avait fait entrer dans sa synopse. En effet, entre Théodotion, le moins représenté, et Symmaque qui l'est le plus, le rapport n'est jamais, dans le *Commentaire sur Isaïe*, que de sept à huit [290]. Il ne faudrait pourtant pas en conclure que le regard porté sur chacune des versions y est à peu près le même.

---

281. *In Is.* 254 C : « Th. more suo ipsa uerba hebraica posuit. » Cf. 54 B, 71 C, 140 B, 199 A, 210 D, 215 B, 454 D, 548 D, 612 B. « Solus... » : 176 C, 231 A, 432 B.

282. *In Is.* 176 C : Jérôme y rectifie d'après l'hébreu les termes mêmes que Théodotion transpose.

283. *In Is.* 15, 1 b (231 AB) : « ... solus Theodotio (...), Aquila et Symmachus... non considerantes... » Cf. « sequens hebraicam ueritatem Theodotion ait... » (199 A).

284. « nos iuxta Symmachum et Theodotionem interpretati sumus... » (457 C ; cf. 466 B, 563 B).

285. « nisi forte Theodotionis sequar editionem (...) Sed et haec friuola interpretatio est » (445 D ; cf. 446 D).

286. *In Is.* 6, 11-13 : « Quod diximus (...) in LXX interpretibus non habetur sed de hebraico et Theodotionis editione ab Origene additum, in ecclesiae fertur exemplaribus » (101 B). Cf., sans mention d'Origène, 214 D, 277 B, 278 D, 285 B, 402 B, 425 D.

287. *In Is.* 318 C : « Miror autem quid uoluerit Theodotio... »

288. *In Is.* 49, 7 : « ... Theodotio transtulit (...) quod manifeste Christi personae conuenit » (467 B).

289. « nullum prophetarum tam aperte dixisse de Christo » (*In Danielem*, prol. : PL 25, 491 B, cf. 493 A, et Hier. *praef. in libr. Dan.* PL 28, 1291 B).

290. Voir ci-dessus n. 271.

De fait, malgré le traitement de faveur qui lui a valu de figurer dans la Bible de l'Église non seulement pour le *livre de Daniel*, mais aussi, grâce à Origène, pour nombre de versets rétablis ailleurs d'après lui, Théodotion n'est pas seulement un peu moins représenté que les deux autres, il est en réalité moins utilisé. Deux traits permettent de s'en rendre compte. Tout d'abord il est exceptionnel que Jérôme déclare le suivre dans un choix qu'il est seul à faire. De plus, sa marque propre, qui est de transposer purement et simplement plus souvent que les autres les termes hébreux, offre certes un appui pour la connaissance du texte hébreu lui-même, mais n'éclaire pas sa signification. Or, à l'heure du commentaire, c'est là qu'est pour Jérôme la question principale.

On comprend en revanche que celui-ci suive volontiers Symmaque. Sa clarté a de quoi le séduire dans la lutte qu'il mène contre une langue qui lui serait peut-être apparue moins souvent lourde d'ambiguïtés s'il en avait eu une meilleure maîtrise. Qui plus est, Symmaque lui renvoyait en quelque sorte le reflet de sa propre image de traducteur : Jérôme n'avait-il pas, au temps où il traduisait Job, employé pour caractériser la manière de l'ébionite une formule qu'on allait retrouver sous sa plume pour exposer dans sa lettre célèbre à Pammachius sa propre conception de la traduction [291] ? Il est vrai qu'elle s'y accompagne d'une restriction touchant les Écritures, « où l'agencement même des termes relève du mystère [292] ». Et peut-être est-ce à la persistance de ce scrupule qu'il faut attribuer le respect qu'en dépit du penchant qui le porte à se reconnaître dans l'élégance de Symmaque, il manifeste pour la traduction d'Aquila.

De fait, même s'il n'en apprécie guère en styliste le littéralisme poussé à ses yeux jusqu'à l'absurde [293], ce grec devenu juif l'impressionne par sa compétence en hébreu et sa rigueur systématique. Les qualificatifs qu'il lui décerne au long de son œuvre : *curiosus, diligentissimus, eruditissimus* [294], ne permettent guère d'en douter. Il avait noté jadis, pour en dénoncer les excès, son souci « de traduire non seulement les mots mais les étymologies », voire « les syllabes et même les lettres [295] ». Si le résultat n'est guère conforme à ses vues en matière de traduction, il ne peut ignorer, pour le propos qui est le sien, l'intérêt d'une précision aussi minutieuse, qui garantit une fidélité de détail inégalable [296]. Et peut-être faut-il voir dans le fait qu'il cite sa version dans le grec plus volontiers que les deux autres un signe de l'attention qu'il porte à cette rigueur dans la traduction.

Toutes ces observations mettent bien en lumière l'esprit dans lequel Jérôme commentateur recourt à ces diverses versions. S'il ne néglige pas d'en rendre compte dans leur diversité, par souci de ne rien laisser perdre des richesses de

---

291. Cf. *Praef. in libr. Iob* (vers 393) : « ... (S.) sensum e sensu (expresserint) » (PL 28, 1079 A) et *Epist.* 57, 5, 2 (en 395) : « Ego enim... profiteor me... non uerbum e uerbo sed sensum exprimere de sensu. »

292. HIER. *Epist.* 57, 5, 2 : « absque scripturis sanctis ubi et uerborum ordo mysterium est. »

293. Voir *Epist.* 57, 11, 2-4.

294. Voir ci-dessus n. 248 et 246. Cf. *Epist.* 36, 12.

295. « (Aq.) non solum uerba sed etymologias uerborum transferre conatus est » ; « ... ut et syllabas interpretetur et litteras » (*Epist.* 57, 11, 2 et 3).

296. Cf. cette remarque d'Origène : « Si tu veux connaître avec précision le sens littéral de l'hébreu, écoute comment Aquila traduit... » (OR. *in Mt.* XVI, 19 : Or. W. 10, 542, 6-8).

sens possibles d'une Écriture qui est Parole de Dieu, il s'agit avant tout pour
lui de tirer parti de ce qui peut le mieux permettre moins d'assurer le texte
hébreu lui-même — c'est à ses yeux déjà acquis — que d'en cerner au plus
près la signification. L'enjeu est, en définitive, d'assurer sa propre traduction,
c'est-à-dire d'en garantir la conformité à l'original.

Bien qu'il utilise pour cela les mêmes matériaux qu'Origène, cette référence
privilégiée à l'*hebraica ueritas* renverse les perspectives par rapport à l'Alexandrin. Pour celui-ci, en effet, le travail de critique textuelle en vue duquel il
s'était doté du remarquable instrument que constituent les *Hexaples* restait
fondamentalement ordonné, comme on l'a écrit joliment, à « guérir les mala-
dies textuelles de la Septante [297] », qu'il n'a cessé de regarder comme le centre
de référence de toutes ses recherches. Dans cette thérapeutique les autres
versions grecques, que le temps n'a pas encore gâtées, apportent au foisonnement des leçons des Septante le remède de leur relative fraîcheur, présumée
garante de leur fidélité [298]. Et l'on ne s'étonne pas que ce soit à Théodotion,
c'est-à-dire au plus proche de la version traditionnelle, qu'Origène ait recours
pour compléter celle-ci.

Dans un autre registre, la perspective n'est guère différente chez un Eusèbe.
Son *Commentaire sur Isaïe* montre qu'il use aussi largement du recours aux
versions qu'il reste discret dans l'appel à l'hébreu que lui fournissent aussi les
dossiers hexaplaires [299] ; et encore n'est-ce qu'une fois sur deux pour lui
emprunter une leçon qui ne lui soit pas commune avec ses traducteurs
grecs [300]. Cette divergence de regard entre Eusèbe et Jérôme peut expliquer
que, malgré l'importance des références aux versions chez les deux auteurs, il
y ait entre eux si peu de rencontres sur ce point [301]. C'est dans une tout autre
perspective que le Latin accorde à la version traditionnelle la place qu'elle
occupe dans ses Commentaires.

297. La formule est de D. Barthélemy (*Origène et le texte de l'Ancien Testament*, dans *Epektasis*,
p. 261). De fait, l'aboutissement de ce travail est l'édition critique des Septante avec obèles et
astérisques.

298. Dans son *Commentaire sur Jean*, Origène parle des textes des Hébreux « qui sont confirmés
par les éditions encore correctes (μηδέπω διαστραφεισῶν) d'Aquila, de Théodotion et de Symmaque » (*In Ioh*. VI, 41, 212 : trad. Blanc, SCh 157, 290).

299. Les quelque soixante-cinq références à l'hébreu sont loin d'y atteindre le nombre des
simples renvois anonymes à l'ensemble des versions. Quant aux mentions explicites des trois
traducteurs, elles sont au total dix fois plus nombreuses que les références à l'hébreu. Symmaque
s'y taille la part du lion avec environ trois cent soixante-quinze mentions, au détriment d'Aquila
(environ cent cinquante) et surtout de Théodotion (quatre-vingt-cinq). L'ordre de fréquence des
versions est donc le même que dans l'*In Isaiam* de Jérôme, mais ici les différences numériques
entre elles sont au contraire très accusées.

300. Une fois sur deux, en effet, il leur est assimilé. Formule fréquente : οὔτε ἡ Ἑβραικὴ
ἀνάγνωσις — ou λέξις — οὔτε οἱ λοιποὶ ἑρμηνευταί...

301. De fait, on ne relève dans le détail que fort peu de recoupements entre les deux œuvres. Par
exemple, sur les cinquante premières mentions d'Aquila chez Eusèbe, seule une dizaine se retrouve
chez Jérôme. Quatre mentions sur cinq y restent donc sans écho. Pourtant, pour les mêmes
chapitres, on relève chez lui soixante-trois références à Aquila. L'indépendance des deux auteurs est
donc ici flagrante.

C — Les Septante

Cette place est importante. Car, comme il l'indiquait dès son premier commentaire d'un prophète, Jérôme s'est « donné une bonne fois pour objectif de suivre également l'édition courante [302] ». En même temps qu'il part de l'hébreu, il se sent tenu, en effet, « d'expliquer les Écritures telles qu'on les lit dans l'Église [303] ». A sa propre traduction latine de chaque lemme sur l'hébreu devrait donc s'ajouter en principe celle de la version des Septante [304].

De fait, c'est à peu près ce qui se passe dans les premières œuvres exégétiques qui suivent sa traduction de l'Ancien Testament sur l'hébreu. Sur la trentaine de lemmes que présente le *Commentaire sur Nahum* qui ouvre la série, les cinq sixièmes sont donnés dans les deux versions, le plus souvent côte à côte. Parfois — c'est le cas en particulier lorsque hébreu et grec présentent de sérieuses divergences — un lemme traduit de l'hébreu est repris par fragments successifs selon les Septante, éclatant ainsi en plusieurs éléments [305]. Il est assez rare, en définitive, dans ces premiers Commentaires, que les Septante n'interviennent que de façon ponctuelle sur un mot ou un groupe de mots, comme nous avons vu que c'était souvent le cas pour les autres versions des *Hexaples*.

1. La place des Septante dans le « Commentaire sur Isaïe »

La situation apparaît ici plus complexe. Il faut tout d'abord faire un sort à part au livre V *iuxta historiam*. Dans la logique de son propos qui privilégie l'*hebraica ueritas*, Jérôme n'y avait recouru aux Septante que comme aux autres versions : une quinzaine de fois pour les onze chapitres du prophète [306], donc fort peu, et sur des points de détail. Mais aux livres VI et VII qui donnent ensuite l'exégèse spirituelle de ces oracles, sur quatre-vingt-quatorze lemmes près de soixante-dix font référence aux Septante, présentant dans les deux tiers des cas les deux traductions complètes. En revanche — une fois n'est pas coutume — pour les dix lemmes du chapitre 23 d'Isaïe, Jérôme part exceptionnellement de la seule traduction sur le grec, sans d'ailleurs donner de raisons de ce traitement particulier [307].

Au-delà de ces trois livres on retrouve la belle régularité des premiers Commentaires avec, au livre VIII, le retour de Jérôme à sa manière habituelle,

---

302. Hier. *In Nahum* PL 25, 1261 C : « Semel enim propositum nobis est et uulgatam editionem sequi. »

303. « Nobis autem (...) incumbit necessitas ita interpretari scripturas quomodo leguntur in ecclesia et nihilominus hebraicam non omittere ueritatem » (*In Michaeam* PL 25, 1164 C).

304. « ... tam mea quam illorum translatio... », dit l'*In Michaeam* (PL 25, 1159 B).

305. Voir par exemple *Mich.* 2, 9-10 qui est repris d'après les LXX en cinq fragments (PL 25, 1172-1173. Cf. 1171 B où Jérôme justifie cette manière de procéder). Démarche similaire, pour la même raison, pour les versets suivants (2, 11-13).

306. On relève parallèlement dans ce livre V huit mentions d'Aquila, sept de Symmaque et trois de Théodotion, soit dix-huit au total.

307. Il déclare simplement, après avoir rappelé qu'il a donné de cette vision une explication historique au livre précédent : « Nunc omnem contra Tyrum prophetiam secundum ἀναγωγὴν et editionem LXX breuiter percurremus » (275 B). Voir ci-dessus n. 132.

menant de front « histoire et tropologie d'après les deux éditions », comme il le rappelle lui-même [308]. Neuf fois sur dix, en effet, le texte du prophète y est donné dans la double traduction : sur l'hébreu et sur le grec des Septante. Pourtant ce n'était nullement le cas dans le début de l'ouvrage. Bien que les références aux Septante n'y soient pas rares, les quatre premiers livres n'offrent qu'assez exceptionnellement le texte complet d'un lemme d'après leur version. Jérôme éprouve même alors le plus souvent le besoin de justifier cette double présentation, en mettant en avant l'importance des divergences qui séparent le grec de l'hébreu, particulièrement sur des passages obscurs [309], ou encore le fait que le Nouveau Testament utilise les versets concernés [310]. Il se conforme visiblement à son avertissement du prologue général de l'œuvre : « Si ici ou là je rends compte de l'hébreu en laissant de côté les Septante, la raison en est qu'ils sont souvent ou identiques ou analogues aux autres versions et que je n'ai pas voulu en présentant une double édition allonger des livres d'explication qui, même avec un commentaire unique, passent la mesure de la brièveté [311] ».

La structure inhabituelle des trois livres suivants, où sont dissociés les commentaires historique et spirituel des oracles sur les nations, a-t-elle fait oublier à Jérôme sa préoccupation initiale ? Toujours est-il que l'utilisation parallèle des deux éditions présentée comme allant de soi dans le prologue du livre VIII [312] va se poursuivre jusqu'au terme de l'ouvrage, à une notable exception près. Avec le chapitre 36 d'Isaïe qui ouvre le livre XI, Jérôme abandonne en effet brutalement sa manière, et il faut attendre presque le milieu de ce livre pour retrouver, provisoirement, plusieurs lemmes présentés successivement dans les deux versions [313]. En fait, ce n'est qu'avec le chapitre 40, qui clôt le livre, que Jérôme revient, pour ne plus s'en écarter désormais, au parallélisme antérieur. Mais le prologue de ce livre XI avait livré d'avance la clé de ce phénomène aberrant. Constatant en effet le caractère historique des chapitres 36 à 39 qui redoublent, on le sait, des récits du second *Livre des Rois*, Jérôme y avait observé que ce livre en serait plus aisé à expliquer dans ses deux premiers tiers, lui offrant ainsi la possibilité de satisfaire à la brièveté sans nuire à la compréhension [314].

---

308. *In Is.* VIII, prol. : « ... ut et historiam et tropologiam iuxta utramque editionem pariter disserat » (281 B). Il précisera un peu plus loin : « Volumus et hebraicum sequi et uulgatam editionem (= LXX) non penitus praeterire » (296 C).

309. Voir *In Is.* 8, 11-15 (118 BC) ; 9, 3-5 (125 D-126 A) ; 10, 5-11 et 28-32 (134 C et 141 D). Sur un lemme assez long du livre VI (*Is.* 15, 3-9), Jérôme laissera au contraire de côté les LXX bien qu'ils présentent beaucoup de divergences avec l'hébreu mais, à ses yeux, les explications qu'il vient de donner éclairent aussi leur traduction (234 AB).

310. Le lecteur peut ainsi constater les divergences de traduction : voir *In Is.* 9, 1-2 = *Mt.* 4, 12-17 (124 A). Cf. 6, 9-10 = *Act.* 28, 25-27 (98 A).

311. *In Is.*, prol. : « Sicubi autem praetermissis LXX de hebraico disputaui, illud in causa est quod aut eadem aut similia sunt pleraque cum ceteris, et duplici editione proposita nolui libros explanationis extendere, qui etiam in simplici expositione modum breuitatis excedunt » (22 A).

312. Voir ci-dessus n. 308.

313. Il s'agit de quatre lemmes du ch. 38 allant des versets 9 à 20.

314. *In Is.* XI, prol. : « Vndecimus in Isaiam liber... quia magnam partem historiae disserturus est, facilior erit in principiis, et usque ad duas sui partem reliqua simili more dictanda sunt ; et sic studendum breuitati ut nullum damnum fiat intellegentiae » (378 B). De fait, l'explication de ces quatre chapitres historiques occupe les deux tiers du livre, alors que le dernier tiers n'épuise pas le commentaire du chapitre 40. Jérôme avait d'ailleurs souligné d'entrée de jeu que « l'histoire était

On aurait donc une vue inexacte de la place accordée à la version traditionnelle dans l'ensemble du *Commentaire sur Isaïe* si l'on s'en tenait aux impressions du début de l'ouvrage. Tiraillé entre des préoccupations contradictoires, Jérôme a d'abord cherché à conserver à son commentaire des dimensions acceptables en se limitant autant qu'il était possible à sa seule traduction sur l'hébreu. Rendu à ses habitudes par la cassure des livres V à VII, il n'oublie pas tout à fait son souci premier puisque nous le voyons saisir l'occasion que lui offrent les chapitres historiques qui terminent la première partie du recueil. Mais ce livre XI manifeste aussi qu'il joue surtout désormais, pour atteindre son but, sur une présentation du texte prophétique en lemmes plus compacts. De fait, alors que le livre I offrait à lui seul près de quarante lemmes plus courts qu'un verset actuel, on n'en relève que quatre pour l'ensemble des neuf livres qui constituent la deuxième moitié du Commentaire [315].

En définitive, sans préjuger de son attitude profonde envers les Septante, force est de constater que Jérôme n'a pas sacrifié de façon durable dans le *Commentaire sur Isaïe* la version traditionnelle qu'il appelle d'ailleurs la *uulgata editio*, « l'édition courante » des Écritures. L'expression mérite d'ailleurs qu'on y prête attention, car elle n'est pas aussi claire qu'on pourrait le penser.

2. *Le texte d'Isaïe selon les Septante*

Que « l'édition courante » soit une périphrase familière à Jérôme pour désigner la version des Septante, c'est une évidence qu'appuient de nombreux témoignages, y compris dans notre Commentaire. On lit néanmoins dans le prologue du livre XVI, à propos de versets d'un psaume, « qu'ils ne se trouvent pas dans l'hébreu et ne sont pas dans les Septante mais dans l'édition courante qu'on appelle en grec "commune" (κοινή) et qui est diffusée dans le monde entier [316] ». Et Jérôme répétera plus loin cette affirmation [317], alors qu'ailleurs la même expression apparaît strictement synonyme des Septante [318]. De quelle « édition » voulait-il donc parler ? On trouve la réponse à cette question dans un passage de la *Lettre* 106 [319]. Jérôme y explique en effet à ses correspondants qu'il existe deux éditions des Septante : l'une qu'avec Origène les auteurs grecs appellent l'édition « commune et courante », dite aussi « lucianique » : c'est la vieille édition, corrompue au fil des ans par les fantaisies des copistes. L'autre, celle qu'on trouve dans les manuscrits des *Hexaples*, est la véritable

---

manifeste et n'avait pas besoin d'explication » (379 A). Cf. dans le même esprit *In Hier.*, prol. PL 24, 679 A.

315. Voir ci-dessous l'ANNEXE II.

316. *In Is.* XVI, prol. : «... in hebraico non haberi nec esse in Septuaginta interpretibus sed in editione uulgata quae graece κοινή dicitur et in toto orbe dispersa (CC et PL : diuersa) est » (548 B). J'adopte ici les conclusions de l'étude de E.F. SUTCLIFFE, *The KOINH « diuersa » or « dispersa » ? St Jerome PL 24, 548 B*, dans *Biblica* 36, 1955, p. 213-222.

317. *In Is.* 579 B.

318. Voir, entre autres exemples, *In Is.* 346 C où « LXX editio » est repris à la ligne suivante par « de uulgata editione ». Cf. 647 A : « LXX... quorum editio toto orbe uulgata est. »

319. Cette longue lettre sur des variantes du psautier est malheureusement difficile à dater. Certainement postérieure à 393, puisque Jérôme y parle de sa traduction des Psaumes sur l'hébreu (§ 86), elle pourrait ne pas être très éloignée dans le temps de l'*In Isaiam*. Altaner (*Vigiliae christianae* 4, 1950, p. 246-8) la situe entre 404 et 410.

version des Septante, l'édition savante, maintenue dans sa pureté primitive [320].
Ainsi s'éclairent les passages du livre XVI et, d'une façon générale, le sens des
mots « Septante » et « édition courante » lorsque Jérôme les oppose.

Mais ce n'est là qu'un aspect du problème, car d'autres termes interviennent
dans le *Commentaire sur Isaïe*, dont la valeur demande à être précisée. Ainsi,
dit Jérôme sur un verset du chapitre 58, « ce qui est ajouté au début et à la fin
de ce lemme *dans les exemplaires alexandrins* (...) ne se trouve pas dans
l'hébreu ni même dans les exemplaires corrigés et véridiques des Septante [321] ».
Il distingue donc de la façon la plus nette, sans parler de la version hexaplaire
qualifiée jadis de « manuscrits palestiniens » [322], une autre forme, celle-ci
alexandrine, de l'édition courante. De fait ces indications recoupent la présentation géographique qu'il avait faite à Chromace, dans la préface de sa
traduction des *Paralipomènes* sur l'hébreu, de « cette triple recension qui met
aux prises le monde entier [323] ».

En outre, dans ce domaine comme en d'autres, l'usage de Jérôme n'est pas
totalement cohérent. Lorsqu'il écrit par exemple à la fin du livre I qu'un verset
« a été omis par les Septante et ajouté sous astérisques par Origène dans les
exemplaires grecs à partir de l'édition d'Aquila [324] », il est clair qu'il désigne ici
par « Septante » ce qu'ailleurs il nomme au contraire « édition courante ». La
référence à Origène souligne à l'inverse que « les exemplaires grecs » ou, selon
une autre formule, « les exemplaires de l'Église [325] », c'est pour lui l'édition
hexaplaire avec astérisques et obèles. Il reste qu'en dépit de ces chassés-croisés,
l'expression *uulgata editio* apparaît d'ordinaire comme une désignation banale
de la version des Septante dont le Commentaire offre la traduction en regard
de l'*hebraica ueritas* [326].

Mais précisément ce texte grec du prophète, tout comme l'original hébreu,
ne devient accessible au lecteur que par la médiation d'une traduction latine.
Pour l'hébreu, le travail était déjà fait avec la traduction d'Isaïe que Jérôme
avait établie une quinzaine d'années plus tôt et qu'il reprend en effet pour
l'essentiel. Il en allait autrement pour le grec, puisqu'il avait interrompu sa

---

320. *Epist.* 106, 2 *ad Sunniam et Fretelam.*
321. *In Is.* 58, 11 : « Quod in alexandrinis exemplaribus in prooemio (PL : principio) huius
capituli additum est (...) in hebraico non habetur sed ne in Septuaginta quidem emendatis et ueris
exemplaribus » (570 CD). « Veris exemplaribus » pour désigner la recension origénienne des LXX
se retrouve dans *Comment. in ps.* 76 (CC 72, 218). Cf. *Hebr. Quaest. in Gen.* 23, 2 : « ... in
authenticis codicibus... » (PL 23, 972 A).
322. Voir la note suivante.
323. Hier. *Praef. in libr. Paralipomenon* : « Alexandria et Aegyptus in Septuaginta suis Hesy-
chium laudat auctorem ; Constantinopolis usque Antiochiam Luciani martyris exemplaria probat ;
mediae inter has prouinciae palaestinos codices legunt, quos ab Origene elaboratos Eusebius et
Pamphylius uulgauerunt, totusque orbis hac inter se trifaria uarietate compugnat » (PL 28,
1324-1325).
324. *In Is.* 2, 22 : « Hoc praetermisere LXX et in graecis exemplaribus ab Origene sub astericis
de editione Aquilae additum est » (55 A).
325. « ... in Ecclesiae exemplaribus » (101 B).
326. Voir par exemple *In Is.* 8, 11-15 (118 C) : « ... multum inter se hebraicum distat et uulgata
editio. » Cf. 239 B, 261 C, 296 BC, 346 C, 466 B... et aussi 126 A (uulgata translatio).

révision de l'Ancien Testament sur la version traditionnelle avant d'avoir abordé les prophètes. En revanche il avait à sa disposition, comme tout chrétien des provinces d'Occident, la traduction latine dans laquelle depuis sa jeunesse il avait lu l'Écriture avant d'éprouver le désir de revenir à la source grecque. Est-ce à cette « vieille latine » qu'il emprunte, dans le *Commentaire sur Isaïe*, les lemmes du prophète selon les Septante ? S'en inspire-t-il à tout le moins tout en la corrigeant pour la rendre plus fidèle ? Ou retraduit-il directement chaque lemme du grec ? et à partir de quelle édition ?

Un simple coup d'œil sur les lemmes d'Isaïe cités selon le grec fournit un premier élément de réponse. On s'aperçoit vite en effet que Jérôme ne se borne pas à souligner les éventuelles divergences qui séparent le grec de l'hébreu. Plus d'une fois il note avec précision l'absence dans le texte des Septante de tel ou tel mot présent dans l'hébreu, ou inversement [327]. Et cette constatation s'accompagne souvent de la mention des obèles, qui marquent les passages absents de l'hébreu [328], et des astérisques, qui signalent les additions insérées par Origène d'après les autres versions conformément à l'hébreu [329]. Il n'est donc pas douteux que Jérôme, en composant son Commentaire, a sous les yeux le texte de la version grecque, et plus précisément sa recension origénienne dont les signes diacritiques, qu'il reproduit à l'occasion [330], lui permettent de distinguer au premier coup d'œil ce qui, dans les exemplaires traditionnels, s'écartait de l'*hebraica ueritas*.

On peut vérifier cette conclusion en comparant les lemmes du prophète donnés par Jérôme d'après les Septante aux citations qu'il fait librement ailleurs des mêmes passages, que ce soit dans son *Commentaire sur Isaïe* ou dans d'autres œuvres. Le plus souvent, on l'a vu, ces citations ne reflètent pas sa version sur l'hébreu, mais elles reproduisent, à quelques flottements près qui confirment qu'il se fie à sa mémoire, l'ancienne traduction latine qu'il a depuis toujours dans l'esprit [331]. Or il s'en faut de beaucoup qu'elles coïncident habituellement avec les lemmes correspondants donnés selon les Septante.

Sans doute cela se produit-il parfois. Par exemple, le texte d'*Isaïe* 1,6 dans le Commentaire : « Non est malagma imponere neque oleum neque alligaturas » répond mot pour mot à la citation qu'en avait faite vingt ans auparavant le *Commentaire sur l'Ecclésiaste*, et qu'on retrouve dans les mêmes termes dans une homélie sur un psaume et dans le *Commentaire sur Ézéchiel* [332]. Il est vrai qu'elle traduit exactement le grec.

Plus souvent, cependant, on observe un décalage entre le texte du lemme et les citations libres qui en sont faites ailleurs. Des raisons stylistiques suffisent

---

327. Voir par exemple *In Is.* 101 B (ci-dessus p. 108, n. 286). Cf. 285 B. En sens inverse, 590 B : « Quod autem additur in LXX... in hebraico non habetur. » Cf. 135 D : « LXX addentes de suo... »

328. Par exemple, au livre XVII : « Nomen Hierusalem..., quod hic a LXX ponitur, in hebraico non habetur et obelo praenotandum est. » (589 A. Cf. 118 C, 487 C, 528 B, 570 D, 594 C). Avec *ueru* au lieu de *obelum* : 117 B, 494 D, 548 B.

329. *In Is.* 60, 13-14 : « Multa desunt in Septuaginta quae ex hebraeo sub astericis posui » (594 C. Cf. 55 A, ci-dessus n. 324).

330. *In Is.* 528 B : « Quodque sequitur... obelo *praenotauimus* » ; cf. 594 BC, et aussi 285 B, 494 D, etc.

331. Voir ci-dessus p. 93.

332. Cf. *In Is.* 30 A, *In Eccl.* PL 23, 1085 B, *Tract. de ps.* 146, 3 (CC 78, 330 = Morin p. 294) et *In Ez.* PL 25, 296 A.

parfois à en rendre compte. Ainsi, de ses premiers Commentaires à celui d'Isaïe, Jérôme cite plusieurs fois, exactement dans les mêmes termes, ce verset du chapitre 49 : « Magnum tibi est uocari te puerum meum [333] ». Dans le lemme, au contraire, il traduit : « Magnum tibi est ut uoceris puer meus et suscites tribus Iacob... [334] », etc. Peut-être est-il passé ici à la subordination au subjonctif par simple commodité pour la suite de la phrase.

Mais d'ordinaire c'est une autre explication qui s'impose. On va le voir par l'exemple du verset 18 du chapitre 26 d'Isaïe. Une bonne dizaine de citations libres de ce verset émaillent l'œuvre de Jérôme ; elles vont de son séjour à Rome au dernier de ses Commentaires, en passant par le *Commentaire sur Isaïe* lui-même. Citons-le sous la forme qui se retrouve mot pour mot dans plus de la moitié de ces citations, les autres offrant quelques variantes mineures. Le voici : « A timore tuo Domine concepimus et parturiuimus et peperimus, spiritum salutis tuae fecimus super terram [335] ». Et voici maintenant, dans le Commentaire, le texte du lemme « selon les Septante » : « Propter timorem tuum Domine in utero accepimus et parturiuimus et peperimus spiritum salutis tuae, quae fecimus super terram [336] ». Trois points sont à relever.

L'expression « a timore tuo » que donnent toutes les citations libres du verset par Jérôme se rencontrait déjà dans sa traduction d'une homélie d'Origène sur Isaïe [337]. C'est aussi la version de Rufin, non seulement dans plusieurs de ses traductions d'Origène, mais aussi dans son *Apologie contre Jérôme* [338]. On la trouve encore dans les citations du verset par Augustin [339]. Il n'est pas douteux qu'elle reflète une ancienne version latine largement répandue, faite selon toute vraisemblance sur un de ces exemplaires de la κοινή des Septante antérieurs à la recension origénienne et que nous conservent probablement quelques citations du verset par Eusèbe qui portent « ἐκ τοῦ φόβου σου » [340]. La formule du lemme est au contraire tout à fait isolée chez Jérôme, et même en dehors de lui [341]. Elle paraît bien vouloir traduire avec précision la

333. *In epist. ad Tit.* PL 26, 557 A, *In Eccl.* PL 23, 1051 A, *In Abd.* PL 25, 1100 C, *In Is.* 274 B, 430 A. Cf. AMBROISE, *Epist.* 46, 11 (PL 16, 1149 A), HILAIRE, *In Ps.* 126, 18 (CSEL 22, 625).

334. *In Is.* 49, 6 : 465 C.

335. Texte strictement identique dans *In Amos* PL 25, 996 B, *Epist.* 121, 4, *In Is.* 577 C, *In Hier.* PL 24, 867 C ; avec omission de « et peperimus » dans le *Tract. de ps.* 86, 5 (CC 78, 117 = Morin p. 105) ; jusqu'à « peperimus » seulement dans l'*In Eccl.* PL 23, 1034 B et l'*In Is.* 650 A ; avec légères variantes dans *Epist.* 22, 38, *In epist. ad Gal.* PL 26, 386 A, *In Habacuc* PL 25, 1321 D, *In Is.* 384 A.

336. *In Is.* 26, 18 d'après les LXX (302 B).

337. *Transl. Or. in Is. hom.* 7, 3 : PL 24, 931 C = Or. W. 8, 284.

338. RUFIN, *Transl. Or. in Gen. hom.*, 6, 3 et 12, 3 (Or. W. 6, 69 et 109), *in Ex. hom.* 10, 3 (*ibid.* 248), *in Leu. hom.* 12, 7 (*ibid.* 466), *in Cant.*, prol. (Or. W. 8, 65) et *Apol. c. Hier.* 1, 41 : « a timore (Dei) » (citation intégrée au contexte).

339. AUGUSTIN, *Enarr. in ps.* 47, 5 et 101, *serm.* 1, 2 (CC 38, 543 et 40, 1427). Voir aussi les trois citations du verset dans la traduction latine anonyme de l'*In Matthaeum* d'Origène (Or. W. 11, 73, 86 et 123). Au lieu de *a* on rencontre aussi, avec le même sens, *de* chez Ambroise (*Expos. in Luc.* 10, 24 : SCh 52, 165) et Rufin (*Transl. Or. in Num. hom.* 20, 2 : Or. W. 7, 188), ou *ex* chez Rufin encore (*Transl. Or. in Cant. III* : *ibid.* 8, 213).

340. EUSÈBE, *Praep. Euang.* XII, 45 ; *In Is.* 37, 1-3 et 59, 4-5 (Eus. W. 9, 235, 27 et 362, 32). A ces deux citations correspondent *ad locum* chez Jérôme deux des trois citations libres du verset dans l'*In Isaiam.* Cf. DIDYME, *In Zachariam* 9, 5-8 : « ἀπὸ τοῦ φόβου σου » (III, 105 : SCh 84, 672).

341. On en relève un exemple chez Ambroise (*De exc. fratr.* II, 67).

leçon « διὰ τὸν φόβον σου » sans doute issue de la recension origénienne, et qui s'est imposée à nos éditions de la Bible grecque.

Deuxième divergence : le verbe *concepimus* qui, renforcé une fois par *in utero*[342], correspond à dix des citations relevées sur onze[343] ; il est à rapprocher de l'annonce célèbre de l'Emmanuel : « Ecce uirgo concipiet et pariet » que Jérôme, qui n'en donne qu'une version, a sans doute purement et simplement conservée de la vieille traduction latine[344]. Or nous voyons par son *Commentaire sur Matthieu* que, lorsque la citation qu'en fait l'évangéliste l'amène à serrer de plus près l'expression grecque, il la traduit par *in utero accipiet*[345], comme il le fait dans le lemme qui nous intéresse *(in utero accepimus)*, et comme la traduction des homélies d'Origène lui avait jadis donné occasion de le faire[346].

On relève un dernier décalage sur la fin du verset que donnent huit citations seulement sur les onze[347], mais en des termes identiques où n'apparaît pas de pronom relatif. Le lemme, au contraire, en introduit un sous une forme d'ailleurs surprenante[348], mais qui reflète vraisemblablement une autre édition des Septante dont on saisit l'existence à travers certaines des traductions latines d'Origène, et aussi chez des auteurs grecs comme Théodoret de Cyr[349]. On peut supposer que la recension origénienne connue de Jérôme comportait ce relatif[350].

Ces différences nettes entre l'ensemble des citations libres, d'une part, et la

---

342. *In Is.* 650 A : « in utero concepimus. »

343. La onzième est celle de l'*In Habacuc* qui porte « in utero suscepimus » (PL 25, 1321 D).

344. *Is.* 7, 14. Il la donne deux fois de suite sous cette forme dans les *Hebr. Quaest. in Genesim* qui précèdent ses traductions sur l'hébreu (PL 23, 973 C et 974 B), également dans une *hom. de natiuitate* (CC 78, 527 = Morin p. 395) et, avec addition de « in utero », dans une *hom. in Ioh.* 1, 1-14 (*ibid.* 521 = Morin p. 390) et dans l'*In Isaiam* 668 D. Cf. RUFIN, *Exp. Symb.* 8 : « Virgo concipiet et pariet filium. » Sans doute existait-il une autre version, peut-être d'origine africaine, qui portait : « Ecce uirgo in utero accipiet et pariet filium » ; on la trouve chez Cyprien (*Epist.* 10, 4 et *Testim. ad Quir.* 2, 9) et, parmi les contemporains de Jérôme, chez Zénon de Vérone (*Tract.* 2, 8), Filastre de Brescia (*Haer.* 142, 2) et Ambroise (*Expos. in Luc. passim*, en part. II, 15).

345. HIER. *In Matthaeum* 1, 23 (PL 26, 25 B). En face de « in utero habebit » (= ἐν γαστρὶ ἕξει) de l'évangéliste, « in utero accipiet » répond à ἐν γαστρὶ λήψεται, variante des LXX attestée par le *Contre Celse* (1, 34) ou chez Théodoret de Cyr (*In Is.* 7, 14 éd. Möhle, p. 38 = SCh 276, 286).

346. HIER. *transl. Or. in Is. hom.* 7, 3 : « ... in uentre accepimus... » (ci-dessus n. 337).

347. Cette fin est absente des citations de l'*In Eccl* PL 23, 1034 B et de l'*In Isaiam* 384 A et 650 A. En revanche on la trouve seule dans l'*In Isaiam* 254 A.

348. Ce pluriel neutre (« quae fecimus ») est en effet inattendu, mais le texte n'est pas absolument assuré.

349. Dans sa traduction de l'homélie d'Origène (ci-dessus n. 337 et 346), Jérôme avait traduit « quem », suivi d'une deuxième personne du singulier (« fecisti »), comme l'avaient fait la traduction anonyme de l'*In Matthaeum* (Or. W. 11, 73 et 87) et Ambroise (*De exc. fratr.* II, 67). Il est donc probable qu'il existait une édition des LXX comportant, au lieu — ou à côté — du pronom personnel (σου) retenu par Rahlfs, ce relatif dont garde trace l'apparat de l'édition de Ziegler et que suivait sans doute dans certains exemplaires une deuxième personne du singulier (cf. THÉODORET, *In Is.* 26, 18 : « ... σου, ὃ ἐποίησας... » éd. Möhle, p. 106).

350. Si Jérôme rétablit un relatif chaque fois qu'il traduit directement du grec, c'est sans doute que la recension origénienne en avait elle-même rétabli un par rapport à l'édition antérieure ayant servi de base à l'ancienne traduction latine. Mais le maintien de la première personne dans la traduction du lemme suggère que la recension hexaplaire n'avait pas rétabli avec ce relatif la deuxième personne qui l'accompagnait dans certains exemplaires (voir note précédente).

version officielle du lemme d'après le grec, d'autre part, manifestent de la part
de Jérôme un souci d'exactitude qu'on peut vérifier à maints détails quand on
y est devenu attentif. En voici encore trois brèves illustrations.

Le *Commentaire sur l'Ecclésiaste* citait en ces termes un verset du chapitre
48 d'Isaïe : « Ne dicas etiam : cognosco eam ; neque cognouisti neque scis nec
a principio aperui tibi aures. Scio enim quia contemnens contemnis [351] ».
C'était l'écho probable — surtout à cette date — de l'ancienne version latine.
Les correctifs qu'y apporte le lemme [352] vont tous dans le sens d'une fidélité
plus minutieuse au grec : « cognosco *eam* » devient « noui *ea* » (αὐτά), « aperui
tibi aures » devient « aperui *aures tuas* » (σου τὰ ὦτα). Enfin « praeuaricans
praeuaricaberis » remplace « contemnens contemnis », ce qui est plus exact à
la fois pour le sens et pour le temps du verbe (ἀθετῶν ἀθετήσεις).

Autre décalage à première vue insignifiant : Jérôme cite trois ou quatre fois,
du *Commentaire sur l'Ecclésiaste* à celui d'Isaïe, ce verset du prophète : « Ego
ciuitas firma, ciuitas quae oppugnatur [353] ». Dans le seul texte du lemme *firma*
cède la place à *fortis* [354], alors que vingt-cinq lignes plus bas une libre reprise
du verset revient à l'adjectif habituel. Cette exception n'est pas due au hasard :
fortis est la traduction régulière d'ἰσχυρός par Jérôme, comme on peut le
vérifier pour l'ensemble du texte d'Isaïe selon les Septante [355].

Variante encore plus discrète mais tout aussi voulue sans doute : « Beatus
qui habet semen in Sion et domesticos in Hierusalem [356] », cité dans les mêmes
termes dans la *Lettre* 22 à Eustochium et au fil du *Commentaire sur Isaïe* [357],
devient, le temps du lemme : « Beatus qui habet in Sion semen [358]... ». Cette
version officielle du verset retrouve en fait l'ordre du grec.

L'ensemble de ces observations, qui sont loin d'être exhaustives, permet de
conclure avec certitude. Lorsque, parallèlement à sa propre traduction d'un
lemme sur l'hébreu, Jérôme en propose le texte selon les Septante, il n'est pas
prisonnier de la version latine dans laquelle il le lisait avec ses contemporains
d'Aquilée ou de Rome, mais il traduit lui-même avec une fidélité scrupuleuse
le texte — qu'il a sous les yeux — de la recension origénienne des Septante. Sa
traduction a dès lors de grandes chances de différer de la version qu'il avait en
mémoire, non seulement parce qu'il y vise avant tout l'exactitude, mais parce
que — qu'il en ait ou non conscience — cette « vieille latine » déjà ancienne
ne pouvait elle-même que refléter un état du texte des Septante antérieur à la
révision hexaplaire dont il disposait. On s'exposerait donc à de graves mécomptes si l'on s'imaginait trouver dans la traduction des lemmes du

---

351. *Is.* 48, 7-8 dans *In Eccl.* PL 23, 1084 C.
352. *In Is.* 459 C.
353. *Is.* 27, 3. Voir — outre *Epist.* 30, 14 à Paula, de 384 — *In Eccl.* PL 23, 1097 C, *In Amos*
PL 25, 1096 A, *Tract. de ps.* 86, 3 (CC 78, 111 = Morin p. 100) et *In Is.* 308 B (reprise du verset
dans le commentaire vingt-cinq lignes après la citation du lemme).
354. *In Is.* 307 C.
355. Cf. *Is.* 8, 11 ; 26, 1 ; 27, 1 ; 28, 2 ; 33, 16 ; 53, 12. En revanche, en 43, 16 et 17 où
ἰσχυρός s'applique à la puissance des eaux, la propriété des termes amène Jérôme à traduire par
uehemens.
356. *Is.* 31, 9.
357. Cf. *Epist.* 22, 21, 1 et *In Is.* 357 D (reprise du verset une page après la citation du lemme).
358. *In Is.* 356 D. L'Irénée latin traduit sur le grec respecte aussi l'ordre des Septante (*Haer.* V,
34, 4).

prophète sur le grec un témoin de cette *Vetus Latina* d'Isaïe qui était familière à Jérôme [359]. Si l'on a quelque chance de rejoindre celle-ci, c'est au contraire à travers les citations qui lui en reviennent spontanément à la mémoire. L'intérêt de cette traduction nouvelle est ailleurs. En traitant avec sérieux, dès lors qu'il avait jugé nécessaire de la prendre en considération, le témoignage de la version traditionnelle, il prolongeait en quelque sorte, quoique avec d'importantes lacunes et peut-être une rigueur moins systématique, l'entreprise de révision de l'Ancien Testament latin sur le grec à laquelle il avait renoncé pour se tourner vers l'*hebraica ueritas*.

3. *Jérôme et les Septante*

Le *Commentaire sur Isaïe* ne donne pas occasion à Jérôme de revenir sur l'inspiration des Septante, leur légende, l'exacte étendue de leur traduction, toutes questions qu'il a déjà largement abordées, notamment dans les préfaces tant à ses révisions de l'Ancien Testament sur le grec qu'à ses traductions sur l'hébreu [360]. Mais on y relève un bon nombre d'observations révélatrices de son attitude à l'égard de la version traditionnelle.

La place qu'elle occupe dans le Commentaire en dépit de l'éclipse relative qu'elle connaît dans les premiers livres montre bien que Jérôme estime inévitable de la prendre en compte. L'avertissement du prologue lui-même, soulignant qu'il lui arrivera de la laisser de côté, sous-entend que sa présence s'impose lorsqu'elle s'écarte de l'hébreu. Ce n'est donc pas — on s'en est déjà rendu compte — parce qu'elle en serait à ses yeux un témoin fidèle qu'il la fait intervenir. Jérôme ne partage pas sur ce point la confiance d'un Théodore de Mopsueste [361] qui, faute de connaître l'hébreu, ne pouvait en juger par lui-même. Un passage du livre XI montre bien que, s'il choisit d'expliquer les Septante plutôt que Symmaque ou Théodotion qui, en l'occurrence, s'écartent eux aussi de l'hébreu, c'est « qu'ils sont lus dans les églises [362] », auprès desquelles leur antiquité jointe à la suspicion des juifs leur assure la vénération [363]. Il ne peut donc être question pour Jérôme de pousser le retour à l'hébreu, qui déchaîne déjà contre lui l'hostilité, jusqu'au point d'ignorer dans ses Commentaires la version par laquelle l'Écriture est répandue dans le

---

359. C'est pourtant le parti qu'a suivi le P. Sabatier pour un bon nombre des versets du prophète dans son édition de ce qu'il appelle la *Vetus Italica* qui sert encore de référence pour l'essentiel de l'AT. On voit qu'on aurait tort de s'y fier aveuglément. En tout état de cause, les quelques volumes parus de l'édition du Vetus Latina Institut de Beuron montrent bien qu'on ne saurait parler désormais que de *Veteres Latinae*, au pluriel.

360. Voir en particulier sur leur légende les préfaces à ses traductions sur l'hébreu des *Paralipomènes* et surtout du *Pentateuque* (PL 28, 1325 B et 150 A) ; sur leur inspiration la préface à sa révision des *Paralipomènes* sur le grec (PL 29, 402 A : « LXX... qui, Spiritu sancto pleni, ea quae uera fuerant transtulerunt... » Mais cf., sept ou huit ans plus tard, *Praef. in Pent.* : « ... aliud uatem, aliud interpretem... » PL 28, 151 A) ; sur l'étendue de leur traduction le prologue des *Questions hébraïques sur la Genèse* (PL 23, 937 AB) et, postérieurement à l'*In Isaiam*, l'*In Ezechielem* PL 25, 55 D.

361. Théodore de Mopsueste, *In Sophoniam* 1, 4-6 : PG 66, 453 AB.

362. *In Is.* 320 C : « ... LXX interpretes qui leguntur in ecclesiis... » Cf. *In Michaeam* PL 25, 1164 C (ci-dessous n. 368).

363. « (LXX) quibus uetustas auctoritatem dedit » (*In Ez.* PL 25, 55 CD). Cf. *Praef. in Par.* PL 28, 1324 B : « germana illa antiquaque translatio. »

monde entier [364], celle qu'ont expliquée avant lui tous ses prédécesseurs. Quelques formules du Commentaire laissent entrevoir ce lien de fait entre Septante et écrivains ecclésiastiques [365]. D'autres reflètent même, on le verra, l'idée latente d'un rapport privilégié entre version traditionnelle et interprétation chrétienne de l'Écriture [366].

Bref, comme l'avait fort bien dit le *Commentaire sur Zacharie*, « pesait » en somme sur l'exégète « la nécessité d'exprimer en suivant les Septante ce qu'avaient dit (ses) prédécesseurs [367] ». *Necessitas :* le terme revient plusieurs fois [368]. Il dit bien que Jérôme ne pouvait échapper à cette contrainte. Mais on sent parfois qu'elle lui pèse : pour les derniers versets du chapitre 19 d'Isaïe, il serait disposé à s'en tenir à l'hébreu s'il ne risquait d'encourir le reproche de n'avoir fait que la moitié de son travail [369]. On constate en tout cas que, dans l'ensemble du *Commentaire sur Isaïe*, il n'est pas sans liberté critique vis-à-vis de l'édition commune.

Cette liberté n'exclut pas les appréciations positives. Quand un lemme ne présente ni difficulté ni diversité de sens entre grec et hébreu, il arrive à Jérôme de se limiter volontairement à une version : c'est parfois celle des Septante [370]. Lorsqu'au contraire il oppose les deux versions en soulignant leurs divergences, ce n'est pas nécessairement pour choisir entre elles : ici il attend de la lecture de l'une l'éclaircissement des obscurités de l'autre [371] ; ailleurs c'est pour l'explication de l'une comme de l'autre qu'il souhaite que le Christ l'inspire [372]. Divergence, à ses yeux, n'implique pas forcément erreur, et à double version peut fort bien correspondre double explication [373]. Les Septante peuvent donc être traités aussi bien que l'hébreu. Jérôme reconnaît aussi chez eux ici ou là des traits qu'il avait loués chez Symmaque : traduction s'attachant plus au sens qu'aux mots [374], ou dégageant la signification d'un verset plus explicitement même (*manifestius*) que Symmaque et Théodotion qu'il a pourtant suivis [375].

Cependant, amener le lecteur à constater combien les Septante s'éloignent de

---

364. *In Is.* 647 A : « (LXX) quorum editio toto orbe uulgata est. »

365. Voir par exemple *In Is.* 10, 28-32 : « Nunc quid iuxta LXX editionem ecclesiastici uiri de hoc loco sentiant subiciamus » (142 B. Cf. 460 B). Voir aussi ci-dessous la note 367.

366. Voir ci-dessous ch. IV, III « Les Septante et le sens spirituel ».

367. HIER. *In Zachariam* PL 25, 1457 A : « Nobis autem incumbit necessitas iuxta LXX interpretes dicere quae nostri dixere maiores. »

368. Voir par exemple *In Michaeam* PL 25, 1164 C : « Nobis incumbit necessitas ita interpretari Scripturas quomodo leguntur in ecclesia. » Cf. pour le mot *In Is.* 296 C et pour l'idée *ibid.* 353 D (note suivante).

369. *In Is.* 353 D : « ... nisi et LXX interpretum editionem disseruero, imperfectum opus me habiturum esse denuntiant... » Cf. 647 A et *In Nahum* PL 25, 1242 B.

370. C'est le cas en *In Is.* 22, 3 (268 B, texte ci-dessus note 150).

371. *In Is.* 49, 1-4 : « ... utramque editionem posui ut quod in altera uidetur obscurum, alterius lectione reseretur » (464 A).

372. *In Is.* 10, 28-32 : « ... utramque editionem posuimus ut quid nobis uideatur in singulis, Christo, si meruerimus, inspirante dicamus » (141 D).

373. C'est le cas, par exemple, sur *Is.* 32, 1-8 où l'on passe ainsi d'une explication à l'autre : « Haec iuxta hebraicum, a quo LXX non solum uerbis sed et sensibus in plerisque discordant » (360 A). Cf. *In Is.* 27, 2-3 (307-308).

374. Voir par exemple *In Is.* 327 B : « LXX non iuxta uerbum sed iuxta sensum interpretati sunt. » Cf. 291 A, et déjà *Hebr. Quaest. in Gen.* PL 23, 959 C.

375. *In Is.* 47, 12-15 : 457 C.

l'hébreu et des autres versions peut être ambigu [376], et bien souvent Jérôme s'interroge sur leur traduction. C'est parfois pour des raisons de fond. Il s'étonne fort, par exemple, qu'ils aient été les seuls à escamoter une condamnation vigoureuse de l'incrédulité des juifs [377]. Il arrive encore moins à comprendre qu'ils se soient refusés à traduire en grec une prophétie messianique évidente [378]. Malgré le verbe *(noluerint)* qui leur prête ici un propos délibéré, il ne songe plus à expliquer leur attitude par une prudence théologique, comme il l'avait fait en d'autres temps [379].

Mais son étonnement a bien d'autres motifs : traduction différente de deux passages identiques [380], interprétation incompatible avec l'hébreu [381], obscurités qui rendent leur version à peine compréhensible [382]. Plus d'une fois Jérôme se demande ce qu'ils ont voulu dire en traduisant de telle ou telle façon [383], voire déclare sans ambages qu'il ne le voit pas [384]. Ailleurs le jugement tombe sans appel : ils ont fait une confusion [385], leur erreur est évidente [386], ils ont sauté un verset, à moins que l'oubli n'en soit imputable à une faute de copiste par passage du même au même [387]. Le *Commentaire sur Isaïe* n'écarte donc pas tout à fait l'idée que les défaillances de la version traditionnelle n'incombent peut-être pas à ses auteurs [388]. Mais le ton est moins affirmatif qu'au temps où Jérôme justifiait par cette hypothèse ses révisions de l'Ancien Testament sur le grec [389]. Et l'on chercherait en vain dans tout le Commentaire l'idée, également formulée jadis, que le Saint Esprit aurait pu inspirer aux Septante les additions apportées par eux à l'hébreu [390]. Le silence sur ce point confirme l'évolution

---

376. On peut en juger par cette formule du livre III : « In obscuris locis utramque editionem ponimus ut quantum a ceteris editionibus et ab hebraica ueritate distet uulgata translatio, diligens lector agnoscat » (125 D).

377. *In Is.* 49, 5-6 : 466 B.

378. *In Is.* 2, 22 : 56 A ; voir plus loin p. 278 et la note 371. Il s'étonne peut-être d'autant plus qu'ailleurs c'est d'après les seuls Septante « qu'il est clairement parlé du Christ » (66 B).

379. Dans la préface à ses *Questions hébraïques sur la Genèse* il leur prêtait le souci d'éviter dans leur traduction ce qui aurait pu amener un Grec sectateur de Platon comme l'était le roi Ptolémée à douter du monothéisme juif (PL 23, 937 A). Cf. *Praef. in libr. Is.* et *Praef. in Pent.* (PL 28, 772 B et 150 A). Dans cette dernière préface il expliquait aussi l'imprécision de certaines de leurs formules par l'ignorance où ils étaient encore de ce qu'ils annonçaient (*ibid.* 151 A).

380. Voir *In Is.* 42 C, 249 A, 316 B, 349 BC...

381. *In Is.* 392 B.

382. *In Is.* 16, 6-8 (235 D) : « Quantis obscuritatibus locus iste iuxta LXX interpretes inuolutus sit, ex eo perspicuum est quod legi uix potest. »

383. Formules fréquentes : « miror cur » (42 C) ou « quomodo » (392 B, 466 B) ; « nescio quid uolentes... » (39 C, 84 D, 132 A, 263 A, 342 B, 458 A, etc.) ; « quid sibi uoluerint... non satis intellego » (192 BC) ou « scire non ualeo » (357 CD ; cf. 163 C).

384. *In Is.* 28, 16-20 : « Quod in LXX legitur, quem sensum habeat et quomodo superioribus copuletur, penitus ignoro » (324 A).

385. Par exemple *In Is.* 167 A, 306 D.

386. *In Is.* 290 C : « error perspicuus est. » Cf. 321 B, 142 C.

387. *In Is.* 40, 6-8 : « Ex quo manifestum est uel a LXX praetermissum uel paulatim scriptorum uitio abolitum, dum et prior et sequens uersus finitur in flore » (402 B).

388. Voir aussi *In Is.* 349 BC, encore que l'hypothèse d'une déformation progressive du texte par la faute des copistes soit ici beaucoup moins logique. Cf. *In Ez.* PL 25, 55 D.

389. Voir *Praef. in Par. iuxta LXX* PL 29, 402 A. Cette révision sur le grec est antérieure d'une vingtaine d'années à l'*In Isaiam*.

390. *Ibid.* 404 A : « ... quid Septuaginta interpretes addiderint (...) uel ob Spiritus sancti auctoritatem... » Cf. AMBR. *Exameron* III, 5, 20 : « multa enim non otiose a Septuaginta uiris hebraicae lectioni addita et adiuncta comperimus » (CSEL 32, 1, 73).

perceptible dès le *Commentaire sur Sophonie*, où l'on avait vu Jérôme se désintéresser d'une telle addition qui venait bouleverser le contexte et embrouiller le sens d'un passage : à quoi bon vouloir trouver à tout prix une signification à ce qui n'est pas du côté de la vérité [391] ?

Si donc, dans le *Commentaire sur Isaïe*, Jérôme fait à la version traditionnelle une part qui reste large, ce n'est pas sans prendre vis-à-vis d'elle quelques distances, qui sont fonction de la prééminence qu'il accorde sans la moindre ambiguïté à l'*hebraica ueritas*. Loin de l'en détourner, la façon dont il se représentait les emprunts faits par les auteurs du Nouveau Testament à l'Ancien ne pouvait que l'ancrer davantage dans sa manière de voir.

Jérôme avait déjà eu l'occasion de s'exprimer sur ce point, en particulier en prélude à sa traduction du livre des *Paralipomènes* sur l'hébreu. Exemples à l'appui [392], il n'avait pas hésité à couvrir son entreprise de l'autorité des apôtres eux-mêmes [393]. L'explication d'Isaïe, prophète messianique par excellence aux yeux des auteurs du Nouveau Testament [394], lui fournissait l'occasion de vérifier et d'illustrer sa pensée.

Plusieurs versets l'y amènent en effet, et d'abord l'envoi en mission du prophète au chapitre 6 que, selon le récit final des *Actes des Apôtres*, Paul cite aux juifs de Rome d'après les Septante [395]. D'où la question que Jérôme soulève lui-même : pourquoi l'Apôtre, puisqu'il discute avec des juifs, s'exprime-t-il d'après le grec ? C'est, répond-il, que Luc, l'auteur des *Actes*, est de culture hellénique et qu'en effet il a tendance à citer l'Ancien Testament d'après le grec plutôt que d'après l'hébreu, à la différence des évangélistes Matthieu et Jean [396]. Si pour ceux-ci les choses n'apparaissent pas toujours clairement, c'est, précisera-t-il un peu plus loin, « qu'il faut bien prendre garde que, dans beaucoup de témoignages que les évangélistes ou les apôtres ont empruntés aux livres anciens, ils ont suivi non l'agencement des mots mais le sens [397] ». Cela explique qu'il y ait des différences entre la citation par Matthieu de la naissance de l'Emmanuel et le texte hébreu [398]. Il en va de même un peu plus loin pour le début du chapitre 9 : « Terre de Zabulon... », etc., cité par l'évangéliste [399].

L'ensemble de ces données se trouve répété au livre IX, d'abord à propos d'un passage de la *Première aux Corinthiens* [400] : les auteurs du Nouveau

---

391. HIER. *In Sophoniam* PL 25, 1361 CD.

392. Ces exemples se retrouvent dans la préface à la traduction du *Pentateuque* (PL 28, 149 A) et aussi dans l'*In Isaiam* (98 D-99 A).

393. HIER. *Praef. in Par.* : « ... ita nouam (editionem) condidi ut laborem meum... apostolis auctoribus probem... » (PL 28, 1325 B). Cf. *Epist.* 57, 7.

394. C'est en effet, et de loin, le prophète le plus souvent cité par le Nouveau Testament. Quant à Jérôme, il voit en lui « moins un prophète qu'un évangéliste » (*In Is.*, prol. 18 A).

395. *Is.* 6, 9-10. Cf. *Act.* 28, 25-27.

396. *In Is.* 98 CD.

397. « In multis testimoniis quae euangelistae uel apostoli de libris ueteribus assumpserunt, curiosius attendendum est non eos uerborum ordinem secutos esse sed sensum » (109 B).

398. C'est-à-dire *Is.* 7, 14 et *Mt.* 1, 23 *(ibid.)*.

399. *In Is.* 9, 1-2 (124 B). Cf. *Mt.* 4, 15-16.

400. I *Cor.* 14, 21 citant *Is.* 28, 11-12.

Testament, Luc mis à part, citent donc d'après l'hébreu « sans suivre aucune traduction mais en rendant le sens avec leurs propres mots [401] ». Précision donc, qui s'enrichit d'une autre, quelques pages plus loin, à l'occasion de l'utilisation par Jésus d'un autre verset d'Isaïe : c'est « en Hébreux instruits de la Loi » qu'évangélistes et apôtres se sont servis de leurs mots à eux « sans nuire au sens [402] ».

Les choses sont assez claires dans l'esprit de Jérôme pour qu'il les énonce en forme de règle : « Dans toutes ces citations », écrit-il dans le même livre IX, « il faut toujours être attentif à cette règle *(regula)* : évangélistes et apôtres ont, sans nuire au sens, traduit de l'hébreu en grec à leur idée [403] ». La suite du Commentaire en donnera encore d'autres illustrations [404].

Aussi a-t-il le sentiment de se répéter quand il revient sur le sujet dans le bref prologue du livre XV en des termes pourtant plus précis. Il distingue en effet trois cas : s'il s'agit d'un passage où hébreu et grec s'accordent, les auteurs du Nouveau Testament se servent soit des mots des Septante soit de leurs propres termes ; s'il y a divergence entre l'hébreu et l'édition ancienne, ils préfèrent l'hébreu ; on trouve enfin chez eux bien des citations venant de l'hébreu que n'ont pas les Septante. Et Jérôme met au défi ses détracteurs de lui citer un cas inverse [405]. Mais la contradiction va lui venir d'un tout autre horizon.

Le préambule du livre suivant nous apprend en effet qu'à la lecture de son petit exposé Eustochium lui a objecté un passage de l'*Épître aux Romains* reprenant, en principe, des versets du Psaume 13 « qu'on lit dans les églises mais qui manquent dans l'hébreu [406] ». Et il a fallu à Jérôme toute sa connaissance de l'Écriture pour se tirer d'affaire en reconnaissant en définitive dans ces versets un amalgame de citations correspondant au texte hébreu de plusieurs Psaumes et d'Isaïe [407]. Sa règle, constate-t-il, a donc finalement résisté au choc. Et le voilà du même coup confirmé dans sa conviction que la version traditionnelle ne peut se prévaloir de la caution des auteurs du Nouveau Testament, dont bénéficie au contraire dans son esprit l'*hebraica ueritas*.

Une fois de plus, on est ramené à cet « original hébreu » comme au centre de référence des vues de Jérôme sur le texte sacré. Ces vues reposent finalement sur une conviction simple : celle qu'avec l'*hebraica ueritas* on atteint

---

401. *In Is.* 320 C : « ... iuxta hebraicum ponere, nullius sequentes interpretationem sed sensum hebraicum cum suo sermone uertentes. »

402. *In Is.* 29, 13-14 : « ... quasi Hebraeos et instructos in lege (cf. *Phil.* 3, 5) absque damno sensuum suis usos esse sermonibus » (332 CD). Cf. *Mt.* 15, 7-9.

403. *In Is.* 334 D : « In quibus cunctis illa semper obseruanda est regula : euangelistas et apostolos absque damno sensuum interpretatos in graecum ex hebraeo ut sibi uisum fuerit. »

404. Voir *In Is.* 421 B (*Mt.* 12, 18), 501 A (*Ro.* 10, 15), 662 BC (I *Cor.* 2, 9).

405. *In Is.* XV, prol. 513 D-514 D.

406. *In Is.* XVI, prol. : « ... quod scilicet octo uersus, qui leguntur in ecclesiis et in hebraico non habentur, tertii et decimi psalmi apostolus usurparit, scribens ad Romanos... » (547 AB). Cf. *Ro.* 3, 13-18.

407. *Ibid.* 547 B-548 A.

l'Écriture non seulement dans la langue dans laquelle elle a été écrite [408], mais dans son texte authentique, tout le reste n'étant que traduction. Le parallèle avec la *ueritas graeca* du Nouveau Testament est à cet égard révélateur. Néanmoins, des versions issues du monde juif comme celles qu'Origène a soigneusement rassemblées dans ses *Hexaples* ont leur utilité pour la connaissance de ce texte authentique et surtout pour sa compréhension. Or le problème que Jérôme doit résoudre est précisément là : transférer à sa propre traduction latine cette garantie d'authenticité de l'original. Aquila, Symmaque, Théodotion sont là pour l'y aider, en lui permettant d'assurer sa traduction, de l'affiner en l'ajustant toujours plus à l'original. Leurs versions ne présentent pas d'intérêt pour elles-mêmes, elles sont au service de l'*hebraica ueritas*.

Les Septante aussi, pour une part. Mais leur situation est bien différente. C'était autour d'eux que gravitaient, en fait, toutes les préoccupations d'Origène constituant ses *Hexaples*. Jérôme leur fait une place, et une place importante, pour d'autres raisons. Malgré une liberté de ton croissante à leur égard, il reste tenu par une tradition avec laquelle il éprouve quelque hésitation à rompre, hésitation que ne suffit pas à expliquer une nécessaire prudence tactique. On sent qu'il garde malgré tout quelque révérence à l'égard d'une version étroitement liée à l'histoire de l'Église dès l'origine [409] — exception faite, dans sa perspective, du Nouveau Testament lui-même — et qui nourrit encore la prière quotidienne de son monastère [410]. C'est donc pour eux-mêmes qu'il prend les Septante en considération et non, comme les autres versions, en simples témoins de l'hébreu, encore qu'ils puissent jouer aussi ce rôle. La logique voudrait qu'ils interviennent systématiquement dans le Commentaire en regard de chaque lemme selon l'hébreu. Jérôme, on l'a vu, ne pousse pas la logique jusque-là, surtout dans les premiers livres du Commentaire. Mais, lorsque c'est le cas, les différences que cette confrontation rend manifestes ne tournent pas à l'avantage de la version traditionnelle, dont il cherche alors plutôt à comprendre pourquoi elle s'est écartée de l'hébreu : nouvelle preuve que les deux visages du texte sacré sur lesquels prend appui le commentaire ne sont pas à égalité.

Ils le sont pourtant sur un plan : celui du sérieux avec lequel l'exégète a établi l'un et l'autre. S'il est connu, en effet, que Jérôme travaille vite, la manière dont il traite dans le *Commentaire sur Isaïe* le texte du prophète atteste qu'il travaille bien. Il aurait pu, pour la traduction de l'hébreu, s'en tenir à sa propre version établie jadis avec soin. De fait il l'a sous les yeux pendant qu'il dicte son ouvrage, comme il a sous la main ses travaux antérieurs sur Isaïe. Mais, on l'a vu, il ne se borne pas à la reproduire mécaniquement. Déjà, en commentant pour Amabilis les oracles sur les

---

408. Langue qui, aux yeux d'un Origène, est même « la langue donnée à l'origine, par l'intermédiaire d'Adam » (Or. *in Num. hom.* 11, 4 : SCh 29, 217 trad. seule = Or. W. 7, 84, 14-15). C'est probablement aussi la pensée de Jérôme lorsqu'il déclare que « la langue hébraïque est la mère (*matricem*) de toutes les langues » (*In Soph.* PL 25, 1384 B). La formule sera reprise par ISIDORE, *Orig.* 1, 3, 4.

409. *Praef. in Par.* : « Quod enim nascentis ecclesiae roborauerat fidem... » (PL 28, 1323 B).

410. Il écrit encore dans l'*Apologie contre Rufin* (2, 24) en 401 : « (LXX) quos quotidie in conuentu fratrum edissero, quorum psalmos iugi meditatione decanto » (PL 23, 448 A).

nations, il l'avait à nouveau confrontée à l'original. Il procède de même au moment du Commentaire, avouant ici ou là une erreur, améliorant beaucoup plus souvent sans le dire par de légères retouches sa qualité et sa précision. Ce soin ne surprend pas à propos de l'*hebraica ueritas*.

Mais nous l'avons vu traiter avec le même sérieux le texte de la version traditionnelle. Il aurait pu se contenter là aussi de présenter comme témoin des Septante l'ancienne version latine alors en usage dans le monde italien dont il dépend ; il traduit au contraire directement du grec leur édition révisée par Origène à partir de sa monumentale synopse, précisant pour son lecteur additions ou omissions par rapport à l'hébreu, si bien que la révision d'Isaïe sur le grec qu'il n'avait pas réalisée jadis, c'est dans une certaine mesure dans son Commentaire qu'on la trouve.

L'usage qu'il fait des autres versions des *Hexaples* atteste qu'il les a également à sa disposition. On ne peut en effet ramener à la seule influence de sources, comme paraît le penser P. Nautin [411], ni la fréquence de leur présence, ni la manière dont il s'y reporte. On a vu qu'il ne devait presque rien sur ce point au Commentaire correspondant d'Eusèbe. Nous n'avons plus celui de Didyme sur la vision finale du prophète, mais il suffit de feuilleter son *Commentaire sur Zacharie* pour s'apercevoir que l'Alexandrin se désintéresse totalement de ce qui n'est pas le texte des Septante : il reste muet sur Symmaque, et la seule mention qu'il y fait d'Aquila et de Théodotion manifeste surtout les limites de la connaissance qu'il en a [412]. Et si Jérôme était redevable au seul commentaire d'Origène sur Isaïe des abondantes citations qu'il en donne, pourquoi ne perçoit-on à partir du chapitre 30, auquel se limitaient les trente volumes de ce commentaire, aucun changement dans sa manière d'y recourir ?

Texte hébreu, versions d'Aquila, de Symmaque, de Théodotion, édition révisée des Septante, ces textes sur lesquels Jérôme travaille de première main constituent en revanche très exactement le contenu des *Hexaples*. Sans doute ne trouve-t-on pas dans le *Commentaire sur Isaïe* l'attestation formelle que son auteur utilise pour ce livre biblique une copie de la synopse origénienne elle-même. Il est sûr en tout cas qu'il a à sa disposition tous les éléments qui la composent.

Dans ce degré zéro de l'exégèse que constitue l'établissement du texte à commenter, Jérôme apparaît donc à la fois comme l'héritier des exigences critiques et de l'érudition scrupuleuse qui avaient conduit Origène à constituer ses *Hexaples*, et le bénéficiaire et le continuateur de son effort pour maîtriser le

---

411. Voici ce qu'écrit P. Nautin, qui est persuadé que Jérôme n'a jamais vu les *Hexaples* : « Jusqu'en 393 et même après, les citations qu'il donne des traductions autres que la Septante dans les œuvres qu'il a composées ne supposent pas une utilisation directe des *Hexaples* ; elles s'expliquent suffisamment par les commentaires d'Origène et d'Eusèbe qui lui ont servi de source » (*Origène, t. 1 : sa vie, son œuvre*, p. 331-332). Cette position me paraît intenable. Voir sur ce problème et sur l'ensemble de la question de Jérôme et des *Hexaples* l'ANNEXE III.

412. DIDYME, *In Zachariam* IV, 254 (SCh 85, 935). Didyme, qui se réfère aux spécialistes de l'hébreu, n'écarte pas l'hypothèse que l'évangéliste Jean ait pu emprunter une traduction de Zacharie à « Aquila, Théodotion ou quelqu'un d'autre qui a traduit le texte hébreu en grec ». Dans son *Commentaire sur la Genèse* (SCh 244, 77) il cite une seule fois Symmaque et Aquila sur la traduction d'un mot, certainement à la suite d'Origène.

foisonnement discordant des versions de l'Écriture. Mais en demandant essentiellement à l'instrument forgé par l'Alexandrin à d'autres fins de garantir la signification de l'original hébreu, il opère un retournement lourd de conséquences [413] et manifeste, plus encore que dans sa conception du commentaire, qu'il tire parti de l'héritage sans s'y laisser enfermer.

---

413. Rufin a fort bien saisi ce changement de perspective. Il note dans son *Apologie contre Jérôme* : « Ego illius (= Origène) neque unum caput ex Scripturis diuinis de Hebraeis inuenio translatum ; a te omnes scripturas uideo esse mutatas » (*Apol.* II, 40 : CC 20, 114).

CHAPITRE III

L'exégèse littérale

Jérôme ne reçoit pas seulement des générations qui le précèdent une tradition textuelle multiforme dont il se préoccupe de rejoindre l'original hébreu. Il est aussi en position d'héritier vis-à-vis de cette relecture chrétienne de l'Ancien Testament en quoi consiste pour une très large part, dans la voie ouverte par les écrits néo-testamentaires eux-mêmes, l'éxégèse des Pères. Il manque encore de l'ensemble de cette exégèse une histoire moderne qui prenne en compte les études particulières, d'ailleurs encore lacunaires, que ces dernières décennies ont vu paraître touchant vocabulaire, tendances ou auteurs. On dispose néanmoins de quelques perspectives de synthèse, qui trouvent cependant leur limite dans l'optique propre qui les caractérise. Il est certain, par exemple, que l'ouvrage si riche et si suggestif du Père de Lubac sur l'exégèse médiévale regarde moins l'exégèse patristique en elle-même que comme le terreau de l'exégèse ultérieure[1]. Les débats modernes de vocabulaire sur « typologie », « allégorie », « sens plénier », etc. comportent d'autre part le risque d'offusquer à nos yeux la perception qu'avaient les Pères eux-mêmes de leur exégèse[2]. Or c'est cette perception qu'il importe de retrouver si l'on veut éviter de fausser les perspectives en projetant sur les réalités exégétiques des premiers siècles chrétiens les clarifications ultérieures et en enfermant dans des catégories modernes des démarches de pensée qui leur sont étrangères. Il convient d'être attentif à ce danger en abordant l'étude des sens de l'Écriture dans le *Commentaire sur Isaïe*.

L'héritage dans lequel pouvait puiser, au IVe siècle, un exégète chrétien était considérable. A travers une variété d'accents et de moyens déjà perceptibles

---

1. H. DE LUBAC, *Exégèse médiévale...*, 1re partie. Voir aussi R.P.C. HANSON, *Allegory and event...* (I. The sources of christian allegory).
2. Cf. J. DANIÉLOU, *Traversée de la mer Rouge et baptême aux premiers siècles*, dans les *Recherches de science religieuse* 33, 1946, p. 402-430 ; H. DE LUBAC, « *Typologie » et « allégorisme »*, ibid. 34, 1947, p. 180-226 ; « *Sens spirituel »*, ibid. 36, 1949, p. 542-576 ; J. GRIBOMONT, *Sens plénier, sens typique et sens littéral*, dans *Analecta Lovaniensia biblica et orientalia*, sér. 2, fasc. 16, 1950, p. 21-32 ; R.E. BROWN, *The sensus plenior of sacred Scripture*, Baltimore, 1955 ; H. CROUZEL, *La distinction de la « typologie » et de « l'allégorie »*, dans le *Bulletin de littérature ecclésiastique* 65, 1964, p. 161-174.

dans le Nouveau Testament, une perspective centrale des premières générations chrétiennes, elles-mêmes issues du judaïsme, avait été de reconnaître en
Jésus la réalisation de l'attente messianique d'Israël, en termes scripturaires
« l'accomplissement des Écritures ». Contre les juifs qui s'y refusaient, l'interprétation de l'Ancien Testament constituait donc le cœur du débat, et c'est
naturellement que, par-delà la signification immédiate de ses textes, avait été
affirmé un sens plus profond qui mettait en relation les réalités de l'Ancienne
et celles de la Nouvelle Alliance. D'où le rejet d'hérésies qui, comme celle de
Marcion, refusaient ce lien.

J. Daniélou a bien montré que ce sens proprement chrétien de l'Écriture
ancienne qu'est le sens spirituel revêtait dans la pratique des Pères des
premiers siècles des aspects divers, suivant qu'il éclairait les circonstances
historiques de la vie de Jésus, ou plus profondément les mystères accomplis
par sa venue, ou encore la communication de sa présence dans les sacrements
de l'Église, voire la réalisation de ses mystères dans la vie spirituelle du
chrétien, ou enfin la perspective de son retour eschatologique [3]. Mais il a eu
raison de souligner avec force que si tel de ces aspects se trouve privilégié chez
tel Père ou telle tradition particulière, et si plusieurs d'entre eux coexistent
souvent à propos d'un même texte, c'est d'une façon spontanée qui ne reflète
encore aucun esprit de systématisation et n'implique d'autre distinction que
celle du sens littéral et du sens spirituel.

L'exemple de Clément d'Alexandrie peut illustrer cette constatation. Sa
terminologie touchant le sens spirituel est on ne peut plus flottante. Et s'il est
possible de relever dans sa pratique exégétique, comme s'y est essayé le Père
Mondésert, une diversité certaine dans les objets visés par ce sens, de telles
distinctions, de l'aveu de leur auteur, ne correspondent nullement chez
l'Alexandrin à une classification consciente [4]. Mais elles retiennent l'attention à
un autre titre. Elles ne recoupent en effet qu'en partie les cinq aspects de
l'interprétation christologique dégagés par J. Daniélou, puisqu'elles manifestent
en particulier la présence chez Clément d'un sens « philosophique » sans grand
rapport avec le Christ. Qu'il ait en effet pour objet le monde ou l'âme, ce sens
reflète bien plutôt les préoccupations de Philon et la manière de l'allégorisme
grec. Faut-il y voir l'illustration des risques que comportait l'utilisation par
l'exégète chrétien de catégories culturelles étrangères à sa foi, mais qui étaient
celles de son temps ? Problème ancien, dont il n'est pas surprenant qu'on le
saisisse dans l'univers alexandrin, où déjà la confrontation de la tradition
juive avec l'hellénisme avait produit la version des Septante avant d'introduire
dans la méditation de l'Écriture, en particulier avec Philon, les schèmes
mentaux d'un allégorisme forgé par les commentateurs d'Homère pour un
tout autre objet. Problème inévitable que celui de la rencontre entre un message spirituel et de nouvelles sphères culturelles : il sous-tend encore le débat moderne entre ceux qui, comme J. Pépin, paraissent surtout sensibles
à la continuité de ces mécanismes allégoriques des païens à ceux, juifs et
chrétiens, qui les leur empruntaient, et d'autres qui, comme H. de Lubac, in-

---

3. J. DANIÉLOU, *Les divers sens de l'Écriture dans la tradition chrétienne primitive*, dans
Ephemerides Theologicae Lovanienses 24, 1948, p. 119-126.
4. C. MONDÉSERT, *Clément d'Alexandrie*, Paris, 1944.

sistent au contraire sur la radicale différence des contenus qu'ils recouvraient [5].

C'est dans le même univers alexandrin qu'Origène s'est essayé le premier à codifier en théorie herméneutique une pratique exégétique qui, de fait, présentait souvent, chez lui comme chez d'autres, à côté de l'interprétation littérale, une pluralité d'exégèses spirituelles. On connaît la page du *Periarchôn* où, au début de sa carrière, il ébauche, en référence à la division tripartite de l'homme en corps, âme et esprit, une théorie du triple sens de l'Écriture : littéral, « psychique », spirituel [6]. Mais on sait aussi qu'il devait proposer ailleurs une autre tripartition plus conforme à ses habitudes, du moins dans ses homélies, et dont le Père de Lubac a bien montré qu'elle ne cadrait pas avec la première [7]. Aussi n'est-il pas étonnant que ces tentatives de codification quelque peu contradictoires aient été sans lendemain, tant à Césarée, avec Eusèbe, qu'à Alexandrie. A l'époque de Jérôme, effectivement, l'exégèse alexandrine qui s'incarne en Didyme les ignore totalement.

La tradition exégétique dont Jérôme recueillait l'héritage était donc riche d'une longue pratique dont s'étaient peu à peu dégagées les lignes de force d'une herméneutique plus souvent implicite qu'érigée en système. Sens littéral, sens spirituel aux nuances le plus souvent imprécises : telle était, à un moment où, avec les Cappadociens et surtout le courant antiochien, s'amorçait une réflexion renouvelée autour du sens spirituel, la base générale du système dans lequel Jérôme allait inévitablement inscrire sa propre interprétation des Écritures.

Pour apprécier exactement la manière dont il s'est situé dans cette tradition, on aimerait pouvoir faire fond sur quelques pages incontestables où il aurait posé lui-même les règles de son herméneutique. Or on chercherait en vain dans son œuvre, à défaut d'un traité en forme, une préface où il se serait expliqué avec quelque précision sur sa méthode. Les déclarations de principe que livrent parfois les prologues présentent sans doute un intérêt, mais elles sont en général si lapidaires qu'elles prennent l'allure de rappels de règles supposées connues [8]. Et les rares professions de foi un peu développées qu'on serait tenté d'invoquer, outre qu'elles restent rapides, surgissent inopinément au détour d'une page ; leur portée s'en trouve limitée et leur interprétation est souvent délicate. Nous aurons lieu d'y revenir. Notons pour l'instant que ce n'est pas dans le *Commentaire sur Isaïe* qu'on les trouve [9].

Faut-il du reste se lamenter sur ce silence relatif de Jérôme ? Les Anciens ne nous ont pas toujours habitués à une parfaite cohérence entre leurs *artes*

---

5. Cf. J. PÉPIN, *Mythe et allégorie : les origines grecques et les contestations judéo-chrétiennes*, Paris, 1958 ; *Les deux approches du Christianisme*, Paris, 1961 et H. DE LUBAC, *A propos de l'exégèse allégorique*, dans les *Recherches de science religieuse* 47, 1959, p. 5-43.

6. ORIGÈNE, *Periarchôn* IV, 2, 4 (Or. W. 5, 312-313).

7. Voir par exemple ORIGÈNE, *In Gen. hom* 2, 6 (Or. W. 6, 36) et les analyses d'H. de Lubac dans la préface aux *Homélies sur l'Exode* (SCh 16) et dans *Exégèse médiévale*... p. 201 et suiv.

8. Ainsi l'apport du prologue de l'*In Isaiam* se limite à la brève formule : « post historiae ueritatem, spiritaliter accipienda sunt omnia » (20 B).

9. Voir en particulier *Epist.* 120, 12 à Hébydia ; *In Am.* 4, 4-6 (PL 25, 1027 CD) ; *In Ez.* 16, 30-31 (PL 25, 147 CD), et ci-dessous p. 332.

théoriques et les réalités de leur création littéraire. Quelle idée nous ferions-nous des discours de Cicéron si, par suite de quelque accident historique, notre curiosité était condamnée à se contenter des préceptes de l'*Orator* ? Et les familiers d'Origène savent bien que son exégèse n'est pas l'illustration exacte des règles d'interprétation des Écritures qu'il définit dans le *Periarchôn*. Jérôme, que l'on se plaît à taxer d'incohérence, aurait sans doute moins que d'autres échappé à ce travers. Eût-il formulé clairement des principes herméneutiques qu'on devrait encore s'assurer qu'ils traduisent bien ses choix profonds, s'il est vrai que, chez lui, comme on a pu en faire la remarque en d'autres domaines, « théorie et pratique ne sont pas toujours d'accord [10] ». Une étude attentive de sa pratique exégétique resterait donc, en toute hypothèse, le cœur de la recherche.

Il ne faudrait pas pour autant négliger en s'y engageant les bribes d'information éparses qu'on peut glaner non seulement dans les prologues, mais aussi au fil des commentaires : formules d'annonce d'une exégèse, de transition d'un sens à l'autre, de condamnation d'une interprétation, etc. Autant de pièces et de morceaux qui ne sauraient restituer la mosaïque qui n'a pas vu le jour ; mais une analyse attentive peut en tirer des indications précieuses. J'ai souligné ailleurs [11] l'importance particulière que revêtait, en l'absence d'un traité d'herméneutique en forme, l'étude du vocabulaire exégétique contenu dans de telles formules. Elle ne saurait suffire, bien entendu, spécialement dans le cas de Jérôme, dont l'imprécision terminologique en ce domaine a été maintes fois soulignée [12]. Mais il est important de la pousser aussi loin qu'elle peut nous conduire dans la compréhension de l'exégèse hiéronymienne. Aussi, à chaque étape de l'enquête, faudra-t-il prendre d'abord appui sur une analyse aussi précise que possible de l'usage que fait Jérôme des termes techniques qui désignent chacun des sens de l'Écriture [13].

---

10. La remarque est de dom Antin (*Recueil sur saint Jérôme*, coll. Latomus XCV, p. 144). Il la formule à propos des conceptions monastiques de Jérôme, mais on en vérifierait aussi la pertinence par exemple à propos de Jérôme traducteur dont la pratique ne se conforme pas strictement aux conceptions théoriques qu'il développe dans la lettre à Pammachius *de optimo genere interpretandi* (*Epist.* 57). Voir sur ce point les remarques nuancées de G.Q.A. MEERSHOEK, *Le latin biblique...* p. 24 s.

11. Dans une communication à la 5th Conference on Patristic Studies (Oxford, septembre 1967) sur *Le vocabulaire exégétique de saint Jérôme dans le « Commentaire sur Zacharie »*, parue dans la *Revue des études augustiniennes* 14, 1968 (p. 3 notamment).

12. Par exemple par H. DE LUBAC : « Saint Jérôme, dont le vocabulaire est non seulement varié mais très incohérent, parle aussi bien, dans le même sens, de *mysticus intellectus*, de *spiritalis theoria*, d'*anagoge*, surtout de *tropologia*. » (« *Typologie* » et « *Allégorisme* » dans les *RecSR* 34, 1947, p. 186.) Cf. P. Antin, dans son introduction au *Sur Jonas* de Jérôme : « Il emploie indifféremment tropologie, anagogie, allégorie, sens spirituel » (p. 15), et A. PENNA : « Nel nostro studio spesso si noterà come la terminologia di Gerolamo sia imprecisa e vaga. » (*Principi e carattere...*, p. 3.) Voir aussi, mais dans un autre éclairage, la conclusion de mon étude citée note précédente.

13. Une objection pourrait être faite ici : dans quelle mesure peut-on être assuré que Jérôme ne se borne pas souvent à transposer telle expression exégétique qu'il a sous les yeux dans la source qu'il est en train d'utiliser ? S'il en était ainsi, cela pourrait infirmer gravement les conclusions d'une telle enquête. La question mérite en effet d'être posée, car la loi même du commentaire, de l'aveu de Jérôme, pousse à cette utilisation des sources, et la manière dont il semble en avoir usé parfois lui a valu une solide réputation de plagiaire. Sans aller jusqu'à cette accusation qui ne tient guère

Interprétation littérale, interprétation spirituelle, le diptyque traditionnel fournit à la recherche un cadre commode et quasi obligé : inutile d'en chercher un autre, puisque Jérôme, visiblement, s'y conforme. Ici comme dans ses autres commentaires, les formules fréquentes qui, dans le cours du texte, marquent le passage d'un des deux sens à l'autre attestent que la pratique hiéronymienne s'accorde avec la déclaration de principe du prologue : « ... après la vérité du sens historique *(historia)*, il faut tout prendre en une acception spirituelle *(spiritaliter)* [14] ». De ces deux niveaux d'interprétation le *Commentaire sur Isaïe* offre même un témoignage privilégié puisque, par commodité, Jérôme y a inséré de façon tout à fait insolite un livre entier qui relève de la seule exégèse littérale, les deux suivants donnant l'exégèse spirituelle correspondante. Cela nous vaut cette excellente formule du prologue du livre VIII dans lequel Jérôme revient à sa méthode habituelle : « Les livres VI et VII qui précèdent contiennent l'interprétation "spirituelle" *(allegoria)* du livre V, que j'ai consacré jadis à l'explication "historique" *(historica explanatio)*. Le présent travail, c'est-à-dire le livre VIII, revient à la méthode d'explication initiale et commente à la fois "histoire" et "tropologie" [15] ».

Pourtant — on s'en rendra compte — à ces deux étapes devra s'en ajouter une autre : l'importance de la prophétie dans le *Commentaire* et surtout la façon dont Jérôme en parle, la rapprochant parfois, parfois la distinguant aussi bien d'un sens que de l'autre, imposent que, dans un troisième temps, on tente de clarifier et de situer par rapport aux deux grands sens traditionnels la notion de *prophetia*.

---

compte des habitudes littéraires des Anciens, L. Doutreleau, confrontant l'*In Zachariam* de Jérôme à celui de Didyme, a pu parler de « copie conforme ». Je ne crois pas cependant que l'objection doive nous arrêter. Si Jérôme, dont les sources ne recouvrent pas toutes la totalité du texte à commenter, s'était laissé aller, par une transposition quasi mécanique, à reproduire les expressions de celle qu'il avait sous les yeux, les disparates dans sa manière ne manqueraient pas d'apparaître entre les différentes parties de l'ouvrage et aussi avec d'autres commentaires. De plus Jérôme, à soixante ans, n'en est plus à se chercher un vocabulaire. On peut admettre que, s'il lui est vraisemblablement arrivé de reprendre purement et simplement des termes exégétiques de ses sources, il a d'autant plus de chances de l'avoir fait que les expressions empruntées correspondaient à ses habitudes. En fait une étude attentive, dans le cas du *Commentaire sur Zacharie* précisément, m'a amené à constater que les correspondances de vocabulaire sur ce point entre Didyme et Jérôme étaient en réalité fort limitées *(l.c.*, p. 5-7).

14. *In Is.*, Prol. 20 B (texte ci-dessus n. 8), à rapprocher de celle de l'*In Zach.* : « Historiae iecimus fundamenta ut ex his ad spiritalia transeamus » (PL 25, 1536 B). Cf. encore *In Ez.* PL 25, 412 A..., etc. Les formules de transition sont très nombreuses. Voir par ex. *In Ionam*, prol. : « Hoc quantum ad historiae pertinet fundamenta. Ceterum (...) referre ad intellegentiam Saluatoris... » En 381, Jérôme écrivait déjà : « Praemissa historia, spiritalis sequitur intellectus » *(Epist.* 18 A, 1).

15. *In Is.* 281 AB : « Sextus et septimus superiores libri allegoriam quinti uoluminis continent quod olim historica explanatione dictaui. Praesens opus, id est octauus liber, ad coeptam interpretationem reuertitur ut et historiam et tropologiam... pariter disserat. » En fait, sans doute sur la lancée des deux livres précédents, Jérôme, dans le livre VIII, ne rendra qu'imparfaitement sa place à l'exégèse littérale. On n'y rencontre du reste qu'une fois l'expression *iuxta historiam* (312 D).

I — LE VOCABULAIRE DU SENS LITTÉRAL

L'expression du sens littéral dans le *Commentaire sur Isaïe* se partage entre deux termes majeurs : *littera* et *historia*. Ce sont les termes traditionnels. Ils ne sont pas chez Jérôme strictement équivalents.

Littera   *Littera* est le moins fréquent. D'une quarantaine d'emplois qu'on en peut retenir [16], la moitié figure dans les formules *secundum* (deux fois) et surtout *iuxta litteram* (dix-huit fois), dont l'usage fréquent dans des phrases de transition souligne le caractère stéréotypé. Certaines nuances sont cependant perceptibles. On sent parfois encore tout proche le sens propre de l'expression ; c'est le cas, semble-t-il, dans le commentaire du texte messianique : « Le loup habitera avec l'agneau et la panthère se couchera avec le chevreau... [17] ». Comprendre le texte *iuxta litteram*, c'est le prendre « au pied de la lettre », dans son sens obvie, celui qui ressort des mots pris *ut scripta sunt*, « tels qu'ils sont écrits », dit aussi Jérôme dans ce passage. Le rapprochement ici des deux formules équivaut presque à une définition. Ce n'est pas le cas d'ordinaire. L'expression *iuxta litteram*, le plus souvent, sert à désigner simplement, sans précision particulière, l'interprétation littérale. On le voit par exemple dans des phrases de conclusion ou d'annonce qui soulignent le passage d'un type d'explication à un autre [18]. Parfois elle est prise dans un système de corrélation qui la fait apparaître en correspondance explicite avec une exégèse spirituelle [19].

Dans tous ces emplois prépositionnels, qui présentent assez souvent l'explication littérale en regard d'une interprétation spirituelle, le ton reste d'ordinaire celui du constat objectif. Parfois, cependant, du rapprochement naît un jugement de valeur. Il arrive exceptionnellement que ce soit au bénéfice du sens littéral : un passage associe *iuxta litteram* à *rei ueritas*, « la vérité objective », pour rejeter une interprétation allégorique qui n'a pas l'agrément de Jérôme [20]. Il est moins rare que l'interprétation littérale, sans être écartée, soit considérée comme « une compréhension plus terre à terre [21] » ; ou bien — et cela revient au même — c'est le sens spirituel qui l'accompagne qui est déclaré « meilleur » [22]. Elle peut être aussi l'objet de franches réserves : ainsi, lire l'Apocalypse *iuxta litteram*, c'est « judaïser » [23]. Plusieurs passages font même ressortir l'impossibilité logique d'une lecture littérale que Jérôme abandonne alors

---

16. Voir, en ANNEXE IV, le tableau récapitulatif A.
17. *Is.* 11, 6 : « Habitabit lupus cum agno et pardus cum haedo accubabit... » (147 B).
18. Conclusion : *In Is.* 72 D. 142 D. 317 B. 631 C. Annonce : 154 A. 647 D.
19. Coordination par *et* : « *et* iuxta spiritum intellegimus *et* iuxta litteram » (517 C. Cf. 571 A, 632 B) ; par *uel* : « quod *uel* iuxta litteram intellegendum est... *uel* spiritaliter » (362 A). Cf. 627 B : « *si* iuxta litteram... ; *si* spiritaliter... »
20. *In Is.* 10, 28-32 : 142 D-143 A.
21. *In Is.* 517 CD. La corrélation « et humilior intellegentia (...) et spiritalis atque sublimis... » prolonge en chiasme un premier parallélisme « et iuxta spiritum... et iuxta litteram ».
22. *In Is.* 154 AB : « Primum dicendum iuxta litteram (...) Melius autem... »
23. *In Is.* 627 B. Jérôme ne cache pas d'ailleurs que nombre d'écrivains ecclésiastiques, et non des moindres, sont tombés dans ce travers.

volontiers aux juifs et aux judaïsants [24]. Il apparaît donc que, si l'expression se rencontre bien souvent dans un contexte indifférent, elle vient aussi sous la plume de Jérôme quand il a des réserves à formuler sur la portée du sens littéral.

Cette impression se précise et s'éclaire si l'on regarde de près les emplois non stéréotypés du terme. Plus généralement que les précédents, ils se présentent en correspondance avec une expression désignant le sens spirituel, le plus souvent *spiritus* [25]. Détail significatif, on n'en trouve aucun dans des phrases de transition marquant une simple juxtaposition d'interprétations. Au contraire, le contexte dans lequel apparaissent ces emplois non stéréotypés n'est jamais indifférent : il établit, ou au moins suggère, une corrélation étroite entre les deux sens, qui interdit de les interpréter indépendamment l'un de l'autre, et qui entraîne sur chacun une appréciation.

On peut aisément regrouper autour de deux valeurs tous les cas qui nous occupent. La première, de soi, n'est pas négative. Le sens désigné par *littera* y apparaît comme l'extérieur, la surface, par rapport au sens spirituel conçu comme l'intérieur, la moelle. Jérôme commente par exemple le passage où Isaïe compare les prophéties à un livre scellé ; il en rapproche le livre dont Ézéchiel a eu la vision, livre écrit, dit-il, « sur la face interne et sur la face externe, dans sa signification et dans sa lettre [26] ». L'idée s'enrichit d'une autre image dans le commentaire de la prophétie sur les temps messianiques : le lion, comme le bœuf, mangera de la paille. « Par les pailles », écrit Jérôme, « je pense que les saintes Écritures entendent les mots dans leur sens simple, et par le froment et la moelle interne, le sens qu'on découvre sous la lettre. » Et il ajoute : « Il arrive souvent que les hommes du siècle, dans l'ignorance des réalités cachées, trouvent leur nourriture dans la simple lecture des Écritures [27] ».

Ce vocabulaire est révélateur de la pensée de Jérôme : on voit la « lettre » correspondre aux « mots entendus au sens simple » et à la « simple lecture » et se distinguer du « sens » à travers les deux images de la moelle [28] et de la paille

---

24. *In Is.* 314 A : « Quod secundum litteram omnino stare non potest. » Cf. 573 C (groupement de deux emplois) et 575 A. Dans le premier cas, *secundum litteram* est en rapport avec *Iudaei* ; dans le second, *iuxta litteram* s'oppose à *spiritaliter* (l'impossibilité littérale d'un détail de la loi du Sabbat justifie qu'on la comprenne tout entière spirituellement) ; le dernier est en correspondance éloignée avec une polémique antimillénariste. Dans un autre passage (147 B) une argumentation par l'absurde laisse au lecteur le soin de conclure à l'impossibilité d'une interprétation littérale, que soutiennent « juifs et judaïsants ».

25. *Spiritus : In Is.* 27 A. 262 B. 262 C. 263 A. 274 B. 416 C. 424 D. 624 B. 649 B. *Sensus : In Is.* 148 B. 332 A. *Sacramenta : In Is.* 262 B. 350 C.

26. *In Is.* 332 A (cf. *Ez.* 2, 10) : « liber... de quo Ezechiel mystico sermone testatur quod scriptus fuerit "intus et foris", in sensu et in littera. » Jérôme en l'occurrence en prend à son aise avec le sens propre de l'expression qui désigne simplement le recto et le verso du *uolumen*.

27. *In Is.* 148 BC : « Paleas puto in Scripturis sanctis uerba simplicia intelligi : triticum autem et interiorem medullam, sensum qui inuenitur in littera. Et frequenter euenit ut homines saeculi, mystica nescientes, simplici Scripturarum lectione pascantur. »

28. Est-il incongru d'évoquer ici l'usage célèbre qu'en fait Rabelais dans sa préface de *Gargantua* ? Sa « substantifique moelle » y contient « de très hauts sacrements et mystères horrifiques », comme ici *interior medulla* consonne avec *mystica*, et ailleurs avec *sacramenta* (ci-dessous n. 30). Curieuse longévité de certaines *iuncturae* ! Au demeurant, il n'est pas exclu que Rabelais joue ici très consciemment avec des souvenirs de sa formation ecclésiastique. Voir aussi les notes 324 et 518 du ch. IV.

opposée au grain. Une valeur est donc reconnue à la lettre, profitable à son niveau pour ceux qui ignorent les réalités spirituelles, mais surtout profitable si on la dépasse pour se nourrir du grain. C'est ce que suggère cet autre texte où l'image de la paille est reprise dans un contexte un peu différent : « En suivant la lettre sur certains points, ils progressent pourtant peu à peu grâce à la paille et à l'orge, au point d'en arriver au froment [29] ». On en perçoit donc malgré tout les limites.

C'est sur celles-ci que porte l'accent dans une reprise polémique de l'image de la moelle contre ceux qu'une lecture littérale fait tomber dans l'*error iudaicus*, c'est-à-dire le millénarisme [30]. Dans un tout autre éclairage, un passage du livre V *iuxta historiam* ne retient, lui aussi, à travers une comparaison énergique, que cette limitation : « Si je colle à la lettre et si j'avale la terre comme les serpents, c'est toi qui l'as voulu, dans ta volonté de n'entendre qu'un commentaire historique [31] ». Ainsi, dans cette série d'exemples, *littera* reçoit du contexte une coloration sinon négative, du moins restrictive. Les emplois qu'il reste à examiner vont nous en fournir l'explication.

Neuf d'entre eux figurent dans l'antithèse explicite *littera/spiritus* qui revêt trois fois la forme paulinienne complète *littera occidens/spiritus uiuificans* [32]. Les six autres s'y ramènent en pratique, le premier terme se trouvant seul exprimé sous la forme simple (trois cas) [33], ou sous la forme pleine qui, sur trois emplois, revient deux fois dans la formule « ceux qui n'aiment que la lettre qui tue », elle-même associée une fois à *Iudaei* [34]. Près du quart des emplois de *littera* sont d'ailleurs en relation avec une allusion explicite aux juifs, dans un contexte habituellement péjoratif [35]. Autre variation sur le même thème : l'opposition de « la lettre ancienne » à « l'esprit nouveau » [36]. Ailleurs enfin Jérôme parle de la « lettre sans valeur » [37].

---

29. *In Is.* 30, 23 b-24 : « Dum in quibusdam sequuntur litteram, et tamen per paleas et hordeum paulatim proficiunt ut transeant ad frumentum » » (348 C). L'orge du texte prophétique (LXX : « paleas commixtas in hordeo ») a amené Jérôme à évoquer les pains d'orge multipliés par Jésus pour nourrir les foules affamées « qui adhuc sensibus corporis seruiebant et Legem sequebantur Moysi ». L'accent est donc mis sur le caractère en quelque sorte pédagogique d'une nourriture inférieure et mélangée pour ceux qui sont encore dans l'incapacité de goûter la vraie nourriture. On ne relève pas dans l'Écriture d'emploi analogue du couple paille/froment.

30. *In Is.* 30, 26 : « non intellegentes Apocalypsin Ioannis in *superficie* litterae *medullata* Ecclesiae sacramenta contexere » (350 C). Le couple *superficies/medulla* se double de l'opposition *folia/radix* dans un passage du *Commentaire sur l'Épître aux Galates* (PL 26, 347 A).

31. *In Is.* 14, 2 : « Quod haereo litterae et in more serpentum terram comedo, tuae est uoluntatis, qui historicam tantum interpretationem audire uoluisti » (160 C).

32. *Littera/spiritus* : *In Is.* 262 C. 263 A. 274 B. 416 C. 424 D. 649 B. *Littera occidens/spiritus uiuificans* : 27 A. 262 B. 624 B. Cf. PAUL, 2 *Cor.* 3, 6 : l'alliance nouvelle « οὐ γράμματος ἀλλὰ πνεύματος· τὸ γὰρ γράμμα ἀποκτείνει, τὸ δὲ πνεῦμα ζωοποιεῖ ». Voir aussi *Ro.* 2, 29 ; 7, 6.

33. *In Is.* 217 C. 242 C. 274 A.

34. *In Is.* 273 C. 522 B (amatores tantum occidentis litterae). 572 A (Iudaei et amici tantum occidentis litterae).

35. *In Is.* 273 C (et 274 A et B) : « iudaica lex.../in occidente littera. » — *In Is.* 27 A : « ... ut iudaicarum superstitionum, quae in umbra et imagine praecesserunt, caerimonias non relinquat.../ aquas occidentis litterae. » Cf. 262 B et C : « sequentes occidentem litteram.../cor..iudaica superstitione completum. » — *In Is.* 217 BC : « ... Iudaei interpretantur carnaliter.../Quod si sequentes litteram... » Cf. 242 C. 572 A (voir note précédente).

36. « Nequaquam (ou : non) in uetustate litterae sed in nouitate spiritus » (*In Is.* 416 C. 424 D. 649 B). Cf. PAUL, *Ro.* 7, 6... ἐν καινότητι πνεύματος καὶ οὐ παλαιότητι γράμματος.

37. *In Is.* 242 C : « ... in litterae uilitate. »

Tous ces rapprochements de termes sont très éclairants. Ils montrent d'abord jusqu'où peut aller la tonalité restrictive dont se chargeait le mot *littera* dans la série de textes précédents. Ils en indiquent en même temps la source : c'est l'antinomie paulinienne de la lettre et de l'esprit qui fonde l'éventuel rejet de la lettre. Le vocabulaire l'atteste clairement ; le contexte d'argumentation antijudaïque de plusieurs des emplois signalés, leur caractère souvent plus théologique que proprement exégétique le confirment [38]. Il reste que, si nettes que soient parfois ces réserves, elles n'affectent pas la totalité des emplois du terme : il serait donc imprudent de les faire rejaillir sur le sens littéral dans son ensemble avant d'avoir analysé les passages, plus nombreux, où c'est *historia* qui sert à le désigner.

Historia   Il faut tout d'abord prendre garde que tous les emplois de ce mot qui figurent dans le *Commentaire* ne relèvent pas de la présente analyse. Le terme, en effet, est loin d'avoir toujours une acception exégétique. Il peut tout simplement désigner les événements qui constituent l'histoire [39] ou, — et ce cas est fréquent — le récit qui en est fait [40]. Jérôme constate, par exemple, « qu'aucune histoire ne raconte qu'Ézéchias a envoyé une ambassade auprès des Égyptiens pour demander le secours du Pharaon [41] », tandis que la description par Isaïe des ravages causés par les Assyriens trouve à ses yeux une confirmation dans « les nombreuses histoires » qui rapportent les invasions perses [42]. On relève encore, par exemple, « l'histoire des *Rois* et des *Paralipomènes* [43] », ou, de façon moins précise, « l'histoire ancienne [44] » et plus généralement « l'histoire sainte [45] », mais tout aussi bien « Josèphe, l'auteur de l'histoire juive » ou « Bérose, l'auteur de l'histoire de Chaldée » [46]. Il n'y a rien en tout cela qui doive nous retenir ici. Il faut avouer, cependant, qu'il est parfois délicat de préciser où commence l'utilisation exégétique du terme. Car celle-ci s'enracine certes dans le sens premier du mot : une lecture « selon l'histoire » n'est autre chose, en première analyse, que la lecture naïve des événements tels que les rapporte le récit ; mais ce sont ces mêmes événements qui peuvent faire l'objet d'une interprétation spirituelle. Une formule du livre XVII montre bien cette ambiguïté.

---

38. Ces deux traits se retrouvent particulièrement dans les emplois des livres VI et VII *iuxta anagogen*, de coloration massivement négative. Il faut cependant remarquer que la polémique n'y atteint jamais les interprétations littérales que Jérôme avait données jadis des mêmes visions dans le livre V et auxquelles il renvoie toujours par le mot *historia*. Voir aussi *In Is.* 624 B et surtout 416 C, 424 D et 649 B, très proche de *Ro.* 7, 6 et, sous la forme stéréotypée, 486 C sur l'alliance nouvelle selon *Jérémie* 31, 31.

39. Par ex. 391 B : « Hic refertur historia quae in Regum uolumine consequentius legitur. »

40. *In Is.* 178 B : « ... omnem historiam referunt ad Vespasiani et Titi tempora. » Cf. 379 D : « et cetera quae in historia continentur. »

41. *In Is.* 36, 1-10 : « nulla enim narrat historia quod Ezechias ad Aegyptos miserit et Pharaonis auxilium postularit » (380 B).

42. *In Is.* 37, 18-19 : « ... multis probatur historiis quae scribunt reges Persarum uenisse in Graeciam » (386 A).

43. *In Is.* 174 A. 549 C : « Regum et Paralipomenon historia. » Cf. 176 A. 195 C (Regum et Hieremiae historia).

44. « Vetus historia » : *In Is.* 192 D. 565 D (= *Lévitique*). 617 A (= *Exode*).

45. « Sacra historia » : *In Is.* 92 A. 380 D. 551 B, etc.

46. *In Is.* 626 B : « Iosephus iudaicae scriptor historiae ». 385 B : « Berosus, Chaldaicae scriptor historiae. »

Jérôme écrit : « D'après l'histoire à portée symbolique *(typica)* qui est racontée dans le livre des *Juges...* [47] » *Historia*, on le voit, garde bien ici le sens propre qu'il avait dans les exemples précédents : celui d'une série de faits rapportée par l'écrivain sacré. Le mot est pris néanmoins dans le tissu d'une expression dont la résonance exégétique n'est pas contestable (tour prépositionnel, présence de l'adjectif *typicus*).

Cela dit, dans le *Commentaire sur Isaïe*, on peut relever quelque soixante-dix cas où *historia*, ou ses dérivés [48], sont utilisés dans une acception proprement exégétique. Leur répartition peut paraître curieuse. Le livre V *iuxta historiam* en offre vingt à lui seul. Si l'on y adjoint les quinze emplois des livres VI-VII, dont neuf désignent simplement l'exégèse du livre V, on totalise sur ces trois livres, et pratiquement autour du livre V, la moitié des emplois de tout le commentaire, la répartition du reste dans les autres livres n'appelant pas de remarque notable. Il n'y a sans doute pas lieu de tirer de ces observations une conclusion particulière. En effet, dans la mesure où Jérôme avait accepté de consacrer l'ouvrage devenu le livre V à la seule explication *iuxta historiam*, elle y retient en principe toute l'attention, et sert encore de référence obligée dans les livres VI-VII qui lui correspondent étroitement [49].

Un tiers environ de tous les emplois figurent dans une formule prépositionnelle : habituellement *iuxta*, très rarement *secundum historiam*, les deux locutions étant strictement équivalentes. Mais, contrairement à ce que nous avions pu observer pour *littera*, on ne perçoit guère de nuances de sens entre les emplois stéréotypés et les autres. Plus éclairantes apparaissent les correspondances et les oppositions amenées par le contexte entre *historia* et d'autres termes du vocabulaire exégétique. On peut mettre à part les cas où *historia* se trouve confronté à *prophetia*. Six de ces textes tendent à caractériser la prophétie par rapport à l'histoire comme on distinguerait deux genres littéraires. Notre mot y reste donc très proche de son sens propre de « récit historique » [50]. Un septième emploi, nettement exégétique celui-là, distingue tout à la fois, dans un groupement ternaire, l'*historia* de la *tropologia* et du *uaticinium prophetale* [51]. A l'inverse, un dernier emploi tend à assimiler, par le biais du caractère d'évidence de la prophétie, le sens littéral et l'application de la prophétie au Christ [52]. Ces textes assez divergents suffiraient à faire apparaître la nécessité de clarifier l'idée que se fait Jérôme des rapports entre *historia* et *prophetia*. Ils aideront à le faire le moment venu [53]. Notons pour l'instant qu'*historia* ne s'y montre pas sous un jour défavorable.

---

47. *In Is.* 608 A : « Et iuxta typicam historiam quae in Iudicum libro narratur. »
48. *Historicus* = treize fois : 153 C. 154 C. *(historica expositio)* ; 160 C. 179 B. 206 B *(... interpretatio)* ; 249 A. 250 B. 275 B. 281 B. 373 A *(... explanatio)* ; et le couple *historica fundamenta/ historicum culmen* (177 B). *Historice* = une fois : 183 A (voir le tableau B de l'ANNEXE IV).
49. On peut encore noter, dans le même sens, que les exemples de la forme adverbiale et de la forme adjective — à l'exception d'un seul où la présence de l'adjectif au lieu du nom est entraînée par un pur réflexe stylistique (373 A : « iuxta Hebraicum et explanationem historicam... ») — se trouvent dans le livre V (huit emplois) ou dans le livre VII et le prologue du livre VIII pour désigner l'exégèse du livre V.
50. *In Is.* 171 A. 384 C (trois emplois). 391 B. 629 A.
51. *In Is.* 28, 1-4 : « Dicamus primum iuxta historiam, deinde iuxta tropologiam, et ad extremum iuxta uaticinium prophetale » (315 B).
52. *In Is.* 19, 19-21 : 257 B. Voir plus loin p. 377 et la note 308.
53. Au chapitre V, ci-dessous, p. 376 et suiv.

Indépendamment de ces exemples, on constate sans surprise que, dans la moitié des cas, *historia* est mis en correspondance avec un ou plusieurs termes désignant une interprétation spirituelle. Mais ces rapprochements se révèlent souvent moins éclairants qu'on ne s'y attendrait. Globalement, ils confirment l'impression que laisse aussi la majorité des autres cas : le sens du texte désigné par *historia* est rarement caractérisé de façon nette. Une quinzaine d'emplois seulement méritent de retenir l'attention. A première vue ils ne sont pas concordants.

Plusieurs tranchent en faveur du sens littéral par opposition à une interprétation spirituelle, soit que Jérôme le préfère à une « tropologie embrouillée » [54], soit qu'il oppose à une exégèse spirituelle, dont il reconnaît le cas échéant qu'elle témoigne d'une « pieuse intention » [55], le respect de l'*ordo historiae*. Celui-ci apparaît alors comme la pierre de touche de la vérité d'une interprétation spirituelle. En voici un témoignage particulièrement explicite : « Si nous disons cela, ce n'est pas que nous condamnions toute interprétation tropologique, mais l'explication spirituelle doit suivre l'enchaînement du sens historique [56] ». On situera dans la même ligne l'association, encore plus éloquente, d'*historia* et de *ueritas* qu'on rencontre à plusieurs reprises [57]. Elle est présente dès le prologue pour désigner la première des deux étapes successives de l'exégèse. Jérôme la reprend même un peu plus loin dans un contexte qui suggère une véritable dépendance du sens spirituel par rapport à l'histoire [58]. Cette dépendance est d'autre part parfaitement illustrée par l'image, que Jérôme affectionne, des « soubassements de l'histoire » sur lesquels on peut « construire l'édifice spirituel » ou « poser le faîte du sens spirituel » [59]. Faut-il

---

54. *In Is.* 7, 21 s. : « Legisse me noui in his locis latissimam et inextricabilem tropologiam » (113 D).

55. *In Is.*17, 7-8 : « Pia quidem uoluntas interpretantium, sed non seruans historiae ordinem » (176 A).

56. *In Is.* 158 D-159 A : « Et haec dicimus non quod tropologicam intellegentiam condemnemus sed quod spiritalis interpretatio sequi debeat ordinem historiae. » Cf. 156 A. 177 B. Ces exemples se trouvent dans le livre V. Mais l'expression *ordo historiae* se rencontre dans l'ensemble du *Commentaire*. La cohérence du sens littéral, on le verra, est une préoccupation constante de Jérôme.

57. *Historiae ueritas* : *In Is.* 20 B. 23 B. 180 B. Cf. 153 C et 206 B : correspondance entre *historia* et *hebraica ueritas*.

58. « ... sequentes historiae ueritatem, sic interpretamur spiritaliter ut (...) referamus ad Christi ecclesiam... » (23 B).

59. *In Is.* VI, prol. (205 C) : « ... ut super fundamenta historiae (...) spiritale exstruerem aedificium et imposito culmine perfectae ecclesiae ornamenta monstrarem... » Onze ans plus tôt, dans le prologue du futur livre V, Jérôme avait déjà employé les mêmes expressions, à une exception près, intéressante : il présentait l'exégèse qu'il allait entreprendre comme les *fundamenta Scripturarum* (*In Is.* 154 C-155 A. Cf. 153 C). Auparavant on rencontre les *fundamenta historiae* dans le prologue de l'*In Ionam* (en 396). Cf. encore, en dehors de l'*In Isaiam*, la formule très complète qui décrivait l'attitude de Paula dans l'*Epitaphium* que Jérôme lui consacrait en 404 : « ... cum amaret *historiam* et illud *ueritatis* diceret *fundamentum*, magis sequebatur *intellegentiam spiritalem* et hoc *culmine* aedificationem animae protegebat. » (*Epist.* 108, 26, 1.) Il est curieux de constater que c'est plus tard, dans l'*In Ezechielem*, que Jérôme prend des précautions pour faire passer l'image : « Haec interim *quasi quaedam* historiae iacta sint fundamenta ; nunc spiritale nitemur culmen imponere. » (PL 25, 244 C.) Plus insolite en revanche est le rapprochement : « historica fundamenta historico culmine protegimus. » (177 B, dans le livre V.) Le contexte en rend compte : Jérôme refuse de s'évader du sens littéral pour suivre une tropologie qui n'entre pas dans le « coeptum ordinem ». La formule atteste en tout cas la valeur du sens littéral. Mais, dans le préambule par lequel il introduit le livre V dans son Commentaire, il revient à la *iunctura* qui lui est familière : « spiritalis intellegentiae culmina » (153 C).

aller plus loin ? Dans le prologue du *Commentaire*, le mot *fundamentum*, qui fait écho à la « vérité de l'histoire » apparaît également en référence explicite à un passage de la *Première Épître aux Corinthiens*. Jérôme y parle en effet d'imiter l'apôtre Paul qui, « en bon architecte, pose le soubassement qui n'est autre que le Christ Jésus [60] ». En établissant, par un rapprochement d'ailleurs parfaitement arbitraire que rien dans la phrase de Paul n'autorise, cette double équivalence entre *historia, fundamentum* et *Christus*, Jérôme avait-il conscience de donner au sens littéral ses lettres de noblesse [61] ?

Quoi qu'il en soit, l'image même du « soubassement » incite, comme les correspondances précédentes, à prendre au sérieux le type d'exégèse auquel elle est associée. A bien y réfléchir, cependant, elle en délimite en même temps la portée. L'expression à la fois la plus simple et la plus exacte que Jérôme ait donnée de cette double nuance se rencontre au détour d'une page de son *Commentaire sur Zacharie* : « Nous avons posé les soubassements de l'histoire pour passer, à partir d'eux, aux réalités spirituelles [62]. » Si indispensables que soient les fondations, elles ne constituent pas tout l'édifice ; si fondamentale que soit l'*historia*, elle n'est pas le terme de l'interprétation. Il est donc moins étonnant qu'il n'y pourrait paraître à première vue de rencontrer quelques emplois du terme qui mettent l'accent sur les limites du sens littéral.

De fait, certaines expressions auraient de quoi surprendre après les rapprochements que nous venons de voir : ainsi celle de « la paille sans valeur de l'histoire [63] ». Jérôme, en l'occurrence, emprunte l'image au texte même qu'il commente. Il l'a déjà appliquée ailleurs à la *littera* [64], qui s'en trouvait affectée d'une nuance restrictive ; et l'on s'attendrait d'autant plus à retrouver ici la même réserve que vient s'y ajouter le mot *utilitas*. Pourtant il n'en est rien. Une lecture plus attentive montre en effet que, dans le cas présent, le contexte libère paradoxalement l'expression de sa couleur péjorative en l'insérant dans une opposition plus large entre l'éloquence du monde et la simplicité des Écritures, qui opère un renversement des valeurs [65]. On est sans doute en droit

---

60. *In Is.*, prol. (20 B) : « ... quasi sapiens architectus Paulus Apostolus iaciat fundamentum quod non est aliud praeter Christum Iesum. » Cf. 1 *Cor.* 3, 10 : « ... ut sapiens architectus fundamentum posui : alius autem superaedificat (...) Fundamentum enim aliud nemo potest ponere praeter id quod positum est, quod est Christus Iesus. » Cette référence n'est pas unique chez Jérôme, on la trouve dans un autre prologue, celui de l'*In Zachariam* (en 406) : « Historiae Hebraeorum tropologiam nostrorum miscui ut aedificarem super petram et non super arenam ac stabile iacerem fundamentum quod Paulus architectus posuisse se scribit. » (PL 25, 1418 AB.) Bien qu'explicite, la référence est ici moins appuyée et se combine avec une allusion à *Mt.* 7, 24-26. On pourrait être tenté de penser que ces textes se présentent à l'esprit de Jérôme par pure association d'images et qu'il n'en fait qu'une utilisation en quelque sorte littéraire. Mais pouvait-il n'avoir pas en même temps en tête l'idée du Christ, qui se profile derrière ces deux textes, et beaucoup d'autres, que rapproche le thème du rocher ?

61. Ce n'est pas certain. L'interprétation du passage est assez délicate ; et elle engage les rapports entre le Christ et l'Écriture qui ne pourront être pleinement élucidés qu'au terme de toute l'étude.

62. HIER. *in Zach.* PL 25, 1536 B : « Historiae iecimus fundamenta ut ex his ad spiritalia transeamus. »

63. *In Is.* 651 A : « uilitatem et paleas historiae », à propos d'*Is.* 65, 25 (= *Is.* 11, 7) : le lion comme le bœuf mangera de la paille. Voir ci-dessous n. 65.

64. *Is.* 11, 7 (148 BC) et 30, 25 (348 C). Voir plus haut n. 27 et 29.

65. Voici la traduction du passage : « le lion comme le bœuf mangera de la paille ; c'est le cas lorsque des hommes d'une éloquence consommée qui disposaient de la puissance dans le siècle s'abandonnent à la simplicité des Écritures (*Scripturarum se tradunt rusticitati*), si bien qu'ils

d'en conclure que ce n'est pas par hasard que Jérôme a préféré ici *historia* à *littera*. Loin donc d'affaiblir nos observations précédentes sur la valeur implicitement méliorative du mot *historia*, cet emploi confirme au contraire qu'aux yeux de Jérôme il existe bien entre les deux termes une différence d'accent.

Il reste que d'autres passages associent bien *historia* à l'expression des limites du sens littéral. C'est le cas, — on n'en sera pas surpris —, dans le seul texte, déjà cité, où le terme est rapproché de *littera* : « Si je colle à la lettre *(littera)* et si je mange la terre comme les serpents, c'est toi qui l'as voulu, dans ta volonté de n'entendre qu'un commentaire historique *(historica interpretatio)* », écrit Jérôme à Amabilis dès la deuxième vision du livre V [66]. Est-ce parce qu'il éprouve alors quelque difficulté à venir à bout, par une explication purement littérale, d'un détail dont l'explication spirituelle serait très facile ? Même notation un peu plus loin : « Que cela ne te pèse pas de me voir suivre la voie de l'histoire ! Car, si je le fais, c'est par ta propre volonté [67] ». La formule rejoint, jusque dans le vocabulaire, les réticences un peu rhétoriques de l'adresse initiale (« ce genre d'explication fort pesant... »). Mais la cause des réticences de Jérôme n'est pas l'explication littérale elle-même, c'est l'obligation un peu insolite dans laquelle il se trouve d'avoir à s'en tenir à elle [68].

Une réserve plus sensible ressort du commentaire qu'il donne des premières paroles du prophète : « Ecoute, ciel, et prête l'oreille, terre » dont il tire l'idée d'une hiérarchie de degrés : la « simple histoire » est l'apanage de « l'homme terrestre » ; en revanche, « celui qui est du ciel..., qu'il entende le sens caché de ce qui est dit... [69] ». Il semble y avoir place cependant pour les deux.

---

renoncent absolument à se nourrir de l'éloquence du siècle qui coule comme le miel de lèvres courtisanes pour suivre la paille sans valeur de l'histoire *(uilitatem et paleas historiae)*, tant qu'à force d'industrieux efforts ils méritent d'accéder au froment des significations profondes *(ad frumentum sensuum).* » Le texte ne met donc pas l'accent sur l'insuffisance de la lettre mais sur la démarche de conversion qui amène à préférer à l'éloquence la simplicité sans art des Écritures qui conduit aux vérités de la foi. Cela n'empêche pas Jérôme vingt lignes plus bas de retourner la formule contre « les juifs et tous ceux qui, tout en se disant chrétiens, continuent à se nourrir de la paille des Écritures, que le van du Seigneur a séparée du grain ». Étonnante souplesse d'utilisation de l'image biblique suivant les besoins du commentaire ! Autre rapprochement de vocabulaire : « ... rusticae simplicitatis quae meretricia ornamenta non quaerit. » *(In Osee* 2, 13 : PL 25, 835 C.) — Sur l'opposition, courante chez Jérôme, entre l'*eloquentia saecularis* et la *rusticitas Scripturarum*, voir par exemple *In Ionam* 3, 6-9 : « ... reges mundi..., deposito fulgore eloquentiae et ornamentis ac decore uerborum, totos se simplicitati et rusticitati se tradere... » et : « ... multo difficilius eloquentes credunt Deo : (...) simplicitatem Scripturae sanctae non ex maiestate sensuum sed ex uerborum iudicant uilitate. » (PL 25, 1145 B et C = Antin p. 100 et 101.) D'où la valeur exemplaire de la conversion de Cyprien, à propos de laquelle Jérôme formule ces remarques. Envers cette *rusticitas*, l'attitude de Jérôme n'a pas toujours été aussi positive. Il avait d'abord été rebuté par elle, comme il en fait confidence dans le récit de son célèbre songe : « ... sermo horrebat incultus... » *(Epist.* 22, 30, 2.) Cette impression défavorable avait été aussi celle d'Augustin, à l'époque où s'éveillait sa vocation philosophique à la lecture de l'*Hortensius (Confessions*, 3, 5 éd. Labriolle, t. I, p. 51). C'était la réaction normale d'esprits imprégnés de culture classique. Voir sur cette question les analyses d'Hagendahl *(Latin Fathers...*, p. 309 s.) et de Meershoek *(Le latin biblique...*, p. 4 s.).

66. *In Is.* 160 C. Voir le texte, ci-dessus note 31.

67. *In Is.* 168 A : « Ne molestum tibi sit quod per historiae uiam gradior : ut enim hoc facerem, ipse uoluisti. » Cf. 154 C : « ... molestissimum explanationis genus. »

68. A quoi s'ajoute la difficulté particulière du texte à commenter : « ... decem uisiones quae in Isaia obscurissima sunt », a-t-il dit au début du livre (153 C).

69. « Si quis igitur caelum est et habet municipatum in caelestibus, audiat mystice quae dicuntur. Si quis terrenus, simplicem sequatur historiam » (25 C). Jérôme vient de dire : « Et hoc notandum

La réticence devient rejet pur et simple lorsque l'explication historique peut apparaître comme un faux-fuyant pour refuser le sens spirituel. C'est ainsi que la présentation d'une exégèse des Hébreux — qui en elle-même n'aurait rien d'inacceptable — se termine sur une pointe un peu inattendue : « Qu'ils disent cela d'après "l'histoire", eux qui s'efforcent par tous les moyens de renverser les mystères du Christ et de ses apôtres. Pour nous..., nous démontrons que cela a été dit de ces mêmes apôtres [70]. » « L'histoire » devient suspecte si elle tend à dissimuler le refus de « l'esprit ».

En deux autres textes, on passe à la franche polémique : la « simple histoire » y est associée, comme on l'avait vu tout à l'heure de *littera*, à *Iudaei* ou à une expression équivalente [71]. Encore faut-il remarquer que Jérôme peut être ici d'autant plus incisif que ce serait en effet pure sottise de prendre à la lettre le texte prophétique : les arbres peuvent-ils battre des mains ? ou le Liban se changer en Carmel ? Il en va autrement dans un troisième exemple, où Jérôme fait appel à une argumentation serrée pour montrer que « ceux qui suivent l'histoire » ne peuvent rendre compte valablement du texte et n'échappent pas au « piège de la vérité ». La *ueritas*, cette fois, condamne l'*historia* [72].

Ces derniers textes donneraient à penser que l'interprétation littérale, en elle-même insuffisante, est parfois impossible. De fait Jérôme le constate explicitement à deux reprises. Dans l'un de ces cas, c'est un peu à regret, semble-t-il : « Ces passages sont difficiles », reconnaît-il, « et comme selon l'histoire ils ne s'éclairent pas du tout, nous sommes contraints *(cogimur)* de suivre la variété des interprétations spirituelles [73] ». De l'autre cas, il tire le principe général, repris d'Origène, que l'absence du sens littéral est une incitation à rechercher une « signification plus profonde ». Mais, à tout prendre, est-ce le déprécier pour autant [74] ?

---

quod caelis dicatur "Audite", terrae "Auribus percipe" : ea enim quae excelsa sunt, maiorem habent intelligentiam ; quae humiliora, terrenis sensibus inuoluuntur. » Le caractère très origénien de ces lignes rend plausible pour ce passage l'hypothèse, malheureusement invérifiable, d'une dépendance directe du Commentaire correspondant d'Origène.

70. *In Is.* 33, 2-6 : « Hanc illi iuxta historiam dixerint, omni ratione nitentes Christi et Apostolorum eius subuertere sacramenta. Nos autem (...) ex persona eorumdem Apostolorum (...) haec dicta conuincimus » (364 B).

71. *In Is.* 335 A : « Respondeant Iudaei et amici simplicis tantum historiae... » (cf. 572 A : « Iudaei et amici tantum occidentis litterae ») ; 536 D- 537 A : « Interrogemus eos qui simplicem tantum sequuntur historiam et elixas carnes agni comedunt... »

72. *In Is.* 45, 14-17 : « Et in hoc loco qui sequuntur historiam (...) non ualebunt laqueos ueritatis effugere » (446 D-447 A).

73. *In Is.* 21, 11-12 : « Loca difficilia sunt et cum secundum historiam minime pateant, cogimur iuxta ἀναγωγήν diuersas opiniones sequi » (265 B). On pourrait être tenté de rapprocher de ce passage un texte auquel j'ai déjà renvoyé (ci-dessus n. 24) à propos de *littera* et qui contient une formule apparemment très voisine (« ... quod iuxta litteram impossibile est, et cetera cogimur spiritaliter intelligere » 573 C). Mais le contexte était en réalité tout différent. Polémiquant contre les juifs, Jérôme s'y empressait de leur laisser le ridicule de l'interprétation littérale d'un précepte absolument inobservable.

74. *In Is.* 19, 1 a : « Sed et in hoc et in aliis Scripturarum locis pleraque ponuntur quae non possent stare iuxta historiam, ut rerum necessitate cogamur altiorem intelligentiam quaerere » (250 A). La différence d'accent entre les deux passages s'explique sans doute par le contexte. Ici Jérôme a donné de l'Égypte historique une interprétation spirituelle qui lui convient, en se bornant à remarquer brièvement que plusieurs éléments du texte pourraient néanmoins convenir à l'Égypte historique. Il abandonne donc sans effort l'exégèse historique pour se rappeler le principe d'Origène sur l'absence de sens littéral comme invite à chercher le sens spirituel (cf. ORIGÈNE, *Periarchôn* IV,

En définitive, les emplois restrictifs du mot *historia* se limitent donc à quelques textes qui soulignent surtout le caractère incomplet du type d'exégèse qu'il désigne. C'est dire qu'ils ne contredisent pas les cas, d'ailleurs plus nombreux, où le mot reçoit du contexte une valeur nettement positive. L'image du *fundamentum* explique qu'il en soit ainsi.

Cette première exploration du sens littéral par le vocabulaire qui sert à le désigner n'est donc pas sans intérêt[75]. Elle montre d'abord que, si Jérôme ne distingue guère entre *littera* et *historia* lorsqu'il ne cherche pas à qualifier le sens littéral (et c'est souvent le cas des tours prépositionnels, d'allure stéréotypée, sur lesquels pèse davantage la pression de l'usage), dans le cas contraire il ne les emploie pas indifféremment : on le voit réserver habituellement à *littera*, ce mot aux implications théologiques lourdes de la condamnation paulinienne de la « lettre », les emplois les plus restrictifs ; c'est au contraire *historia* qu'on rencontre dans les contextes favorables. La nuance est perceptible, on l'a vu, jusque dans des emplois apparemment identiques.

L'usage de Jérôme apparaît, d'autre part, sensiblement le même au livre V que dans le reste de l'ouvrage. L'abondance des emplois d'*historia* dans ce livre, au détriment de *littera*, s'explique aisément par l'optique choisie : l'*historica expositio* qu'attend Amabilis ne peut qu'être sérieuse. Mais les deux emplois de *littera* qu'on y rencontre ne démentent pas les enseignements de l'ensemble du *Commentaire*. Écrit dans l'intervalle, le *Commentaire sur Zacharie*, dont la relative étendue donne encore prise à l'étude statistique, permet des observations strictement identiques. Il montre en outre que, si proche qu'y soit souvent Jérôme du *Commentaire* correspondant de Didyme, il n'est pas tributaire, sur ce point, de son modèle alexandrin[76]. C'est un indice supplémentaire du fait que Jérôme obéit bien à des habitudes précises, fondées sur des choix sans doute implicites, mais qui s'avèrent finalement plus cohérents qu'on ne l'eût d'abord pensé.

En elles-mêmes, enfin, ces habitudes sont instructives : la manière dont Jérôme joue plus ou moins consciemment des mots traditionnels qui désignent le sens littéral fournit un premier éclairage sur l'idée qu'il s'en fait. Les termes avec lesquels ils sont en relation, les images qui les accompagnent, suggèrent des rapprochements, ouvrent des perspectives, font entrevoir des problèmes. C'est l'étude de l'exégèse littérale elle-même, telle qu'elle est pratiquée par Jérôme, qu'il convient maintenant d'interroger pour aller plus loin. Mais il n'est pas sans intérêt d'avoir, dès à présent, au moins une certitude : cette

---

2, 5 et 9 = *Philocalie* I, 12 et 16). Dans le premier cas, en revanche, Jérôme avait proposé plusieurs interprétations spirituelles qui ne le satisfaisaient qu'à demi ; bien qu'il soit en train de donner la seule explication *iuxta anagogen* (nous sommes au livre VII), il regrette de ne pouvoir s'appuyer sur la solide évidence de l'histoire. De toute façon, aucun des textes ne comporte de critique précise d'une interprétation particulière qui ne tiendrait pas. C'était au contraire le cas des emplois apparemment similaires de *littera* qui se situent tous sur un fond de polémique plus ou moins appuyée contre des interprétations juives ou judaïsantes (ci-dessus n. 24).

75. C'est à dessein que je n'y ai pas fait intervenir des mots comme *carnaliter* ou *corporaliter* qu'on trouve parfois associés à l'expression du sens littéral. En fait, ils n'y ont pas leur place, car leur caractère est beaucoup plus théologique (*carnaliter*) ou philosophique (*corporaliter*) qu'exégétique. On les retrouvera notamment à propos du fondement du sens spirituel.

76. Voir mon étude du vocabulaire de l'*In Zachariam*, p. 5-7 (ci-dessus n. 13).

exégèse ne laisse sûrement pas Jérôme indifférent. Ce n'était pas toujours le cas de ses prédécesseurs.

II — Sens littéral et « Hebraica veritas »

Tout commentaire part d'un texte. Le livre d'Isaïe parvient à Jérôme, on l'a vu, par la tradition multiforme des versions rassemblées par Origène dans les *Hexaples* ; et l'on sait que, depuis qu'il a entrepris de traduire l'Ancien Testament sur l'hébreu, il accorde une faveur particulière à la version qu'il en a faite lui-même : celle qui restitue l'*hebraica ueritas*. Le *Commentaire sur Isaïe* ne dément pas cette préférence. C'est de cette version qu'il part, sauf exception [77], en lui comparant d'une manière habituelle la traduction des Septante [78]. Or, dans le livre V *iuxta historiam*, elle bénéficie d'un traitement tout à fait privilégié, puisque, dans l'ensemble du livre, c'est à elle seule qu'est emprunté le texte du prophète. Jérôme n'y recourt aux Septante que comme aux autres versions : fort peu, et sur des points de détail [79].

Faut-il voir là l'indice d'un rapport particulier entre l'exégèse littérale et l'*hebraica ueritas* ? Quand on lit les déclarations qui encadrent le livre, on est tenté de répondre par l'affirmative. En effet, dans le prologue de 397 à Amabilis, Jérôme présente en ces termes la demande à laquelle il cède : « Tes lettres jusqu'ici me demandaient avec instance de te commenter par une explication historique *(historica expositio)* les dix visions les plus obscures d'Isaïe et, laissant de côté les Commentaires des nôtres, qui ont multiplié les volumes où ils suivent des opinions diverses, de t'exposer la vérité de l'hébreu *(hebraicam ueritatem)* [80] ». Symétriquement à ce prologue, il rappelle dans sa conclusion, en une formule dont la brièveté souligne le rapprochement des deux termes : « Ces visions d'Isaïe, je les ai commentées, comme tu le voulais et comme je l'ai pu, par une interprétation historique, en foulant les seules traces de la vérité de l'hébreu [81] ». La netteté de ces phrases ne permet guère de douter qu'il existe dans l'esprit du correspondant d'Amabilis un lien entre les deux réalités ainsi rapprochées.

Sans être aussi précises, d'autres formules, dans le reste du Commentaire, orientent vers les mêmes conclusions. Telle l'exégèse spirituelle introduite par les mots : « D'après l'anagogie et la version des Septante », qui font ressortir a

---

77. Il y en a effectivement une : celle du chapitre 23 d'Isaïe dans le livre VII *iuxta anagogen* (voir ci-dessous p. 144).

78. La confrontation, à vrai dire, est moins systématique dans les quatre premiers livres qu'ensuite (voir ch. II, p. 112). Jérôme en tout cas donne les deux versions dès qu'elles divergent de façon sensible.

79. Une quinzaine de fois pour les onze chapitres du prophète, un peu moins qu'aux trois autres versions réunies.

80. *In Is.* V, Prologue à Amabilis : « ... per litteras flagitabas ut tibi decem uisiones quae in Isaia obscurissimae sunt historica expositione dissererem et, omissis nostrorum Commentariis, qui, uarias opiniones secuti, multa uolumina condiderunt, hebraicam pandere ueritatem » (153 C-154 C).

81. *In Is.* 206 B : « ... uisiones Isaiae (...) ut iussisti et ut nos quiuimus, historica interpretatione disseruimus, hebraicae tantum ueritatis prementes uestigia. »

posteriori le lien de l'exégèse littérale qui précède avec le texte hébreu [82]. Mieux encore, une exégèse littérale se clôt sur cette formule : « Cela dit selon l'hébreu et l'explication historique [83] ». Si l'on regarde d'autre part la pratique hiéronymienne, en dehors du cas privilégié du livre V, il n'est pas exceptionnel qu'une explication littérale développe la traduction sur l'hébreu tandis que l'interprétation spirituelle qui la suit commente la version des Septante [84].

Les autres œuvres exégétiques de Jérôme permettent des observations identiques. Témoin ce passage du *Commentaire sur Amos*, dans lequel on passe d'une explication annoncée par « Jetons d'abord les fondations de l'histoire » à l'exégèse spirituelle correspondante par l'intermédiaire de la phrase : « Nous avons dit cela d'après l'hébreu. Passons aux soixante-dix interprètes et commentons brièvement ce qu'il nous en semble d'après l'anagogie [85] ».

Pourtant, si des formules de ce genre et la pratique qui les vérifie ne sont pas exceptionnelles, elles ne sont pas non plus monnaie courante. Il ne faudrait donc pas conclure trop vite de ces exemples à une correspondance exacte et constante chez Jérôme entre l'*historia* et l'*hebraica ueritas*. Car on peut tout aussi bien montrer que le texte hébreu n'est pas le seul à intéresser l'exégète littéral, mais que les Septante aussi relèvent de ce type d'interprétation. De fait, dans les cas fréquents où les deux versions s'écartent peu l'une de l'autre, Jérôme, qu'il donne ou non intégralement le texte des Septante, fait volontiers des deux versions un unique commentaire littéral, d'une seule coulée [86]. Et lorsque de sérieuses divergences les séparent, on le voit rendre compte du sens littéral de chacune avant d'en développer éventuellement les applications spirituelles. Le livre IV en offre un excellent exemple. Jérôme a cité dans les deux versions l'oracle prophétique qu'il va commenter (*Is.* 10, 28 s.). Il s'en explique d'abord : « Dans ce passage les LXX diffèrent beaucoup de l'hébreu ; c'est pourquoi nous avons donné les deux versions » ; puis il présente successivement deux explications dont le caractère historique est patent, la première *iuxta Hebraeos*, la seconde *iuxta LXX editionem*, et il les résume pour finir dans la formule : « *Hoc iuxta litteram* » [87]. Il ne fait, du reste, que mettre en œuvre le principe qu'il avait énoncé en clair plus de quinze ans auparavant vers la fin de son *Commentaire sur Aggée*. « Nous avons dit cela selon l'hébreu », y écrivait-il au terme d'une exégèse littérale ; et il ajoutait : « Mais selon les Septante tout autre est le sens, qui doit d'abord

---

82. *In Is.* 344 D : « Iuxta anagogen et LXX editionem... »
83. *In Is.* 373 A : « Haec iuxta hebraicum et explanationem historicam dicta sint. »
84. Par ex. *In Is.* 307 C-308 B sur *Is.* 27, 2-3. Le premier commentaire est littéral, le second *iuxta LXX* spirituel. Cf. 308 C-309 A : « Iuxta hebraicum hic sensus est... » (= sens littéral)/« Iuxta LXX hic est sensus... » (= sens spirituel). Formules presque identiques à propos d'autres versets du même chapitre (310 A ; 310 B...). Cf. encore 315-316 (sur *Is.* 28, 1 s.), 459-460, etc.
85. HIER. *in Amos* : « Primum historiae fundamenta iaciamus (...) Haec iuxta hebraicum diximus ; transeamus ad LXX interpretes et quid nobis iuxta anagogen uideatur... breuiter disseramus » (PL 25, 1026 C-1027 C).
86. Cf. par ex. *In Is.* 58, 4 b-5 (564 B-565 A) sur les versets d'Isaïe condamnant l'hypocrisie du jeûne. Jérôme donne successivement les deux versions, mais procède ensuite exactement comme s'il commentait un texte unique.
87. *In Is.*, 141 D (« Multum in hoc loco LXX ab hebraico discrepant : quam ob rem utramque editionem posuimus... »), et 142 B, D. Cf. *In Hieremiam* 2, 24 : PL 24, 694 CD : « Multum in hoc loco LXX editio ab hebraica ueritate discordat ; tamen utraque habet sensum suum. » Suivent deux explications littérales.

faire l'objet, lui aussi, d'une explication littérale », avant qu'on ne revienne à l'interprétation spirituelle [88]. On ne peut être plus net !

A l'inverse, on montrerait tout aussi aisément que le texte hébreu ne relève pas de la seule explication littérale, mais qu'il donne lieu couramment, tout comme celui des Septante, à une lecture selon l'esprit. On peut d'abord en faire la remarque globale à propos des livres VI et VII, où Jérôme se limite à l'interprétation spirituelle des dix visions dont il a donné dans le livre précédent le commentaire « selon l'histoire » : sauf l'exception du chapitre 23 d'Isaïe pour lequel il part des seuls Septante, il y prend appui sur l'hébreu plus constamment même que sur la version traditionnelle. Et pourtant celle-ci pourrait apparaître, en la circonstance, comme le texte privilégié. La constatation se vérifie dans le détail pour l'ensemble du Commentaire. Ici, Jérôme donne une exégèse spirituelle unique des deux versions étroitement mêlées [89]. Là, il souligne au contraire leurs divergences, avant d'en présenter deux commentaires distincts, tous deux selon l'esprit [90]. Ailleurs encore des formules comme celles-ci : « Ceci d'après l'hébreu. Selon les Septante... [91] » ou « Ceci d'après l'hébreu... Passons à la version des Septante... [92] » servent de transition entre deux interprétations aussi peu littérales l'une que l'autre. On pourrait même invoquer des cas extrêmes où paradoxalement c'est l'hébreu qui donne lieu à une lecture spirituelle, tandis que les Septante reçoivent un commentaire historique [93].

A la lumière de ces témoignages quelque peu contradictoires, quelle portée faut-il donc reconnaître aux déclarations dont nous sommes partis ? On ne peut nier qu'elles manifestent l'existence d'un rapport étroit entre l'*historia* et l'*hebraica ueritas*. Il est difficile, d'autre part, de s'en débarrasser en invoquant une évolution que Jérôme aurait connue entre le futur livre V et le reste du Commentaire, puisqu'elles sont corroborées et par une pratique et par des expressions que l'on peut observer à travers l'ensemble de l'ouvrage. Comment lever la contradiction ? Une analyse plus précise du prologue à Amabilis permet peut-être de la dépasser, car la signification de l'expression clé : *hebraica ueritas* y est moins claire qu'il n'y paraît. On peut encore admettre qu'en l'employant à la fin du livre [94], Jérôme entendait désigner par cette expression le texte hébreu, selon l'usage habituel qu'il en fait depuis la préface à sa traduction du Psautier sur l'hébreu [95]. Il a bien suivi, en effet, dans son

---

88. Hier. *in Aggaeum* : « Hoc secundum hebraicum diximus. Ceterum secundum Septuaginta longe alter est sensus quem et ipsum primum debemus iuxta litteram exponere ut postea coeptus tropologiae ordo tractetur » (PL 25, 1413 B).

89. *In Is.* 375 B-378 A.

90. *In Is.* 224 A : « Quia multum inter se hebraicum distat et LXX editio, separatim de singulis disseramus... »

91. *In Is.* 247 D : « Haec iuxta hebraicum ; ceterum secundum LXX... » Cf. 271 C. Ces deux exemples sont dans le livre VII, mais cf., au livre XIV, 481 A.

92. *In Is.* 262 B : « Hoc iuxta hebraicum... Transeamus ad editionem LXX... »

93. C'est le cas dans le double commentaire d'*Is.* 43, 14-15 (430 D-431 AB). La divergence d'interprétation repose en partie sur la différence des temps des verbes des deux versions : le passé dans le texte hébreu (*shillaḥeti... weḥôradeti* = parfait *pi'el* et parfait *hiph'il*) pousse Jérôme à faire l'application de la prophétie au Christ. Le futur de la version grecque (ἀποστελῶ... καὶ ἐπεγερῶ) lui permet une explication aisée au plan de l'histoire.

94. Voir ci-dessus n. 81.

95. Voir PL 28, 1125 A. Cette traduction est très probablement la première de toutes. Sur la

livre d'explication historique le seul texte hébreu. Mais la phrase de la préface se comprend difficilement si l'expression y garde ce sens précis. Que pouvait souhaiter Amabilis en demandant à son savant ami de déployer à ses yeux « la vérité de l'hébreu » ? S'il ne désirait que le texte des dix oracles sur les nations, il suffisait que Jérôme lui envoie sa traduction d'Isaïe sur l'hébreu, vieille au bas mot de cinq ans [96], et qu'Amabilis possédait sans doute déjà. Or, visiblement, son correspondant attend autre chose : non pas un texte, mais les moyens de bien le comprendre. La phrase ne prend donc son sens exact que si l'*hebraica ueritas* évoque ici dans l'esprit de Jérôme plus que le *texte* hébreu. Mais quoi, au juste ? Le contexte nous met sur la voie : il n'oppose pas en effet l'*hebraica ueritas* au texte des Septante mais aux « Commentaires des nôtres », c'est-à-dire des écrivains ecclésiastiques [97]. C'est donc que Jérôme englobe dans l'expression non seulement la version dans laquelle il est porté à reconnaître la vérité du texte original, mais encore, dans la tradition qui la véhicule, tout ce qui l'accompagne et l'éclaire : en l'occurrence les traditions exégétiques des Hébreux, de la même façon que, dans la tradition chrétienne, le texte des Septante bénéficie de l'éclairage des commentaires des *ecclesiastici uiri*.

D'autres passages, en dehors du livre V, confirmeraient cette lecture. Dans le livre VII, Jérôme commence ainsi l'explication du chapitre 23 d'Isaïe : « Notre sentiment sur l'oracle de Tyr d'après les Hébreux, nous l'avons donné plus haut dans le livre d'explication historique des dix visions. Parcourons rapidement maintenant toute la prophétie contre Tyr selon l'anagogie et la version des Septante [98] ».

Le sens général de la phrase établit le lien entre l'hébreu et l'exégèse historique du livre V, à travers des correspondances de termes sensiblement identiques. L'intérêt réside dans une légère différence : à l'*hebraica ueritas* du prologue répond ici l'expression *iuxta Hebraeos*. Jérôme a donc conscience que ce sont les Hébreux et leurs traditions, et pas seulement leur texte, qui ont quelque chose à voir avec l'explication historique. Et cela, il ne l'a pas découvert au moment de donner au livre V son complément *iuxta anagogen*. En effet, nous avons déjà cité partiellement tout à l'heure un passage encore plus éloquent du livre IV. L'explication de l'hébreu s'y termine par la phrase : « Nous avons effleuré rapidement ce point d'après les Hébreux, *comme leur tradition nous l'a transmis.* » Et Jérôme poursuit : « Présentons maintenant ce que pensent de ce passage d'après les Septante les auteurs de l'Église [99] ».

---

chronologie des premières traductions de l'A.T. sur l'hébreu voir mon article de la *RÉAug* mentionné plus haut p. 20, n. 8.

96. C'est un minimum. Elle fait partie du groupe d'œuvres qui sont antérieures au *De uiris illustribus* (393) qui les mentionne. Dans ce groupe, elle précède à peu près certainement les premiers commentaires des petits prophètes. Et dans les traductions sur l'hébreu de cette période, elle est antérieure à celle de *Samuel* et des *Rois* au célèbre prologue (voir F. CAVALLERA, *Saint Jérôme...*, t. 2, p. 28-29 et l'article mentionné note précédente).

97. *In Is.* 153 C-154 C : « ... omissis nostrorum Commentariis (...) hebraicam pandere ueritatem. »

98. *In Is.* 275 B : « Quid nobis uideretur super onere... Tyri iuxta Hebraeos, supra in libro decem Visionum historicae explanationis diximus. Nunc omnem contra Tyrum prophetiam secundum ἀναγωγήν et editionem LXX breuiter percurremus. »

99. *In Is.*142 B : « Haec iuxta Hebraeos, ut nobis ab eis traditum est, breui sermone perstrinximus. Nunc quid iuxta LXX editionem ecclesiastici uiri de hoc loco sentiant... » (Cf. ci-dessus p. 143.) Voir aussi *In Michaeam* PL 25, 1161 B. On peut invoquer ici un passage très important

Il reste qu'à ce niveau également, si l'on voulait conclure à une équivalence rigoureuse de l'*historica expositio* à l'*hebraica ueritas*, on s'exposerait à de sérieux mécomptes. Car il est évident que tout, dans l'éxégèse littérale de Jérôme, ne lui vient pas des Hébreux et que, de plus, les traditions des maîtres de la Synagogue qu'il rapporte ne revêtent pas toujours à ses yeux, on le verra, les couleurs de la vérité.

Force est donc de reconnaître ce que les expressions de Jérôme recouvrent d'ambiguïté. Elles livrent cependant à qui veut bien les lire avec attention des indications précieuses. On comprend tout d'abord que l'exégèse littérale, qui se donne pour tâche une lecture exacte des textes *ut scripta sunt*, ait partie liée avec la forme du texte scripturaire qui offre, aux yeux de Jérôme, les garanties d'exactitude les plus sérieuses. On n'est pas surpris non plus qu'intervienne dans son exégèse littérale le recours aux traditions des Hébreux ; on constatera plus loin leur importance [100]. Les deux aspects, en fait, sont liés ; car la version d'un texte n'est pas chose neutre, elle engage un certain regard sur le texte, elle est à un premier niveau l'écho discret d'une tradition. D'une certaine façon, comme on l'a écrit précisément à propos de la *Vulgate* hiéronymienne, « a translation is essentially a condensed form of exegesis [101] ». L'ambivalence du latin *interpretatio* illustre bien cette réalité, que Jérôme semble avoir pressentie ; d'où à l'occasion l'ambiguïté, sous sa plume, de l'*hebraica ueritas*. Quand ils contestaient la légitimité d'une entreprise qui détrônait la version « lue dans les Églises [102] », ses adversaires en avaient peut-être également l'intuition.

Un lien privilégié existe donc à ce double niveau entre l'*historica interpretatio* et l'*hebraica ueritas*. Certaines formules de Jérôme peuvent donner à croire que ce rapport est exclusif ; c'est seulement par excès qu'elles pèchent. Peut-être ont-elles l'excuse d'une passion polémique : contre les fervents des Septante, le combattant du « prologus galeatus » n'a pas encore pu déposer les

---

de l'*In Zachariam*, en 406, Au début du deuxième livre, Jérôme cite un groupe de versets du prophète (6, 9-15) successivement dans les deux versions et il introduit en ces termes la double exégèse qu'il va présenter : « Je me suis proposé de livrer aux oreilles latines les secrets de la science des Hébreux *(arcana eruditionis hebraicae)* et le savoir caché des maîtres de la Synagogue, pour autant qu'il concerne les saintes Écritures. Il me faut donc sur des passages fort obscurs dévider les fils de l'histoire *(historiae lineas ducere)* et de la même façon exposer au grand jour ce que j'ai reçu des hommes d'Église *(quae ab ecclesiasticis uiris accepi)*, laissant au lecteur la liberté de choisir ce qu'il doit suivre de préférence... » Vient alors une longue explication *iuxta litteram* qui aboutit à cette transition : « Haec iuxta historiam Circumcisio conatur exponere. Nobis autem incumbit necessitas iuxta LXX interpretes dicere quae nostri dixere maiores » (PL 25, 1455 CD, 1457 A). S'il n'y est pas question d'*hebraica ueritas* bien que l'explication littérale corresponde au texte hébreu, un lien formel est établi entre l'histoire et l'exégèse des Hébreux (= *Circumcisio*, qui répond aux formules élogieuses du début. Il est assez remarquable que le mot *Circumcisio* soit employé ici, pour désigner les Hébreux, dans un contexte favorable. Car d'habitude ce terme n'est pas neutre théologiquement : il symbolise volontiers dans le vocabulaire patristique l'Ancienne Alliance qui s'est fermée sur elle dans le refus de la Nouvelle). Si d'autre part on rapproche les interprétations présentées ici par Jérôme du commentaire de Didyme sur les mêmes versets du prophète, on constate que non seulement le texte des Hébreux, mais aussi l'exégèse littérale qu'il leur emprunte sont des apports spécifiques de Jérôme. Didyme qui, comme on le sait, part du grec des LXX s'engage immédiatement dans de longues explications spirituelles, incarnant parfaitement ici les *ecclesiastici uiri* dont parle Jérôme (DIDYME, *Sur Zacharie* II, 1 s.).

100. P. 194 et suiv.

101. L.N. HARTMANN, *Saint Jerome...*, p. 37.

102. « ... LXX Interpretes, qui leguntur in Ecclesiis... » (*In Is.* 320 C).

armes [103]. Peut-être tout simplement, là comme souvent ailleurs, n'est-il pas allé assez loin dans ses intuitions pour être capable de les exprimer avec une rigueur et une précision qui n'étaient pas dans sa pensée. Mais en définitive qu'importe, si aux yeux du « diligens lector » auquel Jérôme s'en remet si souvent, son attitude profonde apparaît clairement. Laissons à l'un de ces lecteurs attentifs le dernier mot sur ce chapitre : Jérôme, observe Richard Simon, « s'attache beaucoup plus à la lettre lorsqu'il explique le texte de sa nouvelle version sur l'hébreu ; et il fait aussi alors mention de ce qu'il avait appris des juifs de son temps [104] ». Dans sa sobriété, la remarque rend compte assez exactement des relations particulières entre le sens littéral et l'*hebraica ueritas*.

III — L'EXTENSION DU SENS LITTÉRAL

La fonction propre de l'exégèse littérale est d'établir avec certitude la signification immédiate du texte ou, pour mieux dire, de dégager ce que l'auteur a exactement voulu dire. Cela suppose qu'elle puisse faire fond sur un texte solidement établi.

Il est clair que, lorsqu'elle ne peut partir du texte original, elle doit satisfaire à une obligation préliminaire : celle de s'assurer de la fidélité de la traduction qu'elle prétend commenter. A plus forte raison, si elle se trouve devant plusieurs versions, il lui faut les confronter pour mesurer leurs divergences, en rendre compte autant que possible, établir des choix entre elles. La préférence de Jérôme pour l'*hebraica ueritas* ne le libère pas de cette nécessité. Son lecteur n'atteint en effet cet « original hébreu » qu'à travers la traduction que Jérôme lui en propose et qu'il doit d'autant plus pouvoir garantir qu'elle rompt avec la traditionnelle fidélité à « l'édition courante », c'est-à-dire à la version grecque des Septante. D'où, à côté d'observations de pure critique textuelle, des remarques de vocabulaire précisant la signification d'un mot hébreu ou expliquant, le cas échéant, par une ambiguïté de sens des divergences troublantes entre les versions, l'objectif dernier étant d'assurer la validité du texte soumis au commentaire. Ainsi élargi, au besoin, à des observations sémantiques, le travail d'établissement du texte, dont nous avons vu que Jérôme se préoccupait très sérieusement eu égard aux habitudes de son époque, apparaît donc en quelque sorte comme le « degré zéro » de l'explication littérale.

La pratique de Jérôme en fournit, sous des formes variées, des témoignages constants bien avant le *Commentaire sur Isaïe*. Dès ses premiers essais exégétiques, à Constantinople, les notes qu'il rédige sur les *seraphim* de la vision

---

103. Richard Simon parle de « la trop grande passion qu'il avait de reprendre les Septante » et ajoute : « C'est pour cette même raison que dans ses Commentaires sur les Prophètes, et principalement sur Isaïe, il diminue autant qu'il lui est possible, l'autorité des Septante et qu'il relève par toutes sortes de voies la vérité du Texte hébreu. Comme ses ennemis lui opposaient qu'il détruisait par sa nouvelle traduction l'ancienne version approuvée de toute l'Église, il tâche d'en montrer les défauts et de prouver en même temps qu'il faut avoir recours à l'original hébreu. » (*Histoire critique du Vieux Testament*, p. 396-397.)

104. Richard SIMON, *ibid.*, p. 394.

inaugurale d'Isaïe, où l'hébreu n'intervient encore qu'exceptionnellement, confrontent aux Septante, avant tout commentaire, les autres versions grecques des *Hexaples* [105]. Le travail s'enrichit, dans son *Commentaire sur l'Ecclésiaste*, d'un recours plus fréquent à l'hébreu, dont il fera bientôt le point de référence à travers sa propre traduction, à partir des premiers Commentaires sur les petits prophètes. Dans le *Commentaire sur Isaïe*, c'est chaque page, ou presque, qui offre l'illustration de cette manière de procéder. Le livre V en fournit globalement un bon exemple. Jérôme, qui s'y limite le plus souvent à sa traduction sur l'hébreu, n'en présente pas moins à près de trente reprises des remarques de vocabulaire hébraïque avant de dégager le sens d'un lemme. En voici un témoignage, qui présente l'avantage d'ajouter à l'exemple pratique l'énoncé du principe. Après avoir cité les versets du prophète dans la seule traduction de l'hébreu, Jérôme déclare : « Parlons d'abord de la traduction et nous expliquerons ensuite ce qui est écrit... » Suivent plusieurs lignes qui ont pour objet, par le recours à l'hébreu et accessoirement à Aquila, de mieux assurer la traduction. Après quoi on passe au commentaire lui-même : « Le sens est donc... » [106]. Sous son apparente banalité, cette annonce est significative. Elle souligne qu'en effet, une fois la traduction clairement établie, et élucidés les problèmes textuels qu'elle pouvait poser, on peut en venir alors à l'explication proprement dite et dégager le sens du texte [107].

A — La « lectio simplex »

Un commentaire littéral, à vrai dire, n'est pas toujours absolument nécessaire, car le sens peut être évident. Jérôme le constate en plusieurs occasions. « Ce passage n'a pas besoin d'être expliqué », note-t-il après avoir donné le texte d'un verset en effet limpide [108]. Mais il est exceptionnel qu'il en tire la conclusion radicale qu'imposerait la logique. Le *Commentaire sur Michée* en fournit un des rares exemples : « Puisque d'après l'histoire le sens est mani-

---

105. HIER. *Epist.* 18 B, sur *Isaïe*, 6, 6-8, en 380-381 (par ex. § 2).

106. *In Is.* 19, 14-15 : « Primum de interpretatione dicamus, et postea de his quae scripta sunt disseremus (...) Est igitur sensus... » (184 AB). C'est un des cas, dans le Commentaire, où Jérôme reprend le texte du prophète dans la version qu'il en a jadis établie, pour en faire la critique et la rectifier (cf. 184 C). Formule équivalente dans le livre XV, après une étude d'une douzaine de lignes où interviennent les cinq versions des *Hexaples* : « De diuersitate translationis diximus ; ueniamus ad sensum » (521 D). L'expression « Est (igitur) sensus... » est fréquente sous la plume de Jérôme, dans des contextes variés. Elle annonce en règle générale qu'il va expliciter le sens du texte en fonction de données préalables qu'il vient de fournir. Cf. en 157 A un exemple tout à fait similaire ; en revanche, en 175 C, les éléments qui précèdent sont d'ordre historique.

107. On s'explique évidemment que ce type d'éclaircissements intervienne habituellement tout au début de l'explication du lemme, encore qu'il arrive à Jérôme, pour diverses raisons, de s'y livrer en cours de développement (par ex. 208 B, 215 B...) ou même de terminer par là (par ex. 157 D, 322 A, 622 B, 637 A, etc.). C'est aussi une des raisons — il y en a d'autres, plus fondamentales, que traduit l'image du *fundamentum* — pour lesquelles le sens littéral précède normalement l'interprétation spirituelle. Quand il en va autrement, c'est qu'au niveau de la compréhension immédiate du texte ne s'offraient pas de difficultés qu'il eût fallu résoudre d'abord, à moins qu'il ne s'agisse de cas où, chaque type d'exégèse coïncidant avec une version particulière, leur ordre de succession devenait indifférent.

108. *In Is.* 13, 7-8 : « Hoc expositione non indiget » (156 C). Cf. 379 A : « Historia manifesta est et interpretatione non indiget. »

feste, je laisse à la compétence du lecteur le soin de le comprendre », y déclare Jérôme, qui passe sans plus attendre à l'explication « d'après la tropologie » [109]. Le plus souvent, une paraphrase rapide résume tout de même le sens du verset prophétique [110].

Jérôme en tout cas se préoccupe, au moins en théorie [111], de ne pas encombrer le lecteur d'explications inutiles. Au moment de s'engager dans le commentaire d'un lemme assez long, il a ces paroles rassurantes : « Laissant de côté ce qui est évident, bornons-nous à expliquer ce dont le sens n'apparaît pas [112] ». Il prodigue d'ailleurs généreusement, du moins dans le *Commentaire sur Isaïe*, les déclarations de ce genre. Assez curieusement, elles interviennent souvent non pas en prélude, mais en conclusion à une explication dont il veut sans doute justifier la brièveté, à moins qu'il ne tienne à souligner qu'il ne s'attarde pas pour pouvoir le faire davantage là où ce sera nécessaire. Il le dit du reste expressément dès les premières pages du Commentaire : « Nous passons vite sur ce qui est manifeste, pour nous attarder sur ce qui est plus obscur et sur ce qui a besoin d'être expliqué [113] ». Car c'est aussi l'un de ses soucis le plus constamment exprimés que de ménager l'attention du lecteur en n'accroissant pas sans mesure les dimensions du commentaire : « Ces passages demandent une explication étendue mais nous veillons à limiter l'ampleur des livres pour éviter que leur lecture ne soit fastidieuse [114] ». Encore faut-il, si l'on veut faire œuvre utile, savoir « rechercher la brièveté sans nuire à la compréhension [115] ». Et c'est bien ainsi que Jérôme l'entend : en tout état de cause il

---

109. HIER. *In Michaeam* PL 25, 1154 B : « Quia iuxta historiam manifestus est sensus, lectoris prudentiae intellegentiam derelinquo. Iuxta tropologiam... »

110. C'est précisément le cas en 156 C (ci-dessus, n. 108).

111. Car on peut se demander si, dans la pratique, l'usage qu'il fait de la paraphrase ne dément pas un peu les bonnes intentions. Voir plus loin p. 204.

112. *In Is.* 383 B : « Perspicua relinquentes, ea tantum in quibus latens sensus est disseramus. » Il n'y a pas lieu de chercher ici dans ce *latens sensus* des significations cachées qu'il faudrait découvrir par l'exégèse spirituelle. Le contexte montre bien que Jérôme, qui vient de citer d'un seul tenant sept versets d'Isaïe (37, 1-7), veut simplement parler des obscurités que peut comporter ce texte assez long dont il ne va donner du reste qu'une explication historique.

113. *In Is.* 28 C : « Manifesta transcurrimus, ut in obscurioribus et in his quae explanatione indigent immoremur. » Même formule, abrégée, en 343 A (cf. 385 A : « ... ut in dubiis »). Variante plus notable en 452 B : « Manifesta transcurrimus ut Christi misericordia clausa reseremus... » (malgré la pieuse ajoute et le vocabulaire imagé, il ne s'agit toujours que d'explication historique). Cf. encore 457 A : « Quae perspicua sunt cito sermone transcurrimus. » On aura remarqué le retour des mêmes expressions, qui traduit comme une obsession. On n'observait rien de tel dans les Commentaires des petits prophètes ; Jérôme ne s'y inquiétait pas encore de limiter ses commentaires qui d'ailleurs parurent longs à certains (cf. *In Is.* XI, prol., 377 B).

114. *In Is.* 8, 19-22 : « Latam explicationem loca ista desiderant sed parcimus librorum magnitudini ut tollamus fastidium lectionis » (123 C). Il est vrai qu'en l'occurrence on pourrait se demander si l'astucieux rhéteur qui ne sommeille jamais que d'un œil en Jérôme ne cherche pas à faire oublier par cette vertueuse protestation de renoncement la longueur de l'explication déjà donnée... au moment où il s'apprête à la prolonger par l'interprétation des Nazaréens ! Quoi qu'il en soit de ce passage, Jérôme revient trop souvent sur ce thème pour qu'il y ait là pure rhétorique. On le sent préoccupé des dimensions de son Commentaire. Il s'en excuse auprès d'Eustochium sur la difficulté du prophète qu'il commente : « Quae si longa tibi interpretatio uidebitur, o uirgo Christi Eustochium, non mihi imputes sed Scripturae sanctae difficultati praeuique Isaiae prophetae qui tantis obscuritatibus inuolutus est ut prae magnitudine rei breuem explanationem putem quae per se longa est. » Et il ajoute qu'il n'écrit pas pour les gens blasés que tout écœure (*ibid.* VIII, prol. : 281 B. Cf. XVIII, prol.).

115. *In Is.* 378 B : « sic studendum breuitati ut nullum damnum fiat intellegentiae. » Contre la

n'escamote jamais le commentaire littéral ; et s'il lui arrive de regretter de ne pouvoir s'y arrêter autant qu'il le voudrait, n'est-ce pas précisément le signe de l'importance qu'il accorde à une exégèse qui doit permettre, avant toute application spirituelle, la *simplex Scripturarum lectio* ? Son maître Didyme, que n'effraie pourtant aucune longueur lorsqu'il s'agit d'exégèse spirituelle, ignorait de tels scrupules.

Mais une question se présente ici, qu'il faut éclaircir avant d'aller plus avant. Cette *lectio simplex*, conçue comme la compréhension immédiate du texte, exprime-t-elle de manière adéquate l'exacte étendue du sens littéral ? En d'autres termes, est-on assuré d'avoir rejoint ce que l'auteur a voulu dire, dès lors qu'on a établi la signification des *uerba simplicia*, des mots *ut scripta sunt* ? C'est tout le problème du sens figuré. Quelques textes vont nous aider à voir comment il se pose.

B — Sens figuré et figures de rhétorique

Jérôme commente par exemple les versets d'Isaïe (30, 6-7) qui évoquent les habitants de Jérusalem allant solliciter à travers le désert l'appui de l'Égypte. La manière dont il a compris l'hébreu l'amène à préciser que la lionne et le lionceau du texte prophétique doivent être entendus « de façon métaphorique » : μεταφορικῶς, et qu'ils désignent en fait Jérusalem et son peuple. Après avoir invoqué à l'appui de cette interprétation deux passages d'autres livres bibliques où la comparaison est explicite, il ajoute : « Et pour que nous ne pensions pas que la sainte Écriture parle véritablement d'un lion et d'une lionne, elle déclare, contre les lois de la nature, que du lion et de la lionne sont nés la vipère et le basilic volant... [116] » Il perçoit donc dans le texte même une invitation directe à comprendre dans une acception figurée le lion et la lionne du prophète. A ses yeux, c'est visiblement le sens obligé du verset et il n'y en a pas d'autre ; or il ne s'agit pas d'un sens spirituel. Mais peut-on encore parler ici de sens littéral ?

---

traduction de Bareille et la note de Migne qui, à la suite de Mariano Vittorio, eût aimé trouver dans les manuscrits la possibilité d'ajouter une négation « concinniore sensu », le début du prologue du livre III me paraît comporter le même accent ; Jérôme y dit à peu près : « Je trouve déjà bien suffisante l'ampleur des volumes que je consacre à l'explication du prophète Isaïe *dans laquelle on ne peut passer sur un point sans nuire à la compréhension.* Aussi n'ai-je mis à chacun des livres... qu'un petit bout de préface (*breues praefatiunculas* : des préfaces miniatures...) » (91 A). C'est ici l'élève des rhéteurs qui s'excuse à ses propres yeux de ne pas sacrifier pour chaque livre au genre littéraire de la *praefatio* dont on sait à quel point il mobilisait toutes les ressources de la rhétorique.

116. *In Is.* 30, 6-7 : « Ac ne putaremus uere Scripturam sanctam de leaena et leone dicere, contra naturam rerum loquitur quod de leaena et leone nata sit uipera et regulus uolans » (341 C). C'est en effet ainsi que Jérôme comprend le texte hébreu. Voici sa traduction du verset : « In terra tribulationis et angustiae leaena et leo : ex eis uipera et regulus uolans... » Il semble voir l'équivalent de *ex eis* dans « *inde* aspides... » qui traduit ἐκεῖθεν καὶ ἀσπίδες des LXX. Il est certain que dans cette perspective l'interprétation imagée de ces animaux est quasi inévitable, ce qui rend le passage intéressant pour le problème qui nous occupe. Mais en traduisant comme il le fait, Jérôme ne force-t-il pas le sens de l'hébreu *mêhém* = d'entre eux ? Au lieu de ce mot J. Koenig, dans la *Bible* de Dhorme (éd. de la Pléiade), propose de lire *nôhém* = rugissant ; il justifie cette correction que n'appuie pas la tradition manuscrite (cf. apparat critique de Kittel, *Biblia Hebraica*, à *Is.* 30, 6, qui ne la mentionne que comme hypothèse) par la confusion que l'écriture hébraïque ancienne rendait aisée entre le *mem* et le *nun*.

Autre exemple pris dans la prophétie contre l'Égypte (*Isaïe* 19, 5-7) : le prophète la voit ravagée par la sécheresse que Dieu lui enverra en châtiment. Jérôme en rapproche un passage similaire de Jérémie et conclut : « Nous disons cela si, prenant les mots dans leur sens simple, nous comprenons qu'il s'agit de la sécheresse du Nil et de ses canaux. Si nous y voyons une métaphore, par le fleuve nous comprenons le royaume et par les canaux ses chefs [117] ». Deux sens sont donc possibles : le premier, au ras du texte, prend la description prophétique au pied de la lettre, *simpliciter* : le mot ne surprend pas. Mais le second *per metaphoram* est-il pour Jérôme un sens spirituel ? Certainement pas : la métaphore ne déborde en rien l'Égypte de la prophétie. Une lecture du texte « τροπικῶς », qui en fait l'application « à la venue du Christ », va d'ailleurs intervenir quelques lignes plus bas ; il est clair qu'elle seule relève du sens spirituel. Jérôme se situerait-il dans ce passage à trois niveaux différents d'interprétation ? Ou bien le sens *per metaphoram* fait-il partie, comme le premier, du sens littéral ?

On saisit mieux, à travers ces exemples, comment se pose d'une façon plus générale la question du sens figuré dans l'exégèse de Jérôme : faut-il le considérer comme un sens particulier ? ou se rattache-t-il à l'un ou l'autre des sens traditionnels ? La tentation est grande de répondre en termes d'exégèse moderne, en incluant le sens métaphorique dans le sens littéral « impropre ». Mais il faut se garder d'y céder trop vite. Car regarder l'usage de Jérôme à travers le prisme déformant des clarifications ultérieures serait une bonne manière de laisser échapper la spécificité, voire la complexité, des questions qu'il rencontre et, par la suite, de ne pas saisir la portée des réponses qu'il leur donne. Un rapide coup d'œil sur quelques emplois du mot *figura*, en complétant les données du problème, achèvera de nous mettre en garde.

« Il parle entièrement en *figures* », dit Jérôme en dégageant en trois lignes le sens d'un petit verset de l'oracle d'Isaïe sur la Philistie [118]. Or nous sommes en plein livre V *iuxta historiam*, et c'est bien à ce niveau premier que se situe de toute évidence l'explication proposée. « En figures » a donc ici le sens de « en langage figuré », c'est-à-dire métaphorique. Il en va de même lorsque Jérôme rappelle ailleurs, pour justifier une interprétation imagée, que dans Ézéchiel « sous la *figure* du navire et de tout son armement, c'est la beauté de Tyr qui est montrée [119] ». Dans la même page, à propos de l'ordre que reçoit « la fille de Babylone », tombée en servitude, de « prendre la meule pour moudre la farine », il explique qu'à cause du contexte « les Hébreux comprennent aussi le mot *mola* de façon figurée » ; la référence aux *Hebraei* atteste qu'on ne quitte pas la lettre ; et de fait, l'explication, en l'occurrence, n'a rien de spirituel, puisqu'elle donne à l'expression une signification érotique [120]. Mais, à l'inverse,

---

117. *In Is.* 19, 5-7 (182 C) : « Hoc dicimus si simpliciter siccitatem Nilis fluminis et riuorum eius uolumus accipere. Sin autem per metaphoram, in fluuio regnum et in riuis duces eius intellegimus » (cf. *Jérémie* 12, 4).

118. *In Is.* 14, 30 b : « Totum per figuras loquitur » (166 C).

119. *In Is.* 454 A : « sub figura nauis et omnis instrumenti eius Tyri ornatus exponitur » (cf. *Ézéchiel* 27, 2-9)

120. *In Is.* 47, 1-3 : « Sed quia sequitur : Denuda turpitudinem tuam, etiam mola ab Hebraeis figuraliter intellegitur, quod scilicet in morem scorti uictorum libidini pateat » (454 C). Et Jérôme en rapproche une interprétation similaire des Hébreux à propos de Samson, condamné par les

en un autre endroit, le même mot *figuraliter* entraîne Jérôme, par une interprétation figurée à deux degrés, jusqu'en pleine exégèse spirituelle : le désert (du Jourdain, d'après les Septante) désigne le désert de Jean-Baptiste, lequel « se rapporte de façon figurée aux nations », ce qui permet à Jérôme d'écrire : « ... de sorte que par le désert des nations nous arrivions au baptême du Sauveur. » Nous voilà loin du sens littéral [121].

Par leur discordance même, ces emplois permettent d'entrevoir où gît la difficulté : elle est au cœur de l'exégèse des premiers siècles chrétiens. Dès lors que celle-ci prétendait faire une double lecture de l'Écriture et atteindre, à travers la lettre du texte et la réalité des faits rapportés, une autre signification, il est clair que tous les modes d'expression qui impliquent un dépassement du sens immédiat des mots [122] pouvaient être regardés comme des véhicules possibles, et même privilégiés, de ce sens plus profond. L'équivoque était en germe dans le vocabulaire exégétique de saint Paul, avec l'emploi un peu approximatif que l'Apôtre avait fait du mot ἀλληγορούμενα [123]. Elle ne pouvait que s'accroître quand l'exégèse chrétienne trouva un terrain d'élection dans le milieu alexandrin et fit de l'allégorie, mais en l'entendant en un sens souvent bien différent de celui de Paul, le procédé privilégié d'accès au sens spirituel [124]. Il était dès lors malaisé d'établir des distinctions parmi les tropes entre ceux qui auraient entraîné un passage en quelque sorte automatique au sens profond des Écritures et ceux par lesquels l'écrivain biblique aurait simplement voulu donner un tour imagé à l'expression de sa pensée. Toute « figure » du texte sacré, tout σχῆμα λέξεως καὶ διανοίας pouvait apparaître comme une incitation à dépasser le sens littéral. Aussi les exégètes alexandrins, de Clément à Didyme, ne se posent-ils guère la question d'un sens figuré indépendamment du sens spirituel [125]. Mais on se doute que la tradition antiochienne n'a pu se satisfaire de cette vision des choses [126]. L'attitude de Jérôme n'est donc pas, en ce domaine, aussi prédéterminée par des habitudes unanimes qu'on pourrait le

---

Philistins à « tourner la meule » (*Iudic.* 16, 21). Valeur identique du mot *figuraliter*, mais dans un tout autre contexte, chez Rufin (*Expos. Symb.* 8 ; cf. *De bened. patriarch.* 1, 7).

121. *In Is.* 35, 1-2 : « quia de solitudine figuraliter dicitur quae refertur ad gentes, in qua fuit Ioannes, consequenter iungi potest Iordanis, ut per desertum gentium ueniamus ad baptismum Saluatoris » (374 D). Comme on le verra (p. 259 et 272) le mot s'enracine dans le vocabulaire exégétique du N.T. : c'est lui qui traduit, dans la Vulgate, le τύπος de 1 *Cor.* 16, 6 par lequel Paul caractérise les événements de l'*Exode* dont il vient de faire une lecture symbolique (cf. v. 11 : τυπικῶς = *in figura*).

122. Cf. la définition même du trope qui implique un détour d'expression, sinon un détournement de signification. Rappelons celle de Quintilien : « Tropus est uerbi uel sermonis a propria significatione in aliam cum uirtute mutatio » (*I.O.* VIII, 6, 1). Et encore : « Est igitur tropus sermo a naturali et principali significatione translatus ad aliam ornandae orationis gratia... » (*I.O.* IX, 1, 4).

123. PAUL, *Gal.* 4, 24. Sur l'usage peu rigoureux du terme dans ce passage, voir les remarques convergentes de Jérôme et de Jean Chrysostome commentées plus loin, p. 220, n. 22. Sur l'exégèse de Paul, voir p. 271 et suiv.

124. Sur l'importance de longue date de l'allégorie dans le milieu alexandrin, voir l'ouvrage de F. BUFFIÈRE, *Les mythes d'Homère et la pensée grecque*, Paris, 1956.

125. Un bon représentant de l'homilétique moyenne de l'Occident latin au IVᵉ siècle, Zénon de Vérone, ne s'en inquiète pas davantage. Cf. PL 11, *Tractatus* II, 15 : « comparatio inducat ueritatem (= sens spirituel). » Or il est l'héritier d'une lignée africaine plus que de la tradition alexandrine : il ne semble avoir atteint celle-ci qu'à travers Hilaire de Poitiers, qu'on ne saurait réduire à la tradition orientale.

126. Voir plus loin p. 156-157.

croire. D'où l'intérêt de la cerner avec précision. Sur ce point limité mais décisif, elle peut être révélatrice de ses tendances profondes.

Partons de quelques constatations globales. Si l'on relève dans le *Commentaire sur Isaïe* les mots, grecs ou latins, de la terminologie rhétorique désignant tropes et figures, on remarque d'abord que le livre V en offre, proportionnellement à son volume dans l'ensemble de l'ouvrage, une moyenne deux fois plus élevée que les autres livres. La constatation mérite attention, puisque Jérôme ne s'y livre en principe qu'à la seule « explication historique ». Sur le nombre, on y trouve représentés la plus grande partie des termes qu'offre le Commentaire dans son ensemble, en particulier les termes les plus caractéristiques du sens figuré, dont la métaphore, qui fournit presque la moitié des emplois [127], et la plupart des tropes qui entretiennent avec elle quelque rapport : synecdoque, allégorie, exemple, ironie, antiphrase, hyperbole, pour suivre l'ordre de Quintilien [128]. On relève encore, pour être complet, outre des figures de pensée comme l'emphase et la prosopopée, les mots *comparatio, figura, tropologia, (tropologice),* τροπικῶς. Si l'on vérifie le contexte dans lequel chacun de ces termes apparaît, on constate qu'à part des exceptions bien précises sur lesquelles je vais revenir, ils sont effectivement employés au niveau du sens littéral. Assez rarement, ils font ressortir, à côté d'une première explication du texte pris au pied de la lettre, la possibilité d'une interprétation figurée mais non pas spirituelle ; on en a vu tout à l'heure un exemple avec la prophétie sur la sécheresse de l'Égypte [129]. Le plus souvent, le texte n'a pas d'autre sens que le sens figuré ; le terme rhétorique, en précisant la figure à laquelle on a affaire, vient alors en quelque sorte en apporter la preuve [130].

Un passage de ce livre V peut faire difficulté : *metaphora* y apparaît en rapport à la fois avec le sens littéral et avec le sens spirituel, auquel Jérôme, surtout vers la fin du livre, n'arrive pas à renoncer totalement. Il termine ainsi un double commentaire : « Personne ne doute que, d'après l'histoire comme d'après l'allégorie, la métaphore se prolonge... [131] » En fait, il veut simplement faire observer que, dans la suite des versets qu'il a commentés, la métaphore que file le texte biblique garde sa cohérence aux deux niveaux d'interprétation. Elle n'est donc en aucune façon le moyen d'accéder du sens littéral au sens spirituel et peut être encore regardée comme constitutive de la trame du texte — et donc du sens littéral — que l'exégèse spirituelle fait passer globalement à une autre signification.

Il en va tout autrement pour les exceptions annoncées tout à l'heure. Elles

---

127. Jérôme paraît préférer le mot grec *metaphora* qu'il utilise plus fréquemment que son équivalent latin *translatio*.

128. QUINTILIEN, *I.O.* VIII, 6.

129. *In Is.* 182 C, ci-dessus p. 151 et n. 117. Cf. aussi 170 D : « Quanquam et *per metaphoram* leonem regem hostium possumus intellegere... » ; 183 A : « ... et historice possumus accipere.../ Possunt et *hyperbolice* dicta intellegi. »

130. En voici quelques exemples : « Non, ut quidam putant, uere propter steriles Nemrim aquas omnis herba exaruit, sed *per metaphoram* Scriptura loquitur » (169 D-170 A). « Ἡαεc ἐμφατικῶς legenda sunt et scenae modo » (161 B). « Nisi forte συνεκδοχικῶς totum intellegamus ex parte » (160 B). « Gloriam *per ironiam* dictam accipe pro ignominia » (174 C). « ... aequum et rectum (ut scilicet κατὰ ἀντίφρασιν iniquus intellegatur et prauus)... » (199 A), etc.

131. *In Is.* 22, 15-25 : « Nemo autem dubitat et iuxta historiam et iuxta allegoriam... seruari metaphoram » (200 A).

concernent les mots *allegoria, tropologia* et leurs dérivés [132]. On comprend aisément la situation particulière de ces termes au regard du problème qui nous occupe. Très anciennement spécialisés par la tradition chrétienne dans la désignation du sens spirituel, comme nous le verrons plus loin [133], ils ont vu s'effacer, ou au moins s'estomper, leur valeur technique primitive. Peut-être en gardent-ils suffisamment de traces pour éclairer la manière dont l'exégèse chrétienne a privilégié *certains* tropes, comme l'allégorie, pour le passage au sens spirituel. Cela nous renvoie de toute façon à l'étude du sens spirituel et de son vocabulaire. Bornons-nous ici à remarquer que, dans le livre V, une coupure sémantique est nettement perceptible entre ces deux mots et ceux de la terminologie rhétorique restés conformes à leur usage original. Ceux-ci n'avaient pas un sens différent dans Servius ou Donat. Les deux autres portent la marque propre de l'exégèse chrétienne. Ils ne relèvent plus seulement d'une technique universelle de l'explication des textes selon la tradition de l'ἐξήγησις grammaticale, mais bien d'une activité intellectuelle spécifique, étroitement subordonnée aux fins de la *lectio diuina* des Écritures.

Élargie à l'ensemble du Commentaire, l'enquête confirme toutes ces constatations. Elle permet d'ajouter aux termes déjà rencontrés les noms de quelques autres tropes : la métonymie, la catachrèse, l'hyperbate et, plus importante, la parabole [134]. D'ailleurs les emplois sont les mêmes : hormis les mots spécialisés dans la désignation du sens spirituel, les autres termes interviennent massivement au plan de l'exégèse littérale. Dans les rares cas où ils apparaissent dans un développement spirituel, on peut aisément vérifier qu'ils y conservent leur signification technique : ils désignent une figure insérée dans

---

132. Dans ce livre V, on relève cinq emplois pour *allegoria* et ses dérivés, cinq pour *tropologia* et ses dérivés, à quoi l'on peut joindre τροπικῶς. Ils désignent tous un sens spirituel. Un léger doute serait permis pour un *allegorice* (196 D) qui pourrait relever à première vue du sens originel du terme (Élam, comme allégorie de Rome) ; en fait le contexte le rattache à toute une explication d'Eusèbe qualifiée dans la même page par *tropologice*. Quant à τροπικῶς, nous l'avons vu plus haut introduire, après un premier sens « simplex » puis un second « per metaphoram », une application « in aduentu Christi » (182 D).

133. Voir plus loin, au chapitre IV, « Le vocabulaire du sens spirituel ».

134. On peut encore relever des termes comme παραφραστικῶς (326 C. cf. 622 B), ταυτολογία (77 C), ὑποκοριστικόν (455 C). En revanche, en 504 , les ὑπερβολαί et les ἐλλείψεις ne relèvent pas d'une acception rhétorique. Plus digne d'intérêt est le cas de la parabole. En pratique, dans notre Commentaire, le mot ne fait guère difficulté : il renvoie plusieurs fois au genre oral pratiqué par Jésus, dont Jérôme nous dit ailleurs que c'est un genre cher aux Syriens et aux Palestiniens (*In Mt.* 18, 23 : PL 26, 132 C). Le prophète Nathan l'a utilisé avec David (*In Is.* 77 C). Le mot apparaît à côté de *metaphora* avec une valeur voisine (*ibid.* 79 B : « ... quae prius per metaphoram dicta sunt uel per parabolam, postea exponuntur manifestius... »). Moins satisfaisante est la discussion de Jérôme autour du mot *parabola* par lequel il traduit, à la suite d'Aquila, Symmaque et Théodotion, l'hébreu *mashal*, dans la mesure où le terme ne rend pas exactement le mot hébreu. (Cf. *Is.* 14, 4 : 216 D et 217 D.) Mais la définition indirecte qu'il en donne à ce propos n'offense pas l'étymologie, pas plus que ne surprend le fait qu'il oppose la parabole à la *simplex historia*, comme nous l'avions vu tout à l'heure mettre en parallèle *simpliciter* et *per metaphoram*, sans que cela implique un passage au sens spirituel. Dans l'*In Ezechielem* Jérôme applique à la parabole (en même temps qu'à l'énigme) la définition, traditionnelle chez les grammairiens, de l'allégorie : *« aliud proferre in uerbis, aliud tenere in sensibus »* (PL 25, 161 A). Mais loin d'être tenté d'en faire un véhicule du sens spirituel, il souligne son caractère de figure de style, qui doit être traitée comme telle : « Ergo aenigma et parabolam ita debemus intelligere quasi aenigma et parabolam. » Et il va expliquer selon le sens littéral — « ... simplicem carpamus historiam... » — que l'aigle de la parabole prophétique désigne Nabuchodonosor.

la trame du texte, et non pas le moyen d'accéder à une lecture selon l'esprit. Ainsi, par exemple, dans le cours d'une explication spirituelle, la suite des idées amène Jérôme à voir « de l'ironie » dans une apostrophe du prophète qui, dans l'interprétation littérale, n'en comportait pas [135]. Paraphrasant, ailleurs, au plan de l'exégèse spirituelle, un texte où se succèdent plusieurs images, il écrit : « Pour me servir d'une autre comparaison... [136] » Cette comparaison (*similitudo*) est incluse dans le texte biblique lui-même, mais ce n'est pas par elle qu'on accède au sens spirituel.

De ces analyses se dégagent des indices convergents : abondance de termes du sens figuré dans le livre *iuxta historiam* ; dans l'ensemble du Commentaire, présence habituelle de ces termes dans un contexte d'exégèse littérale ; à tout le moins, emploi de ces mots dans leur signification propre, sans que les figures qu'ils désignent soient des voies d'accès au sens spirituel. Tout cela donne à penser que Jérôme tend, pour le moins, à distinguer de l'interprétation spirituelle le sens figuré.

Deux textes caractéristiques vont nous en donner une illustration supplémentaire. Le prophète décrit, au chapitre 5, l'irritation de Dieu contre son peuple : il a étendu sa main contre lui et l'a frappé et, continue le texte, « conturbati sunt montes »... Voici le commentaire de Jérôme : « Certains pensent que ces montagnes sont les puissances contraires, ou bien ces esprits qui sont au service de Dieu et à qui sont livrés les pécheurs pour être châtiés. Pour nous, nous pensons qu'il s'agit là d'une hyperbole : eu égard à l'ampleur des maux qui menacent, les montagnes elles-mêmes se troublent, et toutes les places des villes se remplissent de cadavres [137] ». A une explication qui voyait dans cette sensibilité prêtée aux montagnes l'occasion d'allégoriser et de s'évader dans l'interprétation spirituelle, Jérôme oppose donc une lecture plus rigoureuse. En reconnaissant dans l'expression prophétique les caractères de l'hyperbole, il respecte les données du texte ; il prend aussi, très probablement, ses distances par rapport à une source alexandrine.

L'autre exemple offre la situation inverse. Au début du livre X, pour relier le texte qu'il commente aux versets précédents, d'allure apocalyptique, Jérôme résume l'explication eschatologique (*... in consummatione mundi...*) qu'il en avait donnée à la fin du livre IX et il fait en passant cette concession : « certains toutefois veulent y voir une prédiction hyperbolique de ce qui s'est réalisé sur la terre de Judée au temps de Cyrus, qui libéra le peuple de la captivité [138] ». Le vocabulaire montre bien que Jérôme préfère ici son interprétation spirituelle à l'explication figurée qui, par le biais de l'hyperbole, se

---

135. *In Is*. 247 B : « Itaque per ironiam dicitur... »
136. *In Is*. 290 B : « Vt alia utar similitudine... »
137. *In Is*. 5, 25 : « Montes quidam putant contrarias fortitudines, siue eos spiritus qui in ministerio Dei sunt et quibus traduntur peccatores ad puniendum. Nos autem hyperbolice dictum putamus quod pro magnitudine malorum imminentium etiam montes commoueantur et cadaueribus mortuorum repleantur omnes plateae urbium » (89 C).
138. *In Is*. 351 D : « ... licet haec quidam ὑπερβολικῶς Cyri temporibus, qui captiuitatem populi relaxauit, in terra Iudaea expleta contendant ». L'exégèse moderne reconnaît généralement dans les versets 19-26 du chapitre 30 du prophète un oracle datant de l'époque post-exilique. Elle s'appuie précisément pour cela sur le caractère apocalyptique de certaines images qui ont amené l'interprétation eschatologique reprise par Jérôme (v. 26 : la lumière de la lune deviendra comme la lumière du soleil et la lumière du soleil deviendra sept fois plus forte...).

maintient au plan de l'histoire. Mais l'exemple n'en est pas moins probant du point de vue qui nous occupe : que Jérôme choisisse l'un ou l'autre, son exégèse témoigne qu'à ses yeux, sens figuré et sens spirituel, loin de s'appeler, s'opposent. Une telle optique n'est pas sans précédents ; c'est du côté des traditions exégétiques des Antiochiens qu'on peut en découvrir.

Dans son *Commentaire des Psaumes*, en effet, Diodore de Tarse [139], pour dissiper les confusions qu'il reproche implicitement aux exégètes alexandrins, s'arrête longuement, en prologue à l'explication du Psaume 118, à une série d'analyses de vocabulaire [140]. Or après avoir précisé en quel sens il faut entendre ce que l'Écriture appelle allégorie, il donne de la τροπολογία une définition qui, en substance, concorde avec celles que Quintilien donne des tropes [141] ; et il l'illustre par deux passages de l'Écriture qui mettent en œuvre la même image, celle de la vigne représentant le peuple d'Israël (*Ps.* 79,9 et *Isaïe* 5, 1-7) [142]. L'exemple et la définition montrent à l'évidence que ce que Diodore appelle la « tropologie », c'est le style figuré. Or, visiblement, pour lui pas plus que pour Jérôme, il n'y a confusion entre ce sens figuré et l'interprétation spirituelle [143].

---

139. Diodore compte parmi les représentants les plus marquants du courant antiochien. Avant de devenir évêque de Tarse en 378, il avait enseigné à Antioche où, nous dit Jérôme, « magis claruit ». Il fut le maître de Jean Chrysostome et de Théodore de Mopsueste et mourut avant la fin du IVᵉ siècle. Malheureusement, les responsabilités qu'on lui attribua un siècle plus tard dans l'apparition de l'hérésie nestorienne entraînèrent la perte de l'essentiel de son œuvre. Jérôme lui consacre une notice du *De uir. ill.* (119). Outre « multa alia », il y mentionne nommément des *Commentarii in Apostolum*, qu'il cite dans sa correspondance (*Epist.* 119, 3, en 406), mais non le *Commentaire sur les psaumes*. Deux extraits de ce Commentaire (la préface, et le prologue du Ps. 118) ont été publiés, avec une traduction qui mériterait d'être revue, par L. MARIÈS, dans les *Recherches de science religieuse* 9, 1919, p. 79-101. J.-M. Olivier en a commencé la publication intégrale dans la *Series graeca* du *Corpus Christianorum* (*Commentarii in psalmos I-L*, CCG 6, 1980). L'attribution à Diodore de ce Commentaire qui nous est parvenu sous le nom d'Anastase de Nicée paraît généralement admise. Mgr Devreesse qui le mettait en doute (*Revue Biblique* 34, 1925, p. 605-606 et article *Chaines exégétiques grecques* du *DBS*, t. I, 1128-1130) y reconnaissait de toute façon « le meilleur de la pensée » d'Antioche.

140. Il la présente ainsi : « Οὔσης οὖν πολλῆς διαφορᾶς μεταξὺ ἱστορίας τε καὶ θεωρίας, ἀλληγορίας τε καὶ τροπολογίας καὶ παραβολῆς, ἀνάγκη τὸν ἑρμηνεύοντα φυλοκρινεῖν καὶ σαφηνίζειν ἕκαστον τρόπον, ὡς ἂν ἴδοις ἀναγινώσκων τί μὲν ἱστορία, τί δὲ θεωρία καὶ τὰ ἑξῆς ἀκολούθως » = « Étant donné la grande différence qui existe entre histoire et "theoria", entre allégorie, tropologie, comparaison, il faut que l'exégète classe et détermine clairement chaque genre, pour qu'on voie en lisant ce qui est histoire, ce qui est "theoria" et ainsi de suite. » (Trad. Mariès, légèrement modifiée, *l.c.* p. 90-91.)

141. La voici : « Τροπολογία δέ ἐστιν ὡς ὅταν, πρᾶγμα διηγούμενος ὁ προφήτης, τὰς φανερὰς τῶν λέξεων τρέπῃ εἰς αὔξησιν τοῦ λεγομένου, σαφηνιζομένης τῆς τροπολογίας ἐκ τῆς ἀκολουθίας τῶν λεγομένων ». (*l.c.* p. 92). La définition s'appuie sur l'étymologie (τροπολογία/ τρέπειν). La « tropologie » part donc de la signification manifeste (φανεράς) des mots, pour les faire servir à rehausser (εἰς αὔξησιν...) le récit, et c'est le contexte qui permet d'en éclairer le sens. Comparer avec QUINTILIEN, *I.O.* VIII, 6, 1 et IX, 1, 4 (ci-dessus note 122).

142. Voir, sur *Isaïe* 5, 1-7, le commentaire de Jérôme (74 D-79 B). Il y parle à deux reprises de la *metaphora uineae* ; il fait aussi le rapprochement avec le *Ps.* 79, 9. On peut encore souligner la parenté entre la constatation finale de Diodore : « (Ἡσαίας)... τῆς προφητείας σαφηνίζων τὴν τροπολογίαν ἐπήγαγεν. Ὁ γὰρ ἀμπελὼν Κυρίου σαβαὼθ οἶκος τοῦ Ἰσραήλ ἐστιν »... et la dernière remarque de Jérôme : « Hoc notandum quod iuxta consuetudinem prophetalem, quae prius per metaphoram dicta sunt uel per parabolam, postea exponuntur manifestius : quod uinea et nouella plantatio Israel et Iudas sit » (79 B).

143. Le vocabulaire ne doit donc pas faire illusion ; sauf peut-être une fois (sur *Isaïe* 20, 1-6 : 259 C, voir *infra* « le vocabulaire du sens spirituel ») l'emploi que Jérôme fait du mot *tropologia*

La même manière de voir se reconnaît dans une classification plus marquée chez son disciple saint Jean Chrysostome [144]. Il distingue le sens figuré (τὰ δὲ ἀπεναντίας ταῖς λέξεσιν) du sens spirituel (τὰ μὲν... ἔστι καὶ θεωρῆσαι : on reconnaît la terminologie antiochienne). Et il en donne pour illustration le très beau texte du chapitre 5 des *Proverbes* où, à travers les images de la source et de la biche, est exaltée la fidélité conjugale. A côté de ces deux sens, une troisième formule définit le sens littéral (τὰ δὲ οὕτω δεῖ νοεῖν, ὡς εἴρηται, μόνον), ce qui donnerait à penser qu'il n'assimile pas davantage le sens figuré au sens littéral [145].

Cette répartition un peu rigide, qu'il ne faudrait d'ailleurs pas durcir, fait apparaître le problème du sens figuré sous un nouvel angle, sous lequel il nous reste à interroger l'exégèse de Jérôme : en fait-il une catégorie particulière, distincte du sens littéral ? La question n'est pas artificielle, car nous l'avons vu à plusieurs reprises juxtaposer en pratique au sens figuré *(per metaphoram, hyperbolice...)*, à côté d'un sens spirituel, un sens strictement littéral *(simpliciter, historice...)*. Donnons-en comme dernière illustration le passage où Jérôme commente l'invective d'Isaïe contre les élégantes de Jérusalem. Avant d'en livrer une interprétation spirituelle *(secundum tropologiam)*, Jérôme fait état d'une double tradition : « Certains pensent que ces femmes sont réellement *(uere)* les femmes juives, d'autres estiment qu'il s'agit par métaphore *(metaphorice)* des villes de Judée, qui sont appelées filles de Sion [146] ». Doit-on conclure

---

dans l'*In Isaiam* est tout à fait différent : il l'associe habituellement à l'expression du sens spirituel, docile en cela à l'influence alexandrine.

144. De saint Jean Chrysostome Jérôme ne semble pas connaître grand-chose à l'époque du *De uiris illustribus*. Voici la notice qu'il lui consacre : « Ioannes Antiochenae Ecclesiae presbyter, Eusebii Emiseni Diodorique sectator, multa componere dicitur, de quibus περὶ ἱερωσύνης tantum legi » (129 : PL 23, 713 B). Jean ne sera sacré évêque de Constantinople que cinq ans plus tard (398).

145. JEAN CHRYSOSTOME, *In Ps*. 9, 4 : PG 55, 126-127. Voir, sur lui et quelques Antiochiens postérieurs, PENNA, *Principi...*, p. 71 s. Mais Penna fait du prologue de Diodore au *Ps*. 118 une présentation particulièrement maladroite, pour ne pas dire totalement erronée. Elle donne à penser que Diodore y distingue trois sens de l'Écriture, c'est-à-dire, — outre « l'histoire » —, « l'allégorie » et la « tropologie ». Celle-ci correspondant sans doute possible au sens figuré, distingué du sens spirituel, faut-il comprendre que c'est l'allégorie qui désigne ici le sens spirituel ? Ce serait pour le moins inattendu chez le maître de l'école d'Antioche. C'est pourtant ce qui ressort indiscutablement de la phrase par laquelle Penna passe de la position de Diodore à celle de son disciple. Il écrit : « La medesima gamma di sensi è presentata da S. Giovanni Crisostomo » (p. 71). Dans un tel parallélisme il ne fait aucun doute que c'est la θεωρία de Jean Chrysostome (τὰ μὲν... ἔστι καὶ θεωρῆσαι...) qui correspond à l'*allegoria* du texte de Diodore. C'est une énormité. En fait, on l'a vu, Diodore définit dans son prologue non pas trois sens de l'Écriture, mais une série de termes (voir le texte cité *supra*, note 140) qui ne désignent pas autant de sens de l'Écriture. La définition de l'allégorie que résume Penna est précisément celle que Diodore considère comme celle des Grecs et dont il se refuse à trouver trace dans la Bible (ἡ θεία γραφὴ τῆς ἀλληγορίας τὸ μὲν ὄνομα οἶδε, τὸ δὲ πρᾶγμα οὐκ οἶδεν... *l.c.* p. 90). A la différence de ce que l'Écriture a désigné par ce mot, elle entraîne en effet une destruction du fondement préalable de l'histoire (ἱστορίαν προυποκειμένην... ἀναιρεῖ), comme en témoignent clairement les deux exemples que Diodore en donne, empruntés à la mythologie grecque. C'est très exactement l'exégèse allégorique d'Homère, exégèse physique dans l'exemple de Zeus et d'Héra (= l'éther uni à l'air ; cf. *Iliade* XIV, 345-351), exégèse historique dans l'histoire d'Europe. (Cf. BUFFIÈRE, *Les mythes d'Homère...*, 2ᵉ partie, ch. III et IX). Il a fallu à Penna une distraction singulière pour mettre cette allégorie en correspondance avec la θεωρία de Chrysostome, en trahissant ainsi complètement la pensée de Diodore.

146. *In Is*. 3, 16 : « quas quidam putant uere femineas Iudaeorum, alii metaphorice de urbibus Iudaeae dici arbitrantur, quae appellantur filiae Sion » (68 C).

qu'on se trouve en face de trois types caractérisés d'exégèse ? Il est permis d'en douter. Tout d'abord la structure même de ces passages doit retenir l'attention : elle n'est pas vraiment tripartite. A chaque fois, face au sens spirituel, le sens *simplex* et le sens métaphorique se trouvent, de quelque manière, associés. On peut le vérifier dans le texte que nous venons de voir. C'était aussi le cas, d'une autre façon, dans le passage commentant la sécheresse de l'Égypte [147]. Du point de vue du contenu, du moins pour un regard moderne, il ne fait pas de doute non plus que le sens qu'on atteint à travers les figures de ces textes reste à un niveau strictement « historique ».

Au demeurant, cette tripartition n'est pas très fréquente dans notre Commentaire. Le plus souvent, — on l'a remarqué pour le livre V mais la constatation est encore plus valable pour l'ensemble de l'ouvrage —, quand il y a figure de style, le seul sens du texte, c'est le sens figuré. Or, dans quelques cas, on peut relever des indices qui témoignent d'une assimilation pratique de ce sens au sens littéral. Ainsi, l'explication par l'hyperbole, que Jérôme oppose au début du livre V à une explication eschatologique, lui permet en fait d'intégrer le verset en cause dans la trame de l'explication « historique » de tout le chapitre [148]. Quelques pages plus loin, on constate que c'est après s'être tiré d'affaire sur un détail épineux en y découvrant une synecdoque qu'il s'excuse en maugréant d'avoir à s'en tenir à la seule « exégèse historique » [149]. Enfin, au moins une fois, le rapprochement est explicite. Jérôme vient de noter que le prophète a recours une fois de plus à une métaphore rurale, celle de l'émondage de la vigne ; il poursuit : « Et pour éviter qu'on ne pense qu'il parle de vigne et non d'hommes, il ramène la métaphore à la réalité du sens historique : ils seront abandonnés, dit-il, à la fois aux oiseaux des montagnes et aux bêtes de la terre. De fait, les oiseaux et les bêtes ne dévorent pas les branches coupées mais les cadavres [150] ». En somme le prophète atteste lui-même le caractère « littéral » du sens figuré de ses propos en fournissant les moyens de bien interpréter sa métaphore.

Les indices fournis par ces textes sont corroborés par deux prises de position explicites. Elles sont toutes deux antérieures au *Commentaire sur Isaïe* et près de quinze ans les séparent ; leur convergence n'en a que plus de poids. Dans l'un de ses premiers commentaires sur les petits prophètes, le *Commentaire sur Habacuc*, Jérôme prévient ainsi une objection : « Et si l'on vient me dire : Voilà que, sans vous en rendre compte, au cours de l'explication historique vous vous êtes pris dans les filets de l'allégorie et que vous avez mêlé la tropologie à l'histoire, qu'on sache que le langage métaphorique de l'histoire ne correspond pas toujours à l'allégorie, car souvent l'histoire elle-même est tissée de métaphores et, sous l'image d'une seule femme ou d'un seul homme, c'est du peuple entier qu'on parle... [151] ». Le vocabulaire est sans doute un peu flottant : *allegoria* et *tropologia* désignent le sens spirituel, et *historia* semble

---

147. *In Is.* 182 C, ci-dessus p. 151 et note 117.

148. *In Is.* 157 D.

149. *In Is.* 160 BC.

150. *In Is.* 18, 5-6 : « Ac ne putares eum de uinea dicere et non de hominibus, uertit metaphoram in historiae ueritatem : "Et relinquentur", ait, "simul auibus montium et bestiis terrae". Aues enim et bestiae non abscisos arborum ramos sed cadauera deuorant » (180 B).

151. HIER. *in Habacuc* PL 25, 1328 C : « Quod si quis dixerit : Ecce in historiae expositione dum nescis, allegoriae clausus es retibus et tropologiam historiae miscuisti, audiat non semper

recouvrir à la fois genre historique et sens littéral ; mais la signification du passage est claire : le sens métaphorique, souvent, fait partie de « l'histoire ».

Plus ramassé, et encore plus net, est le témoignage du *Commentaire sur Osée* en 406. Au moment d'expliquer un texte « qu'enveloppent de profondes obscurités », Jérôme avertit le lecteur : « La parole divine a pour habitude d'exprimer la réalité du sens historique à travers l'emploi des tropes et la métaphore [152] ». C'est donc à ses yeux une habitude de l'Écriture d'exprimer la réalité de l'histoire au moyen du langage figuré. On ne saurait souhaiter affirmation plus nette.

Nous sommes, semble-t-il, en droit de conclure que, dans la pensée de Jérôme comme dans sa pratique exégétique, le sens figuré se distingue du sens spirituel pour rejoindre le sens littéral dont il représente comme une variété particulière. Ce choix manifeste une réelle indépendance. Il est certain que son maître Didyme, si expert dans l'art de découvrir sous la moindre figure des réalités cachées, ne l'aurait pas ratifié. Jérôme n'a pas, d'autre part, la vigueur d'analyse des premiers maîtres antiochiens et il est loin d'épouser la querelle systématique qu'ils font à l'exégèse allégorique d'Alexandrie. Aussi n'évite-t-il pas, dans la pratique, quelques contradictions. Un bon exemple en est offert par le commentaire de la prophétie du rameau de Jessé et notamment de la description qu'elle contient des temps messianiques (*Isaïe* 11, 6-9). Jérôme a clairement dégagé dès le début la portée du chapitre : « toute cette prophétie concerne le Christ [153] ». De fait, c'est un des textes majeurs sur lesquels s'opposent la vision juive et la vision chrétienne du Messie. Il est donc très vite amené à réfuter l'interprétation des juifs. Il profite des facilités que lui offre leur exégèse littérale de la description paradisiaque des versets 6 à 9 pour les prendre — comme il en est coutumier — en flagrant délit d'atteinte au bon sens ; il déclare en subtance : s'ils comprennent toute cette description à la lettre sans en rien rapporter à une compréhension spirituelle (*ad intellegentiam spiritalem*), il va leur falloir expliquer comment on peut prendre à la lettre sans les rapporter au sens profond (*ad sensum*) les images précédentes : le rameau issu de la bouche de Jessé, la terre frappée par la parole de Dieu, le souffle de ses lèvres qui fait périr l'impie, et la justice et la vérité ceintures des reins de Dieu. Autrement dit, Jérôme enferme l'adversaire dans cette alternative : ou la *littera*, insoutenable, ou l'*intellegentia spiritalis* [154]. On peut s'étonner qu'il ne

---

metaphoram historiae allegoriam consonare, quia frequenter historia ipsa metaphorice texitur et sub imagine mulieris uel unius uiri de toto populo praedicatur. »

152. HIER. *in Osee* : « Hanc habet consuetudinem sermo diuinus ut per tropologiam et metaphoram historiae exprimat ueritatem » (PL 25, 909 B). On peut relever ici encore les pièges d'un vocabulaire incertain : *tropologia* retrouve dans cette phrase un sens technique extrêmement rare chez Jérôme, ce qui range exceptionnellement le mot, à côté de *metaphora*, dans le vocabulaire du sens figuré, alors que dans le texte précédent, avec *allegoria*, il désignait, comme c'est habituel chez Jérôme, le sens spirituel.

153. *In Is.* 144 A : « omnis haec prophetia de Christo est ».

154. *In Is.* 147 BC. L'exégète moderne refuse ce dilemme : il voit d'abord dans ce texte une description imagée du personnage messianique (le rameau qui repousse de la souche de l'arbre abattu, symbolisant la lignée davidique frappée par le jugement divin dont sortira le Messie) et du

reconnaisse pas ici, comme il le fait ailleurs, les caractéristiques du style figuré et qu'il fasse de l'image le véhicule du sens spirituel.

Quoi qu'il en soit de ces inconséquences qui, prises isolément, ne sont pas sans explications [155], l'attitude générale de Jérôme est claire. Il est même, dans ses affirmations théoriques, plus explicite que Diodore et va plus loin que Chrysostome. On peut dire qu'il est le seul, à son époque, à classer explicitement le sens métaphorique comme un sens littéral. Ce faisant, c'est en grammairien que l'ancien disciple de Donat apprécie les figures de l'Écriture, sans y chercher des médiations entre les deux plans de réalité d'un dualisme platonisant [156] : nous aurons d'autres occasions de le vérifier. Sans doute a-t-il fortement contribué par là à préparer les classifications ultérieures qui aboutiront un jour à la définition de saint Thomas d'Aquin : « Le sens parabolique ou métaphorique est un sens littéral ; car les mots peuvent avoir une signification propre ou figurée [157] ». Si cela était devenu évident au XIIIᵉ siècle, Jérôme n'y a pas été tout à fait étranger.

---

bonheur dont sa venue est le gage (félicité « paradisiaque » exprimée par l'accord parfait entre les êtres vivants).

155. Dans le cas du rameau de Jessé, on peut en avancer trois, étroitement liées, dont la portée dépasse d'ailleurs ce texte. Tout d'abord devant cette prophétie messianique par excellence, Jérôme en réalité n'est pas libre d'envisager d'autre interprétation que celle qu'il hérite de plus de trois siècles d'exégèse chrétienne. Car le NT lui-même applique à Jésus l'image du rameau de Jessé (*Ro.* 15, 12). Comment, après saint Paul, avoir l'idée d'en faire une autre lecture ? L'affirmation par un apôtre de l'accomplissement d'une prophétie a pour Jérôme, on le verra plus loin (p. 374), valeur de *regula ueritatis* (*in Zach.* PL 25, 1520 BC). De plus, cette lecture traditionnelle s'impose avec d'autant plus de force qu'elle est contestée par l'interprétation juive qui reporte à la venue du Messie, toujours attendu, la réalisation littérale du bonheur paradisiaque qui fait aussi partie de l'espérance des millénaristes (*nostri Iudaizantes*). On voit mal Jérôme se dérober à une sainte polémique sur un point aussi central, pour faire preuve de souplesse et d'indépendance. Enfin, d'une façon plus précise, il est tributaire de ses sources directes. Celles qu'il avoue en introduction — mis à part peut-être Apollinaire — n'ont dans leur inspiration générale rien qui puisse l'inciter à s'affranchir de la lecture traditionnelle. En laissant de côté Didyme, dont il est pourtant probable qu'il a commenté ce passage, nous pouvons remarquer que l'exégèse de la paille (v. 7) comme image du sens littéral de l'Écriture est dans Eusèbe (Eus. W. 9, 84), que celle du loup représentant saint Paul, par la médiation de *Gen.* 49, 27, est d'Origène (*In Ez. hom.* 4, 4 : PL 25, 724 D). Mais le rapprochement essentiel est à chercher dans le *Periarchòn* (IV, 2, 1 : SCh 268, 294-296). Origène invoque précisément ces versets d'Isaïe (11, 6-7) dans les exemples qu'il donne des interprétations erronées qui ont conduit les tenants de la circoncision à ne pas accueillir le Christ, faute d'avoir vu se réaliser ces prophéties. La page permet de se faire une idée de ce que pouvait être l'exégèse de cette prophétie dans le *Commentaire sur Isaïe* d'Origène. De toute façon, Jérôme connaissait parfaitement le *Periarchòn* pour l'avoir traduit neuf ans plus tôt avec toute l'attention critique qu'entraînait le contexte polémique de la controverse avec Rufin. Il en pille encore, sans le dire, le § 11 du livre IV dans sa lettre à Hédybia en 407 (*Epist.* 120, 12) et l'a donc tout à fait en tête quand il rédige son Commentaire. Ces raisons expliquent que Jérôme, qui travaille vite et qui n'a pas vis-à-vis de l'exégèse alexandrine des réticences aussi clairement motivées que les Antiochiens, puisse, sur des textes de ce genre, se laisser entraîner par ses sources au mépris de ses prises de position conscientes, sans même avoir le sentiment qu'il se met en contradiction avec lui-même. Ce serait donc une erreur de récuser, en s'appuyant sur de tels exemples, les affirmations de Jérôme que corrobore sa pratique dominante.

156. Cf. A. KERRIGAN, *Saint Cyril of Alexandria interpret of the Old Testament*, Roma, 1952, 1ʳᵉ partie, ch. 1 et p. 213-214.

157. Cité par C. SPICQ, *Esquisse d'une histoire de l'exégèse latine au Moyen Age*, Paris, 1944, p. 275.

C — *Anthropomorphismes*

Du sens figuré, on peut rapprocher l'usage que fait l'Écriture d'expressions anthropomorphiques pour décrire l'activité de Dieu et ses relations avec son peuple. Jérôme ne s'est expliqué nulle part à leur propos de façon vraiment systématique, mais il se montre attentif à en rendre compte quand il en rencontre. Ce faisant, il lui arrive de formuler des remarques de portée générale qui éclairent son attitude. Avec Isaïe les occasions ne manquent pas car, si toute l'Écriture est riche en anthropomorphismes [158], les prophètes en offrent d'abondants exemples. Prononçant en quelque sorte le jugement de Yahvé sur l'histoire qui se déroule sous leurs yeux, c'est à tout instant qu'ils le mettent en scène et lui prêtent attitudes et propos humains.

Ces anthropomorphismes sont parfois simplistes : on prête à Dieu les manifestations d'une réalité corporelle. Nous avons vu naguère le prophète parler des reins du Seigneur. Ailleurs, il le montre détournant les yeux pour ne pas voir ceux qui le prient [159] ; une parole sort de sa bouche [160] ; il n'est pas rare non plus qu'il étende la main pour frapper son peuple ou, au contraire, le protéger [161]. Jérôme montre aisément qu'il y a là autant de manières de parler qui ne doivent tromper personne. Il prend d'ailleurs la peine de l'expliquer, ce qui témoigne de son souci d'éviter toute interprétation matérialisante [162], et il le fait même lorsque cela ne nous semble guère nécessaire. Il éprouve par exemple le besoin de préciser que « s'il est dit que (la parole) sort de la bouche, et du sein et des entrailles (de Dieu), ce n'est pas que Dieu possède ces organes, mais nous apprenons à connaître ainsi, à travers nos propres mots, la nature du Seigneur [163] ». Son insistance est encore plus grande, mais elle surprend moins, lorsque, de commentateur érudit, il se transforme en prédicateur et, à propos d'un psaume, fait comprendre à l'auditoire simple de l'église de Beth-léem « qu'en Dieu il n'y a pas de membres ». Ce rappel de l'évidence se

---

158. Qu'on pense par exemple aux traditions les plus anciennes du *Pentateuque*, comme le récit yahviste de la création et de la chute, si haut en couleur, où Yahvé se promène dans le jardin d'Éden à la brise du soir (*Gen.* 3, 8).

159. *In Is.* 1, 15 : 35 C. Cf. *Mich.* 3, 4 : « non exaudiet eos et auertet faciem suam ab eis ».

160. *Is.* 55, 11.

161. Par exemple *Is.* 5, 25 ; 9, 16, etc.

162. Il y a là, sans doute, le souvenir de rudes controverses. Origène avait dû sur ce point défendre la Bible des railleries du païen Celse (cf. *Contre Celse* IV, 71. Voir ci-dessous p. 165). En sens inverse la tendance du fond païen populaire à l'anthropomorphisme menaçait peut-être toujours de resurgir dans la conscience des humbles.

163. *In Is.* 55, 10-11 : « ... de ore procedere dicitur et de utero ac uulua, non quod Deus haec membra habeat, sed quod nos naturam Domini per nostra uerba discamus » (535 D). Ici Jérôme enchérit bizarrement sur le prophète : le texte ne parle que de la vulve. L'image de la vulve et des entrailles est peut-être amenée par l'assimilation qu'il a faite de la parole au Λόγος, autrement dit Fils, « engendré » par le Père. En tout cas, si cet anthropomorphisme inattendu n'est pas dans le texte d'Isaïe, il est dans l'esprit de la tradition biblique la plus ancienne, où la tendresse de Dieu est exprimée par la racine *r ḥ m* qui traduit l'amour « viscéral », celui de la mère pour son enfant (*réḥém* = le sein maternel). Cf. *Exode* 34, 6 : *'èl raḥùm weḥannùn* = (Yahvé) Dieu de *tendresse* et de pitié. Le P. Dreyfus remarque « que le mot est utilisé uniquement pour désigner l'amour de Dieu pour l'homme, jamais l'amour de l'homme pour Dieu (...) parce que cet amour est transposé en Dieu, c'est la tendresse maternelle de la mère pour son enfant ». (*Le vocabulaire hébraïque de l'amour de Dieu dans la Bible*, dans *Israël et Nous* 21, oct. 1962, p. 29.) La comparaison est d'ailleurs faite par Isaïe au ch. 49 (v. 14-15).

prolonge par l'explication que voici : « Le prophète parle ainsi pour que, toutes les fois que nous lisons sur Dieu de tels propos, qui sont fréquents dans les Écritures, nous comprenions que c'est de son action qu'on parle, non de membres [164] ».

De fait, pour l'écrivain sacré, les gestes prêtés à Dieu sont une manière de traduire une attitude psychologique : si Yahvé détourne les yeux, c'est pour manifester son écœurement ; quand il étend la main pour punir, il exprime sa colère. Ces « sentiments » de Dieu sont variés, et même apparemment contradictoires. Jérôme, à la suite du prophète, parle souvent de son « emportement », qui n'exclut ni sa « bonté » ni sa « patience » [165]. Capable de colère, Dieu l'est encore d'oubli ou de repentir [166], mais aussi de persévérance ; il jure que son attente ne sera pas trompée, qu'il ira au bout de ses desseins... [167], etc. Moins simplistes que les précédents, ces anthropomorphismes présentent par là même un risque plus subtil ; car si l'analogie est prise à la lettre, voilà Dieu rabaissé au niveau des hommes et de leurs passions, et cela peut entraîner fort loin sur la voie de l'erreur [168]. Aussi voit-on Jérôme soucieux de lever toute ambiguïté. En voici un témoignage : « Emportement, oubli, colère, repentir, nous devons comprendre ces termes, quand il s'agit de Dieu, comme les pieds, les mains, les yeux, les oreilles et les autres organes que notre langage prête au Dieu incorporel et invisible [169] ». On discerne aisément le raisonnement ; il apparaît en toute sa netteté dans un sermon sur le Psaume 10. Jérôme y assimile traits psychologiques et traits physiques et, prenant appui sur le bon sens qui se refuse à accorder, par exemple, des « paupières » à Dieu, il souligne l'incohérence qu'il y aurait à interpréter de deux façons différentes des traits qui relèvent d'une même manière de parler [170].

---

164. Hier. *Tract. de ps.* 93, 8-9 : « Quia in Deo membra non sunt, ideo sic dicit ut nos, quotienscumque in Deum talia legimus quae in scripturis saepe inueniuntur, intellegamus efficientiam significari, non membra. » (CC 78, 435 = Morin°, p. 83.) Il trouve parfois des formules familières pleines d'énergie, tout à fait propres à frapper l'esprit de ses moines. « Inclina aurem tuam », dit à Dieu le Psaume 87. Jérôme commente : « C'est pure sottise (magnae imbecillitatis est...) de supposer que Dieu a besoin, quand il veut entendre, de pencher son oreille pour entendre de plus près. Vois quelle pauvreté il y a (quam miserum est...) à dire que le Père ne peut entendre le Fils sans pencher la tête... » (*Tract. de ps.* 87, 3 : CC 78, 400 = Morin°, p. 47).

165. *In Is.* 89 AB.

166. *In Is.* 634 B.

167. *In Is.* 164 C. Voir encore *In Malachiam* PL 25, 1546 D : « Odisse autem Deus ἀνθρωποπαθῶς dicitur, ut flere, ut dolere, ut irasci, ut quando audimus odium eius in malos, ea quae Deum intellegimus odisse fugiamus. »

168. De fait, les anthropomorphismes de l'Ancien Testament, prêtant en particulier à Dieu rudesse et vigueur, avaient été utilisés par des hérétiques comme les Gnostiques et Marcion pour étayer leur vision dualiste. Voir Origène, *Periarchôn* IV, 2, 1 (SCh 268, 296), qui cite, parmi les textes qu'ils pouvaient invoquer, *Isaïe* 45, 7 (« Je suis le dieu qui fais la paix et provoque le malheur »).

169. *In Is.* 634 B : « Furorem autem, obliuionem, iram, poenitudinem ita in Deo debemus accipere quomodo pedes, manus, oculos, aures et cetera membra quae habere dicitur incorporalis et inuisibilis Deus. »

170. Voici le verset du psaume (v. 4) : « Oculi eius in pauperem respiciunt, palpebrae eius interrogant filios hominum. » Jérôme continue : « Aduersus eos qui iram Dei et furorem simpliciter accipiunt, palpebras Domini et oculos proponamus. Si enim illa ἀνθρωποπαθῶς intellegunt, et haec similiter accipere cogentur. Quod si absurdum est in Domino omnipotente oculos et palpebras ponere, spiritalem aliquam interpretationem pro ira quoque et furore aeque cogentur inquirere, Valde quippe ineptum non et illa et haec uel spiritaliter uel carnaliter similiter intellegi » (CC 78,

Mais la meilleure façon de mettre en garde contre des conceptions erronées, c'est de proposer les explications exactes. Jérôme ne manque pas de justifier l'emploi que fait l'écrivain sacré des anthropomorphismes et de préciser leur raison d'être. Si l'Écriture évoque si volontiers « l'emportement du Seigneur », c'est à ses yeux dans une intention pédagogique « ... parce que les pécheurs que nous sommes ne craindraient pas Dieu s'ils ne le savaient irrité [171] ». Si elle lui prête de la haine, c'est pour qu'en apprenant que Dieu hait les méchants, nous nous détournions des comportements mauvais qu'il abhorre [172]. Compris correctement, ces anthropomorphismes, loin de fournir des

---

360 = Morin⁰, p. 6). Si on reconnaît dans les traits physiques des anthropomorphismes (et cela s'impose sous peine d'absurdité), on est donc obligé de rechercher aussi pour les traits psychologiques « spiritalem aliquam interpretationem ». Cette expression à vrai dire ne laisse pas de surprendre comme, dans la phrase suivante, l'opposition « uel spiritaliter uel carnaliter ». Contrairement à ce que donnent à penser toutes les remarques précédentes, la lecture ἀνθρωποπαθῶς relèverait-elle du sens spirituel ? C'est tout à fait improbable et certains indices incitent à comprendre ces termes d'une autre manière. Tout d'abord les exemples que nous rencontrons chez Jérôme de l'adverbe grec situent sans doute possible l'explication par l'anthropomorphisme au sein du sens littéral (cf. par exemple *In Danielem* PL 25, 541 A ; *In Malachiam, ibid.* 1546 D, texte ci-dessus n. 167). D'autre part le couple *spiritaliter/carnaliter* n'est pas forcément exégétique. Sans doute *carnaliter* qualifie-t-il volontiers une lecture à courte vue qui s'accroche à la « lettre » en ignorant « l'esprit » ; c'est le grief fait aux juifs. D'où la valeur péjorative du mot. Elle se retrouve dans notre texte, mais il s'agit ici d'absurdité *(absurdum)*, non de myopie théologique. Il est probable que l'opposition que Jérôme a dans l'esprit n'est pas exégétique mais théologique ou, plus exactement, philosophique ; c'est celle des réalités humaines sensibles et de la réalité invisible et spirituelle de Dieu. *Carnaliter* serait à opposer à l'*incorporalis et inuisibilis Deus* du texte de l'*In Isaiam* cité précédemment, et la dernière phrase signifierait en substance : il serait stupide de ne pas comprendre les uns et les autres de la même façon, ou bien comme des anthropomorphismes, ou bien, en les prenant à la lettre, comme des réalités charnelles. Un passage de l'*In Zachariam* où intervient le même vocabulaire me paraît confirmer cette interprétation. Le prophète y parle de Dieu qui va sortir combattre ses ennemis. « Egredi Deum », dit Jérôme, « et pugnare contra gentes et stare pedes eius in montem Oliueti et cetera quae in Scripturis sanctis ἀνθρωποπαθῶς dicta et carnaliter continentur, digne Deo debemus accipere. » (PL 25, 1523 B). Jérôme suit ici de très près la pensée de Didyme dans le passage correspondant de son *In Zachariam*. « Il faut », écrit l'Alexandrin, « quand les divines Écritures, dans un souci de pédagogie (οἰκονομικῶς), s'expriment sur Dieu en termes nettement corporels (σωματικώτερον), les comprendre d'une manière spirituelle et convenable à Dieu (νοητῶς καὶ θεοπρεπῶς) » (trad. Doutreleau, V. 34). Et il parle à deux reprises de l'οὐσία νοερά de Dieu. Le *carnaliter* de Jérôme transpose donc simplement le σωματικώτερον de Didyme. Et νοητῶς (νοερός) permet sans doute d'éclairer l'*intellegentia spiritalis* du sermon sur le Psaume 10 : elle serait l'interprétation qui reconnaît la réalité *spirituelle* de Dieu ; nous sommes au plan des νοητά, non des πνευματικά. Penna (*Principi...* p. 179) entrevoit cette explication ; il fait aussi l'hypothèse que Jérôme pourrait parler ici d'exégèse spirituelle, en contradiction avec ses positions habituelles, tributaire qu'il serait d'une exégèse d'Origène. L'hypothèse n'est pas absurde, mais elle est sans doute inutile.

171. *In Is.* 89 A : « Furere autem Dominus dicitur (...) quod nos qui delinquimus, nisi irascentem audierimus, Dominum non timeamus. » La formule surprend de la part d'un homme aussi familier non seulement de l'Évangile mais aussi de l'A.T. que l'était Jérôme ; elle n'est pas isolée. On relève par exemple dans l'*In Ionam* ce passage aussi inquiétant : « Cela... détruit complètement la crainte de Dieu *(timorem Domini)*, les hommes glissant facilement aux vices s'ils croient que même le diable (...) peut être sauvé s'il fait pénitence. » (trad. Antin, p. 98 = PL 25, 1142 A). Il semble bien que Jérôme, et il n'est pas le seul à son époque, ait singulièrement faussé la notion biblique de la crainte de Dieu, beaucoup plus faite de révérence et de sens de la grandeur de Dieu que de peur (cf. les textes admirables du Second Isaïe). Faut-il voir dans ce gauchissement les séquelles des polémiques anciennes ? Dans l'impossibilité où ils étaient d'abandonner l'AT aux juifs qui s'y limitaient et aux hérétiques qui le rejetaient, les Pères ont peut-être eu tendance à recourir un peu trop vite à l'exégèse spirituelle pour se tirer de difficulté (voir page suivante pour l'attitude d'Origène), au détriment d'une juste appréciation de l'attitude religieuse de l'AT en elle-même.

172. Hier. *in Malachiam* PL 25, 1546 D (note 167).

arguments aux hérétiques qui opposent le démiurge rigoureux de l'Ancien Testament au Dieu bon de la Nouvelle Alliance, témoignent en définitive de la bonté de Dieu qui châtie par amour, pour provoquer au repentir et pouvoir pardonner. « Jamais le Seigneur ne s'irrite et ne se venge mais il reprend pour corriger », explique ailleurs Jérôme [173]. Il n'y a pas lieu d'être scandalisé davantage par les changements d'attitude de la part d'un Dieu qui, comme dit l'Écriture, se repent. Ce serait ne pas comprendre qu'en prêtant à Dieu des sentiments différents, le prophète décrit en réalité les fluctuations du comportement humain qui mérite d'attirer tantôt la colère, tantôt la miséricorde : « La colère du Seigneur n'indique pas une passion chez celui qui s'irrite mais un comportement de pécheurs chez ceux contre qui se déchaîne la colère de Dieu [174] ».

Quiconque apprend à lire correctement l'Écriture ne voit donc pas réellement en Dieu des contradictions ou des passions qui ne sauraient y être. Jérôme multiplie sur ce point les mises en garde : « S'il est dit que le Seigneur s'emporte, ce n'est pas qu'il soit soumis aux passions humaines... [175] », « ... ce n'est pas qu'il soit exposé à ces passions, lui qui les éteint en nous par le don de sa grâce... [176] ». Il appuie ses affirmations sur celles de l'Écriture elle-même, qui déclare de Dieu qu'il reste le même, qu'il ne change pas [177]. Parfois aussi ses expressions laissent transparaître un arrière-plan philosophique. Nous avons déjà remarqué tout à l'heure la double qualification de Dieu comme « incorporel et invisible », aussi philosophique que biblique [178]. Relevons encore dans le même esprit ce passage du *Commentaire sur l'Épître aux Éphésiens* : « La tristesse de l'Esprit saint doit être comprise comme la colère de Dieu et son sommeil et les autres états qu'on lui prête à la ressemblance de l'homme ; ce n'est pas que l'Esprit s'afflige, ni que la divinité éprouve aucune passion... [179] ».

En dernière analyse, pour Jérôme, la raison d'être des anthropomorphismes de l'Écriture est pédagogique. Dieu se met en quelque sorte à la portée de notre langage ; il parle en affectant des sentiments humains « pour que nous comprenions à travers nos manières de parler les sentiments de Dieu à notre égard [180] ». La formule reste d'ailleurs entachée d'anthropomorphisme. On

---

173. HIER. *in Zachariam* PL 25, 1420 B : « Dominus numquam iratus ulciscitur sed ad hoc corripit ut emendet. »

174. *Ibid.* : « Ira Domini non perturbationem eius significat qui irascitur sed eorum merita atque peccata in quos ira Dei desaeuit. »

175. *In Is.* 89 A : « ... non quod humanis perturbationibus subiaceat... »

176. *In Is.* 634 B : « non quo his pateat perturbationibus, qui eas dono gratiae suae exstinguit in nobis... »

177. Voir HIER. *in Amos* 1070 B : « Paenitentiam Dei in Scripturis sic debemus accipere quomodo somnum et iram : non quod Deum paeniteat aut mutet sententiam. » Suivent une citation de Malachie : « Ego Deus, et non mutor » (3, 6) et une autre du Psaume 101 : « Tu autem idem ipse es et anni tui non deficient... » Dans l'*In Zachariam*, antérieur de quelques semaines, à ces deux citations s'ajoute une référence à l'*Épître de Jacques* (1, 17), le tout venant du Commentaire correspondant de Didyme (*Sur Zacharie* V, 35).

178. Voir ci-dessus p. 162.

179. HIER. *in epist. ad Eph.* PL 26, 514 A : « Maeror sancti Spiritus sic intellegendus quomodo ira Dei et somnus et ceterae in humanam similitudinem passiones : non quo contristetur Spiritus et ullam perturbationem diuinitas sentiat sed quo ex uerbis nostris Dei discamus affectus. »

180. *In Is.* 634 B : « ... quo per nostra uerba Dei erga nos intellegamus affectum ». Cf. la fin du texte de la note précédente.

peut lui préférer cette autre : « ... pour que nous apprenions à connaître à travers notre propre langage la nature de Dieu... [181] ». C'est la nature même de Dieu que ces analogies apprennent à découvrir, et le verbe *discere* manifeste parfaitement la fonction pédagogique que Jérôme leur reconnaît.

Un dernier rapprochement achèvera de nous éclairer. Dans sa réfutation du *Discours véridique* de Celse, Origène rencontre la question des anthropomorphismes prêtés à Dieu dans l'Ancien Testament, qui avaient suscité les railleries du philosophe païen. Il en fournit, lui aussi, une justification pédagogique, en recourant à l'image des petits enfants à qui l'on parle un langage approprié à leur âge. « De la même façon », dit-il, « la parole de Dieu semble avoir usé de pédagogie dans ses propos, les mesurant à la force de ses auditeurs... Elle a, pour être profitable à des hommes, revêtu pour ainsi dire des manières d'hommes. » Ces perspectives apparaissent proches de celles de Jérôme, mais la convergence s'arrête là. Car la suite du texte d'Origène montre qu'il conçoit tout autrement le rôle pédagogique des anthropomorphismes. Son explication implique en effet deux niveaux de signification, celui des « faibles » (ἀσθενέστεροι) et celui des « habiles » (ἐντρεχέστεροι), niveaux qui peuvent se trouver tous deux dans le même texte pour qui sait l'entendre [182]. On reconnaît l'idée, chère à Origène, de degrés de compréhension correspondant aux différents sens des Écritures. Les anthropomorphismes seraient donc susceptibles d'une double lecture, et leur pleine signification relèverait du sens spirituel. C'est la même conclusion qu'autorise le paragraphe du *Periarchôn* où ils sont évoqués comme exemples des interprétations erronées que les hérétiques donnent des Écritures, « faute de connaître la manière dont il convient de les aborder » [183], c'est-à-dire, comme on le comprend par la suite, faute de savoir qu'elles ont un sens spirituel. La position d'Origène est donc sans ambiguïté et reflète l'inspiration de l'exégèse alexandrine.

On a pu se rendre compte que telle n'était pas la perspective de Jérôme. Pour lui, en effet, c'est en comprenant les comportements humains prêtés à Dieu par les textes sacrés comme des manières qu'a l'Écriture de s'exprimer qu'on rejoint l'intention de l'auteur biblique et qu'on atteint le sens propre du texte. En d'autres termes, en expliquant les anthropomorphismes de la Bible, on ne quitte pas avec Jérôme le terrain solide de l'exégèse littérale.

Les passages où l'Écriture prête vie et sensibilité à des réalités inanimées, voire à des abstractions, donnent lieu à des observations identiques. Ainsi, le texte dans lequel Isaïe voit l'enfer « dilater son âme et ouvrir démesurément sa gueule » pour engloutir le peuple coupable nous vaut cette mise en garde de Jérôme : « Il est dit de l'enfer qu'il a une âme, non qu'il soit un être animé, comme le croient à tort certains, mais parce que nous exprimons dans nos termes humains habituels les caractères des réalités insensibles... » (ici le caractère « insatiable » de l'enfer) [184]. On pouvait donc s'y tromper, comme il

---

181. *In Is.* 535 D. Texte ci-dessus n. 163.

182. ORIGÈNE, *Contre Celse* IV, 71.

183. ORIGÈNE, *Periarchôn* IV, 2, 1.

184. *In Is.* 5, 14-15 : « Infernus autem animam habere dicitur, non quod animal sit, iuxta errorem quorumdam, sed quod uerbis humanae consuetudinis rerum insensibilium exprimamus affectum » (84 A). En reprenant le verset prophétique, Jérôme rajoute d'ailleurs la mort à l'enfer,

arrivait qu'on prît appui sur certaines expressions touchant la terre, le ciel ou les astres, pour voir en eux des êtres animés. Jérôme dénonce le danger à plusieurs reprises : « Le ciel et la terre passeront non de leur propre volonté et de leur propre gré, comme le croient beaucoup qui voient en eux des êtres animés... [185] ». Il ne se borne pas à affirmer ; au besoin il explique et réfute l'erreur. Son raisonnement apparaît facilement à propos du verset du prophète : « j'ai donné des ordres à toutes les étoiles » : certains en prennent occasion pour prêter aux astres « la vie et le sentiment » ; ils devraient se souvenir d'autres passages de l'Écriture où des ordres semblables sont donnés à des choses manifestement inanimées. Et Jérôme d'invoquer le livre de *Jonas* où Dieu commande à un vent brûlant et à un ver, et l'Évangile où Jésus apostrophe les vents et la mer en qui « il est bien clair qu'il n'y a ni sentiment ni raison [186] ». On reconnaît dans cette argumentation le type de démarche par lequel nous l'avons vu tout à l'heure expliquer comme des anthropomorphismes les traits psychologiques prêtés à Dieu.

D — Habitudes d'expression de l'Écriture

Sans quitter le plan des habitudes d'expression de l'Écriture, dont il revient à l'exégèse littérale de rendre compte, on peut encore relever certaines particularités de son style qui pourraient échapper au lecteur non averti. Ce n'est pas d'hébraïsmes qu'il faut parler à leur sujet ; car ce sont bien des faits de style, et non des faits de langue. Il s'agit d'expressions dont la signification est normalement autre que le sens obvie, sans que le contexte permette à coup sûr de le déceler. On y reste parfois aux frontières du sens figuré. C'est le cas dans le passage où, après une explication strictement littérale, Jérôme propose de voir « par métaphore » dans les eaux que Sennachérib se vante d'avoir asséchées les peuples que son armée a mis à mal car, explique-t-il, « parfois sous le nom des eaux ce sont les peuples qui sont désignés [187] ». Mais il arrive que rien ne mette le lecteur sur la voie, sans que la correspondance entre la réalité

---

peut-être parce que c'était une personnification plus familière à la littérature classique. Il fait lui-même le rapprochement avec une expression semblable appliquée à Dieu : « Deus sabbatha et neomenias Iudaeorum odisse loquitur animam suam » (citation libre d'*Isaïe* 1, 13-14).

185. *In Is.* 213 A ; cf. 25 C (à propos d'*Is.* 1, 2 : Cieux, écoutez ; terre, prête l'oreille...) : « quidam caelum et terram quasi animantia ad audiendum prouocari putant, iuxta illud quod de terra in alio loco dicitur : "Qui respicit terram et facit eam tremere", cum hoc potestatis Dei sit, non terrenae intellegentiae. »

186. *In Is.* 446 B : « ... uentos et mare, in quibus sensum atque rationem non esse perspicuum est ». Citations de *Jonas* 4, 7-8 et *Luc* 8, 24. Mêmes rapprochements, pour la même démonstration, dans l'*In Hieremiam* 27, 19 s. : PL 24, 853 A. Le verset d'Isaïe (45, 13) est cité d'après le texte des LXX, ce qui est logique, puisque c'était évidemment dans cette version qu'il était utilisé par les tenants de l'erreur que Jérôme réfute. Il est d'ailleurs aisé de les identifier : c'est essentiellement Origène qui est visé. L'opinion condamnée ici figure expressément parmi les erreurs que Jérôme a relevées dans le *Periarchôn* et dont il dresse le catalogue dans une lettre contemporaine de l'*In Isaiam*. Cette lettre constitue, comme l'écrit joliment Cavallera, « une préface qui doit servir d'antidote préventif » à la lecture de la traduction hiéronymienne de l'ouvrage d'Origène, dont Jérôme envoie à son correspondant un exemplaire correct. Jérôme énonce ainsi l'erreur d'Origène : « Solem quoque et lunam et astra cetera esse animantia. » (*Epist.* 124, 4, 1 à Avitus.)

187. *In Is.* 387 A : « interdum sub aquarum nomine populi describuntur ». Cf. 76 A : « cornu autem regnum significare et potentiam saepe legimus ».

désignée et celle qu'elle figure soit plus évidente. Comment savoir, en lisant dans Isaïe : « ils ont trompé l'Égypte, l'angle de ses peuples », que les Écritures ont pour habitude de dire « angle pour règne » [188] ? Autre « particularité des Écritures » : l'utilisation que fait la Bible du mont Carmel, montagne riche et boisée, pour symboliser la fertilité et l'abondance [189]. En voici une d'un autre genre dans un oracle contre Babylone. Jérôme, qui reconnaît dans la description prophétique des destructions qui vont ravager « toute la terre » la ruine de cette ville par les Mèdes et les Perses, justifie ainsi son interprétation : « C'est en effet une particularité de la sainte Écriture que de désigner par "toute la terre" celle du pays dont on parle ; faute de le comprendre, certains appliquent le texte à la destruction de la terre entière [190] ». Il n'est donc pas sans conséquence de savoir reconnaître ces « manières de parler » de l'Écriture. Cela permet ici à Jérôme de ramener à une stricte interprétation historique les images de la suite du chapitre, dont on voit, par la façon dont il en use lui-même au livre VI, combien elles prêtaient aisément à une explication spirituelle eschatologique.

Ces exemples confirment pour leur part le souci qu'a Jérôme d'établir solidement la signification d'un texte avant tout essai d'exégèse spirituelle. Ils méritaient à ce titre d'être signalés. Mais on aura remarqué qu'ils se limitent en pratique, comme le suggère le terme qui les introduit, à autant de cas particuliers.

Les habitudes de style que Jérôme désigne à deux reprises dans le *Commentaire sur Isaïe* par l'expression *mos Scripturarum*, « l'usage des Écritures », ont une portée plus générale. Elles caractérisent non des contenus de signification particuliers, mais des manières de composer. Telle l'habitude du prophète d'alterner menaces et annonces heureuses pour éviter que la miséricorde de Dieu ne nous donne occasion d'endurcir notre cœur [191]. Ou encore la manière dont il mêle à des oracles obscurs des paroles au sens manifeste, exprimant ouvertement ce qui avait d'abord été dit par énigme [192]. Celle-ci surtout mérite de retenir l'attention ; Jérôme la qualifie ailleurs « d'habitude des prophètes » et il y revient plusieurs fois dans le Commentaire [193]. Elle est intéressante à

---

188. *In Is.* 183 D : « Idioma Scripturarum est ut angulum pro regno ponant, eo quod populos contineat... »

189. *In Is.* 172 D : « Idioma Scripturarum est quod semper Carmelum montem opimum atque nemorosum (...) fertilitati et abundantiae comparet. »

190. *In Is.* 13, 4-5 : 156 B (= livre V). Cf. 165 A, à propos d'*Is*. 14, 26 : « Hoc consilium quod cogitaui super omnem terram. » Jérôme commente : « Hoc loco quidam arbitrantur generalem esse contra omnem orbem prophetiam et quod uastitas Babylonis typus sit consummationis mundi. Quibus nequaquam contradicimus dum sciamus hic omnem terram Assyriorum proprie significari... » Cf. *In Danielem* PL 25, 519 A.

191. *In Is.* 235 D.

192. *In Is.* 181 A : « Moris est Scripturarum obscuris manifesta subnectere et quod prius sub aenigmatibus dixerint aperta uoce proferre. Vnde et in praesenti loco quia contra Aegyptum fuerat comminatus : "Vae terrae obumbranti alis, quae est trans flumina Aethiopiae...", nunc manifestiorem fecit intellegentiam et ad ipsam comminans Aegyptum loquitur... »

193. Cf. *In Is.* 148 D : « iuxta consuetudinem suam prophetalia in fine uerba panduntur... » ; 79 B : « quod iuxta consuetudinem prophetalem quae prius per metaphoram dicta sunt uel per parabolam, postea exponuntur manifestius ». On peut observer, en rapprochant cette phrase de la

deux titres. Tout d'abord, si c'est une habitude de rédaction que de recourir à des obscurités dont on dévoile ensuite la signification, l'élucidation en revient à l'exégèse littérale qui devra, pour en rendre compte, prendre la prophétie dans son ensemble sans en isoler les éléments de leur contexte. Les énigmes qui caractérisent le langage prophétique ne sont alors rien d'autre que des figures de style ; elles ne sont pas le signe de quelque sens caché qu'il faudrait atteindre par le sens spirituel. Le texte d'Isaïe à l'occasion duquel Jérôme proposait tout à l'heure sa définition l'atteste à l'évidence [194]. En somme Jérôme traite ce mode d'expression comme une extension du sens figuré.

Il le caractérise d'autre part comme une *consuetudo prophetalis*. C'est la détermination qui importe ici, par la précision qu'elle introduit : faut-il penser que, parmi les façons qu'a l'Écriture de s'exprimer, il y en aurait qui seraient propres à la prophétie ? Formuler cette question, c'est soulever en fait celle des « genres littéraires » dans l'Écriture.

E — « *Genres littéraires* »

L'expression est devenue l'une des clefs de l'exégèse moderne. Elle ne l'était pas de l'exégèse patristique. Les Anciens, Grecs et Latins, avaient pourtant distingué les différents genres de la création littéraire et défini avec précision leurs lois : celles de l'épopée n'étaient pas celles de l'histoire, et pas davantage celles de la poésie lyrique. Sans doute la littérature hellénistique et la littérature latine impériale avaient-elles vu s'amorcer une osmose des genres ; celle-ci n'était d'ailleurs pas sans pierres d'attente dans une tradition romaine qui se reconnaissait particulièrement dans la *satura*. Il reste qu'un bon élève de l'enseignement des rhéteurs au IVᵉ siècle ne pouvait ignorer les distinctions traditionnelles ; et Jérôme sait aussi bien qu'un autre qu'il y a des styles différents selon les divers genres [195]. Mais les catégories classiques cadraient mal avec l'Écriture, qui s'était élaborée dans un autre univers culturel, et selon des lois et des intentions qui n'étaient pas d'abord esthétiques. Outre qu'elle charriait des genres insolites pour un lecteur de formation classique, comme la prophétie ou le psaume, elle ignorait souvent, au sein d'un même livre, les règles scolaires de la distinction des genres.

Si Jérôme, d'abord rebuté comme Augustin par l'allure fruste des Écritures, en est venu à brocarder la délicatesse des oreilles latines qu'offensait leur simplicité [196], ce n'était pas qu'il fût tenté de les mesurer à l'aune des normes classiques [197]. Il était cependant préparé par sa formation littéraire à saisir, le cas échéant, les nuances stylistiques qui le mettraient sur la voie des distinc-

---

formule citée dans la note précédente, une correspondance exacte entre « per metaphoram uel per parabolam » et « sub aenigmatibus ».

194. *Is.* 19, 1 (Onus Aegypti...). Voir le commentaire de Jérôme, ci-dessus n. 192.

195. Voir entre autres la *Lettre* 49 à Pammachius : « Aristotelia illa uel de Gorgiae fontibus manantia simul didicimus, plura uidelicet esse genera dicendi... » (*Epist.* 49, 13, 1).

196. Voir ci-dessus la note 65, p. 138.

197. Il avait pourtant connu, à la suite de Josèphe et d'Origène, la tentation d'assimiler poésie biblique et formes classiques. Voir sa préface à la *Chronique* d'Eusèbe (PL 27, 36 AB) et celle de sa traduction de *Job* sur l'hébreu (PL 28, 1081 B). Sur « la rivalité heurématique » entre poésie païenne et tradition chrétienne voir J. Fontaine, *Isidore...* t. I, p. 169 s.

tions nécessaires. Aussi bien les analyses qui précèdent nous l'ont-elles montré sensible au problème des expressions figurées. Quand il insiste pour qu'on traite une parabole comme parabole, il est déjà sur la voie d'un repérage des genres littéraires.

En fait, il va beaucoup plus loin. Le *Commentaire sur Isaïe* offre une foule de brèves notations sur les aspects du style prophétique, qui montrent qu'il regarde la prophétie comme un véritable genre. Regroupons-en rapidement les traits essentiels. Toute prophétie s'enveloppe d'énigmes [198] et fait appel au langage figuré [199] ; laissant la pensée en suspens, le prophète passe sans transition d'un sujet à l'autre [200] ; c'est qu'il assume constamment des rôles successifs [201]. Inutile, donc, de tenter de retrouver dans la prophétie l'enchaînement normal des événements [202]. Si l'on ajoute qu'elle donne comme réalisé ce qui doit arriver [203], on reconnaîtra aisément qu'on se trouve en possession d'éléments qui permettent de définir de façon précise et complète un genre dont la caractéristique essentielle est de ne pas obéir aux manières habituelles de parler, et de présenter par là même des obscurités, et donc des difficultés d'interprétation [204].

Ce genre, Jérôme l'oppose d'ailleurs volontiers à l'histoire [205], le mot ne désignant plus ici le sens littéral, mais le genre narratif du récit historique qui rapporte les événements de façon directe en respectant leur succession chronologique [206]. C'est en fait un deuxième genre littéraire que Jérôme définit ainsi : celui que Diodore définissait comme « le pur récit d'un événement passé [207] ». Il est intéressant qu'il en reconnaisse la présence non seulement dans les livres dits « historiques » de la Bible, notamment les livres des *Rois* qui rapportent les événements sur lesquels portent les oracles du prophète [208], mais dans le livre d'Isaïe lui-même. La préface du livre XI ne laisse aucun doute à ce sujet : « Le onzième livre sur Isaïe, qui va porter en grande partie sur des récits

---

198. *In Is.* 171 A : « omnis prophetia aenigmatibus inuoluitur ». 629 A : « aenigmatum plena sunt omnia ».

199. *In Is.* 116 A : « nunc Deus loquitur ad prophetam charactere solito Scripturarum per translationem Siloe fontis... » Cf. 79 B, ci-dessus n. 193.

200. *In Is.* 171 A, ci-dessous n. 193, p. 360.

201. *In Is.* 191 A : « prophetae ideo obscuri sunt quia personae in his plurimae commutantur ». Mais on peut remarquer que Jérôme fait une remarque semblable à propos des Psaumes : « Obscuri sunt psalmi et semper personas mutant »..., ce qui rend fort difficile de savoir qui parle dans chaque verset (*Tract. de psal.* 93, 16 : CC 78, 146 = Morin, p. 130).

202. *In Is.* 391 AB : « Praepostero ordine quasi in prophetia hic refertur historia quae in Regum uolumine consequentius legitur. » 384 C : « Si quis quaerat cur in libro prophetiae historia quae in Regum et Dierum uoluminibus scripta est mixta uideatur, consideret quod historiae prophetia sit copulata. » Cf. *In Hieremiam* 21, 1 : « Et notandum quod in Prophetis (...) nequaquam regum et temporum ordo seruetur, sed praepostere, quod iuxta historiam postea factum sit, prius referri, et quod prius gestum sit, postea » (PL 24, 808 B).

203. *In Is.* 420 B.

204. Voir ch. V, p. 360.

205. *In Is.* 171 A : « quod interpretamur non est historia sed prophetia ». Suit la description du style prophétique. Cf. *In Hieremiam* : « aliud est enim historiam, aliud prophetiam scribere » (PL 24, 808 B).

206. *In Is.* 629 A : « neque enim simplex a prophetis historia et gestorum ordo narratur... » 171 A : « ... si ordinem Scriptura conseruet, non sit uaticinium sed narratio ».

207. DIODORE DE TARSE, *Commentaire sur le Psaume 118*, prol. : Ἱστορία δέ ἐστι πράγματος γεγονότος καθαρὰ διήγησις (éd. Mariès, *RecSR* 9, 1919, p. 94).

208. Cf. *In Is.* 384 C, 391 AB.

historiques, présentera moins de difficultés en son début et jusqu'aux deux tiers... [209] ». Jérôme n'a peut-être pas grand mérite à reconnaître ici un caractère historique aux chapitres 36 à 39 du prophète ; ils consistent effectivement en des récits qui doublent, jusqu'à les reprendre souvent textuellement, les chapitres 18 et 19 du second livre des *Rois*. Mais il sait aussi remarquer, quand l'occasion s'en présente, l'étroite association de l'*historia* et de la *prophetia* dans le texte sacré [210].

On pourrait s'étonner de ne pas trouver dans le *Commentaire sur Isaïe* d'indications relevant la présence d'un style poétique chez un prophète qui, à nos yeux de modernes, en présente tant d'exemples. C'est qu'aux yeux de Jérôme les recueils prophétiques ne relèvent pas, dans leur ensemble, d'un genre poétique comme les Psaumes, ou « les ouvrages de Salomon ». Il s'en est d'ailleurs expliqué très clairement dans sa préface à la traduction d'Isaïe sur l'hébreu [211].

En revanche, Jérôme a-t-il pressenti l'existence chez le prophète d'un autre genre littéraire, le genre apocalyptique ? Il faut ici regarder les textes de près. En commentant « selon l'histoire » un verset de l'oracle d'Isaïe contre Babylone auquel l'exégèse moderne reconnaît ce caractère, il écrit : « Cela signifie qu'à la venue du jour terrible du Seigneur dont l'emportement doit tout ruiner, la crainte des hommes est telle que tout s'obscurcit à leurs yeux, et que le soleil lui-même, la lune et les astres brillants semblent refuser leur éclat. C'est dire que le ciel s'enveloppe d'un sac, puisque évidemment les ténèbres voilent tout et que, sous le poids de leurs maux, les hommes ne voient rien d'autre que ce que leur esprit les pousse à voir [212] ». L'explication met fort bien en lumière le caractère imagé et outrancier d'une description qui, aux yeux de Jérôme, concerne bien la ruine de Babylone, mais dont l'interprétation *in consummatione mundi* serait pourtant fort tentante. Faut-il attribuer aux exigences d'Amabilis le mérite de cette exégèse littérale ? On hésite davantage à trouver un autre indice dans la préférence que marque Jérôme pour une application de quelques versets identiques du chapitre 34 à la ruine de Jérusalem, alors que, nous dit-il, « quelques-uns » les appliquent à l'univers [213]. Il faut en tout cas reconnaître qu'il ne paraît pas avoir soupçonné un seul

---

209. *In Is.* XI, prol., 378 B : « Vndecimus in Isaiam liber, quia magnam partem historiae disserturus est, facilior erit in principiis et usque ad duas sui partes. » Dhorme pense que ces récits avaient été ajoutés au premier recueil d'Isaïe, qui se terminait au chapitre 35, pour compléter les détails de la carrière du prophète (*Bible* de la Pléiade, t. II, p. XL).

210. *In Is.* 384 C : « ... consideret quod historiae prophetia sit copulata (...) quod et prophetiae est et historiae... »

211. HIER. *Praef. in libr. Isaiae* PL 28, 771 B : « Nemo, cum prophetas uersibus uiderit esse descriptos, metro eos aestimet apud Hebraeos ligari et aliquid simile habere de Psalmis uel operibus Salomonis » (c'est-à-dire, selon la tradition, les *Proverbes*, le *Cantique* et la *Sagesse*). Cf. cependant, sur le « Cantique d'Isaïe », la préface à la *Chronique* d'Eusèbe qui prétendait y reconnaître « des hexamètres et des pentamètres » (PL 27, 36 A ci-dessus n. 197). Il faut se souvenir que, pour les Anciens, le genre poétique se définit avant tout par un mètre.

212. *In Is.* 157 AB (= livre V), sur *Is.* 13, 10. Voici le texte : « Est autem sensus, quod cum dies Domini crudelis aduenerit et furor eius uniuersa uastarit, prae timoris magnitudine mortalibus cuncta tenebrescant et sol ipse et luna astraque rutilantia suum uideantur negare fulgorem. Vnde et caelum sacco induitur, quod scilicet tenebrae cuncta operiant et, prementibus malis, nihil aliud sentiant homines nisi quod mens uidere compellit. »

213. *In Is.* 34, 8-17 (372-373).

instant le caractère apocalyptique des descriptions du chapitre 24, évoquant un tremblement de terre au demeurant assez obscur [214].

Quoi qu'il en soit, la conscience de l'existence de plusieurs genres littéraires dans l'œuvre prophétique se manifeste au bénéfice de l'exégèse littérale. C'est elle qui aura d'abord à faire des textes une lecture exacte en fonction des lois propres du genre auquel ils appartiennent. Ce n'est qu'ensuite qu'ils pourront donner lieu à une interprétation spirituelle. Le souci de distinguer ces deux étapes apparaît bien dans une remarque incidente du livre V à propos d'une description apocalyptique des desseins vengeurs de Dieu « sur la terre entière... et toutes les nations » : que la dévastation de Babylone soit la « figure » *(typus)* de la fin du monde, Jérôme « n'y contredit pas pourvu que l'on sache bien qu'au sens propre, ici, "tout le pays" désigne l'Assyrie [215] ». Dans le même esprit, l'histoire comprise d'abord comme telle peut être lue ensuite « τυπικῶς ». De même la prophétie.

F — *Frontières imprécises*

Telle est du moins la vision que nous avons pu dégager des affirmations de Jérôme et vérifier par son usage ordinaire. Peut-être ne faudrait-il pas la durcir en un système trop rigide. Souvent, en effet, chez Jérôme, à côté de prises de positions nettes, telle formule isolée intrigue ou inquiète [216]. On pressent aussi une difficulté de fond à propos de la prophétie. Car toute l'exégèse antérieure est là pour manifester qu'elle est dans l'Écriture le lieu privilégié de la révélation du Christ qu'elle a, en quelque sorte, vocation d'annoncer directement. C'est bien là qu'est la question. Quand Jérôme se trouve, par exemple, devant la prophétie de l'Emmanuel, il ne s'encombre pas d'exégèse littérale préalable. A ses yeux *le* sens de la prophétie, c'est l'annonce de la naissance de Jésus. Est-ce sens spirituel ? Est-ce lecture littérale ? Il semble que les catégories traditionnelles de l'exégèse technique ne soient plus, dans un tel cas, en mesure de fournir la réponse.

L'examen du livre V est également instructif à cet égard. Jérôme s'y sent à l'étroit dans le cadre de la seule *historica interpretatio* ; aussi s'en échappe-t-il parfois, et de plus en plus à mesure que l'ouvrage avance, en profitant d'une occasion pour s'évader vers le sens spirituel. Ces ouvertures sont souvent avouées : un terme du vocabulaire approprié les désigne explicitement. En règle générale, elles ne consistent pas en la simple reconnaissance d'une annonce directe du Christ par le prophète. Mais il arrive aussi que Jérôme, sans crier gare, applique directement au Christ le contenu de la prophétie. Rien ne donne alors à penser que Jérôme se croie au plan de l'exégèse spirituelle. L'annonce du Christ constituerait-elle en ce cas le sens littéral de la

---

214. Au livre VIII, col. 281 et suivantes.

215. *In Is.* 14, 26-27 : « ... quibus nequaquam contradicimus, dum sciamus hic omnem terram Assyriorum proprie significari... » (165 A).

216. Y a-t-il, par exemple, cohérence parfaite entre ce que nous avons remarqué de l'énigme, simple figure de style dans le genre prophétique, et l'affirmation que le Christ a été manifesté dès le début d'une façon cachée *per aenigmata et mysteria prophetarum* ? (*In Is.* 462 A). Mais sans doute y a-t-il derrière cette expression une réminiscence latente de 1 *Cor.* 13, 12 (« Videmus nunc... in enigmate »).

prophétie ? Le problème ne peut ici qu'être posé. Ce n'est que par une étude systématique de la *prophetia* que nous pourrons, le moment venu, essayer de le résoudre.

Les frontières du sens littéral peuvent donc nous apparaître encore imprécises sur les confins de la prophétie, peut-être à cause de son essence même. Mais, paradoxalement, cette constatation est éclairante : elle témoigne à tout le moins de la vaste extension que Jérôme reconnaît au sens littéral. Car c'est bien cette impression qu'il convient de garder des analyses que nous avons menées. En faisant dépendre de l'exégèse littérale genres littéraires, habitudes d'expression diverses, anthropomorphismes, figures de rhétorique, c'est-à-dire en définitive tout ce qui relève d'un style figuré, Jérôme manifeste à la fois son indépendance à l'égard de ses maîtres alexandrins et l'importance que revêt à ses yeux le premier sens de l'Écriture, dont il nous faut maintenant inventorier le contenu.

IV — LE CONTENU DE L'INTERPRÉTATION LITTÉRALE

Il serait difficile, et d'ailleurs assez vain, de fournir une description exhaustive de toute la matière que met en œuvre l'interprétation littérale. Sa richesse et sa diversité reflètent celles mêmes du texte prophétique. On peut cependant cerner assez aisément les principaux domaines auxquels Jérôme l'emprunte.

Nous avons déjà vu les raisons pour lesquelles le recours aux traditions des Hébreux, quel qu'en soit le contenu, trouve sa place dans l'exégèse littérale [217].

Il est bien certain, d'autre part, que, partant comme elle le fait d'ordinaire d'un regard sur la réalité contemporaine, la prédication prophétique peut recevoir de l'histoire un éclairage essentiel. Le cadre dans lequel se déroulent les événements, les coutumes des peuples qui y prennent part, ont également leur importance : aussi verra-t-on Jérôme soucieux de détails géographiques, voire, dans la même perspective, de précisions empruntées aux sciences de la nature.

Il arrive que tel acteur du drame individuel ou collectif occupe le devant de la scène : c'est alors la connaissance des ressorts psychologiques qui peut permettre de saisir les attitudes et d'éclairer les comportements.

A — *L'explication psychologique*

Le recours à l'analyse psychologique n'occupe pas dans le *Commentaire sur Isaïe* une place considérable. On y rencontre toutefois un certain nombre de notations de cet ordre. Quand Isaïe, par exemple, met en garde la Philistie contre un sentiment de soulagement excessif à la mort d'Achaz [218], Jérôme

---

217. Voir plus haut p. 146.
218. *Isaïe* 14, 29 (165 C). Qu'il s'agisse d'Achaz, Jérôme le déduit de l'indication chronologique du v. 28 (« l'année de la mort du roi Achaz... »). Mais on peut penser que ces versets évoquent

explique qu'il est bien naturel qu'un peuple se réjouisse de la mort du roi ennemi et caresse l'espoir que les incertitudes d'un début de règne entraînent un relâchement de la menace qu'un adversaire puissant faisait peser sur lui. On pourrait citer d'autres traits de psychologie collective, mais les observations les plus nombreuses touchent à deux personnages : le roi Ézéchias et le prophète lui-même.

Le roi de Juda est au centre des derniers chapitres de la première partie du recueil. On l'y voit en situation difficile devant l'invasion de Sennachérib : Jérôme multiplie alors les notations psychologiques qui expliquent son comportement et mettent en lumière les sentiments qui le déterminent. S'il déchire ses vêtements, c'est « qu'il attribue à ses péchés et à ceux du peuple le fait que l'envoyé assyrien ait pu venir jusqu'aux portes de Jérusalem proférer des blasphèmes contre Dieu [219] ». Sa différence d'attitude, lors des deux visites qu'il fait au Temple à cette occasion, est imputable au fait qu'entre temps un oracle rassurant du prophète l'a fait passer d'un sentiment d'indignité et de crainte à l'espérance et à la confiance [220]. Un peu plus loin, Jérôme analyse les angoisses qui dictaient à Ézéchias malade des paroles désespérées [221]. Ailleurs, c'est de la fierté qu'il décèle dans le ton du roi, flatté qu'une ambassade soit venue vers lui d'un pays éloigné [222].

C'est également une explication psychologique que Jérôme cherche, à différentes reprises, aux paroles et aux actes d'Isaïe lui-même. « Mon cœur criera à propos de Moab », dit par exemple le prophète. Voici la double explication proposée : « Le prophète manifeste ici de la tristesse, soit parce que les ennemis sur lesquels fondent tant de maux sont aussi créatures de Dieu, soit parce qu'ils doivent être accablés de malheurs si grands qu'ils peuvent inspirer de la pitié même à leurs adversaires [223] ». Le chapitre 6 surtout donne lieu à des remarques de ce type. Jérôme cherche à préciser les états d'âme successifs du prophète qui expliquent ses interventions tout au long de cette vision grandiose qui détermina sa vocation : sentiment de son indignité, « homme aux lèvres impures dans un peuple aux lèvres impures », à moins qu'il ne s'agisse du remords de n'avoir pas osé faire des remontrances à l'impie Ozias [224] ; promptitude à se proposer, qui marque non l'inconscience mais l'obéissance, encore que certains l'expliquent par sa conviction qu'il aurait à annoncer d'heureuses nouvelles [225] ; inquiétude pour son peuple, quand il découvre que tout autre est la mission qui l'attend [226].

---

plutôt la mort d'un prince assyrien dont les villes philistines avaient eu à souffrir, probablement Sargon II, à qui allait succéder Sennachérib.

219. *In Is.* 37, 1-7 : « Scindit et ipse rex uestimenta sua, quia peccatorum suorum et populi esse credebat, quod Rabsaces usque ad portam Hierusalem uenerit et contra Dominum talia sit locutus » (383 B).

220. *In Is.* 385 CD.

221. *In Is.* 393 C.

222. *In Is.* 399 A.

223. *In Is.* 15, 5 a : « Propheta loquitur dolentis affectu, uel quod hostes quoque creatura Dei sint, in quos tot mala superueniant, uel quod tantis calamitatibus opprimendi ut etiam inimicis miserabiles fiant » (169 AB).

224. *In Is.* 95 C-96 A, *passim.*

225. *In Is.* 97 C : « ... quia aestimabat populo prospera nuntianda ». 97 D-98 A : « ... Ceterum nos dicimus non temeritatis sed oboedientiae Domino se obtulisse mittendum. »

226. *In Is.* 106 D : « ... quaerit sollicitus de populo suo... »

Les autres commentaires de Jérôme, en règle générale, n'offrent pas à l'analyse psychologique un champ plus étendu. Quand elle y apparaît, c'est de façon occasionnelle, par exemple à l'appui d'un texte qui mentionne une prise de conscience ou un changement d'attitude du peuple coupable [227]. Au total, le rôle de ce type d'explication demeure limité. Cela n'est pas surprenant, puisqu'il ne peut intervenir avec quelque ampleur qu'à propos de récits ou de dialogues présentant des comportements ou des paroles dont la clé serait à chercher dans le jeu des sentiments. Or ce n'est pas le cas le plus fréquent dans les recueils prophétiques : les oracles y dominent au détriment du genre narratif, et si quelqu'un y prend la parole, c'est essentiellement Yahvé, le plus souvent sans partenaire [228]. Les exceptions confirment la règle. Si le petit *Commentaire sur Jonas* fait la part si belle aux explications psychologiques, c'est précisément que le livre biblique se présente avant tout comme le récit d'une action dont le ressort se situe dans la conscience du prophète indocile. D'où la complaisance de Jérôme à analyser l'état d'esprit de Jonas, les raisons qui le poussent à fuir, les sentiments qui expliquent son sommeil au fort de la tempête, comme aussi les angoisses et la perplexité de l'équipage du navire qui le transporte [229]. C'est presque tout le commentaire littéral du chapitre 1 du prophète qu'on pourrait citer ici. Mais le cas est à peu près unique [230]. D'ordinaire, et conformément au sens originel du terme, l'explication *iuxta historiam* tire le plus clair de sa substance de l'histoire proprement dite ou des disciplines qui concourent avec elle à éclairer les réalités d'une époque.

---

227. Par ex. Hier. *in Michaeam* 7, 8 s. : PL 25, 1223 B : « Iram Domini sustinebo quia me scio meruisse quod passa sum... »

228. Le dialogue peut exister mais n'être qu'un artifice littéraire. C'est le cas par exemple dans les premières visions du prophète Zacharie : les questions qu'il pose (Qui sont ceux-ci ?... Où vas-tu ?... Qu'est-ce ?...) ou celle qu'on lui pose (Que vois-tu ?...) n'ont pour objet que de faire avancer la description de la vision ou son explication, mais elles ne traduisent aucune réalité psychologique. Même situation lorsqu'un récit se ramène à la description du contenu d'une vision, comme c'est le cas dans les derniers chapitres d'Ézéchiel qui décrivent en termes de vision les projets touchant le Temple et les cérémonies du culte. Quant aux sentiments que l'auteur biblique peut prêter à Dieu par anthropomorphisme, ils traduisent, on l'a vu, tout autre chose que des données psychologiques (ci-dessus p. 162 s.).

229. Hier. *in Ionam*, éd. Antin, p. 57 (il tient à ce que son peuple ne périsse pas...), 58 (il envie les autres prophètes et même un étranger, Balaam, envoyés pour le salut d'Israël alors qu'il est seul envoyé dans la pire ville ennemie...), 59 (il n'entend pas gagner un refuge précis mais saisit la première occasion de fuite...), 65 (son sommeil en pleine tempête à l'intérieur du navire manifeste sa tranquillité d'esprit, à moins qu'il ne veuille se cacher et qu'il ne s'endorme de chagrin...), 72 (grandeur d'âme du prophète fugitif qui ne cherche pas à se dérober...). Pour l'équipage et le capitaine, cf. p. 65, 66, 67, 70, 71, etc. (= PL 25, 1121 à 1128).

230. On connaît le caractère très particulier du livre de *Jonas*, très différent des autres livres prophétiques qui sont avant tout des recueils d'oracles qui transmettent la prédication des prophètes dont ils portent les noms. Rien de tel ici : aucun oracle, aucun écho du contenu de la prédication de Jonas. C'est qu'il s'agit d'un récit de genre midrashique assez tardif (il n'est sans doute pas antérieur à la fin du Vᵉ siècle avant J.-C.), histoire fictive mise au compte d'un prophète contemporain d'Isaïe. Si Jérôme n'en a pas eu conscience plus que ses prédécesseurs, le commentaire qu'il en a donné présente des caractères assez particuliers qui tiennent en partie au genre littéraire de ce livre biblique. Voir, sur l'exégèse patristique de Jonas, la thèse d'Y.-M. Duval, *Le livre de Jonas dans la littérature chrétienne grecque et latine*, Paris, 1971.

B — La réalité de l'histoire

Pour s'intéresser à l'histoire, Jérôme n'a pas attendu d'avoir à l'utiliser au service de l'Écriture. Elle avait été sa première tentation. C'est sous le signe de l'histoire, en effet, que s'ouvre, pratiquement, sa carrière littéraire, par le biais d'un genre mineur, la biographie, avec la *Vie du moine Paul*[231]. Puis vient très vite l'adaptation de la *Chronique* d'Eusèbe, modèle de ces synchronies que les écrivains ecclésiastiques avaient héritées de la tradition hellénistique. Le choix était significatif des penchants de Jérôme ; la manière dont, en préambule, il présente son propre rôle ne l'est pas moins : « en partie traducteur, en partie auteur », non content d'avoir prolongé l'œuvre jusqu'à son époque, il laisse le lecteur sur l'ambitieux projet d'une histoire de son temps[232]. La promesse ne sera pas tenue, pas plus que ne verra le jour l'histoire de l'Église dont il caresse l'idée après son retour en Orient[233]. Mais le *De uiris illustribus*, placé très consciemment sous le double patronage de Suétone et du *Brutus*, viendra encore manifester, d'une autre manière, un goût profond pour les réalités historiques[234].

Il n'est donc pas surprenant que, dans le *Commentaire sur Isaïe*, Jérôme se montre soucieux d'élucider tous les arrière-plans du texte biblique. Parfois c'est au prix de longues réflexions qu'il y parvient ; il en laisse échapper l'aveu à propos de l'oracle sur l'Arabie en des termes qui donnent à penser que, plus qu'un scrupule de commentateur, c'est sa propre exigence de vérité qui le pousse à ne rien laisser dans l'ombre[235].

---

231. Elle date probablement du deuxième séjour à Antioche (cf. CAVALLERA, *Saint Jérôme...*, t. II, p. 16) et n'est donc précédée que du premier *Commentaire sur Abdias*, essai malheureux que Jérôme cherchera à faire oublier. C'est la *Vita Pauli* qui ouvre la liste des ouvrages de Jérôme dans la notice du *De uiris*. Sans être de la grande histoire, la biographie avait acquis, avec Suétone notamment, ses titres de noblesse. A vrai dire, l'espèce particulière qu'en aborde ici Jérôme, l'hagiographie, n'obéit pas aux seules lois de l'histoire.

232. HIER. *Interpr. chron. Eusebii*, prol. : « Sciendum est me et interpretis et scriptoris ex parte officio usum » (PL 27, 39 A). Sur la deuxième partie de cet ouvrage : « nunc addita, nunc mixta sunt plurima, quae de Tranquillo et ceteris illustribus historicis curiosissime excerpsi ». Sur la dernière : « totum meum est. Quo fine contentus, reliquum tempus Gratiani et Theodosii latioris historiae stylo reseruaui » (*ibid*. 40 A = Eus. W. 7, 6-67). La *Chronique* date du séjour à Constantinople.

233. HIER. *Vita Malchi monachi*, 1 : « Scribere enim disposui (...) ab aduentu Saluatoris usque ad nostram aetatem, id est, ab apostolis usque ad nostri temporis fecem, quomodo et per quos Christi Ecclesia nata sit et, adulta, persecutionibus creuerit et martyriis coronata sit ; et postquam ad christianos principes uenerit, potentia quidem et diuitiis maior sed uirtutibus minor facta sit » (PL 23, 53 BC).

234. *De uir. ill.*, prol. : PL 23, 603 A : « ... et ad cuius nos exemplum prouocas, Tranquillus... » (cf. *Epist.* 47, 3, 2 : « imitatus Tranquillum... ») « Quod Cicero tuus (...) non est facere dedignatus in Bruto, oratorum latinae linguae texens catalogum, id ego in eius Ecclesiae scriptoribus enumerandis, digne cohortatione tua impleam » (*ibid*. 603 B). La référence au Cicéron du *Brutus* est claire : Jérôme a conscience d'être avec cette œuvre « le premier historien de la littérature latine chrétienne » (J. FONTAINE, *La littérature latine chrétienne*, Paris, 1970, p. 87).

235. *In Is*. 193 C : « Quaerenti mihi et diu cum deliberatione tractanti quae esset Arabia ad quam propheticus sermo dirigitur, utrum Moabitae an Ammonitae et Idumaei cunctaeque aliae regiones quae nunc Arabia nuncupantur... », etc. On aura remarqué au passage ces participes présents au datif éminemment cicéroniens.

1. L'établissement des faits

Cet état d'esprit l'amène à ne négliger aucune source de documentation qui puisse concourir à mieux situer les réalités évoquées par le prophète. Aussi n'hésite-t-il pas à invoquer, quand l'occasion s'en présente, sa propre expérience personnelle. « Que la source de Siloé », écrit-il par exemple, « se trouve au pied de la colline de Sion, (...) nous ne pouvons en douter, nous particulièrement qui habitons cette province [236] ». Il évoque aussi les propos des guides des Lieux Saints qui montrent aux pèlerins de son époque, dans l'enceinte du Temple, les degrés de la maison d'Achaz dont parle la prophétie ; mais c'est pour mettre en doute leurs allégations qui sont incompatibles avec le livre des *Rois* [237].

Sans en avoir l'expérience directe, Jérôme est encore en mesure d'invoquer, sur certains faits, les récits de témoins oculaires : à l'appui d'un texte prophétisant la dévastation de Babylone, qui en fera un désert hanté par les bêtes, il invoque les propos d'un frère élamite venu de ces régions, qui lui a rapporté que des chasses se déroulaient dans les ruines de la ville déchue [238]. Autre exemple d'une information recueillie à la source : le témoignage d'un habitant d'Aréopolis sur le tremblement de terre qui, lorsque Jérôme était enfant, avait ruiné les murs de cette ville [239].

La référence est parfois plus vague : un simple *dicuntur* introduit un enseignement dont il est alors difficile de préciser l'origine. Ainsi, lorsque Jérôme écrit : « Dans les Alpes, par les froids les plus rigoureux, dans des grottes où le soleil ne pénètre pas, les eaux, dit-on, se durcissent en cristal et, bien que pierre au toucher, elles offrent l'apparence de l'eau », évoque-t-il des témoignages oraux qu'il aurait pu recueillir jadis à Stridon, à Aquilée ou sur la route de Trèves ? s'agit-il d'une source livresque, traité scientifique ou tout simplement œuvre littéraire ? Dans l'absence de rapprochements convaincants qui imposeraient l'hypothèse d'un emprunt ou d'une réminiscence, il est malaisé d'en décider [240].

---

236. *In Is.* 116 C. Les détails concrets qui dans cette phrase caractérisent cette source : son caractère intermittent (« qui non iugibus aquis sed in certis horis diebusque ebulliat... »), la façon dont elle jaillit bruyamment au creux du rocher (« per terrarum concaua et antra saxi durissimi cum magno sonitu ueniat... ») ont la précision de souvenirs personnels. Même appel à ce qu'il a sous les yeux dans l'*In Hieremiam* : « Thecuam quoque uiculum esse in monte situm, et duodecim milibus ab Hierosolymis separatum quotidie oculis cernimus » (PL 24, 721 A).

237. *In Is.* 392 A : « Solent sanctorum Locorum in hac prouincia monstratores intra conseptum Templi ostendere gradus domus Ezechias uel Achaz quod sol per eos descenderit. Sed numquam ego credam... », etc.

238. *In Is.* 13, 20 b-22 : « Didicimus a quodam fratre Elamita, qui de illis finibus egrediens nunc Hierosolymis uitam exigit monachorum, uenationes regias esse in Babylone et omnis generis bestias murorum eius tantum ambitu coerceri » (159 C). Un tel témoignage pourrait s'expliquer par l'existence sur le site de Babylone d'un *pardesh* (παράδεισος), c'est-à-dire d'un parc de chasse clos, semblable à celui que l'empereur Julien trouve sur sa route en approchant de l'antique Séleucie et qu'Ammien Marcellin décrit comme « un vaste terrain circulaire, enclos d'une enceinte en palissade et contenant des fauves destinés aux plaisirs du Roi » : lions, sangliers, ours, etc. (*Res gest.* 24, 5, 2. Cf. ZOSIME 3, 23, 1 qui parle d'une « enceinte qu'on nommait la "chasse du Roi"... »). L'existence de parcs semblables est déjà mentionnée par Xénophon (*An.* 1, 2, 7 ; *Hell.* 4, 1, 15).

239. *In Is.* 168 A : « Audiui quemdam Areopolitem... », etc.

240. *In Is.* 525 B : « Vehementissimis Alpium frigoribus et inaccessis soli speluncis, concrescere aquae dicuntur in crystallum, et tactu quidem lapidem, uisu aquam esse. » La mention des Alpes

Quoi qu'il en soit, les données historiques de l'époque d'Isaïe, qui constituent l'essentiel des éléments susceptibles d'éclairer le texte du prophète, échappent par définition aux prises de l'information directe. Ce sont donc les documents écrits qui sont la source ordinaire de Jérôme et, le cas échéant, la pierre de touche de la vérité : nous venons de le voir refuser la tradition orale des guides des Lieux Saints parce qu'elle contredisait le livre des *Rois*.

2. *Données historiques*

On est frappé, en lisant le *Commentaire sur Isaïe*, de la place qu'y occupent dans l'exégèse littérale les éclaircissements proprement historiques. Leur importance s'y manifeste de plusieurs façons.

Ils s'imposent à l'attention dès le début du Commentaire. Jérôme profite du premier verset du prophète pour situer avec précision le cadre de sa prédication. Elle s'adresse au royaume de Juda, c'est-à-dire aux deux tribus du sud, non à la Judée entière : la situation chancelante du royaume du Nord, attestée par les livres des *Rois*, ne permet pas d'en douter. Isaïe prophétise à la même époque qu'Osée, Joël et Amos ; sa prédication s'étend sur quatre règnes, d'Ozias à Ézéchias, qu'on peut d'ailleurs situer dans l'histoire générale : Ézéchias accède au trône de Jérusalem la douzième année du règne de Romulus [241].

Loin d'être exceptionnelle, une telle mise en place préalable, dont on aura remarqué la netteté, est au contraire la règle : sous des formes plus ou moins développées, que ce soit en prologue [242] ou à propos du titre du recueil prophétique [243], Jérôme a soin, dans tous ses Commentaires des prophètes, de situer avec précision et la personnalité de l'écrivain sacré et la toile de fond de sa prédication. Cette préoccupation n'est pas nouvelle : déjà le petit traité sur les *seraphim* de la vision inaugurale d'Isaïe est à cet égard exemplaire. Il

---

donne de la vraisemblance à la première hypothèse, qui peut encore se ramener à de vagues « on-dit ». Je n'ai retrouvé en tout cas dans aucun texte les associations de thèmes et de termes de la phrase de Jérôme *(Alpes, speluncae, crystallum, lapis, concrescere)*. Les variations de Claudien — que Jérôme a pu connaître — « sur un cristal qui renfermait une goutte d'eau » *(Epigr.* 4 à 12) se situent dans une autre perspective et n'offrent pas véritablement de rencontres verbales. Tout au plus la mention des Alpes *(glacies Alpina, Epigr.* 6, 1) suggérerait-elle que l'association de la glace et des Alpes fait partie à l'époque des idées reçues. De même le groupement qu'on lit dans Donat : *aquam in glaciem concrescit (Ars gram.* III, 6 : *Gramm. lat.* IV, 402, 8) a toutes chances de refléter l'expression courante et banale.

241. *In Is.* 21 C-22 C et 24 AB.

242. Voir par exemple le Prologue de l'*In Nahum* (PL 25, 1231 AB), celui de l'*In Aggaeum*, où la référence du texte prophétique à Darius est confrontée à la chronologie romaine, selon les habitudes des synchronies hellénistiques *(ibid.* 1387 B-1388 B), celui surtout de l'*In Ionam* (PL 25, 1118 B-1119 B = Antin p. 52-54).

243. Ce sont les cas les plus nombreux ; le volume de ces remarques est très variable, depuis les quelques lignes rapides et précises sur le premier verset de Michée (PL 25, 1153 A) jusqu'aux développements assez étoffés touchant le contexte de Zacharie *(ibid.,* 1417 D-1419 B, sur *Zach.* 1, 1). Voir aussi le commentaire de *Jérémie* 1, 1, qui récapitule la situation historique de plusieurs des prophètes par rapport à la captivité de Babylone ; ceux des titres des recueils d'Osée, Joël et Amos, le premier surtout, auquel le second renvoie *(ibid.,* 820 D-821 B ; 949 C-950 A ; 991 A). La phrase qui conclut les éclaircissements donnés sur le premier verset de Sophonie (« Hoc in prooemio et in titulo Sophoniae generationis et temporis. Nunc uideamus quid ipsa quoque prophetia contineat... » *ibid.,* 1340 B) caractérise bien l'intention de Jérôme dans ces préambules historiques.

s'ouvre en effet sur cette phrase : « Avant que nous parlions de la vision, il nous faut expliquer en détail qui est Ozias, combien d'années il a régné, quels ont été ses contemporains dans les autres peuples [244] ». Suit un long paragraphe où Jérôme éclaire successivement la personne du roi puis l'histoire de son règne, sa situation chronologique par rapport aux Latins et aux Grecs, pour dater finalement de l'année de la naissance de Romulus la vision du prophète qu'il va commenter [245]. On ne saurait souhaiter mise en place plus précise.

A un niveau plus modeste, la même préoccupation amène souvent Jérôme à situer brièvement le contexte des visions particulières du prophète. Il y manque rarement dans le livre V, en présentant l'exégèse littérale des oracles sur les nations. Ces précisions y étaient, en effet, bien utiles, puisqu'on y passe sans transition d'un peuple à un autre, sans cohérence chronologique [246]. Mais on peut en relever beaucoup d'autres exemples. Ainsi, pour commenter le chapitre 6, Jérôme, qui va pourtant renvoyer à son traité des *seraphim*, commence par replacer en quelques lignes la vision du prophète dans le cadre général de sa prédication. Au chapitre 39, l'ambassade de Mérodach-Baladan, roi de Babylone, auprès d'Ézéchias donne lieu également à des remarques préalables très précises [247].

Jérôme se prête d'autant plus aisément à ce genre de développement que le texte prophétique lui en fournit l'amorce par quelque notation d'ordre historique [248]. Mais ce n'est pas indispensable : Jérome fait référence à l'histoire dès que l'exige la compréhension du texte. Tantôt il ne s'agit que d'indications très brèves, voire d'allusions : l'occasion en est parfois la mention, dans le verset prophétique, d'une ville ou d'un peuple [249]. Tantôt le développement prend

---

244. Hier. *Epist.* 18 A, 1 : « Antequam de uisione dicamus, pertractandum uidetur qui sit Ozias, quot annis regnauerit, qui ei in ceteris gentibus sint coaeui. »

245. *Ibid.* Pour cette datation Jérôme s'appuie explicitement sur le *Temporum librum*, c'est-à-dire sa traduction de la *Chronique* d'Eusèbe. Cette lettre 18 A au pape Damase remonte au séjour de Jérôme à Constantinople auprès de Grégoire de Nazianze (cf. *In Is.* 91 CD) et date au plus tard du début de 381. Elle est donc antérieure d'une bonne dizaine d'années aux premiers Commentaires des prophètes et de plus de vingt-cinq ans à l'*In Isaiam*. On voit que sur ce point les habitudes de Jérôme n'ont pas varié.

246. Cf. *In Is.* 155 B (oracle sur Babylone) ; 165 BC (sur *Isaïe* 14, 28, titre de l'oracle sur la Philistie) ; 167 A (oracle sur Moab) ; 174 A (sur Damas) ; 192 CD (sur Duma) ; 193 CD (sur l'Arabie), etc. Les oracles sur les nations correspondent aux chapitres 13 à 23 d'Isaïe, qui donnent lieu successivement à l'exégèse historique du livre V et à l'exégèse spirituelle des livres VI et VII.

247. Cf. *In Is.* 91 BC (chapitre 6) ; 396 D-397 B (chapitre 39). Voir aussi ch. 7 (101 C-102 B), etc.

248. Par exemple une référence de date : « Anno quo mortuus est rex Ozias... » (*Is.* 6, 1 : 91 B). « Et factum est in diebus Achaz filii Ioatham filii Oziae regis Iuda... » (*Is.* 7, 1 : 101 C). « Anno quo mortuus est rex Achaz... » (*Is.* 14, 28 : 165 B). « Anno quo ingressus est Thartam in Azotum cum misisset eum Sargon, rex Assyriorum... » (*Is.* 20, 1 ; 188 B). « Et factum est in quarto decimo anno regis Ezechiae, ascendit Sennacherib, rex Assyriorum, super omnes ciuitates Iuda... » (*Is.* 36, 1 : 378 B). Mais il suffit parfois de la mention, dans le titre de l'oracle, du peuple ou de la ville qu'il concerne (c'est surtout le cas pour les oracles sur les nations) : « Onus Babylonis » (*Is.* 13, 1 : 155 B) ; « Onus Moab » (*Is.* 15, 1 : 167 A) ; « Onus Damasci » (*Is.* 17, 1 : 173 D), etc.

249. Par exemple *In Is.* 667 A : « Lud autem Lydos uocant, quorum coloni Hetrusci, qui nunc Thusci appellantur, quondam mittendarum sagittarum peritissimi... » ; 166 C : « sub rege enim Ezechiae uenit Assyrius et inter ceteras nationes uastauit Philisthaeos... Cf. *In Ionam* 1, 3 b : « Ioppen portum esse Iudaeae... » (PL 25, 1123 A = Antin p. 61).

quelque ampleur, jusqu'à servir, en certains cas, de trame à tout le commentaire littéral d'un verset [250].

Quel qu'en soit le volume, ces apports sont présentés d'ordinaire sur le ton de l'affirmation, comme des éléments d'information marqués au coin de l'évidence. Mais il arrive que le texte prophétique donne occasion à une véritable discussion historique. L'ambassade de Mérodach-Baladan en fournit un exemple intéressant. Confrontant les données historiques fournies par cet épisode avec celles des précédents chapitres, Jérôme établit, par une véritable déduction, que les royaumes d'Assyrie et de Babylone sont à l'époque deux réalités différentes, ce qui n'est pas sans importance pour l'intelligence des événements du règne d'Ézéchias [251].

A vrai dire, le goût de Jérôme pour le commentaire historique est tel qu'on a parfois le sentiment qu'il s'abandonne sans nécessité réelle à la tentation de l'érudition. Il en semble d'ailleurs assez conscient pour éprouver le besoin de se donner de bonnes raisons. Était-il bien indispensable, en effet, pour commenter la simple menace : « et perdam Babylonis nomen... », de consacrer une quinzaine de lignes à la description circonstanciée de la capitale chaldéenne ? Jérôme nous demande de croire qu'il l'a fait « pour montrer que devant la colère de Dieu toute puissance est poussière et qu'elle est comparable à de la cendre [252] ». N'était-ce pas plutôt pour le plaisir de l'évocation historique ?

La place accordée par Jérôme aux explications historiques dans son exégèse littérale apparaît donc très importante. Il faut d'ailleurs observer qu'elle n'est pas sans rapport, au long de l'ouvrage, avec les caractéristiques mêmes d'un texte prophétique dont on sait aujourd'hui que, s'il relève bien d'une tradition cohérente, sa rédaction n'est pas le fait du seul Isaïe [253]. Or il est évident que les trente-neuf chapitres du recueil initial s'enracinent globalement dans l'histoire mouvementée des dernières années du royaume de Juda de façon plus précise et concrète que les appels à l'espérance du *Second Isaïe*, dont la référence à Cyrus est plus générale. Cela suffit à expliquer que les développements historiques de Jérôme soient moins considérables dans la dernière partie de son Commentaire.

---

250. C'est le cas du commentaire des deux premiers versets de la prophétie sur Tyr (*Is.* 23, 1-2 : 200 A-201 C). Jérôme y enchaîne une succession d'explications historiques pour lesquelles il utilise, par allusion ou emprunt direct, Ézéchiel, Quinte-Curce, les *Graecorum historias* (Bérose ?), Amos, un psaume, son propre *Commentaire sur Jonas*, le livre des *Maccabées*, et à nouveau l'histoire profane (cf. *ibid.* 379-381 sur *Is.* 36, 1-10).

251. *In Is.* 396 D-397 B. Les articulations du raisonnement sont clairement perceptibles : 1) « Supra legimus quarto decimo anno regis Ezechiae ascendisse Sennacherib regem Assyriorum... » ; 2) « Nunc legimus quod in tempore illo, hoc est in eodem anno quo haec gesta sunt omnia, Merodach Baladam... rex Babylonis... » ; 3) « Ex quo perspicuum est aliud fuisse tunc regnum Assyriorum et aliud Babyloniorum. »

252. *In Is.* 14, 22-23 : « Hoc totum narrauimus ut ostenderemus quod ad iram Dei omnis potentia puluis sit et fauillae et cineri comparetur » (164 AB).

253. Jérôme ne pouvait sur ce point aboutir aux conclusions de l'exégèse moderne, unanime à reconnaître dans l'ouvrage trois grandes parties (1-39 ; 40-55 ; 56-66). Mais on a vu qu'il distinguait au sein du recueil certains ensembles dont il avait saisi la spécificité (ci-dessus, ch. II, p. 87-88).

Il reste à préciser maintenant à quelles sources il puise sa documentation. Il n'en fait pas mystère. Incontestablement, c'est à l'Écriture elle-même, première source de l'histoire d'Israël, particulièrement dans ses « livres historiques », qu'il emprunte le plus. L'apport central provient des livres des *Rois* [254] et, à un degré moindre, des *Paralipomènes* qui les doublent [255] : c'est là, en effet, qu'on trouve rapportés en une chronique suivie les événements de l'époque royale qui ont servi non seulement de cadre à la vie du prophète mais d'occasion à sa prédication. Il est manifeste que c'est avant tout sous l'angle de leur contenu événementiel que Jérôme en tire parti : la preuve en est que les citations textuelles qu'il en fait ne sont pas très abondantes, alors qu'il y puise l'essentiel de ses mises au point historiques ; et quand il y renvoie explicitement, c'est d'ordinaire pour attester un point d'histoire. Du reste, à côté d'expressions neutres comme *Regum liber* ou *uolumen*, il emploie aussi pour les désigner le terme significatif d'*historia* : *Regum et Paralipomenon historia, Dierum historia* ou encore *uetus* ou *sacra historia* [256]. Mais le mot n'est pas réservé à ces ouvrages ni même aux seuls « livres historiques » [257] ; il qualifie également des recueils prophétiques.

De fait, les oracles des prophètes interviennent aussi, largement, sous la plume de Jérôme, comme documents sur l'histoire de leur temps, au même titre que les récits des *Rois* ou des *Chroniques*, qu'ils recoupent, confirment ou complètent. D'où des formules comme celle-ci : « ... quod plenius Regum et Hieremiae narrat historia... », qui associe comme source historique le prophète Jérémie au livre des *Rois* [258]. Jérôme pouvait être encouragé à cette assimilation par la parenté étroite, qui ne lui a pas échappé, entre les derniers chapitres

---

254. C'est-à-dire des deux livres des *Rois* proprement dits (= LXX : livres III et IV des *Règnes*), en particulier du dernier à partir du chapitre 15 (avènement d'Azarias, ou Ozias, sur Juda). Sur la dénomination de ces livres, voir le fameux prologue de Jérôme à sa traduction des livres de *Samuel* et des *Rois* : (dans la catégorie des écrits dits prophétiques par les Hébreux) « ... tertius sequitur *Samuel* quem nos *Regnorum* primum et secundum dicimus, quartus *Malachim*, id est *Regum*, qui tertio et quarto *Regnorum* uolumine continetur. Meliusque multo est *Malachim*, id est *Regum*, quam *Malachoth*, id est *Regnorum* dicere... » (PL 28, 553 A). Le *nos* semble ici désigner l'usage commun des églises hérité des Septante, par opposition à l'usage hébreu. Cf. la lettre de Jérôme à Pammachius (57, 9, 5) : « Legamus *Samuhelem*, siue, ut in communi habetur titulo, *Regnorum* libros... » En pratique, dans l'*In Isaiam* pour désigner les livres des *Rois* proprement dits, Jérôme emploie toujours *Regum* (*uolumen* ou *liber* ou *historia*), jamais *Regnorum*. Pour les livres de Samuel, on trouve cinq fois *Samuelis* (*uolumen* ou *liber* ou *historia)*, deux fois *Regum* (*uolumen*).

255. *Paralipomènes* est le terme grec (παραλειπόμενα) hérité des LXX, terme d'ailleurs impropre, car on ne trouve pas simplement dans ces livres des « choses laissées de côté » par les livres des *Rois*, mais l'histoire résumée depuis les origines. Jérôme, dans l'*In Isaiam*, les désigne tantôt par leur nom grec (quatre fois), tantôt (sept fois) par l'expression *Dierum uerba* (ou *liber* ou *uolumen* ou *historia)* qui transpose l'hébreu *dibrê ha-yámim* (littéralement les « actes des jours »), que rend aussi correctement le terme de « Chroniques » (DHORME, *Bible* de la Pléiade, t. I, Introduction, p. C).

256. Par exemple : « ut Regum et Paralipomenon narrat historia » (174 A. Cf. 549 C) ; « In Dierum historia » (586 B. Cf. 240 A) ; « sicut Paralipomenon narrat historia » (176 A) ; « in ueteri historia » = 2 *R.* (650 A) ; « sacra narrat historia » = 2 *R.* (380 D), = 2 *Par.* (92 A).

257. Ainsi « uetus historia », en 565 D, désigne le *Lévitique*, en 617 A l'*Exode*.

258. *In Is.* 195 C. Voir aussi 160 A : « Lege Esdrae librum, Aggaeum et Zachariam, quando sub Zorobabel... », etc. Cf. 192 D : « uetus historia » = Ézéchiel et Jérémie ; 551 B : « sacra historia » = Ézéchiel. Voir encore 202 B où Ézéchiel est rapproché des « historiae Assyriorum ». Dans tous ces passages le texte prophétique est traité en document d'histoire.

du recueil primitif d'Isaïe (ch. 36-39) et les chapitres 18 à 20 du second livre des *Rois* avec lesquels, à quelques variantes près, ces passages coïncident. En pratique, ce sont surtout les textes de Jérémie et d'Ézéchiel, où se reflète l'histoire des relations dramatiques entre Juda et les puissances assyrienne puis babylonienne, qui fournissent à Jérôme les références les plus abondantes [259].

Mais l'Écriture n'est pas pour Jérôme la seule autorité en matière historique. Non moins décisif est à ses yeux, même s'il y a moins fréquemment recours, le témoignage des historiens. Il l'utilise dans deux perspectives assez différentes. Il attend d'abord de l'histoire profane des éclairages sur les événements qui intéressent la prédication prophétique, qu'elle soit seule à pouvoir les fournir ou qu'elle permette de corroborer les indications de l'Écriture. Mais il lui demande également d'apporter en quelque sorte la preuve de la véracité des prophéties en attestant, avec l'autorité du témoignage objectif, leur réalisation dans l'histoire ultérieure. Sur ce second aspect, il s'est clairement expliqué à la fin du Prologue de son *Commentaire sur Daniel*. Après avoir dressé la liste impressionnante des historiens grecs et latins dont la connaissance est, à ses yeux, nécessaire à la compréhension de la dernière vision du prophète, il y déclare que, s'il recourt ainsi à la littérature profane, c'est pour prouver que les événements prédits par les prophètes d'Israël se trouvent rapportés par les ouvrages des écrivains des autres nations [260]. Une remarque incidente du *Commentaire sur Isaïe* illustre tout à fait cette manière de voir : « Lisons », écrit Jérôme, « les huit livres de Xénophon sur l'histoire de Cyrus l'Ancien et *nous verrons que la prophétie d'Isaïe s'est accomplie* [261] ». Cette perspective amène donc Jérôme à s'intéresser non seulement aux ouvrages historiques qui touchent à l'Israël contemporain d'Isaïe, mais tout autant à ceux qui traitent des périodes postérieures.

---

259. Outre les références précédentes, voir encore par exemple 197 A (utilisation de *Jérémie* 1, 15 et 39, 2) et 200 AC (utilisation d'*Ézéchiel* 26, 2-4, 7-9 ; 29, 18). Voir aussi l'ANNEXE V.

260. HIER. *in Danielem*, prol. : PL 25, 494 AB. Voici la traduction de ce passage important : « Pour comprendre la fin du livre de Daniel, il faut recourir à une foule d'historiens grecs, c'est-à-dire Callinicus Sutorius, Diodore (de Sicile), Jérôme (de Cardia), Polybe, Claudius Théon et Andronicus Alipius que Porphyre dit lui aussi avoir suivis ; et encore Josèphe et ceux qu'utilise Josèphe ; et surtout chez nous Tite-Live, Trogue-Pompée et Justin qui rapportent toute l'histoire concernant la dernière vision et racontent, depuis Alexandre jusqu'à César Auguste, les guerres de Syrie et d'Égypte, c'est-à-dire de Séleucus et d'Antiochus, et des Ptolémées ; et s'il nous arrive d'être forcés de nous souvenir de la littérature profane et de faire des emprunts à ce que nous avons jadis laissé de côté, ce n'est pas que nous l'ayons voulu, c'est, si je puis dire, sous le poids d'une nécessité, celle d'apporter la preuve que les événements qu'ont prédits il y a bien des siècles les saints prophètes, on les trouve dans les ouvrages tant des Grecs que des Latins et d'autres nations. » Si impressionnante que soit la liste de ces historiens, elle ne doit pas faire illusion sur la connaissance directe qu'a pu en avoir Jérôme. P. Courcelle a montré qu'à travers les réfutations du Κατὰ χριστιανῶν de Porphyre qu'il mentionne un peu plus haut dans le Prologue, c'est-à-dire celles de Méthode d'Olympe, d'Apollinaire de Laodicée et d'Eusèbe de Césarée. (P. COURCELLE, *Les lettres grecques...*, p. 64. Cf. HIER. *in Danielem* PL 25, 566 D). Quant au souci d'authentifier par l'histoire profane les données des Écritures, on peut y reconnaître un héritage durable des méthodes des Apologistes.

261. *In Is.* 441 B : « Legamus Xenophontis octo librorum Cyri maioris historiam et prophetiam Isaiae cernemus expletam. » Il s'agit de la prophétie du Second Isaïe (45, 1 s.) sur Cyrus, à qui Yahvé promet la victoire et qui est même appelé l'oint du Seigneur parce qu'il est investi, aux yeux du prophète, de la mission de révéler à l'univers la grandeur de Yahvé, en mettant un terme à l'exil de Babylone (v. 6). La brillante histoire de Cyrus rapportée par Xénophon dans la *Cyropédie* (que Jérôme a certainement lue) vient fournir la preuve que cette prophétie est passée dans les faits.

Peut-on préciser davantage les sources auxquelles il recourt pour répondre à cette double préoccupation ? La référence reste parfois extrêmement générale, surtout lorsqu'il s'agit de rappeler un fait hors de discussion ou un événement universellement connu. « Toutes les histoires s'accordent à dire », déclare par exemple Jérôme commentant la malédiction du prophète contre le roi de Babylone, « qu'après la mort de Balthasar, qui descendait de Nabuchodonosor, et l'accession de Darius au trône de Chaldée, il n'y eut plus aucun roi de la lignée de Nabuchodonosor [262] ». Il voit, de même, la description que fait Ézéchias des ravages causés par les Assyriens authentifiée « par les nombreuses histoires qui rapportent que les rois des Perses sont venus en Grèce et y ont renversé et pillé les temples [263] ». Le lecteur apprend encore sans plus de précision que « les histoires rapportent que Tyr était une colonie de Sidon [264] » ; ou bien il est invité à ouvrir avec Jérôme « les histoires anciennes » pour y trouver que, jusqu'à la vingt-huitième année de César Auguste, la discorde régna dans tout l'univers, tandis qu'à la naissance du Christ, la paix s'établit dans l'empire [265]. Il est difficile de savoir quelles sources recouvrent des expressions aussi générales. Peut-être ces faits sont-ils aux yeux de Jérôme d'une telle notoriété que la connaissance qu'on en a ne demande plus à être cautionnée par des textes [266].

Il arrive toutefois que les références soient moins vagues. On relève dans le commentaire historique de l'oracle sur Tyr des formules comme celles-ci : « Nous lisons dans les histoires des Assyriens [267]... » ou « Nous lisons les historiens grecs, ceux surtout qui ont raconté les guerres du peuple assyrien... [268] ».

---

262. *In Is.* 14, 20-21 (163 B) : Omnes historias consentiunt quod, occiso Balthasar nepote Nabuchodonosor et succedente Dario in regnum Chaldaeorum, nullus de Nabuchodonosor deinceps stirpe regnarit. » Le *livre de Daniel* (ch. 5) réserve une place importante au festin de Balthasar, dont il fait le fils de Nabuchodonosor, ce qui est inexact. En réalité, la succession de Nabuchodonosor (†561) au trône de Chaldée est beaucoup plus complexe : c'est abusivement que Jérôme applique à Balthasar, le fils de Nabonide, dernier roi de Babylone, les termes de *nepos* et de *stirps Nabuchodonosor*. Voir sur les détails de cette succession les notes de Michaéli au *Livre de Daniel* (5, 1-2) dans la *Bible* de Dhorme (éd. de la Pléiade). Quant au nom de Darius présenté comme prenant la suite de Balthasar sur le trône de Chaldée, il surprend encore davantage. On sait que c'est Cyrus qui s'est emparé de Babylone en 539 et qui a annexé la Chaldée au royaume perse sur lequel Darius Ier n'a régné qu'à partir de 521, succédant à Cambyse.

263. *In Is.* 386 A. On voit par cet exemple les limites des exigences de Jérôme lorsque, dans la précipitation d'une rédaction hâtive, les associations d'idées que lui suggère sa culture rencontrent le désir qu'il a de prouver la véracité des prophéties. Ici, par une double assimilation, il confond d'abord Assyriens et Chaldéens, que pourtant ailleurs il sait distinguer expressément (cf. ci-dessus n. 251) ; puis il assimile vainqueurs perses et vaincus chaldéens, dont la Bible elle-même se plaît à opposer le rôle, puisque Cyrus y est même dit « l'oint de Yahvé » qui apporte la libération en s'emparant de Babylone.

264. *In Is.* 201 C. Peut-on déduire du fait que le renseignement se trouve dans l'*Epitome* de Justin (18, 3) que c'est là que Jérôme l'a pris ? On ne saurait l'affirmer.

265. *In Is.* 2, 4 c : 46 AB. Sur ce passage et sur les difficultés qu'il soulève voir l'ANNEXE VI, p. 424.

266. On pourrait douter, par exemple, qu'il ait vraiment en mémoire des références précises aux *ueteres historiae* quand il écrit : « Doctus lector ueteres reuoluat historias, et ab Euphrate usque ad Tigrim, omnem in medio regionem Assyriorum fuisse cognoscat » (187 C). Le renseignement, en effet, est banal. Pourtant la source existe, autre que celles qu'on attendrait : c'est le *Commentaire sur Isaïe* d'Eusèbe que Jérôme démarque ici (Eus. W. 9, 135).

267. *In Is.* 202 B : « Legimus in historiis Assyriorum... »

268. *In Is.* 200 D : « Legimus Graecorum historias et maxime eorum qui Assyriae gentis bella describunt... » On pourrait penser à Bérose, mais voir ci-dessous la note 270.

Elles donnent à penser qu'ici Jérôme a en tête des ouvrages particuliers. Il fait un pas de plus dans le sens de la précision quand, pour la description qu'il donne de Babylone, il renvoie à « Hérodote et beaucoup d'autres historiens grecs [269] ». Hérodote est encore mentionné, cette fois avec Bérose, « auteur d'une histoire de Chaldée », à propos de l'épidémie qui ravage l'armée de Sennachérib [270]. Et nous avons vu invoqués tout à l'heure Xénophon et sa *Cyropédie*.

Mais l'historien profane dont le nom revient le plus souvent, et de fort loin, dans le *Commentaire sur Isaïe* est Flavius Josèphe. Le fait ne surprend pas, vu les sujets que traite l'historien juif. Jérôme y fait référence une douzaine de fois et l'utilise sans le nommer dans trois autres passages. Ce sont les *Antiquités* qui fournissent les emplois les plus nombreux : elles constituent en effet une mine de renseignements historiques de tous ordres, notamment sur le peuple juif de l'époque d'Isaïe et de l'exil [271]. Mais Josèphe l'intéresse aussi comme « auteur de l'histoire juive... *(Iudaicae scriptor historiae)*», c'est-à-dire, comme il l'explique lui-même, des « sept volumes auxquels (Josèphe) a donné le titre de *La captivité des Juifs*, ou περὶ ἁλώσεως [272] ». Il y puise à quatre reprises des témoignages sur la réalisation des prophéties au temps des Romains [273].

Sur cette période « moderne », Jérôme dispose d'une source de documentation très différente, mais précieuse : l'*Histoire Ecclésiastique* d'Eusèbe de Césarée, qu'il connaissait depuis longtemps [274]. De fait, on relève quelques correspondances entre les deux œuvres, à propos de Montan, d'Ébion et de l'officier de la reine Candace converti par le diacre Philippe. Mais il serait probablement plus juste de parler à leur propos de réminiscences que de dépendance littérale [275]. Un certain nombre de références historiques touchant

---

269. *In Is.* 164 A. Cf. HÉRODOTE, I, 178. Voir note suivante.

270. *In Is.* 385 B. S'il est certain que Jérôme a lu Xénophon, ce ne sont pas les deux passages où Hérodote est invoqué ici qui suffiraient à prouver qu'il le connaît de première main. Dans le premier cas, en effet, la référence reste assez vague et P. Courcelle remarque que Jérôme utilise dans sa description des unités de mesure qu'Hérodote n'a pas employées (*Les Lettres grecques...* p. 68, et la note 7). Pour le second, en apparence beaucoup plus précis, il ne fait aucun doute que Jérôme suit en fait le récit de Josèphe (*Antiquités*, X, 2, 4) en lui empruntant non seulement les détails qui ne sont pas dans le texte d'Hérodote (II, 141), mais aussi la double référence à Hérodote et à Bérose. Comparer : « ... narrat Herodotus et plenissime Berosus, Chaldaicae scriptor historiae... » et : « Καὶ Ἡρόδοτος μὲν οὕτως ἱστορεῖ ἀλλὰ καὶ Βηρωσὸς ὁ τὰ χαλδαϊκὰ συγγραψάμενος μνημονεύει ». (Cf. COURCELLE, *ibid.* p. 68 et la note 8 : la présentation en parallèle des passages correspondants d'Hérodote, Josèphe et Jérôme fait bien ressortir que c'est Josèphe que Jérôme transpose.)

271. Cf. *In Is.* 441 B : « quod quidem et Iosephus in undecimo Iudaicae Antiquitatis uolumine refert... » (à propos de Cyrus) ; 185 B : « Lege Iosephi Historias » ; 249 B : « sicut arbitratus est Iosephus qui in libris Antiquitatum refert... » ; Jérôme renvoie encore à Josèphe en 53 A, 139 D, 186 B, 377 C, 667 A et utilise sans le dire ses *Antiquités* en 104 C, 152 A et 385 B.

272. *In Is.* 626 BC, à propos d'*Is.* 64, 8 s.

273. Outre la référence précédente, voir 64 B, 498 C et 657 A.

274. Depuis ses séjours à la Bibliothèque de Césarée, aux premiers temps de son installation en Orient en 386. On sait tout ce que lui emprunte Jérôme pour le *De uiris* (voir P. COURCELLE, *Les Lettres grecques...*, p. 103 ; F. CAVALLERA, *Saint Jérôme...* t. 1, p. 150).

275. Sur Montan, on peut rapprocher *In Is.* 19 B-20 B, 23 B et 317 D-318 A d'EUSÈBE, *HE* V, 16 et 17. Mais la dépendance littérale est loin d'être certaine. Les correspondances de termes sont en effet assez lâches et banales : ἔκστασις se retrouve (19 B ; 23 B), sans l'épithète de « fausse » ; *cordis amentia* (23 B) peut refléter ἐκφρονῶς (*HE* V, 16, 9) mais *exciderunt mente* (317 D) se trouve dans le verset d'Isaïe commenté. Et Jérôme ne relève pas le terme de νόθος (un esprit « bâtard ») qui

la même période lui viennent encore d'Eusèbe par le canal de son *Commentaire sur Isaïe* [276]. Ce ne sont pas, on le sait, les seuls emprunts que Jérôme fasse à cet ouvrage : nous aurons à reconnaître en d'autres domaines sa dépendance envers le Commentaire d'Eusèbe. Bornons-nous à signaler un dernier domaine qui nous intéresse ici et pour lequel Eusèbe a pu servir de source à Jérôme : celui des traditions des Hébreux qui prennent place dans l'exégèse littérale [277]. Mais leur contenu déborde la stricte information historique ; nous jetterons donc sur elles un regard d'ensemble après avoir fait le point sur les éléments d'ordre géographique et scientifique qui, dans l'exégèse littérale de Jérôme, achèvent d'éclairer, pour leur part, la réalité de l'histoire.

3. *Données géographiques*

La géographie n'est guère moins indispensable que l'histoire au commentateur de l'Écriture. A la vérité, les deux domaines se complètent. Jérôme, à la suite d'Eusèbe encore, qui avait consacré une série de quatre opuscules à la géographie biblique [278], en avait pris conscience de bonne heure. Parmi les

---

pourtant pouvait lui plaire ; en revanche, chez lui, Montan *« somniat »* (19 B). L'optique surtout est différente : tandis que les pages d'Eusèbe décrivent essentiellement le délire prophétique de Montan en l'opposant au prophétisme traditionnel, Jérôme s'en prend avec insistance à sa conception de l'inspiration selon laquelle le prophète, parlant en extase, ignorerait ce qu'il dit. Nous serons donc amenés à regarder attentivement ces textes au ch. V, à propos de la nature de la vision prophétique (ci-dessous p. 352 s.). Dans le cas d'Ébion (*In Is.* 27 A, 34 B et 672 B, à rapprocher de *HE* III, 27, 1-6), peut-on conclure davantage à une dépendance directe ? Il ne le semble pas. Les indications de Jérôme sur le caractère judaïsant de l'hérésie coïncident avec celles d'Eusèbe, mais elles sont du domaine public (cf. RUFIN, *Expos. Symb.* 37, en 404) et Jérôme a pu aussi bien les relire dans l'abondant ouvrage d'Épiphane de Salamine (*Haeres.* 30 : PG 41, 405 B-474 A, notamment 408 A), avec lequel la controverse origéniste l'avait amené à resserrer encore des liens déjà étroits. Le jeu de mot d'Eusèbe sur les Ébionites « dont le nom manifeste bien la pauvreté de leur intelligence » (*HE* III, 27, 6) a son répondant chez Jérôme (*In Is.* 27 A et 672 B), mais on le trouvait déjà dans le *Periarchón* (IV, 3, 8) que Jérôme, nous l'avons vu (*supra* n. 155), a fort présent à l'esprit à l'époque où il écrit son Commentaire. Eusèbe enfin ne parle que d'Ébionites ; Jérôme, comme Épiphane et Rufin, parle d'Ébion comme d'un personnage historique. Sur lui et Montan, voir également ch. IV, p. 321 s. Sur l'officier de la reine Candace (*Act.* 8, 27-39), devenu par sa conversion l'apôtre des Éthiopiens, on peut rapprocher *In Is.* 509 A et *HE* 1, 13 (qui a pu s'inspirer d'IRÉNÉE, *Adu. haer.* III, 12, 8). Mais le trait le plus caractéristique du texte d'Eusèbe, la référence au Ps. 67, 32, est absent de Jérôme, alors qu'on y trouve l'idée d'un « envoi » *(missus est)*, présente chez Irénée mais non chez Eusèbe, ainsi qu'une remarque propre à Jérôme, (l'eunuque « est devenu digne d'être appelé homme ») qui figure déjà dans son *In Sophoniam* (PL 25, 1339 C). En réalité, dans les trois cas, il s'agit de faits largement connus, pour lesquels l'*HE* a pu être jadis la source première de l'information de Jérôme (cf., *e.g., De uir. ill.* 40 qui vient en droite ligne d'*HE* V, 18 sur Montan). Mais il l'a depuis longtemps assimilée et mise à profit et l'on pourrait dire, que, si réminiscences il y a, c'est autant de formules antérieures de Jérôme lui-même que de passages précis d'Eusèbe.

276. Notamment *In Is.* 5, 13 : 83 A (réalisation de la prophétie sous Vespasien et Titus), 6, 11-13 : 101 A (réalisation de la prophétie sous Hadrien) ; cf. 187 BC. Mais il l'utilise aussi pour des événements de l'histoire biblique ; voir par exemple 174 A, 195 C et ci-dessus note 265.

277. Voir G. BARDY, *Saint Jérôme et ses maitres hébreux*, RBen 46, 1934, p. 145-164 et, dans la suite de ce chapitre, les p. 194-200.

278. Voici l'énumération qu'en fait Jérôme dans la préface de son *Liber locorum* à la suite d'autres œuvres d'Eusèbe (dont il démarque d'ailleurs la préface correspondante : cf. *Onomasticon* éd. Klostermann, GCS Eus. W. 3, 1 p. 2) : « ... post diuersarum uocabula nationum, quae quomodo olim apud Hebraeos dicta sint et nunc dicantur exposuit, post Chorographiam terrae Iudaeae, et distinctas tribuum sortes, ipsius quoque Hierusalem templique in ea cum breuissima expositione picturam, ad extremum in hoc opusculo Eusebius laborauit ut congregaret nobis de sancta Scriptura omnium paene urbium, montium, fluminum, uiculorum et diuersorum locorum uoca-

instruments de travail qu'on le voit se forger autour de l'année 389 en vue des travaux scripturaires à venir, figure, à côté du *Livre des noms hébreux*, un *Livre des noms de lieux* [279], adaptation latine de l'un des opuscules d'Eusèbe, qui se présente comme une série de brèves notices sur la situation géographique et l'histoire de tous les lieux mentionnés dans la Bible. Sans doute s'agit-il, pour l'essentiel, d'une œuvre d'emprunt qui porte peu sa marque, quoi qu'il en ait dit dans sa préface [280]. Le choix néanmoins est révélateur. De la même date, mais « œuvre originale », les *Questions hébraïques sur la Genèse* qui, dans l'esprit de Jérôme, prolongent le *Livre des noms hébreux* [281], ne dédaignent pas non plus de rendre compte des noms des localités et de leur situation.

Mais l'intérêt que manifestait alors Jérôme pour la géographie biblique n'était pas seulement livresque. Il venait en effet de faire de la Terre Sainte une découverte passionnée, la voyant revivre à ses yeux, chargée de son poids d'histoire, lors du pèlerinage, à peine vieux de trois ans, qui l'avait amené avec Paula jusqu'à Bethléem [282], et qu'avaient complété depuis maints déplacements

---

bula, quae uel eadem manent, uel immutata sunt postea, uel aliqua ex parte corrupta » (PL 23, 859 A-860 A). Ce dernier ouvrage, l'*Onomasticon*, est le seul qui nous soit parvenu.

279. « Librum locorum, quem editurus sim... », dit Jérôme dans la préface du *Livre des noms hébreux* (PL 23, 772 A). Cf. *De uir. ill.* 135 : « ... de locis librum unum... » (*ibid.*, 717 B). C'est le seul des quatre opuscules d'Eusèbe que Jérôme ait traduit (= PL 23, 859-928, Eus. W. 3, 1 et aussi P. DE LAGARDE, *Onomastica sacra*, 2ᵉ éd. 1887). Il écrira une douzaine d'années plus tard, dans son *Apologie contre Rufin* : « Laudaui Eusebium in Ecclesiastica Historia, in digestione Temporum, in descriptione sanctae Terrae ; et haec ipsa opuscula in Latinum uertens, meae linguae hominibus dedi » (I, 11 : PL 23, 405 BC). Le dernier titre semble désigner la *Chorographie* d'Eusèbe, mais on ne saurait déduire de cette formule rapide et approximative qu'il l'ait traduite (aucune mention dans la notice du *De uiris*). Il n'a d'ailleurs jamais traduit l'*Histoire Ecclésiastique* qu'il mentionne dans les mêmes conditions, et il ne distingue sans doute guère ici traduction véritable et utilisation systématique.

280. Jérôme déclare en effet l'avoir traduit « en laissant de côté ce qui paraissait sans intérêt et en apportant de nombreuses modifications » (PL 23, 860 A). La formule est au moins excessive. Cavallera (*Saint Jérôme...* t. 1, p. 145, n. 1) estime au contraire à juste titre « les changements insignifiants et la fidélité au texte remarquable ».

281. Cela ressort de la préface du *Livre des noms hébreux* : « ... commoneo ut si qua hic (= dans cet ouvrage) praetermissa sunt, alteri sciat lector operi reseruata. Libros enim Hebraicarum Quaestionum nunc in manu habeo, opus nouum et tam Graecis quam Latinis usque ad id locorum inauditum » (PL 23, 771 B-772 A). Un peu plus loin, ce sont les trois ouvrages qui sont associés : « si quis igitur et illos et praesens uolumen, librum quoque locorum, quem editurus sum, habere uoluerit... » (*ibid.* 772 A). La chronologie relative de ces œuvres est donc aisée à établir : elles sont pratiquement contemporaines, la première parue étant le *Livre des noms hébreux*, et la dernière les *Questions hébraïques*. Sur leur datation précise, plus délicate, voir l'étude de Cavallera sur les œuvres de cette période (t. II, p. 26-30), qui fait apparaître comme raisonnable la date de 389. La référence aux *Questions hébraïques* soulève une difficulté ; Jérôme parle ici, on l'aura remarqué, de *libros*, au pluriel, sans référence à la *Genèse* dont, chose surprenante, il n'est pas davantage question dans la préface même de l'ouvrage, que Jérôme présente ainsi : « ... les livres des *Questions hébraïques*, que je me suis proposé d'écrire *sur toute l'Écriture sainte* » (PL 23, 936 A). En est-il resté au stade des intentions ? Nous ne connaissons de lui, en effet, que le tome, unique, sur la *Genèse*. Mais, dans l'*In Isaiam*, à côté de deux mentions explicites de ce livre (515 D et 642 C), on trouve encore, au livre V, la formule : « in libris Quaestionum Hebraicarum » (169 B), qui renvoie, il est vrai, à un passage de l'ouvrage que nous avons. Il semble bien que Jérôme s'en soit tenu là.

282. Jérôme n'était pas allé jusqu'en Palestine lors de son premier séjour en Orient (374-382). Voici en quels termes il parle de son arrivée à Jérusalem, dans l'hiver 385-386, dans le chapitre de l'*Apologie contre Rufin* (III, 22) où il évoque son voyage de Rome à Bethléem : « Intraui Hierosolymam. Vidi multa miracula, et quae prius ad me fama pertulerat, oculorum iudicio comprobaui » (PL 23, 473 C).

avec les meilleurs guides. Si l'intensité spirituelle de cette expérience transparaît encore à travers la ferveur des pages qu'il lui consacre près de vingt ans
plus tard dans l'éloge funèbre de sa sainte amie [283], la joie encore neuve de la
découverte et la curiosité inlassable du futur commentateur sont manifestes
dans ces lignes qui datent des premières années de son installation en Orient :
« De même qu'on comprend mieux l'histoire grecque si l'on a vu Athènes, et
le troisième livre de Virgile si l'on a navigué de Troie en Sicile par le cap
Leucate et les rivages acrocérauniens, puis de là jusqu'à l'embouchure du
Tibre, de même la sainte Écriture apparaîtra en meilleure lumière à celui dont
les regards ont contemplé la Judée et qui a appris ce qu'on rapporte du passé
de ses villes et les noms de ses localités, qu'ils soient restés les mêmes ou qu'ils
aient changé. Aussi ai-je eu à cœur, moi aussi, de m'imposer l'effort de faire,
avec les Hébreux les plus compétents, le tour du pays que célèbrent toutes les
Églises du Christ [284] ». Nous pouvons le croire sur parole. Ces investigations
sur le terrain, qui, dans un esprit cultivé comme l'était Jérôme, appelaient,
comme un complément naturel, la documentation livresque que nous le
voyons rassembler à cette époque, ont orienté son intérêt de façon décisive.

Le *Commentaire sur Isaïe* permet aisément de le vérifier. L'oracle sur Moab,
aux chapitres 15 et 16 du recueil prophétique, en fournit à lui seul des

---

283. *Epitaphium sanctae Paulae* = *Epist.* 108, qui suit sans doute d'assez près la mort de Paula
(26 janvier 404). Le récit du pèlerinage occupe les chapitres 8 à 14. En insérant dans son éloge
funèbre cette longue évocation où la sincérité ne refuse pas, à l'occasion, les agréments de la
rhétorique, Jérôme sacrifiait tardivement au genre littéraire du journal de pèlerinage, que venait
d'illustrer la *Peregrinatio Aetheriae*. De tels récits témoignent de l'engouement croissant des Latins
de la fin du IVᵉ siècle pour le voyage en Orient, qui associait au pèlerinage aux Lieux Saints la visite
des champions de l'ascétisme dans leurs monastères du désert. Jérôme n'était pas resté étranger à ce
mouvement : « Vénérer l'endroit où se posèrent les pieds du Seigneur fait partie de la foi »,
écrivait-il à Désidérius en 393 (*Epist.* 47, 2). Mais il passait volontiers, avec ses correspondants
romains, de l'invitation au pèlerinage à l'exhortation à venir vivre, à l'ombre des Lieux Saints, la vie
ascétique. Voir la lettre 46, de Paula et Eustochium (en réalité de Jérôme) à Marcella. Il finira
même par juger inutile un simple pèlerinage et ne cherchera pas à y entraîner Paulin de Nole (*Epist.*
58). En tout cas l'accueil des pèlerins qu'avec Paula, comme Rufin et Mélanie sur le Mont des
Oliviers, il recevait à Bethléem dans l'hôtellerie construite à cet effet à proximité de leurs monastères, ne pouvait que lui rappeler la curiosité de ses contemporains occidentaux, destinataires naturels
de ses Commentaires, pour la géographie sacrée.

284. Hier. *Praef. in libr. Paralipomenon iuxta LXX interpr.* PL 29, 401 A : « Quomodo Graecorum historias magis intellegunt qui Athenas uiderint, et tertium Vergilii librum qui a Troade per
Leucaten et Acrocraunia ad Siciliam, et inde ad ostia Tiberis nauigarint, ita sanctam Scripturam
lucidius intuebitur, qui Iudaeam oculis contemplatus est, et antiquarum urbium memorias, locorumque uel eadem uocabula uel mutata cognouerit. Vnde et nobis curae fuit cum eruditissimis
Hebraeorum hunc laborem subire, ut circumiremus prouinciam, quam uniuersae Christi Ecclesiae
sonant. » (Hagendhal, *Latin Fathers*..., ne relève pas les réminiscences de Virgile, *Aen.* III, 274 et
505, qui affleurent ici dans la mention des noms de lieux). Préciser davantage la date de ces lignes
est difficile. Cette révision sur le grec est antérieure aux traductions sur l'hébreu, qui précèdent elles-
mêmes les Commentaires des petits prophètes, sur lesquels se clôt la notice du *De uiris* qu'on peut
dater de 393. Et, parmi ces révisions, celle des *Paralipomènes* n'est certainement pas la dernière. Il
en résulte qu'on ne peut lui fixer une date trop tardive, à laquelle s'opposerait aussi, nous l'avons
vu, le ton du texte, qui paraît refléter une expérience récente. Il est donc très vraisemblable que les
lignes qui nous intéressent ne sont pas postérieures aux trois ouvrages hébraïsants qui inaugurent
pour Jérôme une nouvelle étape dans ses perspectives de travail. Sans doute même leur sont-elles
un peu antérieures. Une rencontre d'expressions pourrait en être un indice, bien fragile, il est vrai.
Dans la préface du *Liber locorum*, les mots : « locorum, uocabula quae uel eadem manent uel
immutata sunt postea uel aliqua ex parte corrupta » (PL 23, 859 A-860 A), semblent faire écho, en
la précisant, à la formule de notre texte : « locorumque uel eadem uocabula, uel mutata ».

exemples variés. Ils vont de la brève définition qui surgit au détour d'une phrase : « ... l'Arnon, qui fait la limite entre les Amorrhéens et les Moabites [285] », jusqu'à la notice plus étoffée qui ouvre le commentaire du passage et qui situe en quelques lignes le pays lui-même, les souvenirs bibliques qui s'y rattachent, sa capitale avec ses noms successifs [286]. Relevons ce dernier détail : les changements de dénomination des cités, qui donnent occasion au commentateur d'allier les réalités solides de l'histoire au jeu des étymologies, retiennent volontiers l'attention de Jérôme ; il se souvient visiblement, alors, qu'il est l'auteur d'un *Livre des noms hébreux* [287]. Et quelques versets plus bas, à propos de Ségor, qui, elle aussi, a changé de nom, c'est à ses *Questions hébraïques* qu'il renvoie le lecteur, tout en reprenant d'ailleurs l'essentiel de ce qu'il y avait dit [288].

---

285. *In Is.* 171 B : « ... in transcensu Arnon migrabunt, qui est terminus Amorrhaeorum et Moabitarum. » Cf. 425 A, sur Cedar « quae quondam inhabitabilis fuit regio trans Arabiam Saracenorum » ; 192 C, sur Duma : localisation très précise et plus détaillée.

286. *In Is.* 167 AB. Jérôme invoque ensuite sur la puissance de Moab le témoignage du chapitre 48 de Jérémie.

287. Outre Ar, la capitale de Moab, et Segor (voir note suivante) on peut en relever une foule d'exemples tout au long du Commentaire. En voici quelques-uns où la remarque est faite en passant, sans être exploitée, par une sorte de réflexe : « ... Antiochiam, quae tunc uocabatur Reblatha » (155 B) ; « ... Samariam, quae nunc Sebaste uocatur » (103 C) ; « ... in confinio Caesareae Philippi, quae nunc uocatur Paneas » (421 D). Dans le « journal de pèlerinage » de la *Lettre* 108, la mention du changement de nom s'accompagne souvent, comme il était normal, d'une brève explication historique : ainsi de Samarie, devenue Sébaste (c'est-à-dire *Augusta* en grec), ainsi nommée par Hérode en l'honneur d'Auguste (*Epist.* 108, 13) ; ou de la Tour de Strabon, appelée Césarée pour la même raison (*ibid.* 8). Mais Jérôme y résiste en général à la tentation de l'érudition étymologique.

288. *In Is.* 15, 5 : 169 B. Cf. *Hebraicae Quaestiones in Genesim* 14, 3 : PL 23, 959 AB. Voici les deux passages, qu'il est intéressant de mettre en regard :

Hebr. Quaest. in Gen. 14, 3 : « Bale lingua Hebraea κατάποσις, id est, deuoratio dicitur. Tradunt igitur Hebraei hanc eamdem in alio Scripturarum loco Salisa nominari ; dicique rursum μόσχον τριετίζουσαν, id est, uitulam conternantem, quod scilicet tertio motu terrae absorpta sit. Et ex eo tempore quo Sodoma et Gomorrha, Adama et Seboim diuino igne subuersae sunt, illa paruula nuncupatur. Siquidem Segor transfertur in paruam, quae lingua Syra Zoara dicitur. »

In Is. (= livre V, en 397) : « ... quod ipsa sit quinta urbs post Sodoman et Gomorrham, Adamam et Seboim, quae ad praeces Lot parua seruata est. Appellaturque Bala id est, absorpta, tradentibus Hebraeis quod tertio terrae motu prostrata sit. Ipsa est quae hodie Syro sermone uocatur Zoora, Hebraeo Segor, utroque paruula. Possumus uitulam conternantem pro perfecta aetate accipere... »

On peut constater que la matière en est à peu près identique, mais son exploitation laisse apparaître de curieux décalages. Si le détail sur Salisa, propre à la *Genèse*, est normalement laissé de côté dans le *Commentaire*, on remarque le lien précis établi avec la prière de Lot, qui est à l'origine de l'épithète *parua* (cf. *Gen.* 19, 20-22). Mais la modification la plus singulière concerne la causale (*quod... sit*) qui, d'un texte à l'autre, appuie sur l'autorité des Hébreux deux étymologies différentes, ce qui entraîne une nouvelle explication de « la génisse de trois ans ». Il paraît difficile d'expliquer ces changements par la pure inadvertance ou la citation de mémoire. La notice de l'*In Isaiam* est en effet plus explicite, mieux construite ; les explications y sont plus plausibles. Il reste qu'on se demande quelle était en définitive la tradition des Hébreux sur cette ville et le crédit qu'on peut accorder à Jérôme sur ce point. Voici ce que deviennent, en 404, ces indications dans la *Peregrinatio Paulae* : « ... in Segor, uitulam conternantem, quae prius Bala uocabatur, et in Zoaram, id est paruulam, Syro sermone translata est. Recordabatur speluncae Lot... », etc. (*Epist.* 108, 11.) Brève allusion scripturaire sans commentaire (uitulam conternantem), étymologie limitée à ce qui est indispensable pour expliquer le changement de nom, souvenir biblique (Lot et ses filles) qui va se tourner en exhortation morale : l'allégement des remarques savantes, l'élargissement de l'évocation biblique et son actualisation traduisent bien les différences de perspectives.

Qu'elles soient onomastiques ou topographiques, de telles indications ne sont pas gratuites, elles servent directement à l'intelligence du texte. Savoir, par exemple, que « la ville de Jaza est tout près de la mer Morte, qui fait la limite du pays des Moabites », est nécessaire pour comprendre les mots du prophète : « leur cri a été entendu jusqu'à Jaza. » Cela veut donc dire, continue Jérôme, que « leurs hurlements résonneront jusqu'aux extrémités du pays [289] ». Il peut arriver cependant que leur nécessité nous apparaisse moins évidente. Ainsi l'une des notations les plus précises du *Commentaire* concerne le lac de Génésareth. C'est d'ailleurs un modèle du genre : « Ici l'auteur appelle mer le lac de Génésareth, qui est formé par les eaux du Jourdain ; sur ses rives se trouvent Capharnaüm, Tibériade, Bethsaïde et Chorozaïm. C'est surtout dans cette région qu'a séjourné le Seigneur [290] ». Définition, mise en place sobre et nette, référence biblique, on verrait aussi bien ces lignes figurer parmi les notices du *Livre des noms de lieux*.

Il est vrai que, même sur des sites relativement connus, des précisions géographiques peuvent avoir leur importance pour éviter des confusions. Le mont Carmel « qui, situé aux confins de la Palestine et de la Phénicie, domine Ptolemaïs », est par là distingué d'une autre montagne de même nom (en réalité une bourgade des monts de Juda) dont il est question ailleurs dans l'Écriture [291]. Jérôme puise même dans les considérations géographiques assez d'autorité pour corriger la Bible, qui fait reposer l'arche de Noé, après le Déluge, sur les monts d'Ararat. Dénomination erronée, démontre Jérôme, le pays d'Ararat étant une plaine [292].

On peut remarquer dans ce dernier exemple l'intervention d'un nouvel élément : ce sont les caractéristiques physiques du pays qui fondent l'argumen-

---

289. *Is.* 15, 4 b : « Vsque Iaza audita est uox eorum. » Jérôme commente : « Vrbs Iaza Mortuo Mari imminet, ubi est terminus prouinciae Moabitarum. Hoc ergo indicat quod usque ad extremos fines ululatus prouinciae personabunt » (168 C). Cf. 201 B, à propos de Tyr : « Insulam quoque nominans non mentitur. Postea enim a Nabuchodonosor uel Alexandro terrae continens facta est, propter expugnationem multis in breui freto aggeribus comportatis. » Les changements dans la topographie de la ville sont ici expliqués par l'histoire.

290. *In Is.* 124 D : « Mare autem hic lacum appellat Genesareth, qui Iordane influente efficitur : in cuius littore Capharnaum et Tiberias et Bethsaida et Chorozaim sitae sunt : in qua uel maxime regione Dominus commoratus est. »

291. *In Is.* 335 B : « ... in confinio Palestinae atque Phoenicis Ptolemaidi imminens, licet et alius in Scripturis sanctis mons Carmelus appelletur » (cf. I *Sam.* 25). Cf. *In Amos* 1, 2 : PL 25, 993 D.

292. *In Is.* 389 C : « Ararat autem regio in Armenia campestris est, per quam Araxes fluit, incredibilis ubertatis, ad radices Tauri montis, qui usque illuc extenditur. Ergo et arca in qua liberatus est Noe cum liberis suis, cessante Diluuio, non ad montes generaliter Armeniae delata est, quae appellatur Ararat, sed ad montes Tauri altissimos, qui Ararat imminent campis. » Dans le *Liber locorum*, cependant, Jérôme écrivait simplement, à la suite d'Eusèbe : « Ararat, Armenia. Siquidem in montibus Ararat arca post diluuium sedisse perhibetur ; et dicuntur ibidem usque hodie eius permanere uestigia » (PL 23, 859 B). Suiuait une assez longue citation de Josèphe (*Antiq. Iudaic.* I, 3, 6) où, notons-le, n'apparaît que le mot *Armenia*. Dans les *Questions hébraïques*, le verset n'est pas commenté. A l'époque Jérôme reflétait donc la tradition sans se poser de question. Mais dans sa traduction de la *Genèse* sur l'hébreu, les monts d'Ararat sont devenus les monts d'Arménie *(super montes Armeniae)* alors que pourtant l'hébreu porte *'araraṭ* (v. KITTEL, *Biblia Hebraica*, et la note de Dhorme *ad locum* dans la Bible de la Pléiade), comme, du reste, le grec des LXX : ἐπὶ τὰ ὄρη τὰ Ἀραράτ. On peut y voir un indice du fait qu'à ce moment-là — et peut-être à cette occasion — il avait découvert la précision géographique qui, dans l'*In Isaiam*, lui fait critiquer l'expression biblique. Dans son *In Ezechielem* il écrira sans s'étendre : « ... sedisse arcam Noe super montes Ararat, qui interpretatur Armeniae » (PL 25, 286 B).

tation. Quelques pages plus haut, Jérôme avait noté la ressemblance entre la terre de Médie et la terre de Judée « tant pour la situation que pour les récoltes [293] ». Il déborde en effet à l'occasion le cadre étroit des observations topographiques et onomastiques auxquels se limitaient les manuels *De situ et nominibus* dans lesquels les commentateurs chrétiens avaient recueilli, en l'adaptant à leurs besoins, l'héritage de l'érudition hellénistique. La configuration du pays l'intéresse, et plus encore le climat et les productions du sol. Comme les auteurs bibliques eux-mêmes, il apparaît fasciné par les régions arrosées et fertiles dont les noms reviennent dans les pages poétiques de la Bible comme les symboles de la prospérité et de l'abondance. Nous l'avons déjà noté du mont Carmel « riche et boisé » [294]. La plaine de Saron retient aussi Jérôme : « C'est le nom de tout le pays voisin de Joppé et de Lydda, où s'étendent de vastes plaines fertiles [295] » ; et il apporte plus loin cette précision : « Tout le pays autour de Lydda, de Joppé et de Jamnia se prête à la pâture des troupeaux [296] ». A vrai dire, « rien n'est plus riche que la terre de la Promesse », du moins « si on la regarde dans toute son étendue et non dans ses parties montagneuses et désertiques... [297] ». Car tout le lyrisme de l'auteur sacré ne saurait faire oublier au Latin réaliste qui a sous les yeux les monts de Juda que « la région de Jérusalem est la pire de toute la contrée, âpre pays de hauteurs rocheuses, qui souffre de la sécheresse [298] ».

L'esprit positif de Jérôme fournit encore à la curiosité de ses lecteurs occidentaux des renseignements détaillés sur les habitudes rurales qu'il observe autour de lui en Orient. Ainsi la menace qui pèse sur Moab, « qui sera écrasé comme est broyée la paille sous le chariot », amène cette description très concrète, qui restitue à l'image prophétique toute sa vigueur : il s'agit là, nous explique-t-on, « d'un usage de la Palestine et de beaucoup de régions d'Orient qui, manquant de prairies et de foin, apprêtent la paille pour la nourriture du bétail. On se sert de chariots en fer, dont les roues centrales jouent en tournant le rôle de scies et broient le chaume qu'elles réduisent en menue paille [299] ». La connaissance des coutumes du pays permet ailleurs au commentateur d'écarter une explication qui voyait dans un passage du même ordre une référence à l'usage de certaines contrées, où l'on fait piétiner le blé sur l'aire, pour le battre, par des bandes de cavales. « Mais l'Écriture »,

---

293. *In Is.* 382 B : « ... terram Mediae (...) quae habebat terrae Iudaeae similitudinem, tam in situ quam in frugibus. »
294. Ci-dessus p. 167 et la note 189.
295. *In Is.* 365 C : « Saron autem omnis iuxta Ioppen Lyddamque appellatur regio, in qua latissimi campi fertilesque tenduntur. »
296. *In Is.* 638 A : « Omnis regio circa Lyddam, Ioppen et Iamniam apta est pascendis gregibus. »
297. *In Is.* 76 A : « Et reuera nihil terra Repromissionis pinguius, si non montana quaeque et deserta, sed omnem illius latitudinem consideres, a riuo Aegypti usque ad flumen magnum Euphratem contra orientem, et ad septentrionalem plagam usque ad Taurum montem et Zephyrium Ciliciae, quod mare imminet. »
298. *In Is.* 471 B : « ... quae totius prouinciae deterrima est, et saxosis montibus asperatur, et penuriam patitur sitis ».
299. *In Is.* 25, 10 : « Moab (...) ita contereter ut solent plaustro paleae conteri. Hoc iuxta ritum loquitur Palestinae et multarum Orientis prouinciarum quae, ob pratorum et feni penuriam, paleas praeparant esui animantium. Sunt autem carpenta ferrata, rotis per medium in serrarum modum se uoluentibus, quae stipulam conterunt et comminuunt in paleas » (292 A). Sur ces chariots à roues multiples, cf. la note de Koenig à *Is.* 28, 28 (Bible de la Pléiade, t. II, p. 95).

observe Jérôme, « ne pouvait parler de ce qui n'existait pas en Judée [300] ».

Ainsi, depuis l'époque où, découvrant la Palestine, il traduisait le manuel d'Eusèbe, jusqu'au *Commentaire sur Isaïe*, en passant par les jalons que constituent le livre V du Commentaire, replacé à sa date, puis la *Peregrinatio Paulae*, se manifeste avec une continuité remarquable au service de l'Écriture un souci d'exactitude géographique qui puise sa matière dans l'expérience directe au moins autant que dans les livres.

4. « *Physica* »

A la géographie et à l'histoire vient s'ajouter, quand le texte en fournit l'occasion, l'appoint des données des sciences de la nature. Leur apport est plus modeste et pose des questions différentes. Certaines remarques ne dépassent pas le niveau des observations que pouvait fournir à Jérôme l'expérience quotidienne. Il ne doit pas être exceptionnel, quand on habite les monts de Juda, d'entendre les bergers parler des vipères, dont le regard fascine et captive les oiseaux dont elles font leur proie [301]. Une grande compétence en botanique n'est pas non plus nécessaire pour faire observer que « les bettes sont un légume peu raffiné et peu résistant », et « qu'on en fait manger aux malades » [302]. Savoir que les médecins font prendre des vomitifs pour libérer l'estomac des « humeurs nuisibles » et lui permettre de remplir normalement ses fonctions ne requiert probablement pas qu'on ait lu les maîtres grecs de la médecine, encore que le vocabulaire employé suggère quelque teinture de connaissances médicales [303]. Jérôme n'invoque d'ailleurs à ces diverses occasions l'autorité d'aucun auteur.

C'est au contraire ce qu'il fait lorsque, au livre XV, il se laisse entraîner à quelques développements d'allure scientifique sur les pierres précieuses. « Quant à la nature des douze pierres précieuses », écrit-il, « ce n'est pas ici le

---

300. *In Is*. 326 C : « Quidam uolunt, ex eo quod ungulas et equos nominauit, ostendi equarum greges qui ad terenda frumenta areis immitti soleant. Sed non poterat Scriptura dicere quod Iudaea prouincia non habebat. » Le mot dont part l'explication ne figurant pas dans le grec, on peut supposer que les *quidam* recouvrent ici une tradition juive. On a affaire à une argumentation du même type dans l'*In Amos*, à propos de l'expression *uellicans sycamina* (*Am.* 7, 14), que certains interprètent comme un genre d'arbres qui poussent en Palestine dans les régions de plaine et qui portent des figues sauvages. « Nobis autem », continue Jérôme, « quia solitudo in qua morabatur Amos nullam huiuscemodi gignit arborem, magis uidetur rubos dicere, qui afferunt mora, et pastorum famem ac penuriam consolantur » (PL 25, 1077 C).
301. *In Is*. 166 A : « Quomodo enim nulla auis reguli aspectum potest illaesa transire sed, quamuis procul fuerit, eius ore sorbetur, ita... »
302. *In Is*. 493 B : « comparantur betae..., quod genus oleris est uilissimi et fragilissimi (...) Est enim aegrotantium cibus ».
303. *In Is*. 491 BC : « Solent medici amarissimam antidotum (...) dare stomacho nauseanti, ut noxios humores euomat et possit coctos cibos atque digestos in aluum transmittere, quos flegmatum magnitudo digeri non sinebat. » Bareille donne du vocabulaire de ce passage une traduction savoureusement fidèle : « ... afin que l'estomac rejette les humeurs nuisibles et qu'il puisse faire suivre leurs cours aux aliments digérés, que la surabondance des flegmes ne permettrait pas de résoudre par la digestion ». Cf. encore, sur la médecine, 396 C. Sur l'origine origénienne de beaucoup des allusions médicales qu'on trouve chez Jérôme, voir A.S. PEASE, *Medical allusions in the works of St Jerome*, dans *Harvard Studies* 25, 1914, p. 73-86. En matière de médecine grecque, P. Courcelle a clairement établi (*Les Lettres grecques...* p. 74-75) que Jérôme n'a une connaissance directe que de Galien, dont il a lu les principales œuvres.

moment d'en parler, puisqu'aussi bien un grand nombre de Latins et de Grecs en ont écrit. Je n'en mentionnerai que deux : l'évêque Épiphane, un homme de sainte et vénérable mémoire, qui nous a laissé un témoignage remarquable de son talent et de sa science dans le livre auquel il a donné pour titre *Sur les pierres* ; et Pline, chez les Latins, à la fois orateur et savant, qui dans son magnifique ouvrage d'histoire naturelle, a consacré le trente-septième livre, qui est aussi le dernier, à un traité des pierres précieuses [304] ». Si Jérôme a lu l'*Histoire Naturelle* de Pline dont il parle à plusieurs reprises, on peut penser qu'ici c'est plutôt Épiphane qu'il suit, puisque, quelques paragraphes plus loin, à propos du jaspe, il transpose quasi mot à mot tout un passage de son ouvrage [305].

La référence n'est pas toujours aussi précise. Ailleurs, comme garants de l'attachement de l'aigle à ses petits dont parle le *Deutéronome*, Jérôme invoque « ceux qui ont écrit sur la nature des animaux » [306]. Une chose est sûre : il n'a pas sur les mœurs des aigles de témoignage direct, puisqu'il enchaîne : « Si cela est exact... » Il s'agit donc bien d'une source livresque. Serait-ce Pline que notre commentateur a ici en tête, et dont un passage en effet pourrait avoir inspiré sa remarque sur la pierre aétite qu'on trouve dans le nid des aigles [307] ? Ou la formule n'est-elle, sinon dans ce texte, du moins dans d'autres, qu'une couverture honorable à des données connues, à moins qu'elle ne donne le change sur d'autres sources moins scientifiques ? Un trait en effet est commun à la plupart des passages des divers Commentaires de Jérôme qu'on pourrait citer : qu'il s'agisse de l'attachement des oiseaux à leurs petits, de la férocité de la lionne qui nourrit les siens ou de celle de l'ourse qui les a perdus, du sifflement des serpents ou du cri des autruches, les mœurs des animaux à

---

304. *In Is.* 523 CD : « De natura autem duodecim lapidum atque gemmarum, non est huius temporis dicere, cum et Graecorum plurimi scripserint et Latinorum. E quibus duos tantum nominabo, uirum sanctae et uenerabilis memoriae episcopum Epiphanium, qui insigne nobis ingenii et eruditionis suae reliquit uolumen quod inscripsit περὶ λίθων ; et Plinium Secundum, eumdem apud latinos oratorem et philosophum qui in opere pulcherrimo naturalis historiae tricesimum septimum librum, qui et extremus est, lapidum atque gemmarum disputatione compleuit. » Épiphane de Salamine était mort en 403. Son traité Περὶ τῶν δώδεκα λίθων n'est pas à proprement parler un ouvrage scientifique ; c'est un commentaire érudit sur les douze pierres qui ornaient le pectoral du Grand Prêtre (*Ex.* 28, 17-20). Jérôme y renvoie précisément dans sa lettre à Fabiola sur les vêtements sacerdotaux (*Epist.* 64, 21). Nouvelle mention de l'ouvrage d'Épiphane, conjointement avec le livre 37 de l'*Histoire naturelle* de Pline, dans l'*In Ezechielem* (PL 25, 271 C).

305. *In Is.* 525 AB. Cf. ÉPIPHANE, *De gemmis* 28-30 : CSEL 35, 2, 751 (éd. Guenther de l'ancienne version latine). Le passage est aussi conservé dans les fragments grecs de l'ouvrage (PG 43, 293-304).

306. *In Is.* 662 AB. Après avoir cité le verset du *Deutéronome* (32, 11), il écrit : « Aiunt qui de animantium scripsere naturis, omnium quidem bestiarum et iumentorum et pecorum auiumque ingenitum esse in filios pullosque suos affectum sed maximum esse amorem aquilarum, quae in excelsis et inaccessis locis nidos collocant ne coluber fetus uiolet. Aetiten quoque inter pullos eius lapidem reperiri, quo omnia uenena superentur. Si hoc uerum est, recte affectus Dei in suas creaturas aquilis comparatus est... » Cf. sur l'aigle encore, 412 A : « Crebro diximus aquilarum senectutem reuirescere mutatione pennarum et solas esse quae iubar solis aspiciant et splendorem radiorum eius possint micantibus oculis intueri ; pullosque suos an generosi sint, hoc experimento probent. » Rapprocher ce dernier trait de PLINE, *N.H.* 10, 10.

307. On peut rapprocher de la phrase de Jérôme (voir le texte note précédente) cette remarque de Pline (*N.H.* 10, 12) : « inaedificatur nido (aquilarum) aetites (...), ad multa remedia utilis ». Mais le contexte est tout à fait différent, pour ne pas dire opposé : Pline mentionne que les aigles expulsent du nid un de leurs aiglons « taedio nutriendi ».

propos desquelles est invoquée l'autorité des *physiologi* jouent dans le texte biblique le rôle d'images d'autres réalités, telles que l'amour de Dieu pour Israël, ou ses plaintes et sa vengeance [308]. Or, de ces « similitudes » tirées de la nature, dont l'origine est souvent la Bible elle-même, nous connaissons au moins un catalogue fort ancien, le *Physiologus*, ancêtre de nos bestiaires médiévaux, dont on serait encore plus sûr que Jérôme l'a utilisé, si on ne devait écarter l'attribution qui en fut faite à son ami Épiphane [309].

Dans l'étude qu'il a faite des lectures grecques de Jérôme, P. Courcelle a bien montré que les mentions générales, qu'on trouve sous sa plume, d'ouvrages sur les bêtes ou les plantes, et même des références plus précises, voilaient en fait bien souvent des emprunts directs à ses devanciers. Il est inutile de reprendre ici sa démonstration [310]. En voici seulement deux confirmations que permet de joindre au dossier connu jusqu'ici la découverte du *Commentaire sur Zacharie* de Didyme d'Alexandrie.

La première relève de la botanique. Dans le *Commentaire sur Isaïe*, Jérôme parle à deux reprises, en termes voisins, des propriétés stérilisantes du saule [311]. Il ne fait que reprendre là des observations de son *Commentaire sur Zacharie*, pour lesquelles il se réclamait de l'autorité des « médecins et de ceux qui ont écrit sur la nature des arbres et des plantes ». Or la source directe de ce passage est non pas Pline, comme on aurait pu le penser, mais le Commentaire

---

308. Sur l'attachement des oiseaux à leurs petits, cf. 662 A (texte ci-dessus n. 306). Sur la lionne, cf. *In Danielem* PL 25, 528 B (plus bas n. 314), sur l'ourse, *In Osee* : « Aiunt qui de bestiarum scripsere naturis, inter omnes feras nihil esse ursa saeuius cum perdiderit catulos uel indiguerit cibis », pour éclairer *Os.* 13, 7 : « occurram eis quasi ursa raptis catulis » (PL 25, 934 D-935 A). Sur les serpents et les autruches, cf. *In Michaeam* : « Quomodo enim dracones terribili sibilo personant, iuxta historias eorum qui de physicis conscripserunt, eo tempore quo uincuntur ab elephantis, et sicut struthiones immemores sunt ouorum suorum et, quasi non pepererint, in arena calcandos pedibus bestiarum fetus relinquunt, de quo in Job plenius scribitur, ita... » (*ibid.*, 1157 B). Le dernier trait vient en effet de Job (39, 14-16) et n'est pas dans Pline.

309. « Sa forme première », estime Quasten, « nous ramène à Alexandrie (...) et à la première moitié du second siècle. L'Épître de Barnabé, Clément d'Alexandrie et Origène y puisèrent. » (*Patrologie* t. III, p. 553.) Jérôme semble bien y renvoyer dans l'*Aduersus Iouinianum* I, 30 (PL 23, 252 B) : « Legamus physiologos et reperiemus turturis hanc esse naturam, ut si parem perdiderit alteri non iungatur : ut intellegamus digamiam etiam a mutis auibus reprobari », qu'on peut rapprocher de ce passage du *Physiologus*, 10 : « ... ἀποζευχθέντων δὲ αὐτῶν, φυλάττουσι τὴν μονογαμίαν, ἕως τέλους τῆς ζωῆς αὐτῶν » (Ps. Épiphane, PG 43, 526 B). Mais il n'est pas exclu qu'Origène, plus précisément son *Commentaire du Cantique*, ait servi d'intermédiaire (cf. *Cant.* 2, 12).

310. Voir P. COURCELLE, *Les Lettres grecques...*, p. 75-78, dont voici la conclusion : « Ainsi, quoiqu'il ait lu Pline l'Ancien, Jérôme ne connaît que de nom les naturalistes grecs profanes. Il emprunte aux auteurs ecclésiastiques grecs ou latins les notions de sciences naturelles indispensables à ses commentaires. » Comme exemple de références apparemment précises qui recouvrent un emprunt à ses prédécesseurs, voir en particulier le renvoi à Oppien pour les cent cinquante-trois espèces de poissons, qui proviennent en fait... de la pêche miraculeuse rapportée par l'*Évangile* de Jean (21, 11). Cf. HIER. *in Ezechielem* PL 25, 474 C, et Courcelle, *op. cit.*, p. 76 et la note 4. Pour la similitude de la perdrix (HIER. *in Hieremiam* PL 24, 789 C et Courcelle, p. 77), le rapprochement avec l'*Exameron* d'Ambroise (6, 3, 13 : CSEL 32, 1, 211), n'impose pas l'hypothèse d'un emprunt direct ; il peut s'agir de l'utilisation d'une source commune. Jérôme est en effet plus bref qu'Ambroise, ne retient pas certains traits et fait de la comparaison une application différente.

311. *In Is.* 223 D : « Hanc enim seminis harum arborum dicunt esse naturam ut qui illud in poculo hauserit, liberis careat » ; *ibid.* 435 C : « comparat (...) salici quae iuxta fluentes aquas oritur : et contra rerum naturam affert fructus, quae prius sterilis erat, uel cuius semen in cibo sumptum steriles facit. »

correspondant de Didyme, qu'il a de toute évidence sous les yeux, et qu'il suit de très près dans les paragraphes qui précèdent [312].

C'est au même ouvrage de Didyme qu'il emprunte encore, à propos d'un autre verset de Zacharie, l'évocation, d'un réalisme répugnant, des mœurs de la huppe. Il faut toutefois reconnaître que, dans le même passage, les indications précises sur le héron, qu'il vient de donner en commentant l'hébreu et qu'il a appuyées de l'autorité des traités consacrés aux volatiles, ne lui viennent pas de Didyme, qui ne trouvait pas le terme dans la version du texte sacré qu'il utilise [313].

Quoi qu'il en soit des sources de Jérôme, dans la mesure où les emprunts qu'il fait aux sciences de la nature servent non pas à éclairer des réalités ou des faits rapportés par l'écrivain biblique, mais à éclaircir la portée d'une image, on s'explique qu'en ce cas leur présence ne soit pas nécessairement associée à un contexte d'exégèse littérale. Pour objective qu'elle demeure, la notation scientifique, étroitement dépendante de la comparaison au service de laquelle elle se trouve mise, est en effet entraînée dans l'utilisation — littérale ou spirituelle — qui en est faite, si bien que, parfois, c'est l'exploitation que l'on veut faire de l'image qui semble commander le choix des données scientifiques. C'est le sentiment qu'on a en lisant cette explication d'un verset de Daniel : « Le royaume de Babylone est appelé non pas lion, mais lionne, à cause de sa dureté et de sa cruauté, à moins que ce ne soit pour sa luxure et sa vie livrée à la sensualité : les auteurs de traités sur les bêtes disent en effet que les lionnes ont plus de férocité, surtout si elles nourrissent leurs lionceaux, et qu'elles sont toujours en chaleur [314] ». Nous ne quittons pas ici le terrain de

---

312. Voici les trois textes en regard :

PLINE, *N.H.* 24, 37 : « Salicis fructus... folia contrita et pota intemperantiam libidinis coercent atque in totum auferunt usum saepius sumpta. »

DIDYME, *in Zach.* V, 170 : φυτόν... ὅπερ ἁγνείας καὶ ἀφθορίας σύμβολον ὑπάρχει, διὰ τριφθὲν τὸ ἄνθος αὐτοῦ ὕδατι μεμιγμένον ἀπευνουχίζειν τοὺς πεπωκότας, ὡς καὶ ἐν ἄλλοις τεθεώρηται.

HIER. *in Zach.* 1537 B : « ... Ipsum ligni nomen, quod graece dicitur ἁγνός indicat castitatem. Aiunt medici et hi, qui de arborum et herbarum scripsere naturis, quod si quis florem salicis siue populi mixtum aqua biberit, omnis in eo frigescat calor, et libidinis uena siccetur, ultraque filios generare non possit. »

Sur l'ancienneté de cette tradition, voir les textes rassemblés par L. Doutreleau dans la note de son édition de Didyme (SCh 85, 1064, n. 1), qui montre que le thème remonte sans doute à Homère (*Odyssée*, X, 510 : ἰτέαι ὠλεσίκαρποι). On aura noté l'allusion que fait ici Didyme à « un autre commentaire ». Le fait que ces remarques trouvent leur utilisation à deux reprises dans le *Commentaire sur Isaïe* de Jérôme peut inciter à faire l'économie de l'hypothèse de L. Doutreleau (Introd. p. 125) d'un Commentaire de Didyme sur le *Lévitique*, dont on ne trouve trace nulle part ailleurs. Ce texte serait donc à porter au dossier de l'éventuel commentaire de Didyme sur l'ensemble d'Isaïe (ci-dessus, ch. I, p. 58).

313. HIER. *in Zach.* 5, 9 : PL 25, 1451 A. Sur la huppe, cf. DIDYME, *Sur Zacharie*, I 390 et 394, qui reflète sans doute à la fois des observations scientifiques et des traditions populaires d'un pays où cet oiseau est très répandu (voir la note de L. Doutreleau *ad locum*, et son Introduction, p. 115). Les renseignements sur les hérons, leurs variétés et leur accouplement, semblent démarquer, avec un léger changement d'accent, caractéristique de Jérôme, la notice de Pline (*N.H.* 10, 164).

314. HIER. *in Danielem* 7, 4 : « Regnum Babylonis propter saeuitiam et crudelitatem, siue propter luxuriam et uitam libidini seruientem, non leo sed leaena appellatur ; aiunt enim hi qui de bestiarum scripsere naturis leaenas esse ferociores, maxime si catulos nutriant, et semper gestire ad coitum » (PL 25, 528 B).

l'exégèse littérale ; l'exemple permet néanmoins de saisir le décalage qui peut existir entre l'utilisation des données des sciences naturelles dans des développements de ce type et le rôle beaucoup plus décisif habituellement dévolu aux renseignements d'ordre historique et géographique dans l'élucidation du sens littéral [315].

C — Les traditions des Hébreux

Pour compléter l'inventaire du contenu de l'interprétation littérale, il reste à évoquer la place qu'y occupent les traditions des Hébreux, que nous avons déjà rencontrées à plusieurs reprises au cours des analyses précédentes. Leur importance ressort d'une foule d'indices que corroborent de nettes déclarations de Jérôme. C'est en effet, nous l'avons vu, un objectif majeur de son œuvre exégétique que de « révéler aux oreilles latines les secrets de l'érudition des Hébreux et le savoir caché des maîtres de la Synagogue, en ce qu'il touche aux saintes Écritures [316] » ou, selon une formule plus ramassée, mais plus équilibrée et plus complète, « d'associer l'exégèse historique (historia) des Hébreux à l'exégèse spirituelle (tropologia) des nôtres, pour construire sur le roc et non sur le sable et poser des fondations fermes » sur lesquelles bâtir [317]. De telles affirmations font bien ressortir à la fois l'importance des emprunts aux traditions juives dans les Commentaires de Jérôme et leur lien avec l'historia. Ainsi se trouvent confirmées les conclusions que nous avait inspirées l'étude des rapports que l'hebraica ueritas entretient avec le sens littéral [318].

Ces prises de position, cependant, ne recoupent pas la totalité des observations que nous avons eu l'occasion de faire. Elles ne rendent pas compte, en particulier, des passages que nous avons relevés à propos du vocabulaire du sens littéral et dans lesquels l'exégèse des juifs, associée au mot littera, apparaît sous un jour défavorable [319]. D'autre part, la diversité des termes qu'emploie Jérôme pour faire référence aux explications des Hébreux retient également l'attention, car elle traduit plus que des nuances. Alors que le mot Hebraei accompagne le plus souvent des données présentées objectivement ou, à tout le moins, sans acidité polémique, le terme Iudaei introduit au contraire systématiquement des interprétations que Jérôme ne retient pas et que souvent même il rejette avec vigueur, pour leur opposer une lecture chrétienne. En bref, si la ueritas est hebraica, ce que Jérôme regarde comme erreur ou balivernes est

---

315. Ce décalage est aussi à mettre au moins partiellement au compte de l'orientation des sciences naturelles à l'époque tardive. D'une perspective scientifique de classification raisonnée de la nature dans la tradition aristotélicienne, on est passé au goût des mirabilia et de la valeur exemplaire des mœurs animales, dont témoigne précisément le Physiologus auquel on s'accorde à reconnaître des racines antiques, bien antérieures à son utilisation chrétienne. Saint Augustin se situe résolument dans cette perspective lorsqu'il expose dans le De doctrina christiana (2, 16, 24) l'utilité de ces sciences pour saisir la signification symbolique des réalités naturelles qui figurent dans l'Écriture.

316. Hier. in Zachariam PL 25, 1455 CD (texte ci-dessus p. 72, n. 20). Cf. In Is. 79 C.

317. In Zach., prol. : PL 25, 1418 AB (texte ci-dessus p. 138, n. 60). Remarquer l'association historia-Hebraei-fundamentum.

318. Ci-dessus p. 146.

319. Ci-dessus p. 134 et la note 35.

généralement, sous sa plume, le fait des *Iudaei*[320]. L'attitude de Jérôme vis-à-vis des traditions juives dont il se fait l'écho n'est donc pas aussi simple et uniforme que le laisseraient supposer ses déclarations de principe, puisque la réserve y côtoie l'approbation.

Dans ces perspectives, s'en tenir à mesurer la fréquence et l'ampleur, à coup sûr considérables, des références à ces traditions dans le *Commentaire sur Isaïe* pour juger de leur importance et de leur rôle serait insuffisant. Un rapide inventaire de leur contenu est nécessaire pour cerner les domaines divers qu'elles recouvrent et apprécier exactement leur situation dans l'exégèse littérale de Jérôme.

En première approximation, il semble que, par leur matière, ces emprunts ressortissent à deux catégories, aux frontières d'ailleurs imprécises. Jérôme est tout d'abord redevable aux Hébreux de témoignages en quelque sorte à l'état brut ; remarques philologiques, renseignements historiques, données concrètes touchant les réalités quotidiennes. Il s'agit plus, à ce niveau, de matériaux utilisables pour le commentaire que d'une exégèse véritable. Mais il trouve aussi dans les traditions juives des explications plus élaborées qui constituent proprement une interprétation du texte sacré.

1. Les témoignages des Hébreux

En marquant sa préférence pour un retour à l'original hébreu des Écritures, Jérôme était amené tout naturellement à emprunter du même mouvement à la tradition qui véhiculait ce texte une foule de notations connexes allant de la critique textuelle à la sémantique. De fait, les observations sur des points d'orthographe, de phonétique ou de vocabulaire ne manquent pas dans ses Commentaires des prophètes. S'il est devenu capable, par la connaissance qu'il a acquise de la langue hébraïque, d'en formuler beaucoup de son propre chef[321], il en appuie un certain nombre d'autres sur l'autorité des Hébreux. « Nous voulons faire entendre aux oreilles latines ce que nous avons appris des Hébreux », écrit-il en introduisant des remarques de vocabulaire qui vont permettre à son lecteur d'apprécier le jeu des sonorités qui rythment la phrase hébraïque[322]. Plus loin, c'est « instruit par les Hébreux » qu'il est en mesure d'expliquer qu'une vocalisation différente amène un autre sens du mot hébreu[323]. D'autres formules soulignent plus directement l'emprunt. Ainsi « *les Hébreux pensent* que Tharsis est le mot propre en leur langue pour désigner la

---

320. Rapprocher *hebraica ueritas* (*In Is.* 154 C ; 206 B) et *iudaicus error* (e.g. *In Is.* 628 A) ; *iudaica deliramenta* (*ibid.* 522 D) ; *multiloquium Iudaeorum* (362 C) ; *fabulae iudaicae* (241 B ; 152 B). Cf. *In Sophoniam : Nos qui non sequimur occidentem litteram... nec iudaicas fabulas...* (PL 25, 1378 A. Cf. *In Amos ibid.* 998 CD). Comparer aussi, dans leurs contextes opposés, les *traditiones iudaicas* (*In Is.* 578 A) et l'*Hebraeorum traditio* (*In Ezechielem*, Prol. : PL 25, 17 A).

321. C'est en moyenne à peu près un lemme sur trois qui, dans l'*In Isaiam*, offre à Jérôme l'occasion d'une remarque sur un terme hébreu pour laquelle il ne se réfère à personne.

322. *In Is.* 79 C : « Volumus latinis insinuare auribus quod ab Hebraeis didicimus... », etc.

323. *In Is.* 244 B : « Nos, docti ab Hebraeis, pro "homine", qui lingua eorum dicitur *enos*, interpretati sumus "anus", id est "grauiter".... » Et il ajoute : « De cuius uerbi ambiguitate, si uitae huius spatium fuerit, in Hieremia plenius dissereremus... » La promesse sera tenue : voir *In Hier.* 17, 9 : PL 24, 789 A.

mer [324] » ; ou bien ils « disent que le mot *siin* signifie ulcère et non blessure [325] ». Ailleurs, ils « assurent » qu'en leur langue l'Esprit est au féminin [326].

Mais leur apport déborde largement le domaine philologique. Dans la mesure, en effet, où l'Ancien Testament rapporte l'histoire de leur peuple, les Hébreux sont, à bien des égards, les mieux placés pour en éclairer les faits et les usages particuliers. D'autre part, en ces pays de civilisation orale, d'anciennes traditions que la Bible n'avait pas retenues ont pu continuer à cheminer dans le milieu qui les avait vu naître. On conçoit que Jérôme ait été amené à puiser largement à une source aussi précieuse pour son exégèse littérale.

Il n'avait même pas besoin, pour l'y encourager, de l'exemple d'Origène et d'Eusèbe, dont les Commentaires lui apportaient les échos de ces traditions. Il suffisait qu'il fût fidèle à ses propres intuitions. N'avait-il pas jadis, dans l'enthousiasme de sa découverte de l'univers culturel hébreu, caressé le projet d'un travail exégétique qui aurait revêtu la forme de « questions hébraïques » sur toute l'Écriture [327] ? Les nombreux emprunts d'ordre historique que, dans le *Commentaire sur Isaïe*, Jérôme fait aux Hébreux, directement ou à travers l'œuvre de ses prédécesseurs [328], sont à situer dans le droit fil de cette intention première.

Leur importance est très variable. Il s'agit parfois simplement de situer brièvement des noms ou des réalités. Ainsi « Ophel et Been étaient, pensent les Hébreux, deux tours dans Jérusalem [329] ». Le surnom de la ville de Ségor, « l'absorbée », s'explique selon eux par sa destruction lors d'un tremblement de terre [330]. Dans un autre ordre de réalité, « les Hébreux disent que le Sorec est le meilleur plant de vigne [331] ». Souvent l'emprunt précise l'identité d'un personnage : « Les Hébreux affirment » que Mérodach était le père de Nabuchodonosor, ou que Rabsacen est un fils du prophète Isaïe traître à sa patrie, opinion que, d'ailleurs, Jérôme ne paraît pas retenir [332]. La notice est parfois plus étoffée. Pour le grand-prêtre Sobna, par exemple, on passe de la fiche d'identité : « c'est lui qui, au temps de Sennachérib, livra une partie de la ville »... au portrait psychologique : « fier, vaniteux, ami du plaisir, foulant aux pieds le peuple », si bien qu'on dut le décharger de son sacerdoce [333].

---

324. *In Is.* 52 C : « Hebraei putant lingua proprie sua mare "Tharsis" appellari, quando autem dicitur "iam", non Hebraico sermone appellari sed Syriaco. »

325. *In Is.* 396 B : « Aiunt Hebraei uerbum *siin*... ulcus sonare, non uulnus. » Cf. 407 B : « Aiunt autem Hebraei hoc uerbo significari... », etc. En 622 AB, ils s'opposent à tous les autres traducteurs sur la signification d'un mot de leur langue.

326. *In Is.* 404 C : « Hebraei asserunt, nec de ea re apud eos ulla dubitatio est, Spiritum sanctum lingua sua appellari genere feminino. »

327. Cf. HIER. *Hebr. Quaest. in Genesim*, prol. : PL 23, 936 A. Voir ci-dessus note 281. F. Cavallera définit cet ouvrage comme « une collection fort savoureuse des légendes rabbiniques se rapportant au premier livre de la Bible », mais aussi comme « un vrai commentaire de la *Genèse*, conçu en fonction de l'exégèse juive et destiné à la populariser chez les Latins » (*Saint Jérôme*... t. 1, p. 146).

328. Sur ces emprunts voir les références données plus haut p. 40, n. 109.

329. *In Is.* 361 A : « Ophel et Been, quas Hebraei duas turres in Hierusalem fuisse arbitrantur... »

330. *In Is.* 169 B, texte ci-dessus note 288.

331. *In Is.* 76 BC : « Aiunt enim Hebraei Sorec genus esse uitis optimae. »

332. *In Is.* 398 A : « Merodach, quem patrem fuisse Nabuchodonosor Hebraei autumant. » *Ibid.* 380 B : « Rabsacen autem (...) filium Isaiae prophetae Iudaei autumant, qui et ipse proditor fuerit. »

333. *In Is.* 195 D : « ... Sobna pontifex magnam partem prodidit ciuitatis », et 198 D : « ... eum

« L'histoire que racontent les Hébreux » sur Evilmarodach et le cadavre de son père Nabuchodonosor n'est pas sans utilité pour comprendre une allusion du prophète [334] ; leurs traditions sur l'armée de Sennachérib décimée par l'Ange du Seigneur corroborent la prédiction d'Isaïe [335]. Et c'est bien souvent leurs informations qui sont mises à contribution pour situer le cadre de la prédication d'un prophète [336].

Leur apport est parfois décisif. A propos d'un passage dont la compréhension, si l'on en croit Jérôme, « requiert une extrême attention », ce sont les calculs des Hébreux qui donnent la clé des soixante-cinq années dont parle la prophétie. Du moins, sans le reconnaître explicitement, Jérôme ne leur oppose pas d'autre explication [337]. L'exemple est à cet égard intéressant, car, malgré le caractère rigoureusement objectif de chacune des données chronologiques qu'il renferme, on voit bien que leur utilisation globale dépasse le plan du pur constat et traduit une volonté d'explication [338].

Les traditions des Hébreux ne se limitent donc pas à transmettre de simples données de fait. L'*historia Hebraeorum* promise aux oreilles latines véhicule aussi les interprétations élaborées dans lesquelles les maîtres de la Synagogue s'étaient efforcés d'éclairer pour les lecteurs juifs le sens de leurs livres sacrés.

2. Les interprétations des juifs

Ces exégèses peuvent en effet présenter plus qu'un intérêt de curiosité pour le lecteur chrétien de l'Écriture. On conçoit cependant qu'à la différence des renseignements bruts dont nous venons de voir l'utilité, elles ne rencontrent pas nécessairement son approbation. De fait, l'attitude de Jérôme en face d'elles présente des variations notables.

Il en retient, par exemple, dans son Commentaire, l'explication de la maladie d'Ézéchias, qui lui viendrait en châtiment de son attitude spirituelle [339]. Jérôme se fait encore l'écho de la tradition « absolument indiscutée chez les juifs » qui veut qu'Isaïe ait péri scié par une scie de bois sur l'ordre du roi Manassé [340]. Mais des deux motifs que les Hébreux voient à sa mort, et

---

superbum, tumidum et uoluptuosum, suisque pedibus populos conculcantem ; et quia fecerit cuncta quae propheta describit, sacerdotium eius ad Eliacim... fuisse translatum. »

334. *In Is.* 14, 18-19 : « Narrant Hebraei huiusmodi fabulam... », etc. « Et est sensus : Sepultis omnibus qui a te interfecti sunt, tu solus insepultus iacebis » (162 CD).

335. *In Is.* 138 A : « et sicut Hebraei tradunt... » sur *Is.* 10, 16 s.

336. Voir par exemple le prologue de l'*In Ionam* : « Les Hébreux rapportent qu'il était le fils de la veuve de Sarepta... », etc. (PL 25, 1118 C = Antin p. 52-53).

337. *In Is.* 7, 3-9 : « Igitur Hebraei hunc locum ita edisserunt... » Suivent une vingtaine de lignes qui totalisent la durée de plusieurs règnes, d'ailleurs conforme aux indications du deuxième livre des *Rois*. Et Jérôme conclut : « ... atque ita effici simul annos sexaginta quinque » (104 B et C).

338. La conclusion de cette explication pourrait d'ailleurs être discutée. L'exégèse moderne, aussi consciente que Jérôme de la difficulté, en est réduite à supposer que le nombre donné par le texte doit résulter d'une altération (voir la note de Koenig à *Is.* 7, 7-9, dans la *Bible* de la Pléiade, t. II, p. 24).

339. *In Is.* 39, 3-8 : « Tradunt hebraei ideo aegrotasse Ezechiam quoniam, post inauditam uictoriam Iudaeorum et Assyrii regis interitum, non cecinerit laudes Domino. » (398 C). Eusèbe ici a servi d'intermédiaire (voir *In Isaiam* 39, 1-2 : Eus. W. 9, 245).

340. *In Is.* 546 D-547 A : « ... Quod serrandus sit a Manasse serra lignea, quae apud eos (= Iudaeos) certissima traditio est. »

qu'il rapporte, il conteste le second, qui suppose de leur part une mauvaise interprétation du texte prophétique [341]. Leurs explications ne sont donc pas toujours recevables. Ici c'est par suite d'une lecture discutable, mais c'est souvent pour un autre motif : les accepter reviendrait à renoncer à une lecture chrétienne du texte sacré.

Parfois cette incompatibilité ressort simplement du contexte : reconnaître avec les juifs, dans la fumée qui remplit le Temple lors de la vision inaugurale du prophète, celle de l'encens qui évoque la majesté de Dieu, serait retomber très en deçà de l'explication spirituelle qui vient d'en être proposée [342]. L'opposition est souvent plus marquée : un « sed nos »... vient remettre les choses en place, et voilà sacrifiée une exégèse historique qui, en elle-même, ne devait pas choquer Jérôme [343].

Ailleurs, c'est par « un effort stupide » que les Hébreux tentent d'expliquer le brusque passage d'un plan à un autre dans un oracle du prophète ; car pour Jérôme c'est fort simple : tout s'arrange si l'on applique le texte à Jésus, à la fois homme et Dieu [344].

Le litige porte parfois sur un mot, comme dans la prophétie de l'Emmanuel, mais c'est tout le sens de la prophétie qui en dépend : qu'on comprenne « jeune femme » au lieu de « vierge », et la naissance annoncée devient banale ; du même coup, la plus grande prophétie messianique se trouve vidée de sa signification christique [345].

On voit clairement par ces derniers exemples où se situe la ligne de partage : c'est sur la portée des prophéties que juifs et chrétiens divergent. La réalisation que les Hébreux en cherchent dans tel événement ultérieur de leur histoire ou dans une attente messianique qui, à leurs yeux, n'est pas encore comblée, les chrétiens la reconnaissent le plus souvent dans la personne et l'enseignement de Jésus, venu « accomplir les Écritures ». Le recueil d'Isaïe, qui est sans doute de toute la Bible le livre le plus riche en annonces messianiques, offre à cette opposition un terrain de choix. Cela explique dans notre Commentaire l'abondance des interprétations juives que Jérôme présente pour les récuser. Qu'elles reconnaissent dans les prophéties Sennachérib, Babylone ou Rome, leur commune erreur est de prétendre les interpréter sans faire référence à Jésus-Christ [346]. Et s'il arrive que juifs et chrétiens s'accordent à appliquer un oracle

---

341. *In Is.* 33 A : « Aiunt Hebraei ob duas causas interfectum Isaiam quod principes Sodomorum et populum Gomorrhae eos appellauerit et quod, Domino dicente : "Non poteris uidere faciem meam", iste ausus sit dicere : "Vidi Dominum sedentem super thronum excelsum et eleuatum", non considerantes... », etc. Suit la critique de cette deuxième raison, qui suppose une mauvaise interprétation du verset 2 du chapitre 6. Jérôme trouvait la tradition et sa réfutation dans la première des *Homélies sur Isaïe* d'Origène qu'il avait traduites jadis (PL 24, 905 D).

342. *In Is.* 95 C. Après une exégèse spirituelle d'*Is.* 6,4 qui fait référence à la Trinité et à l'Évangile, Jérôme ajoute : « Iudaei putant... »

343. *In Is.* 171 D : « Hebraei locum istum sic interpretantur : fugato Assyrio, regnabit Iudae Ezechias uir iustus (...) Sed nos et in primo aduentu idipsum intellegere possumus... »

344. *In Is.* 45, 14 s. : « Hebraei stulta contentione nituntur asserere (...) cum etiam stultis perspicuum sit unum contextum esse sermonis » (447 CD).

345. Il s'agit du commentaire du célèbre verset : « Ecce uirgo concipiet et pariet... » (*Is.* 7, 14). Jérôme écrit : « Sin autem iuuencula uel puella, ut Iudaei uolunt, et non uirgo pariat, quale signum poterit appellari ?... » (108 A). Suit une longue discussion sur le sens et l'emploi dans la Bible des mots hébreux *bethula* et *'almah*.

346. Voir, par exemple, *In Is.* 363 D — 364 A : « Hebraei capitulum superius (...) et reliqua

à la venue du Christ, cela souligne encore mieux la nature de leurs divergences, puisque le Messie encore attendu par les uns est déjà venu pour les autres [347].

Vu l'importance de l'enjeu, Jérôme en reste assez rarement au simple constat des divergences. Les Hébreux sont sommés de « répondre », dès que leur explication prête le flanc à la critique au plan même où ils se situent [348]. Ou bien Jérôme souligne qu'ils sont incapables d'apporter la preuve de leur interprétation [349]. Puisque néanmoins ils s'y tiennent, il est tentant de systématiser leur attitude ; et les voilà accusés de « s'efforcer par tous les moyens de renverser les mystères du Christ [350] ». Sur cette pente de la polémique, les « Hébreux » sont vite relayés par les « juifs », accusés de comprendre l'Écriture « de façon charnelle » [351].

Du respect manifesté pour « l'érudition des Hébreux » à cette condamnation des « juifs », la distance est grande. C'est pourtant à des exégèses issues d'un unique courant que Jérôme distribue ainsi tantôt l'éloge, tantôt le blâme. Les rapports que les traditions juives entretiennent avec l'exégèse littérale dans le *Commentaire sur Isaïe* apparaissent donc ambigus.

D'une part, en effet, elles sont présentées comme un apport de choix à cette exégèse. Prises au pied de la lettre, certaines formules suggéreraient même une véritable assimilation de « l'histoire » et des traditions des Hébreux, par distinction de l'exégèse spirituelle, apanage de la tradition chrétienne. L'association de l'érudition hébraïque à l'image des « fondations » solides que constitue « l'histoire » montre en tout cas en quelle estime Jérôme tient la science scripturaire des Hébreux. Inversement, les éloges qu'il lui décerne rejaillissent à leur tour sur l'exégèse littérale, l'éclairant d'un jour favorable ; on peut y voir un nouvel indice du regard positif que Jérôme porte sur ce type d'exégèse.

Mais d'un autre côté, Jérôme se démarque, vigoureusement parfois, des traditions juives. Prend-il du même coup ses distances par rapport à l'exégèse littérale ? Une distinction est ici nécessaire. Dans certains cas, on l'a vu, ce sont bien des exégèses *littérales* des Hébreux qu'il récuse, leur préférant une

---

usque ad finem Sennacherib regem Assyriorum dictum putant (...) Nos autem (...) ex persona Apostolorum omniumque credentium haec dicta conuincimus. » *Ibid.* 69 B : « In qua die ? Iudaei putant captiuitatis Babyloniae. Nos uerius... » Même opposition en 372 B : « Hebraei, ut supra diximus, haec de Romano imperio prophetata contendunt (...) Nos autem... » Cf. 90 A, 144 B, 179 C, 295 B, 420 D, 429 B. Voir cependant un passage du livre V (sur *Is.* 22, 3) où Jérôme, sans rejeter ni l'interprétation historique juive, ni l'application par Eusèbe de la prophétie au temps du Christ, marque sa préférence pour une exégèse historique « de Babylonia captiuitate » (196 B : cf. Eus. W. 9, 144).

347. Voir *In Is.* 186 B : « Ab hoc loco usque ad finem Aegyptiae uisionis... et Iudaei et nostri de Christi aduentu intellegi uolunt ; sed illi uota sua differunt in futurum, nos quasi iam transacta retinemus. »

348. *In Is.* 110 C : « Respondeant Hebraei quomodo Ezechias triginta et uno annis infantulus praedicetur. » Cf. 335 A : « Respondeant Iudaei... »

349. Par ex. *In Is.* 217 C.

350. *In Is.* 364 B. Voir ci-dessus p. 140 et la note 70. Accusation aussi malveillante à la fin du livre I : « Intellegentes ergo Iudaei prophetiam esse de Christo, uerbum ambiguum in deteriorem partem interpretati sunt » (55 B). Voir encore 64 A : « ... magistros populi Israel qui... peruerse Scripturas sanctas interpretantur. »

351. En voici un exemple parmi d'autres : « Locum istum Iudaei interpretantur carnaliter » (*In Is.* 217 B). Cf. en 152 B une opposition entre « Iudaei... carnaliter » et « nos spiritaliter ».

interprétation chrétienne. S'impose alors la conclusion que nous avait suggérée précisément un passage de ce type : « l'histoire » devient suspecte dès lors qu'elle cache un refus de « l'esprit » [352]. Mais souvent, quand Jérôme s'oppose aux juifs sur la réalisation des prophéties, l'exégèse qu'il conteste n'est pas, à strictement parler, plus « littérale » que sa propre interprétation spirituelle. Un bon exemple en est fourni par les interprétations eschatologiques des Hébreux. Le « littéralisme » cesse alors de correspondre à une catégorie exégétique pour caractériser une attitude devant l'Écriture, qu'on ne s'étonne pas de voir qualifiée de « charnelle » : le mot théologique prend tout naturellement le relais du terme technique grammatical. C'est ici la condamnation paulinienne de la « lettre » qui apparaît en filigrane [353]. Dans ces cas-là, c'est par commodité plus qu'en rigueur de terme qu'on rangera les explications de ce genre dans le contenu de l'interprétation littérale de Jérôme [354]. Aussi les réserves qu'elles suscitent de sa part ne mettent-elles pas directement en cause la valeur de cette interprétation.

Au total, donc, si l'attitude de Jérôme envers les traditions juives peut apparaître ambiguë, elle n'est nullement contradictoire. On aura remarqué que les observations qu'elle autorise se rapprochent singulièrement de celles que nous avait permises en son temps l'étude du vocabulaire servant à désigner le sens littéral. Dans un cas comme dans l'autre, le bilan demeure positif au bénéfice de l'exégèse littérale.

Ainsi, par son contenu comme par son extension, sa relation privilégiée à l'hébreu ou son vocabulaire, le sens littéral dans le *Commentaire sur Isaïe* livre à l'analyse des indices à bien des égards convergents, qui témoignent de son importance dans l'exégèse de Jérôme. Mais, avant de tenter d'en préciser exactement la valeur, il reste à dégager rapidement les procédés qui concourent à sa mise en œuvre et les principes qui y président.

V — LA MISE EN ŒUVRE DE L'INTERPRÉTATION LITTÉRALE

Sans prétendre entreprendre une étude exhaustive des moyens littéraires dont se sert Jérôme dans le détail de son commentaire littéral — étude qui déborderait le cadre de notre recherche —, il semble difficile de faire l'économie d'une brève analyse des principaux procédés auxquels il a recours pour dégager et mettre en lumière la signification du texte sacré : étude sémantique, paraphrase, méthodes de l'explication et de la discussion. A travers ces

---

352. Voir ci-dessus p. 140.
353. Voir ci-dessus p. 141.
354. C'est en effet un cas limite. Mais, en tout état de cause, elles en relèvent au moins négativement, étant irréductibles à l'exégèse spirituelle, en dépit d'éventuelles ressemblances de démarches. L'exégèse spirituelle suppose en effet fondamentalement, comme on le verra, une lecture *chrétienne* des Écritures. Elle ne peut donc être le fait de ceux qui ne reconnaissent pas en Jésus de Nazareth le Christ attendu par leur peuple.

procédés eux-mêmes, le choix que Jérôme en fait et la manière dont il en use, se manifestent un certain nombre d'exigences intellectuelles ; et celles-ci se traduisent en autant de principes auxquels obéit, en fait, chez lui la mise en œuvre de l'explication littérale. On peut attendre de ce double apport un éclairage complémentaire, qui a son importance, sur l'attitude de Jérôme devant ce premier degré de l'exégèse biblique.

A — Les procédés de l'explication

Comprendre les paroles du prophète suppose d'abord qu'on n'achoppe pas sur d'éventuelles difficultés de vocabulaire. Faire saisir la signification et la portée exacte des termes est donc la première démarche qui s'impose au commentateur, et la remarque sémantique le premier procédé qu'il va mettre en œuvre pour y parvenir.

1. L'étude sémantique

Ce n'est pas une originalité de l'exégèse chrétienne. On reconnaît là, au contraire, une catégorie traditionnelle du travail du « grammairien », dont l'exégète des Écritures, en ce domaine comme en bien d'autres, comme on l'a souvent souligné, a recueilli l'héritage, sans même imaginer qu'il eût pu faire autrement [355]. Deux voies différentes y ramenaient Jérôme : Origène n'avait-il pas dans ses *Commentaires*, mais plus encore avec ses *Scolies*, imité les notes de vocabulaire que les grammairiens alexandrins consacraient aux termes obscurs dans leurs commentaires des œuvres profanes [356] ? L'autre voie était plus directe : c'était celle de sa propre formation scolaire à l'école de Donat. La tradition des *grammatici* de la Rome impériale, à laquelle l'avait initié un de ses représentants les plus prestigieux, avait toujours fait une place aux explications de vocabulaire.

Chez Jérôme l'étude sémantique n'apparaît pas toujours clairement comme un procédé du commentaire proprement dit. On a vu qu'elle ne se laisse pas aisément dissocier de l'étape préalable que constitue la critique textuelle [357]. Cela s'explique par le caractère particulier de l'entreprise de Jérôme. A la

---

355. Voir ci-dessus la première partie du chapitre II, sur « la conception du commentaire », et les analyses de J. FONTAINE (*Isidore...* p. 29 s.) sur l'analogie qui existe entre la situation de l'exégète chrétien qui se penche sur les livres sacrés et celle des grammairiens anciens, alexandrins à l'époque hellénistique ou latins à l'époque impériale, qui dépensent des trésors d'ingéniosité à scruter les moindres nuances des vers d'Homère et de Virgile. Par-delà des différences qui sont évidemment considérables, il s'agit bien, dans les deux cas, de mettre en œuvre toutes les ressources d'une culture pour tirer d'un livre vénéré les richesses d'un savoir, d'une morale ou d'une foi. L'exégète chrétien apparaît bien « comme une sorte de grammairien spécialisé dans l'étude, le commentaire et la transmission de l'Écriture » (J. FONTAINE, *ibid.*, p. 31). Si la chose est particulièrement vraie au niveau de l'exégèse littérale, on la vérifie aussi, avec des nuances et des limites, en matière d'exégèse spirituelle dans le milieu alexandrin. (Voir, au chapitre suivant, l'étude des voies d'accès au sens spirituel, p. 288 et suiv.)

356. Altaner définit ces scolies « des notes brèves sur des passages ou des mots difficiles, à l'exemple des grammairiens alexandrins » (*Patrologie*, p. 201). Voir, sur la formation grammaticale d'Origène, R. CADIOU, *La Jeunesse d'Origène*, Paris, 1935.

357. Voir plus haut, p. 147.

différence de Servius, par exemple, qui ne se heurtait, sur le texte de l'*Énéide*, qu'à des questions assez simples de tradition manuscrite, dans les Commentaires des prophètes, entre l'orignal hébreu et la version latine sur laquelle porte concrètement l'explication, s'interpose d'abord un problème de traduction, que vient compliquer l'existence des autres éditions des *Hexaples* : outre qu'elles font intervenir une troisième langue, le grec, elles ont été élaborées dans des optiques parfois consciemment divergentes [358]. Par conséquent, avant d'être un moyen d'expliciter le sens du texte, l'étude sémantique montre d'abord son utilité pour réduire, dans la meilleure des hypothèses, les divergences entre les versions ou, à défaut, pour tenter de les expliquer.

A vrai dire, il y a des cas où il ne servirait à rien d'essayer. Jérôme y renonce et se contente de « s'étonner » de divergences aussi irréductibles qu'inexplicables [359]. Il s'y résout d'autant plus facilement que le sens de l'hébreu lui paraît clair. Mais ailleurs un sens insolite prêté à un mot hébreu par un de ses devanciers lui donne occasion de remonter à deux termes entre lesquels s'est produite une confusion qu'explique une erreur de lecture [360]. La difficulté peut naître des particularités de l'hébreu, dont l'alphabet ne note que les consonnes. Si deux mots sans aucun rapport de sens reposent sur deux racines identiques et ne diffèrent que par leur vocalisme, comment s'étonner d'interprétations discordantes ? « Le mot hébreu *roim* », explique Jérôme, « qui s'écrit avec les quatre lettres *res, ain, iod* et *mem*, si on le lit *roim*, signifie "bergers", mais il veut dire "les plus mauvais", s'il est lu *raim*. » Et il précise qu'en disant cela, il a voulu « montrer d'où venait la différence d'interprétation [361] ».

Parfois, en revanche, c'est précisément l'étude sémantique qui permet de ramener à l'unité des traductions apparemment sans rapport entre elles. Le processus est esquissé dans un passage du livre I. A côté des traductions concrètes de Symmaque, Aquila et Théodotion, qui tournent autour de l'idée « d'impuretés », les Septante, observe Jérôme, en traduisant par « incrédules » ou « indociles », ont traduit le sens plutôt que les mots [362]. Mais en voici un meilleur exemple : « Au lieu de ce que nous avons rendu par "comme un surgeon stérile" et qui en hébreu se lit *chaneser nethab*, Aquila a traduit par "comme une sanie infecte". *Neser* désigne proprement un rejeton qui pousse à la racine des arbres, rejet stérile que les paysans coupent. C'est cela que nous

---

358. Voir ci-dessus les pages 102 à 110. Cf. M. Simon : (les traductions) « de Théodotion, de Symmaque et d'Aquila sont nées de cette méfiance envers la Septante et de la nécessité de rejeter les interprétations que les chrétiens appuyaient sur elle ». (*Verus Israel*, 2ᵉ éd., Paris, 1964, p. 184-185).

359. Par ex. *In Is.* 176 C : « Vnde miror pro aratris et aceruis frugum uoluisse Aquilam interpretari testam et Emir ; Symmachum, siluam et Amir ; LXX, Amorrhaeos et Euaeos... » etc.

360. *In Is.* 330 B : « Scio me legisse Ariel interpretari "lux mea Dei" quod longe aliter est. Hic enim prima syllaba per *aleph* et *res* scribitur ; lux autem, quae hebraice dicitur *or*, inter *aleph* et *res* mediam habet litteram *uau* quae in praesenti nomine non habetur ». Cf. 193 B (jeu des Hébreux sur Duma et Rome à cause de la ressemblance du *daleth* et du *res*).

361. *In Is.* 544 D — 545 A : « Verbum enim hebraicum *roim* quod quattuor litteris scribitur, *res* et *ain* et *iod* et *mem,* si legatur *roim*, "pastores", si *raim* "pessimos" sonat. Hoc diximus ut uariae interpretationis causas monstraremus. » Cf. Servius, *Ad Aen.* I, 118 : « aliud est parere, aliud apparere. Parere enim est oboedire (...) ; apparere autem uideri (...). Et haec obseruatio diligenter custodiri debet. »

362. *In Is.* 40 B.

pouvons interpréter aussi comme "sanie et putréfaction" [363] ». Cela revient à dire qu'en fonction du contexte prophétique (« Tu as été jeté hors de ton tombeau comme un surgeon stérile... »), Aquila a opéré une transposition d'images qui ne trahit pas, aux yeux de Jérôme, le sens originel que l'explication sémantique a permis de préciser. Lorsque le constat s'impose de divergences irréductibles entre versions, les notations sémantiques servent, à l'occasion, de point de départ à des explications elles-mêmes divergentes [364].

Les remarques qu'inspire un terme susceptible de plusieurs acceptions rappellent plus directement la manière des grammairiens. « Ce que nous avons traduit : « Malheur... », observe Jérôme, « en hébreu s'écrit oi, mot qui s'emploie parfois chez eux avec valeur de vocatif, en sorte que le prophète ne plaindrait pas Ariel, mais l'interpellerait. Ici cependant, il faut comprendre le mot comme une plainte. » Mais, plus loin, c'est dans le sens d'un appel qu'on devra l'interpréter [365].

Il n'est pas nécessaire qu'un terme soit ambigu pour mériter une explication. Comme Servius lorsqu'il commente les Géorgiques ou l'Énéide [366], Jérôme demande simplement à des notations sémantiques de préciser le sens et la portée d'un mot [367]. Ce peut être un terme grec [368]. Le plus souvent, malgré les apparences mais conformément à la logique, c'est l'hébreu qui est en cause. Car, outre les observations directes, au demeurant assez fréquentes, sur des termes hébraïques, ce sont encore les vocables hébreux qui sont atteints à travers l'explication des mots latins qui les transposent. On peut lire, par exemple, à propos des termes variés qui servent à désigner chez Isaïe les oracles prophétiques, cette remarque : « Sur la "charge" (onus) ou le "fardeau" (pondus), qu'on s'en tienne à ce que j'ai déjà dit. Je me borne à rappeler brièvement que ce sont toujours des épreuves qui accompagnent une "charge", tandis qu'une "vision" (uisio) est suivie d'événements heureux, soit dans l'immédiat, soit, pour finir, au terme d'épreuves [369] ». Ces mots ne sont donc pas interchangeables.

---

363. In Is. 162 D — 163 A : « Pro eo quod nos diximus "quasi stirps inutilis" et in Hebraeo legitur chaneser nethab, Aquila interpretatus est "quasi sanies polluta". Neser autem proprie uirgultum appellatur quod ad radices arborum nascitur et quasi inutile ab agricolis amputatur ; possumus id ipsum "saniem tabemque" intellegere. »

364. Cf. In Is. 328 CD. Jérôme donne les diverses versions du mot litigieux puis ajoute : « Si donc nous lisons : "(la cité) dont s'empara David", rapportons cela à l'époque où... etc. ; si au contraire nous suivons Symmaque et Théodotion, il faut comprendre... »

365. In Is. 328 B : « Pro eo quod nos interpretati sumus "Vae" in Hebraeo scriptum est oi, quod apud eos interdum uocatiuo casu dicitur ut non plangat Ariel sed uocet, licet in praesenti loco pro planctu accipiendum sit. » (Cf. 528 C). Constatation du même type chez Servius : « seges interdum terram significat (...) interdum frumentum (...). Hoc loco utrumque potest intellegi » (Ad Aen. III, 142).

366. Cf. SERVIVS, Ad Aen. IV , 646 : « Furibunda : furenti similis » ; ibid. XII, 468 : « Virago : dicitur mulier quae uirile implet officium » ; ibid. VI, 253 : « Non exta dicit, sed carnes. Nam uiscera sunt quicquid inter ossa et cutem est... Ergo per "solida uiscera" holocaustum significat. »

367. C'est une démarche indispensable car, comme le notait déjà Jérôme dans l'In Ecclesiasten, en s'excusant de recourir plus souvent qu'il n'aurait voulu à l'explication de mots hébreux : « Nous ne pouvons connaître le sens si nous ne le découvrons pas à travers les mots » (PL 23, 1022 A).

368. Par exemple In Is. 537 A : « Est autem κονύζη herba uilissima et amara, odorisque pessimi. »

369. In Is. 167 A (oracle sur Moab) : « De onere et pondere semel dixisse sufficiat. Hoc tantum breuiter admoneo quod onus semper tristia consequantur. Visionem autem uel statim laeta, uel in

Des nuances séparent aussi, si l'on veut être précis, des noms propres qui passent pour désigner une même réalité. Jérôme rappelle qu'il a « souvent indiqué que Jérusalem et Sion étaient des doublets (δυώνυμον) : Sion, qui signifie observatoire, parce qu'elle est sur la hauteur, est le nom de la citadelle ; et on dit Jérusalem pour le reste de la ville, qui était d'abord appelée Jébus et Salem [370] ». On aura remarqué ici le terme technique grec, dont la présence confirme l'enracinement de ce genre de remarques dans l'usage grammatical antique [371].

Dans l'ordre des observations sémantiques, un dernier texte mérite de retenir l'attention. On lit dans l'oracle sur Damas : « Abandonnées, les cités d'Aroër seront pour les troupeaux. » Jérôme commente ainsi ce verset : « Aroër signifie tamaris, mot qui désigne au sens propre un arbre qui pousse au désert et dans un sol salé. Par là, c'est la dévastation qui est indiquée [372] ». On reconnaît le procédé : c'est celui de l'exégèse étymologique. Il est mis ici au service du sens littéral et méritait donc d'être signalé. Mais il déborde le registre de l'explication sémantique et nous entraîne d'une certaine façon sur le terrain de la représentation symbolique. Aussi Jérôme en fait-il habituellement, comme ses devanciers alexandrins, quoique avec plus de retenue, un procédé de l'exégèse spirituelle. C'est là que nous le retrouverons.

2. La paraphrase

L'étude sémantique intervenait souvent pour lever un obstacle préalable à l'explicitation du sens. La paraphrase est la première forme que revêt cette explicitation. C'est aussi le procédé d'explication le moins élaboré et sa présence est généralement liée à l'absence de difficultés véritables. Un bon exemple en est fourni par le lemme — déjà cité — à propos duquel Jérôme commence par déclarer : « Ce passage n'a pas besoin d'être expliqué », mais c'est pour ajouter aussitôt : « le prophète indique en quelques mots [373]... » Suit une paraphrase à peine plus longue que le verset à commenter, où Jérôme joue avec les mots du texte, reprenant un nom par un verbe, un terme composé par le terme simple, modifiant dans le détail l'agencement des idées, sans pour autant qu'apparaisse, à travers ces variations, le moindre souci de rivaliser avec l'original. Le contraire, d'ailleurs, surprendrait [374]. Quant au

---

fine laeta post tristia. » Sur les nuances entre synonymes ou termes voisins, cf. SERVIVS, *Ad Aen.* II, 489 : « pauidus est semper timens, pauens, ex causa. »

370. *In Is.* 51, 17-19 : « Hierusalem et Sion esse δυώνυμον saepe docui : quarum Sion, quae interpretatur specula, eo quod in monte sita sit, arx uocatur ; reliqua autem urbis pars Hierusalem dicitur, quae prius appellabatur Iebus et Salem » (491 B).

371. Le mot cependant est absent non seulement du *ThLL* mais du Bailly et du Liddell-Scott. Mais rapprocher ici δυώνυμον de DONAT, *Ars Grammatica* II, 2, 3 : *Sunt alia synonyma uel polyonyma, ut terra, humus, tellus.* Cf. AEMILIVS ASPER, *Ad Aen.* VIII, 106 : « Cruor proprie, nam quamdiu in corpore est, sanguis est, cum fluit, cruor, cum exiit, tabus est » (Voir A. TOMSIN, *Étude sur le commentaire virgilien d'Aemilius Asper*, Paris, 1952, p. 63 s.).

372. *In Is.* 17, 2 : « Derelictae ciuitates Aroer gregibus erunt. Aroer "myrice" interpretatur, quae proprie arbor in solitudine et salsa humo nascitur, et per hoc uastitas demonstratur » (174 B).

373. *In Is.* 156 C, ci-dessus, p. 148 et note 108.

374. Outre que Jérôme se défend dans ses commentaires de toute ambition littéraire, l'idée de rivaliser avec l'Écriture, fût-ce sur le plan formel, ne pouvait lui venir à l'esprit, surtout à une date aussi tardive de sa carrière. Pour lui, la paraphrase est au service du texte (voir ci-dessous, note 382). Si Quintilien veut que « la paraphrase... consiste en une joute d'émulation autour des

commentaire proprement dit, il se limite à un seul apport : la vérité psychologique banale que Jérôme dégage *in fine* en une demi-ligne [375].

Le cas n'est pas exceptionnel et l'on se défend mal, parfois, d'une impression de bavardage, particulièrement sensible lorsque la paraphrase reprend le style direct des paroles prophétiques [376]. Jérôme n'est pas cependant sans avoir quelque conscience du danger, puisqu'il arrête un développement qui se traînait au ras du texte par cette remarque : « Le prophète tient encore d'autres propos ironiques sur les idoles, mais ils sont faciles à comprendre et n'ont pas besoin d'un commentaire emberlificoté ou, pour tout dire, superflu [377] ». Il reste que s'il déclare renoncer à « expliquer les textes clairs », ce n'est pas sans les avoir au moins « effleurés » [378].

Sans doute a-t-il ses raisons. Si suspecte qu'elle apparaisse en effet à nos yeux modernes, la paraphrase n'est pas, de soi, inutile : redire sous d'autres formes, ce peut être clarifier, dégager certains aspects, souligner les accents. En droit, on peut y voir un premier degré d'explication ; en fait, la pratique de Jérôme l'atteste assez souvent. On peut le constater sur des détails très simples. Comparons, par exemple, ce verset d'Isaïe : « Tous ceux qu'on trouvera seront tués » et sa paraphrase par Jérôme : « Qui n'aura pas fui sera frappé du fer » [379]. Si remplacer *occidetur* par *mucrone ferietur* n'apporte guère qu'une nuance stylistique, *qui non fugerit* par rapport à *omnis qui inuentus fuerit* représente un progrès dans la précision. Parfois aussi, il suffit d'introduire un terme de liaison à la charnière de deux idées pour mettre en pleine lumière leur rapport implicite.

D'une façon plus générale, il n'est pas impossible de dégager de la pratique hiéronymienne un schéma d'utilisation de la paraphrase sous-jacent à plusieurs emplois. Partons pour cela de l'explication, au livre I, du verset bien connu : « Ils fondront leurs épées pour en faire des charrues, et leurs lances pour en faire des faux. » Voici le commentaire de Jérôme : « Toute ardeur guerrière se tournera vers la paix, et la discorde en tout l'univers fera place à la concorde. Les épées seront transformées en charrues et les lances en faux,

---

mêmes pensées », c'est qu'il a en vue tout autre chose que ce qui nous occupe ici. Il définit un exercice technique : la transposition de poètes latins par le futur orateur, exercice dont la valeur formatrice réside précisément dans l'effort fait pour rivaliser avec le modèle (QUINTILIEN, *I.O.* X, 5, 5). Un tel emploi atteste en tout cas que, dans la tradition latine, le mot n'avait pas un sens dépréciatif.

375. *In Is.* 13, 7-8 : « naturale est enim ut imminentibus malis alios sapere plus putemus » (156 D). Remarquer la présence du terme *enim*, signe de l'introduction d'un élément explicatif.

376. Par ex. *In Is.* 14, 4-7 (161 A). Le bavardage trahit parfois un curieux penchant de Jérôme à développer l'élément réaliste et l'horreur. Ainsi la menace prophétique contre l'oppresseur : « operimentum tuum erunt uermes » (*Is.* 14, 11) devient dans sa paraphrase : « scatentium operiet uermium multitudo » (161 C). Et lorsqu'Isaïe, évoquant le sort futur des habitants de Babylone, écrit que « leurs femmes seront violées » (*Is.* 13, 16), Jérôme précise : « sous les yeux de leurs maris » (158 B, cf. 158 CD).

377. *In Is.* 44, 6-20 : « Pleniusque super irrisione idolorum propheticus sermo contexitur, quae facilis intellegentiae sunt, nec laciniosam, immo superfluam expositionem desiderant » (437 D-438 A).

378. *In Is.* 55, 8-9 : « Perspicua interpretatione non indigent, idcirco stringuntur potius quam disseruntur » (535 A).

379. *Is.* 13, 15 : « Omnis qui inuenturus fuerit, occidetur ». Paraphrase de Jérôme : « Qui non fugerit, mucrone ferietur » (158 B).

en sorte que, délaissant toute fureur guerrière, ils se livreront à l'agriculture et faucheront d'abondantes moissons. » On distingue aisément les trois étapes de la démarche : dégagée dans un premier temps, l'idée sous-jacente au contexte introduit la paraphrase, que prolonge d'autre part une brève description qui en explicite la portée [380]. Le rappel préalable du contexte peut lui-même s'opérer par le moyen d'une paraphrase des versets précédents, à laquelle s'enchaînera celle du verset à expliquer [381].

Un passage, enfin, apporte la preuve que Jérôme recourt consciemment à la paraphrase comme à un procédé d'explication. Il y déclare sans équivoque : « Nous avons paraphrasé ces paroles, pour pouvoir comprendre plus aisément le sens en vue duquel elles sont dites [382] ». Puis il dégage la signification globale des comparaisons qu'il vient de paraphraser. Mais si l'on regarde attentivement le développement qu'il conclut ainsi, on y constate qu'à la paraphrase proprement dite se mêlent inextricablement des éléments d'explication qui la prolongent et la débordent. Peut-être est-ce l'indice que Jérôme donne au terme une acception assez large, libre en tout cas des réticences qui pèsent aujourd'hui sur le mot comme sur la chose. Les limites du procédé restent cependant sensibles. Aussi Jérôme lui préfère-t-il habituellement un commentaire plus explicite.

3. L'appui sur le contexte

Nous avons noté tout à l'heure qu'il arrivait que Jérôme rappelât, en préalable à la paraphrase d'un lemme, le contenu des versets précédents. En fait, le rappel du contexte est un procédé très fréquent de son exégèse littérale. On le constate dès les premières pages du *Commentaire. sur Isaïe*, qui en fournit même peu d'exemples aussi pesamment méthodiques que la présentation du quatrième verset du recueil prophétique. Qu'on en juge : « On a tout d'abord le titre du rouleau, qui évoque la personne (du prophète), l'objet et le moment (de la prophétie). Ensuite le prophète provoque ses auditeurs à l'attention ; en troisième lieu, il rapporte les paroles du Seigneur, en quatrième lieu, comme en une digression, il éclate en reproches contre la nation pécheresse, contre le peuple rempli — ou chargé — d'iniquité, *non qu'il s'agisse d'une autre nation* et d'un autre peuple, comme le pensent certains, mais c'est Israël lui-même qui est appelé nation, peuple, fils criminels, ou malfaisants [383] ». Cette récapitulation n'est donc pas gratuite : c'est elle qui détermine

---

380. *In Is.* 2, 4 b : « Et conflabunt gladios suos in uomeres, et lanceas suas in falces. Omne bellandi studium uertetur ad pacem et pro discordia erit in toto orbe concordia. Gladii mutabuntur in uomeres et lanceae in falces, ut, omisso furore bellandi, agriculturae seruiant et uberrimas falcibus messes secent » (45 C). Démarche similaire à propos d'*Isaïe* 22, 10-11 (197 BC) : insertion préalable dans le contexte (« il raconte comment... » etc.) ; paraphrase assez développée ; explication de l'idée sous-jacente à la description (« ils ont donc mis leur confiance non en Dieu mais dans les hommes »...).

381. Par ex. *In Is.* 84 B.

382. *In Is.* 326 CD : « Haec παραφραστικῶς diximus, ut facilius sensum pro quo ista dicuntur possimus intellegere ». Cf. *In Nahum*, PL 25, 1261 C. Jérôme note encore que Paul a « paraphrasé un passage » d'Isaïe, mais le contexte montre que le mot sert simplement à caractériser le mode de transposition libre dont a usé l'apôtre, « non uerbum ex uerbo reddens... sed sensuum exprimens ueritatem ». (*In Is.* 622 BC).

383. *In Is.* 28 A : « In principio uoluminis titulus est, personam, causam, tempusque commemo-

la compréhension du verset et qui permet d'écarter une interprétation erronée. Deux pages plus loin, le même procédé permet de souligner que c'est une seule comparaison qui se prolonge sur plusieurs versets [384].

Le souci de replacer un texte dans une continuité de sens qui l'éclaire peut amener l'exégète à remonter assez loin en arrière [385], voire à ressaisir la trame du récit prophétique par-delà une longue parenthèse. Ainsi, note Jérôme au début du livre IX, « après nombre de réalités cachées présentées entre temps, on en revient donc maintenant à ce qui était commencé et la prophétie concerne la chute de Rasin et d'Ephraïm, c'est-à-dire de la Syrie et de Samarie [386] ». Or nous sommes au milieu du chapitre 9 d'Isaïe, que Jérôme rattache ainsi au début du chapitre 7 ; et les « réalitées cachées exposées entre temps » ne désignent rien de moins que la prophétie de l'Emmanuel.

4. L'appel au raisonnement

Dans divers passages, il suffisait qu'un rappel aidât le lecteur à se remettre en tête la suite des idées. Mais il est des cas où celle-ci n'apparaît pas. C'est même, reconnaît Jérôme, une des difficultés du langage prophétique que de passer sans transition d'un sujet à un autre [387]. Le cas n'est pas rare dans le texte d'Isaïe. Prenons-en pour illustration ce court verset du chapitre 2 : « Venez, maison de Jacob et marchons dans la lumière du Seigneur : car tu as rejeté ton peuple, la maison de Jacob. » Il y a une nette rupture entre les deux moitiés du lemme : le *enim*, à première vue, n'explique rien. Voici le commentaire qu'en donne Jérôme : « Après avoir adressé ces paroles (= le début du verset) au peuple des juifs, voyant leur cœur sans repentir et leur âme totalement endurcie dans l'incrédulité, il s'adresse à Dieu en disant : "Je les exhorte à venir à toi pour jouir pleinement avec moi de ta lumière, parce qu'à cause de ce que lui méritaient ses fautes, tu as délaissé ton peuple, qui fut la maison de Jacob" [388] ». On discerne la préoccupation de Jérôme : retrouver l'enchaînement des idées en rétablissant les maillons manquants. L'appel au raisonnement logique est le moyen d'y parvenir.

Il n'est d'ailleurs pas nécessaire qu'il y ait rupture de pensée pour qu'intervienne ce mode d'explication. L'occasion peut en être un point du texte qui mérite une précision. Au début du chapitre 38, devant la mort qui approche, Ézéchias se tourne vers Dieu et pleure abondamment. Jérôme juge nécessaire d'expliquer ces pleurs. « Il pleura abondamment », dit-il, « à cause de la promesse faite à David par le Seigneur, que sa mort allait rendre vaine. A ce

---

rans ; in secundo intentos auditores facit ; in tertio narrat quid locutus sit Dominus ; in quarto quasi in excessibus gentem increpat peccatricem et populum plenum uel grauem iniquitate. Non quo alia sit gens et alius populus, ut quidam putant, sed ipse Israel et gens appellatur et populus et filiii scelerati siue iniqui. »

384. *In Is.* 30 B : « ... Ab eo loco (...) usque ad hoc (...), translationis similitudo seruatur ».

385. *In Is.* 73 BC.

386. *In Is.* 129 C : « Multis ergo mysteriis in medio positis, nunc reuertitur ad id quod coeperat et euersionem Rasin et Ephraim, hoc est Syriae et Samariae uaticinatur. »

387. *In Is.* 171 A. Texte ci-dessous, p. 360, n. 193.

388. *In Is.* 46 C : « Cumque hoc locutus fuisset ad populum Iudaeorum, cernens impaenitens cor eorum et animam incredulitate durissimam, facit apostropham ad Dominum et dicit : Ideo eos hortor ut ad te ueniant et mecum tuo lumine perfruantur, quia pro merito peccatorum suorum reliquisti populum tuum, domum quondam Iacob. »

moment-là *en effet* Ézéchias n'avait pas de fils ; *de fait*, après sa mort, Manassé avait douze ans quand il commença à régner en Judée. *D'où* il ressort clairement que c'est la troisième année du délai de vie que lui accorda Dieu qu'Ézéchias engendra Manassé. Tous ces pleurs venaient *donc* de ce qu'il n'espérait plus que le Messie naisse de sa descendance [389] ». On aura remarqué dans ces lignes les termes de liaison qui soulignent chaque articulation du texte pour amener à l'*ergo* final qui conclut la démonstration. La fréquence de ce vocabulaire, où domine l'expression des relations causales, est manifeste dans le *Commentaire sur Isaïe*. Dès le stade de la paraphrase, on en trouverait des exemples : un *enim*, ou un *quia*, viennent se glisser entre deux phrases pour qu'apparaisse mieux leur rapport [390]. A plus forte raison, ces mots sont les supports de l'explication directe, à moins que Jérôme ne leur préfère la formule antithétique *non quo... sed quo*, qui lui permet sans bavardage inutile d'opposer à une mauvaise raison la bonne explication [391]. Tout comme le respect systématique de la continuité du texte, mais d'une manière plus évidente encore, la présence de cette catégorie de termes témoigne de l'exigence logique qui animait Jérôme dans sa démarche de commentateur de la lettre de l'Écriture. Aussi n'est-il pas surprenant que souvent il laisse prendre à son explication les allures d'une argumentation et qu'il lui donne parfois tous les caractères d'une discussion en forme.

5. *Les techniques de la discussion*

Le texte lui en fournit l'occasion : une difficulté se présente, qu'il faut résoudre. Loin de la fuir, Jérôme l'énonce clairement : « Ici surgit une question. Comment se fait-il... » que, par exemple, Isaïe invite à se lever Jérusalem, « qui a bu de la main du Seigneur la coupe de sa colère », alors que Jérémie déclare qu'après avoir bu cette coupe elle ne pourra se relever ? Après la question, la réponse : « la difficulté se résout ainsi... » continue Jérôme [392].

Parfois il va de lui-même au-devant d'une difficulté possible, qui déborde le texte du prophète. A propos de deux versets du chapitre 6 que les *Actes des Apôtres* ont mis dans la bouche de Paul parlant aux juifs de Rome, il s'exprime ainsi : « Il nous faut d'abord résoudre cette question qu'on pourrait nous opposer : pourquoi l'apôtre Paul, discutant avec des Hébreux, parle-t-il non d'après le texte hébreu qu'il savait exact, mais d'après les Septante ? » Et il profite de l'occasion pour faire le point sur l'utilisation des versions de l'Ancien Testament par les auteurs du Nouveau [393].

Outre qu'ils confirment nos observations précédentes sur le caractère métho-

---

389. *In Is.* 390 CD : « Fleuit autem fletu magno, propter promissionem Domini ad Dauid, quam uidebat in sua morte perituram. Eo enim tempore Ezechias filios non habebat ; nam post mortem eius Manasses, cum duodecim esset annorum, regnare coepit in Iudaea. Ex quo perspicuum est post tertium annum concessae uitae Manassen esse generatum. Ergo iste omnis est fletus, quod desperabat Christum de suo semine nasciturum. »

390. Voir par ex. *In Is.* 156 D ; 535 BC.

391. *In Is.* 527 C.

392. *In Is.* 492 A : « In quo quaestio nascitur : quomodo (...) Quae ita soluitur... »

393. *In Is.* 98 CD : « Ac primum soluenda est illa quaestio, quae nobis obici potest : quare apostolus Paulus cum Hebraeis disputans, non iuxta hebraicum quod rectum esse cognouerat, sed iuxta LXX sit locutus ?... » etc. Voir ch. II, p. 122.

dique de la démarche du commentateur, ces exemples appellent quelques remarques. Ils illustrent d'abord un trait de la physionomie intellectuelle de Jérôme : son horreur de ceux qui fuient les difficultés, son amour des questions clairement posées et son souci de ne rien laisser dans l'ombre, au risque d'avoir finalement à « reconnaître son ignorance » [394]. Sans doute avait-il su éveiller chez ses disciples le goût d'une rigueur semblable, si l'on en juge, par exemple, par ce qu'il dit des exigences de Paula, dont les interrogations continuelles le contraignaient à indiquer, parmi plusieurs explications possibles, celle qui lui paraissait au moins la plus probable [395]. Quant à celles de Marcella, nous avons, pour en juger, les lettres que Jérôme lui adresse : les réponses du maître permettent d'apprécier la pertinence des questions de son élève la plus brillante et témoignent du sens des difficultés véritables qu'avait cet esprit vigoureux [396]. D'un autre point de vue, c'est l'ensemble de la correspondance de Jérôme touchant à des problèmes scripturaires qu'il faudrait évoquer, car la « lettre exégétique », sur laquelle manquent encore, malheureusement, les études sérieuses, se présente elle aussi comme une réponse à des questions. On pense également au genre littéraire des *Quaestiones*, qui ont eu la faveur d'Augustin et que Jérôme lui-même n'a pas ignorées. Sans être des réponses à des questions réellement posées, elles permettaient, comme la lettre, de traiter des points limités [397].

Ces rapprochements éclairent les deux exemples dont nous sommes partis. Ils permettent d'y reconnaître — particulièrement dans le second [398] — la mise en œuvre d'un procédé d'exposition : poser un problème et présenter sa solution, c'est une des formes que peut revêtir l'explication. Le constater n'est pas mettre en doute le fait que Jérôme ait réellement saisi des difficultés latentes et les ait fait apparaître au grand jour. Il s'agit simplement de relever dans son Commentaire la présence d'une technique d'explication dont il a eu l'occasion de faire usage dans d'autres cadres et qui reflète les mêmes exigences logiques que les procédés déjà examinés.

Mais au début du Ve siècle, Jérôme n'est pas le premier à affronter les difficultés du *Livre d'Isaïe*. Il dispose d'un vaste héritage dans lequel il puise largement pour nourrir son propre commentaire. Cependant, des apports de ceux qui l'ont précédé, tout n'était pas nécessairement à retenir. Nous avons déjà pu constater maintes fois de sa part des réticences, notamment, mais non exclusivement, envers les interprétations des juifs. Établir la vérité du texte biblique, ce peut donc être d'abord écarter des interprétations erronées. Et nous savons du reste qu'il n'était pas dans le tempérament de Jérôme de se dérober quand il s'agissait de combattre l'erreur ; son œuvre polémique est là pour l'attester.

---

394. HIER. *Epist.* 108, 26, 2. Voir la note suivante.
395. *Ibid.* : « Sicubi haesitabam et nescire me ingenue confitebar, nequaquam mihi uolebat adquiescere ; sed iugi interrogatione cogebat, ut e multis ualidisque sententiis, quae mihi uideretur probabilior, indicarem ».
396. HIER. *Epist.* 127, 7. Sur elle et sur Paula, voir ch. 1, p. 50-53.
397. Cf. AUGUSTIN, *Quaestiones in Heptateuchum*, CC 33. Sur Jérôme et les *Hebraicae Quaestiones in Genesin*, voir ci-dessus la note 327. Le procédé de la *quaestio* est un mode d'approche des textes bien connu de l'exégèse grammaticale. Voir les références données par J. DOIGNON, *Hilaire...* p. 334, n. 3.
398. Ci-dessus, note 393. La question, en effet, n'y jaillit pas du texte.

Positive au service de l'intelligence du texte, l'argumentation chez Jérôme peut donc se faire critique, lorsqu'il faut déblayer la voie des erreurs qui l'encombrent : la discussion devient réfutation. Qu'en est-il alors des procédés qu'elle met en œuvre ?

On peut certes relever un certain nombre de procédés propres à la discussion, voire à la polémique : concession feinte (« soit, accordons que... ») ou ironique (« à moins que, par hasard... »), interrogations accumulées, dialogue fictif, etc. [399]. Mais ce sont là moyens purement formels ; ils ne traduisent en eux-mêmes aucune exigence intellectuelle, mais plutôt des habitudes d'exposition quasi oratoires. Ils ne sont donc d'aucun secours pour l'étude qui nous retient et il n'y a pas lieu d'en tenir compte ici.

Quant aux procédés que nous avons déjà relevés, c'est une évidence que la discussion fait appel à eux : l'appui sur le contexte, l'architecture rigoureuse du raisonnement, la mise en valeur des articulations logiques demeurent à son service les procédés majeurs de l'argumentation ; mais leur fonction restant la même, il n'y a pas à en attendre d'apport nouveau à notre enquête.

Encore faudrait-il s'assurer de leur relation respective aux différents types d'exégèse. Car la place qu'occupe la discussion dans le *Commentaire sur Isaïe* nous amène à une constatation importante qui va fixer à notre recherche ses limites : elle n'entretient en effet avec le sens littéral aucun rapport particulier. A vrai dire, il n'y a pas lieu d'en être surpris. Sans doute, il peut arriver que Jérôme défende une interprétation littérale contre une autre exégèse du même type [400], voire contre une explication spirituelle [401]. Mais on comprend que ce ne soit pas la règle. De fait, le ressort habituel des luttes de Jérôme, c'est la défense de la foi chrétienne. Traduite en termes d'exégèse, cette constatation signifie que, contre le littéralisme juif ou les interprétations des hérétiques de diverses obédiences, il y a de fortes chances que ce soit au profit d'une exégèse spirituelle que Jérôme argumente. Les procédés qu'il emploie alors ne peuvent plus être invoqués pour éclairer de façon spécifique l'exégèse littérale. Mais il n'en faudrait pas conclure à la fragilité des analyses que nous avons menées jusqu'ici sur les procédés de la mise en œuvre de l'interprétation littérale.

Ce serait excessif pour plusieurs raisons. Tout d'abord, en droit, pourrait-on dire, plusieurs de ces procédés entretiennent malgré tout un rapport immédiat avec le sens obvie du texte : c'est le cas ordinaire de la paraphrase et de l'étude sémantique. Même la préoccupation du contexte, si elle peut demeurer valable dans la perspective d'une lecture spirituelle — et nous aurons en effet l'occasion de le vérifier —, s'impose d'abord au niveau de la compréhension littérale.

Cependant, si révélateur qu'il soit d'une exigence intellectuelle, un procédé est dépendant de l'usage qui en est fait. Associer, par exemple, l'emploi des termes logiques à un niveau d'exégèse plutôt qu'à un autre relève de données de fait, plus que d'une perspective théorique. Or, dans les faits, si notre étude a rendu manifestes les liens que les procédés de l'argumentation entretiennent avec le sens littéral, elle n'a pas exclu qu'ils aient quelques rapports

---

399. Voir par exemple 249 CD, 446 D-447 A, etc.
400. *In Is.* 195 D.
401. *In Is.* 113 D.

avec l'autre sens : sur le plan de la discussion, la proportion se renverserait.

Mais poser le problème en termes quantitatifs serait une erreur. Car, même si ces procédés ne sont pas liés de façon exclusive à l'établissement du sens littéral, ils témoignent d'exigences et de principes dont nous allons constater qu'en inspirant la mise en œuvre de l'interprétation littérale, ils contribuent fortement à assurer, dans l'exégèse de Jérôme, le respect de cette interprétation.

B — *Les principes directeurs*

Au premier rang de ces principes, il faut sans doute faire figurer l'*exigence de véracité* car, d'une certaine façon, tous les autres n'en sont que des modalités. Le *Commentaire sur Isaïe* en fournit l'affirmation la plus nette. « Dans l'explication des saintes Écritures », rappelle Jérôme à la fin du premier livre, « c'est la vérité que nous devons rechercher, non la contestation [402] ». Il ne paraît pas avoir donné à son œuvre exégétique d'autre objectif ; c'est à cette lumière qu'il faut comprendre son ambition d'acquérir la « science des Écritures » et l'insistance avec laquelle reviennent dans toute l'œuvre les termes qui signifient « comprendre ». Que cette vérité, parfois, soit difficilement accessible, Jérôme ne l'ignore pas. Encore faut-il tenter de s'en rapprocher le plus possible. Devant un passage obscur du prophète Osée, nous le voyons exhorter son lecteur à s'associer à son propre effort pour pouvoir « dépister sinon la vérité, ce qui est extrêmement difficile, du moins la présomption de vraisemblance [403] ». Cette exigence de véracité, nous l'avons vu la manifester d'abord au plan du texte sacré : le texte hébreu, c'est l'*hebraica ueritas*, et l'expression sonne sous sa plume un peu comme une provocation, au grand scandale des traditionalistes fidèles à « la version qu'on lit dans les Églises ». N'a-t-il pas osé préférer aux inquiétudes pastorales à courte vue d'un Augustin le témoignage de « l'érudition des Hébreux » par respect de la vérité ? Mais lorsque ces mêmes Hébreux s'enferment par myopie théologique dans une explication littérale douteuse, les voilà pris à leur tour « dans les rêts de la vérité [404] ». L'exigence de véracité ne mène donc pas à la seule « histoire ». Il suffit cependant qu'à ce premier niveau elle soit respectée pour que le sens littéral soit regardé avec sérieux et que se trouvent écartées du même coup les tentations d'évasions prématurées vers le sens spirituel, fussent-elles le fruit d'une « pieuse intention ».

D'autres principes découlent de cette exigence première et en présentent des applications particulières. Citons d'abord le *respect de l'évidence*. L'évidence, c'est la vérité qui s'impose sans discussion ; la respecter exclut qu'on ratiocine et qu'on cherche autre chose : ce serait « affaiblir la vérité du texte » car « ce qui est manifeste » décourage l'explication et peut tout au plus être démarqué par la paraphrase.

---

402. *In Is*. 56 B : « ... in expositione enim sanctarum Scripturarum ueritatem debemus sequi, non contentionem. »

403. HIER. *in Osee* PL 25, 909 B : « ... si non ueritatem, quod difficillimum est, saltem suspicionem uerisimilium inuestigare... »

404. *In Is*. 447 A : « Quocumque se uerterint, non ualebunt laqueos ueritatis effugere. »

Le respect de l'évidence est complété par un double refus : tout d'abord le *refus de l'absurdité*. On peut y reconnaître l'envers de l'exigence de vérité. L'absurdité, pour Jérôme, c'est en quelque sorte l'évidence de l'erreur qui ne se démontre pas plus que l'évidence de la vérité. Ce qui est absurde « ne tient pas debout » : c'est l'expression que nous avons rencontrée chez Jérôme quand il voulait souligner l'impossibilité logique d'une explication [405].

Dans le *refus de la contradiction* intervient davantage l'activité logique. C'est ce principe qu'on reconnaît derrière la plupart des procédés de la mise en œuvre de l'interprétation littérale. Il est la pierre de touche de l'argumentation : il inspire l'agencement des termes logiques, dont le rôle est précisément d'articuler la progression de la pensée de manière qu'elle évite toute contradiction. Nous l'avons vu inspirer à Jérôme une de ses « questions ». Prendre l'adversaire en flagrant délit d'incohérence est d'autre part un de ses procédés favoris.

Ce principe se prolonge sous un aspect positif dans le respect de ce que Jérôme nomme l'*historiae ordo*. Sans doute n'existe-t-il pas que la continuité du sens historique [406]. Mais ce principe est d'une grande importance pour l'interprétation littérale. C'est lui qui inspire le souci positif qu'a Jérôme de rattacher un texte à l'enchaînement d'idées qui lui donnera son sens. Négativement il garantit l'interprétation littérale contre les empiétements d'exégèses spirituelles fragmentaires qui méconnaîtraient cette continuité. C'est, de toutes les exigences que nous venons de voir, celle dont Jérôme fait état le plus souvent [407].

Tous ces principes sont liés par une logique interne. Il est remarquable que ce soit à propos de l'interprétation littérale que nous ayons été amenés à les dégager. C'est un nouvel indice du respect avec lequel est abordé par Jérôme le texte sacré dès le premier stade où il convient de l'expliquer.

CONCLUSION : LA VALEUR DU SENS LITTÉRAL

En confrontant, au terme de l'enquête, les conclusions partielles fournies par ces approches successives et complémentaires des réalités du sens littéral, on ne peut plus douter de l'intérêt que Jérôme porte à ce premier niveau d'interprétation de l'Écriture. Quel que soit l'angle sous lequel l'ait abordé cette étude, jamais elle n'a pu conclure à un jugement entièrement réservé ni même à une attitude simplement indifférente. Sans doute y a-t-il eu, sur chacune des voies suivies, à saisir des nuances, à reconnaître des degrés, à déceler des limites. Mais, en définitive, c'est bien une image favorable qui s'impose à l'esprit du lecteur. Essayons d'en préciser les contours.

La première impression peut s'exprimer en termes quantitatifs. L'exégèse littérale occupe en effet, dans le *Commentaire sur Isaïe* [408], un volume considé-

---

405. Ci-dessus, note 24, p. 133.
406. Voir par exemple *In Is.* 235 B ; 515 A.
407. Voir les références à l'expression dans le tableau B de l'ANNEXE IV.
408. La constatation vaut pour l'ensemble des Commentaires des prophètes.

rable. Sans entrer dans une comptabilité précise, voyons-en l'illustration symbolique dans le cas particulier des volumes consacrés aux oracles contre les nations : à deux livres d'exégèse spirituelle, correspond un livre entier d'interprétation littérale [409]. La pratique ordinaire de Jérôme est tout aussi révélatrice : étape indispensable à l'intelligence du texte, l'explication littérale marche de pair avec l'exégèse spirituelle qu'elle précède habituellement, ce qui n'est pas sans importance. Lors même que la limpidité du texte biblique peut la faire apparaître inutile, Jérôme y sacrifie cependant au moins par une paraphrase. S'il y renonce parfois, c'est contraint et forcé, et il le ressent comme un échec.

C'est qu'en effet « l'histoire » entretient à ses yeux des rapports étroits avec la vérité. Cette vérité revêt d'abord le visage de l'exactitude du texte sacré, que Jérôme, rompant par honnêteté scientifique avec des habitudes vénérées, va rechercher, malgré les risques de scandale, chez les Hébreux, ne leur empruntant pas seulement un texte mort mais tout ce qui, dans leurs traditions vivantes, conserve une utilité pour en établir le sens littéral exact. Vérité du contexte, ensuite, qui lui fait abandonner à ceux qui sacrifient le sens du vrai aux pieuses inspirations les interprétations qui impliqueraient une trahison de la « cohérence du sens historique » [410]. Sans doute cette fidélité lui était-elle souvent facilitée par l'intérêt que son tempérament de Latin réaliste, réticent devant les jeux d'idées auxquels se complaisait la tradition orientale, lui faisait prendre aux réalités de tous ordres que charrie l'histoire biblique.

Mais son lien avec la vérité ne fait pas pour autant de « l'histoire » un absolu. Aussi bien l'exégèse littérale n'est-elle qu'une étape, la première, vers la compréhension totale de la Parole, qui, pour Jérôme et ses frères dans la foi, parle avant tout de Jésus-Christ, « Parole » de Dieu [411]. Nous avons noté quelle expression heureuse et juste il avait su donner de la place du sens littéral, à la fois indispensable et incomplet, avec l'image des « fondations », nécessaires à l'édifice, mais qui le laissent inachevé.

La valeur du sens littéral ainsi solidement et exactement établie, Jérôme n'éprouve aucune difficulté à reconnaître en lui « un niveau de compréhension plus humble », paille qui contient et dissimule à la fois le grain, et dont peuvent tirer quelque profit ceux dont le cœur n'est pas encore ouvert à « l'intelligence des choses de l'Esprit ». Il a donc sa consistance propre et ne se dissout pas devant le sens « meilleur » auquel il permet d'accéder.

Mais si c'est par refus de cette « intelligence » qu'on s'arrête au sens littéral, en y voyant le terme de la lecture des Écritures, alors « l'histoire » devient écran. Obstacle sur le chemin de « l'Esprit qui fait vivre », elle se dégrade en « lettre qui tue » et appelle sur elle la condamnation.

Le sens littéral n'est donc pas pour Jérôme un absolu. Comment eût-il pu l'être, à cette époque, chez un commentateur chrétien ? Mais il n'est pas non plus réalité négligeable, simple accident de parcours sur le chemin d'une

---

409. Dans le cas précis, la proportion s'élève même à 2/5 pour l'exégèse littérale en regard de 3/5 pour l'exégèse spirituelle, sur le volume réel de ces livres.
410. *In Is.* 176 A (ci-dessus n. 55). Cf. *In Ez.* PL 25, 248 D.
411. Cf. *In Is.*, prol., 17 A : « Ignoratio Scripturarum ignoratio Christi est ».

lecture chrétienne de la Bible. « Base et support » du sens spirituel [412] qui est tenu de respecter sa « cohérence », il a pour vocation de permettre d'accéder au sens plénier des Écritures. C'est sa limite, mais aussi, pour Jérôme, son incontestable grandeur.

---

412. C'est l'expression de Diodore de Tarse dans son *Commentaire sur les Psaumes* (ci-dessus n. 139) : « κρηπὶς καὶ ὑποβάθρα τῶν ὑψηλοτέρων νοημάτων » (p. 88). Cf. ci-dessus, p. 137, n. 59 et *In Is*. 158 D-159 A. Jérôme paraît n'avoir pas bien connu l'œuvre de l'Antiochien, mais l'expression a pu lui parvenir à Antioche à travers l'enseignement d'Apollinaire.

CHAPITRE IV

L'interprétation spirituelle

« Après la vérité du sens historique », rappelle Jérôme dans son prologue, « il faut tout prendre en une acception spirituelle ». Une fois reconnue la place de l'interprétation littérale, on peut aborder l'étude de ce second niveau d'exégèse. Inhérente, certes, à l'idée que les premiers siècles chrétiens se font de la lecture de l'Écriture, l'interprétation spirituelle revêt peut-être dans l'œuvre qui nous occupe une importance particulière, s'il faut voir dans Isaïe, comme Jérôme y invite son lecteur, « non seulement un prophète, mais un évangéliste et un apôtre [1] ».

Ici encore la façon la plus sûre d'introduire l'étude est de prêter d'abord attention au vocabulaire par lequel l'auteur désigne au fil des pages cette interprétation. En particulier, de l'exégèse littérale d'un lemme à l'interprétation spirituelle qui d'ordinaire lui fait suite, le passage est souvent marqué par une formule de transition qui, parfois, souligne la progression d'un sens à l'autre. C'est là qu'on trouve bon nombre des emplois des termes dont le recensement et l'examen constituent la première étape d'une étude de l'interprétation spirituelle.

1 — LE VOCABULAIRE DU SENS SPIRITUEL

Comme chez ses prédécesseurs, l'expression du sens spirituel est chez Jérôme plus riche et plus variée que celle du sens littéral. On peut y distinguer pour la commodité de l'étude deux catégories de termes : ceux qui servent à

---

1. *In Is.*, prol. 18 A : « ... non solum prophetam sed euangelistam et apostolum... » Les deux termes sont déjà dans Eusèbe (*In Is.* 1, 1 : Eus. W. 9, 3, 26 et 4, 2). Pour Jérôme, voir aussi *Epist.* 53, 8, 16 (« ... non prophetia... sed euangelium ») ; *Hom. in Ioh.* 1, 1-14 : CC 78, 520 = Morin, p. 389 (« apostolus »). On peut voir un écho de ces formules chez Augustin (*Cité de Dieu* XVIII, 29) : « ... ita ut a quibusdam euangelista quam propheta diceretur. »

désigner le sens spirituel lui-même et ceux qui qualifient plutôt les réalités de l'Écriture par lesquelles on y accède [2].

Quatre termes principaux désignent dans le *Commentaire sur Isaïe* l'interprétation spirituelle. Ce sont, par ordre de fréquence croissante, *allegoria, anagoge, tropologia* et *spiritus*. Jérôme les reçoit de la tradition ecclésiastique qui le précède [3]. Trois d'entre eux sont des transpositions directes de mots grecs. Ils ne figurent pas encore dans ses premiers essais exégétiques de Constantinople ou de Rome, dans lesquels ne se rencontrent que les expressions *spiritalis intellectus* ou *mystici intellectus* [4]. Toutefois ils sont entrés rapidement dans le vocabulaire exégétique de Jérôme, puisqu'on les trouve dès les premiers commentaires composés à Bethléem : les Commentaires pauliniens les contiennent tous ; dans le *Commentaire sur l'Ecclésiaste* seule manque la *tropologia*, mais on y trouve τροπικῶς et *tropice*, dans une acception qui reste, il est vrai, assez proche du sens technique du terme chez les grammairiens [5]. En tout cas, le *Commentaire sur Nahum* qui, dans les années 392-393, ouvre la série des commentaires sur les petits prophètes, utilise nos quatre termes, qui constituent désormais le vocabulaire courant du sens spirituel.

La critique a surtout été sensible jusqu'ici, nous l'avons déjà remarqué, à l'imprécision de cette terminologie hiéronymienne [6]. Le Dictionnaire de Blaise lui-même, après avoir donné pour *allegoria* le sens d'interprétation spirituelle, note comme s'il s'agissait d'une évidence : « Saint Jérôme emploie indifféremment *allegoria, anagoge, tropologia* » ; et il étaie son affirmation sur un exemple, d'ailleurs tout à fait pertinent, emprunté au *Commentaire sur l'Épître*

---

2. J'écarte de cette étude de vocabulaire les termes — connus des grammairiens — comme *significare* : signifier, désigner ; *accipere, intellegere, interpretare (- ari)* : comprendre, interpréter ; *referre* : rapporter à, appliquer à... etc. Propres à dégager une signification, ils reviennent sans cesse dans le Commentaire. Mais s'ils accompagnent souvent le passage au sens spirituel, ils n'en sont pas par eux-mêmes un signe certain et n'apportent d'éclairage particulier ni sur son contenu, ni sur les procédés qui permettent d'y accéder.

3. Tous ces termes, ou leurs équivalents, se rencontrent chez Origène. Chez les Latins, pour *allegoria* chez Tertullien, voir plus loin la note 14 ; *anagoge* et *tropologia* ne sont pas attestés avant Jérôme.

4. HIER. *Epist.* 18 A, à Damase, sur les *seraphim* : « Praemissa historia, spiritalis sequitur intellectus » (18 A, 2) ; « ... mysticus sermo » (18 A, 12). *Epist.* 18 B : « Quantum autem ad mysticos intellectus... » (18 B, 2). *Epist.* 21, à Damase, sur la parabole des deux fils : « ... secundum mysticos intellectus » (21, 28) ; cf. « secundum alium intellectum » (21, 14). En revanche la traduction de diverses homélies d'Origène que Jérôme a faite à Constantinople offre un emploi de l'adverbe *allegorice* (*In Ez. hom.* 6 transl. PL 25, 737 A = Or. W. 8, 381) et plusieurs exemples du verbe *allegorizare* : dans la première homélie sur Jérémie (PL 25, 589 B = Or. W. 3, 5) le mot traduit τροπολογεῖν ; la perte du texte grec nous empêche de vérifier s'il en allait de même pour les emplois des homélies 2 (*ibid.* 599 B = Or. W. 8, 292) et 3 (*ibid.* 613 B = Or. W. 8, 314). Le τροπικῶς que Jérôme utilise sans le traduire dans la septième *homélie sur Isaïe* (PL 24, 929 D = Or. W. 8, 281) n'est pas à prendre dans une acception exégétique et désigne simplement une synecdoque.

5. HIER. *in Eccl.* : *Intellegentia spiritalis* : PL 23, 1013 B, 1042 C, 1071 B, 1104 B. *Secundum allegoriam* : 1087 C. *Secundum* (ou *iuxta*) ἀναγωγήν 1030 A, 1039 A, 1064 A, 1087 A. Τροπικῶς : 1071 B ; *tropice* (1072 B) d'après CC et les deux principaux manuscrits, ou *tropologice* si l'on suit Martianay — qui disposait de manuscrits aujourd'hui disparus — et les éditeurs postérieurs. Pour les Commentaires pauliniens, voir par exemple *In Gal.* PL 26, 376 D (*intellegentia spiritalis*), *In Eph.*, *ibid.* 531 A (*anagoge*), 533 C (*tropologia*), 535 B (*allegoria*).

6. Voir ci-dessus ch. III, p. 130 et les références données à la note 12.

aux Éphésiens ; iuxta allegoriam et *secundum anagogen* y sont en effet strictement équivalents [7]. Bien des passages d'autres commentaires confirmeraient cette observation, mais c'est sans doute dans le *Commentaire sur Isaïe* qu'on relève l'équivalence la plus large. Pour y désigner, dans les prologues des livres V à VIII, l'exégèse spirituelle à laquelle sont consacrés les livres VI et VII, Jérôme emploie successivement, sans aucune nuance de sens, *tropologia, spiritalis intellegentia, spiritale aedificium, anagoge, tropologica explanatio, allegoria* [8].

Cependant, pour évidentes qu'elles soient, de telles constatations n'épuisent pas la question. Car on ne saurait valablement en généraliser la portée sans procéder d'abord à une étude minutieuse de tous les emplois de ces termes, étude qui précisément reste à faire [9]. Nous allons voir que, pour le *Commentaire sur Isaïe*, elle nuance singulièrement l'impression première.

Allegoria Des quatre expressions qui nous occupent c'est *allegoria*, avec ses dérivés, qui revient le moins souvent sous la plume de Jérôme : dix fois seulement, pour l'ensemble du Commentaire, dont deux fois sous la forme adverbiale *(allegorice)* et deux sous la forme adjective *(allegoricus)*, l'un de ces derniers emplois n'étant d'ailleurs qu'une traduction, insérée dans la trame du texte, du passage de l'*Épître aux Galates* où l'apôtre Paul utilise le participe grec correspondant [10]. Jérôme fait donc du mot un usage assez limité, mais néanmoins fort intéressant et relativement complexe.

Une première acception du terme est fournie par l'exemple, évoqué à

---

7. Cf. HIER, *In Epist. ad Eph.* 5, 22 : *secundum anagogen*, auquel renvoie en 5, 35 *iuxta allegoriam* (PL 26, 531 A et 536 D).
8. *In Is.* V, prol. à Eustochium : « ... sexti uoluminis *iuxta tropologiam*..., *spiritalis intellegentiae* culmina... » (153 C) ; VI, prol. : « ... *spiritale* aedificium..., *anagogen*... » (205 CD) ; VII, prol. : « septimus liber... *iuxta anagogen* secundus est, immo extremus. In hoc enim decem uisionum *tropologica* explanatio terminatur » (239 D) ; VIII, prol. : « Sextus et septimus superiores libri *allegoriam* quinti uoluminis continent, quod olim historica expositione dictaui » (281 A). On pourrait relever chez Origène les mêmes équivalences (par exemple *Contre Celse* IV, 44 où se correspondent τροπολογία, ἀλληγορεῖ et πνευματικός).
9. La seule contribution récente à cette recherche reste, à ma connaissance, mon étude du vocabulaire exégétique de l'*In Zachariam* (*RÉAug* 14, 1968) dont les conclusions ne peuvent qu'inciter à élargir l'enquête. Voir aussi ma note sur *« Allegoriae nubilum »* chez Saint Jérôme (ci-dessous n. 38).
10. *In Is.* 516 B (ci-dessous n. 16) : « Quae sunt allegorica ». Cf. *Gal.* 4, 24 : ἅτινά ἐστιν ἀλληγορούμενα, que le *Commentaire sur l'Épître aux Galates* traduit *ad locum* (comme la Vulgate) : « Quae sunt *per allegoriam dicta* » (PL 26, 389 B, ci-dessous n. 21), mais reprend un peu plus loin, dans le fil du commentaire, par *allegorica* (391 B). Cette traduction se lit déjà sous la plume de Tertullien qui éprouve le besoin de préciser : « allegorica, id est aliud portendentia » (*Adu. Marc.* 5, 4, 8) ce qui, dans le contexte, donne à penser qu'il est en train de citer la version marcionite du verset paulinien (l'emploi hiéronymien de l'*In Gal.* est lui aussi en rapport avec la mention de Marcion). Mais c'est également la formule habituelle de Rufin dans ses traductions d'Origène (cf. *In Gen. hom.* 6, 1 : Or. W. 6, 66, 11 ; 7, 2 : *ibid.* 71, 24 ; 72, 3 ; *In Num. hom.* 11, 1 : Or. W. 7, 78, 3 ; *Periarchôn* 4, 2, 6 ; etc.). Aussi peut-on penser, bien que Rufin soit lui-même lecteur de Tertullien (voir HIER. *Epist.* 5, 2), qu'elle reflète une ancienne version italienne, dont aurait pu dériver la version marcionite, ce qui concorderait avec les conclusions de von Soden (*Der lateinische Paulustext bei Marcion und Tertullian, Festgabe für Adolf Jülicher*, 1927, p. 229-281) sur l'origine romaine probable de l'*Apostolicon* latin de Marcion. Augustin pour sa part traduira : « Quae sunt *in allegoria* » (nombreux exemples). On trouve chez Hilaire *allegorumena* (*e.g. In Ps.* 118, *aleph 5, phe* 3 : CSEL 22, 362, 5 ; 507, 24, etc.), chez Ambroise *per allegoriam* (*In Luc.* III, 28).

l'instant, du prologue du livre VIII où il caractérise l'exégèse des livres VI et VII ; *allegoria* peut donc désigner le sens spirituel d'une façon générale. Un passage du livre IX le confirme : un *Transeamus ad allegoriam* introduit une interprétation qui, d'abord annoncée par *tropologia*, se prolongera ensuite, à nouveau sous le nom de *tropologia*, puis sous celui d'*anagoge* [11].

Plus loin Jérôme proposera, également sans réticence, de voir « *allegorice* » dans les cerfs d'un certain verset du prophète les apôtres et les saints [12]. Quant à l'unique apparition dans le Commentaire de l'expression stéréotypée *iuxta allegoriam*, en parallèle avec *iuxta historiam*, elle ne semble pas s'accompagner non plus de nuances particulières [13].

Ces emplois ne constituent pas une nouveauté, puisque Tertullien déjà avait acclimaté non seulement le substantif mais aussi ses dérivés dans la tradition latine en les associant à l'idée d'une interprétation figurée des Écritures [14] et qu'Origène, avec la tradition alexandrine, en fait un usage constant dans ce sens [15]. Un autre emploi du mot dans le *Commentaire sur Isaïe* nous fait

---

11. Rapprocher les formules suivantes : « Dicamus primum iuxta historiam, deinde *iuxta tropologiam* et ad extremum iuxta uaticinium prophetale » (315 B) ; « Hoc breuiter iuxta historiam dictum sit. Transeamus ad *allegoriam* » (315 D) ; et, sur les versets suivants : « Hoc iuxta litteram dictum sit. Porro *iuxta tropologiam* priorem sequamur intellegentiam » (317 C) ; cf. « *iuxta anagogen* » (318 C). Ces équivalences caractérisent, notons-le, le deuxième terme d'une triple explication sur laquelle je reviendrai en étudiant la prophétie. Ce n'est peut-être pas par hasard que manque ici l'équivalence avec *intellegentia spiritalis*.

12. *In Is.* 373 C.

13. *In Is.* 200 A (livre V), texte ci-dessus, p. 153, n. 131.

14. C'est surtout dans l'*Aduersus Marcionem* qu'on en trouve des exemples, Tertullien cherchant à y établir contre Marcion la légitimité d'une lecture spirituelle de l'A.T. rejeté par l'hérétique. Cf. *Adu. Marc.* 3, 5, 3 : « ... pleraque figurate portenduntur per aenigmata et *allegorias* et parabolas, aliter intellegenda quam scripta sunt. » (éd. Kroymann, CC 1, 513). Suivent plusieurs exemples d'interprétations spirituelles de l'A.T. par saint Paul, dont celui de l'*Épitre aux Galates*. Le groupement de termes que présente ce texte *(aenigmata, allegoriae, parabolae, figurate)* est à remarquer. Il n'est pas isolé chez Tertullien, puisque cinq des six autres emplois du mot *au pluriel* l'associent au moins à un *(Adu. Prax.* 13, 4), le plus souvent à deux de ces termes *(Adu. Marc.* 4, 25, 1 ; 5, 6, 1 et 5 ; cf. *Scorp.* 11, 4 où la définition classique de l'allégorie est étendue aux paraboles et aux énigmes). Il montre bien que Tertullien regarde le mot comme l'expression d'un procédé propre à dissimuler un sens caché qu'il s'agit, dans la perspective des Écritures, de dévoiler *in Christo (Adu. Marc.* 5, 6, 1 ; cf. les *allegoriae apostoli*, i.e. Paul, *ibid.*, 5, 18, 5). Les six emplois du terme au singulier traduisent le même état d'esprit : utilisée le cas échéant par les hérétiques *(De anima* 35, 2 ; *de resur.* 30, 1), mais tout aussi bien par Jésus *(de resur.* 37, 4), le voile que jette l'allégorie sur le sens profond (cf. *allegoriae nubilum* ci-dessous, n. 38) dissimule les mystères du Christ ; d'où, contre Marcion, l'audacieuse formule du *sacramentum allegoriae* (5, 4, 8). *Allegoria* chez Tertullien désigne donc moins le sens spirituel en général que la figure à travers laquelle on peut le découvrir. On s'explique dès lors que ne se rencontre pas encore chez lui l'expression stéréotypée *iuxta* (ou *secundum*) *allegoriam*, qui suppose que le sens technique se soit estompé au profit d'une signification plus large. Sur le vocabulaire exégétique de Tertullien, voir l'étude de O'MALLEY, *Tertullian and the Bible*, Nijmegen, 1967, en particulier sur *allegoria* les pages 145 s., et les relevés de l'*Index Tertullianeus* de Claesson (ceux de l'index du CC 2 sont très incomplets). Le nom lui-même, cité en grec chez Cicéron (*Or.* 94), se trouve déjà sous sa forme latine dans Quintilien (*I.O.* VIII, 6, 47, 49, 51, etc.). C'est chez Tertullien qu'on relève les premiers emplois de l'adjectif *allegoricus*, de l'adverbe *allegorice* et du verbe *allegorizare*. Arnobe fera de l'adverbe, du nom et surtout de l'adjectif un large usage pour caractériser l'exégèse allégorique des mythes païens (*Adu. Nat.* IV, 33 ; V, 32 s.). Il avait été précédé dans cette voie par les apologistes grecs (cf. ARISTIDE, *Apol.* 13, 7 : ἀλληγορικός ; TATIEN, *Or. ad Graec.* 21, 2-3 : ἀλληγορεῖν, ἀλληγορία) et par Tertullien lui-même (*Ad. nat.* 2, 12, 17 ; *Adu. Valent.* 1, 3 ; *de pudic.* 8, 11).

15. Toutefois ce n'est pas le mot qu'il préfère. Voir, à l'appui de cette impression de lecture, H. de LUBAC, *Histoire et Esprit*, Paris, 1950, p. 124. C'est, avec ἀναγωγή, un mot familier à

remonter à la source. Commentant le verset : « Réjouis-toi, stérile... » qui avait fourni à saint Paul l'occasion d'illustrer pour les Galates l'interprétation qu'il venait de leur proposer d'Agar et de Sara, Jérôme s'étonne que les chrétiens judaïsants s'en tiennent à une lecture littérale du verset prophétique, puisque « l'apôtre déclare qu'il y a là une allégorie *(sunt allegorica)* et qu'il interprète ces deux femmes comme l'ancienne et la nouvelle Alliances [16] ».

Cette référence au texte de l'*Épître aux Galates* est importante. C'est, on le sait, le seul endroit de l'Écriture où apparaisse le terme ἀλληγορεῖν et c'est incontestablement là, comme l'a justement souligné H. de Lubac [17], que s'enracine l'emploi du mot chez les Pères pour désigner le sens spirituel. L'explication que Jérôme avait eu l'occasion de donner de ce verset quelque vingt ans auparavant dans son *Commentaire sur l'Épître aux Galates* apporte la preuve qu'après d'autres [18] il en avait une claire conscience. « Ce que (Paul) appelle ici allégorie », écrivait-il alors, « c'est ce qu'ailleurs il nomme sens spirituel *(intellegentia spiritalis)* [19] ». Et il ajoutait un peu plus loin, à propos du passage de la *Première aux Corinthiens* sur les Hébreux dans le désert : « Qu'ici la manne et le jaillissement soudain d'une source... doivent être pris au sens "allégorique" *(allegorice)*, personne n'en doute [20] ».

Ces formules sont claires. Toutefois on en mesurera mieux la portée exacte dans la pensée de Jérôme si on ne les isole pas de leur contexte, et en particulier des lignes par lesquelles s'ouvre l'explication du verset paulinien. Après en avoir cité le texte (« Il y a là une allégorie »), Jérôme continue : « L'allégorie, au sens propre, relève de la grammaire et nous apprenons tout enfants à l'école en quoi elle se distingue de la métaphore ou des autres tropes. Elle présente dans les mots autre chose que ce qu'elle exprime dans sa signification. Les ouvrages des orateurs et des poètes sont remplis d'allégories. La divine Écriture également en est tissée pour une bonne part. L'apôtre Paul savait cela, car il avait quelque peu touché aussi à la littérature profane ; aussi s'est-il servi du nom même de la figure et a donc parlé d'allégorie comme on dit chez ses compatriotes, montrant justement d'autant mieux par la significa-tion du passage l'emploi extensif qu'il fait de ce terme grec [21] ».

Didyme dans son *Commentaire sur Zacharie* (une quarantaine d'emplois du nom et de l'adverbe). En revanche il est généralement suspect aux yeux des Antiochiens, qui en font, comme Jérôme, un usage assez limité (voir J.N. GUINOT, *L'exégèse de Théodoret de Cyr...* p. 236). Sur l'emploi du mot et de ses dérivés chez Eusèbe, voir plus loin la n. 40.

16. *In Is.* 54, 1 : « De christianis quid loquar nescio, qui dicente Apostolo "quae sunt allegorica" et ad duo Testamenta, uetus et nouum, Saram Agarque referente... » etc. (516 B) ; cf. *Gal.* 4, 24.

17. « Il suffit... de lire un certain nombre de textes des deux initiateurs que sont ici Tertullien et Origène pour obtenir la certitude que, mot et idée, l'allégorie chrétienne vient de saint Paul... Nul autre que lui, quant à l'essentiel, ne l'a accréditée » (*Exégèse médiévale*, I, 2, p. 377).

18. Pour Origène, par exemple, voir la page particulièrement explicite du *Contre Celse* IV, 44 (cf. *C. Cels.* II, 3 ; *Periarchôn* IV, 2, 6, etc.).

19. *In Epist. ad Gal* 4, 24 : « ... quam hic allegoriam dixit, alibi uocare intellegentiam spiritalem » (PL 26, 390 A). En fait, le seul emploi que fait Paul de l'expression correspondante (σύνεσις πνευματική = *Col.* 1, 9) n'a pas cette signification. Mais Jérôme a raison pour le fond : l'apôtre emploie effectivement au sens où il l'entend ici l'adjectif πνευματικός, en particulier dans la *Première aux Corinthiens* (voir note suivante).

20. *Ibid.* : « Manna hic et subiti fontis eruptio et petra ipsa quae sequitur, quod *allegorice* accipienda sint nemo est qui dubitet ». Cf. *1 Cor.* 10, 3-4, où le mot paulinien est l'adjectif πνευματικός, en latin *spiritalis.*

21. HIER. *In epist. ad Gal.* 4, 24 : « *Quae sunt per allegoriam dicta.* Allegoria proprie de arte

Ainsi Jérôme ne se borne pas à noter, et à admettre, cette acception du mot qu'accrédite à ses yeux l'utilisation qu'en fait l'Écriture. Il observe que, si Paul a emprunté le terme d'*allegoria* à la terminologie grammaticale des Grecs *(suos)*, ce n'est pas sans en gauchir quelque peu le sens, en lui faisant signifier par catachrèse *(abusio)* une autre réalité pour laquelle il ne disposait pas d'un terme approprié [22]. L'ancien élève de Donat réagit ici en grammairien soucieux de précision technique, en rappelant la définition classique de l'allégorie [23] et en

---

grammatica est et quo a metaphora uel ceteris tropis differat, in scholis paruli discimus. Aliud praetendit in uerbis, aliud significat in sensu. Pleni sunt oratorum et poetarum libri. Scriptura quoque diuina per hanc non modica ex parte contexta est. Quod intellegens Paulus apostolus (quippe qui et saeculares litteras aliqua ex parte contigerat) ipso uerbo figurae usus est ut allegoriam sicut apud suos dicitur appellaret, quo scilicet sensu magis loci huius Graeci sermonis abusionem monstraret » (PL 26, 389, BC).

22. Cf. la définition de la catachrèse par Quintilien : « κατάχρησις quam recte dicimus *abusionem*, quae non habentibus nomen suum accommodat quod in proximo est... » *(I.O.* VIII, 6, 34 ; cf. 6, 35 et Cic. *Or.* 94). De son côté, vers la même époque (il était encore à Antioche), saint Jean Chrysostome donnera du même verset ce commentaire : « C'est par une extension de sens que Paul a appelé allégorie la figure biblique (καταχρηστικῶς τὸν τύπον ἀλληγορίαν ἐκάλεσεν). Ce qu'il veut dire, c'est ceci : ce récit non seulement signifie ce qu'il montre, mais il manifeste aussi d'autres réalités ; c'est pourquoi il l'a appelé allégorie » *(In epist. ad Gal.* 4, 24 : PG 61, 662). On voit que son analyse rejoint très exactement, jusque dans le vocabulaire (καταχρηστικῶς / *abusio*), celle de Jérôme. Dans sa sobriété, elle a l'avantage de mieux faire saisir en quoi consistait, dans l'emploi qu'avait fait Paul du verbe ἀλληγορεῖν, le glissement de sens. Alors que l'allégorie « signifie autre chose que ce qu'elle *dit* » (ἕτερα δὲ ὧν λέγει σημαίνων, dit Héraclite, *Alleg. hom.* 5), l'allégorie qu'entend Paul découvre dans des *événements* de l'histoire biblique qui conservent leur réalité historique une autre signification. C'est ce qu'exprimera d'une autre façon saint Augustin : « Vbi allegoriam nominauit (Apostolus), non in uerbis eam reperit sed in factis » *(De trin.* XV, 9, 15). On retrouve sans surprise l'interprétation de Chrysostome chez cet autre grand témoin de la tradition antiochienne qu'est Théodore de Mopsueste, qui précise au terme d'un vigoureux réquisitoire contre les allégoristes : « (Il) a appelé "allégorie" la comparaison qui naît du rapprochement entre les événements qui se sont déjà produits et les événements présents » *(In Gal* 4, 24 éd. Swete, t. I, p. 79). Cf. encore Théororet de Cyr : « Le divin Apôtre a dit "allégoriques" au lieu de "compris aussi d'une autre façon". Car il n'a pas fait disparaître l'histoire, mais il enseigne ce qui a été préfiguré dans l'histoire » *(Interpr. epist. ad Gal.* 4, 24 : PG 82, 489 D).

23. La définition qu'il en donne est plus proche, dans la forme, de celle de Quintilien ; « aliud uerbis, aliud sensu ostendit » *(I.O.,* VIII, 6, 44) que de celle de Donat : « tropus quo aliud significatur quam dicitur » *(Ars gramm.* III, 6, *Grammatici latini,* éd. Keil, t. IV, p. 401). Celui-ci semble avoir innové. Vers la même époque, Charisius : « Allegoria est oratio aliud dicens, aliud significans... » *(Inst. gramm.* IV, 4, *ibid.* t. I, p. 276) et Diomède : « allegoria aliud dicens aliud significans... » *(Ars gramm.* II, *ibid.* t. I, p. 461) paraissent refléter fidèlement la définition scolaire traditionnelle. On en retrouve l'écho dans Augustin : « Allegoria dicitur cum aliquid aliud uidetur sonare in uerbis et aliud in intellectu significare » *(Enarr. in Ps. 103, sermo* I, 13 : CC 40, 1486). Ambroise semble avoir voulu adapter la définition à l'allégorie paulinienne. Il écrit à l'occasion des versets de l'*Épitre aux Galates* : « allegoria est cum aliud *geritur* et aliud figuratur » *(De Abraham* I, 1, 28 : PL 14, 432 C). On peut noter que Jérôme donne la définition grammaticale de la figure sans faire allusion à l'utilisation qu'en ont faite les commentateurs d'Homère. Sur cette exégèse allégorique païenne, voir F. Buffière, *Les mythes d'Homère...,* notamment, pour l'histoire du mot ἀλληγορία (ἀλληγορεῖν), p. 45-46. On peut consulter aussi la première partie de l'étude de Hanson, *Allegory and Event,* London, 1958 (en part. p. 37 s.), plus récente, et plus précise que l'article ἀλληγορέω de Fr. Büchsel dans *TWNT* I, 1933, 260-264. Cicéron cite le nom en grec, pour désigner la figure de style, d'une façon qui laisse à penser qu'il était déjà d'un usage courant avant lui *(Or.* 94). Le premier emploi du verbe en rapport avec l'exégèse allégorique d'Homère se trouve dans Strabon (I, 2, 7). On trouve le nom dans Philon, dans le traité *Du Sublime* du Pseudo-Longin. Sans doute vers la même époque, le rhéteur Héraclite l'emploie fréquemment dans ses *Allégories d'Homère.* A la fin du premier siècle, Flavius Josèphe s'en prend aux « stériles expédients des allégories » (τὰς ψυχρὰς προφάσεις τῶν ἀλληγοριῶν, *Contre Apion* II, 255), visant sans doute par là les tentatives de réhabilitation des croyances païennes par l'interprétation allégorique.

caractérisant par le terme grammatical exact l'usage détourné qu'en fait l'Apôtre.

Plusieurs exemples du *Commentaire sur Isaïe* vont nous montrer que ce réflexe habite toujours Jérôme et que reste souvent perceptible, sous-jacente pour lui à la signification de « sens spirituel », la valeur originelle et technique du terme. On aurait pu déjà en faire la remarque pour l'emploi, cité tout à l'heure, de l'adverbe *allegorice* : c'est bien « au sens spirituel », mais à coup sûr « par le moyen d'une interprétation allégorique », que Jérôme a reconnu les apôtres dans les cerfs du verset d'Isaïe [24]. Même ambivalence, probablement, dans le second emploi de la formule adverbiale : une description du prophète ne peut être rapportée au temps de la ruine de Jérusalem par les Romains « à moins qu'on ne comprenne l'ensemble *allegorice* [25] ». Jérôme, qui s'en tient ici à « l'histoire », ne précise pas davantage, mais il est clair qu'il renvoie, comme un peu plus loin par la dénomination *allegorici interpretes*, à l'interprétation d'Eusèbe dont il vient d'annoncer qu'il la présentera brièvement pour chaque lemme, à côté de celle des Hébreux et de la sienne propre, en une *triplex expositio*. Exégèse spirituelle assurément, puisqu'elle rapporte la prophétie au temps du Christ et de la destruction du Temple [26]. Mais si nous nous reportons pour ce verset au commentaire d'Eusèbe, nous voyons que c'est sur un procédé allégorique que repose son interprétation [27]. Le cas est moins patent mais similaire dans le développement prêté un peu plus bas aux *allegorici interpretes* : l'épithète désigne encore Eusèbe, dont la méthode exégétique est clairement perçue par Jérôme comme allégorique, ainsi qu'en témoignent, nous allons le voir, d'autres passages du même livre V [28]. Mais si, dans ces trois exemples, il n'apparaît pas de tension entre les deux valeurs dont le terme est porteur, il n'en va plus de même pour les emplois qu'il reste à examiner.

Dans le prologue à Amabilis de ce qui deviendra le livre V, Jérôme juge avec sévérité, malgré « leur très grande science », ses prédécesseurs Origène et Eusèbe. « L'un », écrit-il, « se donne carrière dans les libres espaces de l'*allégo-*

Plutarque n'a donc pas en vue une situation vraiment nouvelle lorsqu'il parle à propos d'Homère de « ce que les Anciens appelaient des sens cachés (ὑπόνοιαι) » et que l'on nomme aujourd'hui allégories (ἀλληγορίαι) (*De la lecture des poètes*, 19 D).

24. Voir ci-dessus p. 218 et la note 12. Il n'y a, *pour le procédé*, aucune différence entre une telle interprétation et l'exégèse transmise par Isidore de Séville (cf. J. FONTAINE, *Isidore...* p. 153), qui voit dans les trois cerfs qu'aperçoit Énée en arrivant sur le sol d'Afrique (*Aen.* I, 184) les trois généraux carthaginois des trois guerres puniques.

25. *In Is.* 22, 6 : 196 D (livre V).

26. Cf. *In Is.* 196 A : « Carpamus ergo singula, triplicem expositionem breuiter attingentes... » ; *ibid.* : « ... quanquam Eusebius omnia ad Christi aduentum referat et putet Vespasiani Titique temporibus fuisse completa... ».

27. EUS. *In Is.* 22, 4-6 ; Eus. W. 9, 145. Les Élamites y sont interprétés comme « les puissances invisibles et hostiles auxquelles ont été livrées par Dieu » ceux qui « s'étaient entendus dans leurs machinations contre le Sauveur ».

28. *In Is.* 22, 12-14 : 198 A. Plusieurs indices retiennent de faire rejaillir sur ces deux derniers emplois la condamnation de l'allégorie qui figure au début du livre (voir note suivante). D'abord, alors que son propos ne l'implique nullement, Jérôme présente pour tout le chapitre l'interprétation d'Eusèbe à côté des deux explications littérales en une *triplex expositio*. De plus, il ne l'accompagne d'aucun jugement de valeur clairement perceptible. Le vocabulaire qu'il utilise pour y renvoyer est très large et associe *allegorice* et *tropologice* à *iuxta mysticos intellectus*, qui n'apparaît jamais chez lui dans un contexte péjoratif. Cette interprétation, du moins dans ses grandes lignes, ne paraît d'ailleurs pas de nature à le heurter. Il est donc curieux de constater que lorsque au livre VII il présentera à son tour le commentaire spirituel du chapitre, il ne la reprendra pas mais proposera une interprétation sensiblement plus allégorique.

rie et, interprétant chaque mot isolément, fait de ses vues personnelles les
mystères de l'Église ; l'autre, annonçant dans son titre un commentaire historique, oublie entre temps son propos et se range aux maximes d'Origène [29] ».
Quelques pages plus loin, Eusèbe est encore pris à partie : « Eusèbe de
Césarée, annonçant dans son titre une explication historique, se donne carrière
dans des interprétations opposées ; en lisant son commentaire, j'ai trouvé tout
autre chose que ne le promettait son annonce. En effet partout où l'histoire
l'abandonne, il passe à l'*allégorie* et mélange tant et si bien les domaines
respectifs que c'est merveille de le voir par un art inédit du verbe joindre en un
seul tout la pierre et le métal [30] ». Les textes parlent d'eux-mêmes : par l'image
centrale des libres espaces de l'allégorie où l'un et l'autre se donnent carrière à
leur fantaisie, Jérôme fait plus que prendre ses distances par rapport à cette
exégèse [31]. Présentée comme un procédé d'explication qui morcelle le texte
sacré, l'allégorie conduit l'interprète de l'Écriture à substituer aux « mystère de
l'Église » ses conceptions personnelles. Le mot reçoit ainsi du contexte une
valeur indiscutablement péjorative ; il ne peut donc plus être regardé ici
comme l'expression banale du sens spirituel.

On peut être tenté d'expliquer la vigueur de cette condamnation par le
propos particulier de ce livre *iuxta historiam*. En se préparant à tenir sa
promesse à Amabilis, Jérôme a pu être amené à mieux percevoir la part
d'arbitraire, et donc les risques, que comportaient chez ses précédesseurs des
exégèses qui faisaient bon marché du sens historique. Faut-il aussi chercher
l'explication de cette raideur d'attitude dans les circonstances qui entourent la
composition de l'ouvrage ? Celui-ci n'est en effet postérieur que de peu de
mois au *Contra Iohannem Hierosolymitanum* qui marque le sommet de la
première phase de la querelle origéniste : Jérôme y avait formulé, entre autres
griefs contre Origène, celui « d'avoir donné du paradis une exégèse allégorique
(allegorizet) qui fait disparaître la réalité de l'histoire [32] ». Observons toutefois
qu'une réconciliation était intervenue quand Jérôme répondait à la demande
d'Amabilis et que, si elle avait laissé chacun des adversaires sur ses positions,
elle avait apporté cependant un apaisement au moins temporaire [33].

---

29. *In Is*. V, prol. : « ... uiri eruditissimi..., Origenem loquor et Eusebium Pamphili, quorum
alter liberis allegoriae spatiis euagatur et, interpretatis nominibus singulorum, ingenium suum facit
Ecclesiae sacramenta, alter historicam expositionem titulo repromittens, interdum obliuiscitur
propositi et in Origenis scita concedit » (154 C). Sur le caractère morcelé de l'exégèse allégorique,
formule voisine dans l'*In Habacuc* (« ... propositis *singulis* sententiis, interpretationem *allegoricam*
coaptemus » PL 25, 1279 D).

30. *In Is*. 179 B : « Eusebius Caesariensis, historicam interpretationem titulo repromittens, diuersis sensibus euagatur, cuius cum libros legerem, aliud multo reperi quam indice promittebat.
Vbicumque enim eum historia defecit, transit ad allegoriam et ita separata consociat ut mirer eum
noua sermonis fabrica in unum corpus lapidem ferrumque coniungere ». L'*historia* au contraire
pour Jérôme « euagandi non habet facultatem » (*In Hab*. 1, 6 : PL 25, 1281 D).

31. On retrouve la même image à l'arrière-plan de cette formule, également restrictive, de l'*In
Danielem* : « (Origenes)... quia locum non habebat allegoria in qua libera est disputatio, historiae
ueritate conclusus... » (*In Dan*. 9, 24 : PL 25, 549 B).

32. HIER. *Contra Iohan. Hieros* 7 : « ... quod sic paradisum allegorizet ut historiae auferat
ueritatem » (PL 23, 360 C).

33. Apportant à la chronologie de Cavallera une légère correction, P. Nautin a montré que le
Contra Iohannem a été écrit « en 397 entre le 1ᵉʳ janvier et le 5 avril », date de la réconciliation des
adversaires à Jérusalem dans l'église de l'Anastasis lors des fêtes pascales (*Études de chronologie
hiéronymienne, 393-397*, dans la *Revue des études augustiniennes* 18, 1972, p. 209-218. Il faut

Quoi qu'il en soit de ces hypothèses, il ne faudrait pas conclure trop vite que c'est dans le feu des controverses que Jérôme affecte le mot *allegoria* d'une valeur négative, car un passage du livre III atteste qu'au moment où il dictait le Commentaire lui-même ses réserves n'avaient pas disparu. « J'ai vu dans un commentaire », écrit-il à propos du signe proposé au roi Achaz avant la prophétie de l'Emmanuel, « ce passage vidé de substance par une interprétation allégorique *(per allegoriam extenuatum)* : "profond" et "élevé" étaient compris comme αἰσθητά et νοητά, mots que nous pouvons traduire par "sensible" et "intelligible", l'un se rapportant aux sens, l'autre à la pensée et à la raison. La vierge également y est interprétée comme l'âme que ne souille la conscience d'aucun péché et qui peut engendrer de soi Emmanuel, Dieu avec nous, c'est-à-dire la présence de la parole de Dieu. Mais nous, ce n'est pas cuites à l'eau mais rôties que nous mangeons les chairs de l'agneau, pour qu'elles puissent dessécher en nous toutes les humeurs des plaisirs, de peur qu'en ayant plus de science qu'il ne convient d'en avoir, nous ne laissions de côté le mystère de notre foi [34] ». Cette exégèse *per allegoriam* intervient pour mémoire, serait-on tenté de dire, tout à la fin du commentaire que Jérôme a donné du lemme et qui l'a amené à y reconnaître la figure *(typus)* de la mort et de l'ascension du Christ. On voit qu'elle n'a rien de commun avec ce qui est pour Jérôme le vrai sens spirituel du passage, c'est-à-dire son application au Christ, qu'il a appuyée sur des textes de Paul et qualifiée de *mystici intellectus* [35]. Nous ignorons l'auteur de cette exégèse trop ingénieuse. Peut-être n'aurions-nous pas à nous poser la question si les tomes d'Origène sur Isaïe nous étaient parvenus. Il n'est guère douteux, en tout cas, que l'application allégorique du texte à l'âme et la réduction des termes antinomiques du verset biblique aux catégories platoniciennes des αἰσθητά et des νοητά dénotent une œuvre alexandrine, où l'allégorisme philosophique pouvait interférer imprudemment avec la conception paulinienne de l'allégorie biblique.

Jérôme fait donc preuve dans ses réticences d'une constance certaine et d'un scrupule notable dans la précision technique de son vocabulaire [36]. Dans ce

---

opter, me semble-t-il, pour le tout début de l'année, étant donné l'expression par laquelle Jérôme y évoque la Pentecôte précédente (« ante paucos menses circa dies Pentecostes », C. *Ioh.* 42, *ibid.* 393 C). Cela laisse aussi quelque délai pour l'évolution psychologique qui, en réponse au message de Théophile d'Alexandrie, se manifeste dans la lettre 82 et devait mener à la réconciliation. On a noté la fin brusque de l'ouvrage. Il est possible que la réception de la lettre de Théophile ait poussé Jérôme à l'interrompre. P. Nautin, pour sa part, estime l'ouvrage complet (*ibid.* 20, 1974, p. 264-265). Quant au commentaire à Amabilis, il est nécessairement postérieur à la réconciliation puisqu'il est rédigé en réponse à une lettre apportée, après la reprise de la navigation, par Héraclius, qui remporte l'ouvrage en repartant.

34. *In Is.* 7, 10-11 : « Legi in cuiusdam Commentariis hunc locum per allegoriam extenuatum ut profundum et excelsum αἰσθητά et νοητά intelligeret, quae nos possumus sensibilia dicere et intelligibilia, quorum alterum refertur ad sensus, alterum ad mentem et rationem. Virginem quoque interpretatur animam, quae nulla peccati corrupta est conscientia et potest de se Emmanuel, nobiscum Deus, id est praesentem Dei generare sermonem. Sed nos elixas agni carnes non comedimus, uerum assas, et quae in nobis possint omnes uoluptatum siccare pituitas, ne sacramentum fidei nostrae, dum plus sapimus quam oportet sapere, neglegamus » (106 BC). Cf. *Exode* 12, 9 : « Non comedetis ex eo crudum quid, nec coctum aqua, sed tantum assum igni ».

35. Cf. *In Is.* 106 A. Sur *mystici intellectus* comme expression du sens pirituel, voir plus loin p. 267-268.

36. Dans l'intervalle qui sépare le futur livre V du Commentaire lui-même, les emplois de l'*In Zachariam* en apportent confirmation. Voir ci-dessous n. 47.

texte comme dans les deux précédents, à travers les ambiguïtés du mot *allegoria*, il rejette un procédé, ou du moins son application intempestive, qui peut compromettre l'attention au mystère de la foi. C'est très précisément ce risque de verser dans l'hérésie en vidant de sa substance le texte sacré qu'illustre l'image des chairs de l'agneau pascal. On s'en rend mieux compte si l'on rapproche de cette page un passage d'un sermon pour la vigile de Pâques où Jérôme, utilisant dans le même esprit la prescription de l'*Exode*, en donne un commentaire plus complet et plus explicite ; manger crues les chairs de l'agneau, c'est le fait des Juifs, qui n'entendent les Écritures, « chairs véritables de l'Agneau », qu'au sens littéral ; et les manger bouillies, c'est faire comme les hérétiques, c'est « les ramener à toutes sortes de doctrines erronées en y voyant des allégories et un sens voilé *(quibusdam allegoriis et nubilo interpretationis)*, c'est les énerver *(eneruemus)* et, en ôtant la vérité de leur sève, étendre devant elles comme un écran d'ombres et d'images [37] ». L'image des Écritures que l'on « énerverait » en recourant à des sens voilés sous des allégories [38] est en parfaite consonance avec l'alliance des mots *allegoria/ extenuare* que l'on a pu noter dans le texte du *Commentaire sur Isaïe* et qui est significative des réserves de Jérôme. Il l'avait déjà utilisée deux fois dans le *Commentaire sur Zacharie* puis reprise quelques semaines plus tard dans le *Commentaire sur Malachie*, en l'opposant à la « *prophetia* » [39]. Elle souligne bien que, dans certaines conditions au moins, le recours à l'allégorie viderait le texte sacré de son sens ou, pour reprendre l'expression du sermon pascal, « de la vérité de sa sève ».

Ainsi, les emplois d'*allegoria* dans le *Commentaire sur Isaïe* oscillent entre deux valeurs pratiquement opposées. Jérôme ne refuse pas de s'en servir pour

---

37. Hier. *de Exodo in Vigilia Paschae*, CC 78, 538-539. Voici le texte de tout le passage : « Quod autem sequitur, ut non crudas carnes agni neque elixas comedamus, illud est : ne scripturas diuinas, quae uere carnes agni sunt, aut iuxta historiam tantum intellegamus sicut Iudaei et crudas eas adsumamus in cibum, aut rursum eas secundum haereticos quibusdam allegoriis et nubilo interpretationis ad peruersa quaeque dogmata deriuemus et eneruemus eas et suci ueritate sublata umbras quasdam et imagines offundamus ; sed intellegamus eas et iuxta historiam sicut scriptae sunt et nihilominus Spiritus sancti excoquamus ardore, et quidquid in illis secundum litteram uidetur incongruum esse uel clausum, spiritali expositione pandamus. » En revanche, sur *Isaïe 55*, 12-13, l'expression « elixas carnes agni comedere » vise les « littéralistes », « qui simplicem tantum sequuntur historiam » (537 A). Notons que Jérôme exploite contre une exégèse alexandrine une image qui lui vient en droite ligne du *Commentaire sur l'évangile de Jean* d'Origène (2, 13 : X, 18, 103-105 SCh. 157, 444 s.) où se trouve déjà la triple application à la lecture de l'Écriture du précepte de l'*Exode* (Cf. Or. *Selecta in Ex.* 12, 7 s. : PG 12, 284 D).

38. On aura remarqué dans cette phrase le rapprochement des termes *allegoria* et *nubilum*, que Jérôme associe parfois plus étroitement encore, parlant d'*allegoriae nubilum*. On pourrait être tenté d'y voir un cas privilégié de ces emplois péjoratifs que nous sommes en train d'étudier. Ce serait une erreur : cette *iunctura* absente de l'*In Isaiam* est chez Jérôme libre de toute valeur dépréciative, comme je l'ai montré dans une note sur *« Allegoriae nubilum » chez saint Jérôme*, dans la *Revue des études augustiniennes* 22, 1976, p. 82-89.

39. Cf. *In Zach.* 9, 9-10 : PL 25, 1484 D *(extenuare) ; ibid.* 13, 7-9, 1520 B *(tenuare). In Mal.* 1, 10 b-13, *ibid.* 1551 A *(per incerta allegoriae extenuare).* Il est curieux de constater que le terme prend au contraire une valeur positive inattendue sous la plume de Cassien décrivant une catégorie de textes scripturaires qui, « s'ils ne sont pas atténués par une explication allégorique *(allegorica explanatione extenuata)* et adoucis à l'épreuve du feu spirituel », seraient plus dangereux que salutaires ; suit l'exemple de moines qui, prenant à la lettre la parole de Jésus, se promènent en portant une croix *(Conl.* 8, 3, 4). En revanche, on retrouve la formule avec son accent hiéronymien dans la préface des *Bénédictions des Patriarches* attribuées à Paulin de Milan, en réalité du IXe siècle (PL 20, 715 B = PL 23, 1315 B).

désigner, sans caractéristique particulière, l'interprétation spirituelle, et il reste docile en cela à une tradition dont il connaît la source paulinienne. Mais nous l'avons vu aussi prendre le terme dans une acception péjorative et l'opposer au sens spirituel véritable. La contradiction est donc nette et elle tranche par exemple sur l'uniformité de l'usage d'un Didyme [40]. Elle n'est pas sans explication. Nous avons noté en effet que le terme apparaissait rarement dans notre commentaire sans que demeurât plus ou moins perceptible sa signification primitive et technique de procédé grammatical. Là est sans doute la clé de son utilisation par Jérôme. D'où ses valeurs contradictoires, suivant que sous le voile de l'allégorie se découvre le sens spirituel, ou qu'au contraire le procédé en détourne et égare. Ainsi perçu par Jérôme dans son ambiguïté, le mot pouvait difficilement s'imposer dans son vocabulaire comme une expression courante du sens spirituel. Cela explique probablement la discrétion avec laquelle il en use. Il est en particulier remarquable que nous n'ayons rencontré qu'une fois la locution stéréotypée *iuxta allegoriam*, celle qui précisément atteste la consécration de l'usage et qui échappe par conséquent davantage aux nuances particulières [41].

Un bref regard sur l'ensemble de l'œuvre exégétique corrobore pour l'essentiel ces observations. *Allegoria* fait dans le *Commentaire sur l'Épître aux Galates* une apparition numériquement assez importante qui a de quoi surprendre. Mais ce n'est, à une exception près, qu'à partir du moment où Jérôme en arrive au verset où Paul utilise le mot : il en accumule alors tout d'un coup sept emplois en trois colonnes, comme s'il était entraîné par la caution de l'Apôtre [42]. On s'explique leur valeur générale et positive de « sens spirituel ». Nous avons noté toutefois que Jérôme avait conscience de ce que l'usage paulinien du terme n'était pas parfaitement rigoureux [43].

Le *Commentaire sur l'Ecclésiaste* en revanche n'offre plus qu'un *secundum allegoriam*, qui introduit une double interprétation spirituelle par des voies en effet très allégoriques [44]. Premier des Commentaires sur les petits prophètes, le

---

40. Il est piquant d'observer que dans son *In Isaiam* (= GCS Eusebius Werke 9) l'*allegoricus interpres* que serait Eusèbe fait aussi du mot sous ses diverses formes un usage d'ailleurs limité mais beaucoup plus cohérent et strict que Jérôme, mais en un tout autre sens que Didyme : il ne l'emploie jamais sans qu'apparaisse nettement sa valeur technique de trope, d'où l'absence de la formule stéréotypée, mais en revanche des expressions comme νόμος ἀλληγορίας, τρόπος ἀλληγορίας (- ικός), ἀλληγορία τροπική, qui représentent la majorité des emplois. Voir en particulier *In Is.* 11, 15 où, en une sorte de définition méthodologique, se trouvent rapprochés, outre le nom et l'adjectif, les verbes ἀλληγορεῖν, τροπολογεῖν (τροπικῶς ἑρμηνεύειν), μεταφέρειν. Les explications ainsi introduites relèvent le plus souvent du simple sens figuré, non du sens spirituel (Eus. W. 9, 90, 12-18).

41. Voir ci-dessus p. 218. Cette formule stéréotypée est aussi rare hors de l'*In Isaiam*. Si elle constitue l'unique apparition du mot dans l'*In Ecclesiasten* où elle pourrait être un indice discret d'une source, elle ne représente par exemple aucun des deux emplois de l'*In Ionam*, un seul des cinq de l'*In Zachariam*. Il est donc inexact d'écrire comme le fait Penna : « Egli (= Jérôme) usa abbastanza frequentemente l'espressione *secundum allegoriam*, seguendo una terminologia molto diffusa » (*Principi...* p. 123).

42. HIER. *In Epist. ad Gal.* 4, 24 : PL 26, 389-391. A côté de trois emplois du nom on y relève quatre fois *allegorice*, ce qui représente, surtout pour l'adverbe, une densité d'emploi tout à fait exceptionnelle.

43. Ci-dessus, p. 220.

44. HIER. *In Eccl.* 9, 12 : PL 23, 1087 C.

Commentaire sur Nahum n'offre à nouveau qu'un seul cas, difficile à apprécier [45].

Les querelles autour d'Origène, en aiguisant le regard critique de Jérôme sur les risques théologiques de l'allégorie, ont-elles contribué à infléchir à ses yeux la valeur du terme ? De fait, les deux emplois qu'on en relève à quelques lignes de distance dans le *Commentaire sur Jonas* apparaissent dans un contexte légèrement restrictif [46] ; et avec ceux du *Commentaire sur Zacharie* le pas est franchi de la restriction à la réserve et au rejet [47]. Mais dans le *Commentaire sur Amos* postérieur de quelques semaines un *allegoriae nubilum*, bien qu'introduisant une exégèse spirituelle passablement allégorique, n'est affecté d'aucune valeur négative [48]. Et si du livre à Amabilis *iuxta historiam* au *Commentaire sur Isaïe* les emplois du mot se raréfient [49], ici comme là, nous l'avons vu, ils relèvent d'acceptions divergentes. En revanche, au terme de l'œuvre, la forme adjective qui seule apparaît dans le *Commentaire sur Jérémie* y qualifie essentiellement l'*allegoricus semper interpres*, c'est-à-dire Origène, volontiers accusé de « délirer » *(delirare)* [50].

Si l'usage que fait Jérôme du mot *allegoria* n'est donc pas d'une parfaite cohérence, la relative rareté de ses emplois et ses connotations volontiers restrictives trahissent malgré tout sinon des choix clairs, du moins des intuitions aisément perceptibles, qui le retiennent d'en faire une désignation habituelle du sens spirituel.

Anagoge   Assez différent apparaît le cas du mot *anagoge*. D'un usage beaucoup plus fréquent, et limité à la forme nominale [51], il

---

45. Hier. *In Nahum* 2, 1-2 : « Necessitate compellor quasi inter saxa et scopulos, imminente naufragio, sic inter historiam et allegoriam orationis meae cursum flectere » (PL 25, 1243 C).

46. Hier. *In Ionam* 1, 3 b : « Num uniuersam loci huius historiam per hanc occasionem cogemus sub lege allegoriae ? » (PL 25, 1124 A = Antin p. 63 ; cf. p. 64).

47. Voir *In Zach.* PL 25, 1418 A ; 1454 A ; 1474 D ; 1484 D ; 1520 B et mon article (ci-dessus n. 11 du ch. III) p. 9-10.

48. Hier. *In Amos* 6, 2-6 (*ibid.* 1060 A ; voir ci-dessus la n. 38). Cf. aussi 1063 D : « Tenues historiae lineas duximus. Nunc allegoriae imprimamus manum ». Suit une application du texte aux hérétiques. On y rencontre même l'équivalence explicite : « iuxta allegoriam, id est intellegentiam spiritalem » (*ibid.* 1027 D) qui n'introduit malheureusement aucune exégèse précise et ne permet donc pas de saisir à quel contenu d'interprétation ces termes pouvaient correspondre dans l'esprit de Jérôme. Sur ce passage, voir mon étude sur *Saint Jérôme et le triple sens de l'Écriture*, dans la *Revue des études augustiniennes* 26, 1980, p. 214-227.

49. Le futur livre V en contient autant d'emplois que le reste de l'ouvrage.

50. Hier. *In Hieremiam* PL 24, 833 A : « Delirat in hoc loco allegoricus semper interpres... », cf. 849 C ; 851 B, 856 B. « Allegorici interpretes... » : 839 C, 841 A. En revanche il faut écarter du dossier l'énergique formule également antiorigénienne de l'*Epist.* 51, 4 : « ueritatem historiae allegoriae deprauans mendacio ». Cette lettre n'est en effet que la traduction par Jérôme de la lettre d'Épiphane à Jean de Jérusalem. Quand on connaît la vigueur intrépide du vieil évêque de Salamine dans la dénonciation des hérésies, il est tout à fait inutile de supposer que Jérôme ait ici durci les termes de l'original malheureusement perdu.

51. Du reste, ni la forme adjective, ni la forme adverbiale qui existent en grec ne semblent attestées en latin à l'époque patristique. L'*anagogicus (sensus)* dont font mention Gaffiot, puis Blaise, avec une unique référence à Hier. *In Is.* 1, 1 qui ne correspond à rien, n'a d'autre source, selon toute vraisemblance, qu'une interprétation erronée d'une phrase de Forcellini (art. *anagoge*). Le mot ne figure ni dans le *Thesaurus*, ni dans le *Glossary of Later Latin* de Souter, ni dans le *Glossariorum Latinorum Corpus*. Le *Mittellateinisches Wörterbuch* (Müchen, 1967) n'en indique pas d'exemples antérieurs au 9ᵉ siècle.

intervient essentiellement dans un des tours prépositionnels *secundum* (ou *iuxta*) *anagogen*, qui représentent trente-deux des trente-cinq emplois du terme dans le *Commentaire sur Isaïe* [52]. Il ne s'agit pas là d'un phénomène isolé ou tardif : dès que le mot apparaît chez Jérôme [53], c'est sous la forme de l'une de ces deux expressions, qui fournissent aussi la totalité des emplois qu'on peut en relever dans le *Commentaire sur Zacharie* [54]. Cette première constatation a son importance : le recours presque exclusif à des formes figées, que la consécration de l'usage met en quelque sorte à l'abri des fluctuations de sens, laisse en effet présager une utilisation du terme par Jérôme plus cohérente et moins diversifiée que celle que nous l'avons vu faire du mot *allegoria*.

Il est pourtant le premier parmi les Latins, autant que nous pouvons en juger, à utiliser le terme *anagoge*, qui est en revanche largement répandu dès Origène dans la tradition grecque pour désigner le sens spirituel [55]. Peut-être d'ailleurs s'est-il d'abord contenté de transposer purement et simplement telle formule stéréotypée qu'il trouvait chez l'une ou l'autre de ses sources grecques : c'est en effet en caractères grecs que les manuscrits du *Commentaire sur l'Ecclésiaste* nous livrent le mot [56]. Même ensuite sa translittération latine n'est pas systématique puisque, dans le *Commentaire sur Isaïe*, il est encore écrit en grec à quatre reprises [57].

Le mot exprime en lui-même l'idée d'une élévation, d'un passage à un plan supérieur, d'où l'utilisation qu'ont pu en faire des néo-platoniciens comme Jamblique ou Porphyre pour désigner l'élévation de l'âme vers Dieu [58]. C'est aussi à cette valeur originelle que se rattache son acception exégétique : l'ἀναγωγή, c'est le passage au sens supérieur, et ce sens supérieur lui-même, c'est-à-dire le sens spirituel [59].

---

52. En voici toutes les références : *secundum anagogen* (cinq emplois) : 38 A, 49 B, 232 C, 248 B, 275 B ; *iuxta anagogen* (vingt-sept emplois) : 27 A, 31 B, 50 A, 55 A, 69 C, 70 C, 81 A, 87 D, 102 B, 116 D, 130 B, 133 D, 141 B, 199 D, 239 D, 240 D, 246 C, 265 B, 271 A, 304 D, 318 C, 325 C, 344 D, 476 D, 492 C, 499 A, 535 C. Aucune nuance de sens n'est discernable entre les deux tournures. Les trois autres emplois se trouvent en 205 D, 234 C et 669 B dans des contextes variés.

53. Dans l'*In epistulam ad Ephesios* (ci-dessus n. 7). Pour l'*In Ecclesiasten* voir plus bas la note 56.

54. Voir mon étude, *RÉAug* 14, 1968, p. 8-9. L'*In Zachariam* offre deux *secundum* et trois *iuxta anagogen*.

55. Cf. pour Origène parmi bien d'autres exemples : κατὰ τοὺς τῆς ἀναγωγῆς νόμους *Fragm. in Lament.* 23 (Or. W. 3, 245, 23) ; κατὰ τὴν ἀναγωγήν *In Matth.* 19, 13-15 (*ibid.* 10, 369, 25) ; 21, 14-16 (*ibid.* 558, 4) ; πρὸς ἀναγωγήν *Fragm. in Luc.* 202 (*ibid.* 9, 314 = SCh 87, 536). Le *Sur Zacharie* de Didyme en offre trente-sept emplois, soit le quart environ des désignations du sens spirituel dans cet ouvrage. Le terme est également familier aussi bien à Chrysostome qu'aux Cappadociens. Il semble en revanche, pour autant que nous puissions le vérifier, qu'il ait été absent de l'œuvre d'Eusèbe.

56. Dans l'*In Eccl.* on rencontre trois fois *secundum* ἀναγωγήν (PL 23, 1030 A, 1064 C, 1087 A) et une fois *iuxta* ἀναγωγήν (1039 A). Bien que Jérôme avertisse dans sa préface qu'il n'y a suivi l'autorité de personne, on peut relever dans le cours du commentaire plusieurs allusions à Origène. Pour Didyme, l'état d'avancement de la publication du texte de l'*In Ecclesiasten* retrouvé à Toura (*Papyrol. Texte und Abh.*, Bonn, depuis 1969) ne permet pas encore toutes les confrontations nécessaires.

57. *In Is.* 199 D (seul emploi du terme dans le livre V) et 265 B, 271 A, 275 B, c'est-à-dire trois emplois consécutifs. Les quatre exemples de l'*In Nahum*, premier des commentaires des petits prophètes, sont également donnés en grec par la tradition manuscrite.

58. Cf. JAMBLIQUE, *Myst.* 3, 7 ; PORPHYRE, *Sent.* 30.

59. Cf. chez Basile le groupement « ἀναγωγῆς καὶ νοημάτων ὑψηλοτέρων » (ci-dessus p. 35,

Nous avons déjà noté que telle était bien la valeur du terme dans les larges équivalences des prologues des livres V à VIII du *Commentaire sur Isaïe* où il figure deux fois, en correspondance avec *tropologia, allegoria* et *spiritalis intellegentia*, pour désigner, par opposition à l'*historica explanatio* du livre à Amabilis, l'exégèse spirituelle des deux livres suivants. On peut y adjoindre deux passages du livre VII qui renvoient également à cette double exégèse des oracles contre les nations : au couple antithétique *historia/anagoge* s'y superpose, clairement dans un cas, implicitement dans l'autre, l'opposition hébreu/Septante [60]. Au total, dans l'ensemble de ces correspondances où se trouve désignée de façon très générale l'exégèse des livres VI et VII, c'est même *anagoge* qui revient le plus souvent [61].

Cette signification large de sens spirituel se vérifie, comme on pouvait s'y attendre, dans tous les emplois où le mot est en correspondance plus ou moins immédiate avec une expression désignant le sens littéral. C'est d'abord le cas de formules de transition comme celle-ci : « Nous avons parlé plus haut de cela au sens littéral. Il faut maintenant toucher à l'anagogie [62] ». D'autres passages présentent en parallèle les deux sens. « L'expression "sur toute la terre", comprends-la », indique Jérôme à son lecteur, « au sens littéral des limites de la Judée, au sens anagogique du monde entier [63] ». Parfois le rapport ne s'établit qu'indirectement, par l'intermédiaire d'une équivalence entre *anagoge* et une autre expression du sens spirituel elle-même en parallèle avec un mot désignant le sens littéral. Dans le livre V, par exemple, une exégèse *iuxta* ἀναγωγὴν mentionnée brièvement en fin de commentaire aboutit à cette conclusion : « Au fait, personne ne doute que (...) la métaphore se poursuive au sens spirituel comme au sens littéral *(et iuxta historiam et iuxta allegoriam)* [64] ».

Mais il arrive que, tout en conservant sa valeur générale de sens spirituel, le mot reçoive du contexte un accent particulier. Ainsi, au livre VII, Jérôme conclut comme à regret le commentaire d'un oracle assez obscur par cette réflexion : « Ces passages sont difficiles, et comme au sens littéral ils ne

---

n. 83). C'est aussi la signification qu'en donne en latin, peu après Jérôme, Eucher dans ses *Instructions : anagoge superior sensus* (*Instr.* 1V, 59, CSEL 31, 1 éd. Wotke, p. 161, 9). Même définition dans divers glossaires plus tardifs (cf. *Glossariorum Latinorum Corpus*, éd. Goetz, t. VI, p. 66, *ad uerb.*), bien que le terme se soit entretemps spécialisé pour désigner un aspect particulier du sens spirituel dans une division tripartite qu'on trouve clairement exposée chez Cassien (*Conl.* 14, 8 : CSEL 13, 404-405). Jérôme, pour sa part, ne semble pas avoir été tenté de traduire le mot en latin, à moins qu'il ne faille le reconnaître derrière le *iuxta altiorem intellegentiam* d'*In Is.* 5, 11-12 (voir ci-dessous n. 76). Mais l'hypothèse est invérifiable. Aussi ai-je opté à mon tour pour le transposer en français sans chercher à en donner une traduction.

60. *In Is.* 275 B : « Quid nobis uideretur (...) *iuxta Hebraeos*, supra in libro decem uisionum *historicae explanationis* diximus. Nunc omnem contra Tyrum prophetiam *secundum* ἀναγωγὴν *et editionem LXX* breuiter percurremus. » Le rapprochement est plus elliptique en 246 C : « Quia ergo *iuxta historiam* et id quod *in Hebraeo* continetur in quinto libro exposui, nunc quid mihi *iuxta anagogen* uideatur edisseram. »

61. Quatre fois, contre trois emplois de *tropologia (tropologica)*, deux de *spiritalis* et un seul d'*allegoria*.

62. *In Is.* 66, 18 : « De quibus *iuxta historiam* supra diximus. Nunc stringenda est *anagoge* » (669 B).

63. *In Is.* 28, 21-22 : « Quodque intulit "supra omnem terram", *iuxta historiam* Iudaeae terminos intellege ; *iuxta anagogen* totius mundi » (325 C).

64. *In Is.* 22, 15-25 : 199 D-200 A (texte ci-dessus n. 131, p. 153).

s'éclairent pas du tout, nous sommes contraints de suivre une diversité d'interprétations spirituelles [65] ». Alors qu'en d'autres rencontres il trouvait « facile l'interprétation *iuxta anagogen* [66] », on sent qu'il éprouve ici une double gêne de la contrainte qui pèse sur lui et de la fragilité du résultat, la diversité, ailleurs signe de richesse, trahissant ici l'incertitude. Quelques pages plus loin, c'est encore *anagoge* qui figure dans cet aveu d'impuissance : « Ces passages sont obscurs non seulement au sens littéral mais au sens anagogique ». Et Jérôme d'ajouter qu'il est prêt à accueillir toute explication plus satisfaisante [67]. Le même sentiment s'exprime sans doute, en moins accusé, dans un *ut potui*, ou un *ut potuimus*, qui clôturent, ici ou là, quelques autres explications *iuxta anagogen* [68].

Le « passage au sens supérieur » peut donc ne pas donner entière satisfaction. Observons cependant que c'est dans la mesure où il semble ne pas livrer le dernier mot du sens spirituel d'un passage obscur, et non parce qu'il mènerait à des exégèses contestables. Il y a donc loin de cet accent occasionnel que nous venons de saisir aux réserves formelles dont nous avons vu Jérôme accompagner parfois les interprétations désignées par *allegoria*. Du reste, dans les cas qui viennent de nous retenir, comme d'ailleurs en beaucoup d'autres, le commentaire n'offre pas d'explication de rechange.

Mais il arrive aussi que cette interprétation aille de pair avec une autre, également spirituelle ; et le cas est assez fréquent pour mériter de retenir l'attention, puisqu'il intéresse le tiers des emplois du mot dans le *Commentaire sur Isaïe*. La confrontation des termes qui désignent ces exégèses juxtaposées n'est pas très éclairante : si *anagoge* et *tropologia* introduisent dans un cas deux exégèses différentes, dans un autre c'est à une même interprétation que les deux mots renvoient, en la distinguant d'une *tertia explanatio* qui relève de la *prophetia* [69]. Cette dernière distinction, en revanche, se trouve confirmée par un autre passage [70].

Plus significative apparaît la constatation que l'explication *iuxta anagogen* intervient régulièrement en dernière position. Généralement peu développée, elle est plusieurs fois introduite par une formule comme celle-ci : « Nous pouvons *aussi* selon l'anagogie... » etc. [71]. Elle tend ainsi à prendre l'aspect d'une explication sinon facultative, du moins complémentaire, voire, à l'occasion d'une simple opinion, dont un *arbitror* trahit le caractère personnel [72]. Une fois même — mais cela reste exceptionnel — Jérôme juge « forcée »

---

65. *In Is.* 21, 11-12 : 265 B (texte ci-dessus p. 140, n. 73).

66. « Iuxta anagogen facilis interpretatio est » (102 B).

67. *In Is.* 22, 7-9 : « Obscura loca sunt non solum iuxta historiam sed iuxta ἀναγωγήν. Quibus ergo nostra displicuerint, debent proferre sua ut explanationi eorum, si uera fuerit, acquiescamus » (271 AB).

68. Cf. *In Is.* 2, 19 (55 A) ; 3, 18-21 (70 B).

69. Cf. *In Is.* 5, 22 : *iuxta tropologiam* est distinct de *iuxta anagogen* (87 CD). Cas inverse, cf. *In Is.* 28, 5-8 où *iuxta anagogen* (318 C) paraît bien prolonger un *iuxta tropologiam* associé aux LXX qui répond à *iuxta litteram* (317 BC), mais dans une combinaison plus complexe où intervient une *tertia explanatio* également spirituelle, précédemment qualifiée de *prophetia*. Nous reviendrons sur ce texte dans l'étude de la prophétie (voir ci-dessous ch. V).

70. Cf. *In Is.* 16, 1-5 : « ... ut *a prophetia* reuertamur *ad anagogen* » (234 C).

71. « Possumus secundum anagogen *et* hoc dicere... » (49 B). « *Porro* iuxta anagogen hoc possumus dicere... » (499 A. Cf. encore 38 A, 492 C).

72. *In Is.* 87 D : « Inter uinum et siceram iuxta anagogen hoc esse arbitror quod... »

l'explication qu'il vient de donner *iuxta anagogen* et il renvoie explicitement à l'interprétation précédente comme étant la bonne [73]. Or celle-ci appliquait au Christ le verset du prophète, tandis que l'autre en proposait des explications allégoriques successives sans cohérence entre elles. Rapprochée du fait qu'à deux reprises Jérôme distingue nettement l'*anagoge* de la *prophetia*, cette constatation incite à étendre l'investigation au contenu de ces exégèses parallèles.

On s'aperçoit alors que, d'une manière habituelle, se trouvent ainsi juxtaposés deux types d'explication assez différents. D'un côté, en effet, le commentaire vise en règle générale à montrer la réalisation des annonces prophétiques, ou à tout le moins leur rapport au Christ [74]. De l'autre, celui de l'*anagoge*, c'est une application de type moral, voire psychologique, qui en est faite : parfois aux hérétiques, assez souvent à l'âme, habituellement par la voie de l'allégorie. Voici par exemple le commentaire du verset d'Isaïe : « La fille de Sion sera abandonnée comme une hutte dans une vigne... [75] ». Au constat que « le Dieu tout-puissant a donc abandonné son temple et rendu sa ville déserte », accomplissant ainsi l'oracle prophétique, vient s'ajouter *iuxta anagogen* cette explication : « On peut dire de la vigne et du verger de Dieu que c'est notre âme : si l'esprit, c'est-à-dire le νοῦς, la guide, elle a Dieu pour gardien de son esprit ; mais si les vices, comme des bêtes sauvages, en ont fait leur proie, Dieu nous délaisse et n'est plus notre gardien, et tout en nous sera réduit à l'abandon [76] ».

L'esquisse de spécialisation du sens *iuxta anagogen* que l'on serait tenté de discerner à travers ces emplois contrastés semble bien recevoir une confirmation de plusieurs autres passages où c'est un sens spirituel unique qu'introduit notre expression : le texte du prophète s'y trouve appliqué aux vertus, ou plus souvent aux hérétiques, et c'est par le procédé de l'allégorie que s'opère le passage à ces interprétations [77].

D'autres cas cependant, bien qu'ils soient peu nombreux, retiennent de systématiser à l'excès ces observations. A deux reprises, par exemple, *anagoge* introduit une double explication dont seule la seconde correspond aux remarques précédentes, la première appliquant la parole prophétique au Christ [78].

---

73. *In Is.* 27 C : « Sed haec coacta, superior uera interpretatio est. » Il s'agit de l'exégèse du bœuf et de l'âne du premier chapitre du prophète.

74. Par exemple, de « l'agneau dominateur de la terre » qui vient du désert à la montagne de Sion (*Is.* 16, 1), Jérôme déclare qu'il évoque le Christ qui descend de Ruth. Puis revenant « de la prophétie à l'anagogie », il y verra une allégorie de l'âme fuyant le mensonge pour la vérité (234 C).

75. *Is.* 1, 8 : « Derelinquetur filia Sion sicut umbraculum in uinea. »

76. « Iuxta anagogen uinea Dei et pomorum paradisus anima nostra appellari potest ; cui si mens, id est νοῦς, praefuerit, habet custodem mentis Deum ; sin autem uitia nos quasi quaedam bestiae fuerint depraedata, relinquimur a custode Deo et omnia nostra redigentur ad solitudinem » (31 BC). Rapprocher du début de ce texte l'exégèse d'*Is.* 5, 11-12, introduite par un *iuxta altiorem intellegentiam* qui pourrait être une traduction de notre terme : « Potest iuxta altiorem intellegentiam omnis animae perturbatio ebrietas appellari » (82 B). Une interprétation identique de l'*ebrietas* apparaît d'ailleurs quelques pages plus loin (87 D) sous un *iuxta anagogen* dans un contexte en correspondance éloignée avec ce passage (*Ante iam diximus* de 87 C semble bien correspondre, avec des décalages, à 82 A).

77. Cf., pour les vertus, 55 A, 69 C ; pour les hérétiques, 81 A, 102 B, 116 D, 133 D (« iuxta anagogen omnis haereticus scribit iniquitatem... »), 344 D.

78. Cf. *In Is.* 130 B ; 535 C (« Iuxta anagogen duplex intellegentia est, quod uerbum Domini uel ille sit de quo scriptum est : "In principio erat Verbum" (...) Vel certe hoc dicendum quod euangelicae sermo doctrinae imber appelletur »).

Ailleurs le mot caractérise une application parénétique au peuple chrétien, invité à ne pas craindre ses adversaires [79]. Vers la fin du livre V, Jérôme rapporte sous la même rubrique une exégèse spirituelle qui voit dans des événements historiques la préfiguration de la disparition du sacerdoce juif au profit des « sacrements du culte évangélique » [80]. Plus aberrante encore par rapport à nos observations précédentes apparaît, au début du livre VII, la formule par laquelle Jérôme aborde le sens spirituel de l'oracle sur Damas : « Selon l'anagogie et la figure des réalités futures », écrit-il, « il faut examiner si nous pouvons rapporter ces événements à l'époque de la venue du Seigneur [81] ». Même si la plupart de ces exégèses reposent en fait sur des procédés proches de l'allégorie, il est clair que, par leur contenu, elles échappent à l'usage spécialisé dont nous avons relevé tout à l'heure des indices.

Aussi, en dépit de l'importance numérique des exemples que nous en avons relevés, hésite-t-on à reconnaître dans cette esquisse de spécialisation un choix conscient de Jérôme, qu'on ne trouve d'ailleurs explicité nulle part. Mais il n'est pas niable qu'ils témoignent d'une tendance, sans doute encore imprécise dans le *Commentaire sur Isaïe* où elle devient cependant repérable [82], mais qui s'accentuera avec le *Commentaire sur Jérémie*, où tous les emplois du terme paraissent bien recouvrir uniformément des exégèses morales et allégoriques [83].

Expression courante, le plus souvent stéréotypée, du sens spirituel, libre des réserves qui limitent l'emploi d'*allegoria*, le mot *anagoge* chez Jérôme désigne dans sa généralité l'interprétation spirituelle ; mais il n'est pas douteux qu'il vient aussi volontiers sous sa plume lorsque le passage au sens supérieur qu'il désigne s'opère par des voies proches de procédés allégoriques. D'où la distinction d'avec la *prophetia* ; d'où aussi la fréquence de son utilisation auprès d'exégèses de type moral. Il n'en est pas cependant à désigner de façon habituelle et explicite ce contenu particulier du sens spirituel qu'est le sens moral tel que le distinguera plus tard la tradition occidentale, et qui correspond d'ailleurs, dans la classification de Cassien, non pas à

---

79. *In Is.* 141 B.
80. *In Is.* 199 D-200 A : « Qui iuxta ἀναγωγήν cuncta accipiunt uolunt in Sobnae pontificatu Iudaeorum sacerdotium cadere et in successione Eliacim... euangelici cultus sacramenta monstrari. »
81. *In Is.* 17, 1 : « Quod *iuxta anagogen et futurorum typum* considerandum est utrum *ad tempus dominici aduentus* referre ualeamus » (240 D).
82. Elle ne l'est guère dans les commentaires antérieurs où l'usage du terme reste assez flou. Dans l'*In Nahum*, par exemple, à une exégèse allégorique de Ninive qu'on y trouve sous cette étiquette (PL 25, 1252 A) on peut opposer l'emploi du prologue, où l'expression recouvre une application de la prophétie à la fin du monde (*ibid.* 1232 B). Même diversité de contenu dans l'*In Zachariam* : le Christ et l'Église dans un cas, mais dans une autre les rapports de l'âme chrétienne à Dieu (voir mon étude p. 9). A noter cependant cette formule de l'*In Amos* : « Transeamus ad LXX interpretes et quid nobis iuxta anagogen uideatur *in singulis* », qui introduit une série d'exégèses allégorisantes (PL 25, 1027 C).
83. Cf. PL 24, 689 A ; 691 D ; 700 A ; 701 C ; 747 D (« Haec... iuxta anagogen magnam habent difficultatem ») ; 815 A ; 860 B ; un dernier emploi, en 874 B, rapporte la prophétie au Christ, mais c'est pour préférer à sa réalisation littérale (les aveugles voient) une interprétation figurée (les cœurs aveugles accèdent à la foi). A noter que le mot ne figure pas dans l'*index uerborum* de l'édition Reiter, CSEL 59. En revanche, l'*In Ezechielem* immédiatement antérieur s'ouvre presque sur cette formule : « Secundum anagogen uero praefiguratur Dominus atque saluator... » (PL 25, 17 B).

anagoge mais à *tropologia* [84] dont nous allons maintenant étudier l'usage hiéronymien.

Tropologia   Transposé du grec comme *anagoge*, le mot *tropologia* lui-même
n'est pas dans le *Commentaire sur Isaïe* sensiblement plus
fréquent, mais avec les formes adjective et adverbiale qui en dérivent *(tropolo-gicus, tropologice)* on dépasse la cinquantaine d'emplois [85]. C'est donc pour Jérôme un mot tout à fait courant, et cela ne laisse pas de surprendre quand on constate que c'est sous sa plume que ce terme, sous ses diverses formes, fait sa première apparition en latin. On ne l'y trouve en effet attesté nulle part avant lui, pas même chez les grammairiens, bien que par son étymologie et sa formation il ait toutes les apparences d'un mot technique du vocabulaire rhétorique. Il est vrai qu'on ne le relève pas davantage dans les textes de la tradition grammaticale et rhétorique grecque antérieurs au ive siècle que nous avons conservés. Pourtant lorsqu'il apparaît en grec avec Justin, qui l'utilise à trois reprises à propos d'interprétations de l'Écriture, c'est bien avec l'acception technique de « langage figuré » [86]. C'est seulement chez Origène qu'à cette signification première, qui reste d'ailleurs largement représentée, vient se superposer la valeur de sens spirituel, la tropologie étant l'interprétation non seulement d'un langage mais des signes que sont les événements de l'histoire biblique, y compris les actes de Jésus, pour en découvrir la portée véritable [87]. Mais le mot ne semble pas s'être imposé pour autant comme désignation habituelle du sens spirituel. Ainsi il est absent du *Commentaire sur Isaïe* d'Eusèbe que Jérôme utilise [88]. Et Didyme, dans son *Commentaire sur Zacha-*

---

84. CASSIEN, *Conl.* 14, 8 : « *Anagoge* uero de spiritalibus mysteriis ad sublimiora quaedam et sacratiora caelorum secreta conscendens (...). *Tropologia* est moralis explanatio ad emendationem uitae et instructionem pertinens actualem... »

85. Le nom se rencontre trente-sept fois, dont vingt-quatre dans l'une des expressions *secundum* (huit) ou *iuxta* (seize) *tropologiam*, l'adjectif cinq fois et l'adverbe neuf. On peut y joindre trois emplois de l'adverbe grec τροπικῶς.

86. JUSTIN, *Dial.* 57, 2 : « ... nous ne pouvons avoir d'hésitation... si nous avons si peu que ce soit l'expérience du langage figuré ». Un autre passage rapproche tout en les distinguant — ce que semble n'avoir pas vu Grant (*The letter...* p. 137) — τροπολογία et παραβολή (114,2). Le dernier emploi écarte en revanche une exégèse juive de *Gen.* 3, 2 car « les mots ne permettent pas une interprétation figurée » (129, 2 renvoyant à 62, 2).

87. Voir en particulier M. HARL, *Origène et la fonction révélatrice du Verbe incarné*, Paris, 1958, p. 156 : « Il nomme cette interprétation (des actes de Jésus) ἀναγωγή ou encore τροπολο-γία, ces deux termes signifiant interprétation spirituelle. » Cf. *C. Cels.* V, 56. Du sens premier nombreux exemples dans le *Contre Celse* notamment, qu'il s'agisse de l'interprétation allégorique de mythes païens (*e.g.* III, 43 ; VIII, 67) ou de textes bibliques (*e.g.* IV, 47), le cas échéant par les païens eux-mêmes (cf. IV, 51). On saisit bien le passage d'un sens à l'autre dans cette phrase du même ouvrage (IV, 49) : « ... c'est en partant des prophéties où sont relatés les faits historiques... qu'on peut se convaincre que même les faits historiques ont été relatés en vue d'une interprétation figurée (σκοπῷ τροπολογίας) ». Il n'y a aucun doute que cette interprétation « figurée » soit pour Origène l'interprétation spirituelle. Une preuve en est qu'il en donne comme illustration, parmi d'autres exemples, deux passages de la *Première Épître aux Corinthiens* (9, 9-10 et 10, 1-4) qui lui avaient servi à illustrer jadis (*Periarchôn* IV, 2, 6) ses définitions des sens de l'Écriture. Un peu plus haut (IV, 44) il avait présenté comme τροπολογία l'exégèse spirituelle d'Agar et Sara (*Gal.* 4, 24). Outre le nom, Origène utilise couramment le verbe τροπολογεῖν. On relève l'adverbe τροπολο-γικῶς dans un fragment sur l'*Évangile de Luc* (frgt 186, éd. Rauer 1959, GCS Or. W. 9, 306, 25 et 27 = SCh 87, 532) et dans une *homélie sur Jérémie* (*Hom.* 5, 14 : Or. W. 3, 43, 26 = SCh 232, 316, 14).

88. On y rencontre un τροπολογεῖν au sens technique en parallèle avec ἀλληγορεῖν et

rie, en fait un usage très limité, sans commune mesure avec son utilisation massive d'ἀλληγορία ou d'ἀναγωγή [89]. Toutefois, à la même époque, le témoignage de Grégoire de Nysse atteste que le terme était utilisé autour de lui comme une des expressions désignant le sens spirituel [90].

On peut douter cependant que lui-même et son ami Grégoire de Nazianze en aient fait un usage ordinaire que Jérôme leur aurait tout naturellement emprunté ; car le mot n'apparaît pas dans l'essai sur les *seraphim* dans lequel, à Constantinople, notre futur commentateur fait l'épreuve de son talent ; peut-être même s'en défiait-il alors puisque, rencontrant dans les homélies d'Origène qu'il traduit à la même époque le verbe τροπολογεῖν, il le transpose en *allegorizare* ou en *figurate dicere* [91]. Il faudra attendre les commentaires sur les Épîtres de Paul pour que le terme apparaisse — sous quelle influence ? — dans son œuvre [92]. Il y devient dès lors une des expressions courantes du sens spirituel et, dès le *Commentaire sur Zacharie* en 406, la plus fréquente après *spiritus* [93].

Rien d'étonnant, par conséquent, à voir *tropologia*, dans le *Commentaire sur Isaïe*, désigner l'interprétation spirituelle de façon générale [94]. C'est évidemment le cas pour les emplois des prologues des livres V, VII et VIII où, on l'a vu, les quatre termes désignant ce type d'exégèse sont interchangeables [95]. D'autres équivalences plus limitées en fourniraient aussi des exemples. Ainsi de cette formule du livre V : « Si nous disons cela, ce n'est pas que nous condamnions toute interprétation "tropologique" *(tropologicam intellegentiam)* mais l'explication spirituelle *(spiritalis interpretatio)* doit suivre l'enchaînement

---

μεταφέρειν (Eus. W. 9, 90, 18). L'expression τροπική θεωρία qu'on pourrait en rapprocher désigne simplement des interprétations figurées sans rapport avec le sens spirituel (*ibid.* 108, 19 ; 128, 27). Les φυσικαὶ τροπολογίαι qu'on trouve dans la *Préparation évangélique* (II, prol.) visent l'exégèse allégorique païenne.

89. Trois emplois seulement (six si on y ajoute deux emplois de τροπικός et un de τροπικῶς) en regard d'une quarantaine d'emplois de chacun des deux autres termes avec leurs dérivés. Τροπολογία s'y distingue une fois d'ἀλληγορία, mais correspond ailleurs à ἀλληγορικῶς. Dans tous les cas la valeur de sens figuré reste perceptible.

90. GREG. NYS. *In Cant.*, prol. : « Qu'on veuille appeler *tropologie* ou allégorie ou autrement cette interprétation selon le sens supérieur, nous n'allons pas chicaner sur le terme, pourvu qu'elle contienne des significations profitables » (éd. Jaeger VI, p. 5). Pour les Antiochiens en revanche τροπολογία désigne strictement le sens figuré, qui rentre dans l'interprétation littérale (voir plus haut, ch. III, p. 156 et, à la note 140, la définition de Diodore de Tarse). Alors que Jérôme s'accorde avec eux sur cette conception, au plan du vocabulaire au contraire c'est tout à fait exceptionnellement qu'il emploie *tropologia* dans cette perspective. Voir p. 159, n. 152, et, ci-dessous, la note 109.

91. OR. *In Hier. hom.* 1 : Or. W. 3, 5, 25 et 30 = HIER. PL 25, 589 B. Transposition similaire de τροπικῶς en *figuraliter* (*ibid.* 74, 7 ; 87, 3 ; 141, 23 = HIER. 25, 644 C, 648 D, 683 B).

92. HIER. *In epist. ad Eph.* 5, 25 : « ... quia uero *secundum tropologiam* uiros animas et uxores corpora dixeramus... » (PL 26, 532 D ; cf. 533 C). L'exégèse ainsi rappelée avait été introduite plus haut par un *secundum anagogen* (531 A).

93. Sept emplois, contre cinq à *allegoria* et cinq à *anagoge* mais vingt-cinq à *spiritus* avec ses dérivés. Le terme y oscille entre diverses valeurs (voir mon article p. 11-12). Même situation, au terme de l'œuvre, dans l'*In Hieremiam* : en regard de douze emplois de *tropologia* et de ses dérivés, on relève sept fois *allegoricus*, huit *anagoge* et vingt et une *spiritus* ou ses dérivés.

94. De cette valeur générale on trouverait un autre indice dans la relative fréquence (deux tiers des emplois du nom) des tours stéréotypés *secundum* ou *iuxta tropologiam* (sans qu'on puisse déceler plus que pour les termes précédents la moindre nuance entre les deux expressions). Tout au plus trouve-t-on confirmation de l'habituelle préférence de Jérôme pour *iuxta*.

95. Voir ci-dessus p. 217, n. 8, et 281 B.

du sens historique [96] ». La même signification large de sens spirituel ressort de contextes où le mot est, comme ici, en rapport plus ou moins direct avec une expression désignant le sens littéral, qu'il s'agisse de la transition banale *iuxta litteram/iuxta tropologiam* [97] ou de correspondances binaires moins symétriques, où *historia* et *tropologia* s'appellent une dizaine de fois [98].

Mais cette valeur générale mise en évidence par le rapprochement antithétique des deux grands sens n'exclut pas qu'on puisse discerner en même temps derrière *tropologia* des nuances particulières. Par exemple, dans l'évocation de l'assèchement du Nil dont l'oracle prophétique menace l'Égypte, il est question des pêcheurs « qui font des fossés pour capturer les poissons ». En fait si Jérôme a traduit ainsi *« iuxta sensum »*, il fait observer que tant l'hébreu que les versions portent « âmes » au lieu de « poissons », et de la présence insolite de ce mot il déduit que « nous sommes entraînés *ab historia ad tropologiam* » [99]. Nul doute qu'il veuille dire : du sens littéral au sens spirituel, mais c'est bien évidemment en une interprétation *figurée* de ces pêcheurs qui cherchent à attraper les âmes que consiste ce sens spirituel. L'acception technique du terme n'est donc pas effacée ici par sa signification chrétienne.

En voici un autre témoignage touchant le Nouveau Testament. « Le Seigneur lui-même dans l'Évangile », lit-on au livre III, « tourne en interprétation spirituelle » le miracle de l'aveugle-né [100]. C'est bien ainsi qu'il faut comprendre *« uertit ad tropologiam »*. De fait Jésus part de ce signe qu'il vient d'accomplir pour préciser sa mission : « Je suis venu... pour que ceux qui ne voient pas voient »... mais dans le même temps Jérôme qui visiblement ici joue sur l'étymologie (*uertere* = τρέπειν) ne peut pas ne pas avoir conscience de ce que le mot désigne aussi ce procédé de passage d'un sens à un autre, le « détournement » de signification qui définit les « tropes » [101].

C'est surtout dans l'emploi des formes adverbiales qu'est sensible cette résurgence de l'acception technique. La chose peut s'expliquer ; en effet si *tropologice* n'est pas antérieur à Jérôme, l'adverbe τροπικῶς dont il paraît à peu près l'équivalent [102] et qu'on relève trois fois dans le *Commentaire sur Isaïe* est,

---

96. *In Is.* 158 D, texte ci-dessous n. 169, p. 245 ; cf. 267 A. Voir aussi 105 A où un *iuxta coeptam tropologiam* paraît prolonger le *iuxta anagogen* de 102 B. En revanche, si en 115 C *iuxta tropologiam* présente une exégèse qui prolonge au moins partiellement celle de 106 BC *per allegoriam*, le décalage dans le vocabulaire est peut-être significatif d'un changement d'accent, rien ne rappelant dans le deuxième passage le jugement sévère (*per allegoriam extenuatum*) qui accompagnait le premier.

97. *In Is.* 317 C : « Hoc iuxta litteram dictum sit. Porro iuxta tropologiam... » C'est le seul passage où *tropologia* réponde à *littera*.

98. Elles offrent une certaine variété de structure, en particulier par l'absence du tour prépositionnel dans un des termes (par exemple 85 A, 250 C, 260 D, 373 A) ou dans les deux (158 D, 177 B).

99. *In Is.* 252 C. Nous sommes au livre VII. Formule parallèle, avec *intellegentia spiritalis*, en 267 A.

100. *In Is.* 100 A, cf. *Ioh.* 9, 39. Un tel emploi rapporté à Jésus incite à ne pas majorer la portée dans l'esprit de Jérôme de la définition qu'il semble donner de la tropologie dans la *Lettre* 120, 12 (voir ci-dessous note 143), définition qui paraît en limiter l'application à l'Ancien Testament.

101. Cf. ch. III, note 122, page 152.

102. C'est à la même exégèse du sang des démons que renvoient en 612 D *tropologice* et en 613 B τροπικῶς.

lui, connu depuis longtemps de la tradition latine puisqu'on le trouve sous la plume de Quintilien [103]. Jérôme, en le traduisant jadis par *figuraliter*, avait d'ailleurs montré son exacte compréhension du terme [104]. De fait, c'est ainsi que dans notre Commentaire on serait souvent tenté de rendre son homologue latin. Par exemple, c'est bien « de façon figurée » qu'on pourrait comprendre les vents contraires quand Jésus marche sur les eaux, ou qu'il est parlé du diable comme d'une grande étoile, ou encore qu'on peut voir dans la lune l'image de l'Église qui reçoit sa lumière du soleil de justice [105]. Mais on ne quitte pas pour autant, avec de tels emplois ou d'autres similaires, le terrain de l'exégèse spirituelle. Contenu et contexte permettent rarement d'en douter : même introduite par ces formes adverbiales qui oscillent entre leur valeur formelle originelle et leur utilisation sémantique chrétienne, la tropologie ne se confond pas avec l'emploi ordinaire des tropes qui, comme le chapitre précédent l'a montré, relève, pour Jérôme comme pour les Antiochiens, de l'interprétation littérale [106]. On n'en saurait donner plus claire illustration que la première explication, au livre V, de la sécheresse du Nil dont une application τροπικῶς à la venue du Christ se distingue nettement de la double lecture historique, d'abord au ras du texte *(simpliciter)* puis métaphorique *(per metaphoram)*, qui la précède [107].

A vrai dire c'est une tournure nominale qui, dans le *Commentaire sur Isaïe*, ferait sur ce point le plus difficulté. Évoquant la vigne de Naboth que le roi Achaz voulait transformer *(uertere)* en jardin, Jérôme précise : « Comprenant cela selon les lois de la "tropologie", celui-ci aima mieux mourir que de voir l'héritage de ses pères... tourner *(uertere)* aux plaisirs d'un roi impie. » Jérôme paraît bien jouer à nouveau sur l'étymologie du mot *(uertere/ τρέπειν)*, comme nous l'avons vu le faire tout à l'heure à propos de la guérison de l'aveugle-né. Mais on voit mal ici comment créditer Naboth d'une lecture « spirituelle ». Faut-il donc ne reconnaître dans ces « leges tropologiae » qu'une référence aux mécanismes d'une interprétation figurée qui resterait le fait de Naboth et nous laisserait au plan de l'exégèse littérale ? Le contexte cependant laisse place à l'hésitation. Nous sommes en effet au livre VII, et ces lignes, qui reposent sur une interprétation allégorique (jardin = plaisirs), prolongent une exégèse étymologique (Sargon = prince des jardins) fort éloignée elle aussi d'une lecture historique [108]. En réalité c'est peut-être moins Naboth que son savant interprète qui sait reconnaître « les lois de la tropologie ». Il reste que cette expression, qui revient en trois autres occasions, d'ailleurs moins ambiguës, montre bien que reste perçu le caractère de procédé formel de la tropologie [109].

---

103. QUINTILIEN, *I.O.* X, 1, 11. Dans l'*In Isaiam* on lit τροπικῶς en 30 A, 182 D, 613 B ; *tropologice* en 30 C, 84 A, 151 D, 196 B, 370 D, 543 C, 612 D, 625 A et 674 D.

104. Voir ci-dessus p. 233, n. 91.

105. Cf. *In Is.* 625 A, 370 D, 674 D.

106. Voir ci-dessus ch. III, p. 150-160.

107. *In Is.* 182 CD. Voir ci-dessus ch. III, p. 150-160 et la note 117.

108. *In Is.* 259 C et I *R.* 21, 2. Sur Jésus et l'aveugle-né voir ci-dessus n. 100.

109. Cf. *In Is.* 51 D, 267 A, et 398 D, où l'expression intervient clairement dans un contexte d'exégèse spirituelle. Si en définitive Jérôme ne paraît donc pas s'écarter de ses habitudes dans l'*In Isaiam*, il n'est pas douteux qu'ailleurs dans son œuvre s'offrent des cas, exceptionnels mais indiscutables, d'emploi du terme pour caractériser un langage imagé qui ressortit à la compréhension littérale du texte. Ainsi en est-il de son commentaire de la complainte d'Ézéchiel évoquant Jérusalem sous la métaphore d'une lionne et de ses lionceaux (*In Ez.* 19, 6 : PL 25, 189 C) et de

Les textes permettent-ils d'aller plus loin et de préciser ces lois ? Dans celui que nous venons de voir, comme dans un autre qui s'en rapproche, ce que l'expression souligne, semble-t-il, c'est simplement le caractère habituel de l'exégèse présentée : les jardins symbolisent les plaisirs charnels, Sion l'Église [110]. Ailleurs elle ne fait guère que cautionner le changement de plan, d'ailleurs banal, qui permet de rejoindre, à partir d'un détail historique de l'Ancien Testament, une maxime évangélique [111]. A première vue donc Jérôme ici ne nous en apprend pas plus sur les lois de la tropologie que lorsqu'il soulignait dix ans plus tôt à un correspondant romain : « ce ne sont pas les mêmes règles qui jouent pour les ombres de la tropologie et pour la réalité de l'histoire [112] ». Notons cependant dans deux cas sur trois le lien de fait entre la tropologie et le procédé allégorique de l'exégèse étymologique.

Peut-on tirer une indication plus précise du dernier passage où intervient l'expression ? Après avoir fait état de deux exégèses montrant l'oracle prophétique réalisé, l'auteur poursuit : « Je vais donc parcourir chaque point en particulier selon les lois de la tropologie [113] ». On tiendrait là en quelque sorte une définition, s'il était sûr qu'il faille comprendre que c'est dans l'explication de chaque élément du texte pris isolément que consiste la règle de la tropologie. Mais une telle interprétation est douteuse. Plus probablement Jérôme veut-il simplement indiquer qu'après des explications historiques il passe à l'explication spirituelle détaillée du lemme, les lois de la tropologie n'étant pas autrement précisées. Cependant la manière dont il va le faire illustre dans les faits le rapprochement qu'opère la phrase entre la tropologie et une explication parcellaire du texte : son commentaire consiste en effet à donner des deux noms de ce bref verset des interprétations figurées indépendantes.

La même analyse trouve à s'appliquer quelques pages plus loin, où Jérôme conclut une suite décousue de brèves exégèses des parures des filles de Sion par ces mots : « Nous disons cela pour ne pas paraître éviter totalement l'interprétation tropologique de ce passage. Au reste c'est un travail énorme de s'arrêter sur chaque mot en particulier... [114] ». La tropologie — à l'occasion, du

---

l'histoire symbolique d'Ohola et Oholiba qui vise « de façon imagée *(tropologice)* Samarie et Jérusalem » *(ibid.* 223 D ; voir encore 245 C). Aucune hésitation non plus sur l'expression *sub tropologia et parabola* qui caractérise la vision des ossements desséchés *(ibid.* 349 D) ni sur le groupement similaire *per tropologiam et metaphoram* dans le passage de l'*In Osee* cité au chapitre précédent (p. 159 et la n. 152). Le nom relève encore de la même acception dans deux autres emplois de l'expression *per tropologiam*, dans laquelle la préposition souligne d'ailleurs l'aspect de moyen, de procédé *(Epist.* 129, 6 ; *Adu. Pelagianos* II, 11). Dans la *Lettre* 121, 2 enfin les « lois de la tropologie » rendent compte des manières anthropomorphiques de parler de Dieu qui, pour Jérôme, nous l'avons vu, relèvent clairement du sens littéral.

110. *In Is.* 259 C, 267 A.

111. *Ibid.* 398 D.

112. Hier. *Epist.* 74, 6 : « ... non easdem regulas esse in tropologiae umbris et quae in historiae ueritate ». Les « ombres de la tropologie » ne sont pas à prendre en mauvaise part ; elles ne font que reprendre un *allegoriae nubilum* dont j'ai montré ailleurs la valeur favorable (voir ci-dessus n. 38, p. 224). Cette lettre au prêtre romain Rufin est de l'automne 398. Quelques mois plus tôt, dans l'*In Matthaeum*, notre expression introduit sans plus de précisions une exégèse de type moral (PL 26, 57 B).

113. *In Is.* 51 D : « Ergo iuxta leges tropologiae *singula quaeque* percurram. »

114. *In Is.* 71 A : « Haec dicimus ne omnino tropologiam huius loci fugere uideamur. Ceterum laboris est maximi *in singulis immorari*... »

moins — ne serait donc pas sans rapport avec une exégèse *ad uerbum* nécessairement parcellaire [115]. On pense ici, la réticence du ton aidant, à une formule voisine du prologue à Amabilis : dans un contexte nettement plus réservé, Origène y est accusé en « interprétant chaque mot isolément » de s'égarer dans « les libres espaces de l'allégorie [116] ». Rapprochement éloquent à un double titre : d'abord par la parenté qu'il suggère entre tropologie et allégorie, ensuite par l'idée de liberté liée ici à l'allégorie, mais que deux autres passages du commentaire associent à la tropologie.

Le ton du premier est critique. « Ceux qui ne s'attachent qu'à la tropologie » écrit Jérôme, « et qui, dans des passages très difficiles, cherchent, par le détour d'une libre interprétation, à échapper aux problèmes qui se présentent appliquent ce texte à l'âme pécheresse... [117] ». Le polémiste qui vient d'argumenter contre les judaïsants pour établir que le texte visait l'Église et non Jérusalem ne peut se satisfaire en effet de cette exégèse marginale qui escamote la difficulté, encore que, notons-le, il ne la rejette pas. Aussi bien ressemble-t-elle à beaucoup d'autres qu'il livre ailleurs sans réticence. Mais en faissant grief à certains exégètes d'un recours à la *seule* tropologie, Jérôme montre qu'il la perçoit ici non comme *le* sens spirituel mais comme *un* moyen d'y accéder qui ne porte pas en lui-même sa légitimité. En la caractérisant, d'autre part, par une liberté d'interprétation qui permettrait d'esquiver à bon compte les difficultés, il se réfère implicitement à des contraintes qui devraient s'imposer à elle. Il est aisé de deviner lesquelles : ce sont celles auxquelles il vient lui-même de se plier, et qu'il désigne ailleurs clairement, c'est-à-dire le nécessaire respect de la « cohérence de l'histoire » [118].

A cette restriction apportée au libre exercice de la tropologie un second passage, d'un ton différent puisqu'un *possumus* y justifie d'entrée de jeu l'exégèse présentée, ajoute une condition plus fondamentale : la « liberté de la tropologie » doit être *« pia »*, disons : respectueuse de la foi [119].

Il est clair dans ces derniers emplois que, sans cesser de relever de l'exégèse spirituelle, la tropologie apparaît comme un procédé de dépassement du sens immédiat qui n'est pas sans rappeler l'allégorie et dont la validité est soumise à

---

115. Ce qui n'exclut pas une *consequentia* à son niveau, comme le montre, dans le commentaire de la prophétie de l'Emmanuel, l'expression *iuxta coeptam tropologiam* ; mais en l'occurrence cette *consequentia* se ramène à un enchaînement d'exégèses ponctuelles, volontiers étymologiques. Il n'y a pas lieu d'invoquer contre ce caractère émietté prêté à la tropologie ces deux passages où le mot est lié à *summa* : « ... nunc iuxta tropologiam summa quaeque carpenda sunt » (250 C) et « ... nunc tropologiae summa carpamus » (260 D). Il s'agit dans les deux cas d'annoncer, après une brève explication historique (250 C : *breuiter* ; 260 C : *perstrinxi*), une explication spirituelle qui « cueille les points essentiels » (cf. 196 A : « *carpamus* ergo *singula...* »).

116. « ... interpretatis nominibus *singulorum...* » (154 C, ci-dessus n. 29, p. 222).

117. *In Is.* 519 D : « ... qui solam tropologiam sequuntur et in locis difficillimis *liberae disputationis* excursu nascentes fugiunt quaestiones ad animam referunt peccatricem... ». Cf. la formule de l'*In Danielem* : « allegoria in qua *libera* est *disputatio* » (ci-dessus n. 31, p. 222).

118. Voir *In Is.* 158 D, ci-dessous n. 169, p. 245.

119. *In Is.* 135 D : « Possumus autem iuxta translationem eorum (= LXX) et tropologiae, dummodo pia sit, libertatem (...) etiam hoc dicere... » Jérôme avait déjà noté dans l'*In Habacuc* qu'au contraire de l'histoire qui « est tenue en bride et n'a pas la possibilité de se donner carrière, la tropologie n'a, pour limiter sa liberté, d'autres lois que d'avoir en vue le caractère pieux de l'interprétation et de respecter le contexte, sans opérer de rapprochements forcés entre des termes contradictoires » (PL 25, 1281 D).

des critères qui lui sont extérieurs. On comprend qu'elle puisse, dans ces conditions, faire l'objet de réserves. Mais il importe de ne pas fausser les perspectives : rares sont les cas où Jérôme ne prend pas à son compte l'exégèse que le mot introduit. Encore cela n'implique-t-il pas alors de sa part une attitude uniformément réticente. La loi du commentaire suffit à justifier, ici ou là, la présence d'un *alii* ou d'un *quidam*, dont il reprendra au besoin l'exégèse un peu plus loin [120]. Et s'il lui arrive en effet de regretter une exégèse morale qui s'évade des contraintes de l'histoire, lorsqu'au verset suivant le sens littéral lui-même est pratiquement incompréhensible on le voit hésiter à rejeter une interprétation tropologique qui pourtant ne le satisfait pas et il laisse en définitive le lecteur juge [121]. D'importantes nuances subsistent même lorsque par un *Nos* Jérôme démarque sa propre exégèse d'une tropologie dont il se fait l'écho. Ainsi, on conçoit qu'une application de l'oracle contre Damas aux ravages des démons ne retienne pas le correspondant d'Amabilis soucieux de s'en tenir à l'histoire ; mais cette explication n'en est pas condamnée pour autant [122]. En revanche le ton est sévère pour qualifier « une tropologie très étendue et embrouillée » qui lui paraît peu sérieuse [123].

Il reste que, le plus souvent, l'interprétation *iuxta tropologiam* n'a nul besoin à ses yeux de justification. La remarque vaut, à une ou deux exceptions près que nous venons de rencontrer, pour la quinzaine de passages où elle ne représente pas l'unique explication non littérale. Mais entre les exégèses ainsi juxtaposées sans hiérarchie de valeur il est assez difficile de discerner des différences significatives. Le vocabulaire qui les présente n'apporte de distinction claire, et dans un cas unique, qu'avec la prophétie, distinction que confirmerait plutôt l'analyse du contenu de plusieurs de ces exégèses parallèles : une application tropologique aux âmes ou aux démons y côtoie une interprétation de la prophétie en rapport avec le temps du Christ [124]. Mais si l'on veut cerner avec une certitude suffisante une spécificité éventuelle du sens *iuxta tropologiam* il faut étendre l'examen à l'ensemble des emplois du terme dans notre commentaire.

---

120. Cf. 68 D *(alii)*, 80 A *(quidam)*. En 373 A, à l'exégèse historique présentée par *Nos* en opposition aux Hébreux succède une exégèse introduite par *qui tropologiam sequuntur* qui apparaît quelques lignes plus bas comme adoptée par Jérôme.

121. *In Is.* 520 C : « Iuxta Septuaginta confusus est sensus et sic turbata sunt omnia ut quid dicatur difficile possit intelligi. Non quo ignorem quid in hoc capitulo uir prudentissimus dixerit, sed quo non satisfaciat animo meo. Ponit enim *tropologicum* diluuium... » (cf. 521 B : « Hoc ille dixerit, cuius explanationem lectoris arbitrio derelinquo »). On devine que si Jérôme n'est pas satisfait, c'est moins de l'interprétation elle-même, qui est en fait typologique, que de sa propre impuissance à rendre compte du sens littéral.

122. *In Is.* 17, 12-14 (177 B). Il arrive à l'inverse que le *Nos* distingue l'explication *iuxta tropologiam* d'une autre exégèse spirituelle récusée (340 D).

123. *In Is.* 7, 21 s. : « ... latissimam et inextricabilem tropologiam... » (113 D). Qui Jérôme vise-t-il ? La formule conviendrait assez bien à la manière de Didyme. La ligne générale de cette exégèse se retrouve, il est vrai, dans l'*In Isaiam* d'Eusèbe (Eus. W. 9, 53-54) que Jérôme a à sa disposition. Mais les correspondances de thèmes ou d'expressions qu'on y relève avec la présente page sont inégalement probantes. Certaines font simplement écho au texte prophétique et peuvent s'expliquer par là. Quelques détails ne sont que chez Jérôme (les lèvres de la courtisane qui distillent le miel, l'écho du Psaume 10). Et si le développement d'Eusèbe est deux fois plus long que l'analyse résumée de Jérôme, est-ce suffisant pour lui valoir l'épithète qu'emploie celui-ci ?

124. Voir par exemple, outre 315 B (« ... deinde iuxta tropologiam et ad extremum iuxta uaticinium prophetale »), 519 D, 639 C. Mais il arrive que les exégèses parallèles visent toutes les deux des réalisations de la prophétie (cf. 151 D, 520 C).

Il est certain — Penna l'avait constaté pour l'ensemble de l'œuvre [125] — que dans la majorité des cas l'explication "tropologique" a une coloration morale. Ce peut être sous la forme de normes de conduite qu'on atteint par une interprétation figurée d'un épisode ou même d'un simple mot du texte biblique. Ainsi « chacun de nous doit se construire une *tour* » pour voir venir l'ennemi de loin [126]. L'application en est faite volontiers à l'âme, en particulier à travers l'image de la femme : c'est l'âme virginale qui se garde de toute tache [127] ; ce sont les âmes qui se laissent prendre à l'orgueil et que symbolise la démarche arrogante des filles de Sion [128]. L'âme pécheresse elle-même, comme une femme délaissée pour un temps d'épreuve qui la ramène à son mari, peut, par un glissement d'image, espérer en la clémence du père de la parabole [129]. Plusieurs exégèses passablement allégoriques appliquent *iuxta tropologiam* les versets d'Isaïe aux pécheurs [130], en les associant plus d'une fois à l'idée du « siècle » [131], ou encore au diable que visent également d'autres passages : on le voit en particulier « dévorer les hérétiques », qui sont eux aussi un objet privilégié de l'exégèse tropologique [132]. Les textes que Jérôme leur applique en donnent une image peu flatteuse : menteurs comme leur père le diable, hypocrites, ils s'enivrent du vin de l'erreur, accueillent les dogmes pervers qu'ils accumulent, ou se fabriquent des idoles, multipliant leurs efforts pour édifier contre la science divine de vaines cités que celle-ci réduira en poudre [133].

A ces adversaires de la vérité la tropologie, par un mouvement naturel, oppose « l'homme de l'Église » qui, armé de la parole de Dieu, a vocation de les abattre [134], et, plus largement, l'Église elle-même que Jérôme, « d'après les lois de la tropologie », reconnaît en Sion : cette Église a la splendeur du soleil de justice et dans ses pâturages paissent les agneaux du Jugement dernier [135]. Église, fin des temps (la perspective eschatologique se retrouve en une autre occasion [136]) : même si ces dernières explications restent en général intemporelles dans l'application de l'oracle prophétique, on ne peut plus parler à leur propos d'exégèse morale, mais bien d'exégèse figurative.

Il en va de même, à plus forte raison, des quelques passages où la prophétie

---

125. A. PENNA, *Principi...* p. 110 s.

126. *In Is.* 2, 15 : 51 D ; cf. 398 D.

127. *In Is.* 115 C ; cf. 567 A : l'âme qui jeûne de tout mal...

128. *In Is.* 3, 16 : 68 D ; cf. 71 A, 666 B.

129. *In Is.* 54, 6 : 519 D (cf. *Luc* 15, 11-24).

130. Voir en particulier le commentaire *iuxta tropologiam* d'*Is.* 30, 1-5 (340 A) qui illustre assez bien cette exégèse morale avec plusieurs des procédés qu'elle met volontiers en œuvre : paraphrase explicative du verset avec glissement de vocabulaire caractéristique (« in *umbra* Aegypti » devient « in Aegypti *tenebras* »), appel à d'autres textes scripturaires (les chiens qui retournent à leur vomissement), exégèse étymologique (« in Tanis, in mandato uidelicet humili atque deiecto »).

131. Voir par exemple 84 A : « ... eos qui *saeculi* deliciis occupati (...) captiui ducuntur in peccatum ». Cf. 340 D ; 260 D.

132. *In Is.* 317 C : « haereticis ore diaboli deuoratis... ». Autres applications au diable en 30 C, 72 B, 177 B, 370 D, 639 C.

133. Voir dans l'ordre 343 B et 550 B, 132 B, 315 B, 80 A, 408 A et enfin 135 D. Sur la place des hérétiques dans l'exégèse spirituelle, voir ci-dessous p. 318-322.

134. *In Is.* 442 B : « Possumus iuxta tropologiam haec de ecclesiastico uiro dicere... »

135. *In Is.* 267 A : « Cum igitur Sion iuxta leges tropologiae referatur ad Ecclesiam... », etc. Cf. 674 D, 84 D.

136. *In Is.* 215 D-216 B.

est perçue comme réalisée dans l'histoire ; histoire contemporaine de Jérôme en une occurrence [137], plus souvent époque de la venue du Christ [138]. Par deux fois, même, c'est non seulement aux temps du Christ que renvoie l'exégèse *iuxta tropologiam* mais au Christ lui-même : dans son incarnation, par l'image du nuage léger qui symbolise le corps de la Vierge [139], et dans son baptême préfiguré par le déluge [140]. Observons cependant que, mis à part ce déluge « tropologique » qui relèverait plutôt de ce qu'on est convenu d'appeler la typologie, c'est par des procédés proches de l'allégorie que s'opèrent ces interprétations ; pas plus qu'*anagoge* le mot *tropologia* n'est le terme normal pour désigner la simple réalisation des annonces prophétiques. Mais ce rapide survol des contenus de signification associés aux apparitions du terme dans le *Commentaire sur Isaïe* montre aussi qu'en dépit de dominantes incontestables on ne saurait les ramener sans abus à un unique domaine, celui de l'interprétation morale.

Emplois généraux du terme, fréquence de son utilisation, rareté et portée limitée des réticences qui l'affectent, variété irréductible à l'unité des significations qu'il introduit, autant de raisons qui invitent à reconnaître en *tropologia* chez Jérôme une désignation courante du sens spirituel. N'est-ce pas le mot qu'il emploie lorsque, présentant son *Commentaire sur Zacharie*, il déclare y avoir associé « à l'histoire des Hébreux la tropologie des nôtres [141] » ? On ne saurait souhaiter apparemment assimilation plus totale de la tropologie à l'exégèse chrétienne [142].

Il convient pourtant de ne pas oublier les nuances auxquelles conduisent pour la tropologie moins les quelques rapprochements avec *allegoria* suggérés par les textes que les caractéristiques des procédés : allégorie, étymologie... dont elle use volontiers pour établir le sens spirituel et qui témoignent d'une persistance de sa valeur étymologique. Il n'y a pas à chercher ailleurs l'explication de sa présence fréquente dans un contexte d'exégèse morale. En ce sens l'usage hiéronymien ne prélude pas à la définition de Cassien, qui joue certainement d'une autre valeur du mot τρόπος [143]. Il n'y aurait pas à s'étonner non plus que, perçue au moins confusément comme un procédé, la "tropologie" appelle à l'occasion les mêmes réserves qu'*allegoria*, en fonction de contenus de signification référés à des règles de validité qui lui sont extérieu-

---

137. *In Is.* 373 A : « Reuera si consideremus de diuersis gentibus adductas Hierusalem colonias (...), haec omnia in Hierusalem habitasse firmabimus. »

138. *In Is.* 151 D, 182 D, voire 196 B.

139. *In Is.* 19, 1 s. (250 C ; cf. 181 B). Voir plus loin la note 549, p. 310.

140. *In Is.* 520 C, ci-dessus note 121.

141. Hier. *In Zach.*, prol. (texte ci-dessus p. 72, n. 22), à rapprocher de cette formule de l'*In Soph.* : « Haec secundum tropologiam. Debemus enim et maiorum interpretationem ponere » (PL 25, 1342 C).

142. Pourtant, replacée dans son contexte, la formule perd un peu de sa force, associée qu'elle se trouve à l'épithète « tout entière allégorique » par laquelle trois lignes plus haut Jérôme qualifiait l'exégèse de ses prédécesseurs, en en regrettant le caractère incomplet puisqu'ils « n'avaient qu'à peine touché à l'histoire » (*ibid.* 1418 A).

143. Voir ci-dessus la note 84. Je ne crois pas qu'on puisse tirer argument, en sens opposé, du rapprochement qu'opère entre *tropologia* et *moralis* la « définition » de la lettre à Hédybia : « in tropologia de littera ad maiora consurgimus et quicquid in priori populo carnaliter factum est iuxta moralem interpretamur locum... » (*Epist.* 120, 12). J'ai montré ailleurs (dans mon étude sur *Saint Jérôme et le triple sens de l'Écriture*, RÉAug 26, 1980), le caractère marginal de ce texte.

res. Mais en pratique, on l'a vu, Jérôme lui ménage un traitement beaucoup plus favorable : à ce qui reste sans doute à ses yeux un mode de dépassement du sens immédiat aux contours assez flous il épargne quasi totalement les rigueurs qu'il réserve à l'allégorie dont la définition est beaucoup plus étroite, et par conséquent les excès mieux perceptibles.

Désignation du sens spirituel dans son acception la plus générale, tout en étant susceptible d'accents particuliers qui cependant n'attirent pas sur lui de réserve de principe, le mot *tropologia* n'est donc pas encore cantonné, comme il le sera plus tard, dans un usage spécialisé. Mais, si hiéronymien qu'il apparaisse par sa fréquence avant même l'époque du *Commentaire sur Isaïe* [144], il n'est pourtant pas chez Jérôme l'expression la plus spécifique ni même la plus courante de l'exégèse chrétienne.

Spiritus   Cette expression, c'est *spiritus*, surtout à travers ses deux déri- vés *spiritalis* et *spiritaliter*. Encore faut-il être attentif à ne prendre en compte, dans la perspective de cette recherche, que ceux des emplois de ces termes qui relèvent de l'exégèse. Or la chose ne va pas de soi, du moins pour le nom [145]. Car s'il est aisé d'écarter les tours hébraïsants démarqués de l'Écriture, comme « un esprit d'erreur, un esprit d'adoption... », etc., ou les nombreux passages où le mot désigne clairement l'Esprit saint, plusieurs formules permettent l'hésitation : théologiques dans leur inspiration, elles n'en sont pas moins susceptibles d'une utilisation exégétique qui s'enra- cine précisément dans l'affirmation théologique. Même en faisant la part du doute, c'est un total de plus de quatre-vingts emplois du nom ou de ses dérivés que l'on atteint pour le *Commentaire sur Isaïe*. C'est donc bien — et de loin — le terme le plus important par sa fréquence. Mais on peut déjà pressentir qu'il l'est à un autre titre ; car, à la différence des termes précédents qui gardent de leur origine l'idée d'un passage ou du procédé formel qui permet de l'opérer, c'est avec la spécificité de l'exégèse chrétienne que le mot *spiritus* met en contact ; dire d'une interprétation qu'elle est « spirituelle », c'est se prononcer sur un contenu.

Les plus significatifs à cet égard, s'ils ne sont pas les plus nombreux [146], sont les emplois du nom. Ils s'insèrent pratiquement tous dans le jeu de correspon- dances antithétiques où *spiritus* répond à *caro* et surtout à *littera*. La formula- tion à la fois la plus pleine et la plus décisive de cette opposition est certainement celle qui rapproche *spiritus uiuificans* de *littera occidens*, « la lettre qui tue » de « l'esprit qui fait vivre », dont nous avons déjà noté, en étudiant le vocabulaire du sens littéral, l'origine paulinienne. Dans le passage

---

144. D'une totale originalité, on l'a vu, par rapport à ses devanciers latins, Jérôme l'est encore par rapport à ses contemporains occidentaux : Ambroise semble ignorer le terme, Augustin chez qui il est rarissime ne lui connaît que l'acception technique de « langage figuré » (cf. *De doctr. christ.* IV, 7, 15), celle qu'on retrouve encore sous la plume de Sidoine Apollinaire vantant les mérites du « style métaphorique et figuré » de l'évêque Faustus (« *tropologicum* genus et figura- tum » *Epist.* 9, 3, 5).

145. Cela vaut dans une moindre mesure pour l'adjectif ; l'adverbe en revanche relève normale- ment du vocabulaire exégétique.

146. Ils en sont loin : un peu plus d'une quinzaine (soit environ un cinquième du total) pour vingt-sept de l'adverbe et une bonne quarantaine de l'adjectif.

de la *Deuxième Épître aux Corinthiens* où l'on peut lire l'expression [147], elle arrive un peu par hasard, presque au détour d'une digression, mais elle esquisse déjà parfaitement l'opposition théologique entre la Loi et la foi qui court tout au long de l'*Épître aux Romains*. Toutefois le contexte dans lequel elle intervient pouvait orienter sans trop d'artifice vers son utilisation exégétique : l'apôtre vient en effet de comparer ses Corinthiens à une lettre de recommandation « écrite non avec de l'encre mais avec l'esprit du Dieu vivant, non sur des tables de pierre mais sur les tables de chair du cœur », référence évidente aux tables de la Loi, mais surtout à l'alliance nouvelle annoncée par Jérémie : « J'écrirai ma loi dans leur cœur [148] » : « nouvelle alliance », poursuit Paul en écho, « non de la lettre mais de l'esprit [149] ».

Dans son *Commentaire sur Isaïe* Jérôme reprend trois fois à son compte sous sa forme complète cette antinomie paulinienne, et à chaque fois avec une portée très générale. C'est la première utilisation qu'il en fait qui éclaire le mieux la manière dont elle associe étroitement perspective théologique et implication exégétique. Elle apparaît au début du premier livre grâce à la double médiation d'un passage du *Deutéronome* et d'un verset ultérieur d'Isaïe, qui associent eux aussi le bœuf et l'âne du texte commenté. « Celui qui laboure avec un bœuf et un âne ensemble », écrit Jérôme démarquant l'interdit du *Deutéronome*, « c'est Ébion (...) qui reçoit l'Évangile sans abandonner les cérémonies des superstitions juives qui l'ont précédé comme une ombre et une image. Mais bienheureux celui qui sème avec les paroles des Écritures tant de l'ancien que du nouveau document et qui foule aux pieds les eaux de la lettre qui tue pour récolter les fruits de l'esprit qui fait vivre [150] ». La pointe polémique contre Ébion et contre les tentations judaïsantes de maintenir les observances de la Loi à côté de l'Évangile au lieu d'y reconnaître, selon d'autres expressions pauliniennes, « l'ombre » ou « l'image » qui annonçaient celui-ci, souligne clairement la portée théologique de tout le contexte ; mais la mention des *eloquia Scripturarum* et l'insistance mise à ne pas dissocier l'Ancien Testament du Nouveau font presque figure de profession de foi herméneutique : la Loi est toujours à lire, non au premier niveau où elle est lettre morte, et donc lettre de mort, mais à un deuxième niveau où, dans l'éclairage de l'esprit, s'y découvre l'esquisse de la Nouvelle Alliance. On est ici à la racine de l'exégèse chrétienne.

Intervenant en des contextes moins riches, mais qui n'infirment pas ces observations, les deux autres emplois du *Commentaire sur Isaïe* sont surtout

---

147. *2 Cor.* 3, 6. Le texte de l'épître porte exactement : « littera enim occidit, spiritus autem uiuificat » (voir texte grec plus haut note 32, p. 134). La différence, on le voit, est purement grammaticale et s'explique par le désir d'insérer la formule au sein d'une phrase.

148. Cf. *2 Cor.* 3, 3 « ... *scripta* non atramento sed spiritu Dei uiui, non in tabulis lapideis sed in tabulis *cordis* carnalibus » et *Jérémie* 31, 33 : « (dabo legem meam in uisceribus eorum) et in *corde* eorum *scribam* eam ».

149. *2 Cor.* 3, 6 « ... noui testamenti non litterae sed spiritus ». Ces mots précèdent immédiatement la formule qui nous occupe (ci-dessus note 147).

150. *In Is.* 1, 3 : « Simul arat in boue et in asino Ebion (...) qui sic recipit euangelium ut Iudaicarum superstitionum quae in umbra et imagine praecesserunt caerimonias non relinquat. Beatus est autem qui seminat in eloquiis Scripturarum tam ueteris quam noui instrumenti et calcat aquas occidentis litterae ut metat fructum spiritus uiuificantis » (27 A). Cf. *Dt.* 22, 10 : « Non arabis in uitulo simul et asino » et *Is.* 32, 20 (d'après LXX) : « Beatus qui seminat super omnem aquam, ubi bos calcat et asinus. » Réminiscence probable aussi de *Gal.* 6, 8.

intéressants par l'allure formulaire qu'y revêt l'expression, l'opposition des deux groupes antinomiques s'articulant autour du verbe « suivre ». Ainsi il nous est dit qu'Abraham n'a pu voir le jour du Christ qu'en « suivant non pas la lettre qui tue mais l'esprit qui fait vivre [151] ». C'est, à quelques variantes près, sous cette forme, présente dès les premiers Commentaires des petits prophètes, que l'expression apparaît le plus souvent sous la plume de Jérôme [152]. Et l'on n'est guère surpris de glisser d'une telle structure, en quelque sorte déjà codifiée, à ce tour prépositionnel qui consacre le passage à l'utilisation exégétique : « *Selon l'esprit qui fait vivre* aisée est l'interprétation [153] ».

Également paulinienne est l'opposition de « la lettre ancienne » à « l'esprit nouveau ». Directement empruntée à l'*Épître aux Romains* [154], elle traduit la même vision théologique des rapports de la Foi et de la Loi, dont elle exprime le caractère périmé par une image moins radicale certes, mais néanmoins sans équivoque. Jérôme l'utilise trois fois dans le *Commentaire sur Isaïe*, pour caractériser les actes du peuple de Dieu [155], le « cantique nouveau » chanté par les Apôtres [156], ou l'action de la prédication évangélique entre les mains de l'homme d'Église [157]. Bien qu'à chaque fois le développement qui amène l'expression la rattache à quelques mots du texte sacré, on pourrait hésiter à lui reconnaître une signification herméneutique. Un de ces passages cependant, par sa gaucherie même, y invite. Après avoir expliqué que le verset prophétique ordonne aux apôtres de « chanter un cantique nouveau *non pas* avec la lettre ancienne mais avec l'esprit nouveau », l'auteur ajoute : « et *non seulement* avec l'ancien document mais avec le nouveau [158] ». Précision révélatrice par le décalage qu'elle trahit entre les deux formules : il n'y a pas pour

---

151. *In Is.* 624 B : « Abraham... uidit istam iustitiam et laetatus est, nequaquam sequens occidentem litteram sed spiritum uiuificantem. » Cf. 262 B.

152. On la trouve dès les commentaires sur Michée et Sophonie dans les années 392-393 : « Nos ergo qui non occidentem litteram sed spiritum uiuificantem sequimur... » (PL 25, 1194 C. Cf. 1378 A). Voir dans la suite de l'œuvre l'*In Zachariam* et l'*In Amos* (*ibid.* 1486 C et 1094 D), enfin l'*In Hieremiam* PL 24, 706 D (cf. aussi *In Marc. euang. tract.* 6 : CC 78, 479). Utilisation souple de la formule complète dans l'*In Abdiam* PL 25, 1116 B et l'*In Danielem, ibid.* 577 B (voir aussi la note suivante). Enfin citation directe du verset paulinien à la fin du prologue de l'*In Ionam* (*ibid.* 1120 B) et, à l'ablatif absolu, au livre III de l'*In Zach.* (1528 A ; voir p. 11-12 de mon article sur le vocabulaire exégétique de l'*In Zachariam, RÉAug* 14, 1968).

153. *In Is.* 148 A : « Ceterum iuxta uiuificantem spiritum facilis intellegentia est. » La disparition du premier terme rend d'autant plus visible le caractère exégétique de la tournure. Le tour prépositionnel avec l'expression complète apparaît dans une formule tout à fait intéressante de l'*In Hieremiam* : « ... qui legem et prophetas sequuntur iuxta occidentem litteram et non iuxta spiritum uiuificantem... » (PL 24, 727 B ; cf. encore *In Ez.* PL 25, 468 C).

154. *Ro.* 7, 6 : « (... ita ut seruiamus) in nouitate spiritus et non in uetustate litterae ».

155. *In Is.* 649 B : « ... Opera quoque populi Dei non ueterascent sed innouabuntur quotidie et non ambulent in uetustate litterae sed in nouitate spiritus. » La mémoire de Jérôme combine ici la formule en question avec un autre verset de l'*Épître aux Romains* : « ... in nouitate uitae ambulemus » (*Ro.* 6, 4). On peut noter qu'il en prend à son aise avec le texte biblique qu'il vient de citer, en y introduisant une négation (*non* ueterascent) qui en renverse le sens.

156. *In Is.* 424 D. Voir ci-dessous la note 158.

157. *In Is.* 416 C. C'est le mot *nouum* du verset d'Isaïe : « Ego posui te quasi plaustrum triturans nouum, habens rostra serrantia » qui déclenche l'application de l'image à l'*ecclesiasticus uir*.

158. Voici le texte : « ... apostolis praecipiens (...) ut canant canticum nouum, nequaquam in uetustate litterae, sed in nouitate spiritus, nec solum in ueteri instrumento sed in nouo » (424 D). Cf. à propos du char à deux chevaux d'*Is.* 21, 8-10 les « duos ascensores litterae et spiritus » rapportés aux deux testaments (263 A), en dépit de la nuance que nous venons de voir. Mais cette exégèse est mise au compte d'*alii.*

Jérôme exacte coïncidence entre « la lettre ancienne » et l'Ancien Testament, qu'il n'est pas question de rejeter, même s'il convient de ne pas s'en tenir à lui.

L'idée subsiste sans la formule, dans un autre passage du Commentaire, à travers une opposition simplifiée : « Le texte prescrit », écrit Jérôme, « à ceux qui gisent *dans la lettre* de refuser l'erreur *ancienne* et de se relever *dans l'esprit* [159] ». Mais la perspective, ici comme dans un deuxième emploi antithétique commandé par *in* [160], est plutôt théologique.

On observe en revanche que la même correspondance simple *(littera/ spiritus)* introduite par *iuxta*, qui se rencontre aussi deux fois, non seulement a un caractère exégétique évident mais sert à présenter en parallèle, sans faire ressortir entre eux d'antinomie, sens littéral et sens spirituel [161]. Valable également pour une correspondance où c'est la forme adverbiale qui répond à *iuxta litteram* [162], ce double constat peut être étendu — et cela est plus surprenant — à l'antinomie, d'origine paulinienne elle aussi, *iuxta spiritum/iuxta carnem*, d'ailleurs mieux représentée sous la forme adverbiale [163]. « Nous pouvons montrer », note Jérôme, « que cela s'est déjà accompli dans le Christ selon la chair comme selon l'esprit [164] ». Il apparaît que la préposition caractéristique du tour stéréotypé contribue à ramener ces expressions théologiques à n'être qu'une désignation banale des deux grands sens. Mais ailleurs se superposent acception exégétique et valeur théologique dans un groupement de trois emplois où *iuxta spiritum* opposé à *iuxta carnem* est accolé successivement à trois noms et peut être regardé comme un équivalent de l'adjectif *spiritalis* [165], dont nous allons maintenant examiner l'utilisation hiéronymienne.

Totalisant plus de quarante emplois, cette forme fournit à elle seule la moitié des références qui présentent des termes de la famille de *spiritus* ; en valeur absolue c'est le mot le plus représenté de tout le vocabulaire du sens spirituel [166]. La constatation n'est pas sans importance : comme il est surtout employé en position d'épithète accolée à un nom du texte biblique, sa fréquence met en relief le double niveau de compréhension dont sont susceptibles, dans la perspective de l'exégèse des Pères, les réalités mentionnées dans l'Écriture.

Cette remarque ne vaut pas pour la douzaine de cas où le mot, associé essentiellement à *intellegentia* (une fois à *interpretatio*) [167], désigne le sens

---

159. *In Is.* 262 C : « ... praecipitur ut (...) ueteri errore contempto consurgant in spiritu qui iacebant in littera ».

160. *In Is.* 274 B : « ... quod tu habebas in littera, ille possideat in spiritu ».

161. Par exemple *In Is.* 517 C : « ... quando eas *et* iuxta spiritum intellegimus *et* iuxta litteram... ». Cf. 632 B.

162. « ... uel *iuxta litteram* intellegendum... uel *spiritaliter*... » (362 A).

163. Cf. 588 D : « *et* spiritaliter impletur *et* carnaliter... » ; 593 C : « quod *uel* carnaliter accipitur *uel* spiritaliter », repris et développé par *si... si...* Cf. 609 D, où la double exégèse *(siue... siue)* n'est pas prise à son compte par Jérôme (voir son interprétation note suivante). De ces deux adverbes seul *spiritaliter* se rencontre chez saint Paul (1 *Cor.* 2, 14) et aussi dans l'*Apocalypse* (11, 8).

164. *In Is.* 610 B : « ... in Christo et iuxta carnem et iuxta spiritum iam completa doceamus ».

165. *In Is.* 241 B : *iuxta spiritum* détermine successivement Israël, les nations, Damas. On trouve ailleurs *spiritalis* appliqué à Israël et à Jacob (voir ci-dessous note 179).

166. Il dépasse *tropologia* et *anagoge* (respectivement trente-sept et trente-cinq emplois).

167. De ces emplois herméneutiques relève l'image du *spiritale aedificium* de la préface à Amabilis (154 C), reprise dans le Commentaire, littéralement dans le bref prologue du livre VI

spirituel de l'Écriture, soit de façon banale dans un tour stéréotypé d'ailleurs rare et correspondant à *iuxta litteram* [168], soit assez souvent dans une phrase de transition ou de prise de position herméneutique ; un rapport étroit de succession, voire de dépendance, s'établit alors à plusieurs reprises avec *historia* [169]. On conçoit que de tels emplois aient une valeur très générale, et libre, sauf exception, d'accents particuliers [170]. Ils introduisent cependant, du moins dans la majorité des cas, un contenu d'interprétation dont la relative variété recoupe des thèmes sans surprise : Christ, Église, voire âme ou hérétiques. Deux passages pourtant intriguent, non par l'exégèse proposée, mais par celle dont elle se distingue et qui, en bonne logique, ne saurait être que littérale, bien qu'aucun terme ne la qualifie [171]. Or on constate que c'est d'applications historiques de la prophétie *« in aduentu Christi »* que se distingue un « sens spirituel » atemporel et de type moral, alors qu'ailleurs au contraire l'expression est associée à l'idée de réalisation dans le Christ [172]. C'est un nouveau témoignage de l'ambiguïté qui pèse sur les relations de la « prophétie » avec les deux grands sens, et qui justifie l'étude particulière qui lui sera consacrée au chapitre suivant.

Les autres occurrences de l'adjectif *spiritalis*, beaucoup plus nombreuses, déterminent divers noms du texte sacré dont les significations se laissent aisément ramener à deux catégories. La première regroupe des réalités de l'Ancienne Alliance qui gravitent essentiellement autour de la Loi. Jérôme ne reprend pourtant explicitement qu'une fois dans son commentaire l'expression paulinienne de « la Loi spirituelle » [173]. Le passage est d'ailleurs révélateur de la dextérité avec laquelle est saisie la moindre invitation du texte à une lecture qui le dépasse : puisque la Loi prévoyait des sacrifices, si Dieu dit n'avoir pas demandé de victimes, c'est que les sacrifices qu'il voulait étaient

---

(205 C) et indirectement par l'image du faîte *(spiritalis intellegentiae culmina)* dans le paragraphe de présentation du livre V (153 C). L'expression *spiritalis intellegentia* (ou *intellectus* ou *interpretatio*) reste rare, semble-t-il, dans la tradition latine. Inexistante avant le IV⁰ siècle, on en relève d'assez rares exemples chez Augustin (par exemple *Epist.* 196, 8 : CSEL 57, 221, 24 ; *De spiritu et littera* 4, 6 : CSEL 60, 158, 4). Ambroise emploie un *spiritalis interpretatio* dans le *De paenitentia* I, 15, 82 (CSEL 73, 157). Chromace d'Aquilée, l'ami de Jérôme, utilise plutôt *spiritalis intellectus* (par exemple CC 9 A, *Tract.* VII, 22 ; XXXIII, 155 ; XLIII, 110. Cf. *Tract.* I, 147 : *interpretatio*). L'emploi du mot dans le *Tract. myst.* II, 2 d'Hilaire semble avoir un autre sens.

168. On n'en relève que deux exemples : l'un avec *iuxta* (184 C), l'autre avec *secundum* (631 C). Le premier présente les deux interprétations en parallèle, le second marque une simple transition.

169. Le texte le plus explicite se trouve au livre V, ce qui n'est pas surprenant : « Haec dicimus non quod tropologicam intelligentiam condemnemus sed quod *spiritalis interpretatio sequi debeat ordinem historiae* » (158 D). C'est le seul exemple d'*interpretatio*, qu'explique seulement un souci de variété). Cf. 153 C, 494 B où l'expression est appliquée aux LXX, et aussi l'image du *spiritale aedificium* à édifier sur les *fundamenta historiae* (205 C, ci-dessus note 167).

170. L'exception existe : l'accent est nettement polémique dans une argumentation contre les juifs sur la réalisation de la prophétie décrivant les temps messianiques (147 B).

171. Quelle autre exégèse que littérale imaginer en effet avant une phrase de transition comme celle-ci : « Veniamus ad intellegentiam spiritalem » ? Or Jérôme vient d'appliquer le verset à l'expansion de l'Église de la Judée au monde entier (517 A). Cf. 186 A dans le livre V *iuxta historiam*.

172. Voir 610 B (ci-dessus note 164).

173. Mais il parlait déjà, dans le commentaire à Amabilis, de « l'intelligence spirituelle de la Loi » (186 A). Et plusieurs emplois de *spiritaliter* sont en rapport direct avec *lex* (cf. 262 B et surtout 675 B : « ... omnis lex spiritaliter intelligenda est... », avec renvoi explicite à la formule de *Ro.* 7, 14).

d'un autre ordre ; il montre ainsi, dit Jérôme, que « la Loi est spirituelle » [174].

Cette affirmation centrale n'a pas besoin d'être répétée, elle est relayée au long du commentaire par l'application de l'épithète aux rites et aux observances qui constituent la traduction concrète de cette loi. Il est ainsi question trois fois de la « circoncision spirituelle », autre expression paulinienne [175] ; plus souvent encore de « victimes spirituelles » (*uictimae* ou *hostiae*) [176], car le culte lui-même mérite cette épithète : Sobna, un haut personnage interpellé par le prophète, symbolise les chefs d'Israël sollicités de « se convertir de la Loi à l'Évangile et, en abandonnant les images que sont les victimes, à passer à la vérité du sacrifice spirituel [177] ». De même doit-on passer des sabbats et des néoménies « charnels » au « repos sabbatique réservé au peuple de Dieu [178] ». Sans quitter le domaine de l'Alliance, on rencontre encore l'épithète appliquée au peuple lui-même, sous le nom de cet Israël *spiritalis* (ou *iuxta spiritum*), distinct de l'Israël historique, « selon la chair », ou sous celui de son doublet Jacob que, selon la manière hébraïque, la Bible présente si souvent en balancement avec lui [179]. Cela nous vaut cette définition éclairante : « ... il y a deux Jacob, deux Israël, l'un charnel, l'autre spirituel, le premier constitué de ceux qui n'ont pas voulu croire au Sauveur, le second de ceux qui ont accueilli le fils de Dieu [180] ». Jérusalem aussi, cœur du pays et centre du culte, reçoit une fois cette qualification [181].

Mais le jeu des interprétations charnelle et spirituelle déborde l'univers de la Loi, et notre adjectif se retrouve une dizaine de fois accolé à divers noms figurant dans le texte prophétique, ou amené par lui soit par un rapprochement de termes, soit par le biais d'une citation biblique appelée par le commentaire [182]. Il peut s'agir de réalités concrètes empruntées à la vie quotidienne : pain, repas, nourriture, thèmes qu'une utilisation symbolique par l'Écriture — on pense à l'*Évangile de Jean* — prédisposait à ce genre d'interprétation [183] ; mots du langage militaire comme le « glaive spirituel »,

---

174. Voici l'essentiel du passage : « Hostiae et immolatio uictimarum non principaliter a Deo quaesita sunt sed (...) ut de carnalibus uictimis quasi per typum et imaginem ad spiritales hostias transiremus. Dicendo autem se hostias non quaesisse, ostendit *quia Lex spiritalis est* » (34 C). C'est exactement la formule paulinienne. D'où sans doute la fréquence de l'expression dans l'*In epistulam ad Galatas* (par exemple PL 26, 345 AB : trois emplois en dix lignes).

175. *In Is.* 230 D (deux emplois) et 238 A. Cf. *Ro.* 2, 29 : « circumcisio cordis in spiritu ».

176. *Victimae* apparaît deux fois (542 D, 673 B), *hostiae* quatre (34 B, 35 A, 257 B, 673 A). Cf. *Première épître de Pierre* 2, 5 : *spiritales hostias*.

177. *In Is.* 275 B : « Dicitur ergo ad principem Iudaeorum ut conuertatur de lege ad euangelium et, uictimarum imaginibus derelictis, transferat se ad spiritalis sacrificii ueritatem. » On peut noter qu'ici à l'opposition de la loi à l'évangile se superpose celle de l'image à la vérité. Au « sacrifice spirituel » fait écho, dans l'*In Hieremiam*, le « culte spirituel » (*sp. cultus* PL 24, 703 C).

178. *In Is.* 674 B, citant sans le dire l'*Épître aux Hébreux* (4, 9).

179. *Israel iuxta spiritum* : 241 B (ci-dessus note 165) ; *spiritalis* : 230 D, 415 B ; associé à Jacob : à nouveau 415 B, 429 A (voir note suivante). Paul ne parle que de « l'Israël selon la chair » (1 *Cor.* 10, 18).

180. « ... duos esse Iacob et duos Israel, unum carnalem et alterum spiritalem, eorum qui in saluatorem credere noluerunt, et eorum qui receperunt filium Dei » (429 A).

181. *In Is.* 596 B.

182. Sur les onze noms rentrant dans cette seconde catégorie, quatre figurent directement dans le lemme commenté, trois apparaissent dans des citations d'autres textes bibliques, les autres se dégagent du contexte du verset.

183. Cf. *In Is.* 262 C (*cibi*) et 641 C (*panis et conuiuium*). On peut en rapprocher un emploi

amené par la médiation du verset de Matthieu : « Je ne suis pas venu apporter la paix mais le glaive [184] », ou les flèches de l'oracle contre Babylone qui deviennent les « flèches spirituelles » destinées à l'hérésie [185]. Deux cas relèvent de l'homme dans sa réalité physiologique (le « toucher spirituel ») ou sociale (les « frères spirituels ») [186]. Mais l'épithète s'accroche aussi à des notions abstraites comme l'onction, le mal, et surtout la « grâce spirituelle », qu'amène à trois reprises par des images variées la symbolique de l'eau vivifiante [187].

A ces valeurs de l'adjectif et du nom l'adverbe *spiritaliter* apporte plus de confirmations que de compléments véritables : utilisations proches de la fonction d'épithète pour caractériser la Loi et d'autres réalités présentes dans les textes, comme la faim [188] ; emplois en correspondance avec *littera* ou *carnaliter*, qui recoupent la valeur exégétique banale de la locution *iuxta spiritum* [189] ; déclarations méthodologiques très nettes des premières pages du commentaire, confirmant les liens de « l'esprit » avec « l'histoire » [190].

De cette revue rapide des valeurs de *spiritus* et de ses dérivés peuvent être dégagées quelques lignes de force. On voit mieux, tout d'abord, se préciser les rapports de « la lettre » et de « l'esprit ». Une certaine complexité n'en est pas exclue. En effet si leur distinction radicale qu'explique l'origine théologique de ces termes ne fait aucun doute, ils n'apparaissent pas pour autant en tension constante, puisque nous avons remarqué plus d'un passage où le sens « spirituel » et le sens « littéral » ou « charnel » vont de pair, dans un parallélisme que souligne le jeu des conjonctions redoublées. L'adverbe rejoint sur ce point la valeur générale du tour prépositionnel. Ils peuvent aussi se succéder, et notre mot, à l'articulation des deux sens, marque alors simplement le passage de l'un à l'autre [191]. Nous avons même noté l'affirmation de rapports plus étroits qui font dépendre du respect de l'*ordo historiae* la validité de l'interprétation spirituelle, même si c'est elle, en dernière analyse, qui couronne et parfait l'édifice.

Mais ces emplois, dont la valeur exégétique est à la fois la plus évidente et la plus générale, n'épuisent ni ceux de l'adverbe, ni même ceux du nom, et ne touchent qu'assez peu à l'adjectif par la locution *intellegentia spiritalis*. Or c'est un transfert de sens d'un tout autre ordre qu'une simple succession ou un rapport de dépendance qu'entraîne cet adjectif quand il vient déterminer une réalité du texte prophétique. Il y a saut d'un plan à l'autre, rupture ; l'antino-

---

comparable de l'adverbe qui transforme la faim physiologique de pain en une faim d'entendre la parole de Dieu (83 A).

184. *Mt.* 10, 34 (*In Is.* 251 B). Cf. *In Hier.* PL 24, 776 D.

185. *In Is.* 214 B. Usage similaire du *mucro spiritalis* dans l'*In Hier.*, *ibid.* 795 C.

186. Cf. *In Is.* 256 B : *tactus*, et 224 B : *fratres* par une association à deux degrés : du cadavre en putréfaction au parfum de la vertu, ce parfum appelant lui-même le début du *Ps.* 132, 2 : « qu'il est doux d'habiter en frères ensemble ! C'est un parfum sur la tête... ».

187. Voir pour *unctio* 599 B ; pour *nequitia* 416 B (cf. *In Ez.* PL 25, 147 A : *fornicatio*) ; pour *gratia* 42 A, 243 B et 417 C. La *gratia spiritalis* est une expression paulinienne (*Ro.* 1, 11).

188. *In Is.* 83 A : « *Quod... spiritaliter... patiuntur, sustinentes non famem panis... sed famem audiendi sermonis Dei.* » Pour *lex*, voir ci-dessus note 173.

189. Voir notes 162 et 163 de ce chapitre. *Carnaliter* revient donc dans ces correspondances à un simple mot-outil du sens littéral.

190. *In Is.* 20 B et 23 B (ci-dessus n. 8 et 58 du ch. III).

191. Voir 45 C, 494 B, 517 A, 631 C.

mie de la lettre et de l'esprit, du charnel et du spirituel retrouve ici sa pleine force. D'où les nombreux exemples tournant autour de l'ancienne Loi : circoncision, victimes, sacrifices spirituels impliquent le dépassement, et du même coup le rejet des réalités historiques correspondantes. L'accent est ici moins exclusivement exégétique, il rejoint les emplois du nom les plus proches des formules pauliniennes antinomiques qui fondent sur une vision théologique des rapports de la foi nouvelle à la Loi ancienne la lecture spirituelle des Écritures.

Ces perspectives expliquent que, dans une dizaine de passages où figurent *spiritalis* ou *spiritaliter*, derrière la dénonciation de cette lettre morte apparaissent explicitement juifs et judaïsants : ébionites qui prétendent suivre l'Évangile en conservant les prescriptions de la Loi, sans comprendre que ne peuvent coexister la préfiguration et la réalisation, « l'image » et « la vérité » [192] ; juifs eux-mêmes qui, appelés à passer de la Loi à l'Évangile, se sont montrés incapables de saisir les biens spirituels ; ne comprenant pas que leurs pratiques trouvent désormais leur accomplissement spirituel, ils restent sur leur faim de la parole de Dieu et ressemblent à ces térébinthes qui se flétrissent faute de l'eau vivifiante que serait pour eux la grâce spirituelle de la connaissance des Écritures [193]. Aussi continuent-ils d'attendre la réalisation charnelle — historique ou eschatologique —, de promesses prophétiques dont l'accomplissement spirituel est déjà acquis, ou le sera dans les derniers temps : erreur qu'ils partagent avec ces autres judaïsants que sont les millénaristes [194]. C'est la même lucidité critique qui s'exprime, peut-être vers la même période, dans cette mise en garde du Jérôme prédicateur : « Aussi longtemps que nous comprenons *à la façon juive* et que nous suivons *la lettre qui tue...* [195] ». La condamnation va jusqu'à la polémique sur des textes décisifs comme les prophéties messianiques du livre de l'Emmanuel. Jérôme veut y acculer juifs et judaïsants à reconnaître le ridicule d'une interprétation littérale qui verrait les temps messianiques réaliser les mythes de l'antique âge d'or [196]. Du ridicule à l'impossibilité le pas est vite franchi, et l'on n'est pas surpris de voir une évocation de l'interdiction légale de toute activité le jour du sabbat aboutir à cette conclusion : « Si nous prenons cela à la lettre, c'est absolument irréalisable (...). Aussi sommes-nous forcés de tout prendre en une acception spirituelle [197] ». En ce cas extrême le rejet de la lettre va jusqu'à la négation de son existence. La présentation à la première personne de beaucoup de ces interprétations spirituelles souligne bien cette opposition radicale.

Mais il arrive, de façon très exceptionnelle, qu'un *Nos* appuie une distinction

---

192. *In Is.* 27 A, ci-dessus p. 214, n. 150.
193. Voir successivement 275 B, 37 A, 34 C, 83 A, 42 A.
194. Voir 152 B, 597 A, 627 B.
195. HIER. *Tract. 6 in Marci euang.* : « Quamdiu *iudaice* intelligimus et *litteram* sequimur *occidentem...* » (CC 78, 481). Il est impossible de fixer la chronologie relative de ce sermon et de l'*In Isaiam*. Cf. encore l'opposition de la Lettre à Algasia, de 407, entre *euangelicae interpretationis spiritus* et *Iudaicae litterae mors* (*Epist.* 121, 2, 12).
196. *In Is.* 11, 6 s. : 147 BC.
197. *In Is.* 573 C : « Quod si iuxta litteram accipiamus, penitus impleri non potest (...). Ex uno igitur mandato quod iuxta litteram impossibile est, et cetera cogimur spiritaliter intellegere. » Exemple identique (*Ex.* 16, 29) et mêmes considérations chez ORIGÈNE, *Periarchón* IV, 3, 2 (voir plus loin note 381). Sur cette absence de sens littéral comme signe du sens spirituel, voir p. 279 et s.

toute différente, comme dans ce cas simplement curieux du livre XVII où à une application du verset à la fin du monde *« et carnaliter et spiritaliter »* Jérôme oppose une réalisation historique de la prophétie, double elle aussi [198]. Une autre occurrence est plus embarrassante, puisqu'il y préfère clairement son explication historique, que prolonge une brève extension au monde romain de son époque, à cette « tropologie passablement longue et embrouillée » que nous avons déjà rencontrée et qui applique aux Juifs *« spiritaliter »* la description du prophète : cas unique de la présence du mot dans une interprétation suspecte [199]. Il ne faut pas en surestimer la portée. Dans la mesure où Jérôme trouve compliquée et superflue plutôt que scandaleuse cette interprétation de l'un de ses devanciers, le cas n'est pas sans rapport avec les deux passages qui nous ont paru distinguer le « sens spirituel » de la réalisation historique de la prophétie et sur lesquels nous reviendrons.

Il reste que, si peu représenté qu'il soit, ce genre d'emploi, qui paraît associer l'interprétation spirituelle à un certain type d'explication, incite à ne pas clore l'étude sans jeter un bref coup d'œil sur le contenu de l'ensemble des exégèses liées à *spiritus* ou à ses formes secondaires. L'enquête est aisée et ses conclusions claires : à une exception près qu'on peut leur adjoindre [200], elle confirme le caractère isolé des cas qui viennent d'attirer notre attention. L'allure d'exégèse morale sans insertion précise dans le temps que nous leur avons reconnue se trouve être elle-même aussi rare qu'elle était fréquente avec *anagoge* ou *tropologia* : une exégèse étymologique de l'Égypte [201], une ou deux applications à l'âme abaissée par les vices et enivrée par les passions [202], quelques autres aux hérétiques [203], le bilan est vite fait. Encore les hérétiques eux-mêmes ne sont-ils pas sans rapport avec les réalités spirituelles relatives à la venue du Christ qui forment justement le contenu de la grande majorité des passages où Jérôme utilise les termes qui nous occupent.

C'est en effet une exégèse nettement théologique qu'introduit le plus souvent, lorsqu'elle caractérise un développement précis, l'interprétation qualifiée par Jérôme de « spirituelle ». Même lorsqu'elle revêt l'aspect d'une application du texte à l'âme individuelle, on est loin d'une perspective morale : la vie chrétienne à laquelle elle est appelée est présentée en référence à la « loi spirituelle » [204], et c'est « le soc du Christ » lui-même qui « brise la dureté de notre cœur » pour le préparer à recevoir la semence des Écritures [205]. Mais beaucoup plus fréquente, comme d'ailleurs chez les prophètes eux-mêmes, est la perspective collective : ce peuple dont les œuvres ne vieillissent pas, cet

---

198. *In Is.* 609 D-610 A.

199. *In Is.* 113 D (ci-dessus note 123, p. 238).

200. *In Is.* 593 D : à *spiritaliter* correspond un *carnaliter* qui caractérise en fait une réalisation historique de la prophétie à l'époque de Jérôme. Sur cette valeur de *carnaliter*, cf. la distinction reprise de Paul que fait Jérôme dans son *Commentaire sur l'Épître aux Galates* : « ... intellegi potest ut (...) qui sequuntur intellegentiam spiritalem, sint quidem in carne quia eamdem habeant litteram quam Iudaei, sed non iuxta carnem militant, a carne ad spiritum transcendentes » (PL 26, 350 B).

201. *In Is.* 355 D.

202. *In Is.* 494 B : « Ceterum ut ueniamus iuxta Septuaginta ad intellegentiam spiritalem, animae dicitur humiliatae uitiis et ebriae perturbationibus... » Cf. 24 B.

203. Voir 214 B, 238 A, 267 A, 631 C, 632 B, 416 B.

204. *In Is.* 262 B, 486 C.

205. *In Is.* 45 C.

Israël selon l'esprit, à qui est remis l'héritage promis à d'autres [206], c'est
l'Église, en laquelle se réalisent les annonces prophétiques : Paul, loup persécu-
teur, y a habité avec l'agneau qu'il avait pourchassé [207] ; c'est aux apôtres qu'il
est dit de chanter le chant nouveau de l'esprit [208] ; le temple de Dieu où sont
offertes désormais les offrandes spirituelles que Dieu agrée [209], c'est elle, dans
sa réalité historique tangible, issue de la venue du Christ, que Jérôme n'a garde
de laisser échapper [210].

Derrière ces applications individuelles ou collectives du texte d'Isaïe, on voit
clairement se profiler la référence à cette « Loi spirituelle » autour de laquelle
gravitent en particulier, nous l'avons vu, tant d'autres emplois de l'adjectif.
Inutile de les détailler à nouveau. Mais il n'est pas sans intérêt de relever
quelques accents particuliers qui accompagnent la présence de *spiritus* et de ses
formes dérivées : le lien établi entre l'esprit et la connaissance des Écritures, et
en particulier le Nouveau Testament, lieu privilégié de l'Alliance nouvelle [211] ;
« l'accomplissement » des annonces prophétiques non seulement « à la venue
du Christ » et dans l'histoire qu'elle inaugure, mais jusque dans les réalités de
son existence historique [212]. Une magnifique illustration en est offerte par le
célèbre passage d'Isaïe que Jésus s'applique à lui-même dans la synagogue de
Nazareth : « L'esprit du Seigneur Dieu est sur moi, car le Seigneur m'a oint ».
« Cette onction spirituelle », commente Jérôme, « s'est accomplie au moment
où Jésus a été baptisé dans le Jourdain et où l'Esprit-Saint est descendu et
demeuré sur lui sous l'aspect d'une colombe [213] ». On ne peut mieux faire
apparaître la dimension christologique de l'exégèse selon l'esprit.

Enfin, bien que Jérôme récuse, dans tel passage, une exégèse eschatologique
pourtant assez répandue, pour lui préférer une réalisation de la prophétie « à la
première venue du Christ » [214], le *Commentaire sur Isaïe* offre quelques
emplois de l'adjectif et de l'adverbe auprès de versets appliqués à divers aspects
des « derniers temps » [215] : salut final d'Israël, repos sabbatique réservé au
peuple de Dieu, Jérusalem céleste enfin [216]. Encore peut-on relever que ces
passages, assez groupés, concernent essentiellement des versets des chapitres
60 et 66 du prophète, dont l'utilisation par l'*Apocalypse* dans la description de

---

206. Voir 649 B, 241 B, 230 D, 415 B, 429 A, 592 C.
207. *In Is.* 148 A.
208. *In Is.* 424 D.
209. *In Is.* 673 A ; cf. 595 A.
210. Cf. son refus, dès le premier verset du Commentaire, de se laisser entraîner vers une
interprétation peut-être millénariste visant la Jérusalem céleste au lieu de « l'Église du Christ »
(23 C).
211. Voir 42 A, 263 A, et même 214 B.
212. Cf. 610 B : « ... in Christo... iam completa » ; 589 A : « ... quod quotidie uidemus experi »
(cf. 599 B, note suivante) ; 34 C : « ... a nobis spiritaliter impleri » ; 184 C : « in aduentu Christi... »
(cf. 186 A).
213. *In Is.* 599 B : « Cuius unctio illo expleta est tempore, quando baptizatus est in Iordane et
Spiritus sanctus in specie columbae descendit super eum et mansit in illo. » Cf. *Is.* 61, 1 : « Spiritus
Domini Dei super me, eo quod unxerit me Dominus... » et *Luc* 4, 18.
214. *In Is.* 609 D-610 B. L'exégèse qu'il récuse est celle de « multi nostrorum ».
215. Jérôme oppose alors volontiers cette interprétation selon l'esprit à l'eschatologie « charnelle » des millénaristes avec lesquels, précise-t-il, le désaccord porte « in qualitate promissionum,
non in tempore » (*In Is.* 60, 19-20 : 597 A).
216. Voir 589 A, 674 B, 596 B.

la Jérusalem céleste cautionnait, si l'on peut dire, l'application eschatologique [217].

Nous voilà donc aux antipodes de notre point de départ. Loin de correspondre à un sens moral qui la distinguerait de la prophétie, l'interprétation « selon l'esprit » s'applique au contraire de façon largement préférentielle aux rapports de l'ancienne Loi avec l'Alliance nouvelle, jusque sous l'aspect de la réalisation des prophéties à l'époque du Christ ou dans sa personne [218]. Ainsi, alors que les procédés mis en œuvre sont ici trop divers pour suggérer une quelconque spécificité [219], l'interprétation introduite par *spiritus* ou ses dérivés se caractérise par un type de contenu relativement homogène qui mène au cœur de la lecture chrétienne des Écritures. Aussi n'y a-t-il pas divorce entre l'usage que Jérôme fait de ces termes comme désignation du sens spirituel dans sa généralité et les exégèses particulières qu'ils introduisent. Nous n'avions pas observé semblable cohérence en étudiant les trois autres désignations du sens spirituel.

Mais ce n'est pas le seul point, sans doute, sur lequel les longues mais indispensables analyses qui précèdent permettraient des rapprochements éclairants. Il faut donc essayer maintenant d'en esquisser un premier bilan.

Il apparaît qu'*allegoria, tropologia, anagoge, spiritus*, ne sont pas traités par Jérôme de façon uniforme ; et la remarque ne vise pas la seule fréquence de leurs emplois. Sans doute les quatre termes sont-ils tous à même de désigner le sens spirituel dans sa généralité. Nous l'avons constaté pour chacun d'eux, en soulignant aussi les correspondances indiscutables qui s'établissent dans plus d'un cas entre deux ou plusieurs, voire la totalité d'entre eux. L'observation traditionnelle que tous ces mots sont chez Jérôme interchangeables n'est donc pas sans fondement. Mais elle pèche par excès de généralisation. En effet, pour n'importe lequel d'entre eux, à côté des emplois généraux, des nuances de signification se dessinent à partir de contenus particuliers d'exégèse ou même de brefs jugements de valeur ; elles entraînent le plus souvent des décalages parfois accusés entre les valeurs du même terme et, par voie de conséquence, — car ces différenciations ne jouent pas de manière identique —, entre ces mots eux-mêmes.

Les données numériques sont déjà révélatrices. Elles suffiraient à manifester la situation marginale du mot *allegoria*. Huit fois moins utilisé que *spiritus* et sa famille, ses emplois n'atteignent pas le tiers de ceux d'*anagoge*, le moins fréquent des trois autres termes. Ce n'est pas un hasard. Nom technique d'un trope grammatical avant d'être une désignation exégétique du sens spirituel, *allegoria* n'a pas perdu sa valeur originelle aux yeux de l'élève de Donat. Capable de déceler l'utilisation détournée que saint Paul a faite du terme, à

---

217. On peut en rapprocher le *spiritaliter* du prologue du livre XVIII qui vise précisément l'interprétation de l'*Apocalypse*, à propos de laquelle Jérôme prend nettement parti contre une lecture millénariste qui a été le fait de plusieurs de ses prédécesseurs tant grecs que latins.

218. Il y a donc contradiction entre cet aspect et les trois ou quatre cas dont nous étions partis. C'est une invite à ne pas durcir à l'excès les conclusions et à ne pas assimiler automatiquement, dans le vocabulaire de Jérôme, « interprétation spirituelle » et réalisation des prophéties.

219. Il est impossible, en effet, de les réduire à l'unité. L'usage de l'allégorie n'en est pas exclu, ni même celui de l'exégèse étymologique (cf. 24 B, 230 D, 238 A).

plus forte raison l'est-il de reconnaître ce qui revient au procédé manié sans discernement dans le caractère hasardeux de telle exégèse d'un devancier. D'où les réserves sévères dont, à l'occasion, le terme est assorti. Pourtant elles portent moins condamnation du procédé en lui-même que de l'emploi incontrôlé qui peut en être fait, et elles ne vont pas jusqu'au refus de l'usage chrétien du mot qui arrive à Jérôme par le double canal grec et latin de la tradition à laquelle il puise. On s'explique ainsi ses valeurs contradictoires. Mais on comprend aussi sa fréquence modeste, et en particulier l'unique apparition du tour prépositionnel stéréotypé : sans rompre avec les usages établis, Jérôme hésite visiblement à faire d'*allegoria* une désignation ordinaire du sens spirituel.

Il aurait pu adopter une attitude voisine à l'égard du mot *tropologia*, que sa valeur étymologique plaçait apparemment dans une situation similaire. Les chiffres montrent qu'il n'en est rien, puisqu'au contraire le mot avec ses dérivés prend rang immédiatement après *spiritus*. C'est d'autant plus surprenant que Jérôme n'était pas porté à privilégier ce terme par une tradition chrétienne massive : du fait qu'il était absent de l'Écriture, les Latins ne le connaissent pas ; chez les Grecs, qui paraissent en ignorer la forme adjective [220], ses proches devanciers qui sont en même temps ses sources, comme Eusèbe et Didyme, l'utilisent à peine, et les Antiochiens ses contemporains en limitent l'emploi au « langage figuré » qui rentre à leurs yeux dans l'interprétation littérale. On ne sait donc trop à quelle influence imputer l'usage hiéronymien d'un terme que ses émules latins continuent pour leur part d'ignorer [221]. Pourtant, bien que le mot ne relève pas strictement des catégories grammaticales, Jérôme est conscient d'avoir affaire à un mode de dépassement du sens immédiat : on le voit en préciser les limites et les conditions de validité ; mais c'est pratiquement sans le compromettre auprès d'interprétations qui s'en seraient affranchies. *Tropologia* est donc bien, en définitive, à de rares nuances près, le terme positif que laissent attendre — outre la fréquence de ses emplois — le fort pourcentage de son utilisation stéréotypée et aussi l'éventail des contenus de signification qu'il recouvre. Sur ce point, il est vrai, la variété, qui peut être un signe de la valeur générale du terme, n'exclut pas que l'emportent assez largement en nombre, parmi ses valeurs d'emploi, les exégèses de type moral, souvent en relation avec des procédés voisins de l'allégorie. Mais il faut se garder d'anticiper sur les classifications ultérieures et d'y reconnaître la caractéristique spécifique de la « tropologie » médiévale, ne serait-ce que parce que l'observation s'appliquerait tout aussi bien, nous l'avons constaté, aux contenus d'interprétation qu'accompagne le mot *anagoge*.

Avec ce mot, pourtant, l'accent se déplace. Il n'est plus question de procédé, mais de passage, littéralement de « montée » ; on glisse en somme du moyen à l'opération que celui-ci, éventuellement, permet. L'affirmation d'un « sens supérieur » rend évidemment ici plus improbables les connotations péjoratives. De fait, *anagoge* y échappe à peu près totalement. Moins spécifiquement hiéronymien peut-être que *tropologia* dans la mesure où Jérôme le rencontrait couramment dans la tradition grecque, c'est lui qui, dans le *Commentaire sur*

---

220. C'est-à-dire τροπολογικός. Absent du Liddell-Scott, l'unique référence qu'en donne Lampe, à Nil d'Ancyre, concerne les mythes païens. Τροπικός en revanche est bien représenté.
221. Voir ci-dessus la note 144, page 241.

Isaïe, offre le plus grand nombre d'emplois stéréotypés, presque autant à lui seul que les trois autres mots réunis [222]. C'est dire qu'il est pour Jérôme une désignation on ne peut plus courante du sens spirituel. Cela rend presque surprenante l'esquisse de spécialisation que l'on observe à son propos au double plan du procédé, volontiers allégorisant, et du contenu d'exégèse morale, qui contraste plus d'une fois avec une autre exégèse spirituelle mettant le texte prophétique en rapport avec le Christ. Tendance inconsciente, sans doute, qui recoupe en tout cas ce que nous venons de rappeler de *tropologia*.

Les deux mots ont en effet chez notre exégète plus d'affinités qu'on ne s'y attendrait : expressions courantes du sens spirituel dont ils totalisent les cinq sixièmes des désignations stéréotypées, ce n'est pourtant qu'avec Jérôme qu'ils entrent l'un et l'autre dans la tradition latine, symbolisant en quelque sorte les sources grecques dont il nourrit ses commentaires [223]. Ils n'y distinguent encore ni des procédés d'exégèse ni des contenus d'interprétation bien définis. Mais dans la mesure où se dessinent tout de même des préférences d'emplois, on constate que c'est au même type d'exégèse morale détachée de l'histoire que Jérôme les associe volontiers l'un et l'autre [224].

Spiritus apparaît bien différent : mot le plus employé dont la supériorité numérique s'estompe quelque peu devant la richesse en tours stéréotypés du groupement *anagoge-tropologia*, il se distingue aussi par la répartition interne de ses emplois qui met en vedette l'adjectif. Elle n'est d'ailleurs pas propre à Jérôme [225] et sans doute tient-elle à l'ambivalence du nom, apte à désigner aussi bien la personne divine inspiratrice de l'Écriture que la manière de lire celle-ci sous son inspiration. On conçoit qu'il intervienne plus souvent dans des rappels herméneutiques occasionnels que comme une banale étiquette. D'où sa rareté en emplois stéréotypés, dont l'adverbe fournit, il est vrai, une sorte d'équivalent. L'adjectif en revanche, à la différence d'*allegoricus* ou *tropologicus* qui évoquent des procédés, offre cette commodité, en qualifiant une réalité amenée par l'Écriture, de la situer d'emblée dans la perspective d'une lecture spécifiquement chrétienne. Ce n'est donc pas sans raison que Jérôme manifeste une préférence nette pour les mots de cette famille dans le cas d'une exégèse directement liée au mystère du salut : accomplissement de l'Alliance, venue du Christ, Église. Cela confère d'ailleurs à leurs emplois une homogénéité beaucoup plus grande que celle que connaissent les trois autres

---

222. Trente-deux contre vingt-quatre à *tropologia*, dix à *spiritus* et un à *allegoria*.

223. La place qu'occupent dans la terminologie de Jérôme ces termes grecs ignorés de ses prédécesseurs latins a en effet valeur de symbole. Mais il ne faudrait pas en conclure que Jérôme reproduit terme à terme au fil du commentaire le vocabulaire exégétique de ses sources. Là où la vérification directe peut être faite, on aboutit au contraire à la certitude inverse. J'ai montré dans mon étude sur ce sujet que, pour l'*In Zachariam* où Jérôme dépend pourtant largement de Didyme, les points de contact entre les deux œuvres étaient sur ce point fort limitées et sans signification (voir ci-dessus, p. 130, la note 13 du ch. III). La confrontation de l'*In Isaiam* de Jérôme avec celui d'Eusèbe, que nous a restitué avec sécurité l'édition Ziegler, montre qu'il n'y a entre les deux œuvres *aucune* correspondance précise de termes exégétiques. Il est donc tout à fait improbable que les incohérences du vocabulaire hiéronymien, dans les œuvres de sa maturité, puissent être imputables à la pluralité de ses sources.

224. Ce genre d'interprétation est donc largement représenté dans notre commentaire. Voir plus loin p. 326 et s.

225. On retrouve la même supériorité de l'adjectif chez Origène et dans l'*In Zachariam* de Didyme.

termes. Définition de l'interprétation chrétienne, il était naturel que *spiritus* en
fût une désignation privilégiée.

Ces analyses auront suffisamment montré, je pense, la nécessité de prendre
du champ par rapport aux appréciations portées traditionnellement sur le
vocabulaire exégétique de saint Jérôme. Sans doute une terminologie dont tous
les mots sont interchangeables à un certain niveau de généralité peut apparaître « vague et imprécise » [226] ; et si des divergences d'accent, voire des contradictions, viennent s'introduire entre eux ou même au sein des emplois d'un
même terme, au sentiment d'imprécision risque de s'ajouter celui d'incohérence [227]. Mais un regard plus attentif révèle une réalité plus complexe et plus
intéressante. A vrai dire, seuls peuvent apparaître assez largement équivalents
anagoge et *tropologia*, que rapprochent en particulier fréquence, mode
d'expression, tendance identique à accompagner un type d'exégèse qui n'est
d'ailleurs pas le plus caractéristique de la lecture chrétienne des Écritures. Mais
ces divers aspects les distinguent au contraire et d'*allegoria* et de *spiritus*, qui
eux-mêmes ne sont pas situés par hasard aux deux extrémités de l'éventail
numérique. Le premier doit sans doute à la permanence de sa valeur technique
aux yeux de Jérôme une faible utilisation qui n'empêche pas les contradictions
entre ses rares emplois. Tout autre est la perspective avec *spiritus* dont les
emplois, à la fois les plus abondants et néanmoins les plus cohérents, échappent à toutes réserves. C'est qu'on passe avec ce mot des processus d'interprétation à la définition même de la signification à atteindre.

Taxer d'imprécision cette terminologie est donc aller un peu vite en beso-
gne. Mais il faut reconnaître que Jérôme donnerait moins prise à ce genre
d'appréciation s'il était allé jusqu'au bout des clarifications que l'analyse a
mises en lumière. Le pouvait-il ? C'est la question. Ses hésitations à l'égard
d'*allegoria* sont de toute évidence positives : elles trahissent le pressentiment
d'un tri à opérer dans le flot de l'exégèse allégorique, dont il souligne d'ailleurs
clairement les risques à Amabilis. Mais comment aurait-il pu récuser un
procédé qui avait marqué en profondeur l'univers culturel dans lequel s'était
élaboré, en particulier à Alexandrie, l'essentiel de l'exégèse biblique antérieure
et dont lui-même usait encore largement ? Quant au principe de discernement
que nous le voyons invoquer au niveau du contenu, je veux dire la conformité
à la *regula fidei*, il était trop général pour le pousser à affiner de subtiles
distinctions au sein du sens spirituel.

L'étonnant, dans ces conditions, n'est-il pas plutôt que Jérôme, rompant en
pratique avec l'imprécision d'un vocabulaire comme celui de Didyme où des
mots interchangeables désignent une exégèse uniforme, ait esquissé dans le
maniement des termes exégétiques des différenciations ? Insuffisamment systématiques sans doute pour éviter les incohérences, elles n'en témoignent pas
moins, par rapport à ses devanciers, d'une liberté d'allure que confirme
d'ailleurs la totale indépendance du vocabulaire exégétique de son *Commentaire sur Isaïe* par rapport à celui d'Eusèbe [228]. Il est certes impossible de
reconnaître à coup sûr chez lui d'après le vocabulaire les divers aspects du sens

---

226. Ce sont les termes de Penna. Voir ci-dessus p. 130, n. 12.
227. Voir *ibid.*, H. de Lubac.
228. Voir ci-dessus la note 223.

spirituel auxquels nous sommes habitués [229], et qu'il se souciait sans doute beaucoup moins que nous de distinguer [230]. Mais l'intérêt est justement que les tendances que nous avons vu s'ébaucher dans son œuvre se dessinent non pas à partir de définitions théoriques, mais d'un usage personnel du vocabulaire. Les tâtonnements en ce domaine ne manifestent donc pas seulement une prudence théologique qui, d'une autre manière que les Antiochiens, l'incite au discernement face à l'héritage de l'allégorie chrétienne. Ils mettent surtout en lumière une sorte de « conscience linguistique » très positive et sans doute plus originale qui, une fois qu'on y a été attentif, laisse apparaître moins de flottement qu'on ne l'imaginerait d'abord dans l'emploi qu'il fait des différentes désignations du sens spirituel.

Il reste, pour être complet, à passer rapidement en revue quelques termes, de fréquence variable, qui, en qualifiant diverses réalités contenues dans l'Écriture ou amenées par elle, les mettent en relation avec le sens spirituel dans lequel elles acquièrent une signification nouvelle.

Vmbra   C'est le cas, tout d'abord, du mot *umbra* que Jérôme, à la suite de ses devanciers, emprunte à la célèbre formule de l'*Épître aux Hébreux* sur la « Loi qui contient l'ombre des biens à venir, non l'image même des réalités [231] ». C'est d'ailleurs le plus souvent en référence à ce contexte scripturaire qu'il emploie ce mot : il l'associe aux manifestations concrètes de la Loi que sont les « cérémonies », les « solennités », le « service » du culte [232], ou mieux à la Loi elle-même dans l'expression *legis umbra*, « l'ombre que

---

229. Mais de quel Père, jusqu'à son époque, ne pourrait-on en dire autant ?

230. Il faut se garder en effet de projeter sur la pratique de Jérôme les catégories de l'exégèse ultérieure pour en découvrir ensuite chez lui l'amorce. Nous avons vu qu'il est encore étranger à la classification de Cassien : la triple subdivision, chez celui-ci, de l'*intellegentia spiritalis* en *allegoria, tropologia, anagoge* (*Conl.* 14, 8 : CSEL 13, 404) ne se rencontre absolument nulle part chez lui. Si l'on cherche à découvrir à tout prix des correspondances entre cette subdivision et la pratique hiéronymienne, on aboutit aux constatations suivantes : 1° les quatre termes chez Jérôme peuvent désigner le sens spirituel en général et, sauf peut-être *allegoria*, chacun couvre plusieurs aspects différents du sens spirituel ; 2° le terme qui, par le type d'exégèse qui l'accompagne le plus volontiers, se rapprocherait le plus de « l'allégorie » de Cassien, c'est *spiritus* ; 3° si au sens moral défini par la « tropologie » de Cassien paraît bien correspondre chez Jérôme une majorité d'emplois de *tropologia* il en correspond tout autant d'*anagoge* ; 4° aucun terme chez lui n'a un rapport particulier au sens « anagogique » de Cassien. On voit qu'on est loin du compte. Bien entendu il est facile de relever chez Jérôme des exemples de ces divers aspects du sens spirituel qui seront codifiés plus tard, encore que l'*In Isaiam* soit relativement avare d'exégèse « anagogique » au sens que prendra ce mot chez Cassien. Mais cela ne prouve nullement que le système herméneutique de Jérôme s'organise autour de la conscience de ces distinctions. Autre chose est de constater chez lui, comme d'ailleurs chez à peu près tous les Pères, la présence de ces divers « sens », autre chose d'en déduire qu'il se soucie de les distinguer. J'ai montré ailleurs (référence ci-dessus note 48) qu'il était déjà fort hasardeux de le créditer d'une division tripartite. Aussi me paraît-il pour le moins imprudent d'écrire, comme le fait le Père de Lubac, que « tous les éléments de ce quadruple sens sont déjà nettement distingués... notamment chez saint Jérôme », en en donnant pour preuve une superposition de deux formules tripartites présumées complémentaires, isolées de leur contexte, et dont l'une n'est pas suivie d'exégèses précises qui permettraient de vérifier à quel aspect du sens spirituel correspond le vocabulaire employé (cf. H. DE LUBAC, *Exégèse médiévale*..., t. 2, p. 420, citant l'*In Am.* 4, 6 : PL 25, 1027 D et l'*In Ez.* 33, 1-2 : *ibid.* 318 D).

231. *Hebr.* 10, 1 : « Vmbram enim habens lex bonorum futurorum, non ipsam imaginem rerum... »

232. *In Is.* 27 A : « ... iudaicarum superstitionum, quae in umbra et imagine praecesserunt, caeremonias... » (cf. *Col.* 2, 16-17 : « ... aut in parte diei festi aut neomeniae aut sabbatorum, quae

constitue la Loi », à laquelle est opposée, dans la logique du verset de l'Épître, la « vérité de l'Évangile »[233]. Dans un autre passage le terme apparaît plus subtilement au sein d'une image qui, par un jeu sur le mot, se trouve rattachée à cette opposition : celle de l'arbre sur lequel « les Juifs ne cherchent pas les fruits mais seulement les feuilles et l'*ombre des mots*[234] ». Ombre et vérité sont directement associées dans une locution qui joue sur une autre valeur du génitif : « l'ombre de la vérité », qui se trouve dans la Loi[235]. La même opposition déborde parfois la perspective historique de l'Ancienne Alliance pour s'appliquer de façon intemporelle à des réalités abstraites. Jérôme dit par exemple des hérétiques qu'ils « ont seulement l'image et l'ombre des *vertus* et non la vérité elle-même[236] ».

Imago   Cette formule, qui semble faire écho au verset de l'*Épître aux Hébreux*, introduit dans notre enquête un deuxième terme : *imago*. Moins fréquent qu'*umbra* qu'il accompagne ici, on le rencontre aussi de façon indépendante. En particulier deux passages similaires présentent les « victimes charnelles » demandées par la Loi comme des « images » du « sacrifice spirituel », à la « vérité » duquel il convient de passer[237]. On voit que le mot joue un rôle tout à fait semblable à celui que nous venons de reconnaître à *umbra* ; ses emplois isolés concordent donc avec l'étroite association des deux termes qu'offre la phrase qui nous retient.

Or cette association est tout à fait surprenante par rapport au verset de l'Écriture dont, à première vue, la formule de Jérôme paraît pourtant refléter docilement la structure et le vocabulaire. En réalité, en faisant glisser *imago* du second élément au premier, elle en renverse totalement la signification : le mot passe avec *umbra* d'un rapport disjonctif (« l'ombre, non l'image... ») à une relation d'assimilation (« l'ombre *et* l'image... »), que confirme le tour quasi formulaire : *in umbra et (in) imagine*, qu'on rencontre ailleurs dans le Commentaire[238]. Ainsi, alors que l'*Épître aux Hébreux* oppose, comme l'esquisse au dessin, l'ombre des choses à venir que contient la Loi *(umbram habens lex futurorum bonorum)* à l'image même des réalités qui lui échappe *(non ipsam imaginem rerum)*, Jérôme confond pratiquement les deux termes en une même signification : du verset, dont on ne trouve d'ailleurs chez lui ni citation complète ni commentaire, il retient l'idée simplifiée d'une opposition entre une préfiguration imprécise et voilée et la vérité. Il laisse donc totalement échapper

---

sunt umbra futurorum... ») ; 240 A : « Si umbrae et exemplaribus seruiebat iuxta carnem Israel et omnis eorum solemnitas futurorum erat typus... » (cf. *Hebr.* 8, 5 : « ... qui exemplari et umbrae deseruiunt caelestium... »).

233. *In Is.* 536 C : « ... ut post umbram legis discatis euangelii ueritatem... » ; cf. 197 C, 624 A (umbras legales), et aussi *In epist. ad Gal.* 5, 4 : « umbra in lege ueteri est (...), ueritas in euangelio Christi » (PL 26, 397 B).

234. *In Is.* 335 A : « Iudaei (...) qui fructus non quaerunt in arbore, sed folia tantum umbramque uerborum... »

235. *In Is.* 602 D : « ... nequaquam sicut in lege umbra ueritatis... ».

236. *In Is.* 81 C : « ... haeretici imaginem tantum habentes umbramque uirtutum et non ipsam ueritatem... ». Mais sans doute l'opposition *umbra/ueritas* recoupe-t-elle ici les valeurs du couple antithétique *umbra/res* qui oppose vaine apparence et réalité. Cf., avec une autre *iunctura*, 329 D.

237. *In Is.* 34 C et 275 B. Textes latins ci-dessus notes 174 et 177, p. 246.

238. *In Is.* 27 A, ci-dessus n. 232 ; 675 B, texte ci-dessous note 247. Cf. *In Hier.* 7, 27-28 : « ... et in umbra praecesserit et in imagine... » (PL 24, 734 C).

la nuance que le grec établit, en termes de peinture, entre σκία et εἰκών et dont s'efforce de rendre compte, au contraire, avec son sens habituel de la précision, son contemporain saint Jean Chrysostome [239].

Comment expliquer chez Jérôme cette *iunctura* désinvolte qui figurait déjà dans l'*Aduersus Iouinianum* [240] ? Elle n'est pas courante chez ses devanciers latins. Les deux passages de Tertullien où les termes sont rapprochés montrent au contraire que l'auteur de l'*Apologeticum* et du *De resurrectione carnis* les distingue comme un concret et un abstrait, encore qu'ils désignent tous deux des représentations imparfaites d'une réalité : l'image est à la vérité ce que l'ombre est au corps [241]. Cyprien en revanche connaît leur association [242]. Chez les Grecs c'est d'ordinaire de τύπος, non d'εἰκών, qu'est rapproché σκιά chez Origène, Eusèbe, Basile [243]. Mais Didyme, dans son *Commentaire sur Zacharie*, parle à deux reprises « des ombres et des images » de la Loi, en appuyant même à chaque fois sa formule, avec un illogisme parfait, sur la citation complète du verset de l'« Apôtre » [244]. On serait tenté de penser que c'est à lui plutôt qu'à Cyprien que Jérôme est redevable de ce détournement d'emploi au prix duquel le mot *imago* est devenu chez lui un simple doublet d'*umbra*, si l'on ne s'avisait que cette alliance est parfaitement cicéronienne [245]. Sans doute

---

239. Ioh. Chrys. *hom. 17 in epist. ad Hebraeos* 10, 1 : « ... la Loi ayant l'ombre des biens à venir, non l'image même des réalités, c'est-à-dire non la vérité même. En effet, jusqu'à ce qu'on suive avec les couleurs les contours du dessin, on a une "ombre" (σκιά). Mais quand on peint la fleur et qu'on passe les couleurs, alors naît une "image" (εἰκών). Pour la Loi aussi c'était quelque chose de ce genre » (PG 63, 130). La première phrase est particulièrement nette : l'image, la représentation du réel est du côté de la vérité. Quant au sens de σκιά tel qu'il est clairement défini ici, il ne semble pas avoir son équivalent exact dans le latin *umbra*, encore moins dans le français « ombre ». Voir cependant un exemple de *prima umbra* avec cette valeur chez Tertullien (*Adu. Herm.* III, 2) et Jérôme lui-même propose à Héliodore un portrait des vertus de Népotien « plutôt esquissé que dessiné *(adumbrata non expressa)* » *(Epist. 60, 7, 3)*. Théodoret distingue tout aussi nettement que Chrysostome les deux termes dans une explication à trois degrés : « il appelle réalités la vie future, image des réalités la règle de vie évangélique, ombre de l'image des réalités l'ancienne alliance ; l'image, en effet montre clairement l'original, l'esquisse (ἡ σκιογραφία) de l'image le suggère confusément » *(In epist. ad Hebraeos* 10, 1 : PG 82, 745 D). Il est clair que ce sont ces commentaires qui respectent la pensée de l'écrivain sacré. Jérôme aurait pu aussi se souvenir des nombreux passages de l'Écriture où *imago* exprime la ressemblance avec Dieu, en particulier, chez saint Paul, le Christ « image de Dieu » (en part. 1 *Cor.* 11, 7 ; 2 *Cor.* 4, 4 ; *Col.* 1, 15).

240. Hier. *Adu. Iouinianum* 1, 39 en 393 : « ... umbra et imago et species quaedam ueritatis praecessit in lege... » (PL 23, 266 A).

241. Tertullien, *Apol.* 47, 14 : « ... numquam corpus umbra aut ueritatem imago praecedit ». C'est, on le voit, très exactement l'inverse de la démarche herméneutique chrétienne où précisément c'est « l'ombre » qui vient d'abord. Voir aussi *De resurr.* 20, 2.

242. Cyprien, *Ad Fortunatum* 7 : « ... Iudaicus populus ad umbram nostri et imaginem praefiguratus... ».

243. Cf. par exemple Origène *in Luc. fr.* 78 : ... ὡς ἐν σκιαῖς καὶ τύποις μορφούμενος ; Eusèbe *In Is.* 50, 10 : ... διὰ τύπου καὶ σκιᾶς ; Basile, *De Spir. sanct.* 31 : ... εἰς σκιὰν καὶ τύπον..., etc. Origène cependant associe parfois *ombre* et *image* comme deux termes équivalents (voir M. Harl, *Origène...*, p. 145 et 153). Et dans ses *homélies sur Luc,* εἰκών renvoie régulièrement à l'image de Dieu. Chez Cyrille d'Alexandrie, les trois termes seront devenus équivalents (cf. Kerrigan, *St Cyril...*, p. 127).

244. Didyme, *In Zach.* 6, 9-11 (II, 16) et 8, 1-3 (II, 235) : « ... τὰ σκιώδη καὶ εἰκονικὰ τοῦ νόμου... ». Jérôme ne fait aucun écho à ces développements dans son propre commentaire. Il avait eu aussi l'occasion de rencontrer une formule identique en traduisant le *De Spiritu sancto* de l'Alexandrin (§ 33 : « ... typo legis et umbrae et imaginibus seruientes.. »).

245. Voir Cic. *De Rep.* II, XXX, 52 : « non *in umbra et imagine* ciuitatis sed in amplissima republica... » ; *De off.* III, XVII, 69 ; « *umbra et imaginibus* utimur », par opposition à *effigies*, à

n'y a-t-il pas à chercher ailleurs la source de l'expression chez Jérôme, comme probablement chez Cyprien [246].

Une alliance de termes plus large, et très intéressante, associe à ces deux mots le verbe *praecedere*. « Si ces cérémonies », observe Jérôme après avoir cité les deux versets pauliniens qui contiennent l'expression *umbra futurorum (bonorum)*, « sont *venues à l'avance* comme une ombre et une image des biens à venir, c'est toute la Loi qui doit être comprise spirituellement, cette Loi », ajoute-t-il, « dont le même Apôtre disait : Nous savons que la Loi est spirituelle [247] ». Nous avons là, appuyée sur un dossier scripturaire, une justification très claire de l'interprétation spirituelle de l'Ancien Testament : elle repose sur la perspective d'une continuité historique dans laquelle les événements de l'histoire d'Israël préfigurent ces réalités à venir que Jérôme appelle ailleurs « la vérité de l'Évangile ». En d'autres termes, et pour donner encore la parole à Jérôme, mais avec un autre arrière-plan scripturaire également paulinien : « Tout ce qui concerne ce peuple est arrivé à l'avance en image, en ombre et en symbole et a été écrit pour nous sur qui est survenue la fin des temps [248] ». On retrouve ici le groupement précédent, enrichi d'un nouvel élément, le « symbole » ou le « type » *(typus)* amené par le démarquage du verset de la *Première Épitre aux Corinthiens* qui conclut l'évocation des Hébreux au désert : « Tout cela leur arrivait en figure », en grec τυπικῶς, que Jérôme rend

---

propos du droit et de la justice véritables (cf. *Tusc.* III, 3 : ... *adumbratam imaginem* gloriae...) ; *Pro Rab. Post.* XV, 41 : « *umbram* equitis romani *et imaginem* uidetis ». Le premier exemple qu'on en relève chez Jérôme est tout à fait dans la ligne de ces emplois cicéroniens et ne doit rien à saint Paul : « ... flocci pendens *imagines umbrasque* laruarum... » (*Hebr. quaest. in Gen. praef.* PL 23, 938 A, vers 389-392). Cf. *In Is.* 318 A : « ... phasmata, id est umbrae quaedam et imagines... ». On peut en rapprocher *In Is.* 88 A : « ... umbras quasdam et imagines simulat se habere uirtutum... ». Voir aussi *In Eccl.* 10, 15 : PL 23, 1097 B. Outre les trois exemples de l'*In Is.* cités plus haut notes 236 et 238, voici, par ordre chronologique, les références des autres apparitions de la *iunctura* dans l'œuvre de Jérôme : *Adu. Iou.* 1, 39 (ci-dessus note 240) ; *Epist.* 112, 14 (« pro umbris et imaginibus ueteris instrumenti, ueritas per Iesum Christum facta est ») ; 121, 10 (« Haec omnia umbra sunt futurorum et imagines uenturae felicitatis ») et, après l'*In Is., Epist.* 129, 6 et *In Hier.* 7, 27-28 (ci-dessus note 238) et 16, 21 (PL 24, 785 C).

246. Cette *iunctura* reste rare dans la tradition patristique latine. On ne la rencontre guère que chez Grégoire d'Elvire : « lex enim prisca, ut apostolus docet, *umbra* erat bonorum futurorum *et imago* ueritatis » (*Tract.* 13, 2 : CC 69. Noter la référence à saint Paul) et chez Rufin, dans plusieurs passages de ses traductions d'Origène (*Per.* 1, 1, 4 : *umbrae et imagini* caelestium deseruientes... ; *In Ex. hom.* 11, 6 : Or. W. 6, 259, 23 ; *In Leu. hom.* 12, 1 : ibid. 455, 6 ; *In Num. hom.* 24, 1 et 28, 1 : Or. W. 7, 224, 21 et 281, 18). On n'en peut déduire avec certitude que l'expression se trouvait dans l'original, car elle reste rare dans ce que nous avons conservé d'Origène, et Ambroise dont on sait la dépendance fréquente envers l'Alexandrin distingue au contraire soigneusement *umbra* d'*imago*, par ex. *Off.* 1, 238 : « umbra in lege, imago in euangelio, ueritas in caelestibus.. ». (Cf. *De interpel. Iob et Dauid* 4, 2, 9 : CSEL 32, 2, 274 ; *De exc. fratr. Sat.* 2, 109 : CSEL 73, 311.) Il est vraisemblable que, pour Rufin comme pour Jérôme, la source est cicéronienne. Je dois à l'obligeance du Professeur Frede et de ses collaborateurs du *Vetus Latina Institut* d'avoir pu vérifier que l'expression ne provient pas d'une ancienne version latine.

247. *In Is.* 675 B : « Si autem haec in umbra futurorum bonorum et in imagine praecesserunt, omnis lex spiritaliter intellegenda est, de qua idem dicebat apostolus : Scimus quia lex spiritalis est... » (Cf., outre *Col.* 2, 16-17 et *Hebr.* 10, 1, *Ro.* 7, 14) ; 27 A. Voir encore, en dehors de l'*In Isaiam*, l'*Adu. Iouin* 1, 39 (ci-dessus note 240), l'*In Hier.* 7, 27-28 (PL 24, 734 C) et la formule encore plus large de l'*Epist.* 129 (note suivante).

248. HIER. *Epist.* 129, 6, 3 (en 414) : « ... omnia illius populi in imagine et umbra et typo praecessisse, scripta autem esse pro nobis in quos fines saeculorum decucurrerunt ». Cf. 1 *Cor.* 10, 11 : « Haec autem omnia in figura contingebant illis ; scripta sunt autem ad correptionem nostram, in quos fines saeculorum deuenerunt. »

ailleurs par *in figura* [249]. Transposition ou traduction du même terme grec, *typus* et *figura* sont donc strictement synonymes et il serait tentant de les rendre en français par le même mot « figure » si Jérôme ne les employait parfois côte à côte, voire en les associant étroitement [250]. Ils ne connaissent d'ailleurs pas sous sa plume la même densité d'emploi.

Figura　　*Figura* n'est pas très fréquent chez lui, même sous ses formes dérivées, et sa présence dans un contexte exégétique porte la marque de l'ambiguïté. S'il apparaît à plusieurs reprises dans des transpositions libres du verset paulinien qui vient d'être évoqué, nous l'avons vu au contraire au chapitre précédent caractériser plus souvent, mais pas toujours, le simple sens figuré [251]. Son apparition n'est donc nullement significative d'un passage au sens spirituel et il faut vérifier au coup par coup, par le contexte, à quel niveau de sens introduit la figure qu'il désigne. Si l'on s'en tenait aux quelques emplois du *Commentaire sur Isaïe*, on pourrait dire que, si le nom lui-même et l'adverbe *figuraliter*, sans déborder beaucoup le cadre du sens littéral figuré, offrent néanmoins les deux valeurs, le verbe *praefigurare* apparaît lié au sens spirituel [252]. Cette impression se précise en se nuançant quand on considère l'ensemble de l'œuvre. De fait le nom, qui d'une façon générale entre dans des tours prépositionnels, offre bien une majorité d'emplois sans rapport avec le sens spirituel. C'est habituellement le cas avec *per*, presque toujours avec *sub*. Par exemple, « sous la figure d'une femme adultère », c'est à Jérusalem que Dieu s'adresse par la bouche du prophète [253]. En revanche la locution *in figura*, employée absolument comme dans le passage de saint Paul, en conserve aussi la signification [254].

La tendance est inverse pour l'adverbe *figuraliter*, « de façon figurée » ; sans perdre son sens technique, il se rencontre le plus souvent dans un contexte d'exégèse spirituelle, d'ailleurs volontiers allégorique, ce qui n'a rien de surprenant. Ainsi « en Ninive c'est le monde que de façon figurée il faut compren-

---

249. Hier. *Epist.* 52, 10 (en 394) : « ... quamquam haec omnia praecesserint in figura ; scripta sunt autem propter nos in quos fines saeculorum decurrerunt ».

250. Voir par ex. *Epist.* 73, 3 ; 36, 16 *(in figura)* à rapprocher de 36, 15 *(typos)* ; 21, 13 : « Huius sapientiae *typus* (...) sub mulieris captiuae *figura* describitur... » et surtout la formule du *Tract. de Ps.* 111, 1 : « Sancti *typus et figura* Saluatoris sunt... » A côté de « figure » *(figura)* j'ai préféré habituellement pour *typus*, non sans hésitation, la traduction de « type » à celle de « symbole » (du moins pour le nom). Les deux mots présentent des inconvénients. Je me suis tenu, en définitive, à la règle qui m'a fait transposer plutôt que traduire les mots que Jérôme avait lui-même transposés du grec sans en chercher une traduction latine.

251. Voir ci-dessus p. 151-152.

252. Voir *In Is.* 240 A : « Si enim umbrae et exemplaribus seruiebat (cf. *Hebr.* 8, 5) iuxta carnem Israel et omnis eorum solemnitas futurorum erat typus (cf. *Col.* 2, 17 ; *Hebr.* 10, 1), quare non et anni praesentis temporis futura tempora praefigurent ? » On voit que la structure de la phrase fait se correspondre *(futurorum) typus* et *(futura) praefigurent*. Pour le nom et l'adverbe, voir ci-dessus les références données dans les notes 118-121 du ch. III, p. 151-152 et aussi *In Is.* 93 A, 114 C, 216 A, 222 B, 646 D.

253. Hier. *In Hier.* 4, 30 b (PL 24, 712 C ; cf. 701 B, 740 A).

254. Cf. *Epist.* 36, 16 ; 52, 10 (ci-dessus note 249). On la trouve aussi flanquée d'une détermination parfaitement claire : « in figura Domini Saluatoris » *(In Os.*, prol. : PL 25, 818 B). Voir encore *in figuram (In Ez.*, *ibid.* 102 D), strictement synonyme du *in typum (Saluatoris)* qui précède.

dre [255] ». Parfois le mot n'est pas loin d'être un simple équivalent de *spiritaliter* [256].

Quant au verbe *praefigurare*, les quelques exemples qu'on en relève confirment l'emploi qu'en fait notre Commentaire. Le mot combine en lui les deux idées d'antériorité et de figure que traduit ailleurs encore plus explicitement le groupement *in figura praecedere* [257] ; bien que non scripturaire, il correspond parfaitement à l'idée exprimée par le verset paulinien, comme on peut le constater dans cet emploi du *Commentaire sur Daniel* : « Cet ange, ou ce fils de Dieu, préfigure comme un "type" *(in typo)* Notre Seigneur Jésus-Christ [258] ».

Typus   Ce passage situe du même coup la valeur du mot *typus* qui vient ici, comme en d'autres occasions [259], redoubler l'idée exprimée par le verbe. Fréquent chez Jérôme, ce calque du terme grec est antérieur à la tradition chrétienne. Étranger au vocabulaire des grammairiens, c'est de celui de la sculpture qu'il paraît relever à l'origine, traduisant dans les rares emplois classiques que nous en connaissons l'idée de figure moulée ou sculptée, et plus précisément de bas-reliefs, qu'exprimait déjà chez Hérodote le mot τύπος [260]. C'est très vraisemblablement à la présence de ce mot dans les lettres de Paul [261] que *typus* doit d'avoir été repris, avec une autre valeur, par l'exégèse chrétienne latine. Les premiers emplois de cette sorte que nous en avons, chez Tertullien et peut-être à la même époque dans l'Irénée latin [262], ne nous donnent pas l'occasion de saisir sur le vif ce passage, mais leur signification correspond bien à la perspective de l'apôtre : Tertullien voit l'Église dans « le type de l'arche » [263], Irénée dit de la toison de laine de Gédéon restée sèche

---

255. Hier. *In Nahum* 1, 4 : « ... recte et in Niniue mundus figuraliter intelligitur » (PL 25, 1235 B). Cf. *Transl. Or. hom. 3 in Hier.* PL 25, 610 C = Or. W. 8, 309 ; *hom. 8 in Is.* PL 24, 933 B = *ibid.* 286 ; *In Agg.* PL 25, 1401 B.

256. Hier. *In Nahum* PL 25, 1236 A.

257. Voir *Epist.* 52, 10, ci-dessus note 249. Exemples plus fréquents de *praecedere* avec *typus.* Voir par exemple *In Is.* 441 C, *In Hier.* 27, 6 : PL 24, 850 B, etc.

258. Hier. *In Dan.* PL 25, 511 D : « in typo praefigurat iste angelus, siue filius Dei, dominum nostrum Iesum Christum... ». Cf. *Adu. Iouinianum* 1, 17, à propos de l'arche : « ... diuersitas illa mansionum praefigurauerit Ecclesiae uarietatem ». Autres emplois similaires dans *Epist.* 18 A, 14 ; 36, 16 ; 71, 1 ; cf. en particulier 53, 8 : « duodecim prophetae... multo aliud quam sonant in littera praefigurant ». Jérôme n'est pas le premier à se servir de ce verbe, qui fait son apparition chez Tertullien avec un unique emploi (*De praescr. haer.* 26). Cyprien et surtout Hilaire l'utilisent largement, avec la même valeur que Jérôme.

259. *In Is.* 240 A (ci-dessus note 252) ; *In Ion.,* prol. : PL 25, 1117 B = Antin, p. 51.

260. Pline, *N.H.* 35, 151 : « ... impressa argilla typum fecit » (il s'agit d'un portrait moulé à partir du dessin d'un profil). Cicéron (*Att.* 1, 10, 3) parle à Atticus de moulages *(typos)* qu'il voudrait enchâsser dans les murs de son atrium. Voir aussi la note de L. Laurand, *REL* 15, 1937, p. 272. Pour la signification correspondante du mot grec, voir Hérodote, *Hist.* II, 136 (τύπους ἐγγεγλυμμένους), etc.

261. En particulier *Ro.* 5, 14 (Vulgate : *forma*) ; 1 *Cor.* 10, 6 et 11 (Vulg. : *figura*) ; *Hebr.* 8, 5 (Vulg. : *exemplar*) = *Act.* 7, 44 (cf. *Ex.* 25, 40). Les autres emplois pauliniens du terme évoquent simplement un modèle, un exemple à imiter (Vulg. : *forma, exemplum*).

262. ... si l'on date de la fin du II⁰ siècle cette très ancienne traduction latine de l'*Aduersus haereses.* Mais l'hésitation subsiste entre cette datation haute et la seconde moitié du IV⁰ siècle. Un récent éditeur d'Irénée , A. Rousseau, paraît pencher pour l'hypothèse tardive (SCh 100, 128, n. 1). Voir dans le même sens J. Doignon, *Hilaire...,* p. 200 et la note 2.

263. Tertullien, *De idololatria* 24, 4 (2 emplois) ; cf. *De exhortatione castitatis* 6, 1. Ce sont les trois seuls emplois qu'on relève chez lui, avec un exemple de l'adjectif *typicus*. En revanche il utilise largement *figura.*

qu'elle était « le type du peuple » d'Israël qui ne recevrait plus l'Esprit saint [264]. Chez Cyprien le terme est fréquent, et il appartient aussi au vocabulaire d'Hilaire [265]. L'utilisation qu'en font dans leur prédication, à l'époque de Jérôme, des hommes de second plan comme Zénon de Vérone [266] et surtout son ami Chromace, l'évêque d'Aquilée [267], manifeste le caractère courant du mot dans la terminologie exégétique de l'Italie du IVᵉ siècle à laquelle, même après son installation à Bethléem, ne cesse de se rattacher Jérôme. Cette spécialisation chrétienne du terme explique sans doute que Jérôme l'ait préféré à *figura*, aux emplois beaucoup plus mêlés.

A vrai dire, des nuances de sens sont tout de même perceptibles dans l'usage qu'il en fait, et certaines ne sont pas à retenir ici. Regarder par exemple comme une image de l'innocence de l'enfance le fait de boire du lait ne relève pas d'une spécificité chrétienne, même si les églises d'Occident en conservent « la coutume symbolique » *(mos ac typus)* dans leur liturgie baptismale [268]. D'un autre point de vue, le geste d'Isaïe qui, en se promenant nu sur l'ordre de Dieu, « présente l'image symbolique de la captivité qui attend l'Égypte [269] », à plus forte raison le nom signifiant de son fils Iasub, « un reste reviendra », choisi pour « symboliser le peuple de Juda » qui doit être finalement libéré des envahisseurs [270], restent au niveau sinon d'un langage figuré, puisque l'image

---

264. Irénée, *Adu. haer.* III, 17, 3 : « ... uellus lanae (...) quod erat typus populi » (cf. *Iudic.* 6, 40).

265. Hilaire, *Tract. Myst.* I, 19 : « Rebecca duplicem habet figuram coniugii et partus, et in coniugio ecclesiae typum praefert. » Cf. *typice, ibid.* II, 1. Nombreux emplois chez Cyprien, par ex. *ad Quir.* 1, 20.

266. Voir par ex. Zénon, *Tract.* I, 3, 7 (Abraham gemini populi typum in semet ipso portasse...) ; I, 34, 7 sur Jonas (nauis typus synagogae) ; II, 26, 3 (Maria typus ecclesiae).

267. L'index de l'édition Étaix-Lemarié de Chromace (CC 9 A) donne vingt-quatre références au nom, dont près du tiers à la locution prépositionnelle *in typo*, ce qui souligne l'emploi habituel du terme. Chromace connaît aussi l'adjectif *typicus* (S. XXIII, 36. La référence de l'index est erronée) et l'adverbe *typice* (trois références).

268. *In Is.* 529 C : « ... lac quod significat innocentiam paruulorum, qui mos ac typus in occidentis ecclesiis hodie usque seruatur... » (Sur ce rite baptismal, qui associe au lait le miel, voir Tert. *Adu. Marc.* 1, 14, 3 ; *De cor.* 3, 3 et, à l'époque de Jérôme, le canon 24 du Concile de Carthage de l'été 397). Même signification de *typus* dans le *Contra Vigil.* 7 à propos de la lampe à laquelle l'évangéliste compare Jean le Baptiste (... sub typo luminis corporalis... cf. *Ioh.* 5, 35).

269. *In Is.* 188 D : « ... praecipitur Isaiae ut (...) nudus et discalceatus incederet, typum praebens captiuitatis Aegyptiae... ». Sans doute est-ce ici que devraient trouver place également les deux emplois jumelés du prologue de l'*In Osee* qui rapproche le mariage de ce prophète de l'histoire, fictive, de la ceinture de Jérémie pour en faire ressortir la fonction symbolique : « Si cette histoire (de Jérémie) a valeur de type *(in typo est)* puisqu'elle est impossible, ce mariage aussi a donc valeur de type *(et hoc in typo)* puisque sa réalisation constitue un scandale » (PL 25, 818 D). Ces formules peuvent faire penser à l'idée origénienne de l'impossibilité ou de l'immoralité du sens littéral comme signes du sens spirituel (voir ci-dessous, p. 279). Il semble pourtant qu'ici du moins — car il dira un peu plus loin (825 A) qu'Osée se marie « in typo Domini Saluatoris » — Jérôme en reste au plan de ces actions ordonnées par Dieu aux prophètes pour « signifier » une situation présente ou proche. Encore faut-il reconnaître en passant qu'il est extrêmement malaisé de saisir sa pensée exacte, dans ces premières pages du Commentaire, quant à la *réalité* du mariage du prophète. L'imprécision, voire les fluctuations d'accent, qui se laissent déceler à une lecture attentive trahissent sans doute une certaine hésitation, la chose qui lui importe étant de faire reconnaître en tout état de cause la portée symbolique de l'épisode, comme des autres épisodes bibliques, pour la plupart bien réels, qui mettent en scène prostituées et adultères. Jérôme semble plus à l'aise au ch. 3 qui montre l'amour d'Osée, « typus Dei », pour la coupable, sans impliquer absolument la consommation du mariage (842 B).

270. *In Is.* 103 B : « Iasub filius Isaiae qui interpretatur "reliquus" atque "conuertens" in typum

consiste en des réalités et non pas en de simples figures de style, du moins d'un comportement volontairement symbolique qui fait partie du discours prophétique et relève du sens spirituel. Ce n'est pas là la perspective paulinienne, pour qui ce sont les événements de l'histoire antérieure qui se révèlent porteurs de l'annonce de réalités nouvelles. Cependant si ces deux visées ne se confondent évidemment pas, il arrive qu'elles se superposent à propos d'un même détail du texte prophétique. Ainsi en est-il du signe donné à Ézéchias pendant sa maladie par le recul du soleil, « type à la fois pour le présent et pour l'avenir » : pour Ézéchias pour qui il symbolise une sorte de restitution d'une part de vie écoulée, et pour nous dont la résurrection du Christ étend le champ de l'existence [271].

Mais d'ordinaire seul intervient le renvoi à ce second niveau, dont témoignent, à côté du groupement *« iuxta anagogen et futurorum typum »* déjà rencontré [272], des emplois absolus consacrés par l'usage ; par exemple il faut faire passer aux nations, c'est-à-dire à l'Église, « tout ce qu'Israël célébrait *d'une façon symbolique* et imagée [273] ». Le plus souvent toutefois le mot *typus* reçoit une détermination. Exceptionnellement c'est celle de la réalité qui joue le rôle d'annonce symbolique : « Sous le type de la ruine de Babylone, je comprends », dit Jérôme, « l'époque de la fin du monde [274] ». D'habitude c'est la détermination inverse et Jérôme dira plus volontiers de cette dévastation de Babylone qu'elle est « le type de la fin du monde [275] ». Quant au contenu des réalités ainsi préfigurées, il a un rapport massif à l'accomplissement des prophéties par la venue du Christ [276].

Dans tous ces emplois du *Commentaire sur Isaïe* ce sont des personnes ou des événements mentionnés par les textes prophétiques qui jouent le rôle de types. D'une façon un peu différente, à propos d'annonces et non plus d'événements rapportés, plusieurs passages du *Commentaire sur Jérémie* voient dans des faits ou des personnages en lesquels s'est accompli historiquement, mais de façon partielle, l'oracle prophétique la préfiguration symbolique

---

populi Iuda... » Jérôme traduit en fait ici le nom complet du fils d'Isaïe, *Shear Yashùb*, dans lequel c'est le premier élément, *Shear*, qui signifie *reliquus*. Cf. *Liber hebr. nom.* : Iasub reuertens (PL 23, 829 = Lag. 50, 8).

271. *In Is.* 392 A : « Quod signum et praesentis temporis et futuri typus erat... »

272. *In Is.* 240 D, ci-dessus, p. 231 et la note 81.

273. *In Is.* 291 C : « ... quae quondam Israel in typo et imagine celebrabat ».

274. *In Is.* 205 B : « ... sub typo euersionis eius consummationis tempus intellego ». Même structure logique (= génitif d'inhérence) dans ces deux exemples de l'*In Osee* : « Typus seminis Dei et ultio sanguinis eius refertur ad Domini passionem » (PL 25, 825 C) et : « ... in typo Naboth Iezraelitis sanguinem praecessisse ut ueritas compleretur in Christo » (*ibid.* 829 B). La correspondance symbolique est ici assez complexe puisqu'elle passe par la médiation d'une exégèse étymologique du nom de Iezrael, qui est à la fois le nom du fils du prophète et de la ville où a eu lieu le meurtre de Naboth, nom qui signifie *semen Dei*, sous lequel Jérôme reconnaît le Christ.

275. *In Is.* 165 A : « ... uastitas Babylonis... typus sit consummationis mundi ». Cf. *In Hier.* 27, 6-7 : « ... diabolus in cuius typum praecessit Nabuchodonosor » (PL 24, 850 B).

276. Voir en particulier 106 A, où l'exégèse caractérisée par *typus* (« ... ad typum pertinet mortis Domini et ascensionis ») est distinguée d'une exégèse *per allegoriam* (106 BC) accusée de vider de substance le texte prophétique (ci-dessus, p. 223 et la note 34). Cf. 109 D, 441 C, 509 B, et aussi 61 C (typus aedificandae Ecclesiae). Emplois identiques dans les autres commentaires, par exemple *In Zach.* PL 25, 1516 C, *In Os. ibid.* 823 C, 825 A (Osee in typo Domini Saluatoris), 915 D-916 A (ci-dessous, note 282). L'emploi du terme par Jérôme prédicateur va dans le même sens (*In Marc. euang. tract.* 1, 251 : ... Ezechiel in typo Saluatoris...).

des personnes ou des événements qui le réaliseront pleinement. Le type n'est donc plus directement dans le texte biblique, il est à découvrir dans des réalités historiques ultérieures qui lui correspondent. Ainsi, des promesses de restauration d'Israël « les juifs pensent qu'elles se sont accomplies quand ils ont, sous la conduite d'Ezras, quitté Babylone après le jour de la Pâque pour revenir à Jérusalem ; mais », continue Jérôme, « cela constituait une préfiguration symbolique et non la réalisation véritable *(in quo fuit typus et non ueritas)*. De fait ils ne pourront pas prouver que tout ce que nous lisons ou allons lire s'est accompli à ce moment-là [277] ». A de tels textes correspondent donc trois degrés de réalité : l'annonce prophétique, venant en quelque sorte s'inscrire en préalable, repousse à un moment ultérieur de l'histoire l'événement qui, interprété comme un premier accomplissement de l'oracle, va faire en même temps figure de symbole de sa réalisation complète qu'il « devance » [278]. Mais le rapport du *typus* à la *ueritas* n'en est pas modifié.

Ce rapport apparaît, d'autre part, tout à fait analogue à celui que nous avons relevé plus haut entre *imago* et *ueritas* [279]. Cette analogie est confirmée par l'étroite association entre *typus* et *imago* qu'offre à plusieurs reprises le *Commentaire sur Isaïe* et qui se retrouve, élargie à *umbra*, dans la formule ternaire de la *Lettre* 129 déjà évoquée [280]. La présence fréquente du verbe *praecedere* auprès de ces divers groupements de termes, et notamment dans la perspective de réalisations successives d'oracles dont un premier accomplissement, partiel, prélude symboliquement à la réalisation plénière, souligne que c'est dans le déroulement d'une suite temporelle, et donc dans une réalité historique, que s'inscrivent tant l'épisode ou le personnage à portée symbolique que ceux dont ils étaient l'annonce.

Une expression illustre bien, dans le *Commentaire sur Isaïe*, ce double caractère de réalité historique et de préfiguration symbolique qu'avec la tradition chrétienne Jérôme reconnaît aux événements de l'histoire biblique : pour désigner un épisode du livre des *Juges* il parle de *typica historia*, « l'histoire à portée symbolique... [281] ». Mais c'est dans un passage du *Commentaire sur Osée*, qu'on en trouve l'affirmation la plus explicite : « Il reste », y lit-on au terme d'une réfutation serrée de l'empereur Julien, « que nous disons que les réalités qui arrivent à l'avance à propos d'autres personnages avec la valeur d'un type (τυπικῶς), c'est en les appliquant au Christ qu'on en voit l'accomplissement véritable. C'est ce qu'a fait, nous le savons, l'Apôtre

---

277. Hier. *In Hier.* 31, 8 : PL 24, 874 B. Cf. 870 C : « quorum typus praecessit in Zorobabel et Ezra... » ; 900 A : « Haec iuxta litteram licet in typo praecesserint post reditum de Chaldaeis (...), tamen spiritaliter in Christo... uerius pleniusque complentur. »

278. Le chapitre suivant reviendra sur cette idée de réalisations successives des prophéties, familière à l'école d'Antioche (ci-dessous p. 369).

279. Ci-dessus, p. 255-256, et aussi la note 177.

280. Voir *In Is.* 34 B (per typum et imaginem), 291 C (in typo et imagine), 441 C (in typum et imaginem) et, sur la formule de la *Lettre* 129, ci-dessus la note 248. Expression au pluriel (... quasi in typis et imaginibus...) dans l'*In Zach.* PL 25, 1467 D. Les deux termes se correspondent déjà chez Cyprien (*Epist.* 63, 3 : « ... quod Noe *typum* futurae ueritatis ostendens non aquam sed uinum biberit et sic *imaginem* dominicae passionis expresserit »).

281. *In Is.* 608 A, à propos de *Iudic.*, 6, 1-6. La formule reste exceptionnelle. L'adjectif *typicus* lui-même est très rare sous la plume de Jérôme. Dans l'*In epistulam ad Galatas*, il parle de la « uictimarum typica curiositas » de celui qui observe l'ancienne Loi (PL 26, 344 D). Cf. aussi *Epist.* 74, 2 : « ... ad typicos intellectus ».

avec les deux montagnes du Sinaï et de Sion et avec Sara et Agar. Et de fait le
mont Sinaï et le mont Sion n'en existent pas moins, Sara et Agar n'en ont pas
moins existé parce que l'apôtre Paul en a fait l'application aux deux Alliances ». De la même façon l'évangéliste a appliqué à bon droit au Sauveur le
verset d'Osée, qui concerne historiquement le peuple d'Israël [282]. Aux yeux de
Jérôme, donc, la réalité historique de ces événements symboliques ne fait pas
de doute [283]. Nous sommes loin ici de la démarche allégorique [284].

La suite du passage n'est pas moins intéressante. On y trouve définie très
clairement une deuxième caractéristique du *typus*. Après avoir donné plusieurs
exemples d'ailleurs classiques de « types » du Christ [285], Jérôme précise : « Et
pourtant il ne faut pas croire que tous les actes qu'on rapporte de ceux qui ont
été pour une part des types du Seigneur Sauveur ont été faits en symbole de
lui. *Le type en effet révèle un aspect partiel.* Si tout arrivait à l'avance dans le
type, ce ne serait plus un type, mais c'est de réalisation historique qu'il faudrait
parler [286] ». La coïncidence entre le type et la réalité figurée n'est donc jamais
absolue. Mais au truisme dont il fait suivre ici l'énoncé du principe le disciple
de Grégoire de Nazianze aurait pu joindre une justification beaucoup plus
suggestive dont il s'était fait jadis l'écho dans son *Commentaire sur l'Épitre*

---

282. HIER. *In Osee* 11, 1-2 : « Superest ut illud dicamus quod ea quae τυπικῶς praecedunt in
aliis, iuxta ueritatem et adimpletionem referantur ad Christum ; quod apostolum in duobus
montibus Sina et Sion, et in Sara et Agar fecisse cognouimus. Neque enim non est Sina mons et
non est Sion, non fuit Sara et non fuit Agar quia haec apostolus Paulus ad duo retulit testamenta.
Sic igitur hoc quod scriptum est : "Paruulus Israel et dilexi eum et ex Aegypto uocaui filium
meum" dicitur quidem de populo Israel (...) sed perfecte refertur ad Christum... » (PL 25, 915 CD).
Cf. *Mt.* 2, 15. (L'emploi de l'adverbe grec τυπικῶς appelé ici par la proximité des souvenirs
pauliniens est fort rare chez Jérôme. Cf. *ibid.* 907 B. Dans l'*In Ioel.* 1, 6, contre Migne qui donne ce
mot, il faut très probablement lire avec les manuscrits τροπικῶς, d'ailleurs beaucoup plus conforme
au sens voulu par le contexte. Cf. CC 76, 167). Même commentaire de l'exégèse paulinienne de
Sara et d'Agar dans le *Tract. 6 in Marc.* 9, 1-7 (CC 78, 479). Origène ne met pas davantage en
doute la réalité des faits les concernant. Cf. *In Num. hom.* 11, 1 : « Certum est enim quod et Isaac
de Sara et Ismael de Agar filii fuerint Abrahae » (Or. W. 7, 2 : 78, 1-2). Il y a plus d'ambiguïté dans
sa formule du *Commentaire sur l'évangile de Jean* : « Il ne faut pas croire que les événements
historiques soient symboles d'événements historiques ou les réalités corporelles de réalités corporelles, mais les réalités corporelles sont symboles de réalités spirituelles et les réalités historiques (τά
ίστορικά) de réalités intelligibles (νοητῶν) » (X, 111, SCh 157, 448). Sur l'exacte interprétation de
ce texte, voir J. DANIÉLOU, *Origène*, p. 166, et ci-dessous la note 537.

283. On peut observer cependant que la netteté de cette déclaration n'entraîne pas dans la
pratique un usage aussi rigoureux du mot *typus*. Dans l'*In Osee* même, dont les trois livres ont été
écrits en quelques semaines, les emplois assez nombreux du terme dans les premières pages n'y
répondent que très inégalement.

284. A la différence du *typus*, l'allégorie au sens strict exclut la *ueritas historiae* (voir ci-dessus
p. 222, n. 32). Cf. HIER. *Comment. in Ps.* 106, 10 : CC 72, 231 (ci-dessous note 418).

285. Ces exemples sont ceux d'Isaac qui a porté le bois de son sacrifice (*Gen.* 22, 6), et de Jacob
dont les deux épouses symbolisent l'une, Lia aux yeux malades, l'aveuglement de la Synagogue, et
l'autre, Rachel, la beauté de l'Église (cf. *Gen.* 29, 17). Le premier se trouve déjà chez Tertullien
(*Adu. Marc.* III, 18, 2 ; *Adu. Iud.* 10, 6 ; 13, 20), le second chez Cyprien (*Ad Quir.* I, 20).

286. « Et tamen qui ex parte typi fuerunt Domini Saluatoris non omnia quae fecisse narrantur in
typo eius fecisse credendi sunt. Typus enim partem indicat ; quod si totum praecedat in typo, iam
non est typus, sed historiae ueritas appellanda est » (PL 25, 916 A). Cette idée que la ressemblance
du « type » avec la réalité qu'il figure ne peut être que partielle est déjà exprimée indirectement par
Tertullien, précisément à propos du sacrifice d'Isaac (*Adu. Iud.* 13, 20-21). Cf., dans une perspective
moderne, cette observation de P. Beauchamp : « La différence est essentielle à ce rapport du
figurant et du figuré : l'un est ce que l'autre n'est pas » (*L'interprétation figurative et ses présupposés*, p. 304, dans les *Recherches de science religieuse* 63, 1975).

aux Éphésiens. En effet, réfléchissant sur l'interprétation typologique que donne saint Paul du verset de la *Genèse* relatif à l'union d'Adam et d'Ève, le Cappadocien, au dire de Jérôme, reconnaissait dans « la difficulté qu'il y aurait à comprendre du Christ et de l'Église tout ce qui est dit » du premier couple humain le signe que la profondeur du mystère ainsi annoncé déborde la réalité qui le préfigure et à laquelle il ne saurait donc entièrement correspondre [287]. Peut-être Jérôme s'en était-il souvenu lorsque de Jonas, pourtant symbole privilégié du Sauveur, il avait écrit, en prologue à son Commentaire de ce prophète : « Au reste nous n'ignorons pas qu'il serait d'une difficulté extrême de rapporter intégralement le prophète à l'intelligence du Sauveur [288] ». Il n'en ajoutait pas moins, faisant allusion à ce que Jésus dit lui-même de Jonas dans l'*Évangile de Matthieu* : « Il n'y aura pas de meilleur interprète du type qu'il constitue que celui-là même qui inspira les prophètes et marqua d'avance en ses serviteurs les linéaments de la vérité à venir [289] ».

Cette lecture au second degré du contenu de l'histoire biblique pour y découvrir la préfiguration symbolique des réalités liées à la venue du Christ ne relève donc pas d'une fantaisie arbitraire. Elle rejoint l'intention de l'auteur des Écritures qui y a enfermé, en inspirant les écrivains sacrés, l'annonce voilée des mystères du salut. Dans cette perspective la fonction du mot *typus*, comme des trois autres termes que nous venons de voir, apparaît clairement : elle est en quelque sorte une fonction de « décryptage ». Ces mots servent à mettre au jour les correspondances sous-jacentes ; ils soulignent, avec des variantes d'images négligeables, le rôle ainsi imparti à certaines réalités de l'Ancienne Alliance.

Avec *mysterium* et *sacramentum* apparaissent d'autres nuances : ce sont les réalités en elles-mêmes, et non plus seulement dans leurs relations, qui sont caractérisées. Plus théologiques qu'exégétiques, ces mots ne sont d'ailleurs à retenir ici que dans la mesure où Jérôme les emploie dans un rapport au moins indirect à l'Écriture et à son interprétation. En fait c'est assez fréquent, et leur utilisation gravite alors autour de valeurs pour lesquelles ils sont à peu près synonymes [290]. A vrai dire, ils pourraient être regardés — et ce bien avant Jérôme — comme de simples équivalents de *typus*.

---

287. Voir *In epist. ad Eph.* 5, 32 : PL 26, 536 A. Cette référence au mystère fait mieux comprendre qu'une ressemblance partielle puisse être contredite par la présence dans le symbole d'éléments incompatibles avec la réalité annoncée. Ainsi Jérôme refuse d'admettre que la captivité d'un roi impie comme Sédécias, dont le nom pourtant (= *iustus Dominus*) suggérait une telle exégèse, ait pu préfigurer l'incarnation du Sauveur (*In Ez.* PL 25, 102 C).

288. HIER. *In Ionam*, prol. : « Ceterum non ignoramus... sudoris esse uel maximi totum prophetam referre ad intellegentiam Saluatoris » (éd. Antin, p. 54 = PL 25, 1119 B-1120 A). Jérôme pas plus que ses contemporains ne met en doute l'historicité de l'histoire de Jonas.

289. « Nullus melior typi sui interpres erit quam ipse qui inspirauit prophetas et futurae ueritatis in seruis suis lineas ante signauit » (*ibid.* p. 55 = 1120 A) ; cf. *Mt.* 12, 39-41. Cf. *In Dan.* : « ... hunc esse morem scripturae sacrae ut futurorum ueritatem praemittat in typis » (PL 25, 565 D).

290. Les deux termes ont dans le latin des chrétiens une longue histoire qu'il n'y a pas lieu de reprendre ici. Aussi bien, à l'époque de Jérôme, est-on loin des réticences initiales qui avaient amené les traducteurs africains de la Bible et Tertullien à préférer comme équivalent de μυστήριον *sacramentum* à *mysterium* trop évocateur des mystères païens. Il suffit d'observer qu'au IVᵉ siècle, si, par une évolution d'ailleurs conforme à leur étymologie, *mysterium* tend plutôt à se spécialiser dans le sens théologique de « vérité *cachée* » révélée par Dieu » tandis que *sacramentum* voit se développer sa signification liturgique de « signe *sacré* », les deux mots restent largement synonymes. Voir sur *sacramentum*, outre le chapitre de Christine MOHRMANN, « *Sacramentum* » *dans les*

Mysterium   Dès Cyprien, en effet, on relève l'emploi de *mysterium* avec la
                valeur de « figure prophétique », de « symbole » : ainsi du
« symbole montré en Josué » d'une réalité (Jésus époux de l'Église) « manifestée dans l'évangile selon Jean [291] ». Et le titre comme le contenu du *Tractatus
mysteriorum* d'Hilaire et du *De mysteriis* d'Ambroise, qui se donnent pour
tâche d'exposer la signification chrétienne des « figures » de l'Ancien Testament, attestent la persistance de cette valeur. Le *Commentaire sur Isaïe* en
offre pour sa part un exemple indiscutable à propos du lion (de Juda) « dont
parlent Jacob et Balaam en symbole mystérieux du Christ » *(sub Christi
mysterio)* [292]. Sans doute faut-il observer cependant qu'à la notion de symbole
qu'exprimerait *typus* le mot *mysterium* ajoute une nuance de voile et de
mystère, conformément à sa valeur originelle [293]. Cela ressort clairement de
cette affirmation générale : « l'Écriture entière et spécialement les Prophètes
sont remplis d'annonces cachées des vérités à venir *(futurorum mysteriis)* pour
nous provoquer à comprendre », selon la parole de l'Évangile : « Cherchez et
vous trouverez [294] ».

Ainsi Jérôme peut-il parler de façon très large des *mysteria Scripturarum* :
vérités cachées par Dieu dans l'Écriture pour qu'on les y découvre [295]. Encore
y faut-il certaines conditions. Tout l'effort des Juifs ne leur permettrait pas de
« découvrir dans les saintes Écritures quelque vérité cachée *(mysticum aliquid)* [296] ». En effet ceux qui refusent de reconnaître Dieu dans l'abaissement
« ne comprennent pas les mystères des Écritures [297] » que les maîtres de la
Synagogue sont pour leur part dans l'incapacité de « déployer », faute de
pouvoir en faire sauter le sceau [298]. Les chefs de l'Église, au contraire, « fran-

---

plus anciens textes chrétiens (dans ses *Études sur le latin des chrétiens*, t. I, p. 233-244), les mises au
point et les indications bibliographiques de R. BRAUN, *Deus Christianorum*, 2ᵉ éd. (1977),
p. 435-443 et 714-715 ; sur *mysterium* l'étude de V. LOI, *Il termine « mysterium » nelle letteratura
latina cristiana prenicena*, dans *Vigiliae christianae* 19, 1965, p. 210-232 et 20, 1966, p. 25-44.

291. CYPRIEN, *Ad Quirinum* II, XIX : « ... Huius rei mysterium ostensum est apud Iesum Naue...
(...). Hoc autem manifestum est in euangelio cata Iohannem... » Voir d'autres exemples de cette
signification dans l'étude de V. Loi mentionnée dans la note précédente. On la relève encore, pour
l'adjectif *mysticus*, chez Sédulius (*Carm. pasch.* I, 75 : CSEL 10, 21 ; cf. *Op. pasch.* I, 2 : *ibid.* 179).

292. *In Is.* 263 B ; cf. 332 A : « Leo autem de tribu Juda Dominus Iesus Christus est... » Même
signification de *mysterium* dans l'*In Hier.* 31, 9, à propos des mains de Jacob, croisées pour bénir
les fils de Joseph « in mysterio crucis » (PL 24, 875 A).

293. Cf. la définition très générale de *mysterium* à laquelle paraît souscrire Jérôme au détour
d'un paragraphe de l'*In Danielem* : « ... quicquid occultum est et ab hominibus ignoratur posse
mysterium nuncupari » (PL 25, 502 A).

294. *In Is.* 246 B, ci-dessous n. 377, p. 279 (cf. 129 C : « Multis ergo mysteriis in medio
positis... »). L'expression est à mettre en parallèle avec *futurorum typus* (240 A et D). Autre exemple
de correspondance entre *typus* et *mysterium* en 106 A, où une exégèse présentée comme ayant
rapport « ad typum mortis Domini » se conclut sur ces mots : « Hoc quantum ad mysticos pertinet
intellectus. »

295. Ces vérités n'apparaissent pas toujours au premier coup d'œil. Jérôme déclare par exemple
que « iuxta mysteria Scripturarum » ce ne sont pas les aînés mais les cadets qui reçoivent l'héritage.
Mais le contexte montre à l'évidence que ces « dispositions mystérieuses » de l'Écriture préfigurent
le rejet des juifs et l'appel des païens *(In Is.* 26 A).

296. *In Is.* 114 A : « Si quando uoluerint altius quippiam sapere et nimio labore sudantes de
Scripturis sanctis mysticum aliquid inuenire, nihilominus fruges non afferant doctrinae. »

297. *In Is.* 656 C : « ... non intellegunt mysteria Scripturarum... ».

298. *In Is.* 332 B : « Magistris igitur Iudaeorum usque in praesentem diem nequeuntibus legere
et aperire signacula et mysteria pandere Scripturarum... »

chissent les portes des mystères de Dieu et entrent dans la connaissance des vérités sacrées des Écritures » dont ils possèdent la clé qui leur permet d'en ouvrir l'accès aux fidèles [299]. Ce dernier passage est particulièrement éclairant. Le glissement de termes des *mysteria* aux *sacramenta (Scripturarum)* qu'on y relève par rapport aux formules précédentes montre qu'en pratique les deux mots sont équivalents : nous en verrons d'autres exemples. Et cette équivalence, que renforce la disposition en chiasme des expressions *mysteria Dei et Scripturarum sacramenta*, souligne l'étroitesse des liens qui, dans l'esprit de Jérôme, unissent la connaissance de Dieu à celle des Écritures.

Mystères de Dieu [300], ces « mystères des Écritures » sont plus précisément les « mystères de la Loi », selon une expression qui apparaît vers la fin du Commentaire à la suite d'un passage dont nous avons déjà remarqué l'importance. Replaçons-la dans son contexte : « Si ces cérémonies », observe Jérôme, « sont venues à l'avance comme une ombre et une image des biens à venir, c'est toute la Loi qui doit être comprise spirituellement, cette Loi dont le même apôtre disait : "Nous savons que la Loi est spirituelle", et *dont David lui-même désirait connaître les mystères* (quand il chantait) : "Enlève le voile de mes yeux et je contemplerai les merveilles de ta Loi" [301] ». On voit très bien ici comment s'articulent les rapports entre plusieurs des termes que nous sommes en train d'étudier : les « vérités cachées » dont la Loi contient « l'ombre et l'image » se « dévoilent » dans une lecture qui reconnaît son caractère « spirituel » proclamé par l'apôtre. Nous touchons à nouveau au fondement de l'interprétation spirituelle de l'Ancien Testament [302].

Cette relation générale d'assimilation des *mystica* aux *spiritalia* se vérifie dans le détail sous des formes diverses. Jérôme parle, par exemple, des « mystères de la circoncision spirituelle [303] ». A vrai dire cette conjonction des deux termes est assez rare chez lui ; plus fréquente est une utilisation du premier qui en fait en pratique un équivalent du second. Ainsi Jérôme écrira que « selon le sens "mystique" certains comprennent l'ancienne piscine (de Jérusalem) comme l'ombre de la Loi [304] » ; or ce qu'il appelle ici *mystici*

---

299. *In Is.* 207 C : « Duces ecclesiae ingrediuntur portas mysteriorum Dei et Scripturarum sacramenta cognoscunt, habentes clauem scientiae ut aperiant eas creditis sibi populis. »

300. Ou encore « mystères de la vérité » dans lesquels n'entrent pas les « amatores uoluptatis » (*ibid.* 666 B) ; mais ici le rapport à l'Écriture n'apparaît pas.

301. *In Is.* 675 B : « lex (...) cuius mysteria et Dauid nosse cupiebat : Reuela oculos meos et considerabo mirabilia de lege tua » (cf. *Ps.* 118, 18. Voir le début du texte latin plus haut à la note 247 et son commentaire p. 258). Le même verset du *Ps.* 118 est aussi associé à l'écoute spirituelle de la Loi dans un autre passage dans lequel figurent, au lieu des *mysteria legis*, les *Dei sacramenta* (*ibid.* 262 B).

302. Les hérétiques se font donc illusion en croyant posséder « de plus grands mystères que n'en contient l'A.T. » : ils ne voient pas que « Dieu en est l'auteur » (*ibid.* 271 D).

303. *In Is.* 335 C : « ... spiritalis et uerae circumcisionis mysteria... » (On retrouve ici le lien entre *ueritas* et sens spirituel. Voir ci-dessus, en particulier p. 256.) Groupement de termes similaires chez Didyme : μυστικὴ καὶ πνευματική (*In Zach.* II, 298).

304. *In Is.* 197 C : « Quidam iuxta mysticos intellectus piscinam ueterem legis umbram intellegunt... » Cette exégèse est mentionnée en passant, car nous sommes au livre V *iuxta historiam*, mais Jérôme la reprendra sans réserve quand il commentera à nouveau les mêmes versets au livre VII (271 CD). L'expression *mystici intellectus* (ou *mystica intellegentia, Epist.* 64, 9), d'ailleurs rare sous sa plume, y est toujours positive ; voir, outre les références données à la note 4 de ce chapitre, son emploi en 106 A où, en correspondance avec *typus*, elle résume une application au Christ du texte prophétique par opposition à une exégèse allégorique qui lui paraît vider le texte de sa

intellectus, c'est très exactement ce qu'ailleurs il nomme sens spirituel. Certaines correspondances le confirment indirectement. « Autre est la signification de la lettre, autre celle du langage mystique », soulignait Jérôme dès la *Lettre* 18 A, après avoir observé que « dans les Écritures les mots ne sont pas simples : très nombreux y sont les sens cachés [305] ». Cette opposition éclaire plusieurs emplois du *Commentaire sur Isaïe*, qu'il s'agisse pour les hommes du siècle, qui ignorent les *mystica*, de trouver leur nourriture dans une *lectio simplex* des Écritures [306], ou, par opposition à l'homme terrestre qui suit la *simplex historia*, de comprendre *mystice* le message céleste [307].

L'usage assez fréquent que fait Jérôme de la locution *mystico sermone* amène aux mêmes constatations. Les paroles de l'Écriture dont elle accompagne l'annonce en les caractérisant font toutes en effet l'objet, dans le contexte du Commentaire où elles apparaissent, d'une lecture qui leur reconnaît une signification voilée par-delà leur sens obvie : il en est ainsi, par exemple, du double sens des Écritures figuré à travers le livre qu'Ézéchiel voit « écrit sur la face interne et sur la face externe », ou de l'annonce messianique inscrite dans la bénédiction de Juda par Jacob, etc. [308]. D'une façon générale, on est fondé à dire, tant pour l'adjectif ou l'adverbe que pour le nom (au singulier comme au pluriel), que leur présence dans un contexte exégétique est signe d'une interprétation spirituelle.

Quant au contenu de ces vérités cachées qu'une lecture selon l'Esprit permet de découvrir dans la Bible, il est le plus souvent en rapport avec le Christ dans sa mission de salut [309] et ses développements historiques [310], mais aussi les modalités de sa venue, qu'il s'agisse des « mystères de sa naissance » virginale rapportés par l'évangéliste sans que la parole humaine puisse l'expliquer [311] ou du « mystère de sa naissance divine dans un corps », voire du « mystère de sa génération » divine dont l'Écriture ne peut dire que l'impossibilité de le formuler [312]. Jérôme reconnaît encore dans la triple acclamation des *Seraphim*

---

substance (voir ci-dessus, p. 223 et aussi la note 294). Cf. encore *In Abd.* PL 25, 1113 B *(iuxta prophetiam et mysticos intellectus), In Hier.* PL 24, 858 C *(secundum m. i.)*.

305. HIER. *Epist.* 18 A, 12 : « Non sunt, ut quidam putant, in scripturis uerba simplicia ; plurimum in his absconditum est. Aliud littera, aliud mysticus sermo significat. » *Mysticus* qui correspond à *absconditum* s'oppose donc à *uerba simplicia* et à *littera*, comme, au deuxième paragraphe de la lettre, *spiritalis intellectus* à *historia.* Cf. *In Zach.* PL 25, 1451 C : « et iuxta historiam et iuxta mysticos intellectus ».

306. *In Is.* 148 B (ci-dessus n. 27, p. 133).

307. *In Is.* 25 C.

308. *In Is.* 332 A (ci-dessus p. 133, n. 26) ; 149 C : « ... Iacob de tribu Iuda mystico sermone testatur... » ; cf. 39 A, 71 C, 86 C, 280 D, 306 A, 529 A, 633 B, 652 D, et aussi 675 A *(mystico ore)*. L'expression représente plus de la moitié des emplois de l'adjectif. On peut en rapprocher la majorité des emplois de l'adverbe *mystice* qui détermine aussi le plus souvent un verbe d'introduction à des paroles de l'Écriture *(loquitur, dicitur, scriptum est...)* qui donnent lieu à une exégèse spirituelle.

309. Par ex. *In Is.* 306 A : « ... quod in psalmo canitur de mysterio Saluatoris ».

310. *In Is.* 175 A : « ... ad Christi tempus et ad apostolorum mysteria... » ; 586 C : « ... omnia baptismi salutaris et ecclesiae mysteria... » (cf. 270 D).

311. « ... licet humanus sermo natiuitatis eius nequeat explicare mysteria... » (115 A) ; cf. 509 C (note suivante).

312. Voir tout le commentaire du verset d'Isaïe : « Generationem eius quis narrabit ? » (*Is.* 53, 8), en particulier 509 C-510 A. On y relève les expressions : diuinae natiuitatis *mysteria*, generationis *mysterium*, *mysterium* diuinae natiuitatis in corpore, et aussi natiuitatis huius *sacramenta*.

au chapitre 6 d'Isaïe « le mystère de la Trinité »[313]. Mais on voit par ces exemples combien les frontières sont imprécises avec les emplois proprement théologiques du termes.

Il resterait à relever quelques passages où le mot caractérise, avec des nuances variables, la valeur symbolique de certains nombres qu'on rencontre dans la Bible. Par exemple, « le nombre dix dans les saintes Écritures a une valeur mystique et marque la perfection[314] ». Quant au nombre sept, Jérôme le met en rapport avec « la signification cachée de la semaine et du sabbat[315] ». Et le nombre dix-sept qui résulte de leur addition donne occasion, dans le prologue du livre XVII, à un long développement sur la signification messianique du psaume qui porte ce numéro[316]. L'exégèse arithmologique met ainsi la mystique des nombres au service d'une lecture spirituelle de la Bible.

Sacramentum   Moins fréquent que *mysterium*[317], le terme *sacramentum* employé dans une perspective exégétique appelle pour une bonne part les mêmes observations. Un passage au moins du *Commentaire sur Isaïe*, et probablement un autre, le montrent comme un simple équivalent de *typus*[318]. Bon nombre des déterminations qui précisent *mysterium* l'accompagnent également. A propos des Écritures, par exemple, Jérôme parle équivalemment, nous l'avons vu, de *sacramenta* et de *mysteria*[319]. De même évoque-t-il les *Dei sacramenta*, en les mettant en rapport, à l'occasion, avec la Loi par la médiation du même verset de psaume[320]. Pour exprimer les « mystères » du Christ, des apôtres, de l'Église, on relève indifféremment les deux termes[321]. Parfois, c'est dans un même passage qu'à quelques lignes de

---

313. *In Is.* 94 C, 95 B. Cf. Trinitatis sacramentum (97 B), sacramenta (95 A).

314. *In Is.* 81 B : «... denario numero qui in scripturis sanctis mysticus atque perfectus est... ».

315. *In Is.* 515 C : «... propter mysterium hebdomadis et sabbati... ». Rapprocher de ce texte et du précédent ce passage de l'*In Hieremiam* : « Denarium esse mysticum numerum ostendit Decalogus (...) Septem quoque in quo uerus est sabbatismus et requies esse sanctum multis scripturarum testimoniis comprobamus » (PL 24, 890 CD).

316. « Quanta mysteria septimus post decimum numerus... in scripturis sanctis contineat..., etc. » (585 B).

317. L'écart serait faible si au substantif s'ajoutaient des formations dérivées adjective et adverbiale, comme à *mysterium mysticus* et *mystice*. Mais l'expression *sacrata (intelligentia)* est exceptionnelle (171 A) et dans l'*In Isaiam* il n'existe pas de forme adverbiale correspondante (cf. toutefois *In Soph.* PL 25, 1378 B : «... in Leuitico *sacrate* dicitur... »).

318. On peut hésiter sur la valeur exacte du terme quand Jérôme rapporte l'opinion de « ceux qui veulent que dans le fait qu'Éliacim succède à Sobna comme grand-prêtre soient montrés les *sacramenta* du culte évangélique » : symboles ou réalités sacrées ? (200 A). Mais l'équivalence avec *typus* ne fait pas de doute dans la brève énumération des interprétations typologiques des oracles contre les nations à la fin du livre V (205 B). On rencontre aussi chez Cyprien *sacramentum* comme équivalent de *typus*. Rapprocher par exemple CYPRIEN, *Epist.* 75, 15 : «... cum uero et *arca* Noe nihil aliud fuerit quam *sacramentum ecclesiae* Christi... » d'*Epist.* 69, 2 : «... unam *arcam* Noe *typum* fuisse unius *ecclesiae* ». Nombreux emplois du mot en ce sens déjà chez Tertullien, *e.g. Adu. Marc.* III, 19, 4. Hilaire verra de même dans les événements de la vie de Noé « un grand symbole (*sacramentum*) du Noé à venir », c'est-à-dire du Christ (*Tract. Myst.* 1, 13 ; cf. 1, 6). Sur ce sens du mot dans l'*In Matthaeum*, voir J. DOIGNON, *Hilaire...*, p. 291-293. Une page du *Traité sur l'Évangile de Luc* montre qu'Ambroise considère comme à peu près équivalents *typus*, *sacramentum* et *mysterium* pour désigner l'union d'Adam et d'Ève comme la figure mystérieuse de l'union du Christ et de l'Église (cf. *in Luc. expos.* IV, 66 : SCh 45, p. 178). Voir aussi note 290.

319. Ci-dessus, p. 266-267 et les notes 298 et 299.

320. Voir ci-dessus la note 301.

321. Voir par exemple « Christi et apostolorum sacramenta » (364 B ; cf. 335 D), « euangelicae

distance l'un relaie l'autre auprès d'un même déterminant, sans qu'on puisse discerner d'autre intention qu'un souci de variété [322]. Et pour évoquer la valeur mystique du nombre cinquante, lié dans la Bible à la pénitence, Jérôme parle de *sacramenta*, tout comme il parlait du « mystère de la semaine » [323].

L'équivalence entre les deux termes apparaît donc à peu près totale [324]. Si une nuance les sépare, elle est à chercher, là où elle est perceptible, dans leur valeur originelle : *sacramentum*, à la différence de *mysterium*, met l'accent, dans le mystère, sur son aspect sacré plutôt que sur son aspect caché [325]. Quoi qu'il en soit, il est clair qu'employés dans une acception exégétique, c'est aux réalités du sens spirituel qu'ils renvoient l'un comme l'autre [326], qu'ils n'en désignent que l'esquisse symbolique ou qu'ils en soulignent — c'est le cas habituel — la dimension mystérieuse et sacrée.

En définitive, c'est à une perspective unique, où « l'histoire » et « l'esprit » se correspondent comme l'ombre et la réalité, que nous ramènent les derniers termes que nous venons d'étudier. Or cette opposition n'est pas sans antécédents philosophiques, et l'on pourrait se demander si l'emploi que Jérôme fait de certains d'entre eux ne relèverait pas, au moins confusément, d'une conception dualiste où les réalités sensibles seraient le reflet d'un monde intelligible [327]. La question mérite d'être posée. Sous-jacente à toute la tradition alexandrine antérieure depuis l'exégèse philonienne, elle reste en effet d'actualité à propos de ceux qui en sont les représentants à l'époque de Jérôme : Didyme, son aîné et son maître [328], Cyrille aussi, son cadet, qui dépend souvent de lui [329].

---

praedicationis s. » (148 D), « Ecclesiae s. » (154 C, 207 A, 350 C) et, pour les emplois similaires de *mysterium*, ci-dessus les notes 309 et 310.

322. Voir *In Is.* 94 C-95 A et 509 C-510 A (ci-dessus notes 312 et 313).

323. Voir *In Is.* 60 A, où il est également question du *sacramentum* que contient le jubilé (cf. pour *mysterium* 81 B, 515 C et 585 B, ci-dessus notes 314-316).

324. On peut encore en reconnaître l'écho burlesque dans les « très hauts sacrements et mystères horrifiques » de la préface de *Gargantua*.

325. D'où l'épithète d'*abscondita* qui vient préciser une fois (207 A ; cf. *In Mt.* 13, 35 : PL 26, 93 A) le mot *sacramenta* et qui serait superflu auprès de *mysteria* dont il redoublerait en quelque sorte le sens (voir ci-dessus le texte cité dans la note 305). Sur la difficulté où s'est trouvé le latin de rendre par un terme unique la double notion de sacré et de caché que recouvre le grec μυστήριον, voir les observations de Chr. Mohrmann (*Études...* I, p. 236).

326. On en trouve pour *sacramentum* une illustration éclatante dans un passage d'un *tractatus*. Invoquant l'exégèse que l'Apôtre donne de Sara et d'Agar dans l'*Épitre aux Galates*, Jérôme déclare : « Historiam non negauit, sed sacramenta prodidit » (*Tract. in Marc.* 9, 1-7 : CC 78, 479).

327. De fait, plusieurs des expressions que Jérôme applique ainsi aux réalités du sens spirituel ont une origine philosophique. Ἀλήθεια, par exemple, exprime dans la philosophie grecque la réalité de l'être par opposition au monde des phénomènes (cf. chez Platon le monde des idées reflété par le monde sensible).

328. Il semble bien que les deux sens, littéral et spirituel, de l'Écriture recoupent parfois chez Didyme la conception platonisante d'un monde dualiste. Voir, par exemple, son utilisation de la formule johannique : « en esprit et en vérité » dans son *Liber de Spiritu sancto* que nous a conservé la traduction de Jérôme (ch. 57 : PL 23, 149 D = PG 39, 1081 BC). Dans l'*In Zachariam* que l'exégète alexandrin avait écrit à sa prière, Jérôme pouvait lire également : « Puisque le candélabre est spirituel (νοητός) et non sensible (αἰσθητός), demande-toi si ce n'est pas celui-ci que vit Moïse sur la montagne dans le "type" (τύπος) qui lui fut montré et qui n'est pas autre chose que ce que l'on appelle la "forme idéale" » » (ἰδέα) » (trad. Doutreleau I, 287, cf. 315). Dans son propre commentaire, Jérôme garde sur ce passage un silence qu'on peut juger significatif.

329. Le meilleur spécialiste de l'exégèse de Cyrille, A. Kerrigan, estime que « sa théorie des sens

A vrai dire, pour Jérôme, le dossier apparaît mince. Sans doute, lorsqu'on lit dans le *Commentaire sur Isaïe* que « les hérétiques ont seulement l'image et l'ombre des vertus et non leur réalité même », force est de constater que le jeu de l'ombre à la vérité est ici totalement dénué de la dimension historique qui caractérise au contraire le verset que Jérôme démarque [330], comme d'une façon générale l'interprétation figurative des réalités de l'Ancien Testament. Le commentaire qu'il donne du premier oracle du recueil prophétique : « Cieux, écoutez ; terre, prête l'oreille... » n'est pas non plus dépourvu d'ambiguïté [331]. Mais de tels textes, outre qu'ils ne sont pas décisifs, restent isolés, alors que divers indices donnent à penser que Jérôme fuirait plutôt les contaminations de ce genre. L'usage que nous l'avons vu faire de l'adjectif *carnalis* est à cet égard révélateur : l'Israël « charnel » n'est pas moins réel que l'Israël « spirituel », lui-même enraciné dans l'histoire [332]. Plus significatif encore est son refus de suivre une interprétation allégorique de la prophétie de l'Emmanuel qui viderait de substance le texte sacré en « comprenant "profond" et "élevé" comme αἰσθητά et νοητά, mots que nous pouvons « traduire », précise-t-il, « par *sensible* et *intelligible* [333] ». Loin donc de saisir l'occasion d'entrer dans une perspective dualiste à résonance platonisante, Jérôme la rejette explicitement. Ce n'est pas de ce côté que l'analyse de son vocabulaire incite à chercher le fondement du sens spirituel.

II — Le fondement du sens spirituel

Le maître mot de ce vocabulaire, tant par sa fréquence que par sa signification, c'est, nous l'avons constaté, *spiritus*. Il n'est pas douteux qu'il vient de saint Paul. Que Jérôme souligne l'antinomie entre « la lettre qui tue » et « l'esprit qui fait vivre » par laquelle se trouve fondé, avec la condamnation des juifs, l'éventuel rejet de la lettre, ou qu'il oppose à « la vétusté de la lettre » « la nouveauté de l'esprit », il ne fait que démarquer ou reproduire des formules pauliniennes. Il en va de même des emplois de l'adjectif : si les victimes spirituelles renvoient à la *Première Épître de Pierre*, l'Israël selon l'esprit répond à l'Israël selon la chair de la *Première aux Corinthiens*, et grâce, circoncision, loi spirituelles proviennent tout droit de divers passages de l'*Épître aux Romains* [334]. La même observation s'applique à la majorité des autres termes que nous venons d'étudier : *allegoria* vient de l'*Épître aux Galates*, *umbra* de l'*Épître aux Hébreux* de même qu'*imago*, même si, nous l'avons vu, Jérôme gauchit en les associant l'emploi de ces deux termes que le

de l'Écriture suppose la conception d'un monde dualiste » (*St. Cyril...*, p. 33, cf. p. 129 et 131). Voir aussi l'étude plus ancienne de H. du Manoir, *Le problème de Dieu chez Cyrille d'Alexandrie*, dans les *Recherches de science religieuse* 27, 1937, p. 385-407, en particulier p. 397.

330. *In Is.* 5, 10 (81 C). Cf. *Hebr.* 10, 1.

331. *In Is.* 1, 2 a : 25 BC (ci-dessus n. 69, p. 139).

332. Voir ci-dessus, p. 246 et la note 180.

333. *In Is.* 106 B, texte ci-dessus, note 34, page 223.

334. L'adverbe lui-même, tant en grec qu'en latin, n'est absent ni de Paul (1 *Cor.* 2, 14) ni de l'*Apocalypse* (11, 8).

verset sacré, au contraire, distingue. Quant aux deux synonymes *typus* et *figura*, l'un transpose en latin le terme grec du passage de la *Première aux Corinthiens* sur les Hébreux dans le désert dont l'autre est la traduction [335]. Et si *anagoge* et *tropologia* ne figurent pas dans l'Écriture, on y rencontre, chez saint Paul encore, *mysterium* et *sacramentum* [336].

Les correspondances ne se limitent pas au vocabulaire : on retrouve sous la plume du commentateur les interprétations de l'Ancien Testament que ces mots accompagnent et caractérisent chez l'apôtre. Pour lui comme pour Paul l'allégorie de Sara et d'Agar symbolise les deux Alliances [337], le rocher spirituel qui accompagne les Hébreux au désert, c'est le Christ [338], les cérémonies et les sacrifices de l'ancienne Loi préfigurent les réalités qui devaient venir [339].

En s'inscrivant, pour le fond comme pour le vocabulaire, dans la ligne de cette exégèse, Jérôme n'innove évidemment pas. Dès l'origine de la tradition latine Tertullien avait clairement enraciné l'exégèse chrétienne dans l'usage paulinien. Contre Marcion qui ne retenait de toute l'Écriture qu'un Nouveau Testament expurgé, on le voit prendre appui, pour justifier une lecture spirituelle de l'Ancien, sur les *Épîtres* de saint Paul qui avaient trouvé grâce aux yeux de l'hérétique. « Pourquoi m'étendre là-dessus », s'écrie-t-il, « puisque l'apôtre qu'admettent nos hérétiques interprète de nous et non des bœufs la loi qui accorde aux bœufs qui foulent le grain d'avoir la bouche libre, et qu'il fait valoir que la pierre qui accompagnait les Hébreux pour leur donner à boire était le Christ, enseignant encore aux Galates que l'exemple des deux fils d'Abraham était arrivé de façon allégorique et représentant aux Éphésiens que ce qui, à l'origine, a été dit de l'homme destiné à quitter père et mère pour être [avec sa femme] deux en une seule chair, il le reconnaissait comme visant le Christ et l'Église [340] ».

Chez les Grecs Origène est encore plus explicite : « L'apôtre Paul »,

---

335. Sur ces références néo-testamentaires, voir ci-dessus p. 241-247 et les notes correspondantes. Parfois une combinaison nouvelle naît de la contamination de deux formules que l'Écriture séparait : c'est ainsi qu'on trouve l'expression *futurorum typus* amenée probablement par un souci de variété (240 A, ci-dessus note 232).

336. Pour ces mots qui traduisent tous deux le grec μυστήριον l'emprunt apparaît beaucoup moins direct. Leur emploi dans l'*In Isaiam* ne reflète jamais un contexte paulinien. D'ailleurs, à une exception près (*sacramentum* dans *Eph.* 5, 32, où le verset de la *Genèse* sur l'union de l'homme et de la femme est appliqué au Christ et à l'Église), leur utilisation par saint Paul est strictement théologique.

337. Voir en particulier *In Is.* 516 B, *In Os.* PL 25, 915 CD (cf. *Gal.* 4, 24).

338. « Petra autem Christus » (= 1 *Cor.* 10, 4). Cf. *In Is.* 425 B, 463 B, 483 A : la référence à l'Apôtre y est chaque fois explicite. Jérôme affectionne cette formule, soit qu'il l'utilise en rapport avec le verset paulinien et les événements de l'*Exode* qu'il vise (par ex. *In Epist. ad Gal.* PL 26, 390 A ; *In Os.* PL 25, 934 B ; *In Ez., ibid.* 228 B), soit qu'il l'applique à d'autres passages de l'Écriture où il est question de rocher (*In Am.* PL 25, 1066 C, cf. *Mt.* 16, 18). C'est notamment le cas dans sa prédication (par ex. CC 78, 186, 126 ; 298, 87 ; 306, 135 ; 430, 30-31).

339. Voir notamment *In Is.* 675 AB, et aussi 27 A, 240 A (cf. *Col.* 2, 16-17).

340. TERTULLIEN, *Adu. Marcionem* III, 5, 4 : « Quid ego de isto genere amplius ? Cum etiam haereticorum apostolus ipsam legem indulgentem bobus terentibus os liberum non de bobus sed de nobis interpretetur, et petram potui subministrando comitem Christum adlegat fuisse, docens proinde et Galatas duo argumenta filiorum Abrahae allegorice cucurrisse, et suggerens Ephesiis, quod in primordio de homine praedicatum est relicturo patrem et matrem et futuris duobus in unam carnem, id se in Christum et ecclesiam agnoscere. » Tertullien fait référence successivement à 1 *Cor.* 9, 9-10 (cf. *Dt.* 25, 4), 1 *Cor.* 10, 4, *Gal.* 4, 22-25, *Eph.* 5, 31-32 (cf. *Gen.* 2, 24).

explique-t-il quelque part, « ... nous a laissé quelques exemples d'interprétation pour que nous nous y conformions en tout le reste ... » Puis après avoir évoqué le séjour des Hébreux au désert, il introduit par ces mots le commentaire qu'en donne la *Première Épître aux Corinthiens* : « Pour nous, voyons la règle d'interprétation que nous a léguée l'Apôtre », avant de conclure quelques lignes plus bas : « Qu'allons-nous donc faire, nous qui avons reçu de Paul, maître de l'Église, de tels principes d'interprétation ? Ne semble-t-il pas juste qu'une telle règle qu'il nous a transmise, nous l'observions semblablement en d'autres cas [341] ? »

Pour qui se trouvait, au IVᵉ siècle, au confluent de cette double tradition, point n'était besoin de remonter au Nouveau Testament pour connaître et mettre en pratique cette règle d'or de l'exégèse chrétienne. Il est évident cependant que Jérôme, qui a certainement lu ces textes et bien d'autres de la même veine, a clairement conscience d'enraciner directement sa pratique exégétique dans celle de saint Paul et de l'*Épître aux Hébreux*. Nous avons déjà eu l'occasion d'en faire l'observation à propos de son explication de « l'allégorie » d'Agar et de Sara dans son *Commentaire sur l'Épître aux Galates* [342]. Un passage d'une *homélie sur l'évangile de Marc* en fournit l'affirmation la plus nette : « Nous ne refusons pas l'histoire », déclare-t-il à ses auditeurs de Bethléem, « mais nous lui préférons l'intelligence spirituelle. Et ce n'est pas là notre avis personnel : nous suivons l'avis des apôtres et surtout du "vase d'élection", qui comprit pour sa vie les mots que les juifs comprirent pour leur mort ; je veux parler de l'Apôtre qui dit que Sara et Agar s'interprètent comme les deux alliances... [343]. » Mais il n'est pas nécessaire de quitter le *Commentaire sur Isaïe* pour voir Jérôme se référer non seulement à ce passage en effet capital [344], mais aussi aux autres versets décisifs de la *Première aux Corinthiens* qui dégagent la portée symbolique des événements vécus par les Hébreux au désert [345], de l'*Épître aux Colossiens* soulignant la valeur d'annonce des observances de l'ancienne Loi [346], de l'*Épître aux Romains* sur son

---

341. OR. *in Ex. hom.* 5, 1 : SCh 16, 134 s. (trad. franç. seule). Voici le texte, conservé dans la traduction latine de Rufin : « ... apostolus Paulus (...) ipse in nonnullis intelligentiae tradit exempla ut et nos similia obseruemus in caeteris (...). Nobis autem qualem tradiderit de his Paulus apostolus intelligentiae regulam uideamus (...). Quid igitur agendum nobis est qui huiusmodi a Paulo Ecclesiae magistro intelligentiae instituta suscepimus ? Nonne uidetur iustum ut traditam nobis huiusmodi regulam simili in caeteris seruemus exemplo ? » (Or. W. 6, 183-184). Si ce texte est celui qui présente le plus explicitement saint Paul comme le maître et le garant de l'exégèse spirituelle, il est loin d'être isolé dans l'œuvre d'Origène. Cf. par ex. *In Gen. hom.* 11 début, et, aux deux extrémités de sa carrière, *Periarchôn* IV, 2, 6 (où il fait référence en particulier à 1 *Cor.* 10, 4-11, *Gal.* 4, 21-24, *Col.* 2, 16-17, *Hebr.* 8, 5) et *C. Cels.* IV, 44 (cf. *Gal.* 4, 21-26) et 49 (cf. 1 *Cor.* 10, 1-4 ; *Eph.* 5, 31-32 ; également 1 *Cor.* 9, 9-10, qui, dans le *Periarchôn* où Origène présente un triple sens de l'Écriture, illustrait le sens « psychique »). Saint Augustin ne s'exprimera pas autrement : « Exponendo unum, in cetera introduxit intellectum », écrit-il à propos de 1 *Cor.* 10, 2-4, dans le *Contra Faustum* 12, 29 (PL 42, 269).

342. Ci-dessus, p. 219.

343. HIER. *Tract. in Marc.* 9, 1-7 : « Non historiam denegamus sed spiritalem intelligentiam praeferimus. Nec haec nostra sententia est : sequimur apostolorum sententiam et maxime uasis electionis qui ea uerba quae Iudaei intellexerunt in mortem suam, intellexit in uitam suam, apostolus uidelicet qui dicit quod Sarra et Agar in duo testamenta interpretentur... » (CC 78, 479, 75 s.).

344. C.-à-d. *Gal.* 4, 24. Voir 516 B (référence non relevée dans l'index scripturaire de CC 73 A).

345. Voir ci-dessus note 338.

346. *In Is.* 675 AB (et ci-dessus note 339. Cf. *In Ez.* PL 25, 454 C).

caractère spirituel [347]. Il s'agit le plus souvent de citations textuelles qu'accompagne la mention explicite de l'apôtre [348]. C'est même sur un rappel groupé de ces deux derniers textes, complétés par la formule de l'*Épître aux Hébreux* sur « la Loi qui contient l'ombre des biens à venir », que se clôt presque le dernier livre du Commentaire [349]. Auparavant, un verset du prophète repris par la *Deuxième Épître aux Corinthiens* avait donné l'occasion à Jérôme, en mettant en pratique cette attitude, de l'exprimer par une autre image : « Si donc », écrivait-il, « le vase d'élection interprète ces mots de la première venue du Christ, marchons à notre tour sur les traces de son interprétation et, comme les petits enfants, formons nos lettres en repassant les lignes esquissées par le maître [350] ».

De cette conscience qu'a Jérôme de se rattacher dans son exégèse spirituelle à la pratique paulinienne une page du *Commentaire sur Jonas* offre une illustration particulièrement significative par sa liberté de ton. Soucieux, comme il l'a déjà manifesté dans sa préface, de ne pas forcer dans le détail les correspondances entre Jonas et le Christ dont le prophète est pourtant la figure, Jérôme y fait en effet référence à trois des passages majeurs où l'apôtre donne de textes vétéro-testamentaires une interprétation spirituelle : l'exégèse de Sara et d'Agar, l'union d'Adam et d'Ève figure du Christ et de l'Église, enfin l'interprétation christologique du rocher qui abreuvait les Hébreux dans leur marche au désert. La page entière serait à citer. Voici en particulier le commentaire qu'il donne du deuxième de ces textes : « Aux Éphésiens, dissertant sur Adam et Ève, l'apôtre dit : "C'est pourquoi l'homme quittera père et mère pour s'attacher à sa femme, et tous deux seront une seule chair. C'est là un grand mystère, je veux dire touchant le Christ et l'Église." Pouvons-nous pour autant rapporter tout le commencement de la *Genèse*, la création du monde, la formation des hommes, au Christ et à l'Église parce que l'apôtre a fait un tel usage de ce texte ? Admettons que ce passage : "Aussi l'homme quittera son père", nous l'appliquions au Christ en disant qu'il a laissé au ciel son Père, Dieu, pour que le peuple des gentils s'unît à l'Église. Comment alors pouvons-nous interpréter ce qui suit : "sa mère" ? A moins de dire, peut-être, qu'il a quitté la Jérusalem céleste, cette mère des saints, et d'autres considérations encore plus difficiles [351] ? » En fixant ainsi des limites à la fantaisie des

---

347. *Ibid.* Cf. *Rom.* 7, 14, verset souvent rapproché, comme ici, de *Ps.* 118, 18 (cf. *In Mal.* PL 25, 1576 A ; *Tract. de ps.* 93, 12 : CC 78, 436, 81 ; *Epist.* 52, 10, etc.).

348. En voici quelques exemples : « ... dicente apostolo... » 675 B (cf. *In Mal.* PL 25, 1576 A) ; « ... dicente apostolo... et ad duo testamenta... referente... » 516 B (cf. *In Os.* 915 CD) ; « ... apostolus loquitur... » 463 B, 483 A ; « ... iuxta apostolum... » 425 B (cf. *In Os.* PL 25, 934 B), etc.

349. *In Is.* 675 B (*Hebr.* 10,1). Cf. *In Mal.* PL 25, 1576 A rapprochant 1 *Cor.*10, 3, *Rom.* 7, 14 et *Ps.* 118, 18 ; *In epist. ad Gal.* PL 26, 390 A groupant, à propos de *Gal.* 4, 24, 1 *Cor.* 10, 3 et *Rom.* 7, 14.

350. *In Is.* 468 C : « Si ergo uas electionis ad primi aduentus refert intellegentiam quae dicuntur, et nos sequamur expositionis eius uestigia, et instar paruulorum super adumbratas lineas praeceptoris litteras imprimamus ». Cf. *Is.* 49, 8 et 2 *Cor.* 6, 2.

351. HIER. *In Ionam* 1, 3 b : « Ad Ephesios de Adam et Eua disputans ait : "Propter hoc relinquet homo patrem et matrem et adhaerebit uxori suae et erunt duo in carne una. Sacramentum hoc magnum est : ego autem dico in Christo et in Ecclesia". Numquid totum principium Geneseos et fabricam mundi et hominum conditionem ad Christum et ad Ecclesiam referre possumus quia hoc testimonio sic abusus est Apostolus ? Fac enim hoc quod scriptum est : "Ideo

interprétations qui trahiraient en la forçant la pratique de saint Paul, Jérôme, loin de la contester, lui reconnaît au contraire, comme l'avaient fait ses grands prédécesseurs, valeur d'exemple et de référence.

Mais c'est aussi le Christ lui-même qui a ouvert la voie à cette lecture chrétienne de l'Ancienne Alliance qu'est l'exégèse spirituelle. N'a-t-il pas interprété dans l'Évangile le séjour de Jonas dans le ventre du poisson comme une annonce mystérieuse de sa passion [352] ? Le *Commentaire sur Isaïe* fait allusion à ce « signe de Jonas » [353]. A plus forte raison ne pouvait-il manquer d'évoquer l'épisode de la synagogue de Nazareth dans lequel Jésus, s'appliquant à lui-même les versets du prophète dont il vient de faire la lecture, déclare à ses auditeurs : « Aujourd'hui s'accomplit à vos oreilles ce passage de l'Écriture [354] ». Déjà, lorsqu'en commentant le livre de l'Emmmanuel il reconnaissait dans les circonstances qui entourent la naissance du fils d'Isaïe des signes de celle du Christ, l'exégète ajoutait spontanément : « Lui-même en effet, dans l'Évangile, aux deux disciples qui allaient à Emmaüs il a expliqué, en commençant par Moïse et les prophètes, qu'ils avaient tout prophétisé de lui [355] ».

A vrai dire Jérôme tire beaucoup moins souvent argument de ces références évangéliques que de l'exemple de saint Paul. Mais c'est bien, en tout état de cause, dans la pratique et la théologie du Nouveau Testament, même si c'est parfois par le détour de procédés qui lui viennent d'autres horizons, que s'enracine à ses yeux le sens spirituel.

---

relinquet homo patrem suum", referamus ad Christum ut dicamus eum Patrem in caelis reliquisse Deum ut gentium populus iungeretur Ecclesiae ; hoc quod sequitur, "matrem suam", quomodo possumus interpretari, nisi forte dicamus reliquisse eum caelestem Hierusalem quae est mater sanctorum, et cetera multo his difficiliora ?... » (PL 25, 1123 C-1124 A = Antin p. 63 ; cf. *Eph.* 5, 31-32 ; *Gen.* 2, 24). Ce passage est à rapprocher du commentaire correspondant de l'*Épître aux Éphésiens*, qui offre une des rares occasions que nous ayons de mesurer l'influence sur Jérôme de Grégoire de Nazianze, à qui il paraît redevable de ce souci d'une délimitation du champ d'application de l'exégèse figurative. Il y prête en effet à son maître l'observation que « tout ce qui est d'Adam et d'Ève peut difficilement être interprété du Christ et de l'Église », limitant lui-même les correspondances au seul verset de la *Genèse* invoqué par Paul (PL 25, 535-536). Le rapprochement des deux textes permet encore de constater que l'attitude de Jérôme est allée dans le sens d'une plus grande rigueur, puisqu'il renâcle ici devant l'exégèse de « matrem suam » comme « la Jérusalem céleste » qu'il acceptait sans réticence dans son Commentaire de l'Apôtre.

352. Voir *In Ionam* 2, 1 b : « Huius loci mysterium in euangelio Dominus exponit » (PL 25, 1131 B = Antin, p. 77 ; cf. *Mt* 12, 39-40).

353. Voir *In Is.* 40 A.

354. *Luc* 4, 16 s. Il le commente *ad locum* = *Is.* 61, 1-2 (599 B-600 A) et le rappelle quelques pages plus loin (610 A).

355. *In Is.* 115 C : « Ipse enim in euangelio duobus euntibus in Emmaus incipiens a Mose et prophetis edisseruit quod de se omnia prophetassent » (cf. *Luc* 24, 27). Jérôme, comme d'ailleurs ses prédécesseurs, n'exploite guère à ce niveau l'expression que l'évangéliste met quelques lignes plus bas dans la bouche des deux disciples : « ... dum... *aperiret* nobis Scripturas... » (24, 32). C'est à un plan plus profond qu'il récupère l'image (Voir plus loin le ch. VI : La conception de l'Écriture). Dans le *Tract. de Ps.* 119, 4 où le verset est cité, l'accent est mis par le prédicateur sur le début du verset : « Nonne cor nostrum erat ardens in uia... » (CC 78, 254, 256. Cf. *Comm. in Ps.* 20, 10 : CC 72, 198, 28).

III — LES SEPTANTE ET LE SENS SPIRITUEL

Cette lecture chrétienne de l'Ancienne Alliance, Jérôme sait mieux que personne que la tradition ecclésiastique dont il est l'héritier l'opérait à partir d'un texte bien précis, cette version grecque des Septante dont l'usage, comme le dit Eusèbe, « est cher à l'Église du Christ [356] ». Faut-il, de ce rapport de fait, conclure à un lien privilégié, qui se serait imposé à lui malgré qu'il en eût, entre l'interprétation spirituelle et ces Septante dont il ne nie pas lui-même « qu'ils sont lus dans les églises » et « répandus dans le monde entier [357] » ? Symétrique en quelque sorte de celle des rapports entre sens littéral et *hebraica ueritas* abordée au chapitre précédent, la question ne peut être écartée. Plusieurs associations de termes amènent d'ailleurs à se la poser.

Encore faut-il y regarder de près. En effet, lorsque, par exemple, à une exégèse « d'après les Hébreux » notre commentateur fait succéder « ce que d'après l'édition des Septante les auteurs de l'Église pensent » du passage d'Isaïe auquel il en est arrivé, c'est en réalité, nous avons eu l'occasion de le constater, à deux explications *littérales* entraînées par des divergences textuelles entre les deux versions que nous avons affaire [358]. En revanche, au début du deuxième livre du *Commentaire sur Zacharie*, ces mêmes « auteurs de l'Église », qualifiés un peu plus loin de « nos anciens », sont associés aux Septante et à une interprétation spirituelle dans une correspondance rigoureuse qui les distingue de « la Circoncision », elle-même liée au sens littéral [359]. Et c'est aussi « d'après les Septante » que « beaucoup des nôtres » voient dans un groupe de versets d'Isaïe une prophétie de la venue du Christ [360].

Toute raison d'hésiter disparaît lorsque c'est à une désignation explicite du sens spirituel que les Septante sont associés. Sans être très fréquent, le cas n'est pas exceptionnel. En voici un premier exemple emprunté au *Commentaire sur Habacuc*, où sont rapprochés Septante et allégorie : « Cela dit d'après l'hébreu, venons-en maintenant aux Septante pour qu'aux phrases prises une à une nous appliquions une interprétation allégorique *(interpretationem allegoricam)* [361] ». Dans le *Commentaire sur Isaïe* deux développements associent de

---

356. EUSÈBE, *Dem. Evang. 5, proem. 35* :... ὅτι δὴ καὶ τῇ τοῦ Χριστοῦ ἐκκλησίᾳ τούτοις κεχρῆσθαι φίλον... (Eus. W. 6, 209). Cette faveur allait de pair avec l'existence, dans les diverses régions de l'Empire, de recensions différentes de cette *editio uulgata*.

357. Cf. *In Is.* 320 C : « ... LXX interpretes qui leguntur in ecclesiis... » et 647 A : « Hoc iuxta Septuaginta interpretes diximus, quorum editio toto orbe uulgata est ». Encore peut-on observer que dans le premier cas la constatation ne lui sert qu'à motiver son choix de commenter les LXX plutôt que Symmaque ou Théodotion « puisqu'il serait trop long de parler de tous ». Dans le second, s'il a commenté les LXX, c'est, nous dit-il, pour éviter sur un passage fameux « de paraître se réfugier dans la citadelle de la langue hébraïque ».

358. *In Is.* 142 B : « Haec iuxta Hebraeos, ut nobis ab eis traditum est, breui sermone perstrinximus. Nunc quid iuxta LXX editionem ecclesiastici uiri de hoc loco sentiant subiciamus ». Cette nouvelle explication se termine par : « Hoc iuxta litteram » (142 D). Voir ci-dessus, ch. III, p. 143 et la note 87.

359. HIER. *In Zach.* PL 25, 1457 A. Voir ci-dessus à la note 99 du ch. III, p. 146, l'analyse de ce passage.

360. *In Is.* 460 B : « Plerique nostrorum, ut iuxta LXX pauca perstringam, de Christi aduentu autumant prophetari. »

361. HIER. *In Hab.* PL 25, 1279 D. Les deux passages de l'*In Isaiam* qu'on serait tenté d'invo-

même étroitement Septante et tropologie [362]. Deux fois également y revient la formule : « Selon l'anagogie et l'édition des Septante... », en particulier lorsqu'il s'agit, au livre VII, d'opposer à l'explication historique *iuxta Hebraeos* du livre V l'exégèse spirituelle de la prophétie contre Tyr [363]. Le livre XIV enfin offre de cette association du sens spirituel avec la version traditionnelle la formulation à la fois la plus sobre et la plus nette : « Voilà pour ce qui est de l'histoire », conclut Jérôme, avant de poursuivre : « Mais pour en venir selon les Septante à l'explication spirituelle... [364] ».

A l'appui des liens privilégiés que suggèrent de telles expressions il faudrait aussi invoquer les passages où, sans être associés à un terme désignant le sens spirituel, les Septante n'en sont pas moins clairement opposés à une désignation du sens littéral. Ainsi, déclare Jérôme dans son *Commentaire sur Nahum*, « selon mon habitude je vais d'abord passer au crible l'histoire et ensuite la pensée de l'édition courante [365] ». En élargissant le champ, on pourrait encore faire fond sur les pages où cette *editio uulgata* apparaît liée de fait à une interprétation spirituelle qui fait pendant à un commentaire littéral *iuxta hebraicum* [366]. La fin du livre VII en offre un cas extrême puisque Jérôme s'y limite en pratique à la seule version des Septante pour le commentaire spirituel de tout un chapitre du prophète [367].

Il est vrai qu'on pourrait tout aussi bien souligner qu'il s'agit là précisément d'une exception. En effet, bien qu'ils ne contiennent que l'exégèse spirituelle des oracles dont le livre V avait fourni à Amabilis l'explication historique, les livres VI et VII offrent au contraire habituellement les deux versions. Il faut donc se garder des conclusions hâtives. De fait, si les observations précédentes sont indiscutables, elles restent partielles. Qui plus est, leur portée peut être plus limitée qu'on ne serait tenté de le croire. Je n'en donnerai qu'une illustration. Après avoir présenté dans les deux versions le texte d'un lemme du prophète Osée, Jérôme remarque : « Il y a beaucoup de différence entre l'hébreu et l'édition des soixante-dix traducteurs. » Et il ajoute : « Essayons donc de développer l'histoire selon les Hébreux, et l'anagogie selon les Septante. » On ne peut rêver à première vue témoignage plus net d'un lien privilégié entre la version traditionnelle et le sens spirituel, comme d'ailleurs symétriquement entre le sens littéral et l'*hebraica ueritas*. Mais voici comment s'opère, le moment venu, la transition d'une interprétation à l'autre : « Passons

---

quer ne sont qu'à moitié convaincants : dans le premier (315 D) le rapport à l'allégorie ne porte que sur une divergence textuelle partielle, dans le second (373 C) il n'est pas caractéristique du commentaire spirituel du verset.

362. *In Is.* 135 D : « Possumus autem iuxta translationem eorum (= LXX) et tropologiae... libertatem... » ; et surtout 317 C : « Hoc iuxta litteram dictum sit. Porro iuxta tropologiam priorem sequamur intellegentiam nec intactos LXX interpretes relinquamus ». Cf. *In Nahum* PL 25, 1265 A.

363. « Secundum ἀναγωγὴν et editionem LXX... » (livre VII, 275 B). Cf. 344 D (iuxta...).

364. *In Is.* 494 B, texte ci-dessus, n. 202, p. 249.

365. « Iuxta consuetudinem meam primum historiam et postea uulgatae editionis sententiam uentilabo » (PL 25, 1241 D). Cf. *In Is.*, 123 A, 461 D.

366. Les exemples ne manquent pas. Voir en particulier 66 AB où, à la différence de toutes les autres versions, les LXX « parlent très clairement de la passion du Christ » ; 180 D où Jérôme constate que ce sont eux qui « donnent occasion à Eusèbe » d'une exégèse spirituelle. Autres références, note 84, page 143. Cf. encore 45 BC où c'est la version des LXX qui permet une interprétation christologique.

367. Le chapitre 23, c'est-à-dire l'oracle contre Tyr, le dernier des oracles contre les nations.

au sens spirituel », écrit Jérôme, « en nous bornant aux soixante-dix traducteurs, de peur que, si nous voulions expliquer les deux textes à la fois selon l'histoire et selon l'anagogie, nous n'étendions les dimensions du livre [368] ». Sans être arbitraire — car Jérôme ne propose nulle part le choix inverse — la correspondance entre la version traditionnelle et l'exégèse chrétienne n'est donc à ses yeux ni nécessaire ni exclusive : pas plus que le texte hébreu ne relève de la seule interprétation littérale, les Septante ne sont cantonnés dans le sens spirituel.

On rejoint ici les constatations faites plus haut à propos des liens entre sens littéral et *hebraica ueritas* et qu'il est inutile de reprendre en détail [369] : exégèse spirituelle unique des deux versions ; en cas de divergence, double commentaire selon l'esprit, ou, inversement, double interprétation littérale, autant d'exemples qui viennent contrebattre nos premières observations.

On ne peut donc dire que Jérôme établisse une relation d'identité entre Septante et sens spirituel. C'eût été d'ailleurs surprenant de sa part. Mais sans doute était-il porté à reconnaître malgré tout, entre l'antique version alexandrine et l'interprétation chrétienne, un peu plus que la dépendance de fait qui découlait de la pratique des écrivains ecclésiastiques antérieurs. Car, s'il lui arrive de tirer sans broncher de l'hébreu l'exégèse spirituelle d'un verset d'Isaïe dont les Septante ne permettent qu'un commentaire historique [370], il s'étonne plus souvent de ne pas les trouver aussi favorables à une interprétation messianique que le texte transmis par la Synagogue. Il a beau, nous dit-il, tourner et retourner la question en lui-même, il ne réussit pas à « découvrir la raison pour laquelle les Septante n'ont pas voulu traduire en grec une prophétie tout à fait claire du Christ [371] », alors que, par exemple, dans la prophétie de l'Emmanuel ils ont été les seuls à traduire l'hébreu *'almah* par « vierge ». Ailleurs il leur cherche des excuses pour n'avoir pas osé dire de l'enfant royal du ch. 9 « qu'il devait être appelé Dieu ouvertement [372] ». Ou bien il se demande avec étonnement « comment l'édition courante a pu fausser par une autre interprétation un témoignage si vigoureux contre le refus de croire des Juifs [373] ». Ces formules s'expliqueraient mal si Jérôme n'attendait normale-

---

368. Hier. *In Os.* PL 25, 916 B : « Multum inter se Hebraicum et Septuaginta interpretum editio dissonant. Tentemus igitur iuxta Hebraeos historiam, iuxta LXX ἀναγωγὴν texere » et 917 B : « Transeamus ad intellegentiam spiritalem iuxta Septuaginta dumtaxat interpretes, ne si utrumque et secundum historiam et secundum ἀναγωγὴν uoluerimus exponere, tendamus libri magnitudinem. » Autre méthode dans un passage de l'*In Isaiam* pour éviter le même inconvénient : « Vtramque editionem miscuimus, ne in proponendis singulis librorum magnitudo tendatur... » En fait cette exégèse unique des deux versions étroitement mêlées se limite au plan spirituel.

369. Voir ci-dessus au ch. III, p. 143 et 144 et les notes correspondantes.

370. *In Is.* 431 AB (voir n. 93, p. 144). En 66 A, au contraire, c'est leur version qui « parle très clairement de la Passion du Christ ».

371. *In Is.* 56 A, sur *Is.* 2, 22 : « Tacita mecum mente pertractans, non possum inuenire rationem quare LXX tam perspicuam de Christo prophetiam in graecum noluerint uertere. » Même constat de carence, mais sans manifestation d'étonnement, en 101 B à propos de la fin du dernier verset du ch. 6 : « Sanctum semen erit quod steterit in ea. »

372. « Qua nominum maiestate perterriti LXX reor non esse ausos de puero dicere quod aperte Deus appellandus sit... » (*ibid.* 128 A).

373. « Satisque miror quomodo uulgata editio fortissimum contra Iudaeorum perfidiam testimonium alia interpretatione subuerterit... » (466 B). Autres passages où l'hébreu est plus favorable que le grec à une interprétation chrétienne : 421 B, 675 C ; *In Hier.* PL 24, 830 C, etc.

ment de la version « lue dans les églises » une certaine connivence avec la foi chrétienne.

On aboutit donc une fois encore à une conclusion nuancée. Jérôme tout d'abord reçoit comme une donnée de fait la dépendance de ses prédécesseurs envers la version traditionnelle : Didyme, Eusèbe et en définitive Origène lui-même n'ont pas d'autres références. Cette dépendance l'amène naturellement à associer à cette version des exégèses spirituelles qui bien souvent lui viennent de ses devanciers. D'où les formules que nous avons relevées. Sans doute aussi les étonnements de Jérôme donnent-ils à penser qu'il garde, malgré sa liberté critique croissante, une certaine révérence envers des traducteurs à qui il n'avait pas refusé jadis l'assistance du Saint-Esprit [374]. Cependant jamais sa pratique n'implique que leur texte jouirait d'un droit particulier à l'explication spirituelle, dont serait exclue l'*hebraica ueritas*. On voit mal d'ailleurs comment l'idée aurait pu lui en venir, dès lors qu'à ses yeux c'était l'original hébreu qui donnait accès au texte authentique de l'Écriture.

Une telle attitude n'est pas sans conséquences. En distendant ainsi, fût-ce avec quelques hésitations, les liens qui avaient associé jusqu'alors l'exégèse chrétienne au texte des Septante, Jérôme élargissait le champ de l'interprétation spirituelle puisqu'il était amené à l'étendre à des passages de l'Écriture qui, par le jeu des divergences textuelles entre le grec et l'hébreu, avaient pu être ignorés de ses prédécesseurs. Ce faisant l'exégète, prenant le relais du traducteur, ébranlait un peu plus l'autorité de la version traditionnelle. Par le fait même il se différenciait non seulement de ses devanciers, mais aussi de ses contemporains qui, comme Augustin, répugnaient à le suivre dans cette voie [375].

IV — L'ABSENCE DE SENS LITTÉRAL SIGNE DU SENS SPIRITUEL

En revanche il ne s'écarte pas de la tradition lorsqu'il reconnaît dans les difficultés et les obscurités de l'Écriture une intention pédagogique [376]. Le *Commentaire sur Isaïe* témoigne de son étonnement à l'idée qu'on puisse « s'imaginer que notre foi et notre espérance chrétiennes se satisfont du sens immédiat parce qu'il est écrit : "le précepte lumineux de Dieu illumine les regards" (...) alors que toute l'Écriture et spécialement les prophètes s'enveloppent d'annonces mystérieuses de l'avenir pour nous inciter à chercher à comprendre [377] ». A plus forte raison doit-on reconnaître une telle incitation

---

374. Cf. H IER, *Praef. in Par. iuxta LXX* : « ... Spiritu sancto pleni ea quae uera fuerant transtulerunt... » (PL 29, 402 A). Cette révision des *Paralipomènes* sur le grec date des années 389-392.

375. On connaît les réticences que manifeste Augustin dès la *Lettre* 56, 2 (= A VG. *Epist.* 28, 2 : CSEL 34, 105), vers 394-395, et qui n'apparaissent guère ébranlées une trentaine d'années plus tard, après la mort de Jérôme, dans le livre XVIII (ch. 42) de la *Cité de Dieu*.

376. Sur le thème de l'obscurité des Écritures dans la tradition patristique grecque jusqu'à l'époque de Jérôme, voir l'étude de M. Harl sur *Origène et les interprétations patristiques grecques de l'obscurité biblique*, dans *Vigiliae christianae* 36, 1982, p. 334-371, et, ci-dessous, p. 362, n. 205.

377. « Vehementer admiror eos qui fidem nostram et spem christianam arbitrantur simplicitate

dans le cas extrême d'un passage biblique qui n'offre pas de sens littéral satisfaisant. En écho à la pensée d'Origène sur ce point, Jérôme avait déjà dit dans son *Commentaire sur Matthieu* : « Chaque fois que l'histoire comporte impossibilité ou indignité, cela nous fait aller plus profond [378] ».

Un oracle d'Isaïe sur l'Égypte lui donne occasion de rappeler que dans l'Écriture « trouvent souvent place des choses qui au sens littéral ne peuvent pas tenir debout, si bien que, par la force des choses, nous sommes contraints de chercher un sens plus profond », c'est-à-dire, comme il le dit clairement dans une homélie, une interprétation spirituelle [379]. L'interdiction de bouger le jour du sabbat offre de ce principe une excellente illustration : « Si nous la prenons à la lettre, elle ne peut absolument pas être respectée. Qui en effet peut rester assis tout un jour et une nuit pour le sabbat sans quitter un endroit et même sans faire fût-ce un léger mouvement [380] ? » En commentant ce précepte de l'*Exode* évoqué par le texte prophétique, Jérôme a certainement à l'esprit la page du *Periarchòn* où Origène avait retenu précisément cet exemple pour illustrer le principe que les invraisemblances de l'Écriture sont des signes d'avoir à chercher un sens plus profond [381]. Mais sa perspective est un peu différente. Alors qu'Origène se bornait à souligner, à l'appui de son affirmation, les contradictions des rabbins dans leurs efforts pour justifier ce commandement, Jérôme conclut de l'impossibilité d'observer littéralement cet aspect de la règle du sabbat à la nécessité d'en comprendre spirituellement l'ensemble, ce qu'il s'empresse de faire [382]. Les autres exemples qu'offre le *Commentaire sur Isaïe* relèvent de la même préoccupation pratique. On peut observer qu'ils apparaissent en général sur un fond de polémique contre des interprétations

---

contentam quia scriptum est : "mandatum Dei lucidum illuminans oculos" (...) cum idcirco et omnis Scriptura et prophetae specialiter futurorum mysteriis inuoluti sint ut prouocent nos ad intellegentiam » (246 B). Suit une référence à la parole de l'Évangile : « Cherchez et vous trouverez » (*Mt.* 7, 7 = *Luc.* 11, 9).

378. HIER. *In Mt.* 21, 5 : « Cum historia uel impossibilitatem habeat uel turpitudinem, ad altiora transmittimus » (PL 26, 147 B). Cf. *Periarchòn* IV, 2, 9 et 3, 1-4, en particulier IV, 3, 2 (Or. W. 5, 325, 6-7) : « πολλοὶ τῶν νόμων, τῷ ὅσον ἐπὶ τῷ καθ᾽ ἑαυτοὺς τηρεῖσθαι, τὸ ἄλογον ἐμφαίνουσιν, ἕτεροι δὲ τὸ ἀδύνατον. » La traduction de Rufin escamote cette phrase. Sur « l'absurdité signe de l'allégorie » chez les païens comme chez les chrétiens, voir l'étude de J. Pépin (TU 63, p. 395-413).

379. *In Is.* 250 AB : « ... et in hoc et in aliis scripturarum locis pleraque ponuntur quae non possent stare iuxta historiam, ut rerum necessitate cogamur altiorem intellegentiam quaerere. » Cf. *Tract. 5 in Marc.* : « Si secundum litteram intellegimus, penitus stare non potest (...). Vides ergo quod spiritalis intellegentia est... » (CC 78, 477 = Morin, p. 346). On peut noter que cette impossibilité du sens littéral concerne ici un passage du Nouveau Testament. Autre formulation du même principe à l'intention des fidèles de la vigile pascale : « quidquid in illis secundum litteram uidetur incongruum esse uel clausum, spiritali expositione pandamus. » (*De ex. in uig. pasc. hom.*, *ibid.* 539 = Morin, p. 408). Suivent, quelques lignes plus bas, des exemples de ce que l'Écriture peut contenir de déplacé, parmi lesquels le mariage d'Osée avec une prostituée, dont le commentaire de ce prophète donne pourtant une explication littérale (cf. *In Os.* 1, 2 : PL 25, 823).

380. *In Is.* 573 C : « Quod si iuxta litteram accipiamus, penitus impleri non potest. Quis enim potest hoc facere ut tota die ac nocte sedens in sabbato de uno loco non recedat, immo ne leuiter quidem se commoueat ? »

381. ORIGÈNE, *Periarchòn* IV, 3, 2. Voici la phrase d'Origène sur le verset de l'*Exode* (16, 29) dans la traduction, ici très fidèle, de Rufin : « Quod utique impossibile est obseruari secundum litteram : nullus enim hominum potest tota die ita sedere ut non moueatur de eo loco in quo sederit » (Or. W. 5, 326, 19-21).

382. *In Is.* 573 C (ci-dessus note 197).

juives ou judaïsantes [383]. Il semble donc que Jérôme accorde moins d'attention au principe en lui-même, qui chez un Origène apparaît fondamental, qu'à son éventuelle commodité pratique.

Cette impression est corroborée par les réserves que lui inspire ici ou là un abandon trop rapide du sens littéral, qu'il s'agisse d'Eusèbe ou de « ceux qui suivent la seule tropologie [384] » ; elle l'est encore par les réticences qu'il éprouve lui-même à se réfugier dans « la diversité des interprétations anagogiques » sous la contrainte d'une « histoire » qui se dérobe [385]. Et l'on ne s'étonne pas de le voir rappeler au détour d'une homélie que « tout ce qui est écrit [dans l'Évangile] a bien eu lieu [386] ». Sans ignorer le principe posé par son prédécesseur alexandrin auquel il fait écho sans réticence, Jérôme apparaît donc en pratique plus porté à en tirer parti contre le littéralisme juif que disposé à abandonner trop vite à l'allégorie les passages de l'Écriture dont l'interprétation littérale fait problème [387]. Mais on ne voit pas qu'il conteste l'affirmation d'Origène que toute l'Écriture a un sens spirituel [388].

V — LES VOIES D'ACCÈS AU SENS SPIRITUEL

Pour atteindre à cette signification profonde les procédés sont multiples. Avant d'étudier le contenu auquel ils donnent accès, il faut les passer rapidement en revue. Tâche apparemment simple, puisque par son ampleur le *Commentaire sur Isaïe* offre à cette investigation tout le champ souhaitable et que les pages précédentes ont déjà fourni beaucoup d'occasions de voir mis en œuvre tel ou tel de ces procédés. Il y a pourtant des précautions à prendre.

---

383. Cf. 314 A et 575 A, où se retrouve à deux mots près la formule « Quod iuxta litteram penitus stare non potest », et aussi 147 B, 462 C, 595 A où ressort de la discussion la nécessité de recourir à l'interprétation spirituelle. Voir sur plusieurs de ces références la note 24 du ch. III, p. 133.

384. Cf. 179 B (sur Eusèbe) et 519 D : « Qui solam tropologiam sequuntur et in locis difficillimis liberae disputationis excursu nascentes fugiunt quaestiones... » Il est intéressant de rapprocher de ce texte un passage du *Commentaire sur Matthieu* d'Origène : «Ὅρα εἰ μὴ πάντοθεν ἀτόποις περιπεσεῖται διὰ τὸ φεύγειν τὴν τροπολογίαν » (*In Mt.* 22, 23-33 : Or. W. 10, 698, 9). La comparaison des deux formules montre bien la divergence d'accent entre les deux auteurs.

385. *In Is.* 265 B (texte ci-dessus n. 73, p. 140).

386. « Factum est enim omne quod scriptum est » (*Tract. 2 in Marc.* : CC 78, 461 = Morin, p. 329).

387. Sur ce dernier point au moins son attitude se rapprocherait davantage de l'Augustin du *De Genesi ad litteram* préoccupé de sauvegarder au maximum une signification littérale aux récits des origines, sans ignorer pour autant le principe d'Origène dont il donne à propos d'un passage, à la lettre dénué de sens, du Psaume 103 une formulation particulièrement claire (« Quare quaedam in rebus uisibilibus quasi absurda miscet Spiritus sanctus, nisi ut ex eo quod non possumus accipere ad litteram, cogat nos ista spiritaliter quaerere ? » *Enarr. in Ps.* 103, *sermo* 1, 18 : CC 40, 1491. Le sermon est de l'automne 412).

388. Même le mouvement de prudence, d'ailleurs vite oublié, de l'*In Ionam* (PL 25, 1124 A = Antin, p. 63-64), mettant en garde contre l'application automatique au Christ de « toute l'histoire » d'un passage du prophète, ne conteste pas la possibilité que « chaque passage reçoive un sens spirituel adapté ». Pour la pensée d'Origène, voir en particulier *Periarchòn* IV, 3, 5 : « Διακείμεθα γὰρ ἡμεῖς περὶ πάσης τῆς θείας γραφῆς ὅτι πᾶσα... ἔχει τὸ πνευματικόν... » (Or. W. 5, 331, 13-14). La phrase ne figure pas dans la traduction de Rufin.

L'étude du vocabulaire du sens spirituel, en particulier, a clairement montré que Jérôme ne s'encombrait pas en ce domaine de distinctions bien tranchées et qu'il y avait loin parfois entre les affirmations théoriques auxquelles pouvait donner lieu tel de ces mots susceptibles de nous intéresser ici et les fluctuations de sens dont témoignait son utilisation pratique. L'allégorie serait presque ignorée de Jérôme si l'on en croyait la rareté des apparitions du terme sous sa plume ; et la présence de *typus* n'est pas, tant s'en faut, un signe indubitable qu'on se trouve en face du cas de figure répondant aux normes posées par Jérôme lui-même. Nulle part, du reste, il n'a manifesté le souci de codifier les règles de sa technique exégétique. Il en résulte que, même si elles font pour une part appel à des notions tirées de son œuvre, les classifications qui vont suivre : exégèse « typologique » ou figurative, exégèse allégorique et ses ava-tars l'étymologie et l'arithmologie, enchaînements de citations scripturaires, correspondent plus aux nécessités d'un minimum de systématisation qu'elles ne reflètent la conscience qu'il pouvait avoir lui-même des choses. Durcir ces classifications risquerait donc de fausser les perspectives. Il conviendra de ne pas l'oublier.

A — *L'exégèse typologique*

Parler d'exégèse typologique, c'est entrer dans des catégories modernes qui ne sont pas sans péril si on les projette sans précaution sur l'usage des Pères. Le mot cependant est commode et recoupe dans la pratique hiéronymienne tout à la fois un terme *(typus)* et une réalité qui ne lui est pas nécessairement associée et dont il s'agit de préciser les contours.

Le procédé consiste en toute rigueur à reconnaître dans certaines réalités de l'Ancienne Alliance des préfigurations des réalités de la Nouvelle. Jérôme, nous l'avons vu, en trouve le modèle chez l'apôtre Paul, qui offre le mot et la chose. C'est même à partir d'une exégèse paulinienne, celle de l'histoire de Sara et d'Agar, que nous le voyons en dégager le plus clairement les caractè-res : réalité historique du modèle, ressemblance véritable mais partielle de ce modèle avec la réalité qu'il préfigure, à quoi l'on peut ajouter une certaine convenance de l'un à l'autre [389]. Le premier trait ne laisse guère place à l'arbitraire. Les suivants, en revanche, souffrent une marge d'appréciation subjective qui ouvre la voie à bien des souplesses d'application. De fait, c'est sur ce terrain que se sont manifestées, dans la pratique, entre la tradition exégétique d'Antioche et celle d'Alexandrie les divergences les plus nettes. Il ne suffit donc pas de remarquer, comme on l'a souvent fait, et à juste titre, la parenté entre les formules de Jérôme et celles des maîtres antiochiens ses contemporains [390], il faut s'assurer de l'usage qu'il en a fait.

---

389. Voir ci-dessus p. 263 s. et les notes 282 à 287.

390. Celle-ci, par exemple, de Jean Chrysostome : « Καὶ γὰρ τοῦτο δεῖ πιστεύειν ὅτι ἐγένετο (ἐγένετο γάρ), καὶ τὸ ἐξ αὐτοῦ εἰς τύπον τοῦ Χριστοῦ » (*In Ps.* 9, 4 : PG 55, 127). Cf. Junilius Africanus (plus tardif) : « ... in typis res declarantur ex rebus » (*Inst. reg. diu. leg.* II, 16, éd. Kihn, p. 510). Cette perspective, qui voit dans le type une prophétie énoncée par les *faits*, explique que les Antiochiens, et, particulièrement Théodore de Mopsueste, n'aient reconnu dans l'A.T. qu'un nombre restreint de types du Sauveur.

On pourrait s'étonner de ne pas rencontrer au long des dix-huit livres du *Commentaire sur Isaïe* quelques-unes des figures majeures dans lesquelles l'exégèse la plus ancienne avait reconnu l'annonce du Christ ou de son Église. Noé, Melchisedech, Jacob et ses deux épouses, Josué, d'autres encore, en sont absents ou n'y apparaissent pas dans ce rôle. La plupart de ces personnages, il est vrai, relèvent plus de la période des origines que du temps des prophètes. Mais Jérôme ne les ignore pas. Si le recueil d'Isaïe ne lui donne pas l'occasion de les évoquer, on les trouve ailleurs dans son œuvre. Par exemple un passage de son traité contre les lucifériens développait déjà longuement les correspondances qui permettent de voir dans l'arche de Noé la figure de l'Église [391]. Faisant écho à l'exégèse de l'*Épître aux Hébreux*, les *Questions hébraïques sur la Genèse* reconnaissaient en Melchisedech apparu soudainement dans l'histoire « sans père ni mère » une figure du Christ, et le *Commentaire sur Jérémie* interprétera son sacerdoce comme une annonce du sacerdoce nouveau [392]. Et pour illustrer, dans le *Commentaire sur Osée*, le caractère nécessairement partiel des ressemblances entre le personnage symbolique et celui qu'il préfigure, ce sont précisément les exemples traditionnels des deux patriarches, Jacob et ses deux épouses, Isaac portant le bois de son propre sacrifice, tous deux « types du Seigneur Sauveur », que Jérôme invoque [393]. Le personnage d'Isaac se retrouve dans le *Commentaire sur Isaïe*, mais avec une autre valeur symbolique déjà exploitée par le polémiste de l'*Aduersus Iouinianum* : époux de la seule Rebecca, il manifeste par sa monogamie la pureté de l'Église du Christ qu'il préfigure. Moins traditionnelle, tout en poussant des racines lointaines jusque dans Philon, cette symbolique trahit une tendance, que nous retrouverons, à glisser des exigences de la stricte typologie à la simple allégorie [394]. Mais auparavant il nous faut relever dans notre Commentaire des exemples plus conformes aux caractères retenus par Jérôme.

Le cas d'Isaïe lui-même vérifie sans doute moins que celui du prophète

---

391. « Arca Noe Ecclesiae typus fuit... » (*Alterc. lucif.* 22 : PL 23, 176 AC). Cf. TERT. *De idol.* 24, 4 ; CYPR. *Epist.* 69, 2 ; 75, 15. Cyprien reconnaît aussi dans Noé lui-même une figure de la Passion du Christ « quod uinum bibit, quod inebriatus est » (*Epist.* 63, 3), exégèse qu'on retrouve dans le passage du traité hiéronymien (*ibid.* 176 C).

392. HIER. *Hebr. Quaest.* PL 23, 961 B : « Melchisedech autem beatus apostolus ad Hebraeos (= 7, 3) sine patre et matre commemorans ad Christum refert », et *In Hier*, PL 24, 876 C. Cf. CYPR. *Epist.* 63, 3 : « Quod Melchisedech typum Christi portaret declarat in psalmis spiritus sanctus... » (= *Ps.* 109, 4).

393. HIER. *In Os.* 915 D-916 A : « ... typi fuerunt Domini Saluatoris... » (cf. encore, sur Jacob, *ibid.* 930 B et *In Soph.* 1385 B). L'exégèse reconnaissant dans le double mariage de Jacob avec Lia « aux yeux dolents » et Rachel « la belle » (*Gen* 29, 17) le symbole des relations du Christ avec la Synagogue et l'Église est déjà très clairement formulée par Justin : Τῆς ὑπὸ τοῦ Χριστοῦ μελλούσης ἀπαρτίζεσθαι πράξεως τύποι ἦσαν οἱ γάμοι τοῦ Ἰακώβ... (*Dial.* 134 : PG 6, 785 D ; cf. IRÉNÉE, *Adu. haer.* IV, 21, 3 : SCh 100, 2, 684 ; CYPR. *Ad Quir.* 1, 20). L'interprétation typologique du sacrifice d'Isaac se trouve dans Tertullien (voir ci-dessus note 284). Chez Cyprien c'est, semble-t-il, par sa naissance qu'Isaac est le type du Christ (*Ad Quir.* 1, 20). Voir aussi la note suivante. Cf. encore, chez Jérôme, l'exégèse de Josué « typus Domini non solum in gestis uerum et in nomine » (*Epist.* 53, 8, 4), celle de Salomon et des deux femmes, symboles du Christ, de l'Église et de la Synagogne (*Epist.* 74, 2, 2) etc.

394. *In Is.* 618 C : « Isaac uero (...) ecclesiae indicans castitatem una fuit uxore contentus. » Cf. *Adu. Iouin.* 1, 19 : « Isaac, unius Rebeccae uir, Christi praefigurat ecclesiam... » (PL 23, 237 B) et 1, 31 où c'est Rebecca qui est qualifiée de « type de l'Église » (*ibid.* 254 D). Sur l'origine et les divers aspects de l'exégèse du mariage d'Isaac dans la tradition patristique, voir le chapitre de J. Daniélou dans *Sacramentum futuri*, p. 112-128.

d'Anatoth la « règle » que formulera le *Commentaire sur Jérémie* : « Tous les prophètes ont accompli mainte action pour préfigurer le Seigneur Sauveur [395] ». Il permet néanmoins des affirmations substantiellement identiques. Lorsque Isaïe déclare en effet que « lui-même et les enfants que lui a donnés le Seigneur sont des signes et des prodiges pour Israël [396] », Jérôme en prend occasion pour rappeler, en des termes que nous reconnaissons, que « les prophètes sont toujours venus à l'avance pour signifier l'avenir » ; et c'est au Christ qu'à la suite de l'*Épître aux Hébreux* il applique le verset [397]. Pourtant, dans la perspective qui nous occupe, l'exégèse mise en œuvre à ce propos est bien curieuse. Elle passe en effet par une interprétation imagée des enfants du prophète : voyant en eux « les autres prophètes et fils de prophètes , qui ne sont pas nés d'un vouloir de la chair et du sang mais de Dieu », elle fait de ces « enfants » ainsi compris un signe propre à confondre « la sagesse du siècle et l'orgueil des juifs [398] ». Elle évacue donc la réalité des fils d'Isaïe, qui permettrait précisément de reconnaître en eux des figures signifiantes. C'est ce que faisait au contraire une exégèse antérieure que Jérôme rapporte mais pour s'en étonner : autant soutenir, à l'entendre, que « le prophète Osée a eu réellement une prostituée pour épouse [399] ». Force est de constater qu'il y a quelque distance entre cette pratique exégétique et la « règle » qu'elle devrait vérifier.

Ce mariage d'Osée lui-même, qui, dans le *Commentaire sur Isaïe*, ne fait l'objet que de rapides mentions, est pourtant un de ces gestes prophétiques auxquels on penserait d'autant plus volontiers pour illustrer cette règle que le prologue du Commentaire de ce prophète en fournit une première formulation. « Tout ce que les prophètes reçoivent l'ordre d'accomplir est à rapporter à ma ressemblance », y fait dire Jérôme au « Seigneur Sauveur », après avoir reconnu dans le mariage d'Osée comme dans la longue théorie des prostituées et des adultères de l'histoire biblique autant de « figures du Seigneur Sauveur et de l'Église rassemblée des pécheurs [400] ». Mais si l'on en croit les lignes qui

---

395. *In Hier.* 11, 21-23 (PL 24, 758 A) : « ... illam sequamur regulam quod omnes prophetae in typum Domini Saluátoris pleraque gesserint... » Comme actions de Jérémie *in typum Domini*, voir *ibid.* 764 A, 799 A, etc.

396. *Is.* 8, 18 : « Ecce ego et pueri quos mihi dedit Dominus in signa atque portenta Israelis... »

397. *In Is.* 121 C : « ... eo quod semper prophetae in signum praecesserint futurorum (...). Ceterum beatus apostolus in epistula quae ad Hebraeos scribitur docet (...) hoc testimonium ex persona debere intellegi Domini Saluatoris » (cf. *Hebr*.2, 13).

398. Cf. *ibid.* 121 B et D. Cette interprétation pourrait être rapprochée de l'exégèse correspondante d'Eusèbe dans son *In Isaiam*, qui définit aussi par le verset johannique les enfants qui, donnés au Seigneur par le Père, ne s'attachent plus à la loi de Moïse, enfants dans lesquels il voit un peu plus bas « les disciples et les apôtres » (cf. Eus. W. 9, 59, 35 s. et 60, 9).

399. *Ibid.* 122 A : « ... miror quemdam nostrorum pueros istos duos Isaiae filios intellegere (...), Iasub uidelicet et Emmanuel, quorum prior in abiectione prioris populi, sequens in assumptione gentium praecesserit. » L'explication des réserves de Jérôme envers cette interprétation est à chercher quelques pages plus haut dans le commentaire de l'annonce de l'Emmanuel (*Is.* 7, 14 : *ibid.* 109-110). La même exégèse, qui fait d'Emmanuel le second fils du prophète né « in typum Domini Saluatoris », y est présentée *in fine* sans commentaire et apparemment par acquit de conscience, après l'interprétation des Hébreux que Jérôme rejette. Elle ne saurait entrer en balance à ses yeux avec l'explication solidement étayée qui a montré dans l'annonce de la naissance virginale d'Emmanuel une *prophétie directe* de la naissance du Christ. En revanche un peu plus haut, Jérôme avait parfaitement reconnu dans Iasub « une figure du peuple de Juda qui allait être libéré » (*ibid.* 103 B).

400. HIER. *In Os.*, prol. : « Nec mirum si in figura Domini Saluatoris et Ecclesiae de peccatoribus congregatae haec facta memoremus, cum ipse in hoc eodem dicat propheta : "... in manibus

suivent, avec l'exemple de l'histoire fictive de la ceinture de Jérémie, c'est plus l'ordre donné au prophète que sa réalisation effective qui constitue à ses yeux la « réalité » symbolique [401].

Avec le prophète Jonas c'est à un personnage aux actions bien réelles que toute l'époque patristique, à la différence de l'exégèse moderne, est convaincue d'avoir affaire. Le *Commentaire sur Isaïe* n'évoque qu'en passant le « signe de Jonas » [402], mais Jérôme a exploité à loisir dans son Commentaire sur ce prophète toutes les ressemblances qui en font le type du Christ, non sans qu'on puisse observer une distorsion sensible entre l'avertissement prudent du prologue « qu'il faudrait une ingéniosité extrême pour rapporter tout le prophète à la contemplation du Sauveur », et l'application qu'il apporte dans le commentaire, entraîné par sa source origénienne, à démentir cette attitude, au détriment — une fois encore — des exigences de la stricte typologie [403].

D'autres réalités, individuelles ou collectives, s'y conforment davantage. Ainsi, pour prendre encore l'exemple d'un prophète en dehors de notre Commentaire, Ézéchiel « est proprement un type du Sauveur », lui que l'ange qui le guide appelle « Fils d'homme » [404]. La désignation qu'il reçoit du texte biblique suffit ici à constituer le prophète en symbole de celui dont ce sera le titre privilégié.

Le nom que lui donne l'Écriture : « mon Oint » contribue également à faire d'un personnage extérieur à Israël, Cyrus, une préfiguration du Christ dont il a « reçu la ressemblance et en image symbolique de qui il est venu à l'avance [405] ». Mais on ne peut pour autant, estime à bon droit Jérôme, fidèle

---

prophetarum assimilatus sum", ut quicquid prophetae iubentur operari ad meam referatur similitudinem » (PL 25, 818 B). Jérôme vient d'évoquer en particulier Thamar, Dalila, Rahab, Bethsabée, la pécheresse de l'Évangile. Le verset d'Osée qu'il invoque ici : « Dans les mains des prophètes j'ai mis ma ressemblance » (= *Os.* 12, 10) revient assez souvent sous la plume (par ex. dans l'*In Is.* 57 A, 107 C, 633 C), et il ressort clairement de deux passages de l'*In Ezechielem* qu'il le comprend bien comme signifiant que non seulement les paroles des prophètes mais leurs actes ont valeur figurative. Voir *In Ez.* PL 25, 103 C : « In signum enim et figuram prophetarum tam dicta quam facta sunt, unde... et in Osee loquitur Deus : In manibus prophetarum assimilatus sum » (cf. *ibid.* 49 B).

401. *In Os.*, prol., *ibid.* 818 C : « Alioquin si omnia quae praecipiuntur ob causas ut in similitudinem fiant uere facta contendimus, ergo et Hieremias accinctus lumbari, ... iuit ad Euphratem... » etc. Or Jérôme montre que cette histoire de Jérémie n'a pu réellement se produire (« illud... fieri non potuit »).

402. Voir *In Is.* 40 A, où est cité *Mt* 12, 39. En 126 A l'allusion à la tristesse de Jonas devant le salut des Ninivites et le dessèchement du ricin s'intègre dans une exégèse christologique tout à fait conforme à la ligne générale de l'*In Ionam* (Jonas attristé par la perte d'Israël figure le Christ). Autres allusions très rapides, étrangères à l'exégèse figurative, en 106 B, 331 A, 564 A.

403. Cf. HIER. *In Ion.*, prol. : « ... sudoris esse uel maximi totum prophetam referre ad intelligentiam Saluatoris... » (PL 25, 1120 A = Antin p. 54). L'avertissement, qui trouve un écho dans le Commentaire (cf. 1150 C = p. 116, surtout 1123-1124 = p. 63-64), est suivi de l'énumération de points rebelles à cette interprétation. Or, contre toute logique, ces points feront tous l'objet d'une application au Christ, tout comme la prière de Jonas, dont l'exégèse est introduite par cet étrange raisonnement : « Si Jonas est comparé au Seigneur, ... sa prière aussi doit être un type de la prière du Seigneur » (*ibid.* 1131 D = p. 78). Sur l'arrière-plan origénien de toute cette exégèse, voir les démonstrations d'Y.-M. DUVAL, *Le livre de Jonas...*

404. « Proprie Ezechiel in typo Saluatoris est... » (*Tract. 1 in Marc.* 1, 1-12 : CC 78, 458). Cf. *In Ez.* 47, 6 : « Vocat autem "filium hominis"... in figura Domini Saluatoris » (PL 25, 471 C).

405. *In Is.* 441 C : « ... ne putareris (suj. : Cyrus) ille esse Christus cui assimilatus es et in cuius typum et imaginem praecessisti. » Cf. *Is.* 45, 1 : « ... Christo meo Cyro... »

cette fois à ses principes, faire l'application au Christ des paroles qui lui sont adressées.

Autre étranger associé à l'histoire d'Israël, Hiram de Tyr, l'artisan sur airain que Salomon envoie chercher pour la construction du temple : par sa personne et par sa tâche il symbolise l'édification de l'Église, qui ne sort pas de la seule tribu de Juda [406].

Mais c'est sans doute Israël lui-même, avec les réalités de son culte et de son histoire, qui constitue, dans le *Commentaire sur Isaïe*, l'illustration la plus parlante de l'exégèse typologique. Victimes et sacrifices pris à partie par le prophète pour que nous y reconnaissions « l'image symbolique des offrandes spirituelles » [407], solennités dont l'Israël selon la chair « assurait le service comme celui d'une ombre et de modèles » [408], culte tout entier qu'il « célébrait jadis en une image symbolique » [409], toutes ces correspondances et d'autres qui jalonnent notre Commentaire trouveront quelques années plus tard leur expression la plus rigoureuse et la plus remarquable dans un passage d'une lettre à Dardanus que nous avons déjà rencontré. « Tout ce qui concerne ce peuple », y écrit Jérôme, « est venu par anticipation comme une image, une ombre et un type, et c'est pour nous que cela a été écrit, nous sur qui est survenu l'accomplissement des temps [410] ». Nous sommes ici au cœur de la typologie la plus traditionnelle, comme de la plus conforme aux caractéristiques dégagées par Jérôme dans le *Commentaire sur Osée* : consistance propre des rites et des prescriptions de l'Ancienne Alliance, à la fois ressemblance et décalage entre la figure et la réalité qu'elle annonce.

D'autres exemples font passer du domaine du culte à celui de l'histoire, réalités d'ailleurs intimement liées dans l'expérience du peuple d'Israël. Ainsi, dans l'agneau auquel le second Isaïe compare le Serviteur souffrant, Jérôme reconnaît évidement « cet agneau en symbole de qui était immolé » l'agneau pascal, figure traditionnelle du Sauveur présente dès le Nouveau Testament [411]. Dans la même ligne, le passé d'Israël rappelé par les paroles d'Osée : « Quand Israël était petit, je l'aimai et de l'Égypte, j'ai appelé mon fils » le constitue en figure du Christ enfant. C'est d'ailleurs à l'appui de ce cas d'exégèse figurative, authentifié par l'Évangile, que nous avons vu Jérôme dégager les traits qui caractérisent un « type » [412].

---

406. *In Is.* 61 C. Voir aussi *In Hier.* 26, 4 (PL 24, 845 A) qui met également en parallèle la construction du Temple et la construction de l'Église (« sicut exstructo templo..., sic exstructa ecclesia... »), mais sans faire mention de Hiram. Dans le même Commentaire un autre « symbole du peuple rassemblé des nations » est Ephraïm, préféré à son aîné (*ibid.* 875 A, cf. *Gen.* 48, 19).

407. *In Is.* 34 B.

408. *Ibid.* 240 A et *Hebr.* 8, 5 (Voir n. 232, p. 255).

409. *Ibid.* 291 C : « Vnde dicitur "Trade omnia haec gentibus" quae quondam Israel in typo et imagine celebrabat. » Cf. *In epist. ad Gal.*, prol. : PL 26, 309 C.

410. HIER. *Epist.* 129, 6 (en 414) ; voir ci-dessus note 248. Même perspective chez Ambroise : « Vides omnem legis ueteris seriem fuisse typum futuri » (*In Luc.* II, 56 : SCh 45, 97).

411. *In Is.* 509 B (*Is.* 53, 7). Au dossier scripturaire rassemblé par Cyprien sur cette figure (*Ad Quir.* II, 15), c'est-à-dire, outre *Is.* 53, *Jér.* 11, 19, *Ex.* 12, *Apoc.* 5, *Ioh.* 1, 29, Jérôme ajoute en particulier le commentaire que fait Philippe du passage d'Isaïe à l'eunuque de la reine Candace (*Act.* 8, 32-35) et le verset de la *Première aux Corinthiens* : « Pascha nostrum immolatus est Christus » (1 *Cor.* 5, 7), qui enracinent cette typologie dans le NT lui-même.

412. HIER. *In Os.* 11, 1 : PL 25, 915-916 (ci-dessus p. 263 s.). Dans l'*In Is.* (98 D) le verset n'est évoqué qu'en passant, à propos de son utilisation par Matthieu (*Mt.* 2, 15).

De ce passage on serait tenté de rapprocher l'application que le *Commentaire sur Isaïe* fait au Christ du personnage décrit par le prophète, « qui méprise sa vie, fait horreur au peuple, est l'esclave des grands », image de la personne de Jésus, bon pasteur qui donne sa vie, haï des juifs, conduit lors de sa passion devant grands prêtres et gouverneurs [413]. Mais, à la différence des deux cas précédents qui renvoient à l'événement bien réel de l'exode, ce personnage n'a pas une consistance historique véritable, puisqu'il s'agit plutôt d'une figure à venir. On constate en tout cas que Jérôme, qui est porté à en faire une lecture directement messianique, ne parle pas à son propos de type.

Prescriptions de l'anciennne Loi ou événements du passé d'Israël peuvent aussi préfigurer des réalités encore à venir, voire ce terme de l'histoire que constitue l'eschatologie. Ainsi sabbats et néoménies charnels étaient-ils l'annonce du « repos sabbatique réservé au peuple de Dieu » [414] ; et tout comme le renouveau promis à Tyr symbolise à ses yeux le temps de la félicité chrétienne et de l'édification des églises du Christ, dans la ruine de Babylone Jérôme reconnaît la figure de la fin du monde [415].

En revanche, faut-il encore parler de typologie lorsqu'un personnage historique comme Sennachérib est regardé comme « le type de la puissance ennemie », c'est-à-dire de Satan [416] ? En dépit du vocabulaire la correspondance ici, au lieu de jouer à l'intérieur d'un plan unique, déborde le cadre de l'histoire ; elle implique un passage d'un ordre de réalité à un autre et nous ramène sur les chemins de l'allégorie. Par une autre voie, l'exégèse qui reconnaît « le type de la mort du Seigneur et de son ascension » dans le signe que le prophète invite Achaz à demander « dans les profondeurs de l'enfer et au-dessus dans les hauteurs » mène à un constat analogue [417].

L'exégèse figurative n'apparaît donc pas exactement sous le même jour suivant qu'on l'envisage sous l'angle des prises de position théoriques auxquelles fait écho le *Commentaire sur Isaïe*, ou sous celui de la pratique exégétique qu'on y observe. Si par les premières Jérôme se rapproche des définitions restrictives qui ont conduit les Antiochiens à limiter, dans leur lecture de l'Ancien Testament, le nombre des types de la Nouvelle Alliance, son usage est sensiblement plus large. Il le situe en fait dans la ligne de la typologie traditionnelle, elle-même héritière de la tradition biblique, qui, moins exigeante sur les correspondances requises entre figure et réalité figurée, n'avait pas conscience de frontières aussi rigoureuses entre le type et l'allégorie.

---

413. *In Is.* 49, 7 (467 BD). Jérôme retient ici la version de Théodotion (« qui despicit animam, qui abominationi est genti... ») contre sa propre traduction de l'hébreu (« ad contemptibilem animam, ad abominatam gentem... ») qui ne donnerait pas prise à une application au Christ.

414. *In Is.* 66, 22 s. : 674 B. Cf. *Hebr.* 4, 9.

415. *In Is.* 205 B-206 A ; cf. 165 A qui montre bien que cette interprétation eschatologique ne constitue pas à ses yeux le sens immédiat du texte.

416. *In Is.* 138 B : « ... hunc regem *typum* esse aduersariae fortitudinis. » Même interprétation, mais de Nabuchodonosor, dans l'*In Hier.* : « ... diabolus, in cuius typum praecessit Nabuchodonosor... » (PL 24, 850 B, cf. 868 B).

417. *In Is.* 7, 10-11 : « Pete tibi signum a Domino Deo tuo in profundum inferni siue in excelsum supra (...). Quod utrumque ad typum pertinet mortis Domini et ascensionis » (105 C-106 A).

B — *L'exégèse allégorique*

En toute rigueur il y a pourtant entre les deux procédés une antinomie que Jérôme n'ignore pas et qu'illustre bien, si on la rapproche de ses formules du *Commentaire sur Osée*, cette observation sur un verset de psaume : « Il y a donc ici allégorie manifeste » car, précise-t-il en substance, la situation décrite par le psalmiste ne correspond à aucune réalité historique [418]. Mais, dans la pratique, on glisse sans rupture d'un extrême à l'autre : à travers toute une gamme de types de correspondances le jeu de ressemblances plus ou moins accusées, plus ou moins fragiles, permet d'interpréter le contenu du texte biblique : événements et personnages, choses ou mots eux-mêmes, comme l'expression de réalités ultérieures ou de vérités d'un autre ordre.

Quelques exemples illustreront la variété de ces correspondances et la difficulté qu'il y a parfois à les ramener à l'un ou l'autre des procédés qui nous occupent.

Lorsque Jérôme écrit que « le Sauveur est descendu au torrent de ce siècle et à ses eaux bourbeuses, dont il est raconté qu'Élie a bu en figure de lui *(in typo eius)* », sans doute restons-nous proches des règles du type (Jérôme emploie le mot), mais c'est par la médiation d'une interprétation purement allégorique du torrent que le rapport s'établit entre cette action d'Élie et la réalité de l'Incarnation [419]. L'assimilation aux hérétiques du peuple idolâtre « qui immole dans des jardins et sacrifie sur des briques » relève d'une démarche voisine mais éloigne encore davantage du type, dans la mesure où l'extrême généralité du second terme *(omnis haereticus...)* en estompe le caractère historique [420]. Et lorsque Jérôme invite son lecteur à voir dans les coquettes de Sion et dans les parures qui leur seront enlevées les âmes et les ornements des vertus, la réalité historique de ces femmes n'empêche pas que nous soyons en pleine allégorie [421].

A plus forte raison risque-t-on d'y être lorsque la correspondance prend appui non plus sur une réalité assurée, mais sur la simple annonce d'événements à venir. L'oracle contre l'Égypte, qui s'achève en prophétie de la conversion du pays, en offre une illustration très révélatrice dans sa diversité. Comme la terre de Juda « terreur pour l'Égypte » était à comprendre de l'Ancien Testament, « la stèle aux confins du pays », dont parle le prophète, signifie sans aucun doute, estime Jérôme, l'expansion de l'Évangile ; et dans « le signe et le témoignage que cette stèle constituera pour le Seigneur des armées sur la terre d'Égypte » il reconnaît un signe de la passion du Christ. Si les apparences sont sauves d'une certaine réalité (la stèle) qui en figure une

---

418. HIER. *Comment. in ps.* 106, 10 : « Manifesta igitur allegoria in praesenti loco est : non enim legimus Iudaeos in eremo uinctos et in tenebris fuisse... » (CC 72, 231). Même opposition de l'allégorie et de la réalité sous la plume d'Irénée : « Et nihil allegorizari potest ad omnia firma et uera et substantiam habentia » (*Adu. Haer.* 5, 35, 2 : SCh 153, 451), mais la perspective est différente : il s'agit pour lui de souligner la réalité de la Jérusalem céleste.

419. Cet exemple est emprunté à l'*In Zachariam* (PL 25, 1516 C) où il intervient par l'intermédiaire d'un verset du *Cantique* (6, 11 : « Descendi ut uiderem in genimine torrentis... »).

420. *In Is.* 65, 3 (631 C).

421. *In Is.* 3, 15 : 68 D (ci-dessous n. 718, p. 327). Les paragraphes suivants montrent que Jérôme fait sienne cette exégèse.

autre (la passion), on voit déjà combien sont fragiles les médiations (la croix comme « signe ») par lesquelles s'établit la relation [422]. Avec l'exégèse, dans le même passage, des « cinq cités qui sur la terre d'Égypte parleront la langue de Chanaan » le phénomène s'aggrave : ce sont trois interprétations qui s'offrent simultanément au lecteur, qui a le choix entre « la loi du Seigneur traduite pour la première fois à Alexandrie », ou bien « les cinq ordres de l'Église (évêques, prêtres, diacres, fidèles, catéchumènes) », ou encore l'interprétation spirituelle de la Loi, grâce à la médiation du verset paulinien : « J'aime mieux dire dans l'assemblée cinq mots avec mon intelligence que dix mille en langue [423] ». La première garde bien quelque rapport avec des réalités, puisque l'Égypte historique y fournit le terrain commun aux deux termes ; encore ne peut-on saisir leur correspondance que si l'on se souvient que la Loi, ce sont les *cinq* rouleaux du *Pentateuque*. La deuxième est assez gratuite et relève aussi de l'allégorie. Avec la dernière nous sommes en plein arbitraire : en effet, pour que le rapport s'établisse, Jérôme a besoin d'aller chercher, en le détournant totalement de son sens, un verset de saint Paul qui lui fournisse le nombre cinq. Pour toutes l'unique élément de correspondance réside en fait dans une donnée numérique qui sert d'appui à l'allégorie. Un tel procédé, qui fait fi du sens littéral, pourrait tout aussi bien justifier d'autres associations d'idées, comme en témoigne d'ailleurs l'interprétation que développe Jérôme au livre VII de ces cinq cités par les cinq sens [424]. Qu'il impute à d'autres ces diverses explications n'enlève rien à leur portée pour cette étude, puisque de toute évidence il n'en récuse aucune. On ne peut lui retirer, de toute façon, l'exégèse qu'au début du passage il a donnée de l'Égyptien qui tremblera comme une femme « non d'une peur accidentelle comme il en peut arriver à des hommes, ces hommes que l'Égyptien n'aime pas mais qu'il fait étrangler et mettre à mort, mais d'une peur de femme, de ces femmes que le Pharaon veut seules laisser vivre [425] ». Or c'est à la plus pure allégorie philonienne, voire à la symbolique philosophique identifiant l'élément féminin à la matière par l'intermédiaire de la dyade que renvoie, par-delà Origène chez qui Jérôme l'a trouvée, l'interprétation du verset de l'*Exode* qui sous-tend son commentaire [426].

---

422. *In Is.* 19, 19-21 : 186 C-187 A.

423. *In Is.* 19, 18 : 185 C-186 A ; cf. 1 *Cor.* 14, 19.

424. *In Is.* VII, 255 C-256 B. L'exégèse qui voit dans les « sept femmes qui saisiront un homme » après les malheurs de Jérusalem « les sept grâces de l'Esprit (...) qui saisiront Jésus » (73 A) paraît peut-être moins arbitraire à cause de son contenu christologique. Elle relève pourtant d'une démarche strictement identique. Jérôme la trouvait dans une des homélies d'Origène sur Isaïe qu'il avait traduites (*In Is. hom.* 3 : PL 24, 909-912 = Or. W. 8, 253-257).

425. *In Is.* 255 AB : « Aegyptus timebit quasi mulier, non timore fortuito qui uiris accidere consueuit, quos non amat Aegyptus sed suffocat et interficit, sed timore femineo, quas solas uult Pharao uiuere. » Cf. 300 B, et *In Nahum* PL 25, 1266 BC.

426. Voici ce verset qui rapporte les consignes du Pharaon aux sages-femmes des Hébreux : « ... Si c'est un fils, faites-le mourir. Si c'est une fille, laissez-la vivre » (*Ex.* 1, 16). Cf. Origène, *In Ex. hom.* 13, 5 : « ... la femme, au sens allégorique, c'est, nous l'avons souvent dit, la chair, et l'homme, c'est l'âme raisonnable » (SCh 16, 268 ; cf. *hom.* 2, 1, *ibid.* p. 93 ; *in Gen. hom.* 4, 2 : SCh 7, 129). Selon les *Allégories des lois* de Philon, le Pharaon « voulait faire périr les rejetons mâles (τὰ ἄρρενα) de l'âme parce qu'il était un amant de la matière femelle (τῆς θηλείας ὕλης) ». (*Leg. all.* 3, 243 éd. Mondésert ; cf. *ibid.* 200 : ... τῆς γυναικός, ἥτις αἴσθησις ἦν). Pour la tradition philosophique voir, par exemple, Plutarque, *Sur l'E de Delphes*, 388 A et la table des principes contraires prêtée aux Pythagoriciens par la *Métaphysique* d'Aristote (986 a). L'identifica-

L'exégèse allégorique peut encore partir d'une description métaphorique qu'elle détourne de son intention première. Ainsi la vigne qui, pour Isaïe, symbolise Israël (*Is.* 5) devient-elle une allégorie de l'âme [427] ; et l'image du Seigneur montant sur une nuée légère pour aller ravager l'Égypte (*Is.* 19, 1) se transforme en figure de l'Incarnation du Christ par la double interprétation allégorique de la nuée qui devient son corps d'homme, ou celui de la Vierge, et de l'Égypte qui symbolise ce monde [428].

Un simple mot peut suffire pour que l'allégorie introduise au sens spirituel. La voie logique est celle de l'analogie : la montagne de l'alliance, c'est « l'Église installée dans les hauteurs [429] » ; ou bien la tourterelle du *Cantique*, cet « oiseau parfaitement chaste qui se tient toujours sur les hauteurs, est le type du Sauveur [430] ». En dépit du terme *(typus)*, c'est bien à une allégorie que nous avons affaire. La symbolique des animaux systématisée par le *Physiologus* et qui relève d'ordinaire du sens littéral [431] peut donc donner lieu à une exégèse spirituelle de cette nature.

Celle-ci peut aussi procéder de rapprochements scripturaires. Ce qui permet par exemple à Jérôme d'interpréter « allégoriquement » *(allegorice)* comme les apôtres et les docteurs les cerfs que nous avons déjà rencontrés, c'est la présence de ces animaux dans d'autres passages de l'Écriture dont le contexte facilite cette interprétation [432].

Il n'est pas rare qu'un mot serve de base à plusieurs exégèses allégoriques sans rapport entre elles. Les îles qui, au niveau du sens littéral imagé, symbolisent les nations du monde entier deviennent aussi bien, sous l'effet de l'allégorie, les âmes des saints aux prises avec les persécutions du monde que la multitude des églises venues des nations, et cette double exégèse paraît aller de soi puisque Jérôme se flatte de l'avoir maintes fois exposée [433]. De même, les maisons que bâtiront les habitants de Jérusalem quand aura pris fin le malheur « sont à comprendre soit des vertus, soit des diverses demeures auprès du Père [434] ». Si cette dernière interprétation, qui respecte le sens du

---

tion du nombre deux à l'élément féminin remonte au pythagorisme (cf. A. DELATTE, *Études sur la littérature pythagoricienne*, Paris, 1915, p. 144, 167).

427. *In Is.* 76 C : « Cuncta quae dicuntur de uinea possunt et ad animae humanae referri statum... » ; cf. 31 BC : « Iuxta anagogen uinea Dei et pomorum paradisus anima nostra appellari potest. »

428. *In Is.* 250 C (cf. 181 B). Voir plus loin la note 549.

429. « ... In monte pacti siue testamenti, id est in ecclesia quae in sublimibus collocata est... » (220 D-221 A).

430. « Turtur auis pudicissima semper habitans in sublimibus typus est Saluatoris. » La phrase n'est pas dans l'*In Isaiam* mais dans l'*Aduersus Iouinianum* 1, 30 (PL 23, 252 B).

431. En revanche, dans l'exégèse des quadrupèdes dans le désert (*Is.* 30, 6) qui voit en ces animaux sinon des puissances spirituelles mauvaises, en tout cas « ceux qui, ayant déserté leur Créateur, se sont donnés aux erreurs du siècle » (*In Is.* 341 A), l'allégorie prend appui non sur la symbolique animale mais sur la mention du désert. Sur le *Physiologus*, voir plus haut ch. III, p. 192 et la note 309.

432. Voir *In Is.* 373 C, où les cerfs d'*Is.* 34, 15 (dans la version des LXX) sont éclairés par *Ps.* 41, 1 ; 28, 9 ; *Prou.* 5, 19 ; *Iob* 39, 1 et *Cant.* 2, 9.

433. *In Is.* 484 CD : « Quod insulae uel animae sanctorum (...) uel ecclesiarum ex gentibus multitudo dicatur, crebro exposuimus » ; cf. 670 A : « «... insulas... uel totius orbis gentes, uel ecclesias in toto orbe dispersas... »

434. *In Is.* 647 C : « domus (...) uel uirtutes intellegendae sunt uel diuersae mansiones apud Patrem. »

mot *domus*, garde quelque rapport avec le texte, la première est parfaitement arbitraire.

Encore ces exégèses parallèles sont-elles simplement sans liens entre elles. Mais les deux explications qu'ailleurs Jérôme propose des montagnes et des collines qu'il trouve chez le prophète sont franchement contradictoires, puisqu'en bonne part on peut y voir les saints « selon la variété des vertus » mais, à l'inverse, « les impies selon la diversité des vices [435] ». Il n'hésite pas davantage à rapprocher, dans son *Commentaire sur Sophonie*, deux interprétations opposées de Ninive, l'une qui reconnaît en elle l'église rassemblée des nations, l'autre qui y voit au contraire le monde, car la description de la ruine de Ninive qu'il est en train de commenter lui paraît s'appliquer dans les deux perspectives [436]. Il sait pourtant choisir, dans son *Commentaire sur Zacharie*, entre deux allégories opposées de la montagne contre « d'autres » — en l'occurrence Didyme — qui, « avec une bien grande légèreté, rapporte au Christ ce qui est dit manifestement du diable [437] ». Mais la raison de son choix est extérieure au procédé lui-même, et cela nous ramène à la source de l'ambiguïté de l'attitude de Jérôme envers l'allégorie, que nous avions déjà constatée à propos de l'usage qu'il fait du mot latin [438].

Il est certain qu'à ses yeux le recours à ce procédé pour passer au sens spirituel est à la fois légitime et soumis à la double limitation du respect de l'*ordo historiae* et de la conformité à la *regula fidei*, c'est-à-dire, en fait, à des contraintes externes [439] ; il ne porte donc pas en lui-même ses propres normes. Mais cette constatation n'est claire qu'en théorie car, dans la pratique, ces deux exigences, qui ne se situent pas sur le même plan, ne vont pas forcément de pair [440]. Les modèles alexandrins de Jérôme qui constituent l'essentiel de ses sources sont là pour lui montrer qu'une exégèse peut faire fi du sens littéral sans mettre automatiquement en péril la doctrine. Or la conception qu'il a du commentaire, son intention affichée de mettre à la disposition de ses compatriotes latins les interprétations des Grecs, en le poussant à reproduire leurs exégèses, l'entraînent plus d'une fois à violer ses principes [441]. Nous en avons vu l'éloquente illustration avec l'exégèse des cinq cités d'Égypte [442] : des

---

435. *In Is.* 51 B.

436. *In Sophoniam* PL 25, 1370 B où il renvoie, pour la première interprétation, à Jonas (cf. *In Ionam, ibid.* 1152 A = Antin p. 118) et pour la seconde à Nahum (cf. *In Nahum*, prol., *ibid.* 1232 A, mais aussi *In Ionam* 1121 A = Antin, p. 56). Sur la difficulté sérieuse que soulève ce texte, voir l'ANNEXE VII, p. 426.

437. « Alii autem temeritate non parua hoc quod manifeste de diabolo dicitur ad Christum referunt, qui in Scripturis sanctis mons saepius appellatur » (*In Zach.* 4, 7 : PL 25, 1443 C). Cf. DIDYME, *In Zachariam* I, 301, dont l'erreur, concède Jérôme, peut s'expliquer par le texte des LXX. Origène au contraire avait compris comme Jérôme le verset de Zacharie : « Ἀναγωγῆς δὲ λόγῳ καὶ ὁ διάβολος ὄρος ὠνόμασται, ὡς ἐν τῷ Ζαχαρίᾳ Τίς εἶ σύ, τὸ ὄρος τὸ μέγα... ; « (OR, *Frgt in proph.* 41 : Or. W. 3, 219, sur *Jérémie* 28, 25 LXX = 51, 25).

438. Voir ci-dessus, p. 224.

439. Ce que Jérôme disait d'une façon générale de la tropologie dans le passage de l'*In Habacuc* cité plus haut p. 237, n. 119, s'applique tout à fait à l'allégorie et exprime bien cette double exigence.

440. Voir par exemple *In Is.* 176 A : « Pia quidem uoluntas interpretantium sed non seruans historiae ordinem. »

441. Le premier, du moins, car le second, la conformité à la règle de foi, est évidemment intangible.

442. *In Is.* 185 C-186 A, ci-dessus, p. 289.

interprétations que lui fournit la tradition la première seule garde quelque rapport avec l'*ordo historiae* ; Jérôme néanmoins n'en rejette aucune et il n'esquisse même pas entre elles de hiérarchie.

Pourtant il ne se montre pas toujours aussi docile. Cette même « cohérence de l'histoire » justifie par exemple son refus d'une allégorie d'Eusèbe [443]. Ou encore il écarte finalement une suite d'explications de ce type comme n'étant pas la *uera interpretatio* [444]. Ailleurs, nous l'avons vu récuser « une interprétation allégorique qui vide de sa substance » la prophétie de l'Emmanuel, au détriment éventuel des « mystères de notre foi [445] » belle illustration, en somme, du risque dénoncé jadis à Amabilis dans la pratique origénienne dont les libertés allégorisantes, brisant avec le respect du contexte, ouvraient la voie aux fantaisies doctrinales [446]. Mais comme c'est, en dernière analyse, le contenu de l'exégèse qui juge du bien-fondé de l'appel à l'allégorie, Jérôme ne s'interdit pas d'y recourir, même sous la forme qui comporte le plus grand risque d'émiettement du texte puisqu'elle repose sur des mots pris isolément, je veux parler de l'exégèse étymologique.

C — L'exégèse étymologique

Il est vrai qu'il pouvait s'y sentir encouragé par la tradition biblique elle-même. On sait l'importance que la pensée sémitique accorde au nom qui, d'une certaine façon, donne prise sur la personne — d'où le respect du nom de Yahvé — et en définit le caractère ou la vocation. C'est à l'heure de la promesse qu'Abram devient Abraham car, lui dit Yahvé, « je te rendrai *père d'une multitude* de nations ». Jacob reçoit le nom d'Israël à l'issue de son mystérieux combat au gué du Jaboq. Jésus lui-même ne fonde-t-il pas la mission de Simon sur son nom de Pierre [447] ?

Le *Commentaire sur Isaïe* nous a déjà montré Jérôme soulignant la porté symbolique des noms donnés par le prophète à ses deux fils [448]. Il faut aussi se souvenir que, dans les instruments de travail que se forge le futur commentateur après son installation à Bethléem, figure la refonte d'un *Onomasticon* qui « remplissait les bibliothèques de l'univers » et dont le témoignage d'Origène, qui l'avait prolongé pour le Nouveau Testament, confirmait l'attribution à Philon [449]. Ce double patronage est important. Il illustre bien le fait que la tendance à tirer parti des étymologies des noms bibliques pour une interpréta-

---

443. *In Is.* 156 A. Cf. *In Hier.* 24, 1-10 où c'est Origène qui est visé : « Delirat in hoc loco allegoricus semper interpres et uim cupiens historicae facere ueritati... » (PL 24, 833 A. Voir encore 849 C).

444. *In Is.* 27 BC.

445. *In Is.* 106 BC, ci-dessus, p. 223 et la note 34.

446. *In Is.* 154 C, ci-dessus p. 222 et la note 29.

447. Voir sur ces exemples *Gen.* 17, 4 ; 32, 29 ; *Mt.* 16, 18. Le nom même de Jésus est clairement présenté par l'évangéliste comme exprimant sa mission (*Mt.* 1, 21). Jérôme a tout à fait conscience que « c'est une habitude hébraïque de toujours donner leur nom aux réalités en fonction de ce qui arrive » (*In Is.* 605 C où il prend précisément l'exemple d'Abraham).

448. *Is.* 7, 3 et 8, 2.

449. Jérôme donne ces indications dans la préface de son *Livre des noms hébreux* PL 23, 771 A = Lag. 1.

tion allégorique de l'Écriture s'était systématisée dès la tradition juive alexandrine [450] et que les chrétiens n'avaient pas hésité à en recueillir l'héritage pour le faire leur et le compléter [451].

Il est probable que Jérôme avait eu sous les yeux un exemplaire de cet ouvrage dès son séjour à Constantinople auprès de Grégoire de Nazianze. Il note en effet dans son essai sur la vision d'Isaïe qui date de cette période : « Comme nous l'avons découvert dans la traduction des noms hébreux, *Seraphim* se traduit par *incendie* ou bien *origine de leur bouche.* » Et cette double étymologie, dont il ne retiendra plus tard que la première, lui permet de comprendre les *Seraphim* de la vision du prophète comme les deux Testaments [452]. Il a clairement à l'esprit le procédé quand, une dizaine d'années plus tard, il entreprend d'expliquer les prophètes. On peut lire, par exemple, dans son *Commentaire sur Nahum* : « *D'après l'interprétation des noms*, comme *Basan* veut dire "confusion" et "ignominie", nous disons qu'à la fin du monde tout ce qui mérite l'ignominie et la honte perd sa force avec la venue du Seigneur [453] ». Une phrase du *Commentaire sur Zacharie* confirme à quinze ans de là qu'il a bien saisi la loi du genre : « Nous avons dégagé les étymologies des noms *pour pouvoir parcourir* rapidement *le sens* du passage », écrit-il, avant de tirer de ces étymologies une explication spirituelle suivie [454]. De fait, comme il est amené à le souligner ailleurs à la même époque, c'est bien le sens spirituel, et non l'*ordo historiae*, dont la trame est fournie par l'interprétation allégorique des noms du texte sacré [455]. Cela ressort d'ailleurs suffisamment non seulement de sa pratique constante mais de formules comme celle-ci : « Il faut maintenant toucher à l'anagogie. *Tharsis* se traduit "reconnaissance de la joie"... etc. [456] ». Et c'est par référence à ce genre d'interprétation qu'il invite son lecteur à « remarquer la propriété des termes » dont use Isaïe quand il associe au nom de Jacob, « celui qui a fait trébucher les vices », l'idée de miséricorde, réservant le terme d'élection à Israël, « celui qui par l'esprit voit Dieu [457] ».

---

450. De cette tendance témoigne toute l'œuvre de Philon, dont nous est parvenu, à défaut de l'*Onomasticon* refait par Jérôme, un traité *Sur le changement des noms* où l'on en trouve toute une série d'exemples, en particulier dans les § 60 à 129 (par exemple § 66 : « Ἀβρὰμ ἑρμηνεύεται μετέωρος πατήρ... Μετέωρον τοίνυν ἀλληγοροῦντές φαμεν... » κτλ).

451. Cf. cette formule qui clôt la préface de Jérôme à son ouvrage : « ... ut quod Philo quasi Iudaeus omiserat, hic (= Origène) ut Christianus impleret » (PL 23, 772 A = Lag. 2). Loin de s'estomper, la tendance s'était encore affirmée d'Origène à Didyme au point qu'avec L. Doutreleau « on peut vraiment en faire une caractéristique didymienne » (*In Zach*. Introduction SCh 83, 111).

452. HIER. *Epist.* 18 A, 6 : « Seraphim, sicut in interpretatione nominum Hebraeorum inuenimus, aut incendium aut principium oris eorum interpretatur. » Ces étymologies sont absentes des homélies d'Origène, dont il a combattu au contraire un peu plus haut l'interprétation des *Seraphim* par le Fils et l'Esprit (*ibidem*, 4). La première est seule reprise dans son *Livre des noms hébreux* : « ardentes uel incendentes » (PL 23, 830 = Lag. 50, 24) et dans l'*In Is.* : « Seraphim autem interpretantur ἐμπρησταί quod nos dicere possumus incendentes siue comburentes... » (93 C ; cf. 96 A ; incendens).

453. « Porro *secundum interpretationem nominum*, quia Basan confusionem et ignominiam sonat... » etc. (*In Nahum* PL 25, 1235 C).

454. « Nominum expressimus etymologias ut sensum breuiter percurramus » (PL 25, 1482 A).

455. Voir *In Malachiam*, prol., *ibid.* 1541 B.

456. *In Is*. 669 B : « Nunc stringenda est anagoge. Tharsis interpretatur exploratio gaudii... » etc. Cf. 232 C, 275 B. Voir encore 102 B, 116 D, 199 D, 234 D, 271 A où le rapport est moins explicite mais tout aussi réel.

457. *In Is.* 217 A, à propos du verset : « Miserebitur enim Dominus Iacob et eliget adhuc de

Le *Commentaire sur Isaïe* offre de ce type d'exégèse une assez riche illustration puisqu'il y intéresse une bonne centaine de noms [458]. Plus de la moitié d'entre eux n'y font qu'une seule apparition ; quelques-uns, en nombre restreint, reviennent jusqu'à une dizaine de fois. Ce sont essentiellement les deux désignations de la cité sainte : Jérusalem et Sion, et celle de son contraire Babylone. Moins fréquemment exploités, les deux noms du peuple élu : Juda et Israël, atteignent encore ou dépassent chacun la demi-douzaine d'occurrences. En valeur absolue le recours à l'exégèse étymologique n'apparaît donc pas négligeable, et il est possible que le côté « grammairien » de Jérôme ait contrebalancé sur ce point sa réticence devant les risques de l'allégorie. Ces chiffres demandent cependant à être correctement appréciés. Si on les rapporte au volume du Commentaire, ils ne représentent en somme qu'une fréquence moyenne inférieure à une exégèse étymologique pour trois colonnes de la *Patrologie*. Ce n'est pas considérable, surtout si l'on tient compte du fait que ces exégèses apparaissent rarement isolément au fil du Commentaire ; beaucoup s'inscrivent dans des groupements de noms, souvent fournis par le texte biblique lui-même, qui peuvent en rassembler jusqu'à une douzaine [459]. Et l'on peut se demander si pour de tels groupements Jérôme ne refléterait pas simplement une de ses sources [460]. De plus, si le *Commentaire sur Isaïe* introduit une demi-douzaine de noms qui ne figuraient pas dans le *Livre des noms hébreux*, une quarantaine de ceux qu'on lit dans cet ouvrage sous la rubrique « Isaïe », soit environ la moitié, manquent à l'appel dans le Commentaire. Jérôme n'a donc pas exploité, tant s'en faut, toutes les

---

Israel » (14, 1). Voici le texte du passage : « ... miserebitur Dominus Iacob, eius uidelicet qui uitia *supplantauit* ; et eliget Israel, eum qui *mente conspicit Deum*. Et nota uerborum proprietatem : Iacob, qui adhuc in lucta positus est, miserebitur. Israeli uero, qui post uictoriam nomen accepit, non misericordia sed electio coaptatur. » (Cf. HIER. *Nom. hebr. : « Iacob supplantator »*, et *« Israel uir aut mens uidens Deum »* (PL 23, 781 et 788 = Lag. 7, 19 et 13, 21). Ces étymologies sont déjà chez Philon : « Jacob est le nom de celui qui supplante (πτερνιστής), Israël le nom de celui qui voit Dieu (ὁρῶν τὸν θεόν). Or c'est l'affaire de celui qui supplante, en s'exerçant à la vertu, d'ébranler, de secouer et de retourner les bases sur lesquelles repose la passion... » (*De mutatione nominum* 81, trad. Arnaldez). La *Genèse* rattache le nom de Jacob (*ya'aqob*) au mot *talon* (*'aqéb*) à la fois à sa naissance (25, 26 : il tenait le talon d'Esaü) et parce qu'il a par deux fois « supplante » son frère (27, 36 : verbe *'aqab*). Le mot hébreu, comme le grec πτερνιστής (de πτέρνα, talon) et le latin sub*planta*tor, évoque l'idée d'un coup de talon, d'un croc en jambe, que ne recouvre pas du tout le français supplanter, d'où ma traduction. Jérôme est bien dans la ligne de l'étymologie traditionnelle (Noter en particulier la parenté avec Philon). Sur l'étymologie d'Israël, voir plus loin la note 468.

458. La liste des noms bibliques dont Jérôme donne l'étymologie est en réalité un peu plus longue, mais tous ne font pas l'objet d'une exploitation exégétique. Voir en ANNEXE VIII le tableau récapitulatif des étymologies proposées dans l'*In Isaiam*, avec les références correspondantes au *Livre des noms hébreux*.

459. C'est le cas en 232 C à propos de l'oracle contre Moab (*Is.* 15, 3-9), mais un tel nombre reste exceptionnel. Voir cependant, aux deux extrémités de l'œuvre, un groupement de sept et même huit noms tout au début du commentaire (24 B) et un autre de cinq à quelques pages de la fin (669 BC).

460. L'hypothèse n'est pas invraisemblable pour qui connaît les habitudes de Jérôme, mais elle est indémontrable. Pourrait aller en ce sens le fait que le groupement de cinq étymologies en 669 BC repose non sur l'hébreu mais sur le texte des LXX (*Is.* 66, 19). On note aussi un recours à l'exégèse étymologique, mais à vrai dire dans un contexte beaucoup plus étiré, dans le commentaire de l'oracle sur Moab par le pseudo-Basile qui pourrait refléter une source alexandrine (*In Isaiam* PG 30, 636 s., en particulier 637 A). On sait d'autre part l'importance de l'exégèse étymologique chez Didyme qui avait aussi commenté, au moins partiellement, Isaïe. En tout cas, pour ces deux passages et aussi 24 B, la source n'est pas Eusèbe.

possibilités que lui offrait pour ce prophète son « dictionnaire étymologique ».

Ces noms bibliques sont en principe des mots hébreux, mais la règle souffre des exceptions, car un certain nombre de mots des peuples auxquels Israël a eu affaire au cours de son histoire sont passés dans la Bible. Jérôme signale ainsi que « Tyr en langue hébraïque se dit Sor », ou l'Égypte Mesraim [461], et que « Thartan et Sargon ne sont pas des noms hébreux mais assyriens [462] », mais tous font de sa part l'objet d'un traitement identique. Par exemple, « parce que Babylone, qui en hébreu se dit Babel, se traduit "confusion" du fait que le langage des hommes qui y édifiaient une tour a été confondu, au sens spirituel on comprend ce monde-ci qui, établi sur le Mauvais, confond non seulement les langues mais les œuvres et les pensées de chacun [463] ».

Outre qu'il vérifie le caractère foncièrement allégorique de ce type d'exégèse, ce passage permet aussi d'observer que Jérôme se satisfait, le cas échéant, d'étymologies populaires dont la Bible est d'ailleurs coutumière. De fait, celle-ci provient tout droit de la *Genèse* à laquelle le texte fait clairement écho, et cette caution suffit sans doute à expliquer qu'elle soit devenue traditionnelle malgré son caractère fantaisiste [464].

Plus troublant paraîtra le fait que certains noms se voient reconnaître plusieurs étymologies apparemment sans rapport entre elles. On devine parfois d'où vient l'ambiguïté, mais on s'étonne alors que Jérôme, qui en avait sans doute les moyens, n'ait pas relevé l'erreur dont elle procède. A plus forte raison peut-on s'interroger quand on le voit déclarer que *« dans ce passage »* tel mot présente une signification différente de son étymologie courante. Ainsi des Chaldéens, interprétés « comme des seins » au livre VII, alors qu'ailleurs Jérôme présente comme indiscutable la traduction habituelle « comme des démons » [465]. Faut-il incriminer la ressemblance, d'ailleurs relative, des deux racines hébraïques [466] ? ou penser que c'est le contexte qui a fait pencher Jérôme, ou ses devanciers, vers cette étymologie qui s'intègre effectivement dans une exégèse spirituelle dans laquelle la traduction courante du terme n'aurait pu trouver place [467] ?

Ce serait en tout cas une erreur que d'inscrire ces observations au passif des connaissances hébraïques de l'élève de Baranina. Tout autre est en effet leur

---

461. « Tyrus lingua hebraea *sor* dicitur » (275 B). Pour l'Égypte, voir 250 A et 276 C.

462. « Sunt autem nomina non hebraea sed assyria... » (259 B).

463. « Quia Babylon quae hebraice dicitur Babel interpretatur confusio eo quod ibi aedificantium turrim sermo confusus sit, spiritaliter mundus iste intelligitur qui in maligno positus est et non solum linguas sed opera singulorum mentesque confundit » (205 D-206 C).

464. C'est elle, en effet, que donne le *Lib. nom. hebr.* Voir le récit étiologique de *Gen.* 11, 9 qui rattache explicitement le nom de Babel au verbe hébreu *bâlal*, confondre, alors qu'il signifie en babylonien « porte du dieu ». Voir la note de Dhorme *ad loc.* dans la Bible de la Pléiade.

465. Cf. 279 A : « Chaldaei in hoc loco quasi ubera » et 431 A : « De Chaldaeis nullus ambigit quin daemones sonent. » Le *Liber nom. hebr.* donne les deux étymologies. Même problème pour Madian (rapprocher 141 C et 591 A : « Madian quippe *in hoc loco* interpretatur iniquitas »).

466. L'étymologie part du mot *Casdim* que Jérôme rattache ailleurs au nom de *Cased* (« Cased... a quo Casdim i.e. Chaldaei postea uocati sunt » *Hebr. Quaest. in Gen.* 22, 22 ; cf. *Nom. hebr.*, Lag 4, 27-28). L'étymologie traditionnelle rattache *Casdim* au mot *sedim* « démons », précédé de la particule comparative *kaph*, « comme ». L'autre étymologie fait intervenir, avec la même particule, le mot *shad*, au pluriel *shadaim*, qui signifie « mamelles » (Cf. *Is.* 28, 9).

467. Rapprocher « Chaldaei in hoc loco quasi *ubera* » et, quelques lignes plus bas, « ... si cupiat ire ad Chaldaeos et *ubertate* eorum... perfrui... » (279 A).

signification. Elles attestent en réalité l'attitude conservatrice et délibérément non critique dont relève chez lui le recours à l'exégèse étymologique. Une page du livre XII en contient l'aveu détourné. Jérôme y reprend dans son commentaire la formule du prophète : « toi, *le très droit* que j'ai choisi », qui fait écho à l'apostrophe du verset précédent : « toi, *Israël* que j'ai choisi », et il poursuit : « C'est un autre nom d'Israël... En effet, en termes propres, d'après les Hébreux et si l'on se fie aux lettres du mot, Israël veut dire "l'homme droit de Dieu". Quant à "l'homme qui voit Dieu" cela correspond non à l'orthographe mais à la prononciation [468] ». Il vient pourtant d'utiliser sans sourciller à cinq reprises dans les livres précédents l'étymologie traditionnelle, dont il aurait sans doute laissé ignorer qu'il la savait inexacte si les besoins d'une exégèse ponctuelle ne l'avaient amené à le manifester. Il se montrait autrement rigoureux lorsque, près de trente ans plus tôt, dans les *Questions hébraïques sur la Genèse*, il proclamait, après avoir démontré le caractère erroné de cette interprétation « quasi universellement rebattue », qu'il « aimait mieux pour sa part se laisser guider par l'autorité de l'Écriture et de celui, ange ou Dieu, qui avait donné à Israël lui-même son nom [469] ». Si le commentateur d'Isaïe semble avoir rabattu de ces exigences, n'est-ce pas que, pour l'essentiel de son exégèse étymologique, il se borne à véhiculer des traditions antérieures ?

Mais on constate que, ce faisant, il s'expose aux reproches que, dans le prologue à Amabilis, il formulait à l'encontre de ses devanciers alexandrins [470]. Quoi de plus arbitraire, en effet, que de puiser dans des étymologies contradictoires au gré des commodités qu'elles offrent pour le contexte, en faisant taire les exigences critiques ? D'ailleurs s'il est un procédé qui prête le flanc au grief « d'interpréter les mots en les prenant isolément », c'est bien, à première vue, l'exégèse étymologique ; et l'on serait fondé à en attendre une confirmation d'autant plus spectaculaire que les passages auxquels elle s'attaque accumulent davantage de noms propres. La réalité n'est pas aussi simple. En effet, loin d'aboutir à une atomisation du texte, on se trouve au contraire en présence d'exégèses suivies qui obéissent à une logique interne dans laquelle viennent prendre leur place les significations particulières des mots. L'arbitraire sans doute reste total au regard du sens immédiat du texte, mais à la cohérence du sens historique vient se superposer non l'éparpillement qu'on attendrait mais un enchaînement d'un autre ordre. Jérôme — à moins que ce ne soit quelque prédécesseur — dépense à ce jeu verbal des trésors d'ingéniosité dont on trouve l'illustration la plus brillante dans les deux pages où il met en œuvre une interprétation spirituelle de la douzaine de noms que lui fournit l'oracle contre Moab [471]. Elles seraient à citer intégralement. Il suffira, pour se faire

---

468. « ... *Rectissime quem elegi.* Alio nomine Israelem uocat (...). Proprie enim iuxta Hebraeos et litterarum fidem Israel rectus Dei dicitur. Vir autem uidens Deum non in elementis sed in sono uocis est » (435 AB, sur *Is.* 44, 2).

469. « ... nos magis scripturae et angeli uel Dei qui Israel ipsum uocauit auctoritate ducimur... » Tout le commentaire de *Gen* 32, 28-29 dont cette phrase est la conclusion porte sur le nom d'Israël. Jérôme y montre en particulier qu'Israël s'écrit avec les lettres *iod, sin, res, aleph* et *lamed* et se traduit « l'homme droit de Dieu » (εὐθύτατος θεοῦ), tandis que « l'homme qui voit Dieu » s'écrit en trois mots : « homme » (*'ish*) avec *aleph, iod* et *sin* (en réalité *shin*), « qui voit » avec *res, aleph* et *hé*, et « Dieu » avec *aleph* et *lamed*.

470. Voir plus haut p. 222 et la note 29.

471. Voir *In Is.* 15, 2-9, au livre VI (232 C-234 B). Cette exploitation est beaucoup plus ramassée et cohérente que les considérations du Ps. Basile (voir ci-dessus note 460).

une idée assez exacte de ce genre d'exégèse, de ce commentaire, beaucoup plus bref, de la vision de Jérusalem attirant à elle l'hommage des nations : « Madian ici veut dire *injustice*, Epha *délié* ou *épanchant*, Saba *conversion* ou *captivité*, Cédar *ténèbres*, Nabaioth *propheties*. Donc les troupeaux de chameaux, *déliés* des attaches de l'*injustice* et *épanchant* leurs âmes vers Dieu, couvriront Jérusalem de présents ; et tous viendront de *captivité* et de leur *conversion*, apportant en offrande l'or de la foi et l'encens du sacrifice... [472] ».

On peut se demander comment se conciliaient dans l'esprit de Jérôme de telles exégèses et son souci proclamé de respecter l'*ordo historiae* dans le passage au sens spirituel. Il n'est pas sûr toutefois qu'il ait éprouvé, du moins avec la même force, le décalage que ressent le lecteur moderne. Car, à tout prendre, l'enchaînement d'exégèses étymologiques qu'il présente dans les lignes que nous venons de lire pouvait lui apparaître comme une transposition cohérente au plan de la Jérusalem céleste de cette montée vers la Jérusalem historique rétablie dans sa splendeur que célèbre le poème prophétique. On voit mal en revanche quel rapport avec le sens littéral conservait à ses yeux l'exploitation étymologique des références historiques du premier verset du recueil, qui transforme les noms de rois et de prophètes en éléments d'une description de l'âme sauvée [473]. L'ingéniosité du fil conducteur qui relie ces étymologies ne fait que mieux ressortir l'artifice de la démarche. L'exemple souligne aussi jusqu'à la caricature à quel point le procédé non seulement est étranger à une perspective historique mais en est même la négation [474]. On s'explique que des concessions de ce genre — fussent-elles en nombre limité — aux habitudes alexandrines aient attiré les critiques d'un Julien d'Éclane jugeant sévèrement « ces enfantillages et ces sottises qui comportent, semble-t-il, plus d'embarras que d'avantages [475] ». A plus forte raison aurait-il pu le dire de l'exégèse arithmologique.

---

472. « Madian quippe in hoc loco interpretatur iniquitas, Epha resolutus siue effundens, Saba conuersio uel captiuitas, Cedar tenebrae, Nabaioth prophetiae. Greges igitur camelorum, iniquitatis uinculis resoluti et animas suas effundentes Deo, operient Hierusalem muneribus et omnes de captiuitate ueniunt et conuersione sua, aurum fidei deferentes et thus sacrificii... » (591 A sur *Is*. 60, 6-7). Là encore ce n'est pas à Eusèbe que Jérôme est redevable. L'étymologie de Cédar qu'on relève dans les pages correspondantes de l'*In Isaiam* (ἡ Κηδὰρ ἑρμηνεύεται μὲν σκοτασμός, Eus. W. 9, 373, 22-23) reste isolée et ne donne lieu à aucune exploitation.

473. Voir 24 BC sur *Is*. 1, 1 (cf. 669 BC). Jérôme contredit même dans ce passage un autre de ses principes. Il y exploite en effet sans distinction, dans sa construction exégétique, l'étymologie des noms de rois comme Ozias ou Achaz dont, à des degrés divers, la vie entraîne ailleurs sa réprobation (cf. 92 A, 102 C) et de rois parfaits aux yeux de Dieu comme Joatham (cf. 91 C). Dans l'*In Ezechielem* au contraire il refusera nettement de prendre en considération la signification du nom du roi Sédécias (= *iustus Dominus*) parce qu'elle est contredite par l'impiété de sa vie (voir ci-dessus note 27).

474. Il n'est guère surprenant qu'à la différence de l'exégèse figurative ce type d'interprétation ne débouche qu'exceptionnellement sur des événements de l'histoire du salut. Mais il arrive au moins une fois, dans l'*In Hieremiam*, que l'étymologie fournisse opportunément à Jérôme un argument pour établir contre juifs et judaïsants la continuité d'une application typologique au Christ des paroles du prophète (*In Hier*. 11, 21-23 : PL 24, 758 A).

475. IVLIAN. AECLAN. *In Ioelem* 1, 1 : « ... ut puerilia et inepta sunt, ita plus negotii uidentur habere quam commodi » (= Ps-RUFIN, PL 21, 1035 B). Il ne fait pas de doute, dans le contexte, que derrière les « quidam commentatores [qui] etymologias etiam nominum prosecuti sunt », c'est Jérôme qui est visé.

D — L'exégèse arithmologique

Jérôme n'a pas ignoré en effet cette forme extrême de l'allégorisme qui s'enracine dans des traditions pythagoriciennes largement antérieures à Philon et à ses épigones chrétiens, et que les courants philosophiques des premiers siècles de notre ère avaient popularisée. Encore faut-il bien voir ce qu'on entend par là.

Nous avons constaté plus haut que les différentes interprétations des cinq cités de la terre d'Égypte prenaient toutes appui sur le nombre fourni par le verset prophétique. Cette donnée numérique est même l'unique élément par lequel s'établissent les correspondances entre des réalités par elles-mêmes sans rapport entre elles [476]. De même, c'est uniquement par les chiffres que « les deux ou trois olives en bout de branche, les quatre ou cinq à la cime de l'arbre », qui restent après le gaulage de l'olivier deviennent les groupes d'apôtres dans lesquels Jérôme reconnaît les rares fruits laissés par un Israël jadis « peuple innombrable » [477]. Le nombre est donc bien l'élément décisif de tels rapprochements, ce qui explique d'ailleurs leur caractère factice. Mais si dans ces exemples on accède au sens spirituel par des voies allégoriques, on ne peut cependant parler à leur propos d'allégorie des nombres car seule entre en jeu leur valeur numérique banale et non une valeur symbolique.

Pourtant, même à ce niveau, des liens privilégiés ont pu s'établir entre des nombres particuliers et certaines réalités. Jérôme le constate des juifs : le nombre sept et le nombre dix leur sont familiers à cause du sabbat et des dix commandements de la Loi [478]. Lui-même sait reconnaître dans le chiffre quatre le symbole des évangiles et dans le chiffre cinq celui des rouleaux de la Loi et en tirer une riche exégèse spirituelle [479]. Ailleurs les six ailes des *seraphim* lui rappellent les jours de la création. Dans la même ligne, à travers une étymologie d'ailleurs insolite de Tharsis (« achèvement des six »), les hurlements des navires de Carthage deviennent figures des menaces qui pèsent sur les biens de ce monde voués à la destruction [480].

A vrai dire rien dans tout cela ne relève encore vraiment d'interprétations arithmologiques telles que celles dans lesquelles on voit se complaire par exemple un Didyme. Mais un autre passage donne à penser que la valeur mystique d'un nombre peut naître précisément de son association habituelle à

---

476. Voir *In Is*. 185 C-186 A, ci-dessus p. 289. On pourrait admettre à l'extrême rigueur que, pour la première de ces interprétations, l'idée de cité contribue également à orienter l'esprit vers Alexandrie, mais cette correspondance était trop incertaine pour pouvoir à elle seule amener cette exégèse.

477. *In Is*. 17, 4-6 : « ... duas oliuas Paulum et Barnabam et tres oliuas Petrum et Iacobum et Iohannem (...). Quattuor autem et quinque oliuas reliquos nouem faciunt apostolos... » (243 A ; cf. 242 D : « innumerabilem populum »).

478. *In Is*. 72 C : « Septenarius et denarius numerus propter sabbatum et decem praecepta legis Iudaeis familiaris est et ideo hoc frequenter abutuntur. »

479. Voir *In Is*. 243 A (ci-dessus note 477) : « ... nouem apostolos qui (...) in quattuor et quinque oliuas separati sunt ut euangeliorum numerum et legis in se uolumina demonstrarent, quasi praedicatores utriusque instrumenti. »

480. Voir sur les *seraphim* 94 B, et sur les navires de Carthage (*Is*. 23, 14 selon les LXX) 279 C.

une réalité remarquable. Commentant en passant ce cri de joie de la mère de Samuel : « La femme stérile a enfanté sept fois », Jérôme explique en effet : « C'est de la Synagogue qu'il est dit qu'elle a eu sept fils, à cause de la signification mystérieuse *(mysterium)* de l'hebdomade et du sabbat auquel le peuple précédent avait été astreint [481] ». Le commentaire, il est vrai, tourne court et reste donc difficile à exploiter. Il faut aussi se défier des pièges du vocabulaire. Ainsi, quand Jérôme déclare que les trois années dans lesquelles Moab se verra enlever sa gloire sont à comprendre *« mystice »*, le contexte montre qu'il veut simplement dire, par l'emploi de cet adverbe, que le nombre trois n'est pas à prendre ici à la lettre mais que, rapproché d'autres chiffres caractérisant le châtiment d'Israël, il ne fait que traduire les degrés qui existent dans la sévérité comme dans la miséricorde divine [482].

En revanche, c'est bien d'une symbolique des nombres que relève l'affirmation que « le nombre sept et le nombre soixante-dix, qui se composent soit de jours pris un à un, soit de sept décades, expriment une pénitence parfaite et achevée [483] ». Pourtant, pas plus d'ailleurs que le passage précédent, celui-ci ne relève d'une lecture spirituelle. C'est en effet la seule pénitence historique de Tyr qui y est en cause, comme déjà dans le commentaire correspondant du livre V où, sans quitter le sens littéral, Jérôme avait laissé voir qu'il interprétait implicitement ainsi les soixante-dix années de l'oracle [484].

Mais quand Jérôme se propose de dévoiler les richesses sacrées *(sacramenta)* du nombre cinquante « qui se rapporte toujours à la pénitence » en invoquant plusieurs lieux scripturaires où on le retrouve, c'est pour expliquer du Christ « prince de la pénitence » l'expression du prophète « chef de cinquante » [485]. Les cent années de vie qui caractérisent l'ère nouvelle annoncée par le dernier Isaïe lui donnent d'autre part l'occasion d'appuyer sur de véritables spéculations mathématiques la valeur symbolique de plénitude et de perfection du nombre cent, que vérifient maintes références à l'un et l'autre Testament [486].

---

481. « Septem autem filios dicitur genuisse synagoga, propter *mysterium* hebdomadis et sabbati, cui prior populus fuerat obligatus » (515 CD ; cf. 1 *Sam* 2, 5). Même conception et vocabulaire similaire dans un passage de l'*In Hieremiam* : « Denarium esse mysticum numerum ostendit Decalogus (...). Septem quoque, in quo uerus est Sabbatismus et requies, esse sanctum multis scripturarum testimoniis comprobamus » (*In Hier.* 32, 9-11 : PL 24, 890 CD).
482. « Tres anni in quibus auferetur gloria Moab... mystice intellegendi sunt » (239 AB).
483. « Septenarius autem et septuagesimus numerus, qui uel de singulis diebus uel de septem conficitur decadibus, perfectam significat et consummatam paenitentiam » (280 D).
484. Rapprocher, sur *Is.* 23, 15, « ... Tyrus expleto paenitentiae tempore... » (280 D = livre VII) et « ... Tyro... quod debeat agere paenitentiam » (204 B = livre V). L'idée de pénitence n'a pas d'autre appui dans le texte prophétique que le mot *septuaginta*.
485. *In Is.* 59 D : « ... quinquagenarius numerus semper refertur ad paenitentiam »... Suivent des références à *Gen.* 18, 24-26, *Leu.* 23, 16, 21 ; 25, 10, *Ps.* 50, *Num.* 31, 28-30, *Luc.* 7, 41-43, 1 *Cor.* 16, 8-9, *Ex.* 18, 21, 2 *R* 1, 9-14, *Ioh.* 8, 57-58, *Mt.* 12, 8. Cette accumulation d'exemples pourrait donner à penser que Jérôme a puisé dans quelque manuel d'arithmologie appliquée à l'Écriture. En fait la chose est très improbable. De telles énumérations sont rares chez lui. L'erreur qu'il commet ici sur la deuxième référence (il renvoie au livre des *Nombres)*, le relatif désordre par rapport à la succession des livres bibliques de ces citations, le caractère non exhaustif de la liste, la manière dont certaines s'appellent l'une l'autre, tout donne à penser que c'est à sa mémoire que Jérôme demande ces illustrations scripturaires dont il a besoin.
486. Voir *In Is.* 646 AC, en particulier : « ... decem decades aequalia habent latera et quadrae formae possident firmitatem » (646 B). Mais la sobriété de Jérôme saute aux yeux si l'on se reporte par exemple à Didyme. Voir en particulier l'*In Zachariam* I, 17-19 où l'Alexandrin invoque à

Or cette arithmologie intervient dans une interprétation eschatologique du passage, qui fait référence au verset de l'*Épître aux Éphésiens* sur « l'homme parfait, dans la force de l'âge, qui réalise la plénitude du Christ [487] ».

Jérôme savait donc, lorsqu'il le voulait, mettre les ressources que lui offrait l'arithmologie au service de son exégèse spirituelle. Aussi est-il significatif qu'il l'ait fait en définitive si rarement, moins souvent, certainement, que le texte sacré ne le lui suggérait [488]. Car, au total, le bilan est mince. Sans doute ne le voit-on pas formuler de réserves sur ce genre particulier d'allégorie, mais sa pratique en ce domaine témoigne d'une discrétion qui retient l'attention, ne serait-ce qu'en comparaison de la relative complaisance que nous l'avons vu manifester pour les étymologies. Sur l'exégèse arithmologique il est incontestablement en retrait non seulement sur son maître Didyme, mais aussi sur ses émules latins, Ambroise et Augustin, beaucoup moins réservés que lui envers cet héritage de l'allégorisme alexandrin.

E — L'utilisation des citations scripturaires

Dans la mise en œuvre de tous ces procédés, nous aurions pu relever plus d'une fois la place tenue dans l'explication spirituelle d'un lemme par le recours à d'autres passages de l'Écriture. C'était le cas, par exemple, pour l'interprétation des cerfs du chapitre 34 [489]. De fait, que ce soit dans le cadre d'une exégèse allégorique ou typologique ou par des voies différentes, les rapprochements scripturaires jouent souvent dans l'établissement du sens spirituel un rôle déterminant dont l'aspect technique justifie qu'on s'y arrête ici.

Il suffit parfois d'une seule citation pour que s'opère le passage. Commentant la formule d'Isaïe : « Que m'importe la multitude de vos victimes ? dit le Seigneur », Jérôme la rapproche de plusieurs versets du Psaume 49 qui développent substantiellement la même condamnation des holocaustes avant de leur opposer le « sacrifice de louange ». Et comme en celui-ci il reconnaît « la pureté évangélique » qui prend la suite des cérémonies anciennes, le voilà en mesure d'en déduire que l'oracle prophétique enseigne lui aussi « la supériorité de l'obéissance évangélique sur les sacrifices [490] ». Mais la médiation est

---

l'appui de ce type de spéculation le verset de la *Sagesse* : « (Dieu) dispose tout selon la règle et le nombre » (*Sag.* 11, 20). Voir encore, dans la même ligne, les amples considérations de Méthode d'Olympe sur les 1260 jours de l'*Apocalypse* (*Banquet* VIII, 11, 199-203 : SCh 95, 228 s.).

487. « ... quasi filii resurrectionis omnes perueniunt in uirum perfectum, in mensuram aetatis plenitudinis Christi », écrit Jérôme reprenant textuellement *Eph.* 4, 13 (*In Is.* 646 A).

488. Les premières pages de l'*In Amos* en offrent l'éloquente illustration : l'expression « A cause des trois et des quatre crimes... » qui scande comme un refrain les deux premiers chapitres du prophète ne lui inspire pas la moindre remarque numérique. Il lui arrive aussi de noter en quelque sorte mécaniquement la valeur symbolique d'un nombre sans en tirer le moindre parti. Cf. *In Is.* 81 B, où il observe du nombre dix : « in scripturis sanctis mysticus atque perfectus est », mais c'est une parenthèse sans incidence sur son exégèse du passage qui contient pourtant plusieurs nombres. En revanche, dans le prologue du livre XVII, ce nombre déclenche une suite de considérations mystiques, en particulier sur le numéro de plusieurs psaumes ; mais elles sont sans relation avec le texte d'Isaïe.

489. Ci-dessus p. 290 et la note 432.

490. Cf. *In Is.* 1, 11 et *Ps.* 49, 9-13 et 14-15 (33 B-34 A).

rarement aussi directe. D'ordinaire elle met en jeu plusieurs citations ou allusions bibliques qui s'appellent ou se renforcent.

S'agit-il, par exemple, d'appliquer à la situation de l'âme la menace formulée contre les coquettes de Jérusalem : « Ce jour-là le Seigneur leur enlèvera l'ornement de leurs chaussures [491] » ? Jérôme rappelle la prescription de l'*Exode* de célébrer la pâque chaussures aux pieds et une remarque du *Deutéronome* sur l'absence d'usure des chaussures au désert, pour aboutir à cette formule : « Quelles sont ces chaussures ? celles dont l'Apôtre écrit aux Éphésiens d'avoir pour chaussures la disposition à annoncer l'évangile de paix [492] ». D'un détail réaliste insignifiant nous voilà amenés en quelques lignes à l'Évangile.

On saisit le ressort de tels rapprochements scripturaires : c'est la présence en chacun des textes d'un même mot, tiré du lemme à commenter. Un appel à la mémoire *(recordemur)* souligne le caractère délibéré de la démarche. Les deux allusions au *Pentateuque* qui en résultent ici ont pour résultat de mettre le terme commun *(calceamenta)* en relation avec une double expérience spirituelle, celle de la pâque et celle du désert, si bien que, sans établir elles-mêmes l'interprétation spirituelle, elles y acheminent logiquement en suggérant un dépassement de la valeur concrète du mot. Il suffit alors de retrouver celui-ci dans le Nouveau Testament pour que la signification symbolique en rejaillisse sur le verset commenté.

Simple en son principe ce processus est susceptible de mises en œuvre parfois fort complexes, d'autant qu'il peut jouer successivement sur plusieurs mots du lemme à expliquer. Empruntons-en l'illustration à une page très caractéristique du livre I. Il s'agit pour l'exégète de commenter le verset du prophète : « Et il arrivera aux derniers jours que la montagne de la maison du Seigneur sera établie au sommet des montagnes [493] ». Voici ce qu'écrit Jérôme :

> Les derniers jours, nous les lisons aussi dans la *Genèse* : Jacob appelle ses fils et leur dit : « *Venez que je vous annonce ce qui arrivera aux derniers jours* », puis à *Juda* de la semence *de qui est issu* le Christ il déclare : « *Il ne manquera pas de prince sorti de Juda ni de chef de sa race jusqu'à ce que vienne celui à qui cela a été réservé ; et il sera, lui, l'attente des nations.* » C'est dans ces derniers jours qu'arrivera la dernière heure dont l'apôtre Jean déclare : « *Mes petits enfants, c'est la dernière heure* », dans laquelle *la pierre détachée de la montagne sans l'aide d'aucune main grossit en une grande montagne qui remplit toute la terre* et par laquelle, est-il dit dans Ézéchiel, *le prince de Tyr a été blessé*. Cette montagne est dans la maison du Seigneur après laquelle soupire le prophète en ces termes : « *la seule chose que j'ai demandée au Seigneur, celle que je recherche, c'est d'habiter dans la maison du Seigneur tous les jours de ma vie* », cette maison dont Paul

---

491. *Is.* 3, 18 : « In die illa auferet Dominus ornamentum calceamentorum. »
492. Cf. *Ex.* 12, 11 ; *Deut.* 29, 5 ; *Eph.* 6, 15. Voici le texte du passage de Jérôme : « Quae si referamus ad animae statum, calceatos pedes eius qui carnes agni comesturus est et celebraturus pascha legisse nos recordemur et per solitudinem transeuntium nec uestimenta nec calceamenta consumpta. Quae sunt ista calceamenta ? Illa de quibus apostolus scribit ad Ephesios : *Calceati pedes in praeparationem euangeli pacis* » (69 BC).
493. *Is.* 2, 2 : « Et erit in nouissimis diebus praeparatus mons domus Domini in uertice montium. »

écrit à Timothée : *« Si toutefois je tarde, il faut que tu saches comment te comporter dans la maison de Dieu, qui est l'Église du Dieu vivant, colonne et soutien de la vérité. »* Cette maison a été *construite sur les fondations des apôtres et des prophètes* qui sont eux aussi des montagnes, en tant qu'*imitateurs* du Christ. C'est de cette maison de Jérusalem que le psalmiste proclame : *« Qui se fie au Seigneur est comme le mont Sion ; jamais il ne sera ébranlé, celui qui habite Jérusalem. Les montagnes sont autour d'elle, et le Seigneur autour de son peuple. »* Aussi le Seigneur fonde-t-il également son église sur une de ces montagnes et lui dit : *« Tu es Pierre et sur cette pierre je construirai mon église, et les portes de l'enfer ne l'emporteront pas sur elle* [494] *»*.

L'importance des citations scripturaires saute aux yeux à la simple lecture de cette page : elles en constituent l'ossature. C'est l'expression initiale du verset commenté *(in nouissimis diebus)* qui sert de point de départ. Jérôme la retrouve dans la *Genèse* où, rapprochée de l'annonce faite à Juda dont le caractère messianique est souligné par la mention du Christ issu de sa race [495], elle devient par elle-même porteuse d'une signification messianique que consacre un rapprochement avec « la dernière heure » *(nouissima hora)* de la première épître de Jean. Ainsi sommes-nous d'emblée, par le seul jeu de rapprochements scripturaires, solidement établis dans l'interprétation spirituelle.

Puis le processus se poursuit de façon plus subtile. Arrive en effet, plutôt inattendue bien que rattachée à la « dernière heure », l'évocation de la pierre de la vision de Daniel qui roule de la montagne pour emplir toute la terre. Les associations sont ici complexes. La plus immédiate réside probablement dans le commun caractère eschatologique de la formule de l'apôtre et de l'image prophétique qui, dans l'interprétation donnée par Daniel lui-même, symbolise l'avènement final du royaume messianique [496]. Mais cette association s'est imposée d'autant plus aisément à l'esprit de Jérôme qu'il avait en tête l'interprétation spirituelle du passage selon laquelle cette pierre, c'est le Christ incarné, comme on peut déjà le lire dans son *Commentaire sur Daniel* [497]. En même temps — et ce peut être aussi l'origine du rapprochement — la transformation de la pierre en montagne ramène à un mot du verset commenté *(mons)*, autour duquel vont s'organiser de nouveaux enchaînements. La mention du prince de Tyr, qui paraît gratuite, illustre en passant la part des automatismes dans les processus de ce genre si, comme c'est vraisemblable, elle s'explique par une association préexistante de ce verset

---

494. *In Is.* 43 B-44 A. Références successives (citations textuelles en italiques dans le texte) à *Gen.* 49, 1 et 49, 10 ; 1 *Ioh.* 2, 18 ; *Dan.* 2, 34-35 (non explicite) ; *Ez.* 28, 16 (d'après les LXX) ; *Ps.* 26,4 ; 1 *Tim.* 3, 15 ; *Eph.* 2, 20 (non explicite) ; *Ps.* 124, 1-2 et *Mt.* 16, 18, soit six passages de l'Ancien Testament et quatre du Nouveau. Voir aussi la note suivante et la note 497.

495. Cette mention (... « Iudam de cuius semine ortus est Christus... ») est à rapprocher d'*Hebr.* 7, 14 : « Manifestum est enim quod ex Iuda ortus sit Dominus noster » (cf. 637 B). Elle peut refléter aussi le vocabulaire de *Gal.* 3, 16, *Ioh.* 7, 42, *Mt.* 2, 5-6.

496. Voir *Dan.* 2, 44-45.

497. Voir HIER. *In Dan.* 2, 31-35 : « Abscisus est lapis — Dominus atque Saluator — sine manibus — id est absque coitu et humano semine de utero uirginali... » (PL 25, 504 B ; cf. 533 B et *In Is.* 322 D). Cette exégèse se trouve sous la plume de Jérôme dès 400 dans la *Lettre* 78, *mansio* 20, à Fabiola. Cf. pour l'exégèse antérieure EUSÈBE, *In Is.* 2, 1-4 qui voit dans la pierre « l'humanité du Sauveur » (Eus. W. 9, 16, 7). C'est la seule citation commune aux deux auteurs dans leur commentaire de ce verset d'Isaïe.

d'Ézéchiel avec celui de Daniel, qu'attestent d'autres passages de Jérôme [498].

Une citation de psaume introduit un nouveau jeu de correspondances autour de « la maison du Seigneur » *(domus Domini)* explicitement comprise, grâce à un verset paulinien, comme « l'Église du Dieu vivant ». Et la conjonction de cette interprétation avec le retour du thème de la montagne, associé comme plus haut à celui de la pierre, commande les dernières citations, qui consacrent l'application à l'Église du verset commenté.

Au total c'est plus de dix références scripturaires [499] que Jérôme accumule ainsi en moins de trente lignes par des rapprochements qui jouent successivement, voire conjointement, sur les trois éléments essentiels du texte d'Isaïe pour en établir puis en dégager toute la signification spirituelle.

Parfois celle-ci est au contraire livrée d'emblée, des séquences scripturaires venant la justifier a posteriori ou en développer les implications. C'est le cas, en particulier, lorsque le Nouveau Testament lui-même a déjà opéré une telle interprétation. Le commentaire de la double image de la brebis conduite à l'abattoir et de l'agneau muet devant le tondeur [500] en offre un exemple remarquable. Partant de l'application qui en est faite au Christ dans les *Actes des Apôtres*, Jérôme orchestre d'abord le thème de l'agneau sacrifié, figure du Sauveur, par trois citations de Paul, de l'*Évangile de Jean* et de l'*Apocalypse* et une de Jérémie. Il se laisse emporter par celle-ci à une association marginale qui le ramène cependant au Christ souffrant, avec plusieurs versets d'épîtres. Il rejoint enfin la figure attendue de l'agneau pascal, mais il l'élargit en lui rattachant, par une réminiscence latente de l'image de la tonte, le thème du vêtement de laine qui le renvoie encore à des formules pauliniennes touchant le Christ [501]. Appuyée au départ sur le Nouveau Testament, l'interprétation messianique de cette image du serviteur se déploie ainsi avec souplesse à travers une douzaine de références aux trois quarts néo-testamentaires.

Ces exemples donnent une idée de l'importance du processus d'enchaînement de citations de l'Écriture dans l'élaboration de l'exégèse spirituelle. Ils permettent d'en dégager les caractéristiques essentielles.

C'est un phénomène d'association autour d'un terme, parfois plus largement

---

498. Cf. HIER. *Epist.* 78, *mans.* 20 ; *In Hab.* PL 25, 1323 A ; *In Is.* 651 B. L'association repose sur une commune interprétation de la montagne comme signifiant le Christ. La présence dans le verset d'Ézéchiel de l'expression *mons Dei* a pu ici également jouer.

499. Douze exactement, si l'on retient l'arrière-plan paulinien diffus de la phrase « ... qui et ipsi montes sunt quasi imitatores Christi » (cf. 1 *Cor.* 11, 1 ; 1 *Thess.* 1, 6...)

500. Il s'agit d'*Is.* 53, 7 dans le quatrième poème du serviteur.

501. *In Is.* 508 D-509 B. Voici les références scripturaires de cette page et la manière dont elles s'organisent : au point de départ le passage des *Actes* où Philippe applique le texte d'Isaïe à Jésus (*Act.* 8, 32-39) ; puis orchestration de la montagne immolatus est Christus), *Ioh.* 1, 29 (Ecce agnus Dei...), *Apoc.* 5, 6, 9, 11... (mentions multiples de l'*agnus occisus*) et enfin *Hier.* 11, 19 (sicut agnus innocens et ductus ad uictimam *nesciebam*...). Rebondissement sur ce dernier mot qui appelle par association une citation libre de 2 *Cor.* 5, 21 (Cum *nesciret* peccatum, pro nobis peccatum factum est) qui ramène, avec reprise du verset d'Isaïe (sicut agnus...), à la Passion acceptée, illustrée par *Hebr.* 2, 14 (ut destrueret eum qui mortis habebat imperium) et *Phil.* 2, 8 (humilians se usque ad mortem...). Identification enfin avec l'agneau pascal (*Ex.* 12) déjà implicite *supra* dans 1 *Cor.* 5, 7, auquel est rattaché, par le biais d'une expression d'Ézéchiel 34, 3 (lanis operiebamini, non relevée dans CC), le thème du vêtement à revêtir qui appelle *Gal.* 3, 27 (... Christum induistis) et *Rom.* 13, 14 (Induimini Christo Iesu) ; soit au total douze références en vingt-cinq lignes. Autre exemple, moins riche, en 468-469 sur *Is.* 49, 8 cité par 2 *Cor.* 6, 2.

autour d'un thème, qui en est le ressort exclusif. Mais il n'est pas à mettre au
seul compte du jeu spontané de la mémoire. Il s'agit en effet d'un procédé
conscient : « Souvenons-nous », dit Jérôme cherchant à percer le mystère des
chaussures des filles de Sion. Il est permis de reconnaître dans cette invitation
un écho de la démarche définie par Origène affronté à l'explication du puits
auprès duquel, dans le livre des *Nombres*, Moïse avait reçu l'ordre d'assembler
le peuple. « J'estime », écrivait-il, « qu'il convient de rassembler les significations cachées des puits dans d'autres passages de l'Écriture, pour élucider par
de nombreux rapprochements ce que les présentes paroles contiennent d'obscurité [502] ». Cependant, toute délibérée qu'elle est, cette attitude revient dans la
pratique à donner libre carrière au jeu spontané d'une mémoire qui, dans le
cas de notre auteur, est riche de l'exceptionnelle familiarité de toute une vie
avec l'Écriture. Cela ne va d'ailleurs pas sans risque. Jérôme ne résiste pas
toujours aux entraînements des associations d'idées, ni même à des automatismes purement verbaux qui font bon marché des significations [503]. Mais, à côté
de ces écarts, que de richesses sont à mettre à l'actif de ce foisonnement de
réminiscences ! On a vu tout à l'heure, à propos de la montagne de la maison
de Dieu, la façon dont l'image du livre de *Daniel* opère le glissement du thème
eschatologique initial à celui de la montagne, par une sorte de continuité
parallèle à la *consequentia* des mots du verset. Il est révélateur aussi que la
signification christologique de cette montagne ne soit même pas explicitée.
Cela suppose, dans l'esprit de Jérôme comme dans celui du lecteur, tout un
arrière-plan scripturaire qui, pour la montagne comme pour la pierre qui lui
est associée, rend cette correspondance évidente [504]. Et l'interférence de ce
double thème avec celui de la maison éveille encore des harmoniques complexes : colonne, étai, fondations, qui élargissent le champ des associations,
tandis que par une autre voie le thème de l'imitation en fait glisser le point
d'application du Christ aux apôtres. Les variations sur la Passion à propos de
l'agneau sacrifié et, par l'élargissement de ce symbole du Christ au thème de la
toison, l'aboutissement du passage à l'invite paulinienne à « revêtir le Christ »
fourniraient aussi un bon témoignage de cette éblouissante virtuosité. Nul
doute que, si c'est bien un propos délibéré qui donne le branle à de tels
processus, seul le libre jeu d'une mémoire imprégnée de l'Écriture explique la
richesse de ces associations.

Il est remarquable qu'elles reposent aussi bien sur l'Ancien que sur le

---

502. OR. *in Num. hom.* 12, 1 à propos de *Num.* 21, 16 : « Et ideo conueniens puto etiam de aliis
Scripturae locis puteorum congregare mysteria ut ex comparatione plurimorum si quid praesens
sermo obscuritatis continet elucescat » (trad. Rufin, Or. W. 7, 93).

503. Jérôme passe par exemple sans sourciller du verset du psalmiste : « Domini est terra et
plenitudo eius » à la formule du prologue de l'Évangile de Jean : « Et nos omnes de *plenitudine eius*
accepimus » (*Is.* 34 C). Or la similitude d'expression, seule responsable de l'association, est purement formelle et recouvre une divergence évidente de signification (*eius* renvoie dans le premier cas
à *terra*, dans le second au Seigneur).

504. Voir par exemple pour *mons* cette formule de l'*In Zachariam* : « (Christus) qui in scripturis
sanctis mons saepius appellatur... » (PL 25, 1443 C). Sur *lapis*, outre le commentaire de la « pierre
angulaire » d'*Isaïe* 28, 16 (« Iste lapis... uere... appellatur... angularis lapis quia circumcisionis et
gentium populos copulauit... » etc., *In Isaiam* 322 D-323 A), voir l'enfilade de textes d'*In Is.*
523 AC (parmi lesquels la référence à *Mt.* 21, 42) sans oublier la valeur spirituelle qui s'attache au
synonyme *petra*, présent lui aussi dans tous les groupements que nous venons d'évoquer, à partir
d'1 *Cor.* 10, 4 (« Petra autem Christus », cf. ci-dessus note 338).

Nouveau Testament. La page du livre I citée tout à l'heure est ici encore éclairante. On constate que l'Ancien Testament y intervient à deux niveaux : il assure tout d'abord, par les versets messianiques de la *Genèse*, le passage au sens spirituel que consacre une référence au Nouveau Testament ; puis, dans les emprunts aux prophètes et aux Psaumes, il apparaît avec une signification spirituelle déjà établie ou immédiatement authentifiée par un rapprochement néo-testamentaire. C'est en effet dans la mesure où elles portent en germe le sens spirituel par une dimension messianique ou eschatologique, ou si elles ont déjà fait l'objet d'une relecture chrétienne, que des citations de l'Ancien Testament trouvent leur place dans ces processus à côté de celles du Nouveau. Par les unes comme par les autres peut donc s'opérer, en quelque sorte par récurrence, le rejaillissement sur le verset à commenter des significations spirituelles dont se sont chargés, à travers ces associations, le terme ou le thème autour desquels elles se sont organisées.

Ainsi s'explique, dans une autre perspective, le rôle limité joué en général dans ces enchaînements par les « livres historiques » de la Bible, précieux au contraire, on l'a vu, pour l'exégèse littérale [505], et la place importante qu'y occupent en revanche les prophètes et surtout les Psaumes [506]. Par exemple, pour une douzaine de références au psalmiste dans le livre V *iusta historiam*, on en relève plus d'une centaine aux livres VI et VII, dans l'exégèse spirituelle des mêmes oracles. Ou encore quatorze des seize références à Isaïe et les trois quarts des citations de psaumes que contient le premier livre du *Commentaire sur Zacharie* sont au service de l'exégèse spirituelle.

Quant aux citations néo-testamentaires, elles relèvent massivement de ce type d'exégèse, qu'elles couronnent le passage au sens spirituel ménagé par des textes de l'Ancien Testament, ce qui est souvent le cas des emprunts aux évangiles, ou qu'elles le prolongent, l'orchestrent et l'enrichissent, fonction fréquente des références aux épîtres. D'où l'absence quasi totale du Nouveau Testament dans le livre V de notre Commentaire [507], alors que dans un livre de structure normale, comme le premier du *Commentaire sur Zacharie*, la proportion des références néo-testamentaires concourant à l'interprétation spirituelle est écrasante [508].

Si la manière dont l'exégète exploite pour ainsi dire à chaque pas les

---

505. Voir le chapitre précédent, p. 180. Le statut du *Pentateuque* est plus difficile à cerner. En effet, si c'est par les chemins de l'histoire qu'il conduit le lecteur depuis les origines jusqu'en vue de la terre de la promesse, il apparaît avant tout comme le « livre de la Loi » et dans l'exégèse des Pères il est traité très différemment des « livres historiques » proprement dits ; il fournit en particulier nombre de figures des réalités chrétiennes. Sur l'importance numérique relative des citations des divers livres bibliques dans l'*In Isaiam*, se reporter à l'ANNEXE V.

506. Par l'insertion de leur prédication dans l'histoire de leur temps, les prophètes peuvent fournir également à l'exégèse littérale de nombreuses références (voir ci-dessus p. 180). Quant au psautier, sa lecture chrétienne a fait l'objet de l'étude récente de M.-J. RONDEAU, *Les Commentaires patristiques du Psautier : (IIIe-Ve siècles)*, 2 vol., Orientalia christiana analecta 219 et 220, Roma, 1982 et 1983.

507. Il y fournit à l'exégèse littérale six références historiques, soit dix fois moins que les seules citations de l'*Évangile de Matthieu* dans les deux livres correspondants. L'A.T. lui-même n'est cité dans ce livre qu'un peu plus de cent vingt fois, ce qui n'est pas considérable. L'exégèse littérale fait moins appel à l'Écriture que l'interprétation spirituelle.

508. Y relèvent de l'exégèse spirituelle trente et une citations des évangiles sur trente-sept et la totalité des références aux apôtres.

ressources de la Bible entière témoigne éloquemment de la connaissance qu'il en a, la question se pose toutefois de savoir si, ce faisant, il ne s'est pas borné bien souvent à reproduire ce que lui offraient ses sources. Il n'est pas aisé d'apporter à cette interrogation une réponse globale.

Que Jérôme ait trouvé, en effet, chez tel de ses devanciers non seulement la mise en œuvre du procédé qui vient d'être étudié mais des séquences scripturaires élaborées [509], c'est une évidence, et quelques sondages à travers son œuvre suffisent à attester la réalité de tels emprunts. Ainsi, par exemple, l'exégèse allégorique des cerfs qui nous a déjà retenus reprend exactement la série de versets qui fonde, dans le passage correspondant du *Commentaire sur Isaïe* d'Eusèbe, leur interprétation par les apôtres et les docteurs [510]. Ou c'est à Didyme que, pour l'exégèse de la formule de Zacharie : « J'extrairai la pierre de l'héritage », Jérôme est redevable d'une suite de quatre citations qui s'enchaînent autour du mot *hereditas* [511]. On observe alors sans surprise que le texte même de ces citations, loin de reprendre sa traduction sur l'hébreu, dépend étroitement des Septante, voire directement de Didyme ou d'Eusèbe lorsque, sur un point de détail, ceux-ci s'étaient écartés de la version traditionnelle [512].

Mais le passage du *Commentaire sur Zacharie* rend manifestes en même temps les limites de cette dépendance, puisque plusieurs références qui chez l'Alexandrin suivent immédiatement cet emprunt n'ont aucun écho chez Jérôme [513]. Et si l'on s'en tient aux textes du *Commentaire sur Isaïe* qui ont

---

509. On pense aux *Testimonia* de Cyprien dont la visée sans doute n'est pas exégétique, mais qui répondent au souci de rassembler des extraits de l'Écriture autour d'un thème doctrinal et, souvent, d'un mot susceptible d'une interprétation typologique, comme *agnus* ou *lapis*, précisément. Mais il ne semble pas que Jérôme se préoccupe de remonter directement jusqu'à cette source qui avait nourri sa mémoire. Ainsi, lorsqu'il commente la « pierre angulaire », du ch. 28 d'Isaïe, il ne reprend, outre le verset du prophète, qu'une des nombreuses citations groupées par Cyprien autour de ce symbole du Christ. (Cf. CYPRIEN, *Ad Quirinum* 2, 16 : « Quod Christus et lapis dictus sit » CSEL 3, 1, 82-84 et HIER. *In Is.* 322 D-323 A). La remarque vaut aussi pour le commentaire, au livre XV, du même mot *lapis* (*Is.* 54, 11 : 523 AC).

510. Références ci-dessus, à la note 432. Outre l'exacte coïncidence des citations (voir ci-dessous la note 512), une double maladresse chez Jérôme trahit l'emprunt. Il pose en effet au départ l'équivalence « ceruos, id est apostolos et sanctos quosque doctores ». Or si les citations invoquées, toutes vétéro-testamentaires, suggèrent bien les relations des justes avec Dieu, rien n'y justifie, semble-t-il, l'assimilation précise aux apôtres. Celle-ci apparaît comme une anticipation de l'exégèse qui va être donnée d'Isaïe alors qu'elle devrait y conduire. Chez Eusèbe, au contraire, c'est de la dernière citation, et par un glissement du mot ἀδελφιδός, le bien-aimé du *Cantique* comparé à une biche, au mot νυμφίος, l'époux auquel se compare Jésus dans le N.T., que découle l'assimilation des cerfs « aux disciples et aux apôtres » (Eus. W. 9, 225-226 : « Ὅτε <u>τοίνυν</u> καὶ αὐτὸς ὁ νυμφίος ἐλάφῳ παραβάλλεται, τίνας ἂν εἴποις τὰς ἐνταῦθα πολλὰς ἐλάφους ἢ τοὺς μαθητὰς αὐτοῦ καὶ ἀποστόλους ; ») Quant aux *sanctos doctores* de Jérôme, ils sont probablement le fruit d'une transposition littérale un peu rapide des μαθητάς d'Eusèbe dont le sens se trouve faussé.

511. Cf., sur *Zach.* 4, 7 (d'après les LXX), HIER. *in Zach.* PL 25, 1443 CD et DID. *in Zach* I, 306-308.

512. Ainsi, dans le passage de l'*In Isaiam* dépendant d'Eusèbe, Jérôme, qui commente le verset d'Isaïe (= 34, 15) selon les LXX, cite *Iob* 39, 1 b et 3 b : « Custodisti autem *menses* ceruorum et partus eorum emittes » non selon sa propre révision de ce livre sur le grec, mais en traduisant très exactement le vocabulaire d'Eusèbe (μῆνας) en ce qu'il s'écarte des LXX. De même pour *Cant.* 2, 9. Dans l'*In Zachariam* sa citation de *Dt.* 32, 9 omet, comme Didyme, le « populus eius » correspondant aux LXX, qui figure dans les autres citations qu'il fait du verset dans son œuvre (*In Is.* 551 A ; *In Ez.* PL 25, 267 B ; *In Dan. ibid.* 528 A ; *Tract. de ps.* 15 : CC 78, 374).

513. Jérôme ignore en effet un développement un peu marginal qui fait référence à *Dan.* 2, 34 et

servi de base aux analyses qui précèdent, force est de constater qu'aucun d'entre eux ne dépend des pages correspondantes d'Eusèbe [514], sans qu'on puisse évidemment assurer qu'ils ne reflètent pas respectivement les Commentaires d'Origène et de Didyme que nous ne possédons plus.

Quoi qu'il en soit, ce procédé d'enchaînement des citations bibliques au service du sens spirituel constitue dans l'exégèse patristique un phénomène trop important et trop généralisé pour qu'il soit imaginable que Jérôme ait pu ne pas l'assumer [515]. Expliquer la Bible par la Bible implique d'ailleurs toute une conception de l'Écriture sur laquelle nous aurons à revenir.

VI — LES VISÉES DU SENS SPIRITUEL

Toutes les analyses qui précèdent, depuis le début de ce chapitre, ont déjà permis d'entrevoir, à travers de nombreux exemples, à quels types de réalités permettait d'accéder l'intelligence spirituelle. Sans doute est-il apparu impossible d'établir au sein de cette interprétation, à partir du vocabulaire qui la désigne ou des procédés qui l'assurent, des distinctions tranchées entre des catégories de sens que diversifierait leur contenu de signification. On ne peut néanmoins se dispenser d'établir un inventaire rapide de ce qu'on pourrait appeler les différentes visées du sens spirituel.

Le bilan serait vite dressé si l'on s'en tenait à la formule que donne sans s'y arrêter le *Commentaire sur Amos* sur « l'intelligence spirituelle dans laquelle on reconnaît le Christ et on découvre la passion du Seigneur et sa résurrection [516] ». A plus forte raison Jérôme paraît-il fondé à observer, lorsqu'il aborde un peu plus tard le prophète messianique par excellence qu'est Isaïe, que son livre « contient la totalité des mystères du Seigneur [517] » ; et le rapide aperçu qu'il en donne évoque en effet le Christ de sa naissance à sa résurrection et à sa mission de salut. Cependant l'amplification rhétorique qui prolonge cette affirmation suggère qu'à ses yeux, comme nous le vérifierons, cet objet central, qui présente d'ailleurs en lui-même plusieurs aspects, n'est pas exclusif [518].

Matth. 1, 13 pour rejoindre les dernières citations de Didyme (*Ioh.* 1, 16 et *Eph.* 2, 8) mais en les amenant par *Ioh.* 1, 1 et 3.

514. Il s'agit des exégèses d'*Is.* 1, 11 et 3, 18 qui n'offrent aucun point commun entre les deux auteurs, et de celles d'*Is.* 2, 2 sur la maison de Dieu et 53, 7 sur l'agneau où, sur la série des citations que nous avons vues, une seule figure à chaque fois chez Eusèbe. L'indépendance de Jérôme est bien totale.

515. Ce phénomène semble pourtant n'avoir guère été étudié systématiquement jusqu'ici. Penna ne s'y arrête pas dans son étude de l'exégèse hiéronymienne, Kerrigan pas davantage à propos de Cyrille d'Alexandrie.

516. HIER. *in Am.* 8, 11 : « ... intellegentia spiritalis in qua Christus cernitur, passio Domini et resurrectio reperitur » (PL 25, 1084 A). Cf. *In epist. ad Eph.* 3, 5 : PL 26, 479 A.

517. *In Is.*, prol. : « ... cum uniuersa Domini sacramenta praesens scriptura contineat... » (18 AB). Cf. *Adu. Ruf.* 2, 32 : PL 23, 454 B.

518. *Ibid.* 19 A. A vrai dire l'amplification ici (« Quid loquar de physica, ethica et logica ?... quidquid potest humana lingua proferre et mortalium sensus accipere, isto uolumine continetur ») pourrait bien relever du tic rhétorique, voire de l'écho des exégètes allégoriques d'Homère ou des

A — Le Christ et l'événement du salut

C'est bien le « Seigneur Sauveur » que, dans le *Commentaire sur Isaïe*, on découvre au cœur de l'interprétation spirituelle, lui « dont la Loi et les prophètes ne cessaient d'annoncer la venue [519] ». S'inscrivant en cela dans une tradition surtout occidentale qui, par-delà Irénée, peut s'autoriser de la pratique de l'évangéliste Matthieu, Jérôme retrouve d'abord par cette exégèse, dans les textes qu'il commente, la figure des circonstances historiques de la vie de Jésus [520].

Sa conception virginale, voire l'annonce qui en est faite à Marie, sont proprement l'objet de la prophétie de l'Emmanuel [521]. A la fuite en Égypte s'applique le verset : « D'Égypte j'ai appelé mon fils », comme le souligne l'évangéliste [522]. La voix du messager appelant à préparer la route triomphale pour le retour d'exil, dans la deuxième partie du recueil, préfigure aux yeux mêmes du Baptiste sa propre mission de précurseur [523]. Et de même que l'inauguration en Galilée du ministère de Jésus est l'accomplissement de l'oracle d'Isaïe sur la terre de Zabulon « qui a vu les premiers miracles du Christ [524] », l'Esprit descendu sur lui au jour de son baptême dans le Jourdain réalisait l'annonce prophétique : « L'Esprit du Seigneur reposera sur moi », dont il se fera l'application à lui-même devant ses compatriotes de Nazareth [525].

La caution du Nouveau Testament n'est pas nécessaire pour que Jérôme découvre par l'interprétation spirituelle des correspondances entre le recueil d'Isaïe et des circonstances particulières de la vie du Christ. « De Jérusalem », dit le prophète, « sortira la parole du Seigneur ». C'est donc l'annonce de Jésus enseignant dans le Temple [526]. Dans le même verset l'invitation à « monter à la montagne du Seigneur » évoque le cadre du sermon sur la montagne, dont

---

commentateurs de Virgile rompus à découvrir dans ces poètes tous les mystères de l'homme et du monde. Elle n'aide guère à se faire une idée exacte des autres objets du sens spirituel qu'on rencontre dans l'*In Isaiam* et justifierait plutôt l'exploitation parodique que Rabelais fera de ce genre de formules dans la préface de *Gargantua*.

519. *In Is.* 18, 9-10 : « ... Saluatoris... quem uenturum lex et prophetae iugiter nuntiabant » (243 D). Cf. *in epist. ad Eph.* 3, 5 : PL 26, 479 A, citant *Is.* 7, 14 et 11, 10.

520. La démarche remonte en effet à Matthieu plus qu'aux autres évangélistes, et elle est étrangère aux épîtres de Paul. On en trouve un bon exemple dans un passage du livre IV de l'*Aduersus haereses* où Irénée évoque le déroulement concret de la Passion par une demi-douzaine de versets d'Isaïe et des Psaumes (*Adu. haer.* IV, 33, 12). Cf. l'*Homélie pascale* du Ps.-Chrysostome (PG 59, 735-746) publiée dans SCh 27 (éd. Nautin) et dans laquelle il faut voir non une œuvre d'Hippolyte de Rome, mais vraisemblablement une homélie monarchienne de la première moitié du IIIe siècle (selon M. Richard, dans *Studia Patristica* III = TU 78, Berlin, 1961, p. 286). Au IVe siècle cette tradition est représentée principalement par Grégoire d'Elvire.

521. *In Is.* 7, 14 : « ... ipse descendet in uterum uirginalem et ingredietur et egredietur portam (...) de qua Gabriel dicit ad uirginem... » etc. (107 C, cf. 115 A).

522. HIER. *In Os.* 11, 1 : « ... euangelista hoc testimonium... interpretatus sit in Domino Saluatore, quando de Aegypto reductus est in terram Israel » (PL 25, 915 B et *Mt.* 2, 15 ; cf. *In Is.* 98 D).

523. *In Is.* 401 A.

524. Voir *In Is.* 124 BC citant *Mt.* 4, 12-17 et *Ioh.* 2, 11.

525. *In Is.* 61, 1 : 599 BC avec références à *Ioh.* 1, 32 (baptême) et *Luc.* 4, 16-21 (synagogue de Nazareth). Voir aussi, pour le baptême, 145 AB à propos d'*Is.* 11, 2.

526. *In Is.* 2, 3 c (45 A).

le contenu est préfiguré lui aussi par un des derniers oracles du livre[527]. Des aspects précis de cet enseignement, voire telle parabole ou tel miracle, sont inscrits en filigrane dans divers versets d'Isaïe[528]. Et dans le chant que le prophète chante à son ami sur sa vigne, Jérôme discerne la complainte du Christ pleurant sur Jérusalem[529], dont le comportement envers les pécheurs est également défini d'avance par le poème du Serviteur « qui ne brisera pas le roseau froissé et n'éteindra pas la mèche qui fume encore[530] ». A cette mansuétude de Jésus pour les pécheurs s'oppose sa sévérité pour les « scribes et pharisiens hypocrites, guides aveugles », que l'exégète reconnaît dans « les fourbes qui méditent la perte des pauvres par leurs paroles de mensonge[531] » ; et les mots du prophète : « Ils ont abandonné le Seigneur, ils ont outragé le saint d'Israël », s'appliquent proprement aux Juifs s'écriant devant Pilate : « Nous n'avons de roi que César[532] ». Bien d'autres paroles fustigeant Israël sont à comprendre aussi comme « clairement dites de la passion du Christ[533] ». Quant à l'attitude de Jésus à cette heure ultime, les poèmes du Serviteur l'ont montré par avance étendant les mains[534], présentant son dos aux coups[535], n'ouvrant pas la bouche, comme l'agneau devant le tondeur[536]. Mais nous touchons là à une réalité plus profonde que de simples épisodes de l'existence historique de l'homme Jésus. Conformément à la tradition la plus authentique et la plus générale de l'exégèse antérieure, c'est le Christ dans les mystères de sa personne et de sa mission que l'Ancienne Alliance a pour rôle d'annoncer ou de préfigurer[537].

« Les mystères de sa naissance que le langage humain ne peut expliquer » ne sont pas seulement, en effet, ceux « de sa naissance humaine dont ne peuvent parler que l'ange ou l'évangéliste[538] ». Car si Isaïe atteste sa naissance

---

527. *Ibid.* 44 D et, pour le contenu des béatitudes, 599 D.

528. Voir, pour le contenu de son enseignement, 50 A (prier dans le secret), 28 B (ne pas regarder en arrière), 181 D (le Christ signe de contradiction) ; pour les paraboles, 42 A (le figuier stérile mis en rapport avec le térébinthe desséché d'*Is* 1, 30), 35 B (allusion aux vignerons homicides) ; pour les miracles, 124 C (Cana, à propos d'*Is*. 9, 1 d'après les LXX), 630 D (guérisons du lépreux, de l'aveugle-né, multiplication des pains, préfigurées par *Is*. 65, 2).

529. *In Is.* 5, 1 : 75 A.

530. *In Is.* 422 A, à propos d'*Is*. 42, 3 : « Calamum quassatum non conteret, et linum fumigans non exstinguet. »

531. Cf. *Mt.* 23, 15-16 et *In Is.* 32, 7 : « ... fraudulenti doctoris... qui concinnat dolos ad perdendos simplices in sermone mendacii... » (359 C ; cf. 422 A).

532. *In Is.* 1, 4 : « ... "blasphemauerunt sanctum Israel" proprie de Iudaeis dicitur conclamantibus : "Non habemus regem nisi Caesarem"... » (28 AB : *Ioh.* 19, 15 et aussi *Mt.* 13, 55, *Ioh.* 8, 48. Cf. 32 CD, 65 C etc.)

533. Par ex. *Is*. 3, 11 (LXX) : « ..."Alligemus iustum"... perspicue de Christi dicitur passione... » (66 B).

534. *In Is.* 65, 1 (630 C).

535. *In Is.* 50, 6 : « ... ita ut poneret corpus siue dorsum suum ad plagas... » (479 B).

536. *In Is.* 53, 7 : « ... quasi agnus coram tondente obmutuit » (509 A).

537. C'est là en effet le fond de la typologie commune sur lequel s'accordent dans leur pratique, à la suite de Justin, Orientaux et Occidentaux, alors qu'on peut percevoir dans l'observation du *Commentaire sur l'évangile de Jean* d'Origène citée plus haut, n. 282, p. 264, l'expression d'une réserve à l'égard de l'application de la typologie à des circonstances particulières de la vie de Jésus dont nous venons de voir des exemples.

538. « ... licet humanus sermo natiuitatis eius nequeat explicare mysteria... » (115 A) ; « ... ut uel ab angelo uel ab euangelista tantum natiuitatis huius sacramenta dicantur » (509 D).

d'une vierge [539], il en atteste aussi la signification profonde : dans « le Dieu caché, le Dieu d'Israël Sauveur », c'est Jésus-Christ qu'il faut reconnaître, lui dont le nom signifie Sauveur et que le prophète appelle ici Dieu caché « à cause du mystère de l'Incarnation [540] », ou, en d'autres termes, « de sa naissance divine dans un corps [541] », pour ne rien dire du « mystère de sa génération divine qu'il est impossible de connaître [542] ». C'est donc Dieu que la Vierge enfante [543] en cet Emmanuel que Jérôme ne distingue pas de l'enfant royal du chapitre 9, qu'à la différence de l'hébreu, les Septante, à sa surprise, n'ont pas osé ouvertement nommer Dieu [544]. Nul doute également que « le Seigneur » que voit Isaïe dans la grandiose apparition du Temple ne soit le Christ [545].

Jérôme n'ignore pas non plus que plusieurs images du recueil prophétique en constituent la préfiguration symbolique. Le rameau qui sortira de Jessé et la fleur qui s'élèvera de sa souche signifient sa naissance et sa venue dans le monde [546] et les « sept femmes qui saisiront un seul homme » sont « les sept grâces du saint Esprit » qu'énumère le même verset et qui, se saisissant de Jésus, reposeront sur lui [547] ; la flèche choisie, dissimulée dans le carquois, c'est le Fils unique « caché dans un corps d'homme en sorte qu'habite corporellement en lui la plénitude de la divinité [548] ». La nuée légère sur laquelle monte le Seigneur pour aller en Égypte, c'est le corps de la Vierge sur lequel n'a pas pesé le poids d'une semence humaine, ou bien le propre corps du Sauveur conçu de l'Esprit Saint, avec lequel il est entré dans l'Égypte qu'est ce monde [549].

De la réalité de cette incarnation la prophétie de l'Emmanuel fournit un merveilleux témoignage : l'enfant, en effet, « usera des aliments de l'enfance, il

---

539. Voir en particulier le commentaire de la prophétie de l'Emmanuel (*Is.* 7, 14) et aussi 445 A : « Dominus Sanctus Israel... plasmauit in uirginali utero Saluatorem... », et 506 A sur *Is.* 53, 2 dans la version d'Aquila (« radix de terra *inuia* »).

540. *In Is.* 45, 15 : « ... Deus appellatur absconditus propter assumpti corporis sacramentum et Deus Israel Saluator quod interpretatur Iesus » (447 A).

541. « ... mysterium diuinae natiuitatis in corpore... » (510 A).

542. « ... impossibile sit diuinae natiuitatis nosse mysteria... » (509 C, à propos d'*Is.* 53, 8 : « Generationem eius quis enarrabit ? »).

543. « ... non mireris ad rei nouitatem si uirgo Deum pariat... » (110 A).

544. *In Is.* 9, 5 (128 A).

545. *In Is.* 6, 1 (92 B) où Jérôme, comme déjà dans la *Lettre* 18 A, 4, appuie cette interprétation sur le témoignage de l'apôtre Jean (*Ioh.* 12, 41).

546. *In Is.* 506 A : « Iste est de quo et supra legimus : "Exiet uirga de radice Iesse et flos de radice eius ascendet" (= *Is.* 11, 1) ut natiuitatem eius et ascensum significet in mundo. »

547. *In Is.* 4, 1 (73 A).

548. « Christus... una sagitta electa et filius unigenitus est, quam in pharetra sua abscondit, id est, in humano corpore, ut habitaret in eo plenitudo diuinitatis corporaliter » (464 D ; cf. 144 D).

549. *In Is.* 19, 1 : « Ascendit Dominus super nubem leuem, corpus sanctae uirginis Mariae quod nullo humani seminis pondere praegrauatum est, uel certe corpus suum quod de Spiritu sancto conceptum est ; et ingressus est in Aegyptum huius mundi » (250 C, cf. 181 B). Exégèses similaires chez Didyme (*In Zach.* I, 176-177) et aussi Eusèbe (*In Is.*, Eus. W. 9, 124, 17-19), mais Jérôme est plus proche de Didyme. Cette interprétation se retrouve, à l'époque de Jérôme, chez son ami Chromace d'Aquilée (*in Mt. tract.* VI, 1 : CC IX A) et à plusieurs reprises chez Ambroise (*Exp. euang. sec. Lucam* IX, 42 ; *Exp. ps.* 118, *sermo* 5, 3 : CSEL 62, 84 ; cf. *Exhort. uirgin.* I, 5, 31). La source commune est très vraisemblablement Origène, mais l'*In Mt.* dans lequel celui-ci évoque le verset d'Isaïe à propos des nuées de *Mt.* 24, 30 permet seulement de vérifier l'interprétation de l'Égypte par le monde (Or. W. 11, 111, 13 s.).

se nourrira de beurre et de lait » ; impossible donc de croire qu'il ne naîtra que
« dans une apparence » *(in phantasmate)* [550]. Et le prophète s'accorde ici par
avance avec la phrase de l'Évangile : « L'enfant grandissait en sagesse, en âge
et en grâce devant Dieu et devant les hommes », phrase écrite « pour prouver
la réalité de son corps humain [551] ». Telle est en effet « l'économie de l'Incarnation », qui veut aussi qu'il ait à « être enseigné et à recevoir une langue de
disciple [552] ». Non moins ferme est l'affirmation de la réalité humaine du
Christ à travers ces mots du poème du serviteur qui le préfigurent dans sa
passion : « homme de douleur, qui connaît d'expérience la faiblesse [553] ». Ce
verset, souligne Jérôme, « montre la réalité de son corps, la réalité de son âme
d'homme, lui qui, connaissant d'expérience nos faiblesses, a triomphé de
toutes par sa divinité (...). Il a réellement porté nos maux et nos péchés et a
souffert pour nous, non pas en apparence, c'est-à-dire τὸ δοκεῖν, comme
l'imaginent l'ancienne et la nouvelle hérésies, mais c'est réellement qu'il a été
crucifié, réellement qu'il a souffert, disant dans l'Évangile : Mon âme est triste
à mourir... [554] ». L'interprétation spirituelle du livre d'Isaïe, en éclairant le
mystère du Christ qui y est annoncé [555], fournit donc en même temps des
armes contre les hérésies qui le trahissent, dans le cas présent le docétisme,
presque aussi ancien que la foi chrétienne, qui revient à vider l'Incarnation de
son sens, et l'apollinarisme qui, en refusant au Christ une nature humaine
complète, en compromet la portée [556].

---

550. *In Is.* 7, 15 (110 B) : « Dicam et aliud mirabilius, ne eum putes in phantasmate nasciturum,
cibis utetur infantiae, butyrum comedet et lac. » Cf. Eusèbe *ad loc.* : οὐ γὰρ κατά τινα φαντα-
σίαν... οὐδὲ τῷ δοκεῖν... κτλ. (Eus. W. 9, 50, 5 s.) que Jérôme démarque d'assez près dans tout le
commentaire de ce verset (voir note suivante).
551. *Ibid.* : « Et licet (...) euangelista testetur : "Puer autem proficiebat sapientia et aetate et gratia
apud Deum et homines" *(Luc.* 2, 52) et hoc dicatur ut ueritas humani corporis approbetur... » La
suite du passage montre que Jérôme, qui admet donc un progrès de la psychologie de Jésus,
maintient que « son enfance d'homme n'a pas porté préjudice à sa sagesse divine » et que, encore
dans les langes, il possédait, bien que n'en faisant pas usage, la capacité de choisir le bien et de
rejeter le mal. Et il en donne curieusement comme illustration le fait que dans sa crèche il reçoit
l'hommage des bergers et des mages, alors qu'Hérode — auquel sont associés scribes et pharisiens
— est rejeté parce qu'il fait massacrer des innocents.
552. *In Is.* 50, 4 : « ... Ad personam Domini... ista referenda sunt quod iuxta dispensationem
assumpti corporis eruditus sit et linguam acceperit disciplinae » (478 D).
553. *Is.* 53, 3 : « ... homo in dolore et sciens ferre infirmitatem... »
554. *In Is.* 506 C : « Quod infert (= *Is.* 53, 3) ... uerum corpus hominis et ueram demonstrat
animam, qui, sciens ferre infirmitates, omnes eas diuinitate superauit (...). Qui uere languores
nostros et peccata portauit, et pro nobis dolet, non putatiue, id est τὸ δοκεῖν, ut uetus et noua
haeresis suspicantur, sed uere crucifixus est, uere doluit dicens in euangelio : "Tristis est anima mea
usque ad mortem"... *(Mt.* 26, 38). »
555. De fait ce sont les éléments d'une christologie que Jérôme retire de cette exégèse, fidèle en
cela à la tradition pour nous d'abord représentée par Cyprien. Plusieurs des versets majeurs du
prophète figurent en effet déjà en bonne place dans le deuxième livre de cet arsenal d'arguments
scripturaires que constituent les *Testimonia* rassemblés par l'évêque de Carthage. Par exemple c'est
la prophétie de l'Emmanuel qui y atteste la naissance virginale *(Is.* 7, 10-15 dans *Testim.* 2, 9 :
CSEL 3,1, 73) ; et l'humilité du Christ en son premier avènement y est illustrée entre autres textes
par trois passages des poèmes du Serviteur *(Is.* 53, 1-7 ; 50, 5-7 ; 42, 2-4 dans *Testim.* 2, 13 *ibid.*
77-78).
556. Le docétisme est clairement désigné par le vocabulaire employé (putatiue, id est τὸ
δοκεῖν ; cf. 110 B : in phantasmate). Quant à la « nouvelle hérésie » ce ne peut être que l'erreur
d'Apollinaire, comme l'atteste l'insistance, quelques lignes plus haut, sur la réalité de l'âme humaine
du Christ. Cf. *In epist. ad Gal.* 1, 1 : « Noua haeresis quae dimidiatam Christi asserit dispensationem » (PL 26, 312 D).

Les poèmes du serviteur ne préfigurent pas seulement la réalité historique de la passion du Christ, ils en livrent aussi la double signification de souffrance et de gloire. « Présenté à Pilate parce qu'il l'a lui-même voulu, ne lui répondant pas pour être condamné et monter sur le gibet, c'est lui la brebis menée à l'abattage [557] », et c'est pour nos fautes qu'il a été frappé [558]. Mais alors que, suspendu à la croix, il était un objet de mépris et de rebut, les phénomènes naturels qui ont marqué sa mort et que préfiguraient l'ébranlement du seuil du Temple et la fumée de la vision inaugurale d'Isaïe ont au contraire manifesté sa gloire et sa beauté, annoncées également par le prophète [559]. Car « c'est le Dieu de toutes choses qui s'est livré à la passion » ; aussi Paul l'appelle-t-il le Seigneur de gloire [560], mais à lui s'appliquait déjà le verset du psaume : « Le Seigneur des armées, c'est lui le roi de gloire », car, « après le triomphe de sa passion, il est monté en vainqueur aux cieux ». Ainsi l'Ancien Testament lui-même nomme le Christ le Seigneur des armées, en d'autres termes le Tout-Puissant [561]. Et si l'image de l'agneau, qui renvoie à l'agneau pascal, est le type de son sacrifice, le personnage d'Éliacim qui doit recevoir « la clé de la maison de David sur son épaule », et dont le nom signifie « Dieu qui ressuscite », préfigure la substitution du nouveau sacerdoce à l'ancien qu'opère sa résurrection [562].

Car c'est pour une mission de salut qu'est mort et ressuscité « le Fils de Dieu envoyé par le Père » dont précisément le nom, Jésus, signifie en hébreu Sauveur [563], ce « Dieu avec nous » qu'annonçait la prophétie de l'Emmanuel et dont la seule invocation a sauvé alors son peuple, la maison de David, bien qu'il ne fût pas encore né [564]. Avec sa venue s'est réalisée « la plénitude du salut » [565] et accomplie l'attente messianique du jugement dans la justice [566] et de la joie succédant aux pleurs [567]. Cet accomplissement, les Juifs refusent évidemment de le reconnaître et nombreux sont, dans le *Commentaire sur Isaïe*, les passages qui soulignent leur refus. Mais le Seigneur Sauveur appa-

---

557. *In Is.* 53, 7 : « Qui igitur oblatus est Pilato quia ipse uoluit et non respondit ut patibulum pro nobis damnatus ascenderet, ipse sicut ouis ad occisionem ductus est » (509 A ; cf. 507 A).

558. « Ille autem uulneratus est propter iniquitates nostras » (507 C).

559. Voir en particulier 506 B : « Despectus erat et ignobilis quando pendebat in cruce (...). Inclutus autem erat et decorus aspectu quando ad passionem eius terra contremuit... » etc. Cf. 95 B, à propos d'*Is.* 6, 4, et sur la gloire du serviteur, *Is.* 52, 13 : « Exaltabitur et eleuabitur et sublimis erit ualde », et *Ps.* 44, 4.

560. « ... admiratur propheta quod omnium Deus se tradiderit passioni. De quo Paulus loquitur : "si enim credidissent, numquam Dominum gloriae crucifixissent"... » (509 C et 1 *Cor.* 2, 8).

561. *In Is.* 32 AB : « Nec dubium quin illud quod in uicesimo tertio psalmo legitur : "Dominus Sabaoth, ipse est rex gloriae" (= *Ps.* 23, 10) ad Christum referatur, qui post passionis triumphum ad caelos uictor ascendit (...). Ergo... in ueteri quoque testamento Dominus Sabaoth, hoc est Omnipotens, Christus appellatur. »

562. Voir 274 AC sur *Is.* 22, 15 s. avec, pour l'image de la clé sur l'épaule, symbole de la croix, un rapprochement avec *Is.* 9, 6 : « Cuius principatus super humerum eius. »

563. 484 BC : « Quod autem Saluator, siue salus, quod hebraice dicitur Iesus, appelletur Filius Dei, qui missus a patre est... ». Suit la citation de la phrase du vieillard Siméon : « Mes yeux ont vu ton salut » (*Luc.* 2, 29).

564. *In Is.* 115 B : « ... ut necdum natus populum suum, domum Dauid, sola inuocatione saluaret » (cf. 110 A, 111 A).

565. *In Is.* 139 C : « ... plenam saluationem futuram dicit esse sub Christo » (cf. *Rom.* 9, 27-28).

566. *In Is.* 11, 3 (146 A) et 16, 5 (172 A).

567. *In Is.* 35, 10 (378 A).

raissant en majesté dans le temple n'annonçait-il pas au prophète cet aveuglement du peuple juif, que Jérôme, à la suite d'Origène, perçoit comme l'envers mystérieusement nécessaire du salut des nations [568] ? Ainsi s'expliquait déjà à ses yeux la tristesse de Jonas à l'idée de la conversion des Ninivites, figure de l'angoisse du Christ tenté à Gethsémani de refuser sa passion qui, dans cette perspective, devait entraîner la perte des Juifs [569]. Et de fait, rapportant à cette passion le verset prévoyant que « seraient enlevés de Jérusalem et de Juda le fort et le vaillant », Jérôme déclare « qu'après le meurtre du Seigneur toute grâce et tout don ont été retirés aux Juifs [570] ». Ce n'est là pourtant que l'envers de la réalité du salut ; aussi précise-t-il « qu'il n'y a pas de la part de Dieu cruauté mais miséricorde à ce que se perde une nation pour que toutes soient sauvées, à ce qu'une partie des Juifs ne voient pas pour que le monde entier regarde [571] ». Car lorsque après la venue du Christ, de toutes ces nations se trouvera rassemblée « la nation des Chrétiens », alors éclatera la joie des apôtres comme celle des moissonneurs de l'oracle prophétique [572]. Le salut apporté par le Christ prend ainsi, dans sa dimension collective, la figure de l'Église.

B — *L'Église et son combat*

C'est en effet sur la constitution de l'Église que débouche la mission du Christ [573]. A lui s'appliquent les paroles du prophète : « Je t'ai établi lumière des nations pour être mon salut jusqu'aux extrémités de la terre [574] ». Il est « le

---

568. *In Is.* 6, 9-10, en particulier 100 AB.

569. Le texte majeur intervient à propos de l'explication d'*Is.* 9, 2-4 (126 AB) : « Iuxta quod apostolus maerorem sibi dicit esse perpetuum pro fratribus suis qui sunt Israelitae (*Ro.* 9, 2-3). Et Ionas contristatur quod ita saluati sint Niniuitae ut cucurbita siue *ciceion* aruerit (*Ion.* 4, 7-8). Et ipse Dominus loquitur in euangelio : "Non ueni nisi ad oues perditas domus Israel" (*Mt.* 15, 24). Et in passione : "Pater, si fieri", inquit, "potest, transeat calix iste a me" (*Mt.* 26, 39). Qui locus hunc sensum habet : si potest fieri ut sine interitu Iudaeorum credat gentium multitudo, passionem recuso. Sin autem illi excaecandi sunt, omnes gentes uideant, fiat, Pater, uoluntas tua. » Cf. *In Ionam*, 1, 1-2 : « In condemnationem Israhelis Ionas ad gentes mittitur » (PL 25, 1119 D = Antin p. 56) ; 1, 3 a (*ibid.* 1121 B, D, 1122 C = Antin p. 57, 58, 60) ; 3, 1-2 (*ibid.* 1139 A = Antin p. 93). Sur la source origénienne de cette double exégèse assez particulière, voir la démonstration d'Y.M. DUVAL, *Le livre de Jonas*..., en particulier les ch. VII à IX.

570. *In Is.* 3, 1 (57 B) : « ... melius est cuncta referri ad dominicam passionem. Post interfectionem quippe illius, omnes gratiae et donationes sublatae sunt a Iudaeis. » Suit une citation de *Mt.* 11, 13. Mais cette constatation va de pair avec la perspective de la conversion finale d'Israël. Voir ci-dessous, p. 324 et la note 695.

571. « Ergo non est crudelitas Dei, sed misericordia, unam perire gentem ut omnes saluae fiant, *Iudaeorum partem* non uidere ut omnis mundus aspiciat » (100 A). Le texte s'articule sur une citation de *Ro.* 11, 28-32. La pensée est ici plus nuancée que dans les textes précédents.

572. *In Is.* 9, 2-4 : 126 B ; cf. *Ps.* 126, 5 et *Mt.* 9, 37.

573. Dans son étude sur *Saint Jérôme et l'Église* (Paris, 1966), Yvon Bodin a souligné après d'autres (cf. F.M. ABEL, *Le commentaire de saint Jérôme sur Isaïe*, dans la *Revue Biblique*, Nlle série, 13, 1916, p. 204) le « parti pris ecclésiologique », notoire dans l'*In Isaiam*, qui caractérise à ses yeux l'exégèse hiéronymienne (p. 10). On pourra s'y reporter pour une vue complète de l'ecclésiologie de Jérôme qui déborde notre propos. C'est l'*In Isaiam* qui, de toutes les œuvres de Jérôme, fournit à son étude les références les plus nombreuses : il fait l'objet dans l'*index* de l'ouvrage de plus de 250 mentions contre une centaine à l'*In Ezechielem*.

574. *In Is.* 49, 6 (467 A).

messager de la bonne nouvelle sur les montagnes », ces montagnes que sont les apôtres [575].

C'est par les apôtres que se répand « la foi qui après sa passion a fondé l'Église [576] ». Ce sont eux qui l'édifient [577] ou, selon un autre oracle, « en écartant les obstacles du chemin, font entrer le peuple dans l'Église du Sauveur [578] ». En eux sont sauvés les restes d'Israël [579], cette semence qui en a été laissée [580]. Jérôme croit même pouvoir observer qu'à leur propos Isaïe parle de Jacob, d'Israël et de la semence d'Abraham tandis que, lorsqu'il prophétise du Christ lui-même, il dit, sans faire mention de Jacob ou d'Israël : « Voici mon serviteur... [581] ». En eux, et aussi par eux, car, en dépit du rejet d'Israël, un petit nombre de Juifs est appelé à croire, est engendré un premier peuple [582] qu'ils ont à réunir à « l'Église rassemblée des nations » [583], cette femme stérile appelée à la joie car ses enfants seront les plus nombreux [584]. C'est donc « de l'un et l'autre peuple » qu'est constituée l'Église [585] dont le Christ est la pierre d'angle car, précisément, « il contient les deux peuples » qui n'en font plus qu'un [586]. Aussi peut-on voir en Hiram, le Tyrien constructeur du Temple, un symbole de l'édification de l'Église [587], cette « ville du Sauveur » que construisent « les fils des étrangers » [588]. Néanmoins pour Jérôme la principale préfiguration de l'Église reste Jérusalem [589].

De fait, « Sion d'après les lois de la tropologie se rapporte à l'Église [590] ». C'est là, rappelle ailleurs Jérôme, une des quatre manières dont il faut com-

---

575. « Propheta testatur quod ipse super montes euangelium praedicarit, id est super apostolos... » (500 A).

576. *In Is.* 41 B : « ... fidem quae post passionem eius fundauit ecclesiam. »

577. « ... exstructa per apostolos ecclesia... » (502 A).

578. *In Is.* 609 A : « ... ut... omnia tollant impedimenta de uia, ut... populus ecclesiam Saluatoris introeat. »

579. « In apostolis saluae factae sunt reliquiae populi Iudaeorum » (31 D ; cf. 73 C, 101 B).

580. *In Is.* 48, 17-19 (462 C), renvoyant à *Is.* 1, 9. Cf. 517 A : « ... semen apostolorum et Iudaici populi reliquiae. »

581. *In Is.* 42, 1 : 421 B.

582. *In Is.* 516 A : « ... in apostolis et per apostolos primum populum genuit de Iudaeis », et 245 B : « ... per apostolos atque in apostolis paucorum de Iudaeis credentium electionem. » Cf. 543 B : « Congregatis autem per apostolos reliquiis Israel et in unum redactis gregem his qui fuerant ante dispersi. »

583. « ... ecclesia de gentibus congregata... » (290 A, 515 C, 518 C, etc.). Cf. 313 B : « ... congregate eas (i.e. les brebis perdues d'Israël ramenées au bercail) cum gentium populo. » Voir d'autres références, en particulier en dehors de l'*In Isaiam*, dans Y. BODIN, *op. cit.*, p. 108, note 1 (ci-dessus n. 573).

584. Voir le commentaire d'*Is.* 54, 1 : « Réjouis-toi, stérile... » (515-516), qui fait référence à l'utilisation du passage par l'*Épitre aux Galates* (4, 27). Autre figure de l'« église rassemblée des nations » : les « îles » (*Is.* 41, 1 et 49, 1), qui évoquent les extrémités de la terre (413 C et 464 A. Cf. dans l'*In Hieremiam* la figure d'Ephraïm, PL 24, 875 A).

585. « ... ecclesiam ex utroque populo congregatam... » (515 C, cf. 516 A, 526 C).

586. « ... qui factus est in caput anguli et duos populos continet, gentium et Israel » (523 B). Cf. *Epist.* 120, 10, 13 à Hédybia : « ... et unus credentium effectus est populus. »

587. « ... Hyram Tyrium (...) in quo typus est aedificandae ecclesiae... » (61 C. Cf. 206 A : « Cernamus in Tyro exstructas Christi ecclesias... »).

588. *In Is.* 60, 10 (593 C).

589. Il y en a d'autres, bien entendu, par exemple la vigne (*Is.* 27, 2), dont les LXX soulignent la beauté (308 A), Isaac dont la naissance fait le type de l'Église (515 A) et dont la monogamie symbolise sa pureté (618 C), etc.

590. « ... Sion iuxta leges tropologiae referatur ad ecclesiam... » (267 A). Affirmation plus radi-

prendre dans l'Écriture la ville sainte [591]. Ainsi « Sion, c'est-à-dire l'Église », qui s'entend dire par la bouche du prophète : Tu es mon peuple, « n'est donc pas autre chose que le peuple de Dieu [592] ».

Cette correspondance symbolique entre l'ancienne et la nouvelle Jérusalem se développe sur un double registre. Historiquement, c'est en effet dans Sion que les apôtres ont rassemblé la première église dont la vocation universelle est déjà inscrite dans la foule cosmopolite des prosélytes convertis au jour de la Pentecôte [593]. De cette première église sont issues toutes les autres. Aussi le prophète est-il fondé à dire que « de Sion sortira la loi et la parole du Seigneur de Jérusalem [594] » pour appeler les nations à se rassembler du monde entier [595].

Mais c'est surtout l'exégèse étymologique des deux noms de la cité sainte qui sert d'appui à cette typologie ecclésiale. On s'en souvient, Jérusalem, « la vision de paix », et Sion, « l'observatoire », sont avec Babylone les mots que ce type d'exégèse met le plus à contribution dans le *Commentaire sur Isaïe* [596]. Or c'est presque toujours dans la perspective qui nous occupe. La véritable « vision de paix », c'est l'Église, où doit habiter le peuple libéré de sa captivité par la passion du Seigneur [597]. Quant à « l'observatoire » situé sur les hauteurs, c'est elle encore, qui voit se rassembler ses fils venus de loin et à la lumière de qui marchent les nations [598].

Cette Église se définit comme la « société des saints qui, établis dans la paix du Seigneur et l'observatoire des vertus, sont à bon droit appelés Sion [599] ». Elle se substitue donc au peuple juif qui en avait constitué la première réalisation avant d'être délaissé [600]. Fondée sur le Christ, rassemblée par la prédication des apôtres, elle a trouvé en eux les coupes d'eau vive qui l'abreuvent [601].

Communauté sainte, elle est elle-même communication de la sainteté, mère qui « nourrit chaque jour les petits enfants du Christ du lait des deux Testaments [602] », maison de Dieu dans laquelle seule peut être mangé le Christ

---

cale encore dans l'*In Sophoniam* : « ... Hierusalem in scripturis sanctis *semper* typum habere ecclesiae » (PL 25, 1376 A).

591. *In Is.* 470 BC. Cf. *In Ezechielem* PL 25, 125 B : « ... uel ecclesiae quae interpretatur uisio pacis. »

592. « ... dicat ad Sion, hoc est ad ecclesiam : "Populus meus es tu." Ergo Sion non est alia nisi populus Dei » (489 D). Cf. 605 A.

593. « ... ecclesiam quae primum per apostolos congregata est in Sion... » Suit une utilisation libre du ch. 2 des *Actes* (589 B).

594. *In Is.* 2, 3 b (45 AB).

595. *In Is.* 449 A.

596. Voir ci-dessus p. 294 et les références données à l'ANNEXE VIII.

597. *In Is.* 345 D ; cf. 274 B : « ... in Hierusalem, hoc est in uisione pacis, quae interpretatur ecclesia. »

598. « ... Sion interpretari speculam quae in sublimibus sita de longe uenientia contemplatur » (266 D, avec références au *Liber nom. hebr.*). Voir aussi le commentaire du ch. 60 d'Isaïe (587-598).

599. « ... Sanctorum est congregatio qui, in pace Domini et in uirtutum specula constituti, recte appellantur Sion » (470 C).

600. « ... congregatio sanctorum quae prior fuerat in Iudaeis et a Domino derelicta est... » (471 A).

601. *In Is.* 274 D.

602. *In Is.* 473 B et 660 A.

notre Pâque [603], vigne féconde, terre d'abondance dans laquelle nous sommes plantés pour y fleurir [604], montagne hors de laquelle on est condamné à périr [605]. Au contraire « quiconque habitera en elle y recevra la loi de l'Évangile dont le trésor contient notre salut [606] ». Car « en elle est la célébration véritable » qui consiste dans « l'obéissance à l'Évangile », supérieure aux rites sacrificiels de l'ancien culte auquel elle se substitue [607]. Pourtant la pureté de ce sacrifice spirituel véritable, dont les victimes charnelles n'étaient que l'image, ne se ramène pas à la pure attitude intérieure d'un cœur broyé et d'un esprit brisé [608]. Commentant le verset d'Isaïe : « Lavez-vous, purifiez-vous », Jérôme associe dans une même opposition aux sacrifices et aux solennités d'antan la « religion de l'Évangile » et le « bain de la régénération », c'est-à-dire le baptême, par lequel on est plongé dans le sang du Christ [609]. C'est donc aussi l'Église dans son ministère des sacrements que l'intelligence spirituelle découvre dans les paroles du prophète.

Le baptême est ici clairement mis en rapport avec la Passion. Ailleurs l'image de l'eau jaillissant du rocher fendu, figure du flanc du Christ ouvert par la lance du soldat et d'où coule du sang et de l'eau, symboles du baptême et du martyre, y ramène par un autre biais [610]. C'est dans ce rapport au sacrifice du Christ que l'eau baptismale opère la rémission des péchés [611] et consacre au service de Dieu [612]. C'est aussi parce qu'à l'eau qui vient de l'homme répond l'Esprit donné par Dieu [613] dans ce « baptême du Christ » qui fait renaître de l'eau et de l'esprit, selon la parole de Jésus à Nicodème [614]. La présence du thème de l'eau, et particulièrement de l'eau qui purifie, dans le texte du prophète donne donc occasion d'y découvrir quelques annonces du baptême [615].

---

603. *In Is.* 666 B. Cf. 673 A : « usque hodie offerunt in domo Dei, quae est ecclesia... »

604. *In Is.* 648 AB et 607 D.

605. « ... omnes qui extra montem fuerint occidendos » (651 C).

606. « Quicumque habitauerit in ea, tradetur ei lex euangelii in cuius thesauro salus nostra est » (364 CD).

607. « ... ecclesiam Christi in qua est uera solemnitas » (369 A) : « ... euangelii oboedientiam docet esse super sacrificium » (34 A). Jérôme a une conscience particulièrement aiguë de ce que cette « religion de l'Évangile » se présente en rupture totale avec les rites sacrificiels de l'ancien culte (cf. 35 CD). D'où la vigueur de ses condamnations non seulement des Juifs, mais encore des Ébionites « qui accueillent l'Évangile sans abandonner les cérémonies des superstitions juives qui l'avaient précédé comme une ombre et une image » (27 A ; cf. 34 B).

608. Cf. 275 B, 34 B et 35 A citant *Ps.* 50, 19.

609. *In Is.* 1, 16 (35 CD) : « Pro superioribus uictimis... etc., euangelii mihi placet religio, ut baptizemini in sanguine meo per lauacrum regenerationis... » L'expression est reprise de saint Paul (*Tit.* 3, 5).

610. *In Is.* 48, 21 : « ... cuius latus lancea uulneratum aquis fluxit et sanguine, baptismum nobis et martyrium dedicans » (463 C). Cf. *Tract. de ps.* 84, 9 : « Per sanguinem, per passionem Christi et per aquam, per baptismum » (CC 78, 106 = Morin, p. 95).

611. « ... lauacrum regenerationis quod solum potest peccata dimittere » (35 D). Cf. 73 D et aussi 505 A (voir note suivante).

612. *In Is.* 52, 15 : « Iste asperget gentes multas, mundans eas sanguine suo et in baptismate Dei consecrans seruituti » (505 A).

613. *In Is*, 74 A.

614. « ... baptisma Christi » (36 A ; cf. 376 B : « aquae baptismi salutaris »). « Nisi enim quis renatus fuerit ex aqua et spiritu... » (35 D, cf. *Ioh.* 3, 5). Cf. 435 B.

615. On peut toutefois relever, outre la rareté de ces références, l'absence dans l'*In Isaiam* des grands thèmes de la typologie baptismale (paradis, déluge, passage de la mer Rouge, traversée du

Plus difficiles à cerner sont, dans notre Commentaire, les références à l'eucharistie. Car si pour Jérôme il est clair que le Christ est « le pain vivant », « le pain descendu du ciel » qui apaise toute faim [616], il s'en faut de beaucoup que de telles expressions renvoient toujours au pain sacramentel. L'Écriture lui fournit en effet d'autres images qui présentent le Christ comme une nourriture : ainsi l'agneau pascal « est mangé dans l'unique Église [617] » ; le pain et l'eau, comme l'attestent Ancien et Nouveau Testaments, désignent « toute parole d'enseignement [618] », formule qui s'éclaire par le *Commentaire sur Osée* où l'évocation de la manne et de l'eau jaillie du rocher amène Jérôme à écrire : « Ils ont mangé *dans les saintes Écritures* le pain descendu du ciel [619] ». De fait, pour lui comme pour Origène, « la parole des Écritures, l'enseignement divin sont véritablement le corps du Christ et son sang », tout comme l'eucharistie [620].

C'est bien celle-ci cependant que visent sans ambiguïté d'autres passages. Des expressions comme « la coupe du sacrement [621] » ou, quelques lignes plus bas, « la chair mystique [622] » évoquent clairement le mystère eucharistique. De même, « le froment dont est fait le pain du ciel, c'est celui dont le Seigneur dit : "Ma chair est vraiment une nourriture", puis à propos du vin : "Mon sang est vraiment une boisson" [623]... ». Et les mots du prophète : « Mangez, buvez : debout, princes ! saisissez le bouclier ! » sont l'occasion de ce commentaire : « Il est dit à tous les croyants, en mangeant et en buvant le corps et le sang du Christ, de se changer en princes de l'Église et, s'entendant dire avec les apôtres : debout ! de saisir dans les armes de l'apôtre Paul le bouclier de la foi sur lequel ils peuvent éteindre les traits enflammés du diable [624] ». A

Jourdain...) étudiés par P. Lundberg *(La typologie baptismale dans l'ancienne Église)* et J. Daniélou *(Sacramentum futuri).*

616. « ... illo pane qui de caelo descendit, quem qui comederit numquam esuriet... » (347 D ; cf. 256 B : panem uiuum...). Il y a ici contamination de *Ioh.* 6, 51 (« Je suis le pain vivant qui descend du ciel ») et 4, 14 (« qui boira de cette eau n'aura plus jamais soif »).

617. *In Is.* 666 B.

618. *In Is.* 83 B : « Quod autem omnis sermo doctrinae panis appelletur et aqua, illud docet euangelium (cf. *Luc.* 4, 4 et *Ioh.* 4, 13)... et in psalmo dicitur... » (cf. *Ps.* 22, 2). Jérôme parle de même du « vin des saintes Écritures » *(In Is.* 38 C).

619. HIER. *In Osee* 13, 5-6 : « Comederunt enim in sanctis scripturis panem qui de caelo descendit » (PL 25, 934 B. Cf. *In Ez., ibid.* 475 C).

620. « Quando dicit : "Qui non comederit carnem meam et biberit sanguinem meum", licet et in mysterio (= l'eucharistie) possit intelligi, tamen uere corpus Christi et sanguis eius sermo scripturarum est, doctrina diuina est » *(Tract. de ps.* 147, 14 : CC 78, 337-338 = Morin p. 301-302. Cf. *Tract. de ps.* 145, 7 *ibid.* 326 = Morin p. 290 ; *In Eccl.* 3, 12-13 : PL 23, 1039 A). Même rapprochement chez Origène, par exemple *In Num. hom.* 16, 9 : « Bibere autem dicimur sanguinem Christi non solum sacramentorum ritu sed et cum sermones eius recipimus, in quibus uita constitit, sicut et ipse dicit : "Verba quae locutus sum spiritus et uita est"... » (Or. W. 7, 152). Pour une étude systématique de l'Écriture et de l'Eucharistie comme repas du Seigneur chez Jérôme, voir l'ouvrage de W. HAGEMANN, *Wort als Begegnung...*, ch. 9, p. 169-191.

621. *In Is.* 529 C : « calicem sacramenti », dans une évocation de l'institution de l'eucharistie, avec citation de *Mt.* 26, 27-28.

622. *Ibid.* 530 A : « ... mysticam carnem... »

623. *In Is.* 62, 8 (608 B) : « Triticum quoque de quo panis caelestis efficitur illud est de quo loquitur Dominus : "Caro mea uere est cibus" rursumque de uino : "et sanguis meus uere est potus" *(Ioh.* 6, 56). » En revanche ailleurs le lait et le vin en rapport avec la Passion renvoie à un usage *baptismal* des églises d'Occident (529 CD). Voir ci-dessus, p. 261, la note 268).

624. *In Is.* 21, 5 : « ... diciturque ad omnes credentes ut, comedentes et bibentes corpus et sanguinem Domini, uertantur in principes ecclesiae et cum apostolis audiant : Surgite ! Arripiant-

l'évocation du sacrement s'ajoute ici l'affirmation de son efficacité, qui fait du chrétien un nouvel apôtre pour le combat que mène aujourd'hui l'Église.

Entre le premier avènement du Christ qui la fonde et son retour eschatologique qu'elle attend, l'Église est en effet affrontée à une lutte incessante dont le texte prophétique contient l'annonce. La « puissance adverse », que symbolisent ici les Assyriens [625], là leur roi Sennachérib [626], ailleurs de façon imagée l'homme monté sur un chameau de l'oracle sur Babylone [627], c'est effectivement « le diable, en hébreu Satan, c'est-à-dire l'adversaire », contre lequel ont déjà lutté victorieusement les apôtres [628]. Ange de lumière tombé du ciel [629], puissance trompeuse [630], Jérôme le reconnaît, dans le *Livre d'Isaïe*, sous les images du serpent, du dragon, du Léviathan... [631]. C'est encore le forgeron qui souffle sur les braises, artisan du mal bien que créé par Dieu [632] dont il peut être aussi l'instrument [633].

Il n'agit pas seul, mais ses auxiliaires ne sont pas uniquement les puissances démoniaques ; ce sont aussi ces « faux apôtres, ouvriers de mensonges, qui se métamorphosent en apôtres du Christ pour semer l'ivraie après le bon grain [634] », en d'autres termes les hérétiques, qui sont son œuvre [635]. Ceux-ci constituent pour le bouillant ami d'Épiphane de Salamine une cible privilégiée, d'autant plus dangereux sans doute à ses yeux que, ennemis de l'intérieur, ils introduisent au cœur de l'Église les erreurs des païens ou des traditions juives [636]. Il excelle en tout cas à déceler dans les paroles du prophète, celles en

---

que clipeum fidei de armatura apostoli Pauli, in quo possint ignita diaboli iacula exstinguere » (262 AB, cf. *Eph.* 6,10 et 16).

625. *In Is.* 14, 25 (« ... conteram Assyrium... ») : « Quod autem conterantur et conculcentur Assyrii, id est contrariae fortitudines, et illud euangelicum docet... » Suivent des citations de *Luc.* 10, 19 et de *Ro.* 16, 20 qui renvoient à Satan (227 C).

626. *In Is.* 138 B : « ... hunc regem typum esse aduersariae fortitudinis. » Même expression chez Eusèbe *ad locum* (= Eus. W. 9, 76, 12) : « ... ἐπὶ τὴν ἀντικειμένην δύναμιν τὴν τοῦ Ἀσσυρίων ἔθνους... » mais sens et contexte différents ; ailleurs cependant l'expression s'applique aux démons (*Ibid.* 131, 24). Voir aussi *In Hieremiam* 27, 6-7 : PL 24, 850 B (ci-dessus n. 416, p. 287).

627. *In Is.* 21, 7 (263 A) : « ... ascensorem cameli contrariam fortitudinem... »

628. *In Is.* 27, 1 à propos de Léviathan : « ... diabolum... hebraice appellari *Satan*, hoc est aduersarium » (305 D). Cf. 306 C : « ... apostoli accipiunt potestatem ut calcent super serpentes... » etc. (cf. *Luc.* 10, 19).

629. *In Is.* 14, 12 (« Quomodo cecidisti de caelo, Lucifer ?... ») : « ... de caelo... ille cecidit per superbiam..., suo uitio de Lucifero Vesper effectus » (220 A. Cf. 63 C).

630. « ... ut omnes sua fraude deciperet » (*ibid.* ; cf. 222 C, 421 D : insidias diaboli).

631. Voir par ex. 306 AD (sur *Is.* 27, 1), 342 AB (sur *Is.* 30, 6), etc.

632. *In Is.* 54, 16 : « Ego qui creaui fabrum sufflantem in igne prunas, hoc est diabolum omnium malorum artificem... » (527 B).

633. Voir *In Is.* 10, 15 : « Quidquid autem Assyrio dicitur... ad diabolum referri potest qui securis et serra et uirga in Scripturis appellatur... » (137 C ; cf. 352 D).

634. *In Is.* 220 A : « ... satellites suos... Isti sunt falsi apostoli, operarii mendaces, qui transfigurantur in apostolos Christi, qui bono semini lolium superseminant... » Allusion à la parabole du semeur (*Mt.* 13, 24-25).

635. Voir par exemple 527 D.

636. Jérôme associe en effet volontiers les hérétiques soit aux philosophes et à la « sagesse du siècle » (116 D : « Iuxta anagogen omnis haereticus qui iunxerit auxilio suo sapientiam saecularem... » ; cf. 253 C), soit aux Juifs et Pharisiens (318 C. Cf. « les synagogues de Satan » en 216 B, 268 C, 222 D), soit aux uns et aux autres à la fois (334 A, 527 CD, 530 A). On pourrait hésiter sur la portée de l'expression « les synagogues de Satan ». Que veut dire en effet Jérôme lorsqu'il parle de « ce que disent les hérétiques dans les synagogues de Satan » (216 B) ? Pris à la lettre cela n'a guère de sens. Voudrait-il simplement parler « d'assemblées du diable », sans référence aux Juifs ?

particulier qui visent Ephraïm et les tribus du Nord [637], l'annonce de ces hérésies « qui ont tourmenté l'Église et la ravagent encore [638] », souillant la pureté de la foi véritable [639]. Contre elles ont lutté les apôtres, « taillant à ras leurs pousses, de crainte de voir une hérésie naître d'une autre [640] ». Et c'est encore la tâche de « l'homme de l'Église » que de briser les liens dans lesquels les hérétiques retiendraient prisonniers les simples [641]. Lutte sans merci qu'on doit mener avec les flèches spirituelles que sont les textes des Écritures [642] jusqu'à la mort de l'hérétique, qu'il faut entendre comme sa renonciation à l'hérésie [643]. De fait, si les hérétiques provoquent la colère de Dieu [644], le Seigneur ne les en pousse pas moins chaque jour au repentir [645].

De cet hérétique le *Commentaire sur Isaïe*, comme toute l'œuvre de Jérôme, offre un portrait peu flatteur. Préférant à l'inspiration divine sa propre inspiration [646], il a pour trait dominant, et pour ainsi dire constitutif, l'orgueil [647], qui le fait « se dresser contre la science de Dieu [648] ». Adorant les images de leurs erreurs [649], les hérétiques « ajoutent maisons à maisons, c'est-à-dire dogmes à

Mais ailleurs sous sa plume la formule désigne sans la moindre ambiguïté la Synagogue (par exemple *(Epist.* 84, 3 et 112, 13 contrairement aux indications du *Dictionnaire* de Blaise) et l'on ne peut douter que l'emploi du terme ne comporte une telle référence. Elle pourrait n'être que symbolique, la Synagogue étant devenue en quelque sorte par son refus du Christ l'image privilégiée de la docilité au diable. Mais il faut sans doute aller plus loin. Le nombre des références, dans notre Commentaire, aux hérésies judaïsantes donne à penser que lorsque Jérôme écrit que l'hérésie « fait des églises du Christ des synagogues du diable » (222 D), il a en vue un lien très réel, et même très actuel, entre l'hérésie et la Synagogue (voir ci-dessous la note 671).

637. *In Is.* 315 D, cf. 340 A et *In Os.* 1, 5 (PL 25, 826 A). Comme Jérusalem est la figure de l'Église, Samarie symbolise l'hérésie. Cf. *In Mich.* 1, 1 : « Quod autem Samaria et decem tribus quae scissae sunt sub rege Hieroboam a stirpe Dauid accipiantur in persona haereticorum, et omnis quidem scriptura testatur, sed maxime propheta Osee et hic ipse liber (= *Michée*), qui haereticos impios et ecclesiasticos peccatores uocat » (PL 25, 1153 BC). C'est là un héritage de l'exégèse origénienne, comme l'avait bien vu F.M. Abel (*Saint Jérôme et les prophéties messianiques*, dans la *Revue Biblique*, Nouvelle série, 13, 1916, p. 425), renvoyant au prologue de l'*In Osee* où Jérôme évoque un bref ouvrage d'Origène sur ce prophète, dans lequel « il voulait montrer que tout ce qui y est dit contre Ephraïm doit être rapporté aux hérétiques » (*ibid.* 819 AB).

638. « ... ut de haeresibus quoque quae ecclesiam uexauerunt et hucusque populantur sermo propheticus nuntiaret... » (*In Is.* 246 C : cf. 116 D, 270 A).

639. « ... munditiam uerae fidei haeretica sorde pollueret » (*ibid.* 222 D).

640. *In Is.* 16, 8 : « ...(uineae Sabama) apostoli et apostolici uiri flagella et propagines penitus absciderunt ne ex aliis haeresibus aliae nascerentur haereses » (237 B).

641. *In Is.* 58, 6 : 567 B ; cf. 255 C.

642. *In Is.* 14, 18 : « ... filios haereticorum interficiamus sagittis spiritalibus, id est testimoniis Scripturarum » (214 B).

643. *In Is.* 213 C.

644. *In Is.* 631 C.

645. « Quotidie Dominus Deus exercituum prouocat haereticos ad paenitentiam » (272 A, cf. 344 D).

646. « ... Omnes haereticos, qui Dei spiritum relinquentes sequuntur spiritum suum. » Cette définition est tirée de l'*In Ezechielem* (PL 25, 109 A ; cf. *In Hier.* 823 D-824 A). Mais elle est déjà sous-jacente à la formule du prologue à Amabilis critiquant l'allégorisme d'Origène (« ... ingenium suum facit ecclesiae sacramenta... » 154 C).

647. « Quis enim haereticorum non superbus est ? » (236 B). Les références à l'orgueil des hérétiques sont innombrables.

648. *In Is.* 13, 5 : « Haereticorum describitur superbia qui... eriguntur contra scientiam Dei » (208 C ; cf. 136 A).

649. « Errorum suorum simulacra uenerantur... » (551 A, cf. 49 B). Idée voisine en 208 B : « Gaudent in errore suo... »

dogmes », mais ce qu'ils construisent n'est que paille et foin [650] et, en dépit de leurs promesses, ils rabaissent la sublimité des Écritures à des pensées à ras de terre [651]. Aussi la légèreté de leurs propos discordants [652] les désigne-t-elle comme ces cymbales sonores condamnées par le prophète [653]. Singeant la raison humaine dans leurs discours sans vie [654], leur orgueil les conduit à être véritablement une injure à la vérité qu'ils blasphèment [655], menteurs qu'ils sont dès le principe comme leur père le diable [656]. Loin de leur reconnaître des excuses dans leurs erreurs, Jérôme n'a pas de mots assez durs pour condamner leur duplicité. « Tout hérétique est un hypocrite », écrit-il comme une évidence en écho aux paroles prophétiques [657]. Car non contents d'être dans l'erreur, les hérétiques tentent « d'abuser tous les simples [658] ». On comprend donc que « la tropologie » permette de les découvrir derrière « les fils de perdition », la « pire des races », et autres expressions de la perversité que véhiculent les oracles des prophètes [659]. Ce sont eux encore « les mercenaires d'Ephraïm », car c'est à l'appât du gain qu'ils cèdent [660]. « Livrés aux désirs de leur cœur [661] », ils sont en fin de compte la proie du diable, en l'étant de toutes les passions [662].

Par-delà ces traits généraux, ces hérétiques ont parfois un visage. Nous avons vu Jérôme faire allusion au docétisme et à l'hérésie, contemporaine, d'Apollinaire à propos d'un verset préfigurant le Christ [663] ; une autre référence à l'actualité, anonyme mais transparente, dénonce Vigilance et son hostilité au culte des martyrs [664]. L'évocation par le prophète de l'ancienne piscine de Jérusalem vise aux yeux du commentateur les hérétiques qui

---

650. « Domos domibus, id est dogmata coniungunt dogmatibus ; (...) aedificent ligna, fenum, stipulam » (80 B).

651. In Is. 267 A : « ... omnes peruersorum dogmatum principes, qui corruerunt de sublimitate sensus sanctarum Scripturarum et ad humilia deuoluti sunt.» Cf. 247 A : « omnis haereticus pollicetur excelsa. »

652. In Is. 246 D : « ... propter leuitatem sermonis haeretici in diuersa currentis... » ; cf. 268 C : « ... discordes in perfidia... » et, dans le même passage, « multa haereseon uarietas » (268 A, cf. 550 B) ou « diuersitas » (269 B). Cf. 80 B où l'allusion transparente à la tour de Babel va dans le même sens.

653. In Is. 18, 1 : « alarum cymbalum dicuntur », avec rapprochement de 1 Cor. 13, 1 car « les hérétiques n'ont pas l'amour de Dieu » (246 D).

654. In Is. 52 D.

655. In Is. 28, 1 : « Vere iuxta Septuaginta editionem "corona iniuriae sunt", Dominum blasphemantes... » (315-316. Cf. 212 B).

656. In Is. 57, 4 : « Ab initio mendaces sunt sicut diabolus... » (550 B). Cf. In Is. 30, 9 : « Secundum tropologiam omnes haeretici "mendaces filii" appellantur » (343 B).

657. In Is. 9, 16 : « Omnis enim haereticus hypocrita est, aliud agens et aliud simulans » (132 C).

658. L'expression est de l'In Hieremiam 12, 16-17 : PL 24, 763 B. Mais on relève en abondance dans l'In Isaiam un vocabulaire de la tromperie : decipere, decipulae, fraus, etc.

659. In Is. 57, 4 : « Possumus haec secundum tropologiam et super haereticis accipere qui filii perditionis sunt, et semen pessimum » (550 AB). Cf. 38 C : « caupones pessimi », 269 B : haeretica peruersitas », etc.

660. In Is. 28, 1 : « ... mercenarii appellantur Ephraïm (316 A). « ... omnia mercedis causa faciunt... » (ibid.) Cf. 247 D.

661. In Is. 254 B : « Traduntur autem in desideriis cordis... » (Cf. Ro. 1, 24).

662. « ... dulcissimus cibus diaboli sunt qui eos quotidie deuorat... » (316 A, cf. 317 C).

663. Ci-dessus, p. 311 et la note 554 sur In Is. 53, 3 (506 C).

664. In Is. 65, 4-5 : « ... omnes haeretici quales nuper sub magistro cerebroso in Gallia pullularunt, qui basilicas martyrum declinantes, nos qui ibi orationes ex more celebramus, quasi immundos fugiunt » (633 A).

« condamnent l'Ancien Testament » [665], formule dont une réplique au singulier définit selon toute vraisemblance Marcion, nommément désigné quelques pages plus haut comme un de ceux qui le « déchirent » [666]. Autre hérésiarque, que figurent les chefs de Jérusalem livrés à l'ivresse : Montan, avec ses deux disciples, Prisca et Maximilla [667], dont Jérôme avait déjà écarté, au début de son Commentaire, la conception de l'inspiration prophétique [668]. D'autres encore pourraient être identifiés ici ou là derrière telle pointe polémique [669].

Ce sont toutefois les hérésies judaïsantes dont l'exégèse spirituelle, par sa condamnation du littéralisme juif, amène le plus normalement l'évocation. Elles se manifestent essentiellement sous deux aspects. Le premier consiste à « accueillir l'Évangile sans abandonner les rites des superstitions juives qui l'ont précédé comme une ombre et une image » et qui se trouvent donc abolies : c'est l'erreur d'Ébion, en hébreu « le pauvre », qui, ce faisant, ironise Jérôme après d'autres, a bien mérité son nom [670]. Une forme atténuée de cette hérésie, qui limite aux seuls chrétiens issus du judaïsme le respect de ces observances, est entraînée dans la même condamnation [671].

A ce premier héritage de « l'erreur des juifs » les Ébionites en ajoutent un

---

665. *In Is.* 22, 11 : 271 C.

666. *In Is.* 254 A : « Sin autem scandalizatur haereticus qui uetus non recipit testamentum... » Cf. 247 A : « ... Marcion et omnes haeretici qui uetus lacerant testamentum. » Marcion est encore mentionné en 105 B, 442 C, et en 633 A avec le gnostique Valentin et Eunome.

667. *In Is.* 28, 5-9 : 317-318.

668. Voir *In Is.*, prol. : 19 B et 1, 1 : 23 B et, ci-dessous, p. 352.

669. C'est, par exemple, l'arianisme qui est visé derrière les « blasphèmes » ou les « calomnies des hérétiques sur le Verbe » (668 A et B), ou encore Origène à travers les tenants de la pénitence finale du diable (224 D, 245 D, 292 C, etc.). Mais il n'entre pas dans les perspectives de cette étude de faire un bilan systématique de la polémique antihérétique de Jérôme dans l'*In Isaiam*.

670. *In Is.* 27 A : « ... Ebion, dignus pro humilitate sensus paupertate nominis sui, qui sic recipit euangelium ut iudicarum superstitionum quae in umbra et imagine praecesserunt caerimonias non relinquat. » Cf. 34 B et, pour le jeu de mot sur le nom, 672 B. Alors qu'Origène et Eusèbe expliquent par l'étymologie le nom de la secte (voir en particulier Eusèbe, *HE* III, 27, 1 et ci-dessus n. 275, p. 184), Jérôme semble considérer Ébion comme un personnage réel. Peut-être suit-il en cela Épiphane (par ex. *Haer.* 30, 1 : « Ἐβίων ἀφ᾽ οὗπερ Ἐβιωναῖοι » éd. Holl., t. I, GCS 25, 333 ; cf. 30, 2 et 18, *ibid.* 334 et 357) dont il a pu très tôt connaître l'œuvre, terminée en 377, par ses relations avec Paulin d'Antioche (la première mention qu'il fait d'Ébion se trouve dans l'*Altercatio Luciferiani* 23 : PL 23, 178 B qui remonte vraisemblablement au second séjour à Antioche). Mais Tertullien aussi parle toujours d'Ébion, et jamais d'Ébionites ; or on sait ce que lui doit l'*Altercatio* (voir l'étude d'Y.M. Duval sur *Saint Jérôme devant le baptême des hérétiques. D'autres sources de l'Altercatio Luciferiani et Orthodoxi*, dans la *RÉAug* 14, 1968, pp. 145-180).

671. *In Is.* 34 B : « Audiant Ebionitarum socii qui Iudaeis tantum et de stirpe israelitici generis haec custodienda decernunt » ; cf. 513 B. Le fond de la pensée de Jérôme sur ce chapitre apparaît clairement dans une lettre à Augustin antérieure de quelques années : « Si pèse sur nous la nécessité d'accueillir les juifs avec leurs prescriptions légales », y écrit-il, « s'il leur est permis d'observer dans les églises du Christ ce qu'ils ont pratiqué dans les synagogues de Satan, je vais dire mon sentiment : ce n'est pas eux qui se feront chrétiens, mais nous qu'ils feront juifs » (*Epist.* 112, 13, 3 de 404). Il ressort de la lettre que la position d'Augustin, en dépit de sa responsabilité épiscopale, est beaucoup moins tranchée. La chose peut ne pas s'expliquer seulement par les tempéraments des deux hommes. L'intransigeance de Jérôme a toutes chances de refléter une menace qui pèse réellement alors sur les églises de la région, et elle est sans doute à verser au dossier du mouvement judaïsant d'Antioche vigoureusement dénoncé à la même époque par saint Jean Chrysostome (voir, dans les *Recherches d'histoire judéo-chrétienne* de Marcel Simon, le ch. VII sur « la polémique anti-juive de saint Jean Chrysostome et le mouvement judaïsant d'Antioche », reprise d'un article paru dans les *Mélanges Franz Cumont*, Bruxelles, 1936).

second : le millénarisme [672]. Mais ils sont ici en bonne compagnie. Nombreuses sont en effet dans le *Commentaire sur Isaïe* les références à cette hérésie, qui se ramène à prendre à la lettre les promesses messianiques et à en attendre la réalisation matérielle en un règne de mille ans de bonheur terrestre [673].

Description des temps messianiques [674], évocation par le prophète de l'abondance des biens qui symbolisent le bonheur de l'existence [675] : autant d'occasions de dénoncer ceux qui, esclaves de leurs passions, prennent à la lettre ces images et rêvent « de mets délicats, d'embonpoint, de faisans et de tourterelles farcis, de vin pur ou coupé de miel, de belles épouses [676] », etc. C'est bien là « prêter l'oreille aux traditions juives [677] », comme le soulignent à l'envi des formules comme : « Certains des nôtres à la manière des Juifs... [678] » ou : « Les chrétiens qui judaïsent [679] » et, plusieurs fois, l'association : « Les Juifs et nos judaïsants... [680] ».

C'est encore « judaïser » que d'attendre la réalisation de ces rêveries dans le cadre d'une « Jérusalem terrestre d'or et de pierreries », en comprenant matériellement les annonces prophétiques d'un renouveau de Sion [681] et en croyant trouver dans l'*Apocalypse* la justification d'une telle lecture, comme si la Jérusalem nouvelle que l'apôtre voit descendre du ciel pouvait relever d'une interprétation littérale [682]. Et l'on comprend que Jérôme établisse un lien entre cette eschatologie millénariste qui postule en particulier la restauration du temple et du culte [683] et l'autre forme d'erreur judaïsante qui voudrait imposer

---

672. *In Is.* 66, 20 : « Iudaei et iudaici erroris haeredes Ebionitae, (...) omnes mille annorum delicias praestolantes, equos et quadrigas (...) et diuersi generis uehicula sic intellegunt ut scripta sunt » (672 BC).

673. Voir par exemple *In Is.* 30, 26 : « ... mille quoque annorum fabulam et terrenum Saluatoris imperium... » (350 C). Référence aux mille ans en 187 C, 205 B, 350 C, 513 B, 516 B, 522 B, 578 A, 627 B, 641 B, 651 C, 672 B et, par la mention du nom (Χιλιασταί, Milliarii), en 531 B, 628 C et 676 A.

674. Par exemple *Is.* 11, 6 et 65, 23.

675. Nourriture ou boisson à satiété (*Is.* 23, 18 ; 55, 2 ; 65, 13) ; descendance nombreuse (54, 1), etc.

676. *In Is.* 531 B : « Non iuxta Χιλιαστὰς opum abundantiam et delicatos cibos et crassitudinem corporis phasidesque et fartos turtures, mulsum, merum, uxorum pulchritudinem, examina liberorum Dominus animae pollicetur... » Cf. 522 B et 627 B où des évocations analogues sont mises en rapport avec l'*Apocalypse*.

677. *In Is.* 578 A : « Qui igitur audiens traditiones iudaicas ad escas se mille annorum uoluerit praeparare... » Mais cela revient aussi à prendre au sérieux « les légendes des poètes » et les ruisseaux de vin ou de lait et la rosée de miel de l'âge d'or (*ibid.* 147 C, 350 C).

678. « Quidam nostrorum... more iudaico... » (187 C).

679. « Christiani iudaizantes... » (205 B). Cf. 587 D-588 A : « Quorum qui sequitur errorem sub nomine Christiano Iudaeorum se similem confitetur. »

680. « Iudaei et nostri iudaizantes... » (147 B, 470 D, 378 A, 516 B). Cf. 522 B où l'expression « amatores tantum occidentis litterae », ailleurs associée aux juifs (cf. 572 A), désigne des judaïsants.

681. *In Is.* 627 B : « ... auream et gemmatam in terris Hierusalem... » Cf. *Is.* 49, 14-21 et 54, 11-14.

682. Références à l'*Apocalypse* en 350 C, 470 D, 522 B. Voir surtout le prologue du livre XVIII (627 AC) où Jérôme évoque quelques-uns de ses devanciers, et non des moindres, qui sont tombés dans cette hérésie et donne de leur erreur la présentation la plus complète.

683. « ... instaurationem templi, hostiarum sanguinem, otium sabbati, circumcisionis iniuriam... » (*ibid.* ; cf. 513 B, 522 B). On voit qu'une telle eschatologie était contredite en fait par la description même de la nouvelle Jérusalem dans l'*Apocalypse*. Cf. *Apoc.* 21, 22 : « Et je n'y ai pas vu de sanctuaire, car son sanctuaire c'est le Seigneur Dieu. »

dans l'Église du Christ l'observance des rites de l'ancienne Loi [684]. Mais on peut observer que dans quatre cas sur cinq il oppose comme explication spirituelle à ces « extravagances » dignes des juifs [685] non une interprétation eschatologique correcte, mais l'accomplissement dès à présent constatable de l'oracle prophétique dans le Christ et dans son Église [686]. Incontestablement la pensée de l'exégète s'oriente plus volontiers vers le premier avènement du Sauveur que vers le second [687].

C — L'eschatologie

En dépit de cette préférence l'annonce des derniers temps n'est pas absente de l'interprétation spirituelle que donne Jérôme du livre d'Isaïe. Deux ordres de réalités antithétiques dans le texte du prophète pouvaient l'introduire assez naturellement : d'une part les menaces de ruines et de malheurs tant sur Israël que sur les « nations » [688], voire les descriptions apocalyptiques paraissant viser le monde entier [689], d'autre part, surtout dans les derniers chapitres, les promesses d'un rétablissement de Jérusalem avec les manifestations de la gloire de Yahvé qui l'accompagnent [690].

De fait, on pourrait tirer du *Commentaire sur Isaïe* un certain nombre d'éléments d'une eschatologie à double face. Sans doute la vision des derniers temps y a-t-elle des couleurs de ruine et de dévastation que symbolise l'ébranlement des astres, ou, à propos de la « confusion du monde », l'évocation de Sodome et Gomorrhe [691]. C'est en effet le « jour du jugement », où le Sauveur qui est aussi le juge rendra à chacun selon ses œuvres [692], jour de colère et de condamnation qui débouche sur l'enfer, le feu de la géhenne, la mort éternelle [693]. Et Jérôme de s'en prendre au passage, arguments

---

684. *In Is.* 513 B : « Qui (...) ueteris legis caeremonias in ecclesia Christi a stirpe credentis Israel asserunt esse seruandas, debent et auream in mille annis exspectare Hierusalem, ut uictimas immolent... » De même les Ébionites allient les deux erreurs, qui relèvent, au fond, d'un même littéralisme.

685. *In Is.* 522 D : « iudaica deliramenta. »

686. Voir *In Is.* 148 B : « Quod cotidie cernimus in ecclesia. » En revanche, en 589 A, Jérôme ne condamne pas une interprétation eschatologique « pourvu qu'on voie bien qu'il s'agit d'un accomplissement spirituel. » En 672 B, Jérôme oppose à l'interprétation millénariste une double explication, eschatologique (la Jérusalem céleste) et ecclésiologique (l'Église présente).

687. Voir *In Is.* 35, 3-10 : « Quae omnia nos iuxta apostolum Paulum in primo Saluatoris interpretatur aduentu ; Iudaei autem et nostri iudaizantes ad secundum referunt » (378 A).

688. Par exemple, sur Israël, l'évocation du « jour de Yahvé » au ch. 2 du recueil ; sur les nations, essentiellement l'oracle sur Babylone (ch. 13-14).

689. On pense surtout à ce que les modernes appellent « l'Apocalypse d'Isaïe » (= ch. 24-27) dont l'exégèse occupe le livre VIII du Commentaire, et aussi à la « petite Apocalypse » des ch. 34-35.

690. En revanche les descriptions des temps messianiques sont l'occasion pour Jérôme de combattre l'eschatologie millénariste au profit d'interprétations « in primo aduentu Christi » (voir par exemple *In Is.* 147-148, 651).

691. *In Is.* 13, 18 : « ... in fine mundi (...) ita omnia subuertantur sicut subuertit Deus Sodomam et Gomorrham » (215 D).

692. *In Is.* 62, 11 : « Saluator iudex est omnium ut reddat unicuique secundum opera sua » (609 B).

693. *In Is.* 83 C : « ... de inferis et gehenna » (dans une interprétation de « certains » mentionnée rapidement) ; 245 D : « ... interitum sempiternum », cf. 609 C : « ... aeterna supplicia. » Voir aussi le commentaire du ch. 24 (*passim* 281-288).

scripturaires à l'appui, aux tenants de la « pénitence finale » du diable [694].

Mais, d'un autre côté, l'achèvement des temps apparaît sous le jour positif d'un accomplissement : couronnement du processus historique du salut par la conversion finale d'Israël [695], transformation de la création en des cieux nouveaux et une terre nouvelle [696], manifestation de la gloire de Dieu dans l'instauration de la Jérusalem céleste et dans la glorification de son peuple, appelé à se tenir éternellement en sa présence en ce repos du septième jour qui lui est réservé selon l'*Épître aux Hébreux* [697].

Il reste que Jérôme a du mal, même sur les versets qui s'y prêteraient le mieux, à sacrifier à l'eschatologie les types d'interprétation qui lui sont chers. L'oracle sur Babylone [698], par exemple, offrait un terrain de choix à ce genre de spéculation : non seulement il y est question de « toute la terre », mais y interviennent les images cosmiques de l'obscurcissement du soleil et des astres. Or, que fait Jérôme ? Il réduit la description apocalyptique à un phénomène psychologique : à des gens affolés tout paraît s'enténébrer [699]. Et non content d'expliquer que « c'est l'habitude de l'Écriture de dire "toute la terre" pour désigner le pays dont on parle », il s'attache à souligner que le grec οἰκουμένη donné par les Septante signifie « habitée » et désigne donc Babylone dont, précisément, la population est considérable [700].

Une telle insistance à s'en tenir à la stricte explication historique pourrait s'expliquer par le dessein particulier du livre V. En réalité une formule plus complète rencontrée quelques pages plus loin traduit sans doute mieux sa perspective : qu'on puisse reconnaître dans la ruine de Babylone une figure de la fin du monde, Jérôme n'y contredit pas, pourvu qu'il soit clair qu'au sens propre, qui fait précisément l'objet de la demande d'Amabilis, « toute la terre » c'est le pays des Assyriens et que « toutes les nations » désignent leurs alliés [701]. A cette condition donc l'interprétation eschatologique n'est sans doute pas, dans son principe, moins légitime que toute autre exégèse spirituelle et l'on s'explique qu'à la fin du livre, quand il présente rapidement, pour combattre une exégèse millénariste, sa propre interprétation spirituelle des

694. *In Is.* 224 D, 245 D.
695. *In Is.* 101 B : «... postquam intrauerit plenitudo gentium, tunc omnis Israel saluus fiat », cf. 350 B. C'est en réalité une formule paulinienne. Bien que Jérôme présente ailleurs cette exégèse parmi d'autres sans paraître la retenir (426 B : siue... ; 589 A : sunt qui...), il n'est pas douteux qu'elle correspond à sa pensée. Voir 99 D, où il cite explicitement dans son contexte le verset de l'Apôtre (= *Ro.* 11, 25-26), avec d'ailleurs une variante (*tunc* au lieu de *sic*) révélatrice de son sens de la dimension historique du salut, bien qu'elle lui vienne peut-être d'Origène. Cf. OR, *in Luc. hom.* 33, 2 et *in Luc. fragm.* 125 (Or. W. 9, 185 et 279 = SCh 87, 396 et 512).
696. *In Is.* 215 A, 674 A ; cf. 485 A : «... perditionem caelorum non interitum sonare sed mutationem in melius », avec citation d'*Apoc.* 21, 1.
697. *In Is.* 674 B : « Liberabuntur (...) in gloria filiorum Dei qui (...) stabunt in conspectu illius semper (...) ut de carnalibus sabbatis fiant spiritalia delicata, qui sabbatismus Dei populo reseruatur » (cf. *Hebr.* 4, 9).
698. C'est-à-dire les ch. 13 et 14 d'Isaïe.
699. *In Is.* 157 B : «... prae timoris magnitudine mortalibus cuncta tenebrescant et sol ipse et luna astraque rutilantia suum uideantur negare fulgorem. » Même type de réduction en 211 B (au livre VI), et aussi en 676 C, mais, cette fois, au compte de *plerique* et sous réserve que ne soit pas niée l'explication eschatologique.
700. *In Is.* 156 B : « Idioma est enim sanctae Scripturae ut omnem terram illius significet prouinciae de qua sermo est » et, sur οἰκουμένη, 157 C.
701. *In Is.* 14, 27 : 165 A.

oracles contre les nations, il puisse écrire sans avoir le sentiment de se contredire que la destruction de Babylone préfigure pour lui le temps de la fin du monde[702]. Il ne dira pas autre chose, le moment venu, dans le livre VI *iuxta anagogen*[703].

Il n'en est pas moins vrai qu'ailleurs d'autres passages confirment la prudence avec laquelle il aborde les interprétations de ce genre que lui livre la tradition : souvent il se borne à les mentionner rapidement sans s'y arrêter, en les laissant au compte d'autrui[704] ; ou bien il leur préfère une autre explication[705] ; parfois il les récuse explicitement au nom de la vérité du sens historique pour leur opposer une interprétation spirituelle qui la respecte[706]. Mais ce n'est pas seulement l'attachement au sens littéral qui retient Jérôme sur les voies de l'eschatologie. Fréquemment, c'est au profit d'une application de l'oracle au Christ ou à l'Église qu'il l'écarte ou la néglige. Ainsi « beaucoup des nôtres » ont beau rapporter à la fin du monde le début du chapitre 63, Jérôme ne s'en estime pas moins tenu de le comprendre du premier avènement du Christ, en invoquant sa cohérence avec un texte antérieur dont Jésus s'est fait à lui-même l'application[707]. Il avait préféré ailleurs à une explication purement eschatologique une exégèse à double portée qui voyait l'accomplissement partiel de l'oracle au temps du Christ, en attendant sa réalisation complète à la fin du monde[708]. Si l'on ajoute que, même sur les grandes pages d'Isaïe dont il accepte une explication eschatologique globale, Jérôme a tendance à revenir dans le détail à des applications christologiques[709], on est

---

702. *In Is.* 205 B : « Ego autem quomodo in uisione Babylonis sub typo euersionis eius consummationis tempus intellego... » Mais on peut observer que c'est le seul des oracles contre les nations dont il donne une interprétation eschatologique ; il est précisément en train de combattre une exégèse millénariste de l'oracle de Tyr, au bénéfice, comme pour l'Égypte, Moab ou Damas, d'une application au temps du Christ et de l'Église. Il n'y a aucune raison de voir dans ce rapide survol final de la signification spirituelle de ces oracles une trace d'un éventuel remaniement du commentaire à Amabilis au moment de son insertion dans l'ouvrage d'ensemble.

703. Voir en particulier 206 D, 215 D, 227 D. Mais dans ce dernier passage qui porte sur *Is.* 14, 26 l'accent s'est déplacé jusqu'à la contradiction par rapport au développement parallèle du livre V (165 A). En effet non seulement il y reprend à son compte l'assertion eschatologique des « quidam » à laquelle il opposait alors le sens propre du texte (« ... hic omnem terram Assyriorum proprie significari et uniuersas gentes socias regis Assyrii demonstratas »), mais il développe en sa faveur une argumentation qui revient à nier son analyse textuelle antérieure (« ... super omnem terram, id est orbem terrarum et non contra terram tantum Chaldaeorum et regem Assyrium atque Chaldaeum ; (...) super omnes gentes et non super unam gentem Babyloniam. *Ex quo ostenditur cuncta quae dicta sunt non ad unam prouinciam specialiter sed contra orbem terrarum generaliter pertinere* »). Subit-il l'influence d'une source ? En tout cas ce n'est pas d'Eusèbe qu'il dépend ici.

704. Par ex. 50 B (« multi... intellegunt... »), 83 C (« Quidam... uolunt... »), 350 B (« Quidam... referunt... »), 647 A (« siue... intellexeris... »).

705. Ainsi en 172 A : « Alii... Sed nos... » ; en 609 D : « Multi nostrorum... Nos autem... » ; en 157 BC : « Quidam... cum utique... » Cf. 146 A où l'eschatologie qu'il récuse est le fait des Juifs.

706. *In Is.* 23 B : « Quae nos contraria Christianorum fidei iudicantes uniuersa despicimus et sequentes historiae ueritatem sic interpretamur spiritaliter ut, quidquid illi de caelesti Hierusalem somniant, referamus ad Christi ecclesiam... »

707. *In Is.* 63, 1 (609 D-610 A). Le passage lui paraît en continuité avec *Is.* 61, 1 que Jésus s'applique à lui-même à la synagogue de Nazareth (*Luc* 4, 21). Il ne peut donc que renvoyer également au Christ.

708. *In Is.* 589 A ; cf. 598 C : « Quae licet ex parte in ecclesia quotidie uideamus expleri, tamen in mundi consummatione plenius complebuntur et in secundo Saluatoris aduentu. »

709. On peut en prendre pour exemple « l'Apocalypse » d'Isaïe, c'est-à-dire les chapitres 24 à 27 dont l'exégèse constitue le livre VIII de l'*In Isaiam*. Dès le commentaire à Amabilis, Jérôme

forcé de reconnaître que si le *Commentaire sur Isaïe* n'ignore pas l'eschatologie, il ne lui accorde pas une place considérable.

D — La vie de l'âme

Qu'il s'agisse de la venue du Sauveur, de l'Église ou de la fin des temps, c'est à la dimension collective du dessein de Dieu que nous a introduits jusqu'ici l'exégèse spirituelle. Bien que le genre du commentaire s'y prête moins que l'homélie, dont le rôle est d'actualiser pour chaque auditeur les enseignements de l'Écriture, il arrive pourtant que Jérôme, à propos du livre d'Isaïe comme dans ses autres commentaires, dégage des grandes perspectives théologiques qui viennent d'être évoquées des applications qui éclairent la vie spirituelle du chrétien [710]. Il n'y a pas en effet hiatus mais continuité entre le plan collectif et le plan individuel : en dernière analyse c'est à chaque homme que le salut est apporté, et le combat spirituel comme son couronnement eschatologique sont bien l'aventure de chacun. Aussi n'est-on pas surpris de relever dès le début de l'ouvrage une application à la fois « à l'Église du Christ et à ceux qui ou bien en sortent par le péché ou bien y reviennent par la pénitence [711] ». De fait, c'est bien par rapport à la réalité collective du salut incarnée par l'Église que se joue le destin de l'âme individuelle.

« Créée à l'image et à la ressemblance de Dieu », cette âme peut « méconnaître sa dignité et céder à la crainte des hommes [712] ». Elle mérite alors la malédiction du prophète contre « ceux qui s'enivrent du matin au soir » sans plus prêter attention à l'œuvre de Dieu, aveuglés qu'ils sont par le vin des passions [713]. Comment pourrait-il d'ailleurs en être autrement ? Car, comme le remarque Jérôme à l'occasion de la grande vision du chapitre 6 qui suit la mort d'Ozias, « quand règne en nous un roi lépreux, nous ne pouvons voir le Seigneur régner dans sa majesté [714] ».

---

considérait que ces oracles « concernaient toutes les nations et la fin du monde entier dans son ensemble » (« ... generaliter ad totius mundi consummationem... » 206 B). Il le répète en abordant leur commentaire : « « Maintenant la parole prophétique décrit ce qui arrivera à la fin à l'univers entier » (« ... quid totus orbis in consummatione passurus sit » 281 D) et il le redira on ne peut plus clairement en conclusion du livre : « Hucusque de consummatione mundi dictum est ab eo loco in quo exponere coepimus : "Ecce Dominus dissipabit terram et nudabit eam" (i.e. 24, 1), quod praesenti uolumine continetur » (314 B). Or, si c'est bien sa perspective dans le commentaire qu'il donne du ch. 24, on le voit tenté ensuite de revenir à des exégèses différentes (par exemple 289 C, 290 A, 302 BC, 309 A, etc.) plus conformes à ses habitudes.

710. On remarquera néanmoins que ces applications ne revêtent qu'exceptionnellement la forme de l'exhortation habituelle à l'homélie et qu'elles constituent plutôt une description des lois de la vie spirituelle.

711. *In Is.* 23 C : « ... referamus ad Christi ecclesiam et ad eos qui uel propter peccata egrediuntur ex ea uel ob paenitentiam reuertuntur ad sedem pristinam. »

712. *In Is.* 51, 12-13 : « Iuxta LXX ad omnem credentium dicitur animam quia, creata ad imaginem et similitudinem Dei, suam ignorauerit dignitatem, sed timuerit hominem... » (490 A).

713. *In Is.* 82 B : « Potest iuxta altiorem intellegentiam omnis animae perturbatio ebrietas appellari... » Préalablement à cette explication, Jérôme a tiré du verset une leçon de morale ecclésiale, l'appliquant aux princes de l'Église absorbés par les plaisirs.

714. *In Is.* 6, 1 : « Ex quo animaduertimus, regnante in nobis leproso rege, nos Dominum in sua maiestate regnantem uidere non posse » (92 A). Jérôme trouvait cette exégèse dans la première des homélies d'Origène sur Isaïe qu'il avait traduites jadis (OR. *in Is. hom.* 1, 1 : PL 24, 901 AB = Or. W. 8, 242).

La parabole de la vigne « s'applique également à la situation de l'âme humaine » : n'ayant pas donné les fruits espérés, elle est laissée à l'abandon [715]. Devenue la proie des vices, elle voit Dieu cesser de veiller sur elle [716] ; car, note encore notre exégète en écho à saint Paul, l'âme qui vit charnellement ne saurait plaire à Dieu [717]. Et aux âmes qui tombent dans le péché, il ne sert à rien d'avoir eu une vie vertueuse : comme les coquettes qui se pavanent dans Jérusalem seront dépouillées de leurs parures, elles perdront les vertus qui les paraient [718]. De fait, une fois qu'ils sont déchus de leur sainteté première, ce que les pécheurs ont fait de bon est réduit à néant ; Dieu les abandonne aux puissances adverses et ne se souvient plus de leur justice antérieure [719]. Dans sa colère il les livre au diable pour leur châtiment [720].

Pourtant ce n'est pas par hostilité que Dieu rejette ainsi l'âme pécheresse ; c'est par une disposition de sa miséricorde, pour qu'éprouvant le poids de ses maux elle revienne à lui, comme l'épouse un temps délaissée revient à son mari, ou comme le fils prodigue s'en remet à la clémence du père [721]. A elle aussi s'adresse l'exhortation du prophète à « secouer la poussière » de ses souillures et à se libérer de ses liens [722]. Car, observe le moraliste, « si les vices ne se retirent pas, les vertus ne peuvent prendre leur place [723] » ; mais, plus que cette loi élémentaire de psychologie morale, ce qui retient Jérôme c'est l'attestation répétée, à travers le texte prophétique, du libre arbitre de l'homme [724]. L'âme peut donc par la pénitence recouvrer sa force d'antan et mériter d'être appelée, comme Jérusalem, « la demeure du Saint » [725].

Mieux encore, « dans l'âme virginale que ne souille aucune tache la parole

---

715. *In Is.* 76 CD : « Cuncta quae dicuntur de uinea (= *Is.* 5) possunt et ad animae humanae referri statum quae a Deo plantata in bonum,non uuas attulerit... etc. » L'expression *animae status* se retrouve en 69 B, 72 A, 495 B.
716. *In Is.* 1, 8 : 31 BC (texte ci-dessus, note 76, page 230).
717. *In Is.* 305 C utilisant *Ro.* 8, 8.
718. *In Is.* 72 A : « Si de animae statu intellegimus quae post uirtutes peccauerit... » (cf. *In Ioel.* 1, 19-20 : PL 25, 961 C) et, pour la comparaison, 68 D : « Alii secundum tropologiam mulieres animas arbitrantur quae si extento collo ambulauerint (...) omnia perdant ornamenta uirtutum quae sub lunulis (...) ceterisque huius modi describuntur. » A rapprocher de 69 C sur le même thème : « Quae si referamus ad animae statum (...) calceamenta animae perditurae sunt... etc. » On voit que de *alii* Jérôme est passé à *nos* et qu'il fait donc sienne cette interprétation. Au passage il a proposé du même verset une application aux « femmes de l'Église ».
719. *In Is.* 30 C.
720. *In Is.* 30, 27 (LXX) : « ... plerique nostrorum iram furoris Domini diabolum interpretantur cui tradimur ad puniendum » (352 D).
721. *In Is.* 519 D. A l'image conjugale qu'offre le texte prophétique, Jérôme associe celle du père de la parabole des deux fils (*Luc.* 15). Le contexte montre qu'il ne rejette pas cette application du verset à l'âme, imputée pourtant à « ceux qui ne suivent que la tropologie », alors qu'il en a d'abord donné pour son compte une interprétation ecclésiale. L'exemple illustre assez bien les préférences de Jérôme.
722. *In Is.* 497 A.
723. *In Is.* 347 C : « Nisi enim uitia recesserint, uirtutes non subeunt. » Cf. 36 A : « Virtus discenda est. »
724. Voir par exemple *In Is.* 465 A (« Haec autem uniuersa dicuntur ut liberum hominis monstraretur arbitrium »), 475 C, 550 D-551 A (« in nostro consistit arbitrio bonum malumue eligere »).
725. *In Is.* 495 B : « Quae si per paenitentiam pristinum robur receperit, uocetur habitaculum Sancti. » Jérôme a d'abord appliqué à l'Église cette apostrophe du prophète à Jérusalem (*Is* 52, 1 : « Hierusalem ciuitas Sancti »).

de Dieu conçue de l'Esprit Saint dépouille prestement les puissances adverses et se soumet toute chose [726] ». Ainsi « l'âme des saints est toujours dans le cœur de Dieu [727] », et ce n'est pas seulement l'Église mais elle aussi qui mérite les noms d'observatoire et de vision de paix, quand la Trinité a fait en elle sa demeure [728]. Aussi Jérôme reconnaît-il dans « les îles » battues des flots ces âmes des saints qui dans les persécutions de ce monde sont solidement ancrés en Dieu par la fermeté de leur foi [729] ; autre image du prophète qui les désigne encore : les montagnes et les collines « selon la diversité de leurs vertus [730] ».

Ces vertus constituent les biens de l'âme, comme Jérôme avait pu l'apprendre des philosophes eux-mêmes [731]. Parmi elles le *Commentaire sur Isaïe*, qui en offre quelques énumérations, fait la part belle, à la suite du prophète, à la justice ; mais il n'échappe pas à son auteur que cette vertu particulière rend présentes toutes les autres [732]. Car, comme le pensent les philosophes mais aussi l'apôtre Jacques, « toutes les vertus se tiennent », et, « s'il en manque une à quelqu'un, toutes lui manquent [733] ». A l'inverse leur présence est un signe à quoi se reconnaît le peuple de Dieu [734]. Mais à cela il y a une raison qui dépasse la réflexion des philosophes : c'est que le Sauveur « s'est fait pour nous justice, sainteté, rédemption [735] » ; non seulement il y a en lui toutes les vertus, mais il en est la source, « étant lui-même vertu de Dieu », selon l'expression de la *Première aux Corinthiens* [736] dont le *Commentaire sur Habacuc* avait déjà tiré, plus nettement encore, des conclusions identiques [737].

---

726. *In Is.* 115 C : « Iuxta tropologiam, in anima uirginali et nulla sorde maculata, de Spiritu sancto Dei sermo conceptus uelociter de aduersariis potestatibus spolia detrahit et sibi facit uniuersa seruire. » C'est l'application à l'âme de la prophétie de l'Emmanuel.

727. *In Is.* 471 A : « sanctorum animas semper in meo corde retinebo. »

728. *In Is.* 626 C : « Possumus haec referre ad ecclesiam uel ad sancti uiri animam quae recte appellari potest specula et uisio pacis, quando Pater et Filius et Spiritus sanctus habitauerint in ea. » Nouvel exemple d'applications parallèles à l'Église et à l'âme. De même pour les « îles » (note suivante). En 488 A, c'est Jérusalem qui est interprétée comme l'âme pécheresse.

729. *In Is.* 484 C.

730. *In Is.* 536 D : « ... sanctorum animas quae pro uarietate uirtutum montes appellantur et colles... »

731. Voir *In Is.* 530 C.

732. Voir en particulier *In Is.* 294 A (« portas iustitiae omnia opera uirtutum »), 522 D (« sub occasione iustitiae, quod uirtutis est nomen, etiam ceteras uirtutes... »), 538 C (« ... qui unam iustitiam fecerit, cunctas uirtutes implesse dicatur »).

733. *In Is.* 238 C : « Philosophorum quoque sententia est haerere sibi uirtutes, et apostoli Iacobi ut cui una defuerit, huic omnes deesse uirtutes » (cf. 538 C). Jérôme pense à *Iac.* 2, 10 qu'il tire d'ailleurs un peu à lui. Quant à l'opinion des philosophes, c'est une affirmation stoïcienne devenue un lieu commun de l'école (cf. Cic. *De off.* 2, 35). Jérôme l'attribue expressément aux Stoïciens dans sa lettre à Pammachius, de 398 : « Quattuor uirtutes describunt Stoici ita sibi inuicem nexas et mutuo cohaerentes, ut qui unam non habuerit omnibus careat... » (*Epist.* 66, 3). On notera que la formulation en est, comme ici, négative tandis que les autres témoins de ce point de doctrine qu'en donne Von Arnim, comme Diogène Laërce ou Stobée, en donnent une présentation positive (...τὸν μίαν ἔχοντα πάσας ἔχειν). Jérôme ne trouvait l'expression *haerere sibi uirtutes* ni chez Cicéron, ni chez Tertullien.

734. Voir *In Is.* 603 A.

735. Voir *In Is.* 538 C, qui démarque 1 *Cor.* 1, 30.

736. *In Is.* 421 C : « ... in illo (= le Christ) omnes esse uirtutes, immo ipsum esse "Dei uirtutem" (= 1 *Cor.* 1, 24). » Cf. 145 C.

737. L'argumentation de l'*In Habacuc* antérieur de plus de quinze ans, plus développée et plus systématique, est particulièrement claire. Jérôme y déclarait en particulier, après avoir cité la formule paulinienne : « Cette vertu (c'est-à-dire le Christ) est pour ainsi dire la mère de toutes les

La référence paulinienne est révélatrice de la façon dont Jérôme envisage la vie morale à la lumière de l'Écriture : c'est essentiellement en termes de vie spirituelle. Pas de spéculations sous sa plume sur le monde de l'âme qui, dans la mouvance de Philon, avait retenu Origène et dont l'écho reste perceptible à son époque chez un Ambroise [738]. On pourrait s'étonner davantage de ne pas trouver non plus, chez ce directeur de conscience, de peinture d'une montée de l'âme croyante vers Dieu dont la tradition chrétienne la plus authentique lui offrait pourtant, d'Origène à Grégoire de Nysse, d'éminents exemples. Tempérament réaliste, plus moraliste que philosophe et plus théologien que mystique, Jérôme pose en définitive sur la destinée de l'âme individuelle le même regard de foi que sur l'histoire de l'humanité, pour y reconnaître à l'œuvre un unique salut.

On pourrait donc être sensible, au terme de ce survol des différentes visées du sens spirituel dans le *Commentaire sur Isaïe*, à une certaine impression d'unité. N'est-ce pas au Christ dans son mystère de salut qu'en définitive tout se ramène, qu'il s'agisse de sa propre venue dans le monde, de l'Église par laquelle se prolonge sa mission jusqu'à son retour eschatologique, de la réalisation de ce salut dans l'histoire de chacun ? L'absence d'exégèses ouvrant sur des réalités d'un monde intelligible, âme ou cosmos, dans la tradition philonienne, voire le peu de curiosité manifesté pour l'eschatologie comme temps des révélations plénières en fourniraient la contre-épreuve. Il est donc légitime en un sens de parler pour Jérôme d'une « exégèse christocentrique » [739].

On sent bien cependant que ces objets divers du sens spirituel ne se laissent pas si aisément réduire à l'unité : situer au premier plutôt qu'au second avènement du Christ l'accomplissement d'un oracle prophétique n'est pas indifférent. Et l'on a pu se rendre compte que, sur l'ensemble du Commentaire, Jérôme n'accorde nullement une égale importance aux divers aspects qui ont été mis en lumière. Il est clair que la dimension collective de l'histoire du salut le retient beaucoup plus que sa réalisation individuelle. Dans cette histoire elle-même, le temps de la venue du Christ, et plus encore sans doute l'Église, apparaissent privilégiés, au point qu'on a parlé, à propos de son exégèse des prophéties, de « messianisme ecclésiologique » [740]. De la part faite à l'eschatologie, en revanche, on serait presque tenté de ne retenir que le côté négatif des rêveries millénaristes qu'il récuse avec vigueur.

---

vertus particulières » (PL 25, 1313 B). Voir dans le même sens non seulement l'*In Sophoniam* 1, 17 (*ibid.* 1355 D), mais déjà l'*In epist. ad Gal.* 6, 14 (PL 26, 436 A).

738. Voir, par exemple, sur l'assimilation des passions de l'âme aux animaux soumis à Adam (*Gen.* 1, 26) la filière PHILON, *Legum allegoriae* 2, 11, ORIGÈNE, *In Gen. hom.* 1, 16, AMBROISE, *De paradiso* 11, 51. Si emprunts il y a de Jérôme hors de la tradition chrétienne, ce n'est pas à la veine des exégètes allégoriques d'Homère et de leurs émules soucieux des migrations de l'âme comme des mystères du cosmos, c'est plus banalement à la théorie classique des passions devenue un lieu commun de l'école.

739. « Die christozentrische Schriftauslegung des Kirchenvaters Hieronymus. » Tel est le sous-titre de l'ouvrage de W. Hagemann sur l'exégèse hiéronymienne (ci-dessus note 28 de l'Introduction).

740. L'expression est de F.M. Abel dans son article sur *Saint Jérôme et les prophéties messianiques*, 2ᵉ partie (*Revue Biblique*, Nlle Série, 14, 1917, p. 255), qui fait évidemment une large place à Isaïe. Encore que Jérôme soit moins sensible qu'Augustin au thème de l'Église corps du Christ, ce double accent vérifie bien le caractère christocentrique de l'exégèse de Jérôme.

Il y a donc, au sein de l'exégèse spirituelle de Jérôme, d'évidentes différences d'accents qui contribuent d'ailleurs à lui conférer sa physionomie propre pardelà les dépendances ponctuelles, si nombreuses qu'elles puissent être, qui la rattachent à ses sources [741]. Il reste à se demander si ces interprétations multiples relèvent, dans l'esprit du commentateur et dans sa pratique, de catégories assez différenciées pour qu'on puisse y reconnaître au moins l'esquisse d'une classification des sens de l'Écriture, que ni son vocabulaire exégétique ni les procédés de son exégèse spirituelle ne nous ont permis jusqu'ici de cerner.

VII — SENS SPIRITUELS MULTIPLES

C'est à partir du moment où interviennent simultanément sur un même verset plusieurs explications spirituelles que le problème se pose vraiment. On peut donc négliger les cas où la diversité des interprétations recouvre en réalité des divergences textuelles entre les versions [742]. Comme le souligne Jérôme luimême, « des traductions différentes entraînent nécessairement des significations différentes [743] », et la chose n'est pas exceptionnelle, on le sait, entre « l'édition des Septante et la traduction littérale de l'hébreu [744] ». En l'occurrence on a pluralité de textes plutôt que d'interprétations.

Multiplicité illusoire aussi que celle d'explications que Jérôme soumet à la critique pour n'en retenir finalement qu'une. Dans ce cas toutefois il est intéressant d'observer les raisons qui entraînent de sa part un jugement négatif. Interprétation « légère » [745] », « forcée [746] », incertaine [747], en rupture avec le contexte [748], en contradiction avec le sens littéral [749], etc. : on n'a pratiquement jamais l'impression que Jérôme élimine des explications parce qu'il ne saurait en exister qu'une seule.

De fait, on l'a déjà largement constaté, il est courant qu'il en présente plusieurs. A vrai dire ce n'est pas toujours de gaîté de cœur, car la pluralité

---

741. Il est certain que les constatations précédentes ne conviendraient guère à l'exégèse de Didyme que Jérôme s'entend pourtant à mettre à contribution, comme son *In Zachariam* permet de le vérifier.

742. Ces cas rejoignent en revanche la question de l'inspiration des Écritures, comme les contemporains en ont peut-être eu l'intuition, ce qui expliquerait pour une part leurs réticences devant l'entreprise de Jérôme de retour à l'*hebraica ueritas*. La difficulté n'a pas échappé à l'exégèse moderne. Voir l'article de P. AUVRAY, *Comment se pose le problème de l'inspiration des Septante*, dans la *Revue Biblique* 59, 1952, p. 322-336.

743. *In Is.* 302 D : « Diuersa interpretatio necesse est ut diuersum habeat et sensum. »

744. *In Is.* 295 A : « alium LXX editio et alium ex hebraeo ad uerbum expressa translatio efficit sensum. » Voir par exemple 224 C, 296 C, 310 A, 453 A, 488 A, etc.

745. *In Is.* 446 A : « Sed et haec friuola interpretatio est. »

746. *In Is.* 27 C, ci-dessus p. 230 et la note 73.

747. *In Is.* 142 D : « Quidam in isto loco (...) mittit nos ad incertum... » Cf. 143 A : « Haec dixit quia rei ueritate constrictus aliud quod diceret non habebat. »

748. *In Is.* 92 A : « Sed nescio quomodo huic sensui possint congruere quae sequuntur. »

749. Par exemple *In Is.* 176 A : « Pia quidem uoluntas interpretantium, sed non seruans historiae ordinem. »

des hypothèses peut trahir l'incertitude, il en fait clairement l'aveu à l'occasion [750]. Et le recours à « la loi du commentaire » qui veut qu'on s'en remette à la sagacité du lecteur dissimule mal en ce cas le dépit de n'avoir pas découvert d'explication satisfaisante [751]. Mais c'est généralement qu'alors le sens littéral qui, lui, ne peut être qu'unique n'a pu être établi solidement.

Lorsque cette condition préalable est remplie, ménageant ainsi aux explications spirituelles le « soubassement » indispensable, leur multiplication devient au contraire l'illustration d'une diversité de bon aloi. Jérôme ne parlait-il pas à Fabiola, quelques années plus tôt, de « la forêt infinie des significations » spirituelles [752] ? Il avait pu lire aussi sous la plume d'Origène « qu'un sens n'en empêche pas un autre [753] », car « la Sagesse, une dans son principe, se prête à une multiplicité d'interprétations [754] », affirmation qu'illustrait également, à sa manière, l'exégèse de ses maîtres hébreux [755]. Dans le *Commentaire sur Isaïe* le retour de formules disjonctives comme *uel..., siue..., aut..., possumus et...* qui introduisent de telles exégèses parallèles [756] suffit à en souligner la fréquence.

---

750. Voir *In Is.* 265 B, 271 AB (ci-dessus p. 229, notes 65 et 67). On peut observer que, dans les deux cas, Jérôme parle d'ἀναγωγή.

751. Texte significatif dans l'*In Michaeam* PL 25, 1168 B. Pour le rappel de cette loi du commentaire, voir la préface du livre XI de l'*In Isaiam* : « ... lectoris arbitrio derelinquens quid e pluribus eligeret » (377 B). Autres références dans les notes 36 à 38 du ch. II, p. 57-58.

752. HIER. *Epist.* 64, 19 (en 397) : « ... infinitam sensuum siluam... » Le contexte suggère que la formule est volontairement outrancière, mais la diversité possible des sens spirituels n'en est pas moins reconnue. Cf. en 404 l'éloge de Paula : « ... cogebat ut e *multis ualidisque sententiis* quae mihi uideretur probabilior indicarem » (*Epist.* 108, 26). Il peut donc bien exister plusieurs sens valables, ce que les exigences de Paula contestent d'ailleurs indirectement. A noter cependant que le contexte limite la portée de la constatation, puisqu'il s'agit de cas où Jérôme hésitait et avouait son ignorance. Cette diversité, d'autre part, qui se situe d'ailleurs dans le droit fil des habitudes du commentaire grammatical, n'est mise en cause ni par d'éventuelles préférences manifestées par Jérôme car elles ne se présentent pas comme exclusives (par ex. *In Is.* 57 B, 584 C), ni par le caractère contradictoire de certaines exégèses parallèles (par ex. 51 B, 130 BC). Il arrive d'ailleurs à Jérôme de se contredire dans ses propres choix. Cf. 74 BC et 95 B sur la signification de la fumée d'*Is.* 6, 4.

753. OR. *in Ios. hom.* 8, 6 (trad. Rufin) : « ... non ex altera intellegentia impeditur altera... » (SCh 71, 234). Origène est en train de souligner la souplesse du sens métaphorique qui permet de reconnaître une figure du Christ dans Isaac, victime et prêtre à la fois (cf. OR. *in Gen. hom.* 8, 6), mais aussi dans le bélier (*ibid.* 9) et dans l'autel du sacrifice de *Gen.* 22.

754. OR. *in Cant. hom.* 2, 9 (trad. Jérôme) : « ... sapientia, cum pro intellectus uarietate sit multiplex, in subiacenti una est » (SCh 37, 95). Origène pose donc sur cette multiplicité de sens un regard positif et, si l'on garde à l'esprit le lien qu'il établit volontiers entre degrés de vie spirituelle et degrés de compréhension des Écritures (cf. *Periarchôn* IV, 2, 4), on peut penser qu'il reconnaît à cette diversité une valeur pédagogique. Mais il connaît aussi, si l'on en croit l'*Apologie de Pamphile*, la multiplicité qui traduit l'hésitation (*Pamph. Apol. praef.* PG 17, 543-544).

755. « Selon les Rabbins la parole de Dieu, tel le roc que fait éclater le marteau (cf. *Jér.* 23, 29), explose en une infinité de sens. » La formule est de Ch. Touati, dans l'article « Littérature rabbinique » du *DBS,* t. IX, fasc. 52 (1979), c. 1038.

756. Voir par exemple 509 C, 555 D, 647 A, 670 A, etc. On pourrait aussi regarder de près sous cet angle les colonnes 425-426 de l'*In Isaiam*. Une application aux apôtres du verset : « qui descenditis in mare » (*Is.* 42, 10) se dédouble en leur envoi en mission au monde entier d'une part, et d'autre part (*uel certe*) en leur descente dans la mer de ce siècle. Puis les îles sont comprises soit comme les nations, soit comme les églises (*uel... uel...*). Une divergence textuelle amène deux exégèses reliées par *siue*, la deuxième se divisant en deux applications fort diverses au temps du Christ (à nouveau *siue*). Enfin un *siue* et un *aut* coordonnent sur la fin du lemme trois hypothèses en concurrence. A noter qu'en 130 BC Jérôme rapporte côte à côte sans commentaire deux exégèses qui s'excluent.

Mais cette diversité n'est pas d'elle-même constitutive d'une pluralité de sens différenciés, tels que nous avons pris l'habitude de les reconnaître au miroir des classifications médiévales. Certes elle correspond souvent aux différentes visées du sens spirituel, puisqu'elle juxtapose par exemple des applications au premier avènement du Christ et à son retour eschatologique, ou à l'Église et à l'âme. Mais ce n'est pas de façon assez systématique pour qu'on puisse assurer que ces catégories, ou d'autres voisines, étaient perçues avec netteté par Jérôme comme de véritables subdivisions du sens spirituel. Il y faudrait d'autres indices.

Peut-on en trouver dans les quelques expressions qui affirment ici ou là une multiplicité de sens ? Le mot *dupliciter (duplex expositio...)* revient plusieurs fois, mais sa présence n'est pas de soi significative, car il introduit tout aussi bien une explication littérale à côté d'une exégèse spirituelle [757], voire une interprétation des juifs à laquelle en est évidemment préférée une autre [758]. Lorsque ce sont bien deux exégèses spirituelles qu'il annonce, elles peuvent relever de la même veine. Ainsi la parole qui sort de Dieu et ne lui reviendra pas sans résultat (*Is.* 55, 11) est à comprendre soit du Verbe opérant sa mission de salut, soit de la fécondité de la Parole évangélique [759]. De même, qu'on applique à Jérusalem ou aux nations tel autre verset, c'est toujours en rapport avec l'hostilité rencontrée par le Christ et ses disciples [760].

Plus rare, une présentation ternaire n'exclut pas davantage un certain flottement [761], mais elle implique de toute façon une pluralité d'exégèses spirituelles ; et la présence du mot *tripliciter* évoque d'autres passages de Jérôme par lesquels se trouve clairement soulevée la question d'un triple sens de l'Écriture. Ces textes bien connus de la *Lettre à Hédybia*, du *Commentaire sur Amos* et du *Commentaire sur Ézéchiel* [762], ont en effet l'allure de véritables prises de position herméneutiques, qui ont retenu d'autant plus l'attention que les déclarations de ce genre sont exceptionnelles chez Jérôme. Bien qu'ils soient tous extérieurs au *Commentaire sur Isaïe*, qu'ils encadrent à quelques années de distance [763], il est évident qu'on ne saurait les ignorer ici, car ils semblent a priori susceptibles d'apporter sur le problème un éclairage précieux. De fait ils ont été souvent mis à contribution, bien imprudemment à mon sens.

---

757. Par exemple *In Is.* 443 B : « Duplex huius loci interpretatio est », avec une application historique à Cyrus et une autre *in aduentu Christi.*

758. *Ibid.* 289 B : « Duplex huius loci expositio est. Iudaei (...). Alii uero melius et rectius... »

759. *In Is.* 535 C : « Iuxta anagogen duplex intellegentia est... »

760. *In Is.* 27, 7 : « Locus iste dupliciter intellegitur... » (309 D). Cf. 509 C.

761. Ainsi, en 208 C, une présentation apparemment très claire (« Tripliciter iste locus accipitur. Primum... Secundo... Tertia interpretatio... ») introduit en fait trois significations spirituelles (encore que la dernière, qui ne s'applique d'ailleurs qu'au seul texte des LXX, ne soit peut-être qu'un sens figuré) ; ce qui, avec le sens littéral proposé précédemment (cf. 156 B), donne en réalité quatre sens. Inversement l'interprétation de Jérusalem « de quatre manières » n'en comporte en réalité que trois (la Jérusalem historique, l'Église, la Jérusalem d'en haut), la quatrième étant l'explication millénariste que Jérôme récuse (470 BD).

762. En voici les références précises : *Epist.* 120, 12 ; *In Am.* 4, 4-6 : PL 25, 1027 D ; *In Ez.* 16, 30-31 : *ibid.* 147 B-148 A. Tous trois font référence au verset des *Proverbes* : « Tu autem describe ea *tripliciter...* » (*Prou.* 22, 20 d'après les LXX).

763. L'*In Amos* est de l'automne 406, la *Lettre à Hédybia* de 407, le passage de l'*In Ezechielem*, qui se trouve au livre V, peut être daté de 412, année où Jérôme reprend son Commentaire interrompu l'année précédente après le livre III par une incursion barbare.

On trouvera ailleurs la longue analyse critique qu'ils appelaient[764]. Sans en reprendre le détail, on peut en retenir ici un double enseignement. Tout d'abord il ne paraît pas possible de reconnaître dans ces pages l'expression de prises de position herméneutiques personnelles de Jérôme[765]. En tout état de cause, leur confrontation ne permet nullement de dégager, à côté de l'interprétation littérale, deux sens spirituels dont les contenus seraient clairement définis. On ne saurait donc faire fond sur elles pour prêter à Jérôme sans autre preuve, comme on l'a fait, une doctrine du triple sens de l'Écriture, quitte à reconnaître qu'elle ne correspondait pas à sa pratique exégétique courante[766].

Les rares présentations tripartites qu'offre notre Commentaire ne pouvaient guère apporter davantage que ces textes privilégiés. L'une cependant, qui se prolonge avec cohérence sur l'explication de deux lemmes, retient l'attention par son vocabulaire original. En effet, à l'*histoire* et à la *tropologie* elle associe comme un sens distinct la *prophétie*[767], terme et notion dont il reste à préciser les contours dans l'ensemble de la conception hiéronymienne des sens de l'Écriture.

---

764. Voir mon étude sur *Saint Jérôme et le triple sens de l'Écriture* (*RÉAug.* 26, 1980, p. 214-227).

765. Dans les trois cas le contexte rend la chose tout à fait improbable. Et les flottements très nets qu'on y observe, dans la terminologie comme dans la pensée, à propos du deuxième et même du troisième sens rejoignent d'autres indices manifestes d'une dépendance origénienne directe.

766. Voir, entre autres exemples modernes, PENNA, *Principi...*, p. 52 et s.

767. *In Is.* 315-318, au début du livre IX : « Dicamus primum iuxta historiam, deinde iuxta tropologiam, et ad extremum iuxta uaticinium prophetale. » Les termes de cette formule initiale sont repris dans le cours du développement respectivement par *historia, allegoria* et *prophetia*, puis, dans le commentaire du lemme suivant, par *littera, tropologia* et *tertia explanatio*. L'exégèse introduite par *tropologia (allegoria)* concerne les hérétiques, la *prophetia (uaticinium prophetale, tertia explanatio)* vise au temps du Christ scribes et pharisiens et le traître Judas. Une quatrième exégèse *iuxta agagogen* vient d'ailleurs s'y ajouter, appliquant l'image du dernier verset (*Is.* 28, 8) à la fois aux hérétiques et aux scribes et aux pharisiens.

CHAPITRE V

La prophétie

La nécessité de consacrer à la « prophétie » une mise au point particulière était déjà ressortie à diverses reprises des analyses qui précèdent [1]. Dans certaines formules, en effet, le mot relève d'un usage herméneutique qui l'apparente, non sans ambiguïté, au vocabulaire des sens de l'Écriture. Mais il désigne d'abord, dans l'Ancien Testament lui-même, et c'est son originalité par rapport aux autres termes de ce vocabulaire, une catégorie particulière d'écrits qui implique globalement, surtout dans la mentalité des Pères, l'annonce de l'avenir [2]. Aussi sont-ils susceptibles de fournir un support privilégié aux relations entre Ancien et Nouveau Testament. Dès l'*Évangile de Matthieu*, en effet, la foi chrétienne ne présente-t-elle pas le Christ comme « accomplissant les Écritures » ?

En entreprenant de commenter le *Livre d'Isaïe*, Jérôme abordait non seulement le plus important de ces écrits, mais le plus riche en manifestations de l'attente messianique, par quoi ce prophète prend figure à ses yeux, nous l'avons vu, d'un véritable évangéliste et d'un apôtre [3]. Il faut souligner de surcroît que, à part le choix circonstanciel de l'*Ecclésiaste* et quelques essais assez vite interrompus sur le Nouveau Testament dans la foulée d'Origène [4], ce

---

1. Voir en particulier p. 136, 172, 229 et 245.
2. Sans ignorer cette dimension, la tradition juive ne semble pas avoir réduit à cet aspect la fonction « annonciatrice » qui paraît définir le prophétisme. Elle appelait en effet « prophètes antérieurs » les livres de *Josué*, des *Juges*, de *Samuel* et des *Rois* d'où le dévoilement de l'avenir est pratiquement absent et dont le rôle, comme d'ailleurs celui des « prophètes » proprement dits, est en réalité de manifester le sens des événements, passés et présents tout autant que futurs, regardés comme signes de l'action de Dieu. Sur les différents aspects du prophétisme dans la Bible, voir en particulier l'article « Prophétisme » du *DBS*, t. VIII, 1972, c. 909 et suiv.
3. Voir *In Is.*, prol. 18 A et ci-dessus, p. 215.
4. Les commentaires de saint Paul, entrepris dans les années qui suivent l'installation à Bethléem (voir ANNEXE I), se limiteront à quatre Épîtres. Jérôme semble les avoir menés tambour battant (cf. *In epist. ad Gal.*, prol. : PL 26, 307 A et *In epist. ad Eph.*, prol. : *ibid.* 441 A), peut-être en écho au projet qu'il avait caressé naguère à Constantinople de « rendre Origène latin » (*Transl. Or. hom. in Hier. et Ez.*, prol. : PL 25, 583). De fait, il déclare dans le prologue de l'*In Gal.* avoir « suivi les Commentaires d'Origène » (*ibid.* 308 B), assertion qu'a vérifiée il y a quelques années l'étude de Margaret A. Schatkin (*The influence of Origen upon st Jerome's Commentary on Galatians*, dans

sont essentiellement les prophètes qui, d'un bout à l'autre de sa carrière exégétique, du premier *Commentaire sur Abdias* perdu au *Commentaire sur Jérémie* qu'il n'a pas eu le temps de mener à son terme, ont nourri son activité de commentateur [5].

Une telle importance de la prophétie dans la conscience scripturaire de Jérôme justifie qu'après une analyse de vocabulaire qui fournira, ici encore, la base de départ indispensable, soient dégagées les indications que donne sur la conception du prophète et de la prophétie le *Commentaire sur Isaïe*. On verra mieux ensuite comment l'interprétation « prophétique » s'articule, aux yeux de l'exégète, avec les sens de l'Écriture dans une lecture chrétienne du prophète messianique par excellence.

I — LE VOCABULAIRE DE LA PROPHÉTIE

Dans cette perspective on ne peut limiter l'enquête aux seules occurrences strictement exégétiques de ce vocabulaire ; un coup d'œil plus large s'impose.

Les désignations du prophète et de la réalité prophétique se laissent regrouper assez naturellement sous deux rubriques. Un premier ensemble, numériquement le plus important, est constitué par la famille du mot *propheta* qui fait figure de terme spécifique. Mais Jérôme recourt aussi parfois au vocabulaire latin traditionnel, en particulier de la divination ou de la vision.

Tout comme est étrangère à l'univers mental d'un Romain du Haut-Empire la réalité qu'il désigne, le mot PROPHETA est en latin un terme d'emprunt. Il ne fait son apparition, d'ailleurs discrète, que dans la langue impériale avec Apulée, pour qui il paraît associé à l'idée de sacerdoce égyptien, dans une transposition probable d'un emploi alexandrin du mot grec qu'il démarque [6]. Macrobe, deux siècles plus tard, y verra de même le nom que les Égyptiens donnent à leurs prêtres [7]. Mais entre temps le terme aura acquis droit de cité, dès Tertullien, dans le latin des chrétiens pour désigner les prophètes de la Bible [8].

Vigiliae christianae 24, 1970, p. 49-58). Pour l'*In Matthaeum*, plus tardif, Jérôme cède à une sollicitation pressante d'Eusèbe de Crémone. Sur la composition de l'*In Ecclesiasten* en réponse, différée, à une demande de Blésilla avant sa mort voir ci-dessus p. 49.

5. Le premier *Commentaire sur Abdias*, qui remonte au premier séjour à Antioche (voir ci-dessus, n. 49, p. 29), constitue son coup d'essai exégétique, bientôt suivi, à Constantinople, d'autres travaux sur les prophètes (traduction d'homélies d'Origène, *Lettre* 18 sur la vision d'Isaïe). Avec le *Commentaire sur Jérémie* devait s'achever l'*opus prophetale*. Entre les deux, Jérôme n'aura qu'effleuré le *Pentateuque* avec ses *Questions hébraïques sur la Genèse*. Il est vraiment l'homme des prophètes.

6. Dans les *Métamorphoses* le mot est appliqué trois fois au magicien égyptien Zatchlas, qualifié aussi de *sacerdos*, dans la scène macabre qui clôt le récit de Thélyphron (*M.* 2, 28 et 29). Même lien aux rites égyptiens dans le *De Platone* (I, 3, 9). En revanche un emploi au pluriel du prologue du *De mundo* offre un sens moins étroit et ramène plutôt à l'image classique du devin, inspiré et visionnaire.

7. MACROBE, *Saturnales* 7, 13, 9 : « ... sacerdotes eorum (= les Égyptiens) quos prophetas uocant. » Cf. dans le même sens l'inscription citée par le Forcellini (« ... propheta Isidis... »).

8. On le rencontre dans l'*Itala* et dans une version latine de l'*Épitre aux Corinthiens* de Clément

Transposition latinisée de προφήτης dont Jérôme connaît aussi la translit-tération stricte [9], il reflète chez lui, par sa fréquence et sa signification cou-rante, l'usage que les Septante ou les autres versions font de ce mot qui traduit habituellement dans la Bible grecque l'hébreu *nabi'* [10]. Il constitue donc bien souvent soit une épithète de nature accolée au nom du pro-phète *(Isaias propheta...)*, soit une simple désignation de l'auteur de l'oracle qu'on est en train de commenter, moyen banal d'éviter la reprise du nom propre [11].

Parfois affleure davantage le sens dont le terme est porteur. Lorsque Jérôme écrit, en paraphrasant l'Écriture, que « le prophète se tient au poste de guet du Seigneur » d'où il découvre ce qui doit arriver [12], la formule apparaît comme une illustration, voire une définition, de la signification du mot. Mais, comme le montre une page du *Commentaire sur Jérémie*, notre exégète est également conscient de ce que ce sens a parfois besoin d'être éclairci, puisqu'en l'occur-rence l'Écriture applique le nom à la fois à Jérémie et à son adversaire Ananias [13]. C'est donc qu'il peut désigner les bons comme les mauvais prophè-tes, et le lecteur ne doit pas en être troublé [14]. Jérôme note d'ailleurs à propos d'un verset d'Isaïe que « dans le peuple juif on avait établi des classes de prêtres chargés de distinguer prophètes et pseudo-prophètes [15] », distinction que pour leur part les Septante avaient introduite dans le vocabulaire en traduisant parfois *nabi'* par ψευδοπροφήτης [16] que transpose le *pseudopropheta* latin.

« Prophète » peut aussi se dire au féminin : au livre de l'Emmanuel l'épouse d'Isaïe est désignée, dans le lemme biblique et dans le commentaire, par

---

de Rome qui remonterait à la première moitié du second siècle (cf. Chr. MOHRMANN, *Études...*, t. III, p. 104).

9. Voir par exemple, aux deux extrémités de son œuvre, *Or. in Ez. hom. 2 transl.* PL 25, 710 A et *In Hier.* PL 24, 854 A, 856 A. Mais il en use fort rarement, à la différence de Tertullien qui, outre le nominatif *prophetes* plus fréquent chez lui que la forme latine, connaît un accusatif en -*en* (*e.g. De anima* 11, 5 ; *De idololatria* 15, 6 ; *De pudicitia* 19, 1, où le mot détermine Jézabel, donc une femme, dans une citation d'*Apoc.* 2, 20) et un ablatif en -*e* (*Adu. Marc.* IV, 35, 7).

10. Pour plus de deux cent cinquante occurrences où προφήτης traduit l'hébreu *nabi'*, la *Concordance* des Septante de Hatch-Redpath n'en donne que trois où il correspond à *ḥózéh* et quatre où il transpose *ró'eh*, les deux termes qui signifient « voyant » ou « visionnaire », traduits ailleurs par ὁ ὁρῶν ou ὁ βλέπων.

11. Voir, entre autres exemples, 92 C, 97 C, 196 B, 262 D... etc.

12. *In Is.* 21, 8 : « Stat propheta in specula Domini et in illius lumine constitutus, quae sint uentura prospicit » (263 B ; cf. 477 C).

13. Voir tout le commentaire du ch. 28 (*In Hier.* PL. 24, 853-857). Jérôme souligne en particu-lier que les LXX ont répugné à donner à Ananias le titre de prophète que lui accole l'hébreu (*ibid.* 855 B). De fait ils rendent une fois le mot *nabi'* par ψευδοπροφήτης et ensuite à cinq reprises omettent de le traduire.

14. « Est autem sermo contra pseudoprophetas... Nec quempiam moueat quod prophetae appel-lantur : hanc enim habet sancta Scriptura consuetudinem ut unumquemque uaticinationis suae et sermonis prophetam nuncupet » (*In Ez.* PL 25, 108 CD ; cf. *ibid.* 109 A : « ... prophetarum nomen secundum regulam Scripturarum bonis malisque commune... »).

15. *In Is.* 62 AB : « ... constituti erant in populo Iudaeorum sacerdotales gradus qui prophetas pseudoprophetasque discernerent... »

16. C'est le cas dans le chapitre de *Jérémie* (28, 1) cité plus haut (voir ci-dessus n. 13). On en trouve neuf autres dans *Jérémie* et un dans *Zacharie*. Les LXX ont donc interprété en fonction du contexte, « pour rendre le sens plus visible », estime Jérôme (*In Hier.* PL 24, 853 C). Mais ils ne l'ont pas fait de façon systématique (cf. *DBS* t. VIII, col. 919).

prophetissa, tandis que, dans la même page, le doublet *prophetis* s'applique à la Vierge Marie dont la femme du prophète serait, « selon certains », la figure [17]. Les pseudo-prophètes eux-mêmes ont au moins une fois leur réplique féminine, dans le *Commentaire sur Jérémie*, en la personne de *pseudoprophetides* [18].

Ignoré de la langue païenne, le mot PROPHETIA est l'expression habituelle et déjà traditionnelle de la prophétie : il figure dans l'*Itala* aussi bien que chez Tertullien [19]. Ses emplois dans le *Commentaire sur Isaïe* laissent apparaître de légères nuances de sens. Il y désigne le plus souvent un oracle particulier, d'ordinaire celui qu'on est en train d'expliquer [20], mais aussi tel autre que le commentaire amène à évoquer [21]. Cette prophétie peut être précisée par le nom de son auteur [22], ou déterminée par son sujet [23] ou la réalité dont elle contient l'annonce [24]. Il n'est pas rare qu'elle soit présentée comme « accomplie » [25]. Parfois elle est caractérisée avec précision comme « manifeste », ou au contraire « fort obscur » [26]. Ces épithètes contradictoires montrent bien que ce sont des prophéties déterminées et nettement individualisées que le terme désigne alors.

Mais lorsque ailleurs, par exemple, Jérôme semble regarder ce caractère obscur comme constitutif de « toute prophétie », on perçoit un glissement de l'acception concrète du terme illustrée jusqu'ici à une signification plus générale ; celle-ci devient évidente quand le contexte confronte « l'histoire » et « la prophétie » comme deux modes d'expression, voire deux genres littéraires [27]. Autre acception globale, mais d'un autre ordre, avec l'expression : « la loi et la

---

17. *Prophetissa : In Is.* 8, 1-4, 114 A (texte d'Isaïe) et 115 A (deux emplois) ; cf. 109 D, 122 A. Voir aussi *Epist.* 22, 38, 4 dans une allusion à ce verset d'Isaïe, *Epist.* 54, 17, 1 à propos de Debbora (cf. *In Ez.* PL 25, 114 C), et déjà *Epist.* 7, 6, 2. Jérôme a dû trouver le mot dans une ancienne version latine (il figure dans l'*Itala, ad locum*, et en *2 R* 22, 14) et le conserver dans sa *Vulgate*. Pour *prophetis*, voir *In Is.* 115 AB qui rapproche les deux termes : « Quidam *prophetissam* sanctam Mariam interpretantur quam *prophetin* fuisse non dubium est... » Cf. 115 D. (Même application à Marie du terme προφῆτις par le Ps. Basile *ad locum*, PG 30, 477 B). Le mot *prophetis* se trouve dans l'*Itala* (*Ex.* 15, 20) pour qualifier une autre Marie, la sœur d'Aaron.

18. *In Hier.* 23, 28-29 (PL 24, 827 C) selon l'édition Reiter (CSEL et CC) qui se fonde sur un solide apparat critique.

19. On le rencontre dans la version latine de l'*Épître aux Corinthiens* (12, 8) de Clément de Rome (voir ci-dessus n. 8).

20. Par exemple : « prophetia ista » (173 C, cf. 174 C : « hanc... ») ; « totam hanc prophetiam... » (181 B ; cf. plusieurs formules qui soulignent que la prophétie est prise dans son ensemble : 165 A, 232 C, 331 B, etc.) ; « est igitur ordo prophetiae... » (164 C).

21. « Nam et in alia prophetia... » (200 C) ; « in priori prophetia... » (661 B). Cf. 181 D, 651 D, etc.

22. « Iuxta Ezechielis prophetiam... » (239 B). Cf. 242 A (Osée), 262 D (Zacharie), mais aussi 250 C : « iuxta prophetiam Balaam... »

23. Par exemple : « Post prophetiam contra Ariel... » (338 A), ou « in eunuchorum aduenarum prophetia » (675 A) ; « prophetia contra montem Seir... » (192 D), etc.

24. « Prophetiam Christi » (186 B ; cf. 56 A : « ... tam perspicuam de Christo prophetiam... »). Détermination moins directe en 193 B : « Quidam... uolentes prophetiam contra regnum Romanum dirigi... »

25. *In Is.* 599 C : « Si ergo illo completa est tempore prophetia... » Cf. 64 A (« impletam... »).

26. « manifesta prophetia » (257 B ; cf. 56 A ci-dessus n. 24) ; « in prophetia obscurissima » (246 B).

27. *In Is.* 171 A : voir plus haut p. 169, n. 205. Cf. 384 C et *In Ezechielem* 449 D. Voir ci-dessous, dans la suite de ce chapitre, p. 359.

prophétie » pour résumer l'Ancienne Alliance [28]. Et c'est encore une nouvelle nuance qu'introduit, à partir de cette valeur générale, l'utilisation exégétique du mot, notamment quand Jérôme l'enferme, sur le même plan que d'autres désignations des sens de l'Écriture, dans la locution prépositionnelle *secundum prophetiam* [29].

En revanche, pour désigner l'action même de prophétiser, Jérôme connaît le nom abstrait PROPHETATIO, création verbale dérivée de *prophetare*, dont il n'est probablement pas l'auteur, malgré la prédilection qu'il manifeste, à la suite de Cicéron, pour ce type de substantifs [30].

Pour exprimer l'idée de ce qui a rapport au prophète ou à la prophétie, l'exégète joue de deux adjectifs, tous deux étrangers eux aussi au vocabulaire païen, *propheticus* et *prophetalis*.

Démarquage de l'adjectif grec correspondant, PROPHETICUS est d'un usage courant depuis Tertullien dans le latin des chrétiens [31]. Appliqué à *sermo*, il constitue dans notre Commentaire une désignation ordinaire de « la parole prophétique », celle précisément qu'on est en train d'expliquer [32]. On ne l'y voit en revanche que rarement accolé à d'autres termes : il est bien question une fois de « livre prophétique », une autre « d'esprit prophétique », peut-être faudrait-il dire « d'inspiration prophétique » [33]. Mais à *spiritus* c'est habituellement l'autre forme adjective que l'on trouve associée.

Mot créé à partir de la racine grecque par un procédé de dérivation proprement latin qui reste rare avant la fin du deuxième siècle, PROPHETALIS est plus tardif que son homologue directement calqué sur le grec. Ce n'est pas cependant un néologisme imputable à Jérôme, puisqu'on le rencontre à deux reprises dans le *Commentaire sur Matthieu* d'Hilaire de Poitiers [34]. Contrairement à *propheticus*, il accompagne une gamme de noms très diversifiée. Outre « l'esprit prophétique » qui revient à plusieurs reprises, c'est lui qui qualifie « la

---

28. *In Is.* 120 B : « Lex et prophetia usque ad Ioannem ligetur apud eos... » (cf. *Matth.* 11, 13). Cf. *In Mal.* PL 25, 1576 C : « Lex et omnis prophetarum chorus... »

29. *In Is.* 316 A. Cf. 234 C : « ... ut a prophetia reuertamur ad anagogen... » Voir également dans la suite de ce chapitre les pages 376-377.

30. Absent de l'*In Isaiam* le mot figure dans la traduction des homélies d'Origène sur Ézéchiel (« ... dum uoluntati Dei in prophetatione deseruiunt... » OR. *in Ez. hom.* 6, 1 : PL 25, 735 A = Or. W. 8, 378) et dans l'*In Hieremiam* 23, 25 où il concerne une prophétie qui ne vient pas de Dieu (« Huiuscemodi autem prophetatio non est in nomine Domini sed in nomine Baal... » PL 24, 826 C). Il est attesté dans l'Irénée latin (4, 33, 10) au pluriel dans une traduction latine ancienne de I *Thess.* 5, 20 (*Vetus latina*, Beuron, t. 25, 4), et se retrouve chez Augustin (*e.g. CD*, 10, 32, 2).

31. On le trouve chez Lactance, Novatien, Hilaire, etc.

32. D'où les verbes qui accompagnent habituellement l'expression, par exemple : *loqui* (66 C), *describere* (64 A, 141 D), *contexere* (181 A, 333 D, 582 B), *conclamare* (133 B), *corripere* (68 D, 351 C), *plangere* (237 C), *nuntiare* (354 D), *praedicere* (86 A), *minari* (178 B), ou *comminari* (31 D), *promittere* (234 A) ou *polliceri* (647 B), et aussi *conuerti ad...* (68 C, 107 B), *dirigi ad...* (193 C), etc. Pour l'*In Hieremiam* l'index (non exhaustif) de l'éd. Reiter (CSEL 59) donne sept références à *propheticus sermo* et trois références à l'emploi de l'adjectif en appui à un pronom neutre (*illud propheticum...*). Le seul emploi du mot dans la *Vulgate* détermine aussi *sermo* (2 *Petr.* 1, 19).

33. « ... uerba libri prophetici... », *In Is.* 335 C : « ... prophetico spiritu... » (37 B).

34. HIL. *in Matthaeum* 2, 2 (« habitu prophetali ») et 23, 4 (« scripturis prophetalibus »). On comprend donc mal comment Goelzer, qui signale lui-même ces deux références, peut ranger le terme parmi les mots que Jérôme a fait entrer dans la langue (*Étude lexicographique...* p. 15 et 145). Pour sa part Tertullien avait peut-être créé le néologisme *prophetialis* (*Adu. Val.* 28, 1 mais le texte est peu sûr.)

fonction » *(officium)* prophétique et « le nom » *(nomen)* de prophète [35]. Il peut s'appliquer à des détails de la personne : mains, yeux, qui expriment alors plus que leur valeur concrète : regard prophétique contemplant l'avenir [36], main du prophète serrant deux bâtons, symboles de la double origine de l'Église [37] ; ou à un comportement, soit moral : la constance *(constantia)* du prophète [38], soit physique : lorsque Isaïe ôte son vêtement comme il en a reçu l'ordre, c'est là, note Jérôme, la tenue *(habitus)* d'un prophète pleurant les fautes de son peuple [39]. On le voit aussi caractériser les paroles prophétiques *(uerba, sententia)* et leur ordre *(ordo)* [40], et c'est sur lui que repose la désignation ordinaire des oracles *(uaticinium)*, parfois des promesses *(repromissiones)* prophétiques [41], dont la formulation obéit d'ailleurs à des habitudes propres à la prophétie *(consuetudo prophetalis)* que l'exégète rappelle volontiers [42]. Le mot connaît donc chez Jérôme une assez grande utilisation avec, on l'aura remarqué, une certaine oscillation entre détermination concrète (les paroles *du* prophète...) et valeur générale (l'habitude *des* prophètes...).

Ce vocabulaire suggère en tout cas une spécificité de la prophétie que confirment les quelques emplois de l'adverbe PROPHETICE. Quand, dans la *Genèse*, Jacob, qui n'est pas un prophète, dit de celui qui doit naître de Juda qu'il sera l'attente des nations, il « s'exprime en prophète » [43].

Quant au verbe grec προφητεύειν, il s'était trouvé très vite latinisé en PROPHETARE qu'on lit aussi bien dans l'*Itala* que dans Tertullien. C'est pour Jérôme la manière normale de dire « prophétiser ». Il l'emploie volontiers absolument, en particulier quand il précise le moment où un prophète a exercé son activité prophétique [44]. Mais souvent aussi un emploi transitif propose le contenu de la prophétie : citation introduite ou non par un pronon neutre, ou simple accusatif [45]. A l'inverse, ce contenu peut devenir le sujet d'une forme passive, notamment lorsqu'il s'agit pour le commentateur de rapporter une interprétation [46]. Des déterminations complémentaires peuvent intervenir.

---

35. « Spiritus prophetalis » : *In Is.* 56 A, 115 A, 191 D, 487 A, 550 D, etc. « Officium prophetale » : 192 A. « Nomen prophetale » : *In Am.* PL 25, 1075 D.

36. « David oculis prophetalibus... uenturum esse cernebat... » *(Epist.* 108, 10, 25).

37. « uirgas quas Ezechiel tenet in prophetali manu. » *(In Hab.* PL 25, 1292 AB).

38. HIER. *In Hier.* 26, 20 : PL 24, 848 C. Cf. encore *In Is.* 426 A : « per semitas prophetales ambulare... »

39. « Hic enim erat habitus prophetalis populi delicta plangentis » *(In Is.* 188 D).

40. « ... prophetalia in fine uerba panduntur » (148 D) ; « ... contra sententiam prophetalem... » *(Apol. adu. Ruf.* 3, 42 : PL 23, 488 A) ; « ... absque ratione et ordine prophetali... » *(In Os.* PL 25, 929 D).

41. « ... iuxta uaticinium prophetale » : *In Is.* 315 B (noter la locution prépositionnelle en correspondance avec des expressions exégétiques), 587 B ; *In Hier.* 29, 1-7 ; PL 24, 858 B. Cf. *Epist.* 75, 1 ; 96, 3. « Repromissiones prophetales » : *In Is.* 152 B.

42. Par exemple *In Is.* 62 D, 67 D, 79 B, 89 B, 90 B, 340 B, 420 B, etc. Voir ci-dessous p. 359 et suiv.

43. « ... prophetice loquitur » *(In epist. ad. Eph.* PL 26, 479 A). Cf. *In Michaeam* : « et obstetrix prophetice loquens... » *(*PL 25, 1177 C), à propos de *Gen.* 38, 29. L'adverbe est connu de Tertullien.

44. Ainsi « c'est à une seule et même époque qu'Isaïe, Osée, Joël et Amos ont prophétisé » *(In Is.* 22 C). Cf. 24 A, 78 B, 91 B, 104 B (trois emplois), etc.

45. Voir par exemple *In Is.* 630 D : « De hoc et Simeon... prophetabat : (citation de *Luc.* 2, 34) » ; « 338 D : « ... ita ut Hieremias... prophetaret... ea quae in libro illius continentur » ; *In Hier.* 32, 4-5 : « ... cruciatus et miserias prophetare... » (PL 24, 889 A).

46. Ainsi *In Is.* 112 B : « Haec quidam putant de Assyriis prophetari. » Cf. 90 A, 109 C, 443 C, 555 C, etc.

Ainsi, nous dit-on, « Jérémie prophétise *contre* un peuple indocile, *en signe de* la captivité qui va venir [47] ». On prophétise aussi *à* quelqu'un, ou encore *au sujet de* quelqu'un ou de quelque chose, et pour le futur [48].

Si ce verbe convient pour exprimer l'activité des prophètes patentés de l'Ancien Testament, Jérôme l'utilise aussi pour d'autres personnages : prophètes occasionnels, comme Balaam et, dans le Nouveau Testament, Siméon, voire membres des communautés chrétiennes qu'habite le charisme prophétique [49] ; mais aussi prophètes moins recommandables qui, déclare la Bible elle-même, « prophétisent le mensonge en disant : J'ai eu un songe », et dans lesquels Jérôme n'a aucune peine à reconnaître de « pseudo-prophètes », tout en observant « qu'il y a beaucoup de façons de prophétiser » [50]. Les autres désignations de la prophétie qu'on trouve sous sa plume permettent d'en entrevoir quelques-unes [51]. Constatons, avant d'en faire une revue rapide, que pour l'expression courante des réalités du prophétisme biblique, Jérôme est avant tout tributaire d'un vocabulaire spécifique qui lui vient de l'Écriture elle-même par la médiation des anciennes versions latines ou des auteurs latins chrétiens qui l'ont précédé, avec une tendance latente à développer les dérivations proprement latines comme *prophetatio* et surtout *prophetalis*.

---

47. « ... ut Hieremias in signum captiuitatis futurae prophetaret contra inoboedientem populum... » (338 D).

48. « A quelqu'un » : *In Hier.* 25, 30-31 : « Cunctis gentibus prophetabis » (PL 24, 840 C. Cf. *ibid.* 898 B). « Au sujet de quelqu'un » : aux pèlerins d'Emmaüs le Christ a expliqué, en partant de Moïse et des Prophètes, « quod de se omnia prophetassent » (*In Is.* 115 C). « Au sujet de quelque chose » : *In Is.* 630 D, ci-dessus n. 45 ; cf. *In Hier.* 6, 22-23 : « Proprie hoc de Babyloniis prophetatur » (PL 24, 727 B). « Pour le futur » : *In Hier.* 11, 21 : « ... hoc in futurum de Domino prophetari » (*ibid.* 758 A), et voir ci-dessous p. 351.

49. Balaam : *In Is.* 231 A ; Siméon : 630 D (ci-dessus n. 45) ; prophètes dans les assemblées chrétiennes : *In Hab.* PL 25, 1274 A (cf. 2 *Cor.* 14, 30).

50. HIER. *In Hier.* 23, 25 (« ... prophetas prophetantes in nomine meo mendacium et dicentes : Somniaui... ») : « ... perspicue pseudoprophetas intelligimus ; sunt autem multa genera prophetandi... » (PL 24, 826 B).

51. Il faudrait encore faire un sort rapidement, bien qu'il n'apparaisse pas dans l'*In Isaiam*, au verbe *prophetizare* qu'on rencontre quatre fois chez Jérôme : trois fois dans la version des *Évangiles* et, d'après l'éd. Baehrens, une fois dans la traduction d'une homélie d'Origène. La Vulgate, suivant ici d'anciennes versions latines (cf. *Itala*, éd. Jülicher), le met dans la bouche des gardes du Sanhédrin qui frappent Jésus : « Prophetiza ! » (*Matth.* 26, 68 ; *Marc* 14, 65 ; *Luc.* 22, 64), alors que le grec a προφήτευσον. Et c'était déjà dans une citation scripturaire (*Am.* 7, 13 : « Iam non... prophetizes », mais ici sans l'appui d'une *uetus latina*) que Jérôme l'avait employé dans la traduction d'une homélie sur Ézéchiel (*hom.* 2, 3 : Or. W. 8, 345, 12), sans qu'on puisse savoir si l'original avait un προφητίζειν ; mais ce mot ne semble pas attesté dans ce qui nous reste de l'œuvre origénienne et ne figure pas non plus dans les LXX ; Lampe l'ignore, et le Liddell-Scott comme le Bailly ne lui connaissent qu'une référence à Hippocrate. On voit mal dans ces conditions où les anciennes versions latines auraient pu rencontrer ce terme, dont la transposition latine ne paraît attestée nulle part ailleurs. Cela incite à penser qu'au lieu d'être un emprunt direct au grec, *prophetizare* pourrait avoir été une création de la langue chrétienne à une époque où, la situation de bilinguisme aidant, le suffixe *-izare*, en sommeil depuis la comédie archaïque, a connu un regain d'extension tel qu'il a même été adjoint à des thèmes purement latins (cf. X. MIGNOT, *Les verbes dénominatifs latins*, p. 330 et suiv.). Le fait que Jérôme ait gardé ce terme peut s'expliquer par le conservatisme prudent dont il fait preuve dans sa révision des *Évangiles*. Il peut aussi y avoir été encouragé par ses souvenirs de la comédie qui lui fournissait des formations comme *patrissare, sicilissare*, etc. En tout cas, dans les emplois qu'il en fait, le mot a une coloration dépréciative évidente (« faire le prophète »).

Lorsque Juvencus entreprend de célébrer en hexamètres épiques la vie du Christ, la loi du genre, le souci aussi de répondre à la secrète attente de son lecteur lettré l'incitent plus d'une fois à substituer au *propheta* biblique un très romain *uates*[52]. Sans être tributaire des mêmes préoccupations, mais nourri et imprégné d'une culture identique, Jérôme ne dédaigne pas, à l'occasion, de recourir aussi, pour exprimer la prophétie, à des termes du vocabulaire traditionnel de la divination.

Ainsi, lorsqu'en prélude à sa traduction de la *Genèse* il s'élève contre une forme de la légende des Septante qui en ferait de véritables inspirés, c'est le mot VATES qui lui sert à exprimer l'idée de « prophète »[53]. Mais ce n'est pas monnaie courante.

Plus fréquentes sont sous sa plume les apparitions de deux noms de la même racine pour désigner la prophétie. Le premier, VATICINATIO, reste rare. Un emploi du *Commentaire sur Isaïe* en fait le strict équivalent de *prophetia* pour désigner une prophétie particulière. « Après la prophétie contre Ariel », écrit Jérôme, « c'est maintenant le début d'une autre prédiction[54] ». Mais le mot a plus volontiers une valeur générale plus conforme à sa formation, notamment dans plusieurs passages du *Commentaire sur Ézéchiel*, où il s'applique d'ailleurs aussi bien à la prophétie d'Ézéchiel qu'à la « prédiction de mensonge » de Prisca et Maximilla, les compagnes de Montan dans l'hérésie[55].

Le susbtantif neutre VATICINIVM est d'un usage plus répandu[56]. Il apparaît dans notre Commentaire, et d'une façon générale chez Jérôme, comme une banale désignation d'un « oracle » donné, déterminé qu'il est souvent par l'adjectif *prophetalis*, voire le génitif *prophetiae*[57], ou tout simplement le nom de l'auteur de la prophétie[58]. Aussi en vient-il à faire figure de simple synonyme de *prophetia* au sens d'une prédiction faite[59] ; d'où, au pluriel, « les oracles des prophètes[60] ». Mais parfois sa valeur s'élargit, comme dans tel

---

52. Voir par exemple I, 195 : « Omnia quem uatum spondent oracula Christum » (cf. I, 122) ou I, 141 : « Haec cecinit uates uenturam et uirgine prolem » et, plus explicitement, I, 313 : « Esaias uates cecinit... » C'est néanmoins *propheta* - d'ailleurs commode en fin d'hexamètre — qui l'emporte avec trente occurrences, d'autant que les vingt-deux emplois de *uates* ne désignent pas tous un prophète.

53. « ... cum Aristeas... et Iosephus... (Septuaginta) in una basilica congregatos contulisse scribant, non prophetasse. Aliud est enim uatem, aliud interpretem esse. Ibi spiritus uentura praedicit... » (*In Pentateuchum praef.* PL 28, 151 A, repris dans l'*Apol. adu. Rufin* 2, 25 : PL 23, 449 C). En étroite correspondance avec *prophetasse* qu'il reprend et *uentura praedicit* qui le précise, le mot *uates* est bien l'équivalent de *propheta*. Cf. *In Mich.* PL 25, 1174 C. Emplois similaires du terme, à côté de *propheta*, chez Lactance (*Diu. Inst.* V, 18, 16 : « Deus... per uates suos... » ; *Opif. Dei* 18, 10 : « ... responsa uatum nostrorum... »).

54. *In Is.* 338 A : « Post prophetiam contra Ariel (...), nunc alterius uaticinationis exordium est. » Cf. *In Hier.* 1, 1 : PL 24, 682 C.

55. HIER. *In Ez.* PL 25, 107 C (à propos d'Ézéchiel), 108 D (emploi neutre), 114 D (« ... Prisca et Maximilla quae uaticinatione mendacii... », etc.).

56. Au contraire, dans la langue païenne où il n'apparaît qu'avec Pline l'Ancien, il reste fort rare, à la différence de *uaticinatio*, bien attesté dans la prose classique (Cicéron, César).

57. *Vaticinium prophetale* : *In Is.* 315 B, 587 B. *In Hier.* 29, 1 s. : PL 24, 858 B. *Vaticinium prophetiae* : *In Is.* 190 C.

58. Par exemple *In Is.* 249 B : « Isaie u. », cf. 71 C : « Osee u. », 181 B : « Hieremiae u. ».

59. Voir par exemple *In Habacuc*, prol. : « ... quomodo... Nahum *uaticinium habuit* contra Niniuen (...), ita Habacuc *prophetiam habeat* aduersus Babylonem... » (PL 25, 1274 B).

60. HIER. *In Hier.* 18, 16 : « uaticinia prophetarum » (PL 24, 798 B). Mêmes emplois pluriels dans les attestations profanes du terme (PLINE, *NH* 7, 78 : AULU-GELLE, *Noct. Att.* 16, 17, 1).

passage du livre V où une distinction entre « oracle » et « récit » prolonge en chiasme celle qui ouvre le paragraphe entre « l'histoire » et la « prophétie »[61]. En tout cas lorsque, commentant une promesse de Jérémie, notre exégète invite à « rapporter au temps du Christ le plein accomplissement de l'oracle », l'emploi de *uaticinium* dans un tel contexte montre bien que c'est sans la moindre réticence qu'il applique le terme aux annonces du Christ[62]. Pourtant cela ne l'empêche pas de l'employer encore comme synonyme des oracles païens désormais silencieux[63]. C'est donc probablement que Jérôme retient surtout de la signification du terme la dimension de dévoilement de l'avenir, qu'illustre d'ailleurs le groupement *uaticinium futurorum* qui revient plusieurs fois sous sa plume[64].

Cette dimension caractérise aussi les emplois, sensiblement plus rares, du verbe VATICINARI[65] qui correspond à ces substantifs et qui est au contraire largement attesté dans la langue classique avec le sens de « prophétiser », « prédire »[66]. A côté d'un usage déponent normal[67], le *Commentaire sur Isaïe* en offre au participe passé un emploi passif, d'ailleurs conforme aux habitudes de la langue[68]. Si le terme est appliqué sans hésitation aux prophéties d'un Isaïe ou d'un Michée[69], c'est aussi lui qui apparaît dans une définition des faux prophètes qui « prophétisent selon leur propre cœur et non selon une inspiration divine[70] ».

De la même manière assez occasionnelle, Jérôme ne refuse pas de recourir à d'autres verbes, étrangers à la racine de *uates* mais appartenant, comme *uaticinari*, au vocabulaire classique de la prédiction.

Le verbe simple CANERE est le terme consacré pour l'expression des oracles. Jérôme à son tour déclare ici ou là que « les prophètes ont chanté l'avenir », ou la venue du Christ[71]. De PRAECINERE, dont le préverbe souligne l'aspect

---

61. Cf. « non est historia sed prophetia » et « non sit uaticinium sed narratio » (171 A). Valeur générale également dans l'expression *uaticinium texere* que le début de l'*In Hieremiam* emploie pratiquement comme un équivalent de *prophetare* (PL 24, 681 C).

62. HIER. *In Hier.* 31, 23-24 : « Plenitudo autem uaticinii ad Christi tempora referatur » (PL 24, 881 B). Lactance avait déjà écrit que le Christ avait réalisé tout ce qui nous avait été annoncé « uaticinio prophetarum » (*Diu. Inst.* 5, 3, 18). En revanche le mot ne se trouve pas chez Tertullien, et Jérôme ne l'utilise pas dans la *Vulgate*, où figure une fois *uaticinatio*.

63. *In Is.* 420 BC, où *falsa uaticinia* reprend *oracula*. Cf. 439 D.

64. Voir par exemple *In Hier.* 11, 18 : PL 24, 756 D ; 20, 14 : *ibid.* 807 C ; *In Ez.* 7, 26 b : PL 25, 74 D, etc.

65. « De futuro uaticinari », dit Jérôme à propos d'Isaïe (*Apol. adu. Rufin.* 2, 32 : PL 23, 454 B).

66. Ce sens peut recouvrir des nuances variées qui vont chez Cicéron de « s'exprimer comme un oracle » (*De am.* 24) à « délirer » (*Pro Sest.* 23 : « ... uaticinari atque insanire »).

67. Par ex. *In Is.* 236 A.

68. *In Is.* 165 C : « ... sub Achaz... omnia uaticinata cognoscimus. »

69. Les deux références qui précèdent (n. 67 et 68) concernent Isaïe. Cf. *Epist.* 108, 10 : « De te quondam Michaeas uaticinatus est... » Mais le contexte peut être dépréciatif, comme dans la paraphrase des propos qu'Amasias tient à Amos pour l'éloigner de Bethel (*In Am.* 7, 10-13 : PL 25, 1075 D. C'est le verset pour lequel Jérôme avait jadis employé *prophetizare* ; voir ci-dessus n. 51). Tertullien, pour sa part, n'utilisait pas le terme pour la prophétie biblique.

70. « (Mali prophetae)... nequaquam diuino instinctu sed proprio corde uaticinantur » (*In Ez.* PL 25, 109 B).

71. *In Is.* 477 C : « ... eodem spiritu quo prophetae futura cecinerunt » (cf. 166 D) ; *In Hier.* 14, 9 b : « de futuro aduentu tuo omnium prophetarum ora cecinerunt » (PL 24, 771 D). Cf. *In Am.* PL 25, 1090 A, *In Mich., ibid.* 1174 C.

d'annonce anticipée, le *Commentaire sur Isaïe* se sert en l'associant à « l'esprit prophétique » pour caractériser un cantique de Moïse [72].

Plus banalement, car ils sont moins spécifiques du vocabulaire païen de la divination, PRAEDICERE [73], voire PRAENVNTIARE [74] viennent compléter la série.

Le mot DIVINATIO lui-même et DIVINARE, le verbe correspondant, ne sont pas absents de l'œuvre hiéronymienne. Mais si un passage du *Commentaire sur Amos* attribue aux prophètes de Dieu « la divination véritable [75] », il n'est pas sûr que cela contredise l'affirmation du *Commentaire sur Michée* : « autre chose est la prophétie, autre chose la divination. Jamais en effet dans les Écritures la divination n'est prise en bonne part. Il n'y aura pas, dit-elle, d'augure en Jacob, ni de divination en Israël [76] ». De fait, pour Jérôme, la divination est mensonge et pratique mercantile [77] ; elle et la prophétie s'excluent, au dire de l'Écriture elle-même [78]. Le sentiment de cette incompatibilité aura retenu Jérôme d'appliquer les mots qui la désignent à l'expression de la prophétie biblique.

En revanche le souci de refléter fidèlement certains termes par lesquels la Bible caractérise prophètes et prophéties l'a conduit à quelques emprunts d'allure plus technique qu'il reste à examiner.

Un premier, VISIO, lui est fourni par le titre même du recueil qu'il commente : « Vision d'Isaïe, fils d'Amos... [79] ». C'est pour lui l'occasion de préciser que « les prophètes qui ont dans leur titre : "Vision que vit Isaïe", ou Abdias, ne présentent pas ce qu'ils auraient vu mais racontent ce qui leur a été dit [80] ». Le terme a donc une compréhension plus large que son sens propre, auquel le cantonne à la même époque la définition d'un Macrobe l'ap-

---

72. *In Is.* 550 D, à propos de *Dt.* 32, 16-17. Tertullien l'avait appliqué aussi à Moïse, parallèlement à *prophetare* (*Adu. Iud.* 10, 18) ; cf. *De idololatria* 15, 6 où le verbe a pour sujet *spiritus sanctus*).

73. Voir *In Is.* 86 A, 338 D, *In Am.* PL 25, 1068 D, etc. La frontière n'est pas toujours nette, et ce dès Tertullien, entre *praedicere* et *praedicare* (proclamer, annoncer). Voir par exemple *In Mich.* 1174 C : « Quia propheta sum..., praedico ueritatem », ou dans l'*In Is.* : « Quod autem de Babylonica captiuitate praedicat... » (181 C).

74. Voir *In Is.* 23 B, 49 D...

75. « ... (Deus) in cuius prophetis diuinationis est ueritas » (PL 25, 1069 A).

76. HIER. *In Mich.* 3, 11 (« prophetae eius in pecunia diuinabant ») : « Prophetae Hierusalem in pecunia diuinabant, nescientes aliud esse prophetiam, aliud diuinationem ; numquam enim diuinatio in Scripturis in bonam partem accipitur. "Non erit", ait, "augurium in Iacob, neque diuinatio in Israel" (*Num.* 23, 23). » (PL 25, 1183 AB).

77. Voir *In Is.* 123 B : « Non est talis ethnicorum diuinatio, qui cultores suos saepe decipiunt, sicut nostra, quae absque ullo munere profertur ex lege. » Cf. *In Mich.* PL 25, 1183 B : « ... quia pecuniam accipiebant, prophetia ipsorum facta est diuinatio », et, pour l'aspect de mensonge, *In Ez.* 13, 4 : « ... diuinant mendacium » (*ibid.* 110 B).

78. C'est le sens du verset des *Nombres* (23, 23) cité partiellement dans l'*In Michaeam* (ci-dessus n. 76). Cf. *Or. in Ez. hom.* 2 traduite par Jérôme : « Et sancti quidem non diuinant. Non enim diuinatio in Iacob. Peccatores uero diuinant falsa » (PL 25, 711 C).

79. *Is.* 1, 1 : « Visio Isaiae, filii Amos... » C'est par ce titre également que 2 *Par.* 33, 32 désigne le recueil du prophète.

80. « Non solum autem hic propheta sed et alii, cum habeant in titulo "Visio quam uidit Isaias" siue Abdias, non inferunt quid uiderint (...) sed quae dicta sunt narrant » (23 A).

pliquant au songe de Scipion [81]. Il s'agit là d'une spécificité chrétienne. On peut sans doute en chercher la source pour Jérôme à la fois dans l'audacieuse expression de l'*Exode* : « Tout le peuple *voyait la voix* du Seigneur [82] » et dans l'explication qu'il donne du nom de « voyants », VIDENTES, que, d'après la Bible elle-même, ont d'abord porté les prophètes [83]. « C'est », dit-il, « parce qu'ils considéraient avec les yeux du cœur ce dont ils annonçaient la venue [84] ».

Apte à introduire l'ensemble des oracles d'un prophète, *uisio* désigne plus souvent une prophétie particulière [85], sans que cela implique davantage qu'il s'agisse d'une vision véritable [86]. Ce sens précis n'est pourtant pas exclu : Isaïe « a vu » le Seigneur dans le temple, et la formule du prophète Osée : « J'ai multiplié les visions [87] » est illustrée par bien d'autres passages. Le mot peut aussi se charger d'une autre signification particulière, en rapport avec le contenu du message prophétique. La *uisio* apparaît alors à Jérôme comme « suivie d'événements heureux, que ce soit immédiatement ou au terme d'événements tristes [88] ». D'où son étonnement de voir les Septante traduire par le terme grec correspondant (ὅρασις) l'hébreu *massa'* qui signifie « charge » ou « fardeau » *(onus uel pondus)* [89]. Le mot s'inscrit donc dans un réseau de termes : *uisio, uerbum, onus* ou *pondus, assumptio,* dont la diversité reflète en fait celle du vocabulaire des différentes versions grecques dans leur traduction de l'hébreu.

Les oracles sur les nations (= *Is.* 13 à 23) fournissent à Jérôme des occasions répétées de confronter et de définir ces termes. Voici un tableau des désignations de ces oracles dans l'hébreu et dans les versions, et des traductions qu'il en donne (versets bibliques et commentaire) [90] :

---

81. Voir *In somn. Scip. Comment.* 1, 3 où Macrobe définit d'abord, parmi les cinq *somniandi modos,* « ὅραμα quod uisio recte appellatur » (§ 2), avant de constater que le songe de Scipion est bien une vision, « quia loca ipsa in quibus post corpus uel qualis futurus esset aspexit » (§ 12).

82. *Ex.* 20, 18 : « Omnis populus uidebat uocem Domini. » C'est du moins ainsi que Jérôme comprend le verset (*In Os.* PL 25, 928 B ; cf. *In Abd., ibid.* 1100 AB). La même hardiesse d'expression se retrouve d'ailleurs en *Is.* 2, 1 : « *Verbum* quod *uidit* Isaias... » (*In Is.,* 42 C).

83. Cf. 1 *Sam.* 9, 9, à quoi font écho *In Is.* 23 A, *In Abd.* PL 25, 1100 B, *In Os., ibid.* 928 B. Ce participe substantivé n'est évidemment pas classique. On ne le rencontre pas encore chez Tertullien.

84. « Prophetae, ut crebro diximus, prius appellabantur uidentes quia quae uentura dicebant cordis oculis intuebantur » (*In Am.* PL 25, 1075 C). Voir les références de la note précédente.

85. Par exemple 91 B (primae uisionis titulo...), 267 A (in praesenti uisione...), 257 B (usque ad finem uisionis Aegyptiae...).

86. Voir par exemple *In Hier.* 22, 10, où l'auteur emploie *uisio* pour désigner l'ensemble de la prophétie qui commence au ch. 21 sous le titre « *Verbum* quod factum est ad Hieremiam... » (PL 24, 813 C ; cf. 811 B : « Haec uisio, immo hic sermo Domini... »).

87. *Osee* 12, 10. Voir le commentaire qu'en donne Jérôme PL 25, 927-928.

88. *In Is.* 167 A, ci-dessus p. 203, n. 369. Cf. *In Hier.* 23, 33 ci-dessous n. 95.

89. *In Is.* 155 B : « Verbum hebraicum *massa'* uel onus uel pondus intelligi potest (...). Vnde miror LXX translatores in re tristi uoluisse ponere uisionem. »

90. Pour chaque référence à Isaïe la première ligne concerne le livre V, la seconde les livres VI ou VII. En *Is.* 23, 1 Jérôme comprend *uerbum* là où les éditions modernes des LXX (Rahlfs, Ziegler) ont ὅραμα.

Isaïe	Hébreu massa'	LXX ὅρασις ὅραμα ῥῆμα	Aq. ἄρμα	Sym./Théod. λῆμμα
13,1	onus/pondus	uisio		
	onus	uisio		
15,1	onus/pondus			
	onus		uerbum	assumptio
17,1	onus			
	onus		uerbum	assumptio
19,1	onus			
	onus/pondus	uisio	ἄρμα	assumptio
21,1	onus			
	onus/pondus	uisio		
11	onus			
	onus	uisio		
22,1	onus		uerbum	
	onus		uerbum	
23,1	onus			
	onus	≥	uerbum	assumptio

Logique avec lui-même, à la différence des Septante qui comprennent tantôt comme *uisio*, tantôt comme *uerbum* le même mot *massa'* par lequel l'hébreu introduit tous ces oracles, il s'en tient au terme ONVS, « la charge », — parfois renforcé de PONDVS, « le fardeau », — qui en rend exactement l'idée [91]. On n'est pas surpris d'apprendre qu'un tel vocable prélude à des paroles pleines de menaces et qu'il est toujours suivi de l'annonce de tristes événements [92].

De VERBVM il y a peu à dire ; le mot atteste par sa présence qu'un des modes d'expression de la prophétie est bien une parole perçue et répercutée. Il se distingue par là de la vision prise au sens strict. Mais la distinction s'estompe parfois du fait de l'Écriture elle-même : les Septante, on vient de le voir, emploient son équivalent τὸ ῥῆμα concurremment à ὅρασις ou ὅραμα pour traduire le même mot [93]. Et lorsque Jérôme donne pour titre au chapitre 2 du prophète : « *Parole* que *vit* Isaïe... », il ne fait que rendre exactement l'hébreu [94]. Sur un autre plan le *Commentaire sur Jérémie* rapprochera *uerbum* de *uisio* pour la commune tonalité optimiste des prophéties que ces mots introduisent [95].

Plus difficile à saisir est la valeur, dans l'esprit de Jérôme, du mot ASSVMPTIO qui transpose le grec λῆμμα par lequel Symmaque et Théodotion

---

91. Voir par exemple *In Is.* 13, 1 : « Verbum hebraicum *massa'* uel onus uel pondus intellegi potest » (155 B). Cf. *In Nah.*, prol. : PL 25, 1232 A : « *massa'*, id est graue onus, eo quod eam aduersus quam uidetur premat nec sinat eleuare ceruicem. »

92. *In Is.* 155 B : « Vbicumque praepositum fuerit, minarum plena sunt quae dicuntur », et 167 A : « ... onus semper tristia consequantur... »

93. Voir le tableau ci-dessus et la note 90.

94. *Is.* 2, 1 : « Verbum quod uidit Isaias... » (42 C), en hébreu : *haddâbâr 'asher hâzâh*.

95. Voir *In Hier.* 23, 33 : « Vbicumque autem prospera Dominus pollicetur siue post comminationem meliora promittit, ibi *uisio* dicitur uel certe *uerbum Domini* » (PL 24, 828 C).

traduisent quant à eux l'hébreu *massa'*[96]. Voici l'explication qu'en propose le livre VII : « Quant à la traduction constante par λῆμμα, c'est-à-dire *"assumptio"*, qu'en donnent Symmaque et Théodotion, nous devons savoir que le prophète a reçu *(accepisse)* de Dieu une grâce spirituelle pour connaître les mystères de l'Égypte ou bien pour les voir avec les yeux de l'esprit, comme ont traduit les Septante[97] ». Le mot désignerait donc l'action de recevoir, l'accueil d'un don, dans une sorte d'équivalence entre *accipere* et *sumere* pour rendre la racine de λαμβάνω[98]. On peut se demander ce qui a inspiré à Jérôme le choix de ce terme qui, selon toute vraisemblance, ne correspond pas aux intentions des traducteurs grecs[99]. Quoi qu'il en soit, *assumptio* caractérise moins pour lui le contenu d'un oracle qu'une manière de regarder l'inspiration prophétique[100].

Jérôme n'hésite donc pas à recourir au besoin, pour désigner la prophétie biblique, à des termes de la langue traditionnelle. Mais on observe le plus souvent un décalage entre leur usage classique et l'utilisation qu'il en fait. De la racine de *uates* c'est *uaticinium*, le mot rare et tardif, qui a ses faveurs, aux dépens des mots classiques courants *uaticinatio* et *uaticinari* qui le retiennent assez peu. Et s'il écarte en pratique *diuinatio*, c'est précisément parce qu'il en respecte le sens païen. Parmi les désignations plus techniques qu'il lui faut trouver pour rendre fidèlement hébreu ou grec, *uisio* voit son sens s'élargir sensiblement, et *uerbum* correspond à l'hébreu *dabar*[101] plus qu'il ne reflète

---

96. Voir le tableau ci-dessus. Dans la Vulgate, le mot *assumptio* ne sert qu'une fois (*Lam.* 2, 14) à désigner des prophéties, dans un contexte péjoratif, bien que les LXX utilisent λῆμμα une douzaine de fois dans les livres prophétiques, ce que Jérôme sait fort bien : il indique expressément dans le prologue de l'*In Habacuc* que ce mot figure dans les titres de trois prophètes (Nahum, Habacuc, Malachie) et, dans Zacharie, dans deux titres de chapitres (9, 1 et 12, 1). Il le traduit d'ailleurs par *assumptio* dans ses prologues de l'*In Nahum* et de l'*In Habacuc*.

97. *In Is.* 19, 1 : « Quod autem Symmachus et Theodotion λῆμμα, id est assumptionem, semper interpretati sunt, hoc scire debemus accepisse prophetam a Domino gratiam spiritalem, ut Aegypti sacramenta cognosceret, siue oculis mentis aspiceret, ut LXX transtulerunt » (249 B).

98. On peut en voir une confirmation dans cette remarque de l'*In Hieremiam* 23, 37 : « λῆμμα non solum *assumptionem* sed et *donum munusque* significat » (PL 24, 830 B). Il fait donc exprimer par le mot les deux aspects antinomiques du don (chose reçue, chose donnée) que distinguent en grec λῆμμα et δόμα.

99. Autant les LXX avaient facilité sa tâche de traducteur en s'éloignant du sens du mot hébreu, autant les autres versions, dans la mesure où elles reflétaient ce sens, lui posaient un difficile problème de recherche de synonymes. On le voit bien avec le mot ἄρμα choisi par Aquila : il arrive à Jérôme d'en dégager la portée (*In Is.* 249 A, texte note suivante), mais il n'en propose pas de traduction propre (cf. *In Hier.* 23, 33 : PL 24, 828 C). Pour λῆμμα, devant cet emploi très particulier du mot, a pu jouer dans sa mémoire une association d'idées avec un autre emploi technique du terme tout à fait différent. Dans le vocabulaire de la dialectique, en effet, le mot désigne les prémisses d'un syllogisme, plus précisément la majeure. Or Cicéron l'avait traduit explicitement par *sumptio*, le terme *assumptio* convenant proprement à la mineure (cf. *De diu.* 2, 108). Cette réminiscence lointaine a pu lui dicter son choix. Mais le mot l'éloignait des intentions des traducteurs, car il n'est guère douteux que Symmaque et Théodotion ont, pour traduire l'idée d'une charge que l'on porte, demandé à la racine de λαμβάνω ce qu'Aquila avait demandé à celle de αἴρω.

100. Cette perspective est également celle d'un Théodore de Mopsueste ou d'un Théodoret de Cyr, bien que leur interprétation diffère de celle de Jérôme (voir ci-dessous p. 358 et la note 179). Jérôme l'étend d'ailleurs au mot hébreu lui-même et à sa traduction par ἄρμα et *onus* qu'il commente en ces termes : « Possumus dicere, ab eo quod *tollat* propheta et *portet* iugum Domini, eum exstitisse condignum qui prophetiam Aegypti cerneret siue *portaret* » (*In Is.* 249 A).

101. Sur la signification de ce mot *dabar* et sur la perception qu'en ont eue les Pères, voir le

ses valeurs classiques. Quant à des mots comme *onus, pondus* et surtout *assumptio*, ils ne répondent à son souci d'exactitude littérale qu'au prix d'une véritable innovation sémantique.

Ainsi, qu'il s'agisse des désignations proprement chrétiennes de la prophétie ou des emprunts qu'il fait à la langue traditionnelle, le vocabulaire hiéronymien de la prophétie porte la marque d'une spécificité chrétienne et reste fondamentalement tributaire du langage de l'Écriture. Il fournit par là même un premier éclairage sur les traits caractéristiques du phénomène biblique de la prophétie tel que le perçoit Jérôme.

II — LE PROPHÈTE ET SA MISSION

C'est Dieu, selon la Bible, qui est à l'origine de la vocation prophétique. Le lecteur des prophètes n'a que l'embarras du choix pour étayer cette affirmation. Le Seigneur a pris Amos derrière son troupeau pour l'envoyer prophétiser [102] ; il déclare à Jérémie qui renâcle : « Comme prophète des nations je t'ai établi [103] ». Bref « Yahvé a parlé, qui ne prophétiserait [104] ? » Même la vision inaugurale d'Isaïe, pourtant plus respectueuse de l'initiative du prophète, n'infirme pas cette donnée : si Isaïe se propose, estime Jérôme, c'est un effet de la grâce qui vient de le purifier [105]. A vrai dire, le commentateur ne s'attarde pas sur cette évidence qu'illustre d'une autre façon le double fait qu'il n'y a pas toujours des prophètes et que, lorsqu'il s'en trouve un, la parole de Dieu ne l'habite pas en permanence [106]. Il paraît plus soucieux de souligner que le prophète est un porte-parole ou mieux un « chargé de mission ».

A — Le statut de prophète

Les prophètes, en effet, « ne parlent nullement de leur seule initiative mais aussi par la volonté du Seigneur [107] » et ils ne s'expriment pas selon leur propre sentiment — c'est là au contraire un des traits des pseudoprophètes [108]

---

début de l'*In Abdiam* de Théodore de Mopsueste, en particulier cette définition : « L'Écriture nomme "parole" du Seigneur l'action de Dieu selon laquelle, de par la grâce de l'Esprit saint, les prophètes recevaient la révélation des événements futurs, et "vision" cette révélation » (PG 66, 308 C).

102. Voir *Amos* 7, 15.

103. *Hier.* 1, 5 : « prophetam in gentibus dedi te. »

104. *Am.* 3, 8 : « Dominus Deus locutus est, quis non prophetabit ? » En commentant ce verset Jérôme observe qu'il exprime moins une impossibilité qu'une éventualité rare. Il tient en effet à sauvegarder la liberté de refus du prophète « propter duritiam suam » (*In Am.* PL 25, 1017 C).

105. *In Is.* 97 BC.

106. Cf. *In Is.* 472 A pour le premier point et, pour le second, *In Ez.* 333 D.

107. « ... nequaquam prophetas suo tantum arbitrio loqui sed et Domini uoluntate. » La formule est de l'*In Hieremiam* 28, 10-11 : PL 24, 855 C.

108. Voir par exemple *In Nahum* : « ... de proprio sensu loqui, quod arguitur in pseudoprophetis » (PL 25, 1243 D, cf. 1174 B). Voir encore *Ez.* 13, 2 et le commentaire correspondant (*ibid.* 109 AB). Ce trait explique en particulier que Jérôme voie dans ces faux prophètes la figure des hérétiques « qui abandonnent l'inspiration divine pour suivre leur propre inspiration » (*ibid.*)

— mais selon l'esprit de Dieu au nom de qui ils parlent [109]. Envoyés par lui [110], ils disent ou font ce qu'ils ont reçu l'ordre de dire ou de faire [111], et ce sont ses instructions qu'ils transmettent [112].

Si une telle mission ne dépend pas des mérites personnels de l'intéressé, elle comporte des exigences et entraîne chez lui une attitude spirituelle que Jérôme esquisse à travers l'évocation d'un certain nombre de vertus. La première est l'obéissance, qui permet au prophète d'accepter non seulement une mission souvent écrasante, mais aussi telle injonction surprenante que lui dicte la parole de Dieu. Ainsi, souligne le *Commentaire sur Isaïe*, « nous découvrons l'obéissance des prophètes en voyant qu'un homme noble n'a pas rougi de s'avancer nu [113] ». Cette obéissance n'est pas simple docilité, elle s'enracine dans une confiance, ou, pour mieux dire, dans une assurance [114] qui inspire au prophète toutes les audaces, celle, par exemple, qui pousse un Isaïe à clamer aux chefs et au peuple d'Israël : « Ecoutez la parole du Seigneur, chefs de *Sodome* ! Prêtez l'oreille aux paroles du Seigneur, peuple de *Gomorrhe* [115] ! » L'audace n'exclut pas, chez d'autres ou à d'autres moments, « prudence, humilité et patience », ces qualités dont fait preuve Jérémie lors de son affrontement avec Ananias : il se retire d'abord en silence, car il n'a pas encore eu la révélation de ce qu'il aurait à dire [116]. Mais c'est plus souvent de fermeté et de constance que devra faire preuve le prophète fidèle à sa mission : souffrance, captivité [117], mort même sont en effet son lot, comme en témoigne aux yeux de Jérôme l'exemple d'Isaïe lui-même, mis à mort, selon les Hébreux, pour avoir osé dire : « J'ai vu le Seigneur », mais aussi pour avoir traité Israël et ses responsables de « chefs de Sodome » et de « peuple de Gomorrhe » [118].

Cependant ces constantes dans l'attitude spirituelle n'obnubilent pas les traits individualisés de chaque prophète. Ces hommes, à travers les paroles desquelles Dieu s'exprime [119], ne sont pas interchangeables.

---

109. Formule particulièrement nette dans l'*In Michaeam* : « propheta sum et Dei spiritu loquor... » (PL 25, 1174 C). Cf. *In Hier.* 23, 25-27 et 26, 16 (PL 24, 826 C et 847 A).

110. « ... a diuinitate missus... » (*In Mich.* PL 25, 1174 C).

111. Voir par exemple *In Is.* 98 C : « ... Isaias propheta Domino imperante praedicat... » ; 114 D : « Facit ergo propheta quod iussum est... »

112. Les pseudoprophètes au contraire parlent « contra Dei mandata » (*In Ez.* PL 25, 108 D).

113. In Is. 189 B : « ... discimus oboedientiam prophetarum quod uir nobilis (...) non erubuit nudus incedere » ; cf. 114 D, ci-dessus n. 111.

114. *Fiducia* : *In Is.* 97 C. C'est le mot qui, dans la *Vulgate*, traduit le grec παρρησία, cette assurance que donne la foi, qui caractérise la prédication de Paul (Voir en particulier *2 Cor.* 3, 12). Voir aussi, note suivante, la référence à l'*In Ezechielem*.

115. « Magnus et Isaias qui clamat ad principes et ad populum Iudaeorum : "Audite uerbum Domini"... etc. (= *Is.* 1, 10). » C'est un passage de l'*In Ezechielem* (PL 25, 125 C). L'exemple d'Isaïe y sert à illustrer, avec ceux de Daniel et d'Ézéchiel, la *magna fides* et la *grandis audacia* des prophètes. Cf. *In Am., ibid.* 1077 A : « ... audacter et libere... »

116. Voir *In Hier.* 28, 10-11 : PL 24, 855 C.

117. Jérôme avait déjà rencontré cette idée dans les homélies d'Origène qu'il avait traduites à Constantinople. (*Or. in Ez. hom.* 1, PL 25, 693 C). Voir aussi *Or. in Hier. hom.* 1 : « Scit Deus mittens prophetam quanta discrimina perpessurus sit » (PL 25, 593 C).

118. Voir *In Is.* 33 A, et ci-dessus, n. 115. Cf. dans l'*In Hier.* 26, 20 le commentaire de la mort du prophète Urias (« animaduertenda constantia prophetalis... » PL 24, 848 C).

119. Voir *In Is.* 114 C : « ... humanis uerbis et stylo quo homines scribere consueuerunt... » Et ces écrivains ont leur personnalité littéraire (« habent singuli proprietates suas », HIER, *praef. in XII prophetas* PL 28, 1015 A).

B — La personnalité des prophètes

De fait, la manière dont les prophètes acceptent leur mission trahit des tempéraments bien différents. Dès son essai de Constantinople sur la vision inaugurale d'Isaïe Jérôme l'avait souligné, et il le note encore dans son Commentaire : le contraste est frappant entre la netteté avec laquelle le prophète se propose, et les réticences d'un Jérémie ou les dérobades d'un Moïse [120]. Aussi éprouve-t-il le besoin d'entrer dans la psychologie de ces hommes irréprochables pour justifier leurs attitudes divergentes. Ce n'est pas un amour-propre irréfléchi et présomptueux qui a poussé Isaïe à se proposer ; ce n'est pas non plus l'idée qu'il aurait à annoncer à son peuple d'heureuses nouvelles ; c'est un sentiment de confiance — ne vient-il pas d'être purifié ? — et d'obéissance [121]. A l'inverse, ce n'est pas dédain mais humilité de la part de Moïse que de décliner l'appel de Dieu en déclarant : « Envoie qui tu voudras [122] ». Les hésitations de Jérémie et, plus encore, les motivations de Jonas fuyant sa mission, puis finissant par s'y conformer, retiennent aussi Jérôme et l'amènent à donner de ces deux prophètes des images très individualisées [123].

Si la personnalité des prophètes marque de façon particulière la vocation de chacun, leur situation personnelle et les circonstances de leur existence interviennent aussi dans leur prédication et contribuent à la caractériser. On le voit bien à propos des oracles du livre de l'Emmanuel. Isaïe n'y apparaît pas seul, mais avec ses deux fils au nom symbolique [124]. Leur mère elle-même, l'épouse anonyme du prophète, est loin de jouer un rôle négligeable aux yeux de l'interprète. En effet, par suite de l'assimilation de son second fils à l'Emmanuel [125], elle est comprise comme étant l'Esprit saint, « car le Seigneur a été conçu de l'Esprit saint [126] ». D'autres, que Jérôme ne paraît pas vouloir démentir, voient en elle la figure de la Vierge Marie [127]. Et l'on connaît bien, parmi les autres prophètes, l'importance du mariage peu conformiste d'Osée pour sa propre prédication [128]. Car ce n'est pas seulement

---

120. Cf. *Epist.* 18 A, 15 et *In Is.* 97 B-98 A.

121. Voir en particulier *In Is.* 97 C : « propheta non temeritate et arrogantia propriae conscientiae se ire promittit, sed fiducia, quoniam purgata sunt labia eius... », et 97 D-98 A : « ... non temeritatis esse sed oboedientiae Domino se obtulisse mittendum. » Cette obéissance n'empêche pas le prophète inquiet pour son peuple de montrer plus tard moins d'empressement. Cf. *In Is.* 97 D renvoyant à *Is.* 40, 6 et le commentaire de ce verset *ad locum* (*ibid.* 402 B).

122. *In Is.* 97 C, citant *Ex.* 3, 10 et 4, 13.

123. Voir pour Jérémie, outre les allusions de l'*In Isaiam* (96 C, 97 D), plus discret que la *Lettre* 18 A, le commentaire des premiers versets du prophète. Pour Jonas, nombreuses notations tout au long de l'*In Ionam*, en particulier 1, 3 a (PL 25, 1121-1122 = Antin. p. 57-60).

124. *Is.* 7, 3 et 8, 3-4 ; cf. 8, 18 : « Voici que moi et les enfants que Yahvé m'a donnés nous devenons signes et présages en Israël. »

125. *In Is.* 115 B : « Praecipiturque Isaiae ut ipsum puerum qui prius uocabatur Emmanuel nunc appellet Accelera — Spolia detrahe — Festina praedari. »

126. *In Is.* 115 A : « ... prophetissae, id est Spiritui sancto (...) Spiritu itaque sancto conceptus est Dominus. »

127. « Quidam prophetissam sanctam Mariam interpretantur... » (*ibid.*)

128. Voir en particulier dans l'*In Osee* le prologue et le commentaire des premiers versets du ch. I, où le sens de ce mariage est dégagé (Cf. PL 25, 823 C : « De Saluatoris et ecclesiae typo in praefatiuncula diximus quod sumpserit sibi uxorem fornicariam... »).

à travers les paroles des prophètes, c'est aussi à travers leurs actes que Dieu s'exprime [129].

C — « *Officium prophetale* »

Dieu parle en effet par le prophète [130], et la formule fréquente : « Voici ce que dit le Seigneur » est là pour le rappeler [131]. Isaïe se définit lui-même comme une sentinelle dont la fonction, commente Jérôme, est « d'obéir jour et nuit au commandement du Seigneur et de dire tout ce qu'il reçoit l'ordre de dire [132] ». Un autre passage du Commentaire précise davantage la nature de cette fonction : comme la sentinelle de garde, discerner ce qui va venir [133]. Sans doute le prophète peut avoir un rôle d'intercession [134], ou de consolation et de guérison [135], mais pour Jérôme comme pour tous les Pères, sa marque propre c'est bien d'annoncer l'avenir [136]. Ce constat rejoint l'impression qui se dégageait de l'étude de son vocabulaire. « Les prophètes ont chanté l'avenir », dit le prologue du livre XIV [137]. « Ils faisaient mention », précise ailleurs Jérôme, « non seulement de ce qui allait arriver de nombreux siècles plus tard, mais aussi de ce qui devait s'accomplir dans l'immédiat et après un espace de temps peu important [138] ». En fait c'est plus souvent le long terme qu'évoquent les formules avec *futura* ou *uentura* qui reviennent sans cesse comme une banalité dans le *Commentaire sur Isaïe* comme dans les Commentaires des autres prophètes [139]. Tous, en tout cas, « parlent essentiellement du futur, dont la connaissance appartient à Dieu seul », selon l'expression du *Commentaire*

---

129. Cf. *In Hier.* 11, 21 s. : « ... omnes prophetae in typum Domini saluatoris pleraque *gesserint* » (PL 24, 758 A).

130. « ... per prophetam Dominus loquitur » (*In Ez.* PL 25, 443 B. Cf. *In Mich. ibid.* 1222 B).

131. Voir *In Hier.* 23, 23-24 : PL 24, 826 A.

132. *In Is.* 21, 6-10 (livre V) : « ... speculatorem Domini se esse pronuntians, qui semper positus in officio prophetali et diebus ac noctibus Domini parens imperio, quodcumque iusserit loquitur » (192 A).

133. *In Is.* 263 C : « Hoc sibi officium delegatum ut in saeculi istius tenebris quae uentura sint conspiciat. »

134. Voir *In Hier.* 15, 11 : PL 24, 778 B.

135. Idée exprimée dans les homélies d'Origène traduites par Jérôme (*In Hier. hom.* 11 et *In Ez. hom.* 1 : PL 25, 663 D et 693 C).

136. C'est la définition qu'en donne Tertullien s'adressant à des païens (*Apol.* 18, 5 : « prophetae de officio praefandi uocantur »). Même pour ceux qui, comme Diodore de Tarse, incluent dans le genre prophétique le dévoilement d'un passé (Moïse racontant l'histoire des origines) ou d'un présent (saint Pierre démasquant Ananie) cachés, la forme « maîtresse » (κυριωτέρα) de la prophétie est bien l'annonce de l'avenir (DIODORE, *In Ps. praef.* dans les *RecSR* 9, 1919, 1-2, p. 86 = CCG 6, 6, 100). Il n'existe pas sur ce point de clivage d'école.

137. « Prophetae futura cecinerunt » (477 C).

138. *In Is.* 388 B : « Idcirco uel maxime prophetae apud populum sermonum suorum habebant fidem, quia non solum de his quae multa post saecula futura erant, sed etiam quae in continenti et post non grande temporis spatium essent implenda memorabant. » Cf. *In Amos* PL 25, 1068 D.

139. Voir, outre les références déjà données, *In Is.* 388 B (futura praenuntio), 453 C (uaticinio futurorum) ; *In Hier.* 4, 23 s. : PL 24, 711 C (Propheta cernit in spiritu quae uentura sunt) et la note suivante ; *In Ez.* PL 25, 49 B (futura portendant...), 74 D (uaticinium futurorum quaeritur a propheta), etc. Cf. le passage de la *Première Épître* de Pierre 1, 10-12 qui, curieusement, n'est jamais cité par Jérôme.

sur Jérémie [140]. Et c'est bien parce que Dieu les envoie qu'ils peuvent prétendre « annoncer la vérité [141] ».

Mais comment un homme peut-il devenir l'instrument du dévoilement d'un avenir véridique ? S'il est vrai que c'est à l'initiative de Dieu et sous son inspiration que s'opère cette révélation, quelle réalité psychologique met-elle en jeu ? et quelle conscience le prophète en a-t-il lui-même ? Sur la nature et les modalités de l'inspiration prophétique Jérôme a des idées précises, que le lecteur du *Commentaire sur Isaïe* ne peut ignorer longtemps.

III — L'INSPIRATION PROPHÉTIQUE

C'est en effet dès le prologue de l'ouvrage que Jérôme croise le fer avec l'hérésie sur ce point. A vrai dire, il n'avait pas attendu jusque-là pour s'attaquer à l'illuminisme de Montan. Dès ses premiers Commentaires des petits prophètes, on le voit prendre fermement parti contre cette conception erronée de l'inspiration [142]. Déjà le *Commentaire sur l'Épître aux Éphésiens* posait clairement le problème : « Ou bien », y lit-on, « il faut admettre d'après Montan que les patriarches et les prophètes ont parlé en extase et n'ont pas su ce qu'ils disaient, ou bien, si c'est là une impiété (car *"les esprits des prophètes sont soumis aux prophètes"*), ils ont certainement compris ce qu'ils ont dit [143] ». Mais jamais encore il n'avait consacré à réfuter l'hérésiarque un développement aussi important. Laissons-lui la parole.

> « En vérité, contrairement aux rêveries de Montan avec ses femmes hors de sens, les prophètes n'ont pas parlé en extase sans savoir de quoi ils parlaient (...). Mais selon la parole de Salomon dans les *Proverbes* : "Le sage comprend ce que sa bouche profère ; et sur ses lèvres il portera le savoir", ils savaient eux-mêmes ce qu'ils disaient. Si en effet les prophètes étaient des sages — ce que nous ne pouvons nier —, (...) comment les sages qu'étaient les prophètes ignoraient-ils, à l'instar des animaux stupides, ce qu'ils disaient ?
>
> Nous lisons aussi dans un autre passage de l'Apôtre : *"Les esprits des prophètes sont soumis aux prophètes"*, si bien qu'il est en leur pouvoir de décider quand ils se taisent ou quand ils parlent. Si cela paraît manquer de force, qu'on écoute ces propos du même apôtre : "Pour les prophètes, qu'il y en ait deux ou trois à parler et que les autres jugent ; si quelque autre assistant a une révélation, que le premier se taise." Comment pourraient-ils se taire si se

---

140. Hier. *In Hier.* 28, 10-11 : « ... prophetas loqui... maxime de futuris quorum solius Dei notitia est » (PL 24, 855 C).

141. Hier. *In Michaeam* PL 25, 1174 C : « ... propheta sum (...) et a diuinitate missus, praedico ueritatem. »

142. Voir le prologue de l'*In Nahum*, le premier en date : « Non enim loquitur in ἐκστάσει, ut Montanus et Prisca Maximillaque delirant » (PL 25, 1232 AB). Cf. *In Hab.*, prol. : « ... aduersum Montani dogma peruersum (propheta) intellegit quod uidet ; nec ut amens loquitur, nec in morem insanientium feminarum dat sine mente sonum. » Suit une référence commentée à 1 *Cor.* 14, 30, qui souligne que le prophète ne parle pas « in ecstasi, id est inuitus » (*ibid.* 1274 AB).

143. Hier. *In epist. ad Eph.* 3, 5 : « Aut igitur iuxta Montanum patriarchas et prophetas in ecstasi locutos accipiendum et nescisse quae dixerint, aut si hoc impium est (spiritus quippe prophetarum prophetis subiectus est), intellexerunt utique quae locuti sunt » (PL 26, 479 BC). La parenthèse fait référence à 1 *Cor.* 14, 32.

taire ou parler dépendait de l'esprit qui parle par les prophètes ? Si donc ils comprenaient ce qu'ils disaient, tous leurs oracles sont remplis de sagesse et de sens... [144] ».

L'inspiration prophétique va donc de pair chez le prophète avec la lucidité et la pleine conscience de ce qu'il dit. A vingt ans de distance le fond de l'argumentation n'a pas changé : refuser au prophète inspiré la lucidité, c'est se mettre en contradiction avec l'affirmation explicite de la *Première aux Corinthiens*, référence biblique présente à la fois dans la prise de position du Commentaire paulinien et dans le développement du *Commentaire sur Isaïe*, où les versets voisins de l'Apôtre viennent étayer l'argumentation. Mais la première partie du texte doit aussi retenir l'attention. Jérôme, pour qui l'extase — ce terme grec qu'il transcrit sans le traduire — est synonyme de perte de conscience [145], y exploite un autre filon scripturaire qui fait du prophète un *sapiens*, à travers les exemples de Moïse, de Daniel, de David surtout qui a pu dire dans un psaume : « Tu m'as manifesté les mystères cachés de ta sagesse [146] ».

Notons encore que, de la conscience qu'ont eue les prophètes de ce que le Seigneur disait en eux, semble découler le bien-fondé d'une lecture spirituelle de leurs oracles. Le développement se prolonge en effet par cette formule : « *C'est pourquoi*, après la vérité du sens historique, il faut tout prendre dans un sens spirituel [147] ».

Jérôme en revanche ne dit mot ici d'une difficulté qu'il avait soulevée et longuement traitée dans le passage de son *Commentaire sur l'Épître aux Éphésiens* évoqué tout à l'heure. Dans le verset qu'il était en train d'expliquer, comme dans un passage de l'*Épître aux Romains* cité un peu plus loin, l'apôtre évoque en effet « le mystère du Christ dont les fils des hommes n'ont pas eu connaissance dans les autres générations » jusqu'à ce qu'il soit « manifesté *à présent* [148] ». Comment concilier une telle affirmation avec la conscience qu'auraient eue les prophètes de ce qu'ils étaient chargés d'annoncer ? Jérôme reconnaît d'ailleurs que « ceux qui veulent que les prophètes n'aient pas compris ce qu'ils disaient mais aient parlé comme en extase » tirent ces deux

---

144. *In Is. prol.* : « Neque uero, ut Montanus cum insanis feminis somniat, prophetae in ecstasi sunt locuti, ut nescierint quid loquerentur (...) Sed iuxta Salomonem qui loquitur in *Prouerbiis* : "Sapiens intellegit quae profert de ore suo, et in labiis suis portabit scientiam" (a), etiam ipsi sciebant quid dicerent. Si enim sapientes erant prophetae, quod negare non possumus », — suivent les exemples de Moïse, Daniel et David — « quomodo sapientes prophetae instar brutorum animantium quid dicerent ignorabant ? Legimus et in alio apostoli loco : "Spiritus prophetarum prophetis subiecti sunt" (b), ut in sua habeant potestate quando taceant, quando loquantur. Quod si cui uidetur infirmum, illud eiusdem apostoli audiat : "Prophetae duo aut tres loquantur, et alii diiudicent ; si autem alii fuerit reuelatum sedenti, prior taceat" (c). Qua possunt ratione reticere, cum in ditione sit spiritus qui loquitur per prophetas uel tacere uel dicere ? Si ergo intellegebant quae dicebant, cuncta sapientiae rationisque plena... » (19 B-20 A). Sont cités successivement dans ce texte *Prou.* 16, 23 (a), 1 *Cor.* 14, 32 (b) et 1 *Cor.* 14, 29 (c).

145. Cf. encore *In Is.* 23 B : « ... in ecstasi et cordis amentia... »

146. *Ps.* 50, 8 : « Incerta et occulta sapientiae tuae manifestasti mihi » cité en 20 A.

147. « *Vnde* post historiae ueritatem spiritaliter accipienda sunt omnia » (*In Is.* 20 B).

148. HIER. *In epist. ad Eph.* 3, 5 : « Et aliis generationibus non fuit notum filiis hominum, sicut nunc reuelatum est sanctis eius apostolis... » (PL 26, 478 D. Variantes de détail par rapport au texte de la Vulgate). Cf. *Rom.* 16, 25-26 : « ... secundum reuelationem mysterii temporibus aeternis taciti, manifestati autem nunc... » (*ibid.* 481 D, même remarque).

versets dans le sens de leur thèse [149]. Mais trois arguments leur sont opposables. Tout d'abord ce mystère ignoré des « fils des hommes » ne l'était pas des « fils de Dieu », c'est-à-dire de ceux qui ont reçu un esprit d'adoption, au nombre de qui étaient, bien entendu, patriarches et prophètes [150]. Cette explication cependant peut paraître forcée ; aussi Jérôme en propose-t-il une autre. Paul a pu vouloir dire que ces hommes, dans le passé, n'ont pas connu le mystère du Christ de la manière dont il a été dévoilé aux apôtres. « Autre chose est en effet de connaître dans l'esprit ce qui va arriver, autre chose de le voir effectivement réalisé [151] ». Enfin on peut encore répondre que ce mystère « a été tu dans le passé non pas auprès de ceux qui promettaient sa venue, mais auprès de l'ensemble des nations auxquelles il n'a été manifesté que plus tard [152] ». Quoi qu'il en soit, Jérôme devait estimer qu'il avait fourni là une réfutation décisive, car il n'est jamais revenu par la suite sur ces deux versets pauliniens [153].

Dans son rejet de l'illuminisme de Montan, il ne faisait d'ailleurs que refléter l'opinion commune des écrivains ecclésiastiques, à commencer par Origène [154]. Il avait pu lire en effet dans une des homélies qu'il avait traduites à Constantinople que « les prophètes n'étaient pas hors de sens, comme le croient certains, et ne parlaient pas sous la contrainte irrésistible de l'esprit [155] ». Il connaissait aussi la page du *Contre Celse* où l'Alexandrin oppose la Pythie, que l'extase et la frénésie entraînent jusqu'à la perte de toute conscience, aux prophètes dont l'intelligence est au contraire rendue plus clairvoyante et l'âme plus éclairée par le contact de l'esprit divin [156].

Pour son maître Didyme également, si les prophètes sont comme « possédés de Dieu », ils ne sont pas pour autant hors de sens, car « la parole de Dieu

149. « Qui uolunt prophetas non intellexisse quod dixerint et quasi in ecstasi locutos, cum praesenti testimonio (= *Eph.* 3, 5) illud quoque quod ad Romanos... inuenitur, ad confirmationem sui dogmatis trahunt » (*In epist. ad Eph.* PL 26, 481 CD).

150. Hier. *In epist. ad Eph.* PL 26, 479 C.

151. « Aliud est enim in spiritu uentura cognoscere, aliud ea cernere opere completa. » Voir aussi les lignes qui précèdent cette phrase (PL 26, 479 CD).

152. « Quibus breuiter respondendum est temporibus praeteritis tacitum Christi fuisse mysterium non apud eos qui illud futurum pollicebantur sed apud uniuersas gentes quibus postea manifestatum est. » (*ibid.* 481 D).

153. Peut-être le développement insistant de l'*In epist. ad Eph.* s'explique-t-il par les sollicitations d'une actualité qui nous échappe. Plus vraisemblablement Jérôme ne fait ici que refléter, comme souvent dans ses Commentaires pauliniens, sa source origénienne (cf. l'étude de M.A. Schatkin, ci-dessus, p. 335, n. 4). Mais nous n'avons pas les moyens de le vérifier, aucun des fragments du Commentaire correspondant d'Origène publiés par J.A.F. Gregg (dans le *Journal of Theological Studies* 3, 1902, p. 233-244 ; 398-420 ; 554-576) ne concernant ce verset.

154. A l'exclusion, bien entendu, de Tertullien. Si dans son œuvre conservée on ne trouve aucune exploitation des deux versets pauliniens dans un sens montaniste, on peut supposer que dans son Περὶ ἐκστάσεως perdu dont Jérôme atteste l'existence (*De uir. ill.* 24, 40 et 53) Tertullien présentait pour la défendre la conception de Montan. Il la reflète en tout cas sans la moindre ambiguïté dans une page de l'*Adu. Marcionem* où il commente l'égarement de Pierre lors de la Transfiguration (*Adu. Marc.* IV, 22, 4-5 ; cf. V, 8, 12 : in ecstasi, id est in amentia).

155. *Or. in Ez. hom.* 6 : « Neque enim (ut quidam suspicantur) mente excidebant prophetae et ex necessitate loquebantur » (PL 25, 735 A = Or. W. 8, 378). Suit une citation de 1 *Cor.* 14, 29 comme dans la page de Jérôme.

156. Voir *Contra Celsum* 7, 3-4 : Sch 150. Les mots et expressions comme ἔκστασις καὶ μανική..., ἐξίσταται..., οὐκ ἐν ἑαυτῇ ἐστιν... pour la Pythie s'opposent directement à διορατικώτεροί τε τὸν νοῦν... καὶ τὴν ψυχὴν λαμπρότεροι pour le prophète.

les rend clairvoyants et les illumine pour qu'ils contemplent les mystères [157] ».
Cette manière de voir n'est pas l'apanage des seuls Alexandrins. Jean
Chrysostome estime, quant à lui, qu'à la différence de ce qui se passe pour les
devins dont l'intelligence est obscurcie, l'Esprit laisse le cœur du prophète
savoir ce qu'il dit [158]. Mais c'est Théodore de Mopsueste qui, chez les Antiochiens, pousse le plus loin la réflexion au début de son *Commentaire sur
Nahum*. A ses yeux l'extase (ἔκστασις) en détournant l'esprit du prophète de la
condition présente, le fait accéder à la connaissance (γνῶσις) des mystères, car
elle lui permet de s'appliquer à leur seule contemplation (θεωρία), de la même
façon que, pour se pénétrer de l'enseignement d'un maître, l'élève doit s'abs-
traire de tout ce qui l'en distrairait et y appliquer intensément son esprit [159]. Le
vocabulaire ne doit pas faire illusion. L'*extase* (ἔκ-στασις) dont parle ici
l'évêque de Mopsueste ne met pas le prophète « hors de sens » ou hors de lui-
même, mais hors des sollicitations extérieures. Elle va de pair avec la contemplation consciente des mystères qu'il est chargé d'annoncer. Sur le fond,
Théodore ne pense donc pas autrement que ses devanciers.

Théodoret de Cyr ne tiendra pas un autre langage. Saisi (ληφθεῖσα) par la
grâce divine, déclare-t-il en substance au début de son *Commentaire sur Malachie*, et devenu extérieur (ἐκτός) aux réalités humaines, l'esprit du prophète
reçoit la connaissance (γνῶσις) de ce qu'il doit communiquer aux autres [160].

On voit que, dans son opposition radicale aux conceptions de Montan,
Jérôme défend une position tout à fait traditionnelle. Sans doute faut-il
observer simplement que plus qu'aucun autre, autant qu'on en puisse juger, il
a soin de l'appuyer sur un solide dossier scripturaire.

Si la nature de l'inspiration prophétique dans son rapport à la conscience du
prophète se trouve ainsi parfaitement éclairée, une marge d'imprécision subsiste sur sa portée ou, pour mieux dire, son extension. Qu'elle puisse donner
accès à la connaissance d'un lointain avenir, cela ne fait aux yeux de Jérôme
aucune difficulté. Le cas de Jonas, entre autres exemples, lui en avait déjà
fourni l'illustration, lui qui « savait par une inspiration du Saint Esprit que la
conversion des nations était la ruine des Juifs [161] ». Le *Commentaire sur Isaïe*
souligne d'ailleurs, on l'a vu, que la prophétie voile aussi bien le futur
immédiat que ce qui doit arriver à des siècles de distance [162].

---

157. Voir DIDYME *In Zach.* IV, 177 (SCh 85) : θεοληπτούμενοι (cf. III, 75 : SCh 84) ; II, 2
(*ibid*) : « ... ὁ τοῦ Κυρίου λόγος ὀμματοῖ καὶ φωτίζει πρὸς τὸ θεάσασθαι τὰ μυστήρια... » Cette
phrase prolonge une comparaison avec les matières scientifiques « qu'on ne peut enseigner si on
n'en possède pas le savoir ». Ces réflexions de Didyme ne trouvent aucun écho dans les passages
correspondants de l'*In Zachariam* de Jérôme.

158. Voir JEAN CHRYSOSTOME, *In Ps.* 44, 2 a (PG 55, 184). Ailleurs l'Antiochien oppose lui aussi
à la révélation divine donnée au prophète les délires de la Pythie (*In epist. ad Cor. hom.* 29, 1 :
PG 61, 259 C).

159. Voir THÉODORE DE MOPSUESTE, *In Nahum* 1, 1 : PG 66, 401 CD. Pour Jérôme aussi, par
l'inspiration prophétique le prophète « est ailleurs et contemple autre chose » (*In Ionam* 2, 5 : PL 25,
1134 D = Antin p. 84).

160. Voir THÉODORET, *In Malachiam* 1, 1 : PG 81,1961 AB. Cf. *In Nah.* 1, 1 : *ibid.* 1789 B et *In
Hab.* 1, 1-3 : *ibid.* 1812 B. On peut observer que ces trois développements interviennent à propos
de versets introductifs où la prophétie est désignée par le mot λῆμμα.

161. HIER. *In Ionam* 1, 3 a : « Scit propheta, sancto sibi spiritu suggerente, quod paenitentia
gentium ruina sit Iudaeorum » (PL 25, 1121 B = Antin p. 57).

162. Voir *In Is.* 388 B, ci-dessus, p. 351, n. 138.

La constatation serait banale, somme toute, si l'on n'était parfois conduit à s'interroger sur la présence, dans un même oracle, de ce double niveau de prévision. Tant qu'il ne s'agit pour le prophète que de « revenir à son propos et, après l'espérance de réalités futures, de brandir la crainte du moment [163] », bref tant que différents moments du temps font de sa part l'objet de percep-tions *successives*, les choses restent assez claires, et sans doute n'y a-t-il guère, dans notre Commentaire, de formules explicites qui inciteraient à chercher plus avant [164]. Mais on ne peut négliger ce qu'à peu d'années de là Jérôme avait écrit au début de son *Commentaire sur Osée* : « Les prophètes », observ-ait-il, « promettent la venue du Christ et l'appel des nations bien des siècles *plus tard* sans négliger le temps *présent*, de peur de paraître, à un auditoire rassemblé à d'autres fins, non pas enseigner des réalités solides, mais jouer avec les incertitudes de l'avenir [165] ». Il avait dit de même, d'une façon plus lapidaire, du prophète Malachie : « Il tisse sa prédiction de l'*avenir* sans délaisser le moment *présent* [166] ». C'est dire équivalemment que « les prophè-tes, en prédisant à l'avance les événements, ont adapté leurs discours *et* aux époques auxquelles ils les prononçaient *et* aux époques ultérieures ». Il n'est guère douteux que ces trois textes impliquent une perception *simultanée* par le prophète des deux niveaux historiques dont il joue. Or le dernier n'est pas de Jérôme mais de Diodore de Tarse [167], et l'on en trouverait d'autres assez

---

163. *In Is.* 388 D : « Reuertitur ad propositum et, post futurorum spem, praesentem excutit metum. »

164. On peut relever cependant cette phrase du livre VIII : « Sermo propheticus licet de consum-matione mundi generaliter texat uaticinium, tamen ne praesentia omnino uideatur neglegere, nominat Moab » (292 B). Et peut-être faudrait-il joindre au dossier la phrase qu'écrivait Jérôme en prélude à sa traduction d'Isaïe sur l'hébreu : « Et cum interdum ad praesentem respiciat historiam et post Babyloniam captiuitatem reditum populi significet in Iudaeam, tamen omnis ei cura de uocatione gentium et aduentu Christi est » (PL 28, 773-774).

165. HIER. *In Os.* 1, 3-4 : « Prophetae sic multa post saecula de aduentu Christi et uocatione gentium pollicentur ut praesens tempus non neglegant, ne concionatam ob aliud conuocatam non docere de his quae stant sed de incertis ac futuris ludere uideantur » (PL 25, 824 B).

166. HIER. *In Malachiam* 1, 10-13 : « Sic enim futurorum texit uaticinium ut praesens tempus non deserat » (*ibid.* 1551 B). Les deux textes sont en fait contemporains puisque, dans la suite des Commentaires de l'automne 406, l'*In Malachiam* précède immédiatement l'*In Osee* (Cf. *In Am.* III, prol., *ibid.* 1057 D).

167. DIODORE, *Préface au Commentaire sur le Psaume 118*, trad. Mariès (*RecSR* 9, 1919, 1-2, p. 97). Voici le texte grec : « Προλέγοντες τὰ πράγματα οἱ προφῆται καὶ τοῖς καιροῖς ἐν οἷς ταῦτα ἔλεγον ἥρμοσαν τοὺς λόγους, καὶ τοῖς μετὰ ταῦτα » (*ibid.* p. 96). Jérôme avait-il lu ce commentaire ? Ce n'est pas impossible, mais rien n'incite à le penser. La brève notice que le *De uiris* consacre à Diodore semble bien confirmer qu'il ne l'a pas rencontré à Antioche. Elle est d'ailleurs sans chaleur et, sur le point de la culture profane de l'Antiochien, notoirement inexacte. Peut-être Jérôme avait-il épousé l'animosité des partisans de Paulin envers l'un des plus ardents fidèles de Mélèce aux beaux jours, déjà anciens il est vrai en 406, du schisme d'Antioche. Il connaît néanmoins les Commentaires de Diodore sur l'Apôtre puisqu'il les cite, précisément en cet automne 406, dans sa Lettre 119, 3 et 8 sur des points théologiques particuliers. Une dépendance directe est de toute façon à exclure pour les deux textes qui nous intéressent : Jérôme n'avait lu sur Malachie qu'Origène et Apollinaire (*In Mal.*, prol. : PL 25, 1543-1544), et Diodore ne figure pas non plus parmi ses sources grecques pour Osée, ni d'ailleurs pour aucune autre de ses œuvres. Quant à l'affirmation de Pirot (*L'œuvre exégétique de Théodore de Mopsueste*, p. 30 ; cf. *DB*, art. Antioche, t. I, 684) selon laquelle un des meilleurs auxiliaires de Diodore aurait été le prêtre Évagrius, l'ami de Jérôme, outre qu'on ne sait sur quoi elle s'appuie, elle contredit tout autant la chronologie (à moins qu'on ne reporte ces rapports avant le départ d'Évagrius pour l'Occident en 362) que la vraisemblance, étant donné le ralliement assez rapide à Paulin du futur évêque eustathien d'Anti-oche à son retour en 374. Il n'y a donc pas à chercher de ce côté-là un lien indirect entre Jérôme et

proches également chez Julien d'Éclane, en relation avec la notion de θε-ωρία [168].

On peut donc conclure, en dépit du caractère isolé des formules hiéronymiennes qui conservent d'ailleurs quelque imprécision, à une certaine convergence entre Jérôme et les conceptions antiochiennes. On le verra mieux en étudiant plus loin les accomplissements successifs d'un même oracle à divers moments de l'histoire [169].

Quant aux modalités que l'inspiration pouvait revêtir dans l'âme du prophète, Jérôme, à la différence d'un Théodore ou d'un Théodoret, ne s'est essayé nulle part à en donner une description systématique. Cependant quelques formules de son *Commentaire sur Isaïe* permettront ici d'aller vers plus de précision.

Ce que le développement anti-montaniste du prologue met en question, c'est avant tout, nous l'avons constaté, une conception de l'inspiration de type extatique qui rendrait le prophète en quelque sorte extérieur à lui-même. On le voit bien à l'insistance mise pour finir sur l'intériorité de la révélation faite au prophète. « Dieu », écrit-il, « *parlait dans l'âme* des prophètes [170] ». Sous réserve qu'on ne comprenne pas de façon trop littéralement matérielle cette affirmation, qui relève du même anthropomorphisme que les citations scripturaires qui l'étayent [171], elle atteste cependant la réalité d'une parole intérieure comme mode de fonctionnement de l'inspiration prophétique. Si Isaïe déclare qu'il a dans l'oreille telles paroles du Seigneur des armées, il est logique « de comprendre que le prophète a entendu ce qu'a dit le Seigneur [172] ». Bien d'autres formules d'introduction d'oracles supposent une telle perspective.

Ce n'est pas la seule. Jérôme, on l'a vu, parle souvent aussi de « vision ». Et ne lit-on pas dans la Bible elle-même que « le prophète d'aujourd'hui, on l'appelait autrefois le voyant [173] » ? Là encore Jérôme prend soin d'écarter une interprétation physique de formules comme celle qui ouvre le chapitre 13 : « Vision que vit Isaïe... » Ce n'est pas avec ses yeux de chair, précise-t-il, mais avec les yeux de l'esprit, ou du cœur, que le prophète voit ce qui va arriver [174]. Mais, cela posé, il y a bel et bien des oracles où l'inspiration prophétique

---

Diodore. Sans doute faut-il mettre plutôt au compte de l'influence d'Apollinaire cette rencontre de notre exégète avec la pensée antiochienne. L'hypothèse est d'autant plus vraisemblable qu'Osée et Malachie sont les deux seuls petits prophètes pour lesquels il renvoie aux Commentaires de l'évêque de Laodicée.

168. Voir en particulier la « règle d'interprétation » que Julien dégage de l'utilisation que fait saint Paul (*Ro.* 9, 24-26) d'un verset d'Osée : « ... id est ut, cum sub narratione iudaicarum rerum ingenius quam unius gentis mediocritas caperet aliquid promeretur, et ex parte in illo populo nossemus fuisse completum, et per theoriam aliis quoque, id est cunctis gentibus, conuenire » (*In Os.* 1, 10-11 : CC 88, 130 = PL 21, 971 B).

169. Ci-dessous p. 369 et suiv.

170. *In Is.*, prol. : « Deus loquebatur in animo prophetarum » (20 AB). Suivent les citations de *Zach.* 1, 9, *Gal.* 4, 6 et *Ps.* 84, 9.

171. Voir *ibid.* 20 A : « Nec aer uoce pulsatus ad aures eorum perueniebat. »

172. *In Is.* 5, 9 : « ... intelligere audisse prophetam quae Dominus sit locutus » (80 D).

173. *1 Sam.* 9, 9 : « Qui enim propheta dicitur hodie uocabatur olim uidens. » Voir ci-dessus n. 83.

174. *In Is.* 13, 1 (livre VI) : « Vidit non carnis sed mentis oculis... » (205 D). Cf. *In Am.* PL 25, 1075 C (ci-dessus n. 84).

s'exerce sur le mode de la vision, à commencer par celle qui décide de la vocation d'Isaïe. A plus forte raison en trouverait-on l'illustration chez des prophètes « visionnaires » comme Ézéchiel ou Zacharie. Observons cependant qu'au sein même de cette forme de manifestation divine intervient aussi le plus souvent une parole. En tout cas le caractère intérieur de cette vision prophétique et de cette parole de Dieu ne fait pas de doute [175].

Jérôme ne semble pas avoir distingué d'autres modalités de l'action de l'Esprit dans le prophète. Il relève à peine une expression comme : « La main du Seigneur fut sur moi » qui revient plusieurs fois non dans Isaïe, il est vrai, mais dans Ézéchiel [176]. Il se borne à cette occasion à reconnaître dans la main comme dans le bras de Dieu des expressions imagées de sa puissance [177], il ne songe pas à y découvrir, comme Théodore de Mopsueste, une modalité de l'inspiration par contact, pour ainsi dire, avec l'esprit du prophète [178]. Quant au mot λῆμμα dans lequel l'Antiochien voit la marque d'une saisie, d'un « ravissement » de l'esprit par la grâce prophétique [179], Jérôme qui le traduit par *assumptio* ne paraît pas y discerner autre chose, on l'a vu, que la banale assimilation de l'inspiration à un don reçu [180].

IV — LES CARACTÈRES DE L'EXPRESSION PROPHÉTIQUE

Quelles qu'en soient les modalités, l'inspiration prophétique se traduit, pour finir, dans un langage oral d'abord, puis consigné par écrit, qui en rend le contenu communicable. Mais pas plus que les oracles païens ne s'exprimaient en prose, le langage prophétique n'est celui de tous les jours. Jérôme en a si bien conscience qu'à travers des notations éparses sur ce qu'il appelle « les

---

175. « ... propheticam uisionem et eloquium Dei non extrinsecus ad prophetas fieri sed intrinsecus et interiori homini respondere », écrivait déjà Jérôme dans l'*In Habacuc* (PL 25, 1289 B).

176. Voir par exemple *Ez. 3*, 14 ; 8, 1 (« Cecidit super me manus Domini Dei ») ; 33, 22 ; 40, 1.

177. HIER. *In Ez.* 1, 3 : « Vt cernere uisiones Dei et intellegere possimus, manu et fortitudine Dei super nos opus est. In qua manu et bracchio eductus est populus Israel de Aegypto » (PL 25, 19 A).

178. Voir THÉODORE, *In Nahum* 1, 1 : « Il nomme ici main du Seigneur l'action (ἐνέργειαν) du saint Esprit : empoignant pour ainsi dire (ὥσπερ ἐφαπτομένη) l'esprit du prophète, celle-ci lui enseignait ce qui était nécessaire » (PG 66, 404 C). On peut rapprocher de ce texte un passage de l'*In Ezechielem* de Jérôme : « Manus autem ἐνέργειαν, id est "opera" significat, ut uisionis possit sacramenta cognoscere » (PL 25, 77 C). Même interprétation, chez les deux exégètes, de la main comme ἐνέργεια qui fait accéder à une connaissance, mais Jérôme ne décèle pas dans cette référence au toucher un mode particulier de l'inspiration prophétique.

179. Cf. THÉODORE, *In Nah.* 1, 1 : « Il appelle cela "ravissement" (λῆμμα) parce que la grâce de l'Esprit, ravissant pour ainsi dire d'un coup (ὥσπερ ἀθρόον ἐπιλαμβανομένη) l'esprit du prophète, le fait passer (μεθίστη) à la révélation de ce qui lui est montré » (PG 66, 404 C), et THÉODORET, sur le même verset prophétique : « Ravissant soudain (ἐξαπιναίως... ἐπιλαμβανομένη) l'esprit des prophètes... » (PG 81, 1789 B). Même recours à la racine de λαμβάνω, nous l'avons vu (ci-dessus n. 157), chez Didyme.

180. Voir ci-dessus, p. 347 et la note 97. Il ne faut pas voir dans le songe, en dépit d'une phrase de l'*In Hier.* 23, 25 (« sunt autem multa genera prophetandi, quorum unum est somniorum, quale fuit in Daniele » PL 24, 826 B), une autre modalité de l'inspiration prophétique. Outre que Jérôme n'y renvoie qu'au livre de Daniel, dans le Commentaire duquel il n'avait pas exploité l'idée, il ressort du contexte qu'il semble avoir à l'esprit les faux prophètes.

habitudes des prophètes », c'est en fait un véritable genre dont il dessine les contours.

A — Un genre littéraire distinct de l'histoire

Un passage du *Commentaire sur Isaïe* est à cet égard particulièrement net. Au moment d'entreprendre pour Amabilis l'explication du chapitre 16 *iuxta historiam*, Jérôme précise en effet : « Ce que nous expliquons n'est pas de l'histoire mais une prophétie » ; et après avoir souligné qu'on y assiste à de brusques ruptures dans le développement, il ajoute : « Si l'Écriture respectait un enchaînement, ce ne serait pas un oracle mais un récit [181] ». Une douzaine d'années plus tard il écrira encore dans le prologue du livre XVIII : « Ce n'est pas la simple histoire, ni l'enchaînement des événements que racontent les prophètes [182] ». La liberté de la prophétie par rapport aux contraintes de la chronologie est en effet le point majeur qui la distingue de l'histoire. L'exégète en fait la remarque à propos des chapitres d'Isaïe qui redoublent le dernier livre des *Rois* : des événements s'y trouvent intervertis, comme il est normal dans une prophétie [183]. Il s'exprimera encore plus clairement dans son dernier Commentaire : « Il faut noter », écrira-t-il, « que chez les prophètes, et surtout dans Ézéchiel et Jérémie, l'enchaînement des rois et des dates n'est absolument pas respecté (...). Autre chose est en effet d'écrire l'histoire, autre chose d'écrire une prophétie [184] ». Il en donne plus loin la raison : les prophètes n'avaient pas pour souci de respecter les dates, ce que requièrent les lois de l'histoire, mais d'être utiles, en écrivant, à ceux qui les liraient [185]. Pourtant dans leurs recueils tout ne relève pas de la prophétie ainsi envisagée. Il arrive qu'y interfèrent les deux genres, comme le remarque Jérôme dans le prologue du livre XI dans lequel, avec les chapitres 36 à 39 d'Isaïe, il va, effectivement, pour une bonne part, avoir à expliquer de l'histoire [186]. Mais faire cette observation, c'est encore une manière de reconnaître à l'expression prophétique des caractéristiques propres.

B — « Consuetudo prophetalis »

Ces « habitudes des prophètes » qui contribuent à donner à la prophétie sa physionomie particulière revêtent plusieurs aspects. Pour rester sur le terrain

---

181. *In Is*. 16, 1 (livre V) : « Quod interpretamur non est historia sed prophetia. (...) si ordinem Scriptura conseruet, non sit uaticinium sed narratio » (171 A).

182. « Neque enim simplex a prophetis historia et gestorum ordo narratur » (629 A).

183. Voir *In Is*. 38, 4 : « Praepostero ordine quasi in prophetia hic refertur historia quae in *Regum* uolumine consequentius legitur » (391 AB). Cf. 623 C : « Ordo praeposterus. »

184. Hier. *In Hier*. 21, 1 s. : « Et notandum quod in prophetis, maximeque in Ezechiele et Hieremia, nequaquam regum et temporum ordo seruetur (...) Aliud est enim historiam, aliud prophetiam scribere » (PL 24, 808 AB).

185. Voir *In Hier*. 25, 1 : « Non enim curae erat prophetis tempora conseruare, quae historiae leges desiderant, sed scribere utcumque audientibus atque lecturis utile nouerant » (PL 24, 833 B). Jérôme ajoute qu'il serait également vain de reclasser les Psaumes dans un ordre chronologique tout aussi étranger à la poésie lyrique.

186. *In Is*. 378 B (Cf. 384 C). On sait que les ch. 36 à 39 du prophète redoublent le récit d'événements racontés au second livre des *Rois*.

de la relation au temps, c'est « une habitude des prophètes », dit Jérôme, que
« de présenter comme passé ce qui est à venir[187] ». L'explication suit le
constat : dans la prophétie « ce qu'on déclare à venir est si assuré qu'on le tient
pour arrivé[188] ». Il avait déjà relevé un autre type de mélange des temps en
observant dans le *Commentaire sur Malachie* que ce prophète « tisse une
prédiction de l'avenir », d'ailleurs qualifiée d'évidente, « sans délaisser le présent[189] ». Ainsi s'explique sans doute qu'une prophétie puisse avoir, comme
on le verra plus loin, une double portée[190].

Le bouleversement des valeurs temporelles n'est pas le seul qu'opère la
prophétie. Jérôme relève plusieurs fois les changements de personnages qui
brisent inopinément le cours d'un oracle. « Selon l'habitude des prophètes »,
remarque-t-il, « alors que le prophète est en train de parler, tout à coup Dieu
parle par lui en son nom propre[191] ». Comme il l'avait déjà souligné dans le
livre à Amabilis et comme il le redira dans son *Commentaire sur Jérémie*, c'est
une des grandes sources d'obscurité des prophéties, alors qu'on est en train de
parler de quelque chose, que ces changements soudains de personnes[192].
D'une façon plus générale, constate-t-il encore, « toute prophétie, laissant la
pensée en suspens, passe d'un sujet à un autre[193] ».

Aux difficultés de compréhension qu'entraînent ellipses et ruptures de sens
s'ajoutent les difficultés qui naissent d'un langage figuré[194]. Isaïe en offre
l'illustration quand il utilise par exemple la métaphore de la vigne pour
désigner la maison d'Israël ; mais il en livre lui-même la signification *in
fine*[195]. Plus souvent, c'est d'énigme qu'il est question lorsqu'il s'agit de

---

187. *In Is.* 89 B : « Quod autem quasi praeteritum dicitur quod futurum est, consuetudinem
sequitur prophetalem » (cf. 420 B).

188. « Tam certa sunt quae futura dicuntur ut putentur esse praeterita » (*ibid.*). Augustin dira
dans le même sens, à propos d'un verset de psaume associant passé et futur : « In prophetia bene
miscentur futura praeteritis, quo utrumque significetur, quia ea quae uentura prophetantur secundum tempus futura sunt, secundum scientiam uero prophetantium iam pro factis habenda » (*Enarr.
in ps.* 3, 5 : CC 38, 10). Explication un peu différente chez JEAN CHRYSOSTOME, *In Gen. hom.* 10, 4 :
PG 53, 85.

189. HIER. *In Mal.* 1, 10-13 : PL 25, 1551 B (texte ci-dessus n. 166).

190. Voir plus loin p. 369 et suiv.

191. *In Is.* 3, 4 : « Iuxta consuetudinem prophetalem, loquente propheta, subito Deus loquitur
per prophetam ex persona sua et dicit... » (62 D ; cf. 67 D). Voir aussi 293 B : « Omne hoc
canticum... mutat repente personas et quasi per interrogationem et responsionem texitur. » Irrup-
tion directe de Dieu dans le discours, structure de dialogue à déceler, il n'y a là, semble-t-il, pour
Jérôme que des facteurs d'obscurité liés à un mode d'expression, et non des indices de significations
spirituelles complexes dont rendrait compte une exégèse prosopographique qui trouve au contraire
dans les Psaumes un champ d'application privilégié, comme l'a montré naguère la thèse de M.J.
Rondeau sur les Commentaires patristiques du psautier (ci-dessus p. 305, n. 506).

192. Cf. *In Is.* 191 A (livre V) : « Prophetae ideo obscuri sunt quia personae in his plurimae
commutantur », *In Hier.* 8, 14-15 : « Personarum mutatio et maxime in prophetis difficilem
intellectum facit » (PL 24, 739 C ; cf. 881 D), et *In Nah.* : « ... hinc uel maxime obscuri sunt
prophetae quod repente, dum aliud agitur, ad alios persona mutatur » (PL 25, 1244 A). Même
remarque, plus circonstanciée, de Jérôme prédicateur à propos des *Psaumes* : « ... semper personas
mutant ; et propterea obscuri sunt et nimiae difficultatis est scire in singulis uersiculis quis
loquatur » (*Tract. de ps.* 93, 16 : CC 78, 146 = Morin p. 130).

193. *In Is.* 171 A : « Omnis prophetia (...), praecisis sententiis, dum de alio loquitur, transit ad
aliud. »

194. Cf. *In Nahum* PL 25, 1263 C : « ... ut difficultatem sensuum difficultas quoque sermonis
inuoluat. »

195. *In Is.* 5, 7 : « ... hoc notandum quod, iuxta consuetudinem prophetalem, quae prius per

caractériser la prophétie : « Toute prophétie s'enveloppe d'énigmes », explique Jérôme à Amabilis [196]. Or la figure ainsi désignée est associée explicitement par la tradition grammaticale à l'idée d'obscurité : « une allégorie, lorsqu'elle n'est pas claire », disait Quintilien, « s'appelle une énigme [197] ». A quoi semble faire écho le prologue du livre XVIII rapprochant de l'énigme la définition traditionnelle de l'allégorie : « C'est une chose que veulent dire les mots, une autre que contient le sens ». De ce décalage naît en effet l'obscurité [198].

C — L'obscurité des prophéties

Bouleversements des valeurs temporelles, changements inopinés de personnages ou de sujets, difficultés naissant d'un langage figuré, toutes ces habitudes d'expression concourent à faire de l'obscurité une caractéristique essentielle du style prophétique. Ce n'est pas, pour Jérôme, l'effet du hasard. Derrière cette donnée formelle il perçoit une intention. Déjà, dans son *Commentaire sur Nahum*, il soulignait que l'obscurité des prophètes avait pour résultat que « ne s'ouvrent pas facilement aux chiens ce qui était saint, aux porcs les perles, et le cœur du sanctuaire aux profanes [199] ». De façon plus positive, le *Commentaire sur Isaïe* observe que « toute l'Écriture et spécialement les prophètes sont enveloppés de mystères de l'avenir pour nous inciter à comprendre », selon la maxime évangélique « Cherchez et vous trouverez [200] ». Il faut en effet, pour accéder à la connaissance de la parole de Dieu, « entrer dans *l'épaisseur de la nuée* des prophètes [201] ». Le recours, ici, au groupement *nubes et caligo* qui accompagne dans la Bible la théophanie du Sinaï [202] donne son sens à l'obscurité : elle introduit au mystère et constitue moins un écran qu'un obstacle à dépasser sur le chemin d'une révélation.

Il arrive, du reste, qu'elle ne représente qu'un obstacle très momentané ; car, comme le note Jérôme à propos de la description messianique du chapitre 11

---

metaphoram dicta sunt uel per parabolam, postea exponuntur manifestius... » (79 B). Autre image en *Is.* 8, 5-8 (116 A).

196. « Omnis prophetia aenigmatibus inuoluitur » (171 A). Cf. *In Nahum* PL 25, 1263 C, et ORIGÈNE, *Periarchón* 4, 2, 3.

197. QUINTILIEN, *I.O.* VIII, 6, 52 : « Haec allegoria quae est obscurior aenigma dicitur. » Cf. DONAT, *Ars grammatica* III, 6 : « Aenigma est obscura sententia per occultam similitudinem rerum » (*Gramm. lat.*, éd. Keil, t. IV, p. 402, 5-6).

198. *In Is.* 629 A : « Aenigmatibus plena sunt omnia aliudque in uerbis sonant, aliud tenetur in sensibus, ut quae aestimaueris plana et inoffensa currere lectione, sequentium rursum obscuritatibus inuoluantur. »

199. « ... ut non facile pateat sanctum canibus, et margaritae porcis, et profanis sancta sanctorum » (*In Nahum*, PL 25, 1263 C ; cf. *Mt.* 7, 6). La perspective est restée la même dans ce passage du dernier livre de l'*In Ezechielem* : « Omnis prophetia in obscuritate continet ueritatem ut discipuli intrinsecus audiant, uulgus ignobile et foris positum nesciat quid dicatur (*ibid.* 449 D-450 A ; cf. *Marc.* 4, 11).

200. *In Is.* 246 B : « ... cum idcirco et omnis Scriptura et prophetae specialiter futurorum mysteriis inuoluti sint ut prouocent nos ad intellegentiam et ad illud quod in euangelio dicitur : ... "quaerite et inuenietis" (*Mt.* 7, 7). » Cf. *In Ez.* PL 25, 449 D avec référence à *Luc.* 8, 8 : « Qui habet aures audiendi audiat ! »

201. *In Is.* 477 C : « ut... possim in nubem eorum ingredi et caliginem et Dei nosse sermonem... » Cf. 462 A : « ... per aenigmata et mysteria prophetarum... »

202. Cf. *Ex.* 19, 9 ; *Dt.* 4, 11 ; *Ps.* 96, 2.

d'Isaïe, « à son habitude les paroles du prophète à la fin s'éclairent [203] », et le cas est si peu isolé que c'est même « l'usage des Écritures (...) que d'exposer en termes clairs ce qu'elles avaient d'abord exprimé par énigmes [204] ». Mais alors l'obscurité des prophéties apparaît moins comme le fruit d'une intention cachée de l'Écriture — puisqu'il suffit d'aller jusqu'au bout de l'oracle pour la voir se dissiper — que comme la marque d'un genre particulier, encore que les deux perspectives ne s'excluent pas. En définitive, tout autant que d'Origène, dont il reflète l'idée de mystères cachés dans l'Écriture « pour exercer l'intelligence des auditeurs [205] », Jérôme se montre l'héritier d'une tradition grammaticale attentive aux formes littéraires.

Faite en tout état de cause pour être décryptée, la prophétie ne reste donc pas toujours obscure. Il arrive même que son interprétation soit marquée au coin de l'évidence [206]. Quoi qu'il en soit, aux yeux d'un chrétien du IVe siècle, la plupart des prophéties — hormis celles dont la visée lui apparaissait comme eschatologique — avaient déjà reçu la sanction de l'histoire.

V — L'ACCOMPLISSEMENT DES PROPHÉTIES

C'est le rôle de l'exégète de mettre en lumière cette réalisation des annonces prophétiques. De fait, c'est bien ce que fait le *Commentaire sur Isaïe*. Parfois l'idée en est sous-jacente ou ressort seulement du contexte [207]. Mais souvent Jérôme parle explicitement de l'accomplissement des prophéties qu'il commente, et il a recours pour cela à un vocabulaire spécifique, c'est-à-dire en pratique à trois verbes : *implere, complere* et *explere*, dont il use de façon strictement équivalente. Ce vocabulaire a la caution de l'Écriture, puisque l'évangéliste le met dans la bouche de Jésus lorsque, dans la synagogue de Nazareth, il déclare « accompli » en sa personne l'oracle d'Isaïe qu'il vient de lire [208].

---

203. *In Is.* 148 D : « ... iuxta consuetudinem suam prophetalia in fine uerba panduntur. »

204. *In Is.* 181 A : « Moris est Scripturarum (...) quod prius sub aenigmatibus dixerint, aperta uoce proferre. » Cf. 79 B (texte ci-dessus n. 195), 158 C (« apertum est quod latebat »), 516 D (« ponit manifestius quod latebat »), etc. Il n'y a pas contradiction entre ce constat répété et la remarque de Jérôme dans l'introduction à sa traduction des petits prophètes sur l'hébreu : « Joël, dont le début est facile, est plus obscur à la fin » (PL 28, 1015 A). En effet, de même qu'il y a entre les prophètes des différences de style (voir ci-dessus n. 119, p. 349), il existe entre eux, voire au sein d'un même recueil, des nuances sous le rapport de l'obscurité. Ainsi les oracles contre les nations sont « dans Isaïe ce qu'il y a de plus obscur » (*In Is.* 153 C) ; les premiers et les derniers chapitres du livre d'Ézéchiel « s'enveloppent de grandes obscurités » (PL 28, 938 D).

205. ORIGÈNE, *Contre Celse* 3, 45 : « ...ὑπὲρ τοῦ γυμνάσαι τὴν σύνεσιν τῶν ἀκουόντων » ; cf. 7, 10 « ἵνα... ἐξετάσαντες εὕρωσι », avec allusion à *Mt.* 7, 7 comme chez Jérôme (ci-dessus n. 200). Voir aussi *Periarchôn* IV, 2 *passim*.

206. Voir par exemple *In Is.* 257 B, et ci-dessous p. 374.

207. Lorsque Jérôme déclare par exemple que les menaces du prophète « ne doivent pas être rapportées (*referenda*) au temps de la captivité de Babylone mais à la dernière », celle de la conquête romaine, il emploie un terme banal qui n'implique pas l'idée d'accomplissement ; cependant les deux interprétations qu'il oppose relèvent toutes deux du constat historique (*In Is.* 31 D). Cf. 29 C : « Nous cherchons à quelle époque doivent être appliquées (*coaptanda*) ces paroles. » Suivent trois interprétations qui, de Zorobabel à l'empereur Hadrien, renvoient toutes à des événements déjà écoulés.

On constate que Jérôme joue de ces termes aussi bien au présent qu'au passé ou au futur, sans parler de l'adjectif verbal dont la portée est ambiguë [209]. Il est clair toutefois que la balance penche nettement en faveur du passé et du présent, les réalisations présentées comme encore à venir visant, quant à elles, l'eschatologie [210]. C'est donc dans le champ de l'histoire qui s'étend du temps du prophète à celui de son commentateur que la plupart des annonces prophétiques ont déjà trouvé leur accomplissement. Pour en donner quelques illustrations, on peut délimiter à l'intérieur de cette vaste période plusieurs étapes qui, on le verra, ne se distinguent pas seulement par la chronologie.

A — Les prophéties et l'histoire d'Israël

Isaïe comme les autres prophètes n'avait pas toujours en vue l'horizon lointain du Messie ; tous visaient aussi bien, nous l'avons dit, « ce qui devait s'accomplir dans l'immédiat », ou du moins à court terme. C'est même, précise Jérôme, la réalisation tangible de prédictions rapprochées qui valait à leurs oracles la confiance du peuple [211]. Il suffit, par exemple, d'un délai de deux ans pour que les habitants de Jérusalem puissent constater que la mort du roi d'Assur leur a effectivement rendu la tranquillité [212]. De façon plus vague, une autre prophétie « peut se comprendre de l'époque d'Isaïe [213] ». Telle autre, à en croire du moins certains interprètes, s'est vérifiée avant la ruine de Jérusalem et la déportation à Babylone [214]. Cet exil lui-même et les circonstances historiques qui l'accompagnent attestent par leur existence la véracité de plusieurs annonces prophétiques du livre d'Isaïe [215]. D'autres se sont trouvées réalisées

---

208. Voir *In Is.* 61, 1-3 (599 C) citant *Luc.* 4, 21. Ce verset de l'Évangile illustre bien la stricte synonymie aux yeux de Jérôme des trois verbes signifiant accomplir. Dans la *Vulgate* (comme d'ailleurs dans l'*Itala*) nous le lisons : « Hodie *impleta* est haec scriptura... » L'*In Isaiam* qui le cite à deux reprises (599 C et 610 A) écrit : « Hodie *completa* est... » Et dans un des deux cas (610 A) c'est après l'avoir introduit par ces mots : « Dominus (...) super se *expletum* esse monstrauit dicens... etc. »

209. A première vue l'adjectif verbal peut apparaître tourné vers le futur. Mais tout dépend en réalité du contexte. Par exemple en 388 B *implenda* vise un futur à court terme mais par rapport au moment de la prophétie, dont Jérôme précise immédiatement qu'elle s'est accomplie dans les deux ans, donc, par rapport à lui, dans un passé fort lointain. Ailleurs un *complenda* (597 A) ou un *explenda* (652 A) expriment une attente eschatologique juive et millénariste que Jérôme récuse absolument. D'autres emplois visent un futur eschatologique qui le laisse en général plutôt réticent. C'est le cas en 599 D *(complendum)* et 610 A *(explenda)* où il préfère manifestement voir la réalisation de la prophétie d'*Is.* 61, 1 dans la personne du Christ (cf. la note précédente).

210. Accomplissement déjà réalisé : avec *complere* : 30 B, 599 C et D ; avec *explere* : 463 A ; avec *implere* : 64 A, 463 A (cf. *In Hier.* 25, 11 b-13 et 28, 10-12 : PL 24, 836 B et 855 B). Réalisation présente par rapport à Jérôme : avec *complere* : 608 A ; avec *explere* : 598 C ; avec *implere* 29 D. Accomplissement encore à venir (eschatologie) : avec *complere* : 598 C, 608 A. Pour les emplois de l'adjectif verbal avec cette valeur, voir la note précédente.

211. *In Is.* 388 B, ci-dessus n. 138, p. 351. Cf. *In Amos* PL 25, 1069 A. Même idée chez Julien d'Éclane (*In Ioel.* 3, 1-3 : CC 88, 252).

212. *In Is.* 388 B : « ... quod intra biennium et rex Assyrius interiret et urbi Hierusalem securitas redderetur. »

213. *In Is.* 1, 21 : « Quod quidem et in Isaiae temporibus intellegi potest... » (37 C).

214. *In Is.* 47 B. Cf. l'oracle contre Damas d'*Is.* 17, 5-6 qui s'accomplit « à l'époque des Assyriens » (175 C).

215. Voir par exemple *In Is.* 55 A : « ... quae Hebraei ad Babylonia referunt tempora et subuersionem Hierusalem... » Cf. 69 B. Il s'agit dans ces deux cas d'interprétations des juifs. Mais

par l'avènement de Cyrus, le retour d'exil et la période de reconstruction que domine la figure de Zorobabel [216]. Et Flavius Josèphe prend au besoin le relais de la Bible pour attester, à tort d'ailleurs, la réalisation d'un oracle touchant l'Égypte au temps du grand-prêtre Onias, pendant la période maccha-béenne [217].

Ce dernier exemple nous rapproche du moment où Israël allait buter tragiquement sur la double mise en cause de son histoire politique par la puissance romaine et de son histoire spirituelle par la venue de Jésus et la naissance de la foi chrétienne.

B — La réalisation des prophéties au temps des Romains

L'accomplissement par la main de Rome des annonces prophétiques tient dans le *Commentaire sur Isaïe* une place qui retient l'attention. Les oracles sur Juda et Jérusalem en sont l'occasion ordinaire, en particulier ceux des premiers chapitres du recueil, à propos desquels Jérôme rejoint d'ailleurs souvent des observations d'Eusèbe, même si parfois il s'en démarque [218].

Ce ne sont pas leurs aspects optimistes qui se trouvent vérifiés par la conquête romaine. La réalisation au temps d'Auguste de la promesse de paix universelle du chapitre 2 reste une exception [219]. Habituellement l'intervention de Rome est synonyme de ruine du peuple juif. « Glaive dévorant » annoncé par le prophète, l'armée romaine apporte avec elle destruction, désolation, fuite, esclavage [220]. A première vue de telles évocations puisent leur apparente précision dans les termes mêmes de la description prophétique. Mais c'est justement parce que ceux-ci s'appliquent parfaitement aux tragiques événements ultérieurs qu'ils en sont, aux yeux de l'interprète, l'annonce évidente [221]. Cela posé, il devient possible d'étendre cette reconnaissance de la réalisation

---

voir 78 B où Jérôme précise : « ... quod et nos ex parte factum negare non possumus », et surtout 30 B : « Haec sub Babyloniis ex parte completa sunt. »

216. Voir *In Is.* 41 B, 74 D, 345 D, 453 C, 503 A, etc. Là encore il s'agit souvent d'interpréta-tion des Hébreux auxquelles Jérôme préfère d'ordinaire une réalisation au temps du Christ, mais sans contester que, comme il l'écrivait dans sa traduction du livre d'Isaïe sur l'hébreu, le prophète « indique le retour du peuple en Judée après la captivité de Babylone » (PL 28, 773 A).

217. *In Is.* 19, 19-21 (186 B et 257 A) ; cf. Josèphe, *Antiquit.* XIII, 3, 62-73.

218. Par exemple *In Is.* 22, 1 b : « ... quanquam Eusebius omnia ad Christi aduentum referat et putet Vespasiani Titique temporibus fuisse completa » (196 A. Cf. Eusèbe *ad locum*, d'ailleurs moins explicite que ne le dit Jérôme). Mais nous sommes au livre V où Jérôme est conduit par son propos à préférer une réalisation de l'oracle qui ne dépasse pas le plan de l'histoire d'Israël.

219. Voir *In Is.* 2, 4 c (46 AB) où Jérôme voit, à la suite d'Eusèbe (*In Is.* 2, 1-4 : Eus. W. 9, 15) l'accomplissement des paroles du prophète sous Auguste dans la paix romaine qui prépare le monde à recevoir l'évangile (voir ANNEXE VI, p. 424). Autre référence à Auguste, mais comme auteur de la soumission de l'Égypte, en 151 C. La mention d'Auguste s'accompagne dans les deux textes de celle du recensement universel, lui-même associé à la naissance du Christ.

220. *In Is.* 1, 20 (« gladius deuorabit uos ») : « ... eos gladius deuorauit, id est Romanus deleuit exercitus » (37 B). Voir 30 C (note suivante), 243 C, 372 C, et encore 49 D, 58 C, 69 B, etc.

221. Rapprocher par exemple *Is.* 1, 7 : « Terra uestra deserta ; ciuitates uestrae igne succensae ; regionem uestram in conspectu uestro alieni deuorant et desolabitur sicut in uastitate hostili » et le commentaire qu'en donne Jérôme : « ... quid futurum sit sub Romana captiuitate describitur, quando uniuersam Iudaeam Romanus uastauit exercitus ciuitatesque succensae sunt et regionem eorum in praesentiarum alieni deuorant et usque ad finem mundi perseuerabit uastitas Iudaeorum » (30 C).

des prophéties à des aspects beaucoup moins manifestes du texte sacré : une lecture allégorique permet ainsi de voir l'armée romaine dans le jeune taureau qui paîtra dans les ruines de la ville reconquise par la nature [222].

On pourrait se demander parfois, en l'absence de détermination historique explicite, si Jérôme a dans l'esprit les circonstances de la ruine de Jérusalem par Titus ou son ultime et définitive destruction en 134. De fait, lorsque assez fréquemment il précise sa pensée, c'est tantôt pour évoquer le drame de 70, et parfois sous des aspects aussi précis que les déchirements de la révolte juive entre trois factions [223], plus rarement pour renvoyer, non sans précision également, aux événements du temps d'Hadrien [224]. Mais il lui arrive aussi d'associer au nom de cet empereur ceux de Vespasien et de son fils ; et si, par exemple, le commentaire de la fin du chapitre 6 distingue clairement dans l'accomplissement de l'oracle les deux étapes que ces empereurs représentent pour la ruine de Jérusalem [225], elles se confondent ailleurs dans une perception globale du tragique destin des Juifs [226].

On notera en revanche que jamais Jérôme ne paraît viser la prise de la Ville Sainte par Pompée. Il y a probablement à cela plusieurs raisons, la première étant que les prédictions prophétiques de ruine et de désolation contre Jérusalem et la Judée se vérifiaient assez mal dans les événements de 63 où Pompée, affectant de se cantonner dans un rôle d'arbitre, avait évité de détruire le Temple et ménagé l'avenir [227]. Mais il faut remarquer aussi que Jérôme non seulement rapproche spontanément l'hégémonie de Rome de la venue du Christ dans une vue chronologique [228], mais qu'il croit lire dans Isaïe lui-même une relation entre le refus de ce Christ par les Juifs et la désolation de leur terre sous les coups des Romains [229]. Dans cette perspective, la première intervention romaine en Palestine ne pouvait le retenir.

---

222. *In Is.* 311 A. Sur ce verset Eusèbe justifie tout à fait la critique que lui fait Jérôme au prologue du livre V d'oublier son propos d'une exégèse historique et voit dans le pays réduit en pâturage une allégorie de l'âme (*In Is.* 27, 10-11 a : Eus. W. 9, 177).

223. Mention de Vespasien et de Titus en 35 A, 83 A, 100 D, 178 B ; référence aux trois factions juives en 656 D et surtout 64 B, qui renvoie explicitement à Flavius Josèphe (c'est-à-dire *De bell. iud.* V, 1, 1-3).

224. Voir *In Is.* 49 AB : « Vbi quondam erat templum et religio Dei, ibi Adriani statua et Iouis idolum collocatum est. »

225. *In Is.* 6, 11-13 : « ... ciuitates Iudaeae, Vespasiano Titoque pugnantibus, penitus subuertantur... » (100 D) et quinze lignes plus loin : « ... rursum ipsae reliquiae erunt in depredationem, quando post annos ferme quinquaginta (?) Adrianus uenerit... » (101 A ; cf. 29 D). Le chiffre de cinquante donné par les manuscrits est aberrant : c'est environ soixante-cinq ans qui séparent en réalité les deux événements.

226. Voir par exemple *In Is.* 89 C : « Sub Vespasiano et Adriano » (cf. 90 B), et surtout 47 B, où Jérôme, commentant *Is.* 2, 6, met globalement au compte « de Titus, de Vespasien, d'Hadrien et des autres empereurs » la politique d'implantation en Judée de populations étrangères qui n'est pas antérieure à l'époque d'Hadrien. Dans le passage correspondant, Eusèbe (*In Is.* 2, 5-9 : Eus. W. 9, 18) indique simplement que cela s'est accompli « après que la parole évangélique eut éclairé toutes les nations », ce qui convient mieux au deuxième siècle qu'au temps des Flaviens.

227. Cf. Cic. *Pro Flacco* 67 : « Cn. Pompeius captis Hierosolymis uictor ex illo fano nihil attigit. »

228. *In Is.* 185 C : « ... in aduentu Christi et Romano imperio... » Cf. 46 A.

229. *In Is.* 17, 9-10 : « Causa ergo desertarum urbium Iudaeae obliuio Saluatoris est... » (243 D). Corollaire de cette affirmation : par le bras de Rome c'est le Seigneur des armées qui « visite Jérusalem dans le tonnerre » (329 C).

Il apparaît du même coup que, si juifs et chrétiens pouvaient à la rigueur s'accorder sur la réalisation de certaines prophéties dans l'histoire d'Israël, l'interprétation des événements de l'époque romaine ne pouvait que les opposer, comme les opposait celle des prophéties touchant le Christ.

C — L'accomplissement des annonces messianiques

C'était pour Jérôme une évidence, avant même qu'il eût entrepris de les commenter, que « tous les prophètes avaient prédit la venue du Christ et l'appel des nations [230] ». A plus forte raison peut-on s'attendre à ce que la réalisation en Jésus de l'attente messianique occupe une large place dans le commentaire d'un prophète dont il écrivait déjà, quand il le traduisait de l'hébreu : « Il a atteint dans l'exposé d'absolument tous les mystères du Christ et de l'Église une telle limpidité qu'on croirait non pas qu'il prédit l'avenir, mais qu'il raconte l'histoire d'événements passés [231] ». Aussi les formules attestant non seulement que tel oracle annonçait le Christ, mais qu'il s'est trouvé réalisé par sa venue, sont-elles monnaie courante dans le *Commentaire sur Isaïe* [232].

C'est bien là, du reste, que se situe le divorce radical entre juifs et chrétiens. Jérôme le dit clairement dès le livre à Amabilis où ce n'est pourtant pas son propos : « Les juifs et les nôtres veulent que l'on comprenne ce passage de la venue du Christ ; mais eux diffèrent leurs vœux dans l'avenir, et nous, nous les tenons pour *déjà accomplis* [233] ». Une bonne partie du Commentaire consistera à le montrer.

Nous y avons déjà relevé l'avènement de l'ère messianique avec la paix romaine « à la naissance du Seigneur Sauveur », paix dont témoigne le recensement de l'univers [234]. En Jésus s'accomplit en effet cette annonce messianique dont les prophéties du « Livre de l'Emmanuel » constituent l'expression privilégiée. En lui s'est réalisée par Marie la promesse d'un surgeon sortant de la souche de Jessé dont il est la fleur [235]. Il est ce « Dieu

---

230. « Isaias et ceteri prophetae (...) a quibus esse praedictum aduentum Christi et uocationem gentium Scriptura commemorat. » La formule est du *Commentaire sur l'Épître aux Éphésiens* (PL 26, 479 A) qui précède non seulement tous les Commentaires sur les prophètes mais la traduction de ceux-ci sur l'hébreu. On en trouve l'écho tout au long de l'œuvre jusqu'au *Commentaire sur Jérémie*, où l'on peut lire par exemple : « (nos), quibus de futuro aduentu tuo omnium prophetarum ora cecinerunt » (*In Hier.* 14, 10 : PL 24, 771 D).

231. HIER. *praef. in librum Isaiae* : « Ita enim universa Christi Ecclesiaeque mysteria ad liquidum prosecutus est ut non eum putes de futuro uaticinari, sed de praeteritis historiam texere » (PL 28, 771-772). La traduction d'Isaïe sur l'hébreu précède le Commentaire de près de vingt ans.

232. En voici quelques-unes : « ad Christum referri » (257 B) ; « ad primum aduentum Christi referre » (74 D ; cf. 345 D) ; « de aduentu Domini Saluatoris » (453 C) ; « omnia ex persona Christi debere accipi » (466 A) ; « Nec est ulla dubitatio quin capitulum hoc de Christo uaticinetur » (172 A). Avec un accent plus marqué sur la réalisation : « in (primo) aduentu Christi... compleri » (503 B ; cf. 172 A, 185 C) ; « iam transacta » (186 B ; phrase complète note suivante).

233. « Et Iudaei et nostri de Christi aduentu intellegi uolunt ; sed illi uota sua differunt in futurum, nos quasi iam transacta retinemus » (186 B). Des mêmes versets d'Isaïe (c'est-à-dire 19, 19-fin) il dira dans le livre VII que c'est « une prophétie évidente » du Christ (*manifesta prophetia* 257 B).

234. *In Is.* 46 A, ci-dessus p. 364, n. 219, et plus bas l'ANNEXE VI, p. 424.

235. *In Is.* 11, 1 (144 AB). Jérôme qui, à la différence des juifs, voit dans le surgeon la vierge

avec nous » dont l'enfantement virginal vérifie le signe mystérieux jadis donné à Achaz [236], cet enfant royal aux titres si impressionnants que les Septante n'ont pas osé les traduire clairement [237]. Et c'est pour Jérôme la source d'un étonnement profond que ces mêmes Septante aient escamoté ailleurs dans leur traduction « une prophétie tout à fait nette du Christ [238] ».

Dès le début de l'Évangile se vérifie à travers Jean le Baptiste l'accomplissement de l'oracle du second Isaïe : « Voix du héraut dans le désert... [239] ». Et Jésus lui-même, on l'a vu, atteste que se réalise en sa personne la mission de l'Oint de Yahvé annoncé par le prophète [240]. Il est aussi ce personnage énigmatique qu'Isaïe évoque à quatre reprises sous le nom de « serviteur », à juste titre puisque « formé d'une femme et formé sous la loi [241] ». Voilant sa divinité de Fils unique dans un corps d'homme et soumis ainsi à l'économie de l'Incarnation [242], il accomplit dans sa passion et sa mort ignominieuse la figure de cet homme de douleur, écrasé et humilié, muet comme l'agneau traîné à l'abattage, selon l'exégèse qu'en fait, dans les *Actes des Apôtres*, le diacre Philippe [243].

Mais ce même homme « qui s'est tu dans sa passion parle maintenant dans l'univers entier par les apôtres et leurs successeurs [244] ». C'est que menaces et promesses prophétiques s'appliquent certes au temps de la Passion du Seigneur, mais aussi et du même mouvement « à la foi qui après sa passion a fondé l'Église [245] ». Et les prophéties touchant Sion et Jérusalem se vérifient en réalité « dans les apôtres et dans ceux qui en Israël ont été élus grâce à eux [246] », sans préjudice de « l'appel des nations » étroitement associé, on l'a vu tout à l'heure, à la venue du Christ [247].

L'accomplissement des annonces messianiques se prolonge donc dans et par l'Église. « Les rois marcheront dans la clarté de ton lever », prédisait le

---

Marie et seulement dans la fleur le Christ (cf. cependant 506 A) rapporte à celui-ci l'ensemble des chapitres 11 et 12.

236. *In Is.* 7, 14 (107-110). C'est là que se trouve la longue discussion sur le mot hébreu *'almah* dont la traduction par « vierge » garantit le caractère exceptionnel, et par conséquent signifiant, de l'événement.

237. *In Is.* 9, 6-7, en particulier 128 A.

238. *In Is.* 56 A, texte ci-dessus n. 371, p. 278. Cf. à l'inverse 66 AB, où c'est leur version qui « parle très clairement de la Passion du Christ ». De même en 297 A, où le *sensus prophetae* est présenté comme lié aux LXX.

239. *In Is.* 40, 3 (401 C) ; cf. *Mt.* 3, 3.

240. C'est l'épisode de la synagogue de Nazareth où Jésus s'applique les versets du chapitre 61 d'Isaïe qu'il vient de lire (*In Is.* 599 C, cf. *Luc.* 4, 21, ci-dessus n. 208).

241. *In Is.* 42, 1-4, en particulier 421 C citant *Gal.* 4, 4 (factus ex muliere, factusque sub lege).

242. Voir *In Is.* 49, 1-4, en particulier 464 D et *In Is.* 50, 4-7 : 478 D, ci-dessus n. 552, p. 311.

243. *In Is.* 53, 7-9, en particulier 508 D-509 A, avec référence à *Act.* 8, 27-35.

244. *In Is.* 479 A : « Qui in passione tacuit, per apostolos et apostolicos uiros in cuncto orbe nunc loquitur. »

245. *In Is.* 41 B : « ... quod et comminatio et repromissio pertineat ad tempus dominicae passionis et ad fidem quae post passionem eius fundauit ecclesiam. »

246. *In Is.* 586 AB : « ... quicquid repromissionum... ad Sion et ad Hierusalem (...), ad eos dici intellegamus qui in apostolis et per apostolos electi sunt ex Israel. » Cf. 31 D, où est souligné le lien entre l'accomplissement des menaces sur Jérusalem lors de la servitude dernière du peuple juif sous les coups de Rome et la réalisation dans les apôtres de la promesse d'un reste d'Israël.

247. Voir, au début de ce développement, la citation de l'*In epist. ad Ephesios* (page précédente, n. 230). Cf. *In Hier.* 31, 10-14 (PL 24, 875 C).

prophète à Jérusalem. Cela, « nous le voyons s'accomplir chaque jour », estime Jérôme, pensant aux empereurs de Rome qui marchent désormais « dans la clarté de l'Église naissante [248] ». De même, « que le lion auparavant si féroce, la brebis et le veau vivent ensemble, on le constate tous les jours dans l'Église », qui rassemble en effet riches et pauvres, puissants et humbles, rois et simples particuliers, sous la houlette de ces « enfants inhabiles dans l'art de la parole » que sont les apôtres et leurs continuateurs [249]. Tel oracle jurant de réserver désormais vin et froment à qui en aurait fait la récolte [250], tel autre promettant la terre en héritage à un peuple qui ne compterait plus que des justes [251] trouvent également dans l'Église leur accomplissement au moins partiel, bien qu'une réalisation plus complète les attende « à la seconde venue du Sauveur [252] ».

D — Les prophéties et l'attente eschatologique

Par-delà le présent de l'Église, l'accomplissement de certaines prophéties reste en effet tributaire, en tout ou partie, d'un avenir qui a, de fait, le visage de la fin des temps.

Il n'y a pas là une exclusivité chrétienne. Le *Commentaire sur Isaïe* atteste largement l'existence d'une eschatologie juive, qu'elle vise le temps — incertain — de la venue d'un messie encore attendu [253], ou la libération finale d'Israël de la main de Rome et des nations persécutrices au jour de la vengeance de Sion, prélude à ce « jugement des pauvres dans la justice » que Jérôme, avec la tradition ecclésiastique, voit au contraire déjà réalisé en Jésus [254].

Mais si la « première venue du Sauveur » comble en effet dans une vision chrétienne l'attente messianique, elle n'abolit pas pour autant la perspective de son retour, qui avait si fortement marqué l'espérance des premières générations de fidèles. Certaines annonces prophétiques ne se réaliseront donc qu'à sa « seconde venue », d'autres ne connaîtront qu'alors leur plein accomplissement.

La difficulté est parfois de choisir entre ces deux manifestations du Christ. Ainsi, selon certains, telle prophétie doit s'entendre du Christ qui « viendra siéger en roi dans la tente de David et au jour du jugement rendre à chacun

---

248. *Is.* 60, 3 : « Et ambulabunt gentes in lumine tuo et reges in splendore ortus tui. » Cf. *In Is.* 588 D : « reges... ambulent in splendore nascentis ecclesiae... » et 589 A : « Quod quotidie uidemus expleri quando (...) ad fidem et tranquillitatem Christi Romani principes transeunt. » Voir, dans le même esprit, 593 D.

249. *In Is.* 11, 6 : « Leo quoque prius ferocissimus et ouis et uitulus pariter morabuntur ; quod quotidie cernimus in ecclesia, diuites et pauperes, potentes et humiles, reges atque priuatos pariter commorari, et a pueris paruulis quos apostolos intellegimus et apostolicos uiros, imperitos sermone sed non scientia, regi in ecclesia » (148 AB).

250. *Is.* 62, 9.

251. *Is.* 61, 21.

252. Cf. pour le dernier exemple, *In Is.* 598 C, texte ci-dessus n. 708, p. 325, et, pour le premier, *ibid.* 608 B, où Jérôme a en vue l'eucharistie.

253. Voir par exemple *In Is.* 186 B (texte ci-dessus n. 233).

254. Cf. *In Is.* 289 BC, 372 B et 146 A sur *Is.* 11, 3-5. De cette eschatologie juive relèvent aussi les rêves millénaristes.

selon ses œuvres ». Mais Jérôme estime qu'on peut la comprendre de son premier avènement [255]. En revanche c'est bien la fin du monde qu'annoncent, par exemple, les gémissements à l'approche du « jour du Seigneur » [256], ou d'autres oracles dépourvus d'ambiguïté [257].

Si donc bien des annonces prophétiques se sont vues d'ores et déjà confirmées par les faits dès l'histoire d'Israël ou dans les événements qui accompagnent la venue du Christ, d'autres échappent encore à toute possibilité de vérification historique. Mais le plus remarquable est sans doute que certaines paraissent relever aux yeux de Jérôme des deux perspectives à la fois.

E — Réalisations successives

Il y a en effet des oracles qui, pour employer ses propres termes, ont déjà fait l'objet d'une réalisation partielle *(ex parte completum)*, mais dont le plein accomplissement est encore à venir *(plenius complendum)* [258]. Il faut bien voir ici qu'on n'est pas en présence du clivage ordinaire entre un sens littéral à caractère historique et l'interprétation spirituelle correspondante [259]. Le contenu de plusieurs exégèses de ce type exclut absolument qu'il en soit ainsi. C'est évident lorsqu'une perspective eschatologique se trouve opposée à une première réalisation touchant non pas l'histoire d'Israël mais le temps du Christ ou de l'Église. Plus d'une fois, en effet, se rencontre l'idée que, par la venue du Sauveur ou dans son Église, s'est accomplie ou s'accomplit une prophétie qui se vérifiera mieux encore à son second avènement [260]. Mais présenter comme réalisées à l'époque du Christ des annonces dont on a reconnu la réalisation partielle dans l'histoire antérieure relève d'une démarche identique [261]. Dans tous les cas nous sommes en présence de prophéties à double portée, dont sont pris en compte des niveaux de réalisation successifs.

Le vocabulaire, ici encore, n'est pas sans intérêt. Si Jérôme n'emploie jamais que la locution *ex parte* pour qualifier le caractère incomplet de la réalisation première [262], les comparatifs qui marquent dans le deuxième terme un degré d'achèvement supérieur relèvent de deux registres un peu différents. A côté d'expressions de l'idée de plénitude, le *Commentaire sur Isaïe* offre aussi les adverbes *rectius* et *uerius* qui apparaissent plus ambigus. Dans leur cas, en effet, le contenu sémantique n'exclut pas qu'on soit entraîné de la conscience positive d'une gradation, qu'implique en tout état de cause le comparatif, à une attitude négative de réserve envers ce qui apparaîtrait moins « juste » ou moins

---

255. In Is. 16, 5 (livre V) : « ... rex Christus adueniet qui sedebit in tabernaculo Dauid et in die iudicii reddet cunctis pro operibus suis (...) Sed nos in primo aduentu... etc. » (172 A).

256. *In Is.* 13, 6-7 (livre VI) : « Prope est enim dies Domini uel consummationis totius mundi... » (209 C).

257. Par exemple *In Is.* 292 B.

258. Ce sont les expressions qu'on lit en 599 D, mais elles reviennent plusieurs fois, à quelques variantes près, dans l'*In Isaiam* et davantage encore dans l'*In Hieremiam*.

259. Voir par exemple cette formule de l'*In Hier.* 31, 27-30 : « ... in primo aduentu Christi *spiritaliter* impleta... ex parte, non ex toto... » (PL 24, 883 A).

260. Par exemple *In Is.* 598 C (ci-dessus n. 252), 599 D, 608 AB, etc.

261. Voir *In Is.* 30 B, 37 C, 41 B... Cf. *In Hier.* 7, 27-28 (PL 24, 734 C), cité ci-dessous n. 272.

262. Nombreux exemples dans l'*In Isaiam* et en dehors. Mais l'expression n'est pas toujours présente.

« vrai ». De fait il arrive à Jérôme, en d'autres contextes, de marquer par un *rectius* associé à *melius* une préférence entre deux interprétations hétérogènes [263], ce qui nous ramène au cas ordinaire d'un choix, fût-il hésitant, entre deux exégèses différentes. En va-t-il autrement dans deux passages de notre Commentaire où le couple *uerius et rectius* opère la transition d'une application de la prophétie à Cyrus ou Zorobabel à sa réalisation dans le Christ et l'Église [264] ? L'hésitation est ici permise. On y est certes en présence de deux réalisations historiques dont a priori Jérôme n'a aucune raison de récuser la première, puisque ailleurs il les associe sans la moindre ambiguïté dans la perspective qui nous occupe [265]. Mais cette première réalisation est clairement présentée dans les deux cas comme étant l'interprétation des juifs. Rien, d'autre part, dans le contexte n'autorise à faire bénéficier ces passages de l'éclairage que pourrait leur apporter à première vue, par le biais du mot *uerius*, la correspondance antithétique *umbra (imago)/ueritas*, tout à fait compatible, dans la vision réaliste qu'en a Jérôme, avec l'idée d'accomplissements historiques successifs [266]. Mieux vaut donc s'abstenir de retenir ici les quelques cas où, dans le *Commentaire sur Isaïe* ou ailleurs, Jérôme a joué de ce seul vocabulaire.

Plus nombreux sont, de toute façon, les passages où la gradation d'un niveau de réalisation à l'autre s'exprime en termes de plénitude accrue : à un accomplissement partiel répond alors d'ordinaire un *plenius* qui témoigne indiscutablement de l'existence, aux yeux de l'exégète, d'accomplissements successifs de certaines prophéties. Ce vocabulaire comporte quelques variantes. *Plenius* est renforcé ici ou là par un *perfectius* [267] qui en souligne la valeur d'achèvement. D'autres mots s'y substituent parfois. De la même racine, la locution *in pleno* se trouve appliquée à un second terme eschatologique, le nom *plenitudo (uaticinii)* et le superlatif *plenissime* le sont à la pleine réalisation de prophéties dans le Christ [268]. L'accent est mis tout aussi fortement sur le caractère complet de la seconde réalisation avec *penitus*, et surtout *ex (in) toto*, répondant à *ex parte* [269].

Deux remarques viennent à l'esprit au vu de ces constatations. Tout d'abord

---

263. Par exemple *In Is.* 289 C : « Alii uero et melius et rectius... » en opposition à une exégèse juive d'allure eschatologique, qui ne représente donc pas un premier accomplissement.

264. Cf. *In Is.* 41 B : « uel, post captiuitatem Babylonicam, ut Iudaei uolunt, Zorobabel (...) ; uel certe uerius et rectius apostolos... » etc., et 463 A : « ut sciamus, inquiunt (= Hebraei)... de Cyro prophetatum (...). Porro qui et uerius et rectius haec referunt ad Saluatoris aduentum... » A noter, dans les deux cas, l'absence d'*ex parte* dans le premier volet du diptyque.

265. C'est le cas, pour un double accomplissement en Zorobabel et dans le Christ, dans un passage de l'*In Zachariam*, où *rectius* est corrigé par *plenius* (PL 25, 1477 A), à plus forte raison dans l'*In Hier.* 30, 18 où l'on a non plus *rectius*, mais *plenius atque perfectius* (PL 24, 870 D, ci-dessous n. 271).

266. Il y a, en effet, passage de l'*umbra* à la *ueritas* comme d'une réalité à une autre qui se trouvait esquissée dans la première (Voir ci-dessus le ch. IV, en particulier p. 256).

267. Voir *In Is.* 30 C, 366 B. Plusieurs exemples aussi dans l'*In Hieremiam*.

268. Cf. HIER. *In Hier.* 31, 10-14 : « Quae omnia nunc *ex parte* tribuuntur ; tunc autem dabuntur *in pleno*... » (PL 24, 876 CD) ; 31, 23-24 : « *plenitudo* autem uaticinii ad Christi tempora... » (*ibid.* 881 B) ; *In Zach.* 8, 7-8 : « ... in illo tempore... dicimus *ex parte* completa (...), et nunc *plenissime* sub Domino Saluatore... » (PL 25, 1467 D).

269. *In Is.* 589 A : « ... et ex parte completa et penitus explenda... » ; *In Hier.* 31, 27-30 : « ... impleta ex parte, non ex toto... » (PL 24, 883 A ; cf. 871 B et *In Dan.* PL 25, 565 D) ; *In Os.* : « ... in toto » (PL 25, 938 C).

l'existence d'accomplissements successifs d'une prophétie, dont le premier n'est que partiel, n'est pas sans rappeler la succession déjà rencontrée de « l'ombre » (ou de l'image ou du type) et de « la vérité ». Ce rapprochement n'est pas arbitraire. Du type, en particulier, le *Commentaire sur Osée* déclare explicitement, on l'a vu, que, par définition en quelque sorte, il ne révèle qu'un aspect *partiel* de la réalité encore à venir [270]. Et Jérôme écrira aussi bien, et dans une même page du *Commentaire sur Jérémie*, que « ce qui s'est passé sous Zorobabel se réalise de façon plus pleine et plus achevée dans le Christ » ou « qu'en Zorobabel est arrivé par anticipation un type de ce qui a connu dans le Sauveur et ses apôtres une réalisation plus pleine et plus achevée [271] ». L'enchevêtrement des deux perspectives est encore plus manifeste dans cette observation du même Commentaire : « Bien que cela ait eu lieu *partiellement* à l'époque des prophètes et soit arrivé par anticipation comme une *ombre* et une *image*, la réalisation *plus complète* s'en produit dans le Christ [272] ». Jérôme apparaît donc enclin à reconnaître dans le double accomplissement de certaines prophéties cette articulation du type, ou de l'image, à la vérité qu'il souligne ailleurs [273].

D'autre part ces réalisations successives, d'abord partielles, puis plénières, telles que les voit Jérôme, suggèrent une fois encore un rapprochement avec les conceptions antiochiennes. Dans la perspective de l'exégèse d'Antioche, on le sait, le discours prophétique vise à la fois, dans un même oracle, deux niveaux de réalité, dont le prophète a eu par la θεωρία une perception simultanée. L'un, proche, est immédiatement perceptible par les contemporains, mais à travers lui se profile, comme par des échappées sur l'avenir, une réalité plus profonde qui constituera la pleine et véritable réalisation de l'annonce prophétique. Ainsi, comme le précise Diodore de Tarse, « les paroles des prophètes se trouvaient être, par rapport aux circonstances contemporaines, des expressions hyperboliques, mais elles se trouvaient parfaitement adaptées et accordées aux événements qui devaient réaliser les prophéties [274] ». La parenté est évidente avec plusieurs des traits relevés chez Jérôme : conception de l'inspiration qui postule chez le prophète une conscience de ce qu'il annonce, double niveau de prévision qui l'amène à « tisser sa prédiction de l'avenir sans délaisser le moment présent [275] », réalisations successives dont la dernière seule accomplit pleinement l'oracle.

---

270. « Typus enim *partem* indicat » (PL 25, 916 A). Voir ci-dessus ch. IV, p. 264 et la note 286.

271. Cf. Hier. *In Hier.* 30, 16-17 : « Sub Zorobabel haec facta (...) Quod plenius atque perfectius completur in Christo » (PL 24, 870 B) et 30, 18-22 : « Quorum typus praecessit in Zorobabel (...) Plenius autem atque perfectius in Domino Saluatore apostolisque completum » (*ibid.* 870 CD).

272. Hier. *In Hier.* 7, 27-28 : « Quod licet et in tempore prophetarum ex parte sit factum et in umbra praecesserit et in imagine, tamen plenius completur in Christo » (PL 24, 734 C ; cf. 799 A). Voir aussi *In Dan.* PL 25, 566 A. Même interférence des deux vocabulaires chez l'antiochien Théodoret : « Ταῦτα τυπικῶς μὲν ἐπὶ τοῦ Ζοροβάβελ... ἐκβέβηκεν · οὐ μὴν πᾶσα ἡ προφητεία » (*In Hier.* 23, 4 : PG 81, 628 A).

273. Jérôme ne se soucie donc pas d'établir entre type et prophétie la distinction que formulera un siècle et demi plus tard l'évêque africain Junilius (« prophetia est typus in uerbis..., typus prophetia est in rebus », *Instit. regul.* 2, 16).

274. « ... ηὑρίσκοντο τὰ λεγόμενα, ὡς μὲν πρὸς τοὺς παρόντας καιροὺς καθ᾽ ὑπερβολὴν εἰρημένα, ὡς δὲ πρὸς τὰς ἐκβάσεις τῶν προφητειῶν εὐάρμοστα καὶ ἀκόλουθα. »(Diodore, *In Ps. 118 Comm. prol.*, éd. Mariès, *RecSR* 9, 1919, 1, p. 96 ; traduction personnelle).

275. Voir ci-dessus n. 166. Cf. *In Is.* 1, 6 a, où une application de la métaphore au contexte de l'époque est suivie de la formule : « Quaerimus cui haec tempori coaptanda sint » (29 C).

Une différence cependant saute aux yeux : dans l'expression de ces conceptions, Jérôme est très largement indépendant du vocabulaire d'Antioche. Il
ignore pratiquement le mot θεωρία, qui n'apparaît guère chez lui que dans la
Lettre à Hédybia, et avec une valeur étrangère à la signification que lui donne
l'herméneutique antiochienne [276]. Il ne connaît pas davantage les « échappées »
(excessus) sur l'avenir par le moyen desquelles, selon Julien d'Éclane, s'opère
la *theoria* [277]. Il n'a jamais recours non plus à la notion d'expression hyperbolique pour caractériser, comme le fait Diodore, mais aussi Théodore de
Mopsueste, l'inadéquation partielle d'un premier accomplissement à la plénitude de l'annonce prophétique [278]. Mais on peut aussi faire ressortir cette
inadéquation en mettant l'accent à l'inverse, comme le fera Julien d'Éclane,
sur le caractère étriqué du premier accomplissement [279]. C'est ce que fait
parfois Jérôme [280], sans aller jusqu'à tirer explicitement de cette constatation, à
la différence de Julien, une « règle d'interprétation » des prophéties.

Entre Jérôme et la pensée et la pratique antiochiennes on constate donc sur
la prophétie des convergences incontestables, qui ne vont pas cependant
jusqu'à imposer l'idée d'une dépendance directe.

---

276. HIER. *Epist.* 120, 12. Le mot y a simplement le sens de « contemplation », courant chez
Origène et les Alexandrins.

277. Sur ces *excessus* chez Julien, voir en particulier *In Ioel.* 3, 4-8 : CC 88, 255 (« ... per
excessus interdum uaticinio congruentes ea intersonent quae futuris etiam possent conuenire
mysteriis... », *In Os.* 12, 1 : *ibid.*, 207, *In Am.* 9, 11-12 : *ibid.*, 328. Ces « échappées » n'impliquent
pas la moindre rupture dans le sens littéral (cf. *In Ioel.* 2, 28-31 : *ibid.*, 248).

278. Voir par exemple DIODORE, *In Ps. 118 prol.* : « καθ᾽ ὑπερβολὴν εἰρημένα » (ci-dessus
n.274 ; *In Ps.* 68, 22 (cf. MARIÈS, *Études préliminaires...*, p. 136 et 139), etc. Cf., pour Théodore, *In
Ioel.* 3, 28-32 : PG 66, 232 A et B. L'expression se retrouve, transposée, chez Julien avec une portée
identique (cf. *In Os.* 1, 10-11 : CC 88, 131 : « ... quod primo *per exaggerationem* dictum erat, id
deinceps rerum magnitudinem uix aequauit »). En revanche on ne quitte pas chez Jérôme le terrain
du simple style figuré avec l'emploi de l'adverbe *hyperbolice* (ὑπερβολικῶς) dans l'*In Isaiam* (89 C,
157 D, 183 A, 351 D, 463 A) ou ailleurs (par exemple *In Hier.* PL 24, 753 B).

279. Voir en particulier la page de l'*In Osee* 1, 10-11 (CC 88, 130-131) partiellement citée dans
la note précédente. Julien y relève l'application au temps du Christ que fait de ce verset l'apôtre
Paul (= *Ro.* 9, 24-26), « assurant que l'annonce de la religion de l'Évangile dépassait les bornes
étroites *(angustias)* d'une seule nation ». Ce faisant, estime Julien, Paul indique une « règle d'interprétation » *(intelligentiae regulam)* que l'exégète présente ainsi : « Quand sous le récit de réalités
juives est exprimée une chose plus importante que ne le comportent les dimensions limitées
(mediocritas) d'une seule nation, nous devons savoir qu'elle s'est accomplie dans ce peuple et que
par la "theoria" elle s'applique aussi à d'autres, c'est-à-dire à toutes les nations. » (Suit la célèbre
définition de la *theoria* : « Theoria est autem, ut eruditis placuit, in breuibus plerumque aut formis
aut causis, earum rerum quae potiores sunt considerata perceptio »). Idée et vocabulaire se retrouvent dans l'application faite ensuite de cette règle au verset d'Osée, la parole prophétique comportant la double promesse du retour d'exil et de la liberté apportée par le Christ, « en sorte que les
dimensions limitées de la première réalisation laissent entendre les couronnements qui allaient
suivre » (« ut praecedens *mediocritas* sequentes cumulos intimaret »). Suit la phrase citée dans la
note précédente. Voir encore *In Am.* 9, 11-12 : *ibid.*, 328.

280. Par exemple *In Is.* 345 D (texte ci-dessous n. 287), 482 D (« ... quae mediocritatem exclu-
dunt illorum temporum... ») ; mais voir aussi l'*In Ecclesiasten* où Jérôme écrivait déjà : « Qui
(psalmi) tametsi ad prophetiam Christi et ecclesiae pertinentes felicitatem et uires Salomonis
excedunt, tamen secundum historiam super Salomone conscripti sunt » (*In Eccl.* 1, 1 : PL 23,
1011 C). Sur la différence entre cette perspective et celle d'Origène, voir en particulier la première
des homélies de l'Alexandrin sur Jérémie (*In Hier. hom.* 1, 6 : Or. W. 3, 5 = SCh 232, p. 206.

VI — LES RÈGLES D'INTERPRÉTATION DES PROPHÉTIES

Pour interpréter sans erreur des prophéties dont la réalisation s'étale, voire se dédouble ainsi dans le temps et qui relèvent d'un genre littéraire impliquant quelque obscurité, on conçoit que des repères soient nécessaires. Jérôme en est conscient, comme en témoigne la présence dans son *Commentaire sur Isaïe*, lorsque le texte commenté en fournit l'occasion, de quelques « règles » d'interprétation formulées comme telles.

Celle qu'on lit vers la fin du livre IV conclut le commentaire des annonces messianiques qui prolongent la prophétie de l'Emmanuel. C'est à vrai dire la seule que Jérôme qualifie expressément de « règle des promesses prophétiques ». Il la formule à peu près ainsi : ce dont juifs et judaïsants attendent la réalisation future dans la chair, nous montrons, nous, que cela est déjà arrivé selon l'esprit [281]. On reconnaît là, sous une forme normative, l'opposition fondamentale maintes fois exprimée par Jérôme entre les perspectives juive et chrétienne, notamment sur le Messie [282]. De fait, comme le soulignera le *Commentaire sur Jérémie*, « si nous croyons que le Christ est déjà venu, nous devons nécessairement montrer que sont accomplies les annonces qui le concernaient [283] ». Il n'est pas surprenant que ces principes sous-tendent dans la pratique une polémique anti-juive, qui déborde d'ailleurs la lettre de cette règle mais en retient l'esprit lorsqu'elle refuse, au contraire, de reconnaître comme déjà réalisées par l'histoire d'Israël des prophéties touchant le Christ. A ce mode inverse de « subversion des prophéties » messianiques Jérôme, sans formuler en règle sa pratique, oppose spontanément l'évidence [284], ou bien les démentis de l'histoire [285]. Ceux-ci cependant peuvent n'être que partiels, comme on en perçoit l'aveu à travers des phrases comme celles-ci : « (Les juifs) ne pourront prouver que *tout* ce que nous lisons ou allons lire s'est accompli à l'époque (d'Esdras) [286] ». C'est dire qu'une partie s'en est trouvée réalisée. Mais en ce cas les contours de l'opposition sur laquelle s'appuie la norme deviennent flous, et le besoin d'autres repères se fait sentir. De fait, sans donner toutefois à son propos l'allure d'une règle formelle, Jérôme en fournit un quand il écrit dans le *Commentaire sur Isaïe* : « Quant à nous, comme nous l'avons déjà dit souvent, toutes les promesses qui dépassent les dimensions limitées de ce temps-là, rapportons-les à la venue du Christ [287] ». On reconnaît

---

281. *In Is.* 152 B : « Prudens et christianus lector hanc habeat repromissionum prophetalium regulam ut, quae Iudaei et nostri — immo non nostri — iudaizantes carnaliter futura contendunt, nos spiritaliter iam transacta doceamus. » La suite de la phrase montre que Jérôme attend d'abord de cette règle qu'elle protège des tentations judaïsantes.

282. Voir *In Is.* 186 B : « Et Iudaei et nostri de Christi aduentu intellegi uolunt ; sed illi uota sua differunt in futurum, nos quasi iam transacta retinemus. » Cf. *In Zachariam* PL 25, 1521 CD.

283. HIER. *In Hier.* VI, *prol.* : « Qui igitur Christum uenisse iam credimus, necesse est ut ea quae sub Christo futura dicuntur, expleta doceamus » (PL 24, 865 D).

284. Voir par exemple *In Is.* 478 D, où Jérôme oppose cette évidence *(perspicua)* à la volonté obstinée des juifs de « subvertir les prophéties » touchant le Christ.

285. Argumentation de ce type dans l'*In Hier.* 32, 37-40 (PL 24, 898 D).

286. HIER. *In Hier.* 31, 8 : « Neque enim in illo tempore uniuersa quae legimus et lecturi sumus fuisse completa poterunt approbare » (PL 24, 874 B).

287. *In Is.* 345 D : « Nos autem, ut saepe iam diximus, omnes repromissiones quae excedunt mediocritatem illius temporis ad Christi referamus aduentum. »

là un principe familier à la tradition antiochienne, que Julien d'Éclane devait présenter explicitement, nous l'avons vu, comme une « règle d'interprétation » des prophéties [288].

Avec un passage du livre VII de notre Commentaire nous touchons à une autre norme d'explication. Jérôme est en train d'y présenter l'exégèse spirituelle de l'oracle d'Isaïe sur l'Égypte, et il rappelle qu'en proposant jadis l'interprétation historique de ce chapitre, il avait déclaré que « tout s'y rapportait au Christ, car la prophétie était manifeste [289] ». Le caractère d'évidence d'un oracle a donc la valeur d'une « règle des Écritures », selon la formule du *Commentaire sur Malachie* qui en avait donné, peu d'années auparavant, la définition suivante : « C'est une règle des Écritures, là où il y a prophétie tout à fait manifeste de l'avenir, de ne pas vider de sens par des allégories incertaines ce qui est écrit [290] ». Affirmation d'autant plus intéressante qu'à l'allégorie rejetée (ce serait, en effet, « comprendre autrement que les choses ne sont écrites [291] ») Jérôme oppose une double perception par le prophète et de l'histoire de son époque et de l'annonce du Christ [292]. Vers la même date, dans le *Commentaire sur Zacharie*, une définition similaire déclare superflu le recours à la « tropologie » — entendons une lecture spirituelle allégorique — « là où il y a prophétie tout à fait manifeste et où, à travers une métaphore, c'est le véritable enchaînement historique qui est raconté [293] ».

Ainsi, tout comme la règle précédente qui permettait de se garder des tentations judaïsantes, celle-ci vise à conjurer un péril, moindre sans doute mais réel : celui des tentations allégorisantes qui détourneraient dangereusement, ou au moins inutilement, du plan de l'histoire dans lequel s'inscrit la réalisation des prophéties. Les préoccupations de Jérôme recoupent ici encore celles des exégètes antiochiens. Il reste que l'évidence peut n'être pas aveuglante pour tous, et qu'une telle norme reste entachée d'une certaine subjectivité dont Jérôme ne paraît pas avoir conscience.

Un dernier critère d'interprétation des prophéties échappe à toute incertitude. C'est la référence à l'autorité du Nouveau Testament, lorsque s'y trouve attesté explicitement l'accomplissement d'une annonce prophétique. Jérôme y voit la « règle de vérité », selon l'expression du *Commentaire sur Zacharie*, où il s'étonne qu'on veuille, là encore, « vider de sens par des interprétations allégoriques » une prophétie dont l'évangéliste Matthieu déclare qu'elle s'est accomplie dans la Passion du Christ [294]. De ce principe le *Commentaire sur*

---

288. Voir ci-dessus la note 279.

289. Voir plus loin la note 308, page 377.

290. « Regula scripturarum est : Vbi manifestissima prophetia de futuris texitur, per incerta allegoriae non extenuare quae scripta sunt » (*In Malachiam* PL 25, 1551 A). L'*In Malachiam*, comme l'*In Zachariam*, se date du début de l'automne 406.

291. « ... aliter quam scripta sunt intellegantur » (*ibid.* 1552 B).

292. Voir ci-dessus la note 166.

293. « Vbi manifestissima prophetia et per translationem historiae uerus ordo narratur, superflua est tropologiae interpretatio » (*In Zachariam* PL 25, 1500 B). Il avait déjà écrit plus haut (*ibid.* 1478 D), visant probablement Didyme : « Vbi manifestissima prophetia est et de Christi atque apostolorum eius praedicatur aduentu..., nihil amplius requiramus. »

294. HIER. *In Zach.* PL 25, 1520 BC : « Miror autem quosdam hanc prophetiam, — quam euangelista Matthaeus retulit ad Dominum Saluatorem postquam in passione eius fugere discipuli et tunc eam dicit esse completam —, allegoricis interpretationibus uelle tenuare et (...) ueritatis regulam non tenere. »

Amos donne, à la même époque, un énoncé plus normatif, à propos d'un passage de ce prophète invoqué par l'apôtre Jacques dans un discours des *Actes*. Jérôme y déclare avant tout commentaire : « Là où nous précède l'autorité des apôtres, surtout celle de Pierre et de Jacques que le vase de choix (= Paul) appelle les colonnes de l'Église, il faut écarter toute idée d'explication différente et suivre ce qu'exposent de si grands hommes [295] ».

A cette règle d'or le *Commentaire sur Isaïe* va faire écho à plusieurs reprises, parfois en des termes identiques. Une utilisation d'un passage du prophète par l'*Épître aux Romains* amène, par exemple, cette formule : « Là où nous précède l'autorité d'un si grand homme, que s'efface tout autre interprétation [296] ! » Quant à l'accomplissement en Jésus des premiers versets du chapitre 61 : « L'esprit du Seigneur est sur moi... », il suffit que le Christ se soit appliqué à lui-même cet oracle dans la synagogue de Nazareth pour qu'il soit inutile de rien ajouter [297]. Et c'est cette évidence qui guide Jérôme lorsqu'il s'interroge sur le bien-fondé d'une exégèse eschatologique de ce passage, que lui transmet la tradition [298]. Augustin fera, de même, à propos du signe de Jonas, une « règle de foi » du respect des interprétations que l'évangéliste a mises dans la bouche de Jésus [299]. On imagine mal, du reste, qu'il puisse en être autrement dans la perspective des Pères.

Si la première des règles d'interprétation des prophéties que propose ainsi Jérôme trouve dans l'opposition aux juifs un large champ d'application qui déborde les clivages d'écoles, l'attention qu'il porte à la règle de l'évidence et à la référence au Nouveau Testament le rapprocherait plutôt des exégètes d'Antioche : pour ceux-ci, en effet, ces normes font l'objet d'une particulière attention. Une nuance est cependant à observer. Les Antiochiens tendent à faire de ces règles la pierre de touche d'une prophétie messianique véritable, limitant ainsi le nombre des annonces directes du Christ par l'Ancien Testament. L'insistance de Jérome vise plutôt à en souligner le caractère contraignant lorsqu'elles s'appliquent, sans que soit exclu dans le cas contraire le recours à d'autres voies pour dégager la portée des prophéties. Il reste que, comme l'avait noté F.M. Abel, « dès qu'il ne sent plus l'appui du Nouveau

---

295. « Vbi apostolorum praecedit auctoritas, maxime Petri et Iacobi, quos columnas ecclesiae uas electionis uocat, ibi omnis uariae explanationis tollenda suspicio est et, quod a tantis uiris exponitur, hoc sequendum » (*In Am.* 9, 11-12 : PL 25, 1093 D ; cf. *Act.* 15, 15-18). L'*In Amos* date lui aussi de l'automne 406.

296. *In Is.* 139 D : « Vbi ergo tanti uiri praecedit auctoritas, cesset alia omnis interpretatio. » Cf. 468 C, 516 B.

297. Voir *In Is.* 610 A résumant et citant partiellement *Luc.* 4, 16-21. Jérôme rappelle ailleurs (*ibid.* 115 C) que Jésus a expliqué aux disciples d'Emmaüs les prophéties le concernant.

298. Voir *In Is.* 599 C. La tentative qu'il fait pour en rendre compte maintient fermement l'idée d'une réalisation au moins partielle de la prophétie en Jésus.

299. Augustin, *Epist.* 102, 6, 37 : « ... secundum regulam fidei (...) illud plane quod in uentre ceti triduo fuit, fas non est aliter intelligere quam ab ipso caelesti magistro in euangelio commemorauimus reuelatum » (CSEL 34, 2, p. 577). A rapprocher d'*Epist.* 102, 6, 34 (*ibid.* p. 573). En fait l'accent est mis plutôt sur la liberté que garde l'interprète lorsque précisément il n'est pas tenu par cette *regula fidei*. Différente est la perspective chez Tertullien lorsqu'il souligne la « consonantia propheticarum et dominicarum pronuntiationum » (*Adu. Marc.* IV, 39, 12). L'apologiste veut montrer contre Marcion qu'on ne peut dissocier les deux Testaments. Même vocabulaire, dans une autre intention, chez Origène (*In Ez. hom.* 1, 3 : « Vide consonantiam prophetici euangelicique sermonis » (PL 25, 697 C = Or. W. 8, 326).

Testament, Jérôme devient beaucoup moins affirmatif sur le caractère messianique » des prophéties [300].

Quoi qu'il en soit, les règles qui commandent aux yeux de Jérôme la juste
interprétation des prophéties confirment le rapport que l'accomplissement de
ces annonces entretient avec la venue du Christ. Il paraîtrait logique d'en
déduire que la prophétie constitue somme toute un cas particulier, voire
privilégié, de cette relecture chrétienne de l'Ancien Testament qui définit
l'exégèse spirituelle. Mais nous avons noté à plusieurs occasions l'ambiguïté de
certaines expressions de Jérôme, qui laissent place à quelque hésitation sur les
relations exactes de la prophétie avec les sens de l'Écriture. C'est ce point qu'il
reste à élucider.

VII — LA PROPHÉTIE ET LES DEUX SENS DE L'ÉCRITURE

Il arrive en effet à Jérôme de parler de la prophétie comme d'un véritable
sens de l'Écriture, apparemment distinct non seulement du sens littéral, ce qui
paraît aller de soi, mais du sens spirituel, ce qui surprend davantage.

Il ne faut pas s'étonner trop vite, cependant, qu'une explication « prophétique » soit distinguée d'autres sens spirituels, car ce peut être simplement, on
l'a vu, pour retenir cette explication au détriment d'incertaines « allégories »
que Jérôme récuse [301] ; en ce cas le sens spirituel, c'est l'interprétation prophétique. Même lorsqu'une explication de ce type fait nombre avec une autre
explication relevant du sens spirituel, cela n'implique pas de soi que la
réalisation de la prophétie soit étrangère à ce sens car, on l'a vu également, il
peut fort bien exister pour Jérôme une pluralité d'interprétations spirituelles
d'un même passage [302].

Néanmoins la question d'une spécificité du sens prophétique est clairement
posée par la présence, dans le *Commentaire sur Isaïe*, des expressions préposi-
tionnelles d'allure stéréotypée *iuxta uaticinium prophetale* et *secundum prophetiam* qu'une tripartition très claire distingue à la fois d'un sens *iuxta
historiam* (ou *litteram*) et d'une exégèse *iuxta tropologiam* (ou *allegoriam*) [303].
Un bilan complet des cas, d'ailleurs rares, où cette *tertia explicatio* est ainsi
perceptible comme telle fait même apparaître qu'elle peut se distinguer non
seulement d'une « allégorie » ou d'une « tropologie », mais aussi d'une « anagogie » [304], voire d'une « intelligence spirituelle » [305], bref de toutes les désigna-

---

300. F.M. ABEL, *Saint Jérôme et les prophéties messianiques*, dans la *Revue Biblique* 14, 1917,
p. 259.

301. Voir ci-dessus la note 39 du ch. IV.

302. Ci-dessus ch. IV p. 330 et suiv.

303. *In Is.* 315 B : « Dicamus primum iuxta historiam, deinde iuxta tropologiam, et ad extremum iuxta uaticinium prophetale. » Le deuxième terme sera repris par *allegoria* (315 D), le
troisième par *prophetia* (316 A). Même succession, pour le lemme suivant, de *iuxta litteram*
(317 B), *iuxta tropologiam* (317 C) et *tertia explanatio* (318 A). Cf. *In Abd.* PL 25, 1113 B *(iuxta
prophetiam)*.

304. *In Is.* 234 C : « ... ut a prophetia reuertamur ad anagogen... »

305. *In Is.* 517 A : « Veniamus ad intellegentiam spiritalem... », après une application de la

tions courantes du second sens de l'Écriture. Cependant, si l'on regarde le contenu des interprétations en cause, on s'aperçoit que, par-delà leurs dénominations diverses, elles relèvent d'une même type d'exégèse allégorisante visant les hérétiques ou la vie de l'âme [306], tandis que l'interprétation « prophétique » apparaît liée au contraire à la venue du Christ dans l'histoire. Si spécificité il y a de la « prophétie », elle serait donc à situer au cœur de cette relecture chrétienne de l'Ancien Testament qu'est l'exégèse spirituelle, dont elle constituerait une forme privilégiée.

Mais d'autres formules de Jérôme, d'ailleurs contradictoires, manifestent que la prophétie entretient avec l'interprétation *iuxta historiam* des rapports moins clairs que ne l'impliquerait cette constatation.

Certes elle s'en distingue sans ambiguïté dans la tripartition que nous venons de voir. Plus loin Jérôme opposera de même « prédiction de l'avenir » et « sens historique » [307]. Mais lorsqu'on lit au livre VII, à propos de l'oracle contre l'Égypte : « Nous avons dit dans le livre d'explication historique (= livre V), parce que la prophétie était manifeste, que tout s'y rapportait au Christ [308] », on a au contraire le sentiment qu'il y a en quelque sorte coïncidence entre « interprétation historique » et « sens prophétique », celui-ci constituant en la circonstance *le* sens du texte. Peut-on dire en d'autres termes que, là où il y a « prédiction évidente » du Messie, l'interprétation prophétique s'identifie au sens littéral ? C'est bien ce que semble impliquer la règle de l'évidence relevée tout à l'heure dans le *Commentaire sur Malachie*, puisque, en cas de « prophétie tout à fait manifeste », ce qu'il convient de ne pas « vider de substance par les incertitudes de l'allégorie », c'est « ce qui est écrit [309] ». La définition similaire du *Commentaire sur Zacharie* va plus clairement encore dans ce sens puisque, face à une tropologie jugée superflue, elle associe comme deux réalités équivalentes « *prophétie* tout à fait manifeste » et « véritable enchaînement *historique* [310] ». A quoi fait écho la formule par laquelle Jérôme conclura l'application au premier avènement du Christ d'un long passage d'Ézéchiel annonçant le rétablissement d'Israël : « Voilà le sens d'après la vérité du sens historique, ou pour mieux dire d'après la promesse prophétique [311] ». Il existe donc des cas, rares sans doute mais irrécusables, où, pour Jérôme, "prophétie" et "histoire" se correspondent.

---

prophétie aux apôtres et à l'Église. Le cas, cependant, reste exceptionnel (voir ci-dessus ch. IV, p. 245), et le mot de *prophetia* n'est d'ailleurs pas prononcé.

306. Les hérétiques en 315-317, la vie de l'âme en 234 CD et 517 AB.

307. *In Is.* 453 C : « Hoc de uaticinio dictum sit futurorum et de aduentu Domini Saluatoris. Ceterum iuxta historiam... »

308. *In Is.* 19, 19-21 : « Vsque ad finem uisionis Aegyptiae, in libro explanationis historicae, quia manifesta prophetia erat, diximus quod cuncta referantur ad Christum » (257 B ; cf. 186 B). Voir aussi 66 B : « Perspicue de Christi passione dicitur... »

309. HIER. *In Mal.* PL 25, 1551 A ; texte ci-dessus n. 290.

310. HIER. *In Zach.* 11, 4-5 (PL 25, 1500 B, ci-dessus n. 293). En revanche il ne faut pas comprendre comme assimilant les deux niveaux d'interprétation la formule de l'*In Hier.* 18, 19-21 : « ... perspicuam historiam et manifestissimam prophetiam omni uerborum et sensuum confidentia persequentes » (PL 24, 799 B). Jérôme veut simplement dire que, lorsque le sens historique est clair et l'application prophétique évidente, il n'a pas lieu d'aller chercher des explications compliquées.

311. HIER. *In Ez.*, 36, 16-fin : « Haec iuxta historiae ueritatem, immo iuxta prophetiae fidem » (PL 25, 344 A). Cette explication, introduite comme « celle de l'Église » (« iuxta ecclesiasticam intellegentiam » 342 B), par opposition à deux exégèses juives, l'une historique, l'autre millénariste, se distingue également d'une « tropologie » qui applique le texte à la vie spirituelle du chrétien.

Ainsi les rapports complexes qu'elle entretient avec les deux grands sens traditionnels témoignent d'une certaine spécificité de la prophétie dont il reste pourtant malaisé de dessiner les contours.

Par sa visée christocentrique, elle s'inscrit au cœur d'une lecture chrétienne de l'Ancien Testament. Par là, elle relève de l'exégèse spirituelle dont elle apparaîtrait même comme un cas privilégié, sans qu'on puisse pour autant la constituer en sens particulier de l'Écriture [312] : elle ne se distingue assez radicalement pour cela d'autres aspects de cette exégèse ni par son contenu — parfois eschatologique —, ni comme mode spécifique d'accès à l'avènement historique du Christ (typologie, voire allégorie, y introduisent aussi par d'autres voies).

Distincte, d'autre part, de l'histoire comme genre littéraire, la prophétie annonce ce qui sera. Elle offre ainsi à l'exégèse chrétienne un tremplin pour atteindre, par-delà l'histoire d'Israël, le temps du Christ.

Pourtant il semble que, pour Jérôme, l'interprétation des prophéties n'obéisse pas exactement, du moins pas toujours, à la démarche ordinaire de cette exégèse, qui fait du sens obvie du texte biblique le « soubassement » sur lequel prend appui le sens spirituel. Elle s'en distingue déjà d'une certaine manière dans le cas de réalisations successives, toutes également nécessaires pour que s'accomplisse dans son intégralité l'annonce prophétique. Elle le fait plus encore dans le cas où une prophétie a une visée messianique si évidente que le sens littéral du texte, c'est réellement de parler du Christ. Paradoxalement, sens spirituel et sens littéral coïncident alors étroitement. L'oracle de l'Emmanuel en offre une parfaite illustration : Jérôme n'y voit pas d'autre annonce, en effet, que celle de la naissance virginale de Jésus [313]. Ce type de prophétie directement messianique explique l'audacieuse formule du prologue du Commentaire, reconnaissant en Isaïe « non seulement un prophète, mais un évangéliste et un apôtre [314] ».

Mais il s'agit là, même chez ce chantre par excellence du Messie à venir, de cas extrêmes. Car s'il est vrai que la prophétie entretient un rapport privilégié avec le premier avènement du Christ, il s'en faut de beaucoup qu'elle en soit toujours l'annonce *directe*. Nous l'avons vue également porteuse d'accomplissements successifs qui ne concernent pas tous le Messie, voire susceptible, comme n'importe quel autre texte, d'une lecture littérale concernant Israël, avant de donner lieu à une application au Christ et à l'Église, sans préjudice d'explications spirituelles d'un autre type.

On ne saurait donc parler en toute rigueur pour Jérôme d'un « sens prophétique » qui réintroduirait dans son exégèse une tripartition des sens de l'Écriture d'un autre genre. Il reste qu'en distinguant nettement parmi les prophéties celles dont la visée messianique à ses yeux évidente excluait toute autre signification, l'exégète de Bethléem rejoignait à sa manière les préoccupa-

---

312. ... au sens où les classifications ultérieures distingueront dans l'interprétation spirituelle « allégorie », « tropologie », « anagogie ».

313. Cf. *In Is.* 7, 14 et 15 (107 B-110 C). Contrairement à celle d'autres versets du chapitre, l'exégèse de ces deux versets ne débute pas par une explication littérale de l'Écriture.

314. *In Is.*, prol. : « sicque exponam Isaiam ut illum non solum prophetam sed euangelistam et apostolum doceam » (18 A).

tions d'un Diodore de Tarse ou d'un Théodore de Mopsueste soucieux de délimiter de façon restrictive, en réaction aux excès d'un symbolisme alexandrin porté à découvrir partout dans l'Écriture une prophétie du Christ, le nombre des annonces messianiques directes. Mais, une fois de plus, sa démarche, plus intuitive que systématique, n'a pas la cohérence de celle de ses contemporains antiochiens ; et il apparaît plus soucieux en définitive d'écarter, dans le cas d'annonces du Christ pour lui manifestes, d'autres interprétations spirituelles jugées superfétatoires, que de définir avec rigueur les conditions qui permettraient de reconnaître à coup sûr de telles annonces du Sauveur.

Très caractéristique de ses préférences, l'attention que Jérôme porte à la prophétie souligne plus, en définitive, l'accent christocentrique de son exégèse qu'elle ne dément, en règle générale, la conception fondamentalement bipartite des sens de l'Écriture dont témoignent, on a pu s'en convaincre à travers le *Commentaire sur Isaïe*, et sa pratique courante et même la plupart des observations herméneutiques qui lui échappent au détour d'une phrase.

CHAPITRE VI

La conception de l'Écriture

L'exégèse mise en œuvre par Jérôme dans son *Commentaire sur Isaïe* ne se réduit pas à une technique, elle implique et reflète tout à la fois une vision de l'Écriture. Pour l'essentiel, cette vision ne peut que s'inscrire dans la tradition chrétienne commune, et les pointes polémiques contre Marcion et Montan, sans parler des juifs, sont là pour en témoigner. Mais cela n'exclut pas que la marque de Jérôme se reconnaisse à certains accents.

Toute lecture chrétienne de la Bible repose sur le postulat que l'Écriture vient de Dieu et parle de Dieu. C'est là, aux yeux des Pères, l'évidence centrale, que manifeste le vocabulaire par lequel ils la désignent. Jérôme parle moins souvent qu'Origène des « divines Écritures », mais il n'ignore pas l'expression. Et quand il ne dit pas simplement, comme le Nouveau Testament lui-même, « l'Écriture » ou « les Écritures », l'épithète dont il use habituellement dans le *Commentaire sur Isaïe*, parlant des « saintes Écritures », traduit la même réalité, qui se réfracte en un certain nombre d'aspects.

I — ÉCRITURE ET INSPIRATION

« Données à lire par Dieu [1] », les Écritures apparaissent d'abord comme « inspirées ». Pour la tradition chrétienne la chose ne souffre pas discussion. Présent chez saint Paul [2], le terme est fréquent sous la plume d'un Origène ou d'un Didyme [3] ; et même si Jérôme use assez peu du mot, le *Commentaire sur Isaïe* fait écho, comme on pouvait s'y attendre, à la réalité qu'il désigne. Dès le prologue on y bute sur l'affirmation, étayée de références bibliques, que « Dieu parlait dans l'âme des prophètes [4] ». C'est un rappel du caractère intérieur

---

1. *In Is.* 270 A : « ... sanctarum scripturarum quas Dominus legendas dedit. »
2. « Πᾶσα γραφὴ θεόπνευστος... » (2 *Tim.* 3, 16).
3. On le rencontre plusieurs fois dans le *Periarchôn*, et l'index de l'*In Zachariam* de Didyme (éd. Doutreleau, SCh 85) en dénombre dix-huit occurrences.
4. *In Is.*, prol. : « ... Deus loquebatur in animo prophetarum » (20 AB).

de cette inspiration, dont Jérôme établit d'entrée de jeu, contre Montan, qu'elle n'aliène pas l'esprit du prophète mais l'éclaire. Point décisif à ses yeux, auquel, on l'a vu, il revient souvent [5].

Cette inspiration est l'œuvre de l'Esprit, qui parle par les prophètes et en eux [6] ; c'est par lui qu'ils ont connu et prédit l'avenir [7]. Inspirateur des prophètes, l'Esprit s'exprime aussi dans les Psaumes, mais également dans la Loi, dont « personne ne doute », assure le *Commentaire sur Zacharie*, « qu'elle a été écrite sous sa dictée [8] ». Quant au Nouveau Testament, Jérôme, évoquant à Rome auprès de Marcella sa récente révision des Évangiles, affirmait déjà qu'à ses yeux il n'y avait rien dans les paroles du Seigneur qui ne fût « divinement inspiré *(diuinitus inspiratum)* [9] ». Saint Paul à son tour « prophétise par l'Esprit saint [10] ». Bref, ce sont toutes les Écritures, Ancien comme Nouveau Testament, dont on peut dire qu'elles ont été écrites par un unique Esprit [11], qui est d'ailleurs l'esprit du Christ [12]. Aussi Jérôme dira-t-il tout aussi bien que c'est le Christ qui a inspiré les prophètes ou qui parlait par eux [13], de même qu'il a parlé dans l'apôtre Paul [14].

Dieu est donc, en définitive, l'auteur véritable de l'Écriture [15], qui porte l'empreinte de cette inspiration jusque dans le détail de sa matérialité. Jérôme l'écrivait dès ses premiers Commentaires, « dans les divines Écritures chaque mot, chaque syllabe, chaque signe, chaque point est rempli de sens [16] ». Aussi ne peut-on, à ses yeux, leur appliquer les principes ordinaires de traduction qu'il définit dans sa célèbre lettre à Pammachius *Sur la meilleure manière de traduire*, car « en elles l'agencement même des termes relève du mystère [17] ».

De fait, si Dieu en est l'auteur, elles participent de son mystère, et Jérôme emploie logiquement à leur propos les termes de *sacramenta* et de *mysteria* qui caractérisent aussi sous sa plume les réalités divines. Le *Commentaire sur*

---

5. *Ibid.*, 19 B-20 A. Voir ci-dessus ch. V, p. 352 et suiv.

6. *Ibid.* 20 A : « ... Spiritus qui loquitur per prophetas... » Cf. *In Amos*, prol. : « Idem enim, qui *per* omnes prophetas, *in eo* spiritus sanctus loquebatur » (PL 25, 990 A).

7. Jonas sait, « sancto sibi spiritu suggerente », que la conversion des nations entraînera la ruine d'Israël (*In Ionam* PL 25, 1121 B = Antin p. 57). Cf. *In Is.* XIV, prol. : « ... eodem spiritu quo prophetae futura cecinerunt » (477 C). Voir aussi, de 407, *Epist.* 120, 9, 19.

8. HIER. *In Zach.* PL 25, 1442 A : « Nulli enim dubium quin Lex, spiritu sancto dictante, conscripta sit. » Pour les Psaumes, voir *In Ez. ibid.* 156 B ; cf. déjà Cyprien (*Epist.* 63, 3 : CSEL 3, 2, 703).

9. *Epist.* 27, 1 *ad Marcellam*, en 384.

10. *In Is.* 672 B : « ... Apostolus sancto spiritu prophetauit. » Cf. *Epist.* 120, 10, 1.

11. *In Is.* 332 A (ci-dessous n. 20).

12. Voir en particulier *Epist.* 120, 9, 19.

13. *In Is.* 501 D ; cf. *In Ion.*, prol. : PL 25, 1120 A = Antin p. 55.

14. *In Is.* 603 D : « (Paulus)... loquentis in se Christi auctoritate dicebat... » Cf. *Tract. de ps.* 88, 3 : CC 78, 406 (texte ci-dessous n. 55).

15. *In Is.* 271 D (*conditor, factor*, à propos de l'Ancien Testament).

16. HIER. *In epist. ad Eph.*, en 386 : « ... singuli sermones, syllabae, apices, puncta in diuinis Scripturis plena sunt sensibus » (PL 26, 481 A). Écho probable de *Mt.* 5, 18 : « ... iota unum aut unus apex non praeteribit a lege... »

17. HIER. *Epist.* 57, 5, 2 : « ... absque scripturis sanctis, ubi et uerborum ordo mysterium est. » Contre Vaccari (*Bollettino Geronimiano*, dans *Biblica* 1, 1920, p. 555, n. 2), il vaut sans doute mieux comprendre l'*agencement* des termes que leur *teneur* propre, puisque Cicéron, dont Jérôme se réclame ici pour sa conception ordinaire de la traduction, déclare que, tout en ne jugeant pas nécessaire de traduire terme à terme, il a conservé « genus omnium uerborum uimque » (*ibid.* 5, 3). Sur *ordo* chez Jérôme voir le dossier réuni par P. Antin (*Recueil...* p. 229-240).

Isaïe fait d'ailleurs aller de pair au moins une fois « connaissance des vérités sacrées *(sacramenta)* des Écritures » et « entrée dans les mystères *(mysteria)* de Dieu [18] ». On verra plus loin à quelles conditions peuvent être « déployés ces mystères des Écritures », selon une autre expression du même Commentaire [19]. Mais il faut d'abord souligner une autre conséquence, capitale pour l'exégèse chrétienne, de ce phénomène de l'inspiration.

II — « OMNIS SCRIPTVRA VNVS LIBER »

Commentant par le biais de l'*Apocalypse* l'image isaïenne du livre scellé, au chapitre 29 du prophète, Jérôme voit dans le lion de Juda, surgeon de David, le Christ qui brise les sceaux non du seul livre des Psaumes, mais « de toutes les Écritures, qui ont été écrites par un unique Esprit Saint et sont appelées pour cette raison un livre unique [20] ». A l'unicité d'inspiration correspond donc l'unité des Écritures, ou, pour mieux dire, de l'Écriture, selon la reprise au singulier que fait Jérôme de l'expression quelques lignes plus bas [21].

Déjà les juifs en avaient eu conscience, puisqu'ils voyaient à l'œuvre dans les prophètes un unique esprit, au point d'appliquer à Jérémie une apostrophe du recueil d'Isaïe [22]. Mais ils n'imaginaient évidemment pas que cette inspiration pût déborder les frontières de ce que les chrétiens devaient appeler l'Ancien Testament et que, pour parler comme le *Commentaire sur Isaïe*, « la grâce des prophètes passe dans les apôtres [23] ». Jérôme au contraire aime à souligner, avec la tradition chrétienne, cette continuité des prophètes aux évangélistes et aux apôtres, qui autorise à parler des « Écritures tant de l'Ancien que du Nouveau Document [24] ». Autre manière, plus subtile, de reconnaître la même unité : la déclaration du prologue qualifiant Isaïe à la fois de prophète, d'évangéliste et d'apôtre [25].

Tout aussi rebelles que les juifs à l'idée d'une unité des Écritures entendues au sens chrétien sont les hérétiques qui, à l'inverse, récusent les livres de l'Ancienne Alliance. Le *Commentaire sur Isaïe* dénonce avec vigueur « Marcion et tous les hérétiques qui déchirent l'Ancien Testament [26] ». Marcion voit en effet dans les prophètes des fils non du Dieu bon, père du Christ, mais du dieu juste, sanguinaire et cruel [27]. Et parmi les autres hérétiques incri-

---

18. *In Is.* 207 C. Voir ci-dessus ch. IV, p. 267 et la note 299.
19. *In Is.* 332 B : « ... mysteria pandere Scripturarum... » A noter quelques pages plus loin l'expression parallèle « Christi sacramenta pandenda » (335 D).
20. *In Is.* 332 A : « ... Christus qui soluit signacula libri non proprie unius, ut multi putant, psalmorum Dauid, sed omnium scripturarum, quae uno scriptae (= CC ; PL scripturae) sunt Spiritu sancto, et propterea unus liber appellantur » (Cf. *Apoc.* 5, 5).
21. « ... omnis scriptura sancta quae unus liber appellatur » (*ibid.*, cf. 335 C).
22. Voir *In Is.* 30, 8 (342 C).
23. *In Is.* 584 D : « ... gratia prophetarum in apostolis ueniat. »
24. *In Is.* 27 A : « ... in eloquiis scripturarum tam ueteris quam noui instrumenti... » Cf. 270 B.
25. *In Is.*, prol. 18 A.
26. *In Is.* 247 A : « ... Marcion et omnes haeretici qui uetus lacerant testamentum. » Cf. 254 A.
27. *In Is.* 105 B ; cf. 442 C.

minés sans doute faut-il ranger "Manichée", accusé dans un autre passage de chercher ailleurs que dans la maison du Dieu de Jacob la demeure du Seigneur [28], logique en cela avec lui-même puisque, pour lui, au témoignage d'Augustin, le dieu de Moïse et des prophètes n'est autre qu'un prince des ténèbres [29].

Si l'Écriture est ce livre unique, œuvre d'un unique esprit, elle ne saurait être en contradiction avec elle-même. Jérôme en est depuis toujours persuadé : à Rome il avait déjà expliqué à Damase que, lorsque l'Écriture paraissait se contredire, il fallait tenir pour vrais les deux éléments en divergence [30]. Le *Commentaire sur Isaïe* montre bien que ce n'est pas là pour lui une manière de nier les difficultés : on l'y voit exposer clairement de telles contradictions, par exemple entre Isaïe et Jérémie, avant d'introduire par un « Cela se résout ainsi » l'explication qui permet de les dépasser [31].

Bien loin que l'Écriture puisse renfermer de véritables contradictions, elle est riche au contraire d'innombrables correspondances internes dans lesquelles Jérôme voit la preuve de son unité d'inspiration. Il en fait explicitement la remarque en commentant un verset du prophète qui invite à secourir le pauvre et l'affamé : « Pour que nous sachions », écrit-il, « qu'unique est le Seigneur tant du Nouveau que de l'Ancien Document, le Seigneur aussi dit la même chose dans l'Évangile [32] ». Vérifiée par de nombreuses constatations du même genre, c'est cette conviction de l'unité d'inspiration de l'Écriture qui fonde en profondeur le procédé d'explication de la Bible par la Bible que constitue l'appel constant fait par l'exégète aux rapprochements scripturaires. Se développant souvent en véritables enchaînements de citations, ces rapprochements supposent, comme Origène en avait déjà posé le principe [33], qu'un passage de l'Écriture peut recevoir son éclairage d'autres passages qui lui sont apparentés par la présence d'un même thème ou simplement d'un même terme [34]. Et comme s'opère ainsi fréquemment le passage d'un Testament à l'autre, se trouve posée en même temps la question des rapports qui les unissent.

---

28. *In Is.* 2, 3 b : « ... non secundum Manichaeum aliam extra domum Dei Iacob quaeramus domum » (44 C).

29. Cf. AUGUSTIN, *De haeresibus* 46 : « Deum qui legem per Moysen dedit et in hebraeis prophetis locutus est non uerum esse Deum sed unum ex principibus tenebrarum » (PL 42, 38).

30. HIER. *Epist.* 36, 11 en 384 : « Cum uideatur scriptura inter se esse contraria, utrumque uerum est, cum diuersum sit. » Cf. *Epist.* 46, 6, 2.

31. Voir par exemple *In Is.* 51, 17 senti comme en contradiction avec *Hier.* 25, 27 : « In quo quaestio nascitur : quomodo... (etc.). Quae ita soluitur : ... » (492 A). Cf. 506 B : « Quod facile soluitur. »

32. *In Is.* 58, 7 : « Vt sciamus unum esse Dominum et noui et ueteris Instrumenti, eadem et Dominus loquitur in euangelio » (566 D ; cf. *Mt.* 25, 35-36).

33. Voir par exemple OR. *In Num. hom.* 12, 1 (ci-dessus ch. IV, p. 304 et la note 502) dont on peut rapprocher cette phrase du *Tract. de ps.* 88 de Jérôme : « Videamus ubi alibi scriptum sit aliquid tale de aedificatione... » (CC 78, 407).

34. Sur cette utilisation des citations scripturaires, voir ci-dessus les pages 300 à 307 du ch. IV.

III — LES RELATIONS DES DEUX TESTAMENTS

Qu'il y ait entre les deux Testaments, dans la perspective chrétienne, une relation d'unité, c'est pour Jérôme une première évidence, que le commentaire d'un prophète comme Isaïe lui offre mainte occasion de rappeler. Symbolisés par les deux branches des pincettes que tient un des *seraphim* de la vision du chapitre 6, ils sont associés entre eux par l'esprit qui les unit [35]. L'un et l'autre relèvent d'un même Seigneur [36], « fondement unique des prophètes et des apôtres [37] ». Et « les sources du Sauveur », auxquelles Isaïe invite à puiser, se trouvent dans l'un comme dans l'autre [38].

Leur unité ainsi affirmée est un gage de non-contradiction, mais cela n'épuise pas le contenu de leurs relations. Jérôme paraît en avoir eu conscience dès son premier essai exégétique de Constantinople, où l'on peut lire à propos des deux *seraphim*, figures des deux Testaments, qui s'interpellent l'un l'autre : « Tout ce que nous avons lu dans l'Ancien Testament, cela même nous le retrouvons dans l'Évangile, et ce que nous lisons en feuilletant l'Évangile, cela même se déduit de l'autorité de l'Ancien Testament ; aucune dissonance, aucune opposition [39] ». Il existe donc entre les deux Alliances non seulement une complète harmonie mais une relation de dépendance réciproque dont l'affirmation se retrouve, à l'autre bout de l'œuvre exégétique de Jérôme, dans son *Commentaire sur Ézéchiel* [40].

Sur ces rapports de réciprocité, le *Commentaire sur Isaïe* apporte quelques précisions. Quoi d'étonnant que l'Ancien Testament soit étroitement lié au Nouveau si c'est Dieu qui en est l'auteur [41] ? Aussi bien apôtres et évangélistes prennent-ils souvent à témoin les Écritures anciennes pour montrer leur accomplissement dans la venue du Christ [42]. Et lorsque le verset du prophète invite les apôtres et leurs successeurs à « chanter un chant nouveau », ce n'est pas seulement avec le Nouveau Testament, c'est aussi avec l'Ancien, qui ne s'identifie pas à « la vétusté de la lettre » mais qui participe également de « la

---

35. *In Is.* 6, 6 : « ... forcipem... duo Testamenta putant. quae inter se Spiritus sancti unione sociantur » (97 A). Cette exégèse est le fait de *quidam nostrorum*.

36. *In Is.* 566 D (*unum...* Dominum), ci-dessus n. 32 ; 656 B (*eumdem...* Dominum...). Cf. *In epist. ad Eph.* PL 26, 483 A (... idem esse Deus noui et ueteris Testamenti).

37. *In Is.* 472 AB : « Ex quo perspicuum est unum esse fundamentum apostolorum et prophetarum, Dominum nostrum Iesum Christum. » Cf. HIER. *praef. in libr. Par.* « Christus Dominus noster utriusque Testamenti conditor... » (PL 28, 1326 A).

38. *In Is.* 469 A, reprenant *Is.* 12, 3 : « Hi fontes in ueteri Testamento et nouo sunt. » Image voisine dans la bouche du prédicateur, celle du fleuve des Écritures qui a deux rives, l'Ancien et le Nouveau Testament (HIER. *Tract. de ps.* 1, 3 : CC 78, 8, 162).

39. HIER. *Epist.* 18 A, 7, 4, à propos d'*Is.* 6, 3 : « Quidquid enim in ueteri legimus testamento, hoc idem et in euangelio repperimus, et quod in euangelio fuerit lectitatum, hoc ex ueteris testamenti auctoritate deducitur ; nihil dissonum, nihil diuersum est » (trad. Labourt, t. 1, p. 62).

40. Voir *In Ez.* PL 25, 482 C : « atque ita fiet ut et uetus Testamentum constringatur in nouo, et nouum in ueteri dilatetur. » Cette formule conclut un développement sur le nombre dix, présent aussi bien dans l'Ancien Testament avec le Décalogue que dans les *quatre* évangiles par le total des nombres 1 à 4.

41. Voir ci-dessus la note 15, page 382.

42. *In Is.* 629 C, avec référence à *Matthieu* 1, 22.

nouveauté de l'Esprit » [43]. De fait, loin d'être périmé, l'Ancien Testament est indispensable au Nouveau qu'il étaie, et c'est le tort des hérétiques de l'ignorer : en rejetant le premier, ils n'en suivent pas pour autant le second [44]. Car, comme l'exprimait déjà clairement plus de vingt ans auparavant le *Commentaire sur l'Épître aux Éphésiens*, mépriser les prophètes en prétendant s'en tenir au seul Évangile, c'est « ne pas connaître le mystère du Christ [45] ».

En effet, pour reprendre une formule du *Commentaire sur Isaïe*, « la loi et les prophètes n'ont cessé d'annoncer sa venue [46] », et plus précisément de « publier sa passion [47] ». Et « ce n'est pas seulement selon l'*Apocalypse* ou l'apôtre Paul mais aussi dans l'Ancien Testament que le Christ est appelé "Seigneur Sabaoth", c'est-à-dire "Tout-puissant" [48] », ou encore le « Très-Haut [49] », sans parler des titres divins donnés par le prophète à l'Emmanuel [50].

A l'inverse, le Nouveau Testament « déborde sur l'Ancien », selon le mot du *Commentaire sur Ézéchiel* [51], ne serait-ce que parce qu'il en fournit une ligne d'interprétation. Ainsi c'est l'évangéliste Jean qui nous assure que, dans le Seigneur contemplé par Isaïe au Temple, il faut reconnaître le Christ [52]. Et Jérôme de s'étonner qu'on puisse chercher plus loin « lorsque précède l'autorité des apôtres », ou des évangélistes, qui s'impose à ses yeux comme « règle de vérité [53] ». Le Christ n'a-t-il pas apporté sa caution à cette grille de lecture lorsqu'il s'est appliqué le signe de Jonas et plus généralement, sur la route d'Emmaüs, « les prophéties le concernant [54] » ?

Mais il faut aller plus loin. Non seulement il est question du Christ dans l'Ancien Testament, mais lui-même « y a parlé par les patriarches et les prophètes [55] ». Ou, pour emprunter au *Commentaire sur Jonas* une autre

---

43. *In Is.* 42, 10 (424 D), texte ci-dessus ch. IV, n. 158. Cf. ORIGÈNE, *In Num. hom.* 9, 4 : « Les deux Testaments sont nouveaux tous les deux (...) car ils ont pour objet la même nouveauté. »

44. *In Is.* 271 CD : « ... dumque uetus reprobant Instrumentum, nec nouum secuti sunt, quia nouum ueteris Instrumenti testimoniis roboratur. »

45. HIER. *In epist. ad Eph.* 3, 5 : PL 26, 482 A. Voir aussi la phrase précédente : « ... annotandum quod sacramentum fidei nostrae nisi per Scripturas propheticas et aduentum Christi non ualeat reuelari » (*ibid.* 481 D-482 A). De même les *Paralipomènes* « expliquent une foule de difficultés de l'Évangile » (*Epist.* 53, 8, 18).

46. *In Is.* 243 D : « ... quem uenturum Lex et prophetae iugiter nuntiabant. » Cf. 26 D, et *In epist. ad Eph.* PL 26, 479 A qui associe les patriarches, Moïse et les prophètes dans l'annonce « de la venue du Christ et de l'appel des nations ».

47. HIER. *In Mal.* PL 25, 1576 C : « Lex enim et omnis prophetarum chorus Christi praedicat passionem. » Cf. *In Zach.* 1443 A.

48. *In Is.* 32 B : « Non solum iuxta Apocalypsim Iohannis et apostolum Paulum sed in uiteri quoque Testamento "Dominus Sabaoth", hoc est "omnipotens" Christus appellatur. »

49. *In Is.* 56 B (excelsus uel altissimus).

50. Voir *In Is.* 127-128.

51. Voir ci-dessus n. 40. Cf. HILAIRE, *Tract. super ps.*, prol., 5 : « Il n'y a aucun doute que ce qui est dit dans les psaumes doit être compris d'après la prédication évangélique » (CSEL 22, 6).

52. *In Is.* 6, 1 (92 B) ; *Epist.* 18 A, 4, 2.

53. HIER. *In Zach.* PL 25, 1520 BC avec référence à *Mt.* 26, 31 (texte ci-dessus n. 294, p. 374) ; cf. *In Am., ibid.* 1093 D.

54. Voir pour le signe de Jonas *In Ionam* 2, 2 (PL 25, 1131 B = Antin p. 77) et pour Emmaüs *In Is.* 115 C (cf. *Luc.* 24, 27). Cf. ORIGÈNE, *In Ex. hom.* 9, 2 (Or. W. 6, 236, 27).

55. HIER. *Tract. de ps.* 88, 3 : « Ego ipse, qui tunc locutus sum in uiteri testamento per patriarchas et per prophetas... » (CC 78, 406). Cf. *In Is.* 501 D : « ... qui prius loquebatur in prophetis... »

image, « il a marqué d'avance dans ses serviteurs les linéaments de la vérité future [56] ». Aussi, pour qui marche dans les voies des prophètes, l'Ancien Testament recèle-t-il la clarté de la lumière du Christ [57]. Encore faut-il être en mesure de l'y découvrir. Car, comme Jérôme l'écrivait à Paulin de Nole, « pour être comprise la Loi a besoin que soit levé le voile [58] » qui pèse encore sur le cœur des juifs dans leur lecture de l'Ancienne Alliance [59].

IV — MYSTÈRE ET RÉVÉLATION

De fait, nous dit le *Commentaire sur Isaïe*, le Christ, Verbe de Dieu, avait parlé dès le début, mais le mystère de sa passion et de sa résurrection n'en était pas moins « resté, selon l'apôtre Paul ignoré de toutes les générations qui l'ont précédé [60] », car il avait « parlé de façon cachée, c'est-à-dire à travers les énigmes et les mystères des prophètes [61] ». Or il faut, pour entrer dans la connaissance des réalités divines auxquelles ils donnent accès, être en mesure de « déployer ces mystères des Écritures [62] ». Car qui dit mystère dit sens caché.

Certaines formules de Jérôme associant mystères à énigmes [63] donneraient à penser que ce sont les obscurités caractéristiques du style prophétique qui constituent l'écran à dépasser. Mais, on l'a vu, une telle obscurité est pour Jérôme relative. Elle est en effet partielle, puisqu'il arrive que la prophétie associe l'évident à l'obscur [64] ; qui plus est, elle est souvent provisoire, car « c'est l'usage des Écritures que d'exposer en termes clairs ce qu'elles avaient d'abord exprimé par énigmes [65] ». Elle n'en a pas moins valeur pédagogique dans la mesure où obscurités, voire impossibilités du sens littéral constituent une invite à « rechercher un sens plus profond *(altiorem intellegentiam)* [66] ». Mais Jérôme définit ailleurs cette recherche comme une entrée dans la nuée des prophètes pour y prendre connaissance de la parole de Dieu [67].

C'est donc que le dévoilement du mystère ne relève pas d'une simple

---

56. HIER. *In Ionam*, prol. : « ... futurae ueritatis in seruis suis lineas ante signauit... » (PL 25, 1120 A = Antin p. 55).

57. *In Is.* 426 A.

58. HIER. *Epist.* 53, 4, 4 : « Lex... reuelationem indiget ut intellegatur. »

59. Cf. 2 *Cor.* 3, 14.

60. *In Is.* 610 D : « Mysterium enim passionis et resurrectionis Christi secundum apostolum Paulum cunctis retro generationibus fuerat ignoratum. » Cf. *Eph.* 3, 5 plutôt que 1 *Cor.* 2, 7 indiqué par Adriaen (CC 73 A, p. 721, 49-51).

61. *In Is.* 462 A : « ... haec quae a principio in abscondito sum locutus, hoc est per aenigmata et mysteria prophetarum... »

62. *In Is.* 332 B, ci-dessus, n. 19.

63. Ci-dessus n. 61. Cf. *In Is.* 171 A.

64. Comme le Christ lui-même parlant en paraboles. Cf. *In Mt.* PL 26, 85 C : « Perspicua miscet obscuris. »

65. *In Is.* 181 A, texte ci-dessus n. 204 du ch. V.

66. *In Is.* 250 B. Sur les divers aspects de l'obscurité des prophéties, voir ci-dessus les pages 361-362, au ch. V, et sur l'absence de sens littéral comme signe du sens spirituel les pages 279 à 281, au ch. IV.

67. *In Is.* XIV, prol. (477 C). Voir plus loin la note 94.

aptitude du grammairien à déchiffrer les sous-entendus d'un langage figuré, mais qu'il dépend d'une initiative divine, d'une « révélation ». « Enlève le voile *(reuela)* de mes yeux », demandait David, « et je contemplerai les merveilles de ta Loi », cette Loi dont nous savons, précise Jérôme à la suite de saint Paul, qu'elle est « spirituelle » [68].

Le sens intérieur, froment qui se dissimule sous la paille des mots [69], est en effet un sens auquel l'Esprit donne accès, quelles que soient les modalités qui y introduisent : annonce prophétique directe ou indirecte, figure, allégorie. Comme l'écrivait déjà Jérôme à Paulin de Nole, l'eunuque de la reine d'Éthiopie qui, dans les *Actes des apôtres*, lit Isaïe sans le comprendre a besoin que Philippe, poussé par l'Esprit, lui fasse découvrir Jésus enfermé sous la lettre du texte [70]. Ou, pour reprendre la perspective paulinienne évoquée tout à l'heure à travers le *Commentaire sur Isaïe*, le mystère qui était resté ignoré des siècles passés a fait l'objet, à la venue du Christ, d'une révélation dans l'esprit. Selon une autre image encore, empruntée, celle-là, à l'Évangile que Jérôme explique à ses auditeurs de Bethléem, pour qui en fait une lecture selon l'esprit, Ancien comme Nouveau Testament, vêtements de la parole divine, se trouvent transfigurés à l'instar des vêtements du Christ sur le Thabor [71].

Mais pour ceux qui ne savent pas la lire, c'est-à-dire qui en ignorent le sens « spirituel », toute l'Écriture sainte demeure ce livre fermé et scellé dont, à la suite d'Isaïe, parle l'*Apocalypse* [72]. Seul peut introduire à sa compréhension Celui qui en possède la clé, qui peut en briser le sceau.

V — LE CHRIST CLÉ DES ÉCRITURES

Dès le prologue de son Commentaire, Jérôme cite en effet, pour attester les mystères que contient le recueil du prophète, ce verset d'Isaïe : « Toute vision sera pour vous comme les mots d'un livre scellé. Qu'on le présente à un homme qui sait lire en lui disant : "Lis-le", il répondra : "Je ne peux pas, car le livre est scellé" [73] ». Et lorsqu'il en arrive au commentaire de ce passage, il reprend la question de l'*Apocalypse* : « Qui est digne d'ouvrir le livre et d'en briser les sceaux ? » pour y répondre avec elle : « Le lion de la tribu de Juda, le Seigneur Jésus Christ, c'est lui qui brise les sceaux du livre [74] ». Entre temps

---

68. *In Is.* 675 B, cf. *Ro.* 7, 14 et *Ps.* 118, 18. Voir ci-dessus p. 258 et 267, et les notes 247 et 301.

69. *In Is.* 148 BC. Voir ci-dessus p. 133 et la note 27.

70. HIER. *Epist.* 53, 5 ; cf. *Act.* 8, 27-35.

71. HIER. *In Marc. tract.* 6 : CC 78, 480-481. Autre image évangélique, celle de l'eau changée en vin, chez Origène (*In Ioh. Comm.* XIII, 438 : Or. W. 4, 295).

72. *In Is.* 331 D, citant *Apoc.* 5, 2. Cf. 58 B : « (Iudaei) legunt Scripturas sed non intellegunt ; tenent membranas et Christum qui in membranis scriptus est perdiderunt. » L'image paulinienne du voile qui demeure sur l'Ancien Testament et n'est levé que dans le Christ (cf. 2 *Cor.* 3, 13-16), image présente dans la lettre à Paulin (ci-dessus n. 58) et les premiers Commentaires de Bethléem (cf. *In Eccl.* PL 23, 1029 B ; *In epist. ad Gal.* PL 26, 322-323), n'est pas reprise dans l'*In Isaiam*.

73. *In Is.*, prol. 19 B : « Et erit uobis uisio omnium sicut uerba libri signati, quem cum dederint scienti litteras dicent : Lege istum ; et respondebit : non possum, signatus est enim » (= *Is.* 29, 11). Même utilisation de ce verset par HILAIRE, *Tract. super psalmos*, prol., 5 (CSEL 22, 6).

74. *In Is.* 29, 11 (332 A) : « Leo autem de tribu Iuda Dominus Iesus Christus est, qui soluit signacula libri... » Cf. *Apoc.* 5, 2 et 5.

un autre passage d'Isaïe, utilisé aussi par le prologue, l'aura amené à reconnaître également dans le Christ celui qui a reçu « la clé de la maison de David sur son épaule, c'est-à-dire dans sa passion », si bien que « ce qu'il aura ouvert par sa passion ne pourra être fermé, et ce qu'il aura enfermé dans les cérémonies juives ne sera dévoilé par nul autre [75] ». Le *Commentaire sur Ézéchiel* dira plus clairement encore : « Avant que le Sauveur ne se soit incarné et abaissé, prenant la condition d'esclave, fermés étaient la Loi et les prophètes, fermée toute connaissance des Écritures [76] ».

Ainsi s'explique que maîtres des juifs et pharisiens ne puissent « faire sauter les sceaux du livre pour déployer les mystères des Écritures [77] » : c'est qu'ils n'ont pas accueilli celui qui, lui-même marqué de son sceau par le Père, « possède la clé de David [78] ». Ils ont bien entre leurs mains les parchemins, mais « le Christ qui est écrit sur les parchemins, ils l'ont perdu [79] ». De même « païens et hérétiques, parce qu'ils n'ont pas la foi, ne comprennent pas ce qui est dit [80] ». Du reste, comme l'observait déjà le *Commentaire sur l'Épître aux Galates*, comprendre l'Écriture autrement que ne le demande l'Esprit par lequel elle a été écrite, n'est-ce pas suivre un choix personnel, c'est-à-dire, précisément, être hérétique [81] ?

Les chefs de l'Église, au contraire, sont en mesure de « franchir le seuil des mystères de Dieu et d'entrer dans la connaissance des vérités sacrées des Écritures », car ils possèdent, eux, la clé du savoir qui leur permet d'en ouvrir l'accès aux fidèles [82], cette clé qui est la foi en celui qui seul ouvre les Écritures.

VI — FOI ET INTELLIGENCE DE L'ÉCRITURE

L'allure hiérarchique de ce dernier constat, d'ailleurs due pour une part au vocabulaire du verset commenté *(duces, principes)*, en souligne un premier aspect : la dimension sociale ou, pour mieux dire, ecclésiale. Dans la même

---

75. *In Is.* 22, 22 : « Haec ipsa clauis (domus Dauid) erit super humerum eius, hoc est in passione (...). Quod enim ille sua passione reserauerit, claudi non poterit ; et quod clauserit in caerimoniis Iudaeorum a nullo alio aperietur » (274 C).

76. « Priusquam Saluator humanum corpus assumeret et humiliaret se, formam serui accipiens, clausa erat Lex et prophetae, et omnis scientia Scripturarum » (*In Ez.* PL 25, 428 C, cf. *Phil.* 2, 7).

77. *In Is.* 332 B, texte ci-dessus, n. 298, p. 266.

78. *In Is.*, prol. : 19 B : « ... quoniam non receperunt eum quem signauit Pater, qui habet clauem Dauid... » Cf. *Ioh.* 6, 27. Variante de la même idée chez Cyrille d'Alexandrie : « Il n'y a pas en vous (juifs) celui qui dévoile les mystères » (*In Ioh.* 8, 12 a : PG 73, 773 C.

79. *In Is.* 58 B, texte ci-dessus, n. 72.

80. *In Is.* 105 BC : « ... gentiles et haeretici (...) propter infidelitatem non intellegunt quae dicuntur. » Même perspective, à travers l'image paulinienne du voile, chez Jérôme prédicateur : « Le juif entend et ne comprend pas : un voile est posé pour lui sur l'évangile. Les païens entendent, les hérétiques entendent : pour eux aussi il y a un voile » (*In Marc. tract.* 2 CC 78, 460-461).

81. HIER. *In epist. ad Gal.* PL 26, 417 A. Jérôme souligne dans le passage que « αἵρεσις en grec se dit d'un choix *(electio)* ».

82. A propos d'*Is.* 13, 2 C : « Et ingrediantur portas duces. » *LXX* : « Aperite, principes » (207 C. Texte ci-dessus note 299, p. 267).

ligne, le *Commentaire sur Ézéchiel* parlera de « l'interprétation de l'Église » à propos d'une exégèse traditionnelle opposée aux « fables des juifs »[83]. L'expression suggère, outre la référence institutionnelle, une dimension historique. De fait, l'enseignement des anciens, prolongeant l'autorité reconnue absolument en ce domaine aux apôtres et évangélistes rédacteurs du Nouveau Testament, permet de remonter jusqu'à « l'enseignement du Seigneur » lui-même comme à la référence exégétique suprême[84]. La conformité à la foi chrétienne vérifiable par la tradition ecclésiastique fournit donc à l'exégète la pierre de touche dont il a besoin dans sa lecture des Écritures. Le *Commentaire sur Isaïe* nous montre ainsi Jérôme récusant sans hésitation des exégèses qui ne s'accordent pas avec cette foi[85], ou accueillant au contraire une double interprétation qui ne la contredit pas[86] ; et la limite qu'il y pose à la liberté d'une tropologie soucieuse d'épuiser les richesses de sens spirituels multiples n'est autre que la *pietas*[87].

Mais ce mode de référence à la foi chrétienne comme à une instance dernière de vérification reste extérieur à la démarche même de l'interprète ; or, si celui-ci ne peut prétendre résoudre les difficultés de l'Écriture en faisant fi de l'enseignement des anciens, il ne peut pas davantage, dans sa recherche du sens, se passer de la grâce de Dieu[88]. Car, comme le rappelait le *Commentaire sur Michée*, « nous avons toujours besoin, pour expliquer les saintes Écritures, de la venue de l'esprit de Dieu[89] ». Aussi voit-on Jérôme multiplier dans ses Commentaires, et en particulier dans le *Commentaire sur Isaïe*, les appels aux prières de ses correspondants pour que cette grâce l'assiste dans son entreprise. Sans doute s'agit-il parfois de formules banales visant simplement l'achèvement de l'œuvre[90]. Mais d'autres lient clairement prière et compréhension du texte sacré. A première vue, la prière apparaît d'autant plus opportune que les difficultés d'interprétation sont plus grandes. Ainsi, dans le prologue du livre III, Jérôme invite Eustochium à « l'aider de ses prières dans l'explication d'une vision particulièrement difficile[91] » ; mais la suite de la phrase éclaire la nature de cette difficulté : dans cette vision — celle du chapitre 6 — le Dieu tout-puissant se montre dans sa majesté.

L'Esprit n'est donc pas appelé à la rescousse pour venir à bout d'une

---

83. Hier. *In Ez*. PL 25, 342 B : « ... quid nobis uideatur iuxta ecclesiasticam intellegentiam disseramus. »

84. *In Is*. 226 C : « ... iuxta doctrinam Domini Saluatoris » expliquant la parabole du semeur. Cf. *In Matthaeum* 13, 4 (PL 26, 86 A) et aussi *Tract. de ps*. 91, 6 : « Dicamus aliquid de scripturis, non rationem sequentes, sed auctoritatem Domini Saluatoris » (CC 78, 427 = Morin° p. 75).

85. *In Is*. 23 B : « Quae nos contraria christianorum fidei iudicantes, uniuersa despicimus » ; 178 C : « hoc fidei nostrae non conuenit » (cf. *In Soph*. PL 25, 1348 D).

86. *In Is*. 647 A : « Quod (...) non abhorret ab Ecclesiae fide. »

87. *In Is*. 135 D, ci-dessus ch. IV, p. 237 et la note 119. Voir aussi p. 330 s. sur la multiplicité des sens spirituels.

88. Cf. *In Dan*. PL 25, 575 A : « ... Scripturae sanctae difficultatem, cuius intellegentiam absque Dei gratia et doctrina maiorum sibi imperitissimi uel maxime uindicant. »

89. Hier. *In Mich*. PL 25, 1159 B : « Semper autem in exponendis Scripturis sanctis illius (= Spiritus Dei) indigemus aduentu. »

90. Par exemple *In Is*. 443 A : « ... ut iniunctum in Isaiam opus, te orante et Christo miserante, perficiam. » Cf. 239 C, 351 A.

91. *In Is*. III, prol. : « Teque... precor ut in expositione difficillimae uisionis orationibus me iuues, in qua Deus omnipotens in sua cernitur maiestate » (91 A). Cf. le contexte de la phrase de l'*In Michaeam* citée ci-dessus, n. 89.

difficulté formelle en quelque sorte occasionnelle ; c'est la compréhension du mystère de Dieu qui requiert sa constante venue [92]. Déjà, lorsqu'il s'était essayé à commenter la même vision à Constantinople, Jérôme s'était écrié : « Prions ensemble le Seigneur pour qu'à moi aussi on envoie un charbon de l'autel et pour que, lavé de toute souillure de mes péchés, je puisse premièrement contempler les mystères de Dieu, ensuite exposer ce que j'aurai vu [93] ». L'accent était alors moral, entraîné sans doute par l'image du verset prophétique. Plus théologique — et plus significative — est la formule du prologue du livre XIV que nous avons déjà rencontrée : « Toi donc qui m'as soutenu de tes prières dans ma maladie, invoque encore la grâce du Christ pour que, par le même Esprit par lequel les prophètes ont chanté l'avenir, je puisse pénétrer dans l'épaisseur de leur nuée et y prendre connaissance de la parole de Dieu [94] ». De fait, comme le rappellera le *Commentaire sur Ézéchiel* en se référant à l'Apôtre, « c'est dans le Christ que tout se dévoile [95] ». Bien que le *Commentaire sur Isaïe* ne reprenne pas cette image paulinienne du voile qui demeure sur l'Ancien Testament et qui « est enlevé quand on se tourne vers le Seigneur [96] », c'est bien cette réalité d'une *conversion* au Christ comme condition d'accès aux mystères des Écritures que traduisent de tels appels à la prière.

L'Écriture n'est donc pas pour l'éxégète un simple objet d'étude dont il pourrait se rendre maître. Pour lui comme pour tout chrétien, elle n'est accessible qu'au sein d'une relation à Dieu dans la foi au Christ. De cette condition essentielle Jérôme n'a sans doute jamais donné de formulation plus complète que dans son *Commentaire sur l'Épître aux Galates.* « L'Écriture n'est profitable à ceux qui l'entendent », y écrit-il, « que lorsqu'elle n'est pas dite en l'absence du Christ, lorsqu'elle n'est pas proférée en l'absence du Père, lorsque celui qui la proclame ne la fait pas pénétrer sans l'Esprit [97] ». Une telle insistance trinitaire en ce domaine est d'ailleurs rare. L'accent est chez Jérôme plus volontiers christocentrique : c'est le Christ qui, par son esprit, ouvre le cœur à l'intelligence des Écritures ; et c'est encore à lui que, par un mouvement en retour, cette intelligence ramène, puisqu'elle consiste

---

92. Le prologue du livre II (57 A) laisse bien apparaître le caractère durable de cette nécessité : Eustochium y est invitée à lever les mains vers le Seigneur tandis que Jérôme se bat pour expliquer l'Écriture, comme Moïse l'a fait pendant toute la durée du combat contre les Amalécites (cf. *Ex.* 17).

93. « In commune Dominum deprecemur ut mihi quoque de altari carbo mittatur et, omni peccatorum sorde detersa, primum possim Dei sacramenta conspicere, dehinc enarrare quae uidero » (*Epist.* 18 A, 6 ; trad. Labourt, t. 1, p. 60).

94. « Tuque (...) quoque imprecare gratiam Christi ut eodem spiritu quo prophetae futura cecinerunt, possim in nubem eorum ingredi et caliginem et Dei nosse sermonem... » (*In Is.* 477 C ; voir p. 361). Même rapprochement du Christ et de l'Esprit à travers l'image maritime du prologue du livre IV : la barque de l'éxégète avance poussée par le souffle de l'Esprit et gouvernée par le Christ (*ibid.* 129 A).

95. HIER. *In Ez.* PL 25, 428 D : « In Christo enim iuxta sermonem Pauli omnia reuelantur » (cf. 2 *Cor.* 3, 16). D'où les prières des prologues de l'*In Osee* (*ibid.* 817 B) et du deuxième livre de l'*In Zachariam* (*ibid.* 1454 D).

96. 2 *Cor.* 3, 16. Cf. *Epist.* 64, début, à Fabiola (« Cum autem conuersi fuerimus ad Dominum, auferetur uelamen ») et *In Ioel.* PL 25, 951 B. Voir ci-dessus la note 72.

97. HIER. *In epist. ad Gal.* PL 26, 322 C : « Tunc Scriptura utilis est audientibus cum absque Christo non dicitur, cum absque Patre non profertur, cum sine Spiritu non eam insinuat ille qui praedicat. »

essentiellement à l'y découvrir. Il y a donc entre le Christ et l'Écriture d'étroites correspondances sur lesquelles le *Commentaire sur Isaïe* fournit de précieux éclairages.

VII — « IGNORATIO SCRIPTVRARVM IGNORATIO CHRISTI EST »

« Semer dans les paroles tant de l'Ancien que du Nouveau Document, c'est », assure Jérôme, « moissonner le fruit de l'esprit qui fait vivre [98] ». L'image de la moisson oriente vers celle de la nourriture : la sagesse qui se trouve dans la moelle et les fruits des significations spirituelles « restaure l'âme », lira-t-on au livre XV [99]. Image fondamentale, qui mène fort loin, comme nous allons le voir. Pour nourrir chaque jour les petits enfants du Christ du lait spirituel, l'Église leur présente les deux mamelles de l'Ancien et du Nouveau Testament [100]. Ailleurs, en écho au vocabulaire du verset biblique, Jérôme parlera du « vin des saintes Écritures [101] ». Mais c'est d'ordinaire la double image du pain et de l'eau qui symbolise, avec la caution de l'Évangile, « toute parole d'enseignement [102] ». Ainsi ceux qui ont en eux la lumière de la connaissance des Écritures sont invités à accourir avec de l'eau et des pains, comme les caravanes qui, dans l'oracle prophétique, vont au-devant des victimes de la soif [103]. Et si le faux savoir des pharisiens ou des hérétiques ne contient pas de pain [104], le pain du Fils, en revanche, ne saurait manquer à ceux qui veulent s'en nourrir [105], ni les sources du Seigneur, dans lesquelles il faut voir l'enseignement de l'Évangile [106]. L'arrière-plan johannique qui se profile derrière telle de ces images inciterait à chercher plus loin. Mais il faut déborder pour cela le *Commentaire sur Isaïe*. Dans le *Commentaire sur Ézéchiel* Jérôme déclarera en effet avec une parfaite netteté : « La connaissance des Écritures nous donne le pain qui déclare : "c'est moi le pain descendu du ciel" [107] ».

Plus audacieuse encore que ce rapprochement de l'Écriture et du « pain de vie » est l'assimilation tout à fait explicite de l'Écriture au corps et au sang du

---

98. *In Is.* 27 A : « Beatus... qui seminat in eloquiis Scripturarum tam ueteris quam noui Instrumenti et calcat aquas occidentis litterae ut metat fructum spiritus uiuificantis. » Cf. *In epist. ad Gal.* 6, 8 : PL 26, 431 A.

99. *In Is.* 530 B.

100. *In Is.* 660 A : « ... ut praeberet eis duo ubera (...), ueteris et noui Instrumenti, ad praebendum rationale lac » (cf. 1 *Petr.* 2, 2).

101. *In Is.* 1, 22 b : « ... uinum sanctarum Scripturarum » (38 C).

102. *In Is.* 83 B, citant *Luc.* 4, 4 et *Ioh.* 4, 14.

103. *In Is.* 21, 14-15 : « Vos... qui habetis in uobis lumen scientiae Scripturarum, fugientibus de Arabia et de saltu occurrite cum aqua et panibus » (266 B).

104. *In Is.* 530 A : « ... disciplina in qua non sunt panes... »

105. *In Is.* 489 C : « Panis illius (= filii), qui interpretatur, euangelio probante, doctrina, numquam deficiet sed semper uolentibus ad uescendum patebit » (cf. *Mt.* 16, 12).

106. *In Is.* 153 A : « Fontes Saluatoris doctrinam intellegamus euangelicam. »

107. HIER. *In Ez.* PL 25, 475 C : « Scientia Scripturarum (...) praebet nobis panem qui dicit : Ego sum panis qui de caelo descendi » (cf. *Ioh.* 6, 41). Cf. déjà *In Osee* 13, 5-6 (*ibid.* 934 B), texte ci-dessus n. 619, p. 317.

Christ, concurremment à l'Eucharistie. Présentée dès le *Commentaire sur l'Ecclésiaste* [108], Jérôme l'a reprise devant la communauté de Bethléem dans une homélie [109] dont il est malheureusement impossible de préciser la date par rapport au *Commentaire sur Isaïe* où cette idée n'apparaît pas. Celui-ci offre en revanche, au détour d'une page du livre XIV, un rapprochement non moins intéressant entre l'Écriture, parole de Dieu, et le Christ, Verbe de Dieu. Jérôme commence en effet en ces termes son explication : « Après que celui qui parlait d'abord par les prophètes et était au commencement auprès de Dieu, le Verbe Dieu, eut habité parmi nous et se fut fait chair... » On en rapprochera le passage du *Commentaire sur Matthieu* où, expliquant la parabole du trésor enfoui dans un champ, il proposait d'y voir « soit le Verbe Dieu qui paraît caché dans la chair du Christ, soit les saintes Écritures dans lesquelles a été déposée la connaissance du Sauveur [110] ». Voile de la chair dans l'Incarnation, voile de la lettre dans l'Écriture, c'est l'unique Verbe de Dieu qui se révèle derrière ces écrans similaires. Jérôme manifestement a fait sienne cette vue très origénienne [111] qui pousse aussi loin qu'il est possible le rapport du Christ à l'Écriture et qui suffirait à justifier la formule lapidaire sur laquelle s'ouvre le *Commentaire sur Isaïe* : « Ignorer les Écritures, c'est ignorer le Christ [112] ».

Traduction, exégèse, exhortation à la *lectio diuina*, toute l'activité et toute l'œuvre de Jérôme au service de l'Écriture n'ont en définitive pas d'autre raison d'être.

---

108. HIER. *In Eccl.* 3, 12-13 : « ... si uescamur carne eius (= Domini) et cruore potemur, non solum in mysterio sed etiam in Scripturarum lectione. Verus enim cibus, qui ex uerbo Dei sumitur, scientia Scripturarum est » (PL 23, 1039 A ; cf. *ibid.* 1033 B). L'idée est familière à Origène : « Il est dit que "nous buvons le sang" du Christ », dit celui-ci dans une homélie, « non seulement quand nous le recevons selon le rite des mystères, mais aussi quand nous recevons ses paroles où réside la vie » (*In Num. hom.* 16, 9 : SCh 29, 334).

109. HIER. *Tract. de ps.* 147, 14 : « Quando dicit : "Qui non comederit carnem meam et biberit sanguinem meum", licet et in mysterio possit intellegi, tamen uere corpus Christi et sanguis eius sermo Scripturarum est » (CC 78, 337-338 = Morin, p. 301-302). Comme Origène, Jérôme paraît bien attacher plus d'importance à la communion au Christ par l'accueil de sa parole dans l'Écriture que par la participation à l'Eucharistie. Voir ci-dessus ch. IV, p. 317. Il y insiste en tout cas davantage.

110. *In Is.* 501 D. Cf. *In Mt.* 13, 44 : « Thesaurus iste, "in quo sunt omnes thesauri sapientiae et scientiae absconditi", aut Deus (CC : Dei) Verbum est, qui in carne Christi uidetur absconditus, aut sanctae Scripturae, in quibus reposita est notitia Saluatoris » (PL 26, 94 C).

111. Dans la phrase de son *In Matthaeum*, Jérôme resserre et explicite à la fois la pensée d'Origène dans le passage correspondant du Commentaire de l'Alexandrin (*In Mt.* X § 6 : Or. W. 10, 6). Celui-ci la présente en revanche dans toute son ampleur en prélude à sa première *homélie sur le Lévitique* (Or. W. 6, 280).

112. « Ignoratio Scripturarum ignoratio Christi est » (*In Is.* 17 B).

Conclusion

La conception de l'Écriture qui se dégage du *Commentaire sur Isaïe* ne dément pas le constat qui s'est imposé à chaque étape de cette étude : l'exégèse de Jérôme apparaît d'abord enracinée dans une tradition. A son époque, qu'il le voulût ou non, il ne pouvait en être autrement. Mais cette tradition déjà longue a eu le temps de se diversifier. Elaborée dans des situations historiques et des milieux culturels variés, elle ne constitue pas un bloc monolithique. Ne fût-ce que par le jeu des dépendances subies ou rejetées, elle laissait donc à un exégète chrétien du IVᵉ siècle une marge de choix qui donnait leur chance aux accents originaux.

Il reste, en regroupant les caractéristiques essentielles de l'exégèse hiéronymienne que cette étude a permis de dégager, à tenter d'en mesurer, par-delà, voire à travers les dépendances qu'elles manifestent, le degré d'originalité.

Le cadre littéraire dans lequel s'inscrit son exégèse situe déjà Jérôme en position d'héritier : il n'invente pas le genre du commentaire de l'Écriture. Les devanciers de qui il le reçoit, grecs pour la plupart, avaient dû, au départ, s'inspirer des habitudes des grammairiens hellénistiques. Et chez lui cet héritage interfère avec l'héritage direct du commentaire grammatical expérimenté à l'école de Donat, dont il se réclame explicitement. Il se justifie par là de présenter à la sagacité de son lecteur les opinions diverses des interprètes antérieurs, sans d'ailleurs s'interdire les apports personnels. Car telle reste bien, à ses yeux, la double loi du commentaire. Mais nous avons pu constater que, dès ce premier niveau formel, sa dépendance évidente s'accompagnait de liberté. S'il ne rompt pas, en effet, avec la structure morcelée du commentaire grammatical, propice aux explications ponctuelles plus qu'à la saisie des perspectives d'ensemble, il en gauchit singulièrement le jeu par un sensible allongement des lemmes, qui deviennent d'ordinaire, à la différence de ce qu'on observe chez Donat ou Servius, des unités de sens complètes [1]. Nous avons là de sa part, avant toute référence à la spécificité de l'exégèse chrétienne, une première manifestation de ce respect de la continuité du texte

---

1. Voir chapitre II, p. 76-82 et le tableau de l'ANNEXE II.

auquel Jérôme va se montrer si fortement attaché, en même temps qu'un premier témoignage de la souplesse avec laquelle il tire parti de l'héritage qu'il recueille.

C'est aussi en héritier qu'il aborde l'établissement du texte d'Isaïe soumis à explication. Ses exigences critiques en ce domaine le situent effectivement dans la pure tradition d'érudition scrupuleuse de l'auteur des *Hexaples*. On a vu avec quel sérieux Jérôme se préoccupait de rejoindre le texte hébreu du recueil prophétique, retouchant discrètement dans son Commentaire la traduction qu'il en avait établie jadis[2]. De même, bien qu'il soit loin d'accorder à la version traditionnelle des Septante la même considération qu'à l'*hebraica ueritas*, il ne s'en tient pas, pour la traduction qu'il en présente, à l'ancienne version latine inscrite dans sa mémoire, mais il s'appuie directement sur la recension qu'en avait donnée Origène[3]. Pourtant l'usage que font les deux exégètes des autres versions rassemblées dans les *Hexaples* rend manifestes les divergences de regard qui les séparent. A la différence de l'Alexandrin, soucieux de restituer dans sa pureté initiale le texte de la version traditionnelle, Jérôme met au contraire ces traductions issues du monde juif au service de l'*hebraica ueritas*, dont il leur demande de garantir le sens, fût-ce contre l'interprétation des Septante. Dans toute la mesure où la Bible de l'Église s'identifiait depuis toujours à cette antique version, c'était d'une singulière audace. Et l'on s'explique les réticences de l'évêque Augustin, voire les protestations de Rufin, le savant, fidèle quant à lui à la perspective d'Origène. De fait, Jérôme avait beau avoir la conviction d'atteindre, en revenant à l'*hebraica ueritas*, le texte authentique de l'Écriture, en appeler, comme il le faisait, d'une tradition révérée à une autre présumée plus ancienne mais extérieure en un sens à la première, n'allait pas sans conséquence pour l'exégèse elle-même. L'intention déjà proclamée dans le *Commentaire sur Zacharie* de joindre "l'histoire" des Hébreux à "la tropologie" des écrivains chrétiens montre bien qu'il en avait pris une claire conscience.

Au point de départ de son exégèse, le choix qu'il opère en faveur du texte hébreu manifeste de façon spectaculaire la capacité de Jérôme à ne pas se laisser enfermer dans les traditions qui le portent. Ni les maîtres qui l'avaient initié à la science des Écritures, ni les sources dont il disposait ne le poussaient à un tel choix.

Ce choix n'est sans doute pas étranger à la place qu'occupe sous sa plume l'interprétation littérale, car c'était ce premier niveau d'exégèse que venaient enrichir les traditions des Hébreux. Mais s'il est ici fort éloigné de son maître Didyme que préoccupe peu le sens littéral, Jérôme se rencontre vraisemblablement avec Apollinaire, et en tout cas avec les premiers Antiochiens qui, comme il le note lui-même d'Eusèbe d'Émèse, s'attachaient plutôt à « l'histoire »[4]. Sans parler du volume qui lui est accordé, plusieurs données convergentes attestent l'importance de ce type d'explication dans le *Commentaire sur Isaïe*. Même lorsque la transparence du texte commenté pourrait le faire apparaître inutile, il n'est jamais sacrifié. Jérôme mobilise à son service toutes

---

2. Voir chapitre II, p. 91-99.
3. Voir chapitre II, p. 115-118.
4. Voir *De uir. ill.* 91 : PL 23, 695 A. Cf. *ibid.* la notice 90 sur Théodore d'Héraclée.

les ressources des sciences profanes. En bon disciple de Donat, mais en rupture avec les habitudes alexandrines, il y fait aussi entrer sans la moindre ambiguïté sens figuré et anthropomorphismes de l'Écriture, comme le font de leur côté les grands Antiochiens ses contemporains [5]. Le vocabulaire qui sert à le désigner est révélateur du regard favorable que Jérôme porte le plus souvent sur lui : *historia* y domine, au détriment de *littera*, plus ambigu ; et parmi les *iuncturae* remarquables qui éclairent la valeur du mot, l'une range le sens littéral, comme le texte hébreu, du côté de la « vérité » *(historiae ueritas)*, une autre fait du respect du contexte ou, en d'autres termes, de la conformité à la « cohérence du sens historique » *(historiae ordo)* la pierre de touche de la validité de toute exégèse spirituelle, qui ne saurait être édifiée sur d'autres « soubassements » que "l'histoire" *(historiae fundamentum)*[6]. Les théoriciens médiévaux des sens de l'Écriture n'auront donc pas tort d'associer le nom de Jérôme au sens littéral : nul, parmi les Pères latins, n'avait plus que lui attaché d'importance à ce premier degré d'une intelligence complète des Écritures.

Les fondations posées, Jérôme peut asseoir sur elles « le faîte des significations spirituelles », car pour lui pas plus que pour tout autre Père les fondations ne sont tout l'édifice. Moins incohérent qu'on n'a coutume de le dire, l'usage qu'il fait du vocabulaire exégétique qui lui vient de la tradition laisse apparaître, sur la conception qu'il a de l'interprétation spirituelle, des éclairages que vérifie l'analyse de son exégèse. Ainsi, la suprématie numérique de la racine de *spiritus* dans les désignations du sens spirituel en traduit bien le fondement paulinien [7]. A l'inverse, les valeurs discordantes des quelques apparitions du mot *allegoria* dans le *Commentaire sur Isaïe* trahissent les hésitations de l'exégète devant ce qu'il perçoit comme un procédé, dont ses sources alexandrines lui montrent à la fois les richesses et les dangers [8]. De fait, aux incohérences près où l'entraînent plus d'une fois sa conception du commentaire ou les conditions dans lequelles il écrit, on le voit d'un côté accueillir dans sa pratique exégétique des explications de ce type qui n'offensent ni le respect de l'*ordo historiae*, ni la *regula fidei*. Il y sacrifie même à l'exégèse étymologique, dont sa formation grammaticale avait pu lui donner le goût et dont la Bible elle-même lui offrait d'ailleurs des exemples. Mais en même temps sa défiance est de plus en plus nette envers un procédé d'explication qui prête au morcellement du texte, laissant ainsi le champ libre aux interprétations arbitraires, voire aux fantaisies doctrinales. On l'en a vu faire le reproche répété à Origène en particulier. Et la manière dont il avait observé, dès son *Commentaire sur l'Épître aux Galates*, comme allaient le faire ses contemporains antiochiens, que c'était en quelque sorte par un abus de terme que saint Paul avait qualifié d'allégorie son interprétation d'Agar et de Sara [9] montre bien qu'il ne ramenait pas à ce qui restait à ses yeux un procédé grammatical le type d'exégèse réellement pratiqué par l'Apôtre, que caractérise plus exactement ailleurs le mot *typus* (τύπος).

---

5. Voir chapitre III, p. 150-166 et en particulier, sur l'attitude de Diodore et de Chrysostome envers le sens figuré, la page 156 et les notes correspondantes.
6. Voir chapitre III, p. 132-141, en particulier p. 137.
7. Voir chapitre IV, p. 241-251 et 271-275.
8. Voir chapitre IV, p. 217-226.
9. Voir chapitre IV, p. 219-220 et les notes correspondantes.

Cette exégèse figurative cautionnée par le Nouveau Testament a au contraire sa faveur sans réserve. Il en souligne à diverses reprises les caractéristiques : consistance propre des réalités qui constituent le "type", correspondances nécessaires quoique partielles entre elles et les réalités qu'elles préfigurent. Ces précisions, qui le rapprochent des perspectives antiochiennes, témoignent de la distance prise ici par Jérôme à l'égard de l'exégèse alexandrine peu préoccupée d'affiner les distinctions entre type et allégorie. Mais sa pratique, moins rigoureuse, le situe plutôt comme l'héritier de la typologie traditionnelle commune, latine comme grecque, moins exigeante que la réaction antiochienne sur les correspondances requises entre "le type", ou "l'image", et "la vérité" dont ils sont l'annonce [10]. Quant à l'idée de réalisations successives de certaines prophéties, elle nous le montre à nouveau proche, sinon du vocabulaire, du moins de la pensée d'Antioche [11]. Le *Commentaire sur Isaïe* connaît enfin des cas indiscutables où la prophétie entretient avec la venue du Messie un rapport si privilégié que sens littéral et signification spirituelle s'y fondent en une annonce directe du Christ qui en épuise le contenu [12].

Ces prophéties perçues par Jérôme comme explicitement, voire exclusivement messianiques constituent certes des cas extrêmes, mais elles sont significatives des accents dominants de son exégèse spirituelle. De fait, c'est le Christ, dans les circonstances de sa vie terrestre mais surtout dans les mystères de sa personne et de sa mission de salut, qu'on trouve au centre de la lecture que fait Jérôme d'un livre qui, à ses yeux, en « contient tous les mystères ». Non moins importante y apparaît la communication de ce salut aux hommes dans le mystère de l'Église, nouvel Israël, qui rend présent le Christ par ses sacrements, tout en menant jusqu'à son retour le bon combat contre « les puissances adverses » dont les hérétiques sont les instruments [13]. La part faite à la mise en œuvre de ce salut dans l'âme individuelle est plus discrète, mais c'est toujours de vie spirituelle du chrétien qu'il s'agit alors, non de quelque monde de l'âme qui refléterait un héritage philonien [14]. Quant à l'eschatologie, si elle ne retient guère l'attention de Jérôme, c'est peut-être parce qu'elle se présente moins à son esprit comme une nouvelle présence du Christ que comme le terme un peu abstrait d'un salut dont la réalisation présente le sollicite davantage.

Le Christ est donc bien pour lui au cœur de l'exégèse spirituelle comme il est au cœur de l'Écriture. Objet unique de l'Ancien Testament comme du Nouveau, il en est aussi la clé, en un double sens : c'est de lui qu'ont parlé les prophètes, et il est à la fois celui qui a parlé par eux et celui dont la grâce seule permet de « pénétrer dans l'épaisseur de leur nuée » [15]. Mais cette grâce nécessaire ne dispensait pas l'exégète qu'était Jérôme de mettre à contribution dans son commentaire toutes les ressources de sa culture et toutes les richesses d'un héritage composite envers lequel on peut maintenant essayer de préciser sa dette.

---

10. Voir chapitre IV, p. 282-287.
11. Voir chapitre V, p. 369-372.
12. Voir chapitre V, p. 377.
13. Voir chapitre IV, p. 308-323.
14. Voir chapitre IV, p. 326-329.
15. Voir chapitre VI, en particulier p. 385-391.

Cet héritage déborde le champ de l'exégèse chrétienne. On a pu constater combien, à soixante ans passés, Jérôme restait redevable à sa formation initiale. C'est en grammairien averti qu'il manie avec précision aussi bien le vocabulaire des tropes que les réalités grammaticales. Il situe le sens figuré au sein du sens littéral ; il avait relevé jadis l'emploi détourné que fait saint Paul de « l'allégorie ». Derrière ce terme, et en dépit de son usage chrétien, il ne peut s'empêcher de percevoir un procédé aussi dangereux pour la réalité de l'histoire que pour le respect du contexte. D'où, envers le mot comme envers la chose, une certaine défiance, moins marquée, paradoxalement, envers l'exégèse étymologique, qu'excusait sans doute dans son esprit un goût des réalités lexicales dont témoigne d'une autre façon la place accordée aux remarques sémantiques.

Jérôme doit encore pour une part à Donat des aspects essentiels de sa conception du commentaire : explication *ad uerbum* au fil du texte, même s'il en corrige les risques d'émiettement par l'allongement des lemmes et les appels au contexte ; recours aux diverses branches du savoir, caractéristique de son exégèse littérale ; vision de la tâche du commentateur qui s'accorde tout à fait à son dessein proclamé de transmettre à son public latin le double apport de l'exégèse grecque antérieure et des traditions des Hébreux.

Envers ces traditions juives également la dette de Jérôme paraît indéniable, mais elle est plus difficile à cerner avec précision. En revenant au texte hébreu, il s'était inévitablement trouvé au contact d'une tradition inséparablement textuelle et exégétique. Soucieux de l'éclairer auprès de ceux qui en étaient les dépositaires, il s'était donné des maîtres hébreux dont la réalité n'est pas contestable, même s'il serait naïf de les voir se profiler dans son œuvre derrière toute allusion à une interprétation juive. Ces interprétations, en tout cas, occupent dans le *Commentaire sur Isaïe* une place qu'attestent non seulement les multiples mentions qu'il en fait lui-même, mais les convergences nombreuses qu'on a relevées entre ses exégèses et les traditions rabbiniques connues [16]. Quoi qu'on en ait dit, les sources chrétiennes de Jérôme ne suffisent pas à expliquer toutes ces rencontres. Néanmoins, le fait que plusieurs de ces exégèses lui viennent de ses devanciers chrétiens attire l'attention sur les influences juives qui, déjà, avaient marqué ceux-ci, à commencer par l'apôtre Paul lui-même [17]. De fait, si Jérôme est incontestablement redevable aux traditions rabbiniques de nombreux contenus d'interprétation, il n'est pas sûr que sa pratique exégétique ait envers elles une dette directe aussi importante. Certes, ces traditions ont joué chez lui en faveur de l'exégèse littérale par la masse d'informations qu'elles lui fournissaient au plan de l'histoire et des *realia*. Le caractère résolument littéraliste de l'exégèse juive de l'époque [18], celle qu'il rencontrait chez ses maîtres hébreux, pesait dans le même sens, mais pouvait aussi stimuler et actualiser chez lui la polémique antijuive. Relevons

---

16. Voir L. GINZBERG, *Die Haggada bei den Kirchenvätern, VI — Der Kommentar des Hieronymus zu Jesaja* (Jewish Studies in memory of George A. Kohut), New York, 1935, et aussi les études de J. Braverman et de J. Smeets sur les traditions juives dans le *Commentaire de Daniel*.

17. Voir par exemple G. BARDY, *Les traditions juives dans l'œuvre d'Origène*, dans la *Revue biblique* 34, 1925, p. 217-252. L'influence sur Paul de sa formation pharisienne n'est contestée par personne, ni les rencontres entre l'*Épître aux Hébreux* et Philon.

18. Voir l'observation de Hanson citée ci-dessus, note 124, p. 42.

encore, à un autre niveau, une certaine convergence entre l'idée juive que tout texte de l'Écriture renferme une multitude de sens et la conviction de Jérôme comme d'Origène qu'un sens n'en exclut pas un autre. Mais, au total, c'est par leur texte de l'Écriture et le contenu de leurs traditions historiques plus que par leurs méthodes d'interprétation que les Hébreux ont exercé sur son exégèse une influence directe.

Malgré l'intérêt qu'il leur porte, ces traditions juives ne constituent qu'un volet du diptyque que Jérôme entend présenter à son lecteur, et elles n'entrent pas véritablement en balance avec l'apport spécifique des « écrivains de l'Église » ses prédécesseurs. Or, sur Isaïe comme sur les autres prophètes, toutes ses sources chrétiennes, hormis Apollinaire, que distingue aussi sa manière rapide et concise, se rattachent avec des nuances à la tradition alexandrine. Et plus s'approfondit la connaissance que nous avons de Jérôme et d'Origène lui-même, plus apparaît l'ampleur des emprunts du premier au second [19]. Ces constatations, qui ne sont pas nouvelles, n'ont rien de surprenant dans la logique du commentaire hiéronymien, mais elles n'autorisent pas à ne voir dans Jérôme, avant tout examen, qu'un pur compilateur des travaux de ses devanciers alexandrins [20]. La réalité nous est apparue beaucoup plus complexe.

Certes la dépendance du *Commentaire sur Isaïe* envers Origène reste considérable [21], encore qu'elle ne se mesure pas exactement à l'ampleur des emprunts probables de Jérôme à l'ouvrage perdu, et d'ailleurs incomplet, du maître alexandrin. Tout d'abord, bien qu'il rompe, pour le texte sacré, avec la version traditionnelle, Jérôme doit pour une part à l'auteur des *Hexaples* son souci minutieux de l'établissement du texte. Autant qu'un réflexe de grammairien, on peut y voir le signe d'un respect commun aux deux hommes pour une Écriture parole de Dieu, dont les traits qui la caractérisent chez Jérôme ont leurs répondants chez Origène [22]. Même vision, également, de l'enracinement néo-testamentaire, en particulier paulinien, de l'exégèse spirituelle qui en dévoile le sens ; même rapport privilégié, quoique non exclusif, de cette exégèse au Christ. De même, Jérôme ne refuse pas de voir avec l'Alexandrin dans les obscurités de l'Écriture une intention pédagogique incitant à la quête du sens spirituel, mais il hésiterait plus que lui à admettre d'un passage biblique qu'il n'a pas de sens littéral [23].

Si léger qu'il apparaisse, ce décalage sur fond d'accord global est signe de divergences plus graves, qu'illustre parfaitement l'idée que se font respectivement les deux exégètes de la fonction pédagogique des anthropomorphismes de l'Écriture. Alors que, pour Jérôme, la Bible se met en somme à la portée de notre langage pour nous aider à comprendre par analogie les réalités divines sans qu'on quitte le sens littéral, Origène reconnaît dans ces anthropomorphismes un terrain d'application de la conception qui lui est chère de degrés de

---

19. L'étude d'Y.M. Duval sur le *livre de Jonas* en a fourni une nouvelle démonstration.

20. C'est à quoi se ramène l'opinion de Grützmacher (ci-dessus, p. 13).

21. Origène est l'auteur qui a fait l'objet, au cours de cette étude, des références les plus nombreuses. Mais il faut souligner que c'était plus d'une fois pour illustrer des différences entre Jérôme et lui.

22. Voir le chapitre VI, et aussi chapitre IV, p. 317.

23. Voir chapitre IV, p. 279-281.

signification qui, dans un même texte, correspondent à la fois aux différents sens de l'Écriture et aux différentes catégories de fidèles [24]. Le divorce est tout aussi net sur la conception du sens figuré, résolument rangé par Jérôme au sein du sens littéral. Un réflexe grammatical identique, conforté par un sentiment aigu des risques de déviations doctrinales, entraîne aussi les réserves expresses que nous l'avons vu formuler sur le recours incontrôlé d'Origène à l'allégorie comme véhicule du sens spirituel [25]. Dans le même ordre d'idée, nulle trace non plus, dans notre Commentaire, de cette allégorie philonienne dont l'écho est perceptible chez Origène et dont Ambroise venait pourtant d'opérer le retournement au profit de l'exégèse chrétienne avec une subtilité en même temps qu'une sûreté récemment mises en lumière par H. Savon [26]. Ces réticences, fût-ce par omission, font de Jérôme, quoi qu'en ait pensé Julien d'Éclane, tout autre chose qu'un simple sectateur des « allégories d'Origène ».

La logique aurait voulu que notre exégète étendît nommément son reproche d'allégorisme à son maître Didyme qui, si l'on en juge par son *Commentaire sur Zacharie*, le méritait plus encore. Or c'est Eusèbe que, dans le même livre à Amabilis, sa réprobation associe à Origène, pour n'avoir pas su, à l'entendre, se tenir au propos qu'il lui prête de présenter d'Isaïe une explication historique [27]. On n'en relève pas moins sous la plume de Jérôme de nombreux emprunts au Commentaire de son prédécesseur. Certains, on l'a vu, fleurent l'allégorie ; plus souvent ils touchent à l'accomplissement des prophéties par les Romains, accent fréquent chez l'auteur de l'*Histoire ecclésiastique*, moins porté, à coup sûr, que le maître alexandrin aux excès allégorisants. Pourtant, si les points de contact entre les deux Commentaires ne manquent pas, ils ne paraissent pas relever d'une démarche systématique de Jérôme : nous n'en avons guère observé, par exemple, dans la manière dont les deux hommes recourent aux versions des *Hexaples*, ou dans leur vocabulaire exégétique. En fin de compte, on ne perçoit pas d'un ouvrage à l'autre une dépendance aussi nette que celle que manifestait envers Didyme la « copie conforme » du *Commentaire sur Zacharie* de Jérôme.

Autant que nous pouvons en juger, il apparaît donc très excessif de ne voir dans l'exégèse du *Commentaire sur Isaïe* qu'un simple reflet des commentaires alexandrins qui constituent l'essentiel de ses sources. D'autres rapprochements, fort différents, se sont d'ailleurs imposés à notre attention.

Plus d'une fois, en effet, en particulier dans ses choix qui le distinguent de la tradition origénienne, Jérôme rencontre les réticences ou les préférences de ses contemporains antiochiens. Ce n'est pas un hasard si, au moment de son *De uiris illustribus*, l'attachement de leurs devanciers immédiats à "l'histoire" l'avait frappé [28]. De fait, l'importance reconnue au sens littéral représente un point de convergence essentiel entre Jérôme et la pensée d'Antioche : langage

---

24. Voir p. 164-165 et les notes correspondantes.
25. Ci-dessus, p. 221-222.
26. ... dans son étude sur *Saint Ambroise devant l'exégèse de Philon le Juif*, Paris, 1977. Il est vrai que l'exégèse philonienne n'avait guère débordé le *Pentateuque*, mais Ambroise avait su, pour sa part, ne pas s'y laisser enfermer (Voir H. SAVON, *l.c.*, p. 382).
27. Voir ci-dessus, p. 221-222 et les notes 29 et 30 du chapitre IV.
28. Voir ci-dessus n. 4, p. 396.

figuré et anthropomorphismes en relèvent, et toutes les branches du savoir, en particulier l'histoire, sont requises pour l'éclairer. Le respect de sa cohérence constitue de part et d'autre le « soubassement » obligé de tout autre niveau d'interprétation : pas d'exégèse figurative, en particulier, qui ne prendrait appui sur la réalité de l'histoire [29]. Et Jérôme souligne aussi nettement que Chrysostome le caractère approximatif de l'emploi paulinien du mot "allégorie", même si, dans sa pratique exégétique, les frontières qui séparent l'allégorie du type sont parfois on ne peut plus floues.

La place accordée à la prophétie rapproche encore Jérôme des Antiochiens, bien que Diodore ou Chrysostome s'y intéressent surtout à travers les Psaumes, tandis que Jérôme est l'homme des prophètes. Et l'on a pu noter d'étroites correspondances, sinon sur les prophéties messianiques directes, dont Jérôme se soucie moins que les Antiochiens de délimiter le nombre, en tout cas sur la notion de réalisations successives des prophéties [30].

Il est tentant d'expliquer de telles convergences par une dépendance, historiquement concevable, de Jérôme envers les maîtres antiochiens. Mais deux observations retiennent de s'engager trop vite dans cette voie. Tout d'abord Jérôme ne trouvait pas chez eux de commentaires d'Isaïe [31]. On ne peut donc parler à propos du sien d'un « héritage » antiochien, comme c'était le cas pour la tradition alexandrine. D'autre part, des convergences aussi étroites que celles qui touchent aux réalisations successives des prophéties révèlent en même temps une totale indépendance de vocabulaire : θεωρία, le mot clé de l'exégèse antiochienne, est absent de Jérôme [32]. Comme on ne rencontre pas non plus chez lui de témoignage d'une réelle connaissance de Jean Chrysostome et même de Diodore de Tarse [33], il paraît prudent de chercher ailleurs que dans l'hypothèse d'une dépendance directe l'explication de ces convergences.

Elles tiennent probablement pour une bonne part à un climat spirituel et à un homme. S'il n'a pas fréquenté les maîtres antiochiens du moment, Jérôme a séjourné plusieurs années à Antioche, où il a reçu, précisément, sa première initiation biblique. Alors que, même chez les Cappadociens qu'il allait rencontrer à Constantinople, se faisait jour la nécessité d'un certain tri dans l'héritage origénien, le climat intellectuel de la métropole syrienne ne pouvait que refléter de façon diffuse les orientations plus radicales de la tradition exégétique locale. Telle était sans doute la toile de fond des conférences d'Apollinaire que suivait Jérôme. Certes, la personnalité de l'évêque de Laodicée échappe aux classifications, et sa manière n'est pas celle de Diodore. Mais les accents majeurs de son exégèse [34] ne contredisaient pas les préoccupations qui s'affirmaient autour de lui. Et si Jérôme lui doit d'avoir coupé court aux tentations allégoriques dont la prophétie d'Abdias avait fait les frais, c'est bien

---

29. Voir chapitre IV, p. 264.
30. Voir chapitre V, p. 369 et suiv.
31. Jérôme paraît ignorer le *Commentaire d'Isaïe* de Théodore d'Héraclée. Et parmi ses contemporains, seul Jean Chrysostome, qu'il connaît mal, avait abordé ce prophète.
32. Voir chapitre V, p. 372. En revanche, les équivalents grecs d'*historia* et de *fundamentum* font partie du vocabulaire d'Antioche.
33. Voir au chapitre III les notes 139 et 144, p. 156-157.
34. Voir chapitre I, p. 30-31.

qu'Apollinaire a contribué à l'ouvrir à des perspectives qui, vraisemblablement, correspondaient plus à ses propres structures mentales.

Peut-être ces orientations rejoignaient-elles aussi en lui une autre tradition, latine celle-là, qui n'a sans doute jamais cessé d'être présente à l'arrière-plan de sa conscience exégétique, bien qu'elle ne se fût pas exprimée par des Commentaires suivis. A côté de Cyprien, parfait témoin de la typologie commune, Tertullien y incarnait en effet le double souci « d'arracher », comme l'écrit J. Doignon, « à une interprétation trop allégorisante le style "figuré" de l'enseignement scripturaire », tout en s'appliquant à en établir contre Marcion la légitimité [35]. Recherche d'une position d'équilibre, donc, qui paraît avoir été aussi celle de Jérôme, et qui fait immanquablement penser à ce modèle de mesure qu'a été précisément pour lui, au moment opportun, Grégoire de Nazianze.

Il reste que cette conjonction d'influences souvent discordantes recèle à tout le moins des disparates, et nous avons d'ailleurs pris plus d'une fois Jérôme en flagrant délit d'inconséquence. Mais l'impression de flottement que laisse trop souvent son exégèse s'explique pour une part par la loi même du commentaire. Jérôme ne cesse de répéter son intention de faire profiter son lecteur de l'exégèse de ses devanciers. Ses sources étant, pour l'essentiel, alexandrines, il ne peut donc en citer d'autres. De plus, les habitudes littéraires ne l'obligent pas à signaler emprunts et citations, ni à manifester son accord ou sa réserve, si bien qu'il est parfois difficile de savoir si devant telle exégèse on se trouve vraiment en face de Jérôme lui-même. Aussi, lorsqu'il prend position, risque-t-il de se trouver en contradiction avec une interprétation qu'il aura rapportée sans rien en dire.

La loi du commentaire, pourtant, n'explique pas tout. Plus d'une fois, en effet, et précisément lorsque se dessinent dans son exégèse d'une manière ou de l'autre des lignes de force ou des préférences, on a le sentiment que Jérôme ne va pas au bout de ses intuitions, qu'il ne les pousse pas jusqu'au point de conscience qui lui permettrait de les systématiser. Ainsi en est-il par exemple de son usage du vocabulaire exégétique, ou de ses réserves envers l'allégorie. C'est sans doute une faiblesse, à tout le moins une limite, car, en elles-mêmes, ces intuitions sont, malgré tout, une richesse.

Cependant Jérôme a pu aussi se trouver par là préservé de raideurs excessives. Quand un Diodore de Tarse dénonce avec beaucoup plus de cohérence que lui les excès allégorisants, d'une certaine manière il ouvre la voie aux excès opposés d'un Théodore de Mopsueste. Jérôme, qui ne refuse pas, à l'occasion, le procédé de l'allégorie tout en privilégiant histoire et prophétie, ne manifeste peut-être pas, ce faisant, une personnalité aussi affirmée que ces esprits plus systématiques, mais cela le conduit en fait à retrouver par-delà les querelles d'école l'exégèse chrétienne commune que ces conflits ont tendance à gauchir. Position originale, donc, à tout prendre, que cette absence d'originalité entre un allégorisme en sursis avec Didyme, et les rigueurs antiochiennes qui devraient un jour se nuancer. Si, sur beaucoup de plans, Jérôme est resté à

---

35. J. Doignon, *Hilaire...*, p. 293. Voir aussi ci-dessus la note 14 du chapitre IV, p. 218.

Bethléem un Latin vivant en marge du monde oriental [36], sur celui-là, au moins, il a participé du climat de l'exégèse grecque de la fin du IVᵉ siècle, dans lequel prend corps, avec plus ou moins de force, une interrogation quasi générale sur les retombées négatives de l'allégorisme alexandrin.

Cette situation contribue à le singulariser parmi ses pairs de l'Occident latin. Car, si tous s'ouvrent alors peu ou prou aux sources grecques, il est le seul chez qui on puisse discerner l'écho, même lointain, d'une actualité exégétique vivante. Un Ambroise, au contraire, contraint par les conditions de son accession à l'épiscopat de se trouver des maîtres en même temps qu'il doit enseigner, les demande à la tradition qui ne peut être qu'alexandrine et choisit Origène, voire Philon.

Est-ce à leurs œuvres que l'évêque de Milan doit la préférence qu'il manifeste, parmi les livres de l'Ancien Testament, pour les récits des origines ? Autre élément déterminant, en effet, d'une exégèse, que les livres bibliques qu'elle privilégie. Par là aussi s'accusent les différences et se compliquent les comparaisons. Pour Hilaire ce sont les Psaumes, de même pour Augustin.

Jérôme est, lui, l'homme des prophètes. Ce choix, dans la tradition grecque, ne le singulariserait pas. Mais, parmi les Latins, il est le premier, et même le seul, à les avoir tous commentés. Cet accent mis sur la prophétie n'apparaît pas sans relation avec le caractère christocentrique et ecclésiologique de son exégèse, et avec sa dépréciation de l'allégorie au bénéfice de l'exégèse figurative. Il ne se retrouvera ensuite que chez Julien d'Éclane, un "Antiochien", précisément.

On vient de toucher du doigt avec Ambroise les contraintes que crée, pour l'exégèse des Pères, la situation ecclésiale de chacun. Comme lui, Hilaire, Augustin sont évêques. Leurs responsabilités pastorales orientent nécessairement la manière dont ils s'intéressent à l'Écriture et surtout la commentent. Elle les conduit à privilégier l'homélie ou ce qui s'en rapproche, et leurs commentaires eux-mêmes sont bien souvent le fruit mûri et mis au point d'une prédication orale. Dans cette perspective d'édification des fidèles, pourquoi le prédicateur ne chercherait-il pas à dégager, comme on l'a écrit d'Augustin, « toutes les saveurs de sens possibles [37] » ?

Jérôme a su, quant à lui, se défendre de toutes responsabilités d'Église. Sa situation de maître spirituel lui a procuré un public, le public a déterminé le choix du commentaire. Homme de cénacle plus que de foule, s'adressant à des disciples, non à un peuple anonyme, ou, pour mieux dire, à des intellectuels plutôt qu'à des simples, Jérôme pouvait se montrer plus fidèle qu'aucun de ses émules aux lois du commentaire qui postulent un *diligens lector*. Il se retrouvait en effet, *mutatis mutandis*, dans la condition du grammairien commentant Virgile pour des lecteurs de culture raffinée. Cette situation fait peut-être toute la différence avec la manière d'Hilaire, lui aussi durablement marqué par une solide formation grammaticale, mais bridé par les destinataires de son œuvre.

---

36. Voir la contribution de G. BARDY, *Saint Jerome and the greek thought*, dans *A monument to saint Jerome*, p. 83-112.

37. M. PONTET, *L'exégèse de saint Augustin prédicateur*, Paris, 1945, p. 148.

En conservant dans une large mesure à son *Commentaire sur Isaïe* un rôle de véhicule des traditions antérieures, Jérôme a assuré leur transmission jusqu'au Moyen Age latin. S'il est vrai que, ce faisant, il a donné plus d'une fois l'impression d'un éclectisme parfois irritant d'ambiguïté, on ne doit pas oublier qu'il a singulièrement élargi l'héritage en y incluant non seulement, selon sa promesse, les richesses de l'érudition des Hébreux, mais surtout, choix plus révolutionnaire encore et parfaitement original, l'*hebraica ueritas* sur laquelle reposerait désormais dans l'Occident latin tout l'édifice de l'explication des Écritures.

ANNEXES

La date des commentaires pauliniens et de l'« In Ecclesiasten »

La datation des premiers Commentaires écrits par Jérôme après son installation à Bethléem peut-elle être déterminée de façon rigoureuse ? Le prologue du *Commentaire sur l'Ecclésiaste* nous apprend qu'un *quinquennium* sépare cette œuvre de la maladie et de la mort de Blésilla, c'est-à-dire de l'automne 384 (*In Eccl.* prol. : PL 23, 1009 C). L'indication est trop précise et la période écoulée trop brève pour laisser place à l'erreur ; compte tenu de la manière de compter des anciens, cela amène à l'année 388 plutôt qu'à 389, une datation plus haute étant exclue : en 387, en effet, Jérôme n'aurait pu parler que de *quadriennium*. On peut voir une confirmation de cette date dans une indication du *Contra Iohannem Hierosolymitanum* (17 fin, *ibid.* 369 B : ante annos ferme *decem* in Commentariis Ecclesiaste), fermement daté du début 397 (v. P. NAUTIN, *RÉAug* 18, 1972, p. 215), qui retient d'aller jusqu'à 389. L'*In Ecclesiasten* n'est donc pas antérieur et probablement pas postérieur à 388.

Quant aux Commentaires sur les Épîtres de Paul, il est assuré qu'ils ont été écrits à la file en quelques mois, dans un ordre qui ne laisse place à aucune incertitude : *Philémon, Galates, Éphésiens, Tite* (cf. PL 26, 603 A : *ad Phil.* 1, 1 ; 307 A : *ad Gal.* prol. ; 441 A : *ad Eph.* prol. ; 570 BC : *ad Tit.* 1, 11). Si l'on se range pour eux aux conclusions de P. Nautin (*RHE* 74, 1979, p. 5-12), qui rend compte ingénieusement du nombre aberrant de dix-huit années qui séparerait le *Commentaire sur les Éphésiens* du moment où Jérôme écrit son *Apologie contre Rufin* (cf. *Apol.* 1, 22), ils sont de l'été 386. L'évaluation faite de son côté par Rufin dans sa propre *Apologie* (Ruf. *Apol.* 1, 39 : ante *quindecim* ferme annos) confirmerait cette date, si l'on admet, non sans vraisemblance, que Rufin a rédigé cette Apologie dès 400 sans la publier immédiatement, ce dont son adversaire lui fait grief (HIER. *Apol.* 1,1 ; 1,4 ; 3,7 ; cf. 3,10 où Jérôme ironise sur le *triennium* qui a été nécessaire à Rufin pour « polir » sa réplique à la *Lettre* 84). Il reste cependant dans son estimation, comme d'ailleurs dans celle de Jérôme, une approximation (*ferme*) qui retient d'être absolument affirmatif, et l'on peut raisonnablement hésiter entre 386 et 387.

Une indication discordante peut être tirée du *Commentaire sur les Galates*. Jérôme y proteste en effet, dans le prologue du troisième livre, qu'il y a plus de quinze ans (*plus quam quindecim anni sunt*) qu'il n'a tenu en main Cicéron, Virgile ou un auteur profane (PL 26, 399 C). La formule fait évidemment référence à son fameux songe. Celui-ci ne pouvant être antérieur au Carême 375 à Antioche, l'indication chiffrée de Jérôme reviendrait à repousser jusqu'à 390, sinon plus tard, la rédaction des Commentaires pauliniens. Il y a donc contradiction avec les données précédentes, qu'il faudrait certainement préférer à une estimation qui reste vague et qui ne résulte sans doute pas d'un réel calcul. Il est vrai que la difficulté disparaît si l'on se range aux conclusions d'Alan D. Booth (*The chronology of Jerome's early years*, dans *Phoenix* 35, 1981, p. 237-259), qui fait remonter — non sans vraisemblance — à l'été 368 l'arrivée de Jérôme à Antioche, et donc le songe au Carême 369.

En tout état de cause, les dates auxquelles nous sommes parvenus : 386, voire 387, pour les Commentaires pauliniens, 388 plutôt que 389 pour l'*In Ecclesiasten* établissent l'antériorité des premiers sur le second. C'était l'avis, pour ne retenir que les biographes modernes de Jérôme, de Grützmacher, qui repoussait même l'*In Ecclesiasten* à 389/390 (*Hieronymus*, t. 1, p. 62). Cavallera, en revanche, a renversé cet ordre, en invoquant, à défaut de données externes sur les Commentaires pauliniens, le caractère plus maîtrisé de ceux-ci par rapport à l'*In Ecclesiasten* (*Saint Jérôme...*, t. 2, p. 27). Mais, on l'a vu, de telles données existent bel et bien. Quant à l'impression invoquée, elle peut s'expliquer autrement : les Commentaires pauliniens, dont on sait la dépendance étroite envers Origène (voir sur ce point la note 4 du chapitre V), dépendance qui explique leur rédaction rapide, ont pu y gagner une homogénéité qui refléterait celle de leur principale source, tandis que l'*In Ecclesiasten* représente, de l'aveu de Jérôme (cf. prol. PL 23, 1011 A), un essai plus personnel sur un livre difficile de l'Ancien Testament, à un moment où il ne possède pas encore la maîtrise qu'il montrera quelques années plus tard dans ses premiers Commentaires des prophètes. Assez gratuite, finalement, l'hypothèse de Cavallera n'a pas fait école : si Dom Antin paraît l'avoir admise sans discussion (*Essai sur saint Jérôme*, p. 155), Penna est revenu à l'ordre traditionnel, bien qu'il rapproche dans le temps ces œuvres et considère comme très probable, mais sans invoquer le moindre argument, que l'*In Ecclesiasten* a suivi de très près (« subito dopo ») le *Commentaire sur Tite* (*S. Girolamo*, p. 148). Kelly, comme Penna, situe également en 387/388 les Commentaires des Épîtres de Paul, date qu'il tire du texte de Rufin cité plus haut, tout en maintenant l'*In Ecclesiasten* en 389 (*Jerome*, p. 145 et 150).

Cette chronologie relative semble donc maintenant admise (cf. aussi P. Nautin, *RHE* 1979, ci-dessus, p. 407). Se trouve-t-elle corroborée par les quelques passages où Jérôme mentionne ensemble ces œuvres ? Il faut pour s'en assurer regarder les textes de près, car l'ordre dans lequel elles y apparaissent n'est pas forcément chronologique, puisqu'il n'est pas toujours le même : dans deux cas c'est celui que nous venons de voir, mais dans les deux autres c'est l'ordre inverse.

Le premier en date de ces textes se lit dans la notice que Jérôme se consacre en 393 à la fin de son *De uiris* (PL 23, 717 AB). Les premières œuvres qu'il y mentionne après celles qui datent de son séjour à Rome sont les Commentaires sur les Épîtres de Paul, immédiatement suivis de l'*In Ecclesiasten*. Sans doute dans cette notice Jérôme ne s'astreint-il pas à suivre dans le détail l'ordre chronologique exact. Les Commentaires pauliniens, par exemple, y sont énumérés dans l'ordre traditionnel des Épîtres et non dans celui de leur composition. Mais il est vraisemblable qu'évoquant d'abord ses premiers Commentaires avant de passer à d'autres types d'ouvrages, Jérôme a commencé par les plus anciens.

Trois ans plus tard, lorsqu'il se défend contre Vigilance de l'accusation d'origénisme en invoquant la constance de son orthodoxie, il écrit : « Lis mes livres sur les *Éphésiens*, lis mes autres ouvrages et *surtout* mes *Commentaires sur l'Ecclésiaste* et tu verras clairement que, depuis ma jeunesse, je n'ai jamais acquiescé à la perversité de l'hérésie » (*Epist.* 61, 2). La vraisemblance ici encore est en faveur de l'ordre chronologique, mais on notera l'accent particulier (*maxime*) mis sur l'*In Ecclesiasten*.

C'est probablement l'importance de ce Commentaire à ses yeux pour le fond du débat qui explique sa place dans les deux derniers textes qui rapprochent les deux œuvres. Le premier est le plus surprenant. C'est le passage de l'*Apologie contre Jean de Jérusalem* cité partiellement tout à l'heure. Jérôme y écrit en effet : « Ante annos ferme decem in Commentariis Ecclesiaste *et in explanatione Epistulae ad Ephesios*, arbitror sensum animi mei prudentibus explicatum » (*C. Ioh.* 17, fin : PL 23, 369 B). Faudrait-il comprendre que la donnée chronologique vise conjointement les deux Commentaires présentés comme contemporains, c'est-à-dire de 388 ? Ce n'est guère compatible avec ce que nous venons de voir, à moins de vider cette donnée de toute précision pour n'y reconnaître que l'indication vague de la proximité des deux œuvres dans le souvenir de Jérôme. Plus vraisemblablement Jérôme, qui trouve que ce n'est pas le moment de se lancer dans des réfutations de systèmes « païens », veut-il dire que, dans ses *Commentaires sur l'Ecclésiaste* il y a une dizaine d'années, — *et aussi* dans son explication de la *Lettre aux Éphésiens* —, il s'est assez expliqué. Le mouvement de la pensée amène en tête de la phrase l'estimation de date de l'œuvre venue la première à l'esprit non comme nécessairement la plus ancienne mais comme la plus importante.

Il en va de même selon toute vraisemblance de l'ordre identique dans lequel se succèdent les deux titres dans la *Lettre* 84 à Pammachius qui va provoquer la réplique de Rufin (*Epist.* 84, 2 de 399). Or celui-ci, en citant librement ce passage dans son *Apologie* (1, 22), escamote l'*In Ecclesiasten* et, deux paragraphes plus loin, s'il nomme bien les deux œuvres, il le fait dans l'ordre inverse, rétablissant ainsi ce qui nous est apparu comme l'ordre réel de leur composition. Mais il y a sans doute à cela une raison autre que chronologique, que m'a suggérée P. Lardet : Rufin, qui semble bien n'avoir pas sous la main l'*In Ecclesiasten* (il ne paraît pas très sûr que l'ouvrage n'ait qu'un livre, cf. *Apol.* 1, 24), préfère braquer le projecteur sur l'*In Ephesios* sur lequel va porter toute sa critique. Cela peut suffire à expliquer qu'il ait inversé l'ordre qu'il trouvait dans la lettre de Jérôme et qui mettait au contraire en valeur l'*In Ecclesiasten*. Une dernière formule de Rufin mérite encore attention. Passant à la critique du Commentaire paulinien, il écrit : « Mais relisons maintenant celui qui se présente le premier, le *Commentaire sur l'Épître aux Éphésiens* » (*Apol.* 1, 24). Il est tentant de voir dans ce « qui primus occurrit » un témoignage de plus en faveur de l'antériorité des Commentaires pauliniens. Mais le polémiste ne pense peut-être ici qu'à l'ordre dans lequel il vient de citer, sciemment, les deux titres. Dans son édition de l'*Apologie* de Rufin, Simonetti comprend même simplement : celui qui nous tombe le premier sous la main... (p. 119).

Ces derniers témoignages de Jérôme et de Rufin n'apportent donc pas à la chronologie relative qui nous a paru s'imposer de confirmation formelle, mais ils s'accordent parfaitement avec elle. Il paraît assuré que le *Commentaire sur l'Ecclésiaste*, qui ne peut être antérieur à 388, est par le fait même postérieur aux Commentaires pauliniens qui sont certainement plus proches de l'installation de Jérôme à Bethléem.

ANNEXE II

Le découpage des lemmes dans l'« In Isaiam »

Livres	Ch. d'Isaïe	Nb. vers.	NOMBRE DE LEMMES DE...										Nb total lemmes
			≤1 v.	1 v.	2 v.	3 v.	4 v.	5 v.	6 v.	7 v.	8 v.	≥8 v.	
I	1 - 2	53	39	19	6	1							65
II	3 - 5	62	28	26	10	2		1					67
III	6 - 9,6	67	2	12	9	2	2	3			1		31
IV	9,7 -12	70		4	5	2	6	2	1	1			21
V	13 -23	188	41	56	30	11	1	2	1			1	143
VI-VII	13 -23	188	24	13	27	17	6	3	1	1	1	1	94
VIII	24 -27	69	6	16	8	8	1	1	1				41
IX	28 -30,26	79	7	5	7	4	3	4	1		1		32
X	30,27-35	87		1	2	2	2	4		2	2	1	16
XI	36 -40,26	114		1	4	9	3	2	5	2		2	28
XII	40,27-45,7	122			1	2	4	5	1	2	2	3	20
XIII	45,8 -50,3	97		3	6	4	6	1	1	2	2	1	26
XIV	50,4 -53	58		6	8	7	3	1					25
XV	54 -57,2	44	1	6	13	3	1						24
XVI	57,3 -59	53		12	11	4	3	1					31
XVII	60 -64	75	2	7	13	10	2	1					35
XVIII	65 -66	49	1	9	18	3	1						32
TOTAL :		1475 v.	151	196	178	91	44	31	12	10	9	9	731

ANNEXE III

Saint Jérôme et les Hexaples

Dans son récent ouvrage sur Origène (*Origène, Sa vie et son œuvre*, Paris, 1977) P. Nautin met en question de façon radicale plusieurs idées reçues concernant les *Hexaples*. Il conteste en particulier la présence dans la synopse origénienne d'une colonne contenant le texte hébreu en caractères hébraïques, qu'atteste pourtant explicitement, entre autres témoignages, celui de Jérôme (*In epist. ad Tit.* 3, 9 : PL 26, 595 AB). Les questions qu'il soulève intéressent au premier chef les spécialistes des *Hexaples* et des versions de l'Écriture (Voir une première réaction, assez réservée, de D. Barthélemy, en post-scriptum à ses *Études d'histoire du texte de l'AT*, Fribourg, 1978, p. 396). On ne peut néanmoins les éviter ici, car non seulement l'auteur conclut de la description, à ses yeux erronée, de Jérôme que celui-ci n'a jamais vu les *Hexaples*, mais il en tire des conséquences extrêmes et va jusqu'à soutenir — malheureusement sans donner ses raisons — que « sa fameuse traduction "d'après l'hébreu" (...) a été faite simplement sur un manuscrit palestinien de la Septante hexaplaire » (p. 357). Force est donc d'ouvrir le dossier, sans prétendre faire plus, dans le cadre de cette mise au point rapide, que de montrer quelques-unes des difficultés que soulèvent, en ce qui concerne Jérôme, les affirmations de P. Nautin.

La pièce maîtresse de son argumentation est constituée par l'interprétation de la page de l'*Histoire ecclésiastique* (6, 16) dans laquelle Eusèbe évoque les *Hexaples*. Après avoir mentionné les différentes versions réunies par Origène, Eusèbe indique (§ 4) que celui-ci les a rassemblées et disposées en regard les unes des autres « μετὰ καὶ αὐτῆς τῆς Ἑβραίων σημειώσεως » c'est-à-dire, estime Nautin qui traduit : « avec la signification en hébreu », non le texte hébreu lui-même, comme on le comprend d'ordinaire, mais sa translittération en grec. Comme, d'autre part, les rares fragments qu'on a retrouvés des *Hexaples* ne contiennent effectivement, pour l'hébreu, que cette translittération, l'auteur conclut qu'on peut « tenir pour certain que les *Hexaples* de la bibliothèque de Césarée n'avaient, comme tous les fragments conservés, aucune colonne en caractères hébraïques » (p. 315). Restent alors à expliquer dans cette perspective les témoignages concordants d'Épiphane, de Jérôme et de Rufin qui disent explicitement le contraire.

Épiphane décrit en effet à deux reprises, assez brièvement dans le *Panarion* (64, 3, 5 : GCS 31, 407, 3 s.), plus longuement dans le *De mensuris et ponderibus* (19 : PG 43, 268 C-269 A), la synopse origénienne. Il y précise notamment qu'elle comportait les deux formes du texte hébreu : en caractères hébraïques, puis translittéré. P. Nautin montre que l'ensemble de son information, dans ces passages, provient d'Eusèbe, non pas, à vrai dire, de l'*Histoire ecclésiastique*, mais de l'*Apologie pour Origène* de Pamphile et Eusèbe que nous n'avons plus, mais dont il est sûr qu'elle devait décrire les *Hexaples*. Mais, comme la description d'Épiphane contredit pour une part celle d'Eusèbe (*HE* 6, 16) qui avait de la synopse une connaissance directe, il en conclut « qu'Épiphane n'avait jamais vu celle-ci, qu'il parle d'elle seulement d'après l'*Apologie pour Origène* et qu'il ne reproduit pas sa source en toute exactitude » (p. 320), puisque l'*Apologie* ne pouvait démentir l'*Histoire ecclésiastique* qu'il contredit.

L'auteur relève également dans l'œuvre de Jérôme deux descriptions des *Hexaples*. La première est celle du *Commentaire sur l'Épître à Tite* (PL 26, 595 AB), l'autre se trouve dans la notice 54 du *De uiris illustribus* consacrée à Origène (PL 23, 665 B). Toutes deux attestent que Jérôme possède une copie du travail d'Origène, y compris des trois versions supplémentaires dont parlait déjà l'*Histoire ecclésiastique* (6, 16, 3). A ces données communes s'ajoutent, dans le Commentaire paulinien, la mention des deux colonnes d'hébreu, et une précision : la copie que possède Jérôme a été corrigée par lui sur les originaux de la bibliothèque de Césarée. Mais P. Nautin, qui date fermement de l'automne 386 le *Commentaire sur Tite* (avec une précision, à mon sens excessive. Voir l'Annexe I), estime impensable que Jérôme ait pu procéder à un tel travail dans les quelques mois qui sépareraient ce Commentaire de son installation à Bethléem. Et comme l'indication touchant la présence d'une colonne en caractères hébraïques contredit à ses yeux le témoignage d'Eusèbe, il conclut que « Jérôme ne parle donc pas *de visu*, mais d'après Épiphane » et que, pas plus que celui-ci, il n'aurait de l'œuvre une connaissance directe (p. 329). Ses affirmations touchant les *Hexaples* ne seraient donc qu'une manifestation de plus de son habituelle vantardise. Quant aux « citations qu'il donne des traductions autres que la Septante dans les œuvres qu'il a composées, (elles) ne supposent pas une utilisation directe des *Hexaples* ; elles s'expliquent suffisamment », estime P. Nautin, « par les Commentaires d'Origène et d'Eusèbe qui lui ont servi de sources » (p. 331-332).

Un raisonnement identique conduit à écarter avec la même netteté les précisions introduites par Rufin dans sa traduction, vers 403, de l'*Histoire ecclésiastique* d'Eusèbe (6, 16, 4 : Eus. W. 2, 2, 555). Qu'il s'agisse de la mention des deux colonnes de l'hébreu, ou de l'interprétation du mot « hexaples » comme exprimant non le nombre des versions, mais celui des colonnes de la synopse, sa source est à chercher non dans l'*Apologie pour Origène*, puisqu'elle ne pouvait contenir des indications contredisant l'*Histoire ecclésiastique*, mais tout simplement dans Épiphane, voire dans le *De uiris illustribus* de Jérôme (lequel, soit dit en passant, est pourtant muet sur ces deux points).

Ainsi, Rufin comme Jérôme se trouvent réduits, dans l'argumentation de l'auteur, à n'être qu'un écho de l'*Histoire ecclésiastique* et d'Épiphane. Celui-ci pourrait être retenu comme témoin indirect de l'*Apologie pour Origène*, s'il n'apparaissait qu'il a reproduit sa source avec trop d'inexactitude. En définitive, les seuls témoignages qui vaillent sur les *Hexaples* sont donc ceux de Pamphile et d'Eusèbe, c'est-à-dire des seuls qui les aient eus en mains.

Telle est, ramenée à l'essentiel, la trame de cette démonstration minutieuse, vigoureuse et convaincue, qui ne laisse pas, cependant, de soulever, en ce qui regarde Jérôme, des difficultés sérieuses. Non seulement, en effet, ses conclusions bouleversent les données communément admises sur des points aussi essentiels que la traduction par Jérôme de l'AT sur l'hébreu, mais elles le font en récusant systématiquement son témoignage. Or les indications qu'on peut tirer de l'œuvre de Jérôme sur la connaissance qu'il avait des *Hexaples* ne se laissent pas aussi aisément écarter que paraît le penser P. Nautin.

C'est auprès de Grégoire de Nazianze que Jérôme découvre l'œuvre d'Origène. L'auteur de la *Philocalie* savait quasi certainement à quoi s'en tenir sur les *Hexaples*, sinon par connaissance directe de l'ouvrage, du moins par l'*Apologie pour Origène* de Pamphile et Eusèbe. Il est donc vraisemblable que Jérôme a au moins appris de lui, s'il l'ignorait, en quoi consistait la synopse origénienne.

Peut-on aller plus loin ? Dès Constantinople, à moins que ce ne soit qu'à Rome, on le voit faire dans la *Lettre* 18 B des citations d'Aquila, de Symmaque et de Théodotion, — voire de mots hébreux — qu'il ne pouvait trouver dans les homélies d'Origène sur Isaïe et Jérémie dont il s'inspire. Celui-ci, en effet, s'y garde soigneusement, comme dans toutes ses homélies, de faire état de ces versions juives. Jérôme est-il ici redevable à l'*In Isaiam* aujourd'hui perdu de l'Alexandrin ? Ce n'est pas impossible, et cette hypothèse, bien qu'aucun indice positif ne vienne l'étayer, permet de faire l'économie d'une connaissance directe des *Hexaples* d'Isaïe à cette date.

A Rome Jérôme dispose en tout cas de la version complète d'Aquila, qu'il s'est donné pour tâche de confronter aux rouleaux des Hébreux qu'on lui apporte clandestinement de la synagogue, « pour voir si, par haine du Christ, la Synagogue n'a point fait de changements » (*Epist.* 32, 1). Cela n'implique pas qu'il possède les *Hexaples* ; cela ne l'exclut pas non plus. Dans la *Lettre* 36 à Damase, il est vrai, il déclare se rapporter, pour citer le texte hébreu d'un verset de la *Genèse*, au « rouleau *(uolumen)* hébreu », expression qui conviendrait mal à une colonne des *Hexaples* ; mais ce n'est vraisemblablement, dans le contexte, qu'une manière de désigner le *Pentateuque*. On peut être sûr à tout le moins que, bien qu'il n'ait encore aucun projet de révision de l'AT, il en possède et le texte hébreu et l'édition d'Aquila, et qu'il ne se contente donc pas de la version des Septante.

Toujours à Rome, la *Lettre* 20 à Damase, la *Lettre* 34 à Marcella invoquent, à propos de passages de psaumes, comme des réalités familières à ses correspondants, non seulement les versions habituelles, mais « la cinquième » et « la sixième » édition ; ces lettres contiennent également des citations d'hébreu translittéré dont l'une dépasse les dimensions d'un verset (*Ps.* 117, 25-26). Cette large gamme de citations de l'ensemble des éditions contenues dans les *Hexaples* ne peut venir des commentaires d'Origène sur les Psaumes. Car le « catalogue des œuvres » de l'Alexandrin (= *Epist.* 33) ne mentionne pas plus de commentaire du Psaume 117 que du Psaume 126 pour lequel Jérôme déclare explicitement qu'il ne dispose pas d'opinion d'Origène tirée de ses Commentaires. « Aussi », ajoute-t-il, « ai-je recouru à l'hébreu », ce que la suite confirme (*Epist.* 34, 1-2).

Serait-ce dans les *Excerpta* de l'Alexandrin sur le Psautier qu'il aurait trouvé tous ces matériaux ? De fait, ses *Commentarioli in psalmos* qui vont se réclamer de cette œuvre n'ignorent pas nos deux psaumes. Mais il n'y a guère de rapport entre les brèves annotations, souvent limitées à un mot, à quoi l'ouvrage se ramène, et l'abondance des matériaux mis en œuvre dans les deux lettres romaines. Et Origène, à qui P. Nautin refuse pratiquement toute connaissance de l'hébreu (*op. cit.*, p. 312), aurait-il cité comme le fait Jérôme (*Epist.* 20, 3) deux versets de psaume dans le texte hébreu même translittéré ? Rien, en tout cas, dans ce que nous atteignons de ses *Excerpta* par les *Chaînes* ne nous autorise à le supposer.

Aussi apparaît-il vraisemblable que Jérôme avait à sa disposition des *Hexaples* du psautier. Cette hypothèse expliquerait bien, également, les références assez fréquentes au texte hébreu des Psaumes dans les lettres de la période. On constate aussi que les translittérations de l'hébreu que celles-ci contiennent présentent, exactement comme celles qui figurent dans les fragments hexaplaires reproduits par P. Nautin (Ambros. O 39 sup. et Barber. gr. 549), la caractéristique d'escamoter les gutturales *aleph, hé, heth* et *'aïn*. Et précisément toute l'argumentation de la *Lettre* 20 consiste à montrer que le mot translittéré *(anna)* qui revient trois fois dans le verset du psaume ne s'y écrit pas avec les mêmes gutturales. Jérôme dispose donc bien non seulement d'un texte hébreu translittéré, mais d'un texte en caractères hébraïques, dont cette discussion montre d'ailleurs la nécessité. Il y a là, du même coup, une sérieuse présomption en faveur de la présence des deux formes du texte hébreu dans les *Hexaples*.

Depuis quand posséderait-il ce psautier hexaplaire ? Il est difficile d'en décider. Mais il est peu vraisemblable qu'il ait pu se le procurer à Rome. Cela nous renverrait donc à Constantinople. Or, dans la préface à sa traduction de la *Chronique* d'Eusèbe (PL 27, 35 B-36 A ci-dessus ch. II, n. 236) qui date du séjour dans cette ville, Jérôme, sans désigner les *Hexaples*, en caractérise déjà chacune des trois grandes versions avec une justesse qui en suggère une connaissance directe, et il mentionne également « la cinquième, la sixième et la septième édition », que la description d'Eusèbe (*HE* 6, 16, 3) associait précisément aux Psaumes.

D'autre part, les *Commentarioli in psalmos*, écrits à Bethléem antérieurement à la traduction du psautier sur l'hébreu, et peut-être même à sa révision sur le grec des Septante, attestent à deux reprises que Jérôme a consulté très attentivement, à la bibliothèque de Césarée, le psautier hexaplaire dans l'exemplaire même qu'avait revu Origène. Les termes qu'il emploie : *reuoluerem* (*in ps.* 4, 8) et surtout *relegens* (*in ps.* 1, 4) poussent à reconnaître dans cette *re*-lecture une révision sur l'exemplaire d'Origène d'une copie qu'il en possédait déjà.

Ces indications recoupent celles de la description des *Hexaples* contenue dans le *Commentaire sur Tite*, dont elles ne sont pas d'ailleurs très éloignées dans le temps. Elles contribuent donc à écarter comme inutile l'hypothèse formulée par P. Nautin d'une dépendance de Jérôme envers Épiphane pour cette description. Du reste, celle-ci est moins proche du passage du *Panarion* — le seul des deux textes d'Épiphane que la chronologie permette d'invoquer ici — que de la page de l'*Histoire ecclésiastique* avec laquelle elle s'accorde exactement sur les sept « éditions » du psautier hexaplaire, l'hébreu exclu (cf. *HE* 6, 16, 3 et Hier. *in Tit., l.c.*, et aussi *praef. Chron.* ci-dessus). Ce nombre, en réalité inexact chez l'un comme chez l'autre, trouve son explication dans une notice d'Origène (citée et analysée par P. Nautin p. 310-311) sur la 5ᵉ et la 6ᵉ édition du psautier : Origène y précisait que « ce qui était placé *à côté de* » la 5ᵉ (τά παρακείμενα αὐτῇ) représentait des variantes de celle-ci, ce qui introduisait donc une colonne (mais non une édition) supplémentaire.

Mais Jérôme apporte par rapport à Eusèbe une précision importante qu'il est seul à donner : ces trois « éditions », en réalité ces trois colonnes supplémentaires, n'existent que pour « quelques livres, principalement ceux qui sont écrits en vers chez les Hébreux ». Le renseignement s'accorde avec l'indication d'Eusèbe, qui parle précisément de ces versions à propos des *Hexaples* du psautier. Il se vérifie aussi par la présence dans l'œuvre de Jérôme de près de quarante citations qu'il fait de la *Quinta*, exceptionnellement de la *Sexta*, dans ses Commentaires des petits prophètes (Voir ci-dessus ch. II, n. 238). Ces citations n'ont pu lui venir par le seul canal des commentaires correspondants d'Origène. Car trois d'entre elles concernent des versets d'Osée, pour lequel Jérôme avait précisément demandé à Didyme de « compléter ce qu'Origène n'avait pas fait », en écrivant pour lui un commentaire de ce prophète (*In Os.*, prol. : PL 25, 820 A). Il est sûr, en tout cas, qu'il existait pour les petits prophètes une *Quinta*, attestée par Origène lui-même (cf. *In Mt.* 21, 5 sur *Zach.* 9, 9) et une *Sexta*. Un passage de l'*In Habacuc* de Jérôme, qui donne sur un verset, en dehors des quatre versions traditionnelles et de la *Quinta*, deux autres traductions anonymes, nous livre même peut-être un témoignage — sans doute unique — de ces sept colonnes grecques de la synopse origénienne (*In Hab.* 2, 11 ci-dessus ch. II, n. 238). Et Jérôme encore — et ce dès son séjour à Rome — atteste dans sa préface à la traduction de deux homélies d'Origène sur le *Cantique* (PL 23, 1117 A = Or. W. 8, 26) que l'Alexandrin utilisait dans son grand Commentaire de ce livre la « cinquième édition », dont il note, avec plus de précision qu'Eusèbe, « qu'il écrit l'avoir trouvée sur le rivage d'Actium ». Sur d'autres livres bibliques, en revanche, dont celui d'Isaïe, ni Origène ni Jérôme ne connaissent autre chose que les quatre grandes versions.

La précision qu'apporte Jérôme dans sa description des *Hexaples* (*In Tit.* 3, 9) ne peut donc s'expliquer que de deux façons qui d'ailleurs ne s'excluent pas : il a pu la trouver dans l'*Apologie pour Origène* de Pamphile et Eusèbe, mais elle est de toute façon le fruit d'une connaissance directe de l'ouvrage, dont nous venons de relever plusieurs indices. Dans l'hypothèse la plus radicalement restrictive, en effet, Jérôme avait au moins eu en mains les *Hexaples* à la bibliothèque de Césarée. La description qu'il en fait ne peut par conséquent contredire le témoignage d'Eusèbe qui en avait eu, comme lui, une connaissance directe.

La contradiction que relève P. Nautin entre son témoignage et la page de l'*Histoire ecclésiastique* sur la présence, dans la synopse, du texte hébreu en lettres hébraïques ne peut donc s'expliquer, comme il le pense, par une mauvaise information de Jérôme. La question se pose alors, en sens inverse, de la validité de l'interprétation de P. Nautin, que contredisent aussi les témoignages d'Épiphane et de Rufin qui tous deux connaissaient pourtant, de l'aveu même de l'auteur, l'*Apologie pour Origène*.

De fait, cette interprétation ne s'impose pas absolument. Eusèbe, en effet, fait d'abord état, dans cette page, d'une bible en caractères hébraïques acquise par Origène. Puis il indique aussitôt que celui-ci se mit en quête « des éditions de ceux qui, en dehors des Septante, avaient traduit l'Écriture », et qu'outre Aquila, Symmaque et Théodotion, il en trouva d'autres, en tout cas, pour les Psaumes, une cinquième, une sixième et une septième. « Toutes ces traductions (ταύτας δὲ ἁπάσας) », traduit Nautin (ici en accord avec Bardy, SCh 41, 110), il les a donc disposées en regard les unes des autres avec également « la signification en hébreu ». Même si, avec P. Nautin, on reconnaît dans cette formule l'hébreu translittéré, on peut comprendre sans faire violence au texte que ce qu'Eusèbe reprend par ταύτας ἁπάσας, ce sont toutes les *éditions* (il a parlé plus haut d'ἐκδόσεις) qu'il vient d'énumérer, y compris la bible en caractères hébraïques qui ouvre la liste, ajoutant seulement, pour que sa description soit complète, la mention du texte translittéré. Mais plus vraisemblablement faut-il garder au mot σημείωσις (Ἐβραίων), comme me l'a suggéré G. Dorival, sa valeur concrète de « signes (d'écriture) », ce qui exclut qu'il puisse ne viser ici que des caractères grecs.

Sans doute la page d'Eusèbe n'est-elle pas d'une clarté parfaite : l'interprétation non conformiste de P. Nautin a le mérite de le faire apparaître. Mais de deux choses l'une : ou l'on suit son interprétation, sur laquelle repose tout son système, et l'on est en contradiction avec tous les témoins anciens, dont on est obligé de conclure — finalement sans preuve — que non seulement ils n'ont jamais vu les *Hexaples* — ce qui pour Jérôme ne paraît pas défendable — mais qu'ils ont tous lu au travers l'*Apologie pour Origène* certainement connue, à l'époque des textes visés, au moins d'Épiphane et de Rufin, sinon de Jérôme lui-même. Ou bien l'on éclaire cette page un peu imprécise par ces témoignages qui, sans se recouvrir en tout point, s'accordent tous sur la présence des deux colonnes de l'hébreu. Et l'on est simplement conduit à supposer que dans l'*Apologie*, c'est-à-dire dans sa première description des *Hexaples*, Eusèbe s'était exprimé plus clairement.

Reste l'appui que P. Nautin tire pour sa thèse des quelques fragments hexaplaires retrouvés dans les *Chaînes*, et qui ne donnent pour l'hébreu que la colonne translittérée. Mais on est tenté de lui retourner sur ce point — *mutatis mutandis* — l'argument qu'il invoque pour expliquer la disparition, dans des fragments d'Aquila découverts à la *genizah* du Caire, des colonnes hébraïques de la synopse d'Aquila qu'il suppose à la base des *Hexaples*. Ce manuscrit, observe-t-il en substance, date d'une époque où la traduction d'Aquila, largement répandue hors de la Palestine, servait dans des communautés juives où la lecture liturgique se faisait désormais en grec. D'où l'inutilité de reproduire l'hébreu. Impossible donc de « juger de l'état primitif de la bible d'Aquila d'après ce témoin tardif... » (p. 341, n. 85). Ne peut-on admettre, avec encore plus de vraisemblance, qu'à l'époque et dans le milieu où se sont constituées les Chaînes, il était devenu superflu de reproduire pour leurs lecteurs présumés la colonne en caractères hébraïques qu'ils étaient, comme d'ailleurs sans doute les caténistes eux-mêmes, tout à fait incapables de lire, à supposer qu'on eût trouvé des scribes capables de les copier correctement ? Au contraire, à l'époque où Origène constitue ses *Hexaples*, et dans le climat de discussion avec les juifs dans lequel, même si elle ne répond pas principalement à ce souci, l'œuvre a pris naissance (voir le contexte du passage du *Commentaire sur Tite* et le témoignage d'Origène lui-même dans sa lettre à Julius Africanus PG 11, 60 B-61 A), le maintien du texte hébreu en caractères originaux n'est pas seulement vraisemblable. Il apparaît indispensable dans un instrument scientifique dont il constitue en fait le texte de référence (cf. P. Nautin p. 351-353). Sa translittération n'a elle-même de justification qu'en fonction de sa présence, puisque à elle seule, bien qu'elle note la vocalisation absente de l'original, elle ne permet pas, on l'a vu tout à l'heure, de trancher, dans bien des cas, de l'orthographe réelle des mots hébreux. Dans la description qu'il donne des *Hexaples*, le témoignage du *Commentaire sur l'Épître à Tite* est donc conforme à la vraisemblance.

Il l'est aussi en ce qui touche Jérôme lui-même. Car, quelle que soit sa « vantardise », on voit mal comment le spécialiste de l'Écriture qu'il était déjà devenu n'aurait pas cherché à connaître, en s'installant en Palestine, le merveilleux instrument de travail forgé par Origène, dont les composantes lui étaient connues dès son passage à Constantinople, et dont il possédait vraisemblablement une copie du psautier. Sans doute même n'attendit-il pas, pour satisfaire sa curiosité, d'être « établi à Bethléem non loin de la bibliothèque de Césarée », comme P. Nautin en fait lui-même l'observation (p. 233). L'étape de Césarée figure en effet dans la *peregrinatio Paulae*, et il y a fort à parier que Jérôme ne s'est pas borné à y visiter pieusement les maisons du centurion Corneille et du diacre Philippe (*Epist.* 108, 8, 2). Peut-être même passa-t-il dès lors commande des travaux de copie qu'il souhaitait voir effectuer. Car s'il est vrai que les *Hexaples* devaient coûter cher en argent et en travail, comme il le soulignera dans la préface à sa traduction d'Esdras (PL 28, 1405 A ; cf. 463 A), celle-ci semble bien indiquer qu'on en faisait pourtant des copies. Accordons que Jérôme se soit vanté en donnant à croire qu'il aurait procédé lui-même à la révision de l'ensemble du travail, alors qu'il ne l'aurait fait que pour une partie (en tout cas le psautier). Cela n'enlève rien à la portée de son témoignage sur la structure des *Hexaples*, puisqu'il suffit qu'il les ait vus pour avoir pu en parler en connaissance de cause.

Expliquer d'autre part, comme le fait P. Nautin (p. 331), par la seule dépendance de Jérôme envers les commentaires d'Eusèbe et d'Origène les citations des différentes versions qui émaillent les siens n'est qu'une hypothèse que démentent les vérifications que nous pouvons faire. On l'a vu à propos du *Commentaire sur Isaïe* (ch. II, n. 301), la confrontation entre Jérôme et Eusèbe dans l'utilisation, pourtant fort abondante de part et d'autre, des versions montre une large indépendance de Jérôme sur ce point. Et si c'était d'Origène qu'il était étroitement tributaire, il faudrait expliquer pourquoi l'on n'observe aucun changement dans la manière dont il continue de recourir à ces versions au-delà du chapitre 30 du prophète, auquel se limitait le Commentaire de l'Alexandrin. Ce qui est vrai du *Commentaire sur Isaïe* l'est encore plus du *Commentaire sur Osée*, pour lequel Jérôme ne trouvait, chez Origène, comme chez Eusèbe, que des sources très fragmentaires (*In Os.*, prol. : PL 25, 819 B). Or il y recourt aux versions tout autant que dans les commentaires contemporains, parmi lesquels le *Commentaire sur Zacharie* fournit l'occasion d'une dernière vérification. Sur ce prophète, en effet, il n'existait pas de commentaire d'Eusèbe. Et Origène en avait expliqué à peine le tiers. Didyme étant hors de cause (voir ch. II, p. 125 et la note 412), on devrait observer dans le recours aux versions une différence significative entre le livre I, qui correspond au Commentaire d'Origène, et les deux suivants. Or, si le livre II accuse une baisse sensible du nombre de références à nos trois versions : quatre au lieu de quatorze au livre I, le livre III en offre vingt-deux. C'est donc que leur présence dans le Commentaire, comme les variations de leur fréquence, ne sont pas fonction de la présence ou de l'absence d'une source origénienne.

A plus forte raison ne peut-on suivre P. Nautin dans sa conviction que la version que Jérôme dit avoir faite d'après l'hébreu ne serait en réalité que la traduction d'un manuscrit palestinien de la Septante hexaplaire, le seul qu'il aurait jamais acquis (p. 357-358). Une telle traduction existe en effet : c'est la révision de l'AT entreprise par Jérôme sur le grec. Mais précisément il l'a abandonnée au bénéfice d'une *autre* traduction, faite directement sur l'hébreu. Là où les deux versions existent, on ne saurait les réduire l'une à l'autre, ni à un seul original grec. Et l'étude du texte du prophète dans le *Commentaire sur Isaïe* (ch. II, p. 89 à 126) nous a amplement montré que Jérôme, pour écrire cette œuvre, avait sous les yeux, outre l'édition hexaplaire des Septante, les autres versions des *Hexaples* et, pour l'hébreu, non seulement la traduction qu'il en avait faite jadis, mais le texte hébreu lui-même.

Ces observations impliquent-elles que Jérôme ait possédé une copie de l'ensemble des *Hexaples* eux-mêmes, dans leur disposition en colonnes ? C'est bien ce qui paraît ressortir de la page du *Commentaire sur Tite*. Il est certain en tout cas qu'il avait à sa disposition toutes les éditions qui composaient la synopse origénienne. Le contraire, du reste, eût été paradoxal quand on pense que Rufin, qui n'est pas un spécialiste, et dont l'attachement aux Septante est notoire, avait pourtant acheté fort cher — Jérôme le lui rappelle — non seulement les versions d'Aquila, de Symmaque et de Théodotion, mais la *Quinta* et la *Sexta* (*Apol. adu. Ruf.* 2, 34 : PL 23, 455 C).

Le vocabulaire du sens littéral

Les deux tableaux qui suivent récapitulent les divers emplois, dans le *Commentaire sur Isaïe*, des mots *littera* (tableau A) et *historia* (tableau B) qui désignent le sens littéral.

Ils permettent d'observer les correspondances qui existent entre ces mots et d'autres termes, notamment du vocabulaire exégétique, et font ressortir les valeurs diverses que le contexte permet à chaque fois de leur reconnaître.

Texte d'Isaïe	iuxta	secundum	"libres"	historica interp.	rei ueritas	simplex	humilior intel.	litterae uetustas	litterae uilitas	littera occidens	Iudaei	Iudaicus	Iudaizare, -antes carnaliter	Spiritus	Spiritus uiuificans	spiritalis, -aliter	sensus	sacramenta	mystica	tropologia	Nos	O littera impossible	– littera rejetée	< littera humilior	+ littera positive	= contexte neutre
								Emplois / **en correspondance avec...** / **Valeur**																		
1, 3			27 A		=										≠								–			
4, 1		72 D																								=
10, 28-32	142 D					=																			+	
11, 6-9	147 B									=	=			≠	≠							0				
–			148 B			=														≠				<		
12, 6	154 A																							<		
14, 2			160 C	=																				<		
19, 14-15	184 C																/									=
14, 1a-4			217 C							=	=												–			
17, 4-6			242 C									=											–			
21, 3b-5			262 B									=	=	≠	≠	≠							–			
–			– C											≠									–			
21, 6-7			263 A											/												=
22, 15-25			273 C							=	=												–			
–			274 A																				–			
–			– B											≠									–			
27, 13		314 A			=																	0				
28, 5-8	317 B																		/							
29, 9-12			332 A													≠								<		
30, 23b-24			348 C																					<		
30, 26			350 C		=											≠							–			
32, 9-20	362 A															/										=
34, 8-17	372 B																									=
42, 10-17			424 D					=						≠									–			
51, 7-8	486 C													≠									–			
54, 2-3	517 C									=				/	/									<		
54, 11-14			522 B								=	=														=
58, 11	571 A																									=
58, 12			572 A								=	=							≠				–			
58, 13	573 C																					0				
–	ibid.															≠						0				
58, 14	575 A																					0				
64, 6			624 B									=		≠									–			
Prol. 1.18	627 B												=	≠									–			
65, 3	631 C													/												=
–	632 B													/												=
65, 21	647 D											≠	≠												+	
65, 23-25			649 B					=						≠									–			
–	650 C																								+	

= : associé à .. ; ≠ : en opposition à .. ; / : en correspondance avec .. ; // : en interdépendance avec ..

Livres du Comm.	Texte d' Isaïe	iuxta	secundum	historia	historicus	littera / teruenus / simplex / Iudaei	hebraica ueritas / ueritas	ordo / fundamentum / culmen	uaria sens figuré	altior intellegentia / spiritus, -qlis, -iter / allegoria, -icus / anagoge / tropologia, -icus	sensus / mysticus / sacramenta / prophetia / uaticinium	LXX	Eccles. uiri / Nostri / Nos	o historia impossible ou absurde	- historia rejetée	< historia humilior	+ historia positive	= contexte neutre
1. I	Prol.																	
	1, 1			20 B			=	=		/							+	
	, 2a			23 B				=		//							+	
1. II	3, 2		58 C		25 C	= =										<		
	, 25			72 A													+	
	5, 17			85 A			=										+	
1. III	7, 3-9		104 D								/							=
	, 21-25		113 D								≠	≠						=
1. IV	10, 20-23			140 A			=										+	+
1. V	Prol.			153 C												<		
	-				153 C		=	=	/	/	/		/					
	-				154 C				≠								+	
	13, 3		157 C	156 A			=										+	
	, 12			159 A			=		/	/							+	
	, 19				160 C	=			/	/						<		
	14, 2			168 A												<		
	15, 2a			171 A												<		
	16, 1			176 A			=			≠								
	17, 7-8				177 B		= =			≠							+	
	, 12-14			-			=										+	
	18, 2			179 B						≠							+	
	-			179 B													+	
	, 5-6			180 B		=		=		≠							+	
	19, 5-7		193 B	183 A					/								+	=
	21, 11-12								/								+	
	22, 15-25		200 A														+	=
	23, 17		204 D														+	=
	, 18			205 A													+	
	-				206 B		=										+	
1. VI	Prol.			205 C				=	/								+	=
	-			205 D					/		≠						+	
	13, 19-22		216 B						≠					-			+	=
	14, 4b-6			217 D													+	
	16, 1-5		234 C							/							+	
1. VII	18, 1-3		246 C														+	
	, 4-7			249 A					≠	/			0				+	
	19, 1a		250 A	250 B						/						<	+	
	, 1b-4			252 C						//							+	
	, 5-11			257 B						/	=						+	=
	, 19-21		260 D						≠	/			0					=
	21, 1-3			265 B						/							+	
	, 11-12		271 A						≠	/	≠							=
	22, 6-9			275 B		(=)			≠									=
	23, 1a			281 B					/									=
1. VIII	Prol.		312 D	281 B					/									=
	-			315 B						/	/						+	=
	27, 12a		315 D						/	/ /								=
	28, 1-4		325 C						/	/								=
1. IX	-			335 A		= =								-				=
	, 21-22			340 B													+	
	29, 17-21		364 B						/		≠	≠		-				=
	30, 6a			373 A		(=)				/							+	=
1. X	33, 2-6			379 A													+	=
	34, 8-17		387 A	384 C (=3)					/		/							=
1. XI	36, 1-10			396 C							/						+	
	37, 1-7			446 D			≠	=						-				=
	, 21-25		453 C							/								=
	38, 21-22			463 A					/		≠							=
1. XIII	45, 14-17		494 B				=			≠								=
	46, 12-13			537 A			=							-			+	
1. XIV	51, 21-23			549 D					/									=
1. XV	55, 12-13			629 A		=												=
1. XVI	57, 4b-5			651 A					/							<		
1. XVIII	Prol.		669 B						/									=
	65, 23-25																	
	66, 18-19																	

La Bible de Jérôme

ANCIEN TESTAMENT

	In Is.	V	VI-VII		In Is.	V	VI-VII
Gen.	139	2	21	Is.	410	22	25
Ex.	102	1	10	Hier.	164	38	14
Leu.	25	0	6	Lam.	6	0	1
Num.	33	2	6	Bar.	2	0	0
Dt.	90	3	8	Ez.	106	15	7
				Dan.	34	6	3
Ios.	7	0	0	Os.	52	0	9
Iudic.	14	3	0	Ioel.	9	0	1
I Sam.	21	1	2	Am.	26	13	1
II Sam.	14	0	4	Abd.	3	0	2
I R.	32	0	4	Ion.	5	0	0
II R.	87	10	2	Mich.	17	0	1
I Par.	8	0	2	Nah.	1	0	0
II Par.	21	1	1	Hab.	12	0	1
Esdr.	3	1	0	Soph.	10	2	2
Neh.	2	1	1	Agg.	2	1	0
Iudith.	3	2	0	Zach.	48	1	3
Esth.	3	1	0	Mal.	11	0	0
Iob.	31	0	4	I Mac.	2	1	0
Ps.	855	12	106				
Prou.	100	0	10				
Eccl.	23	0	0				
Cant.	29	0	3	Total A.T. :	2604	139	263
Sap.	21	0	2				
Eccli.	21	0	1				

NOUVEAU TESTAMENT

	In Is.	V	VI-VII		In Is.	V	VI-VII
Mt.	478	0	62	I Tim.	31	1	6
Marc.	25	1	3	II Tim.	15	0	1
Luc.	238	3	37	Tit.	7	0	2
Ioh.	316	2	16	Hebr.	43	1	4
Act.	80	1	7				
Ro.	147	0	15	Iac.	11	1	1
I Cor.	168	2	17	I Petr.	31	0	3
II Cor.	65	1	6	II Petr.	8	0	0
Gal.	43	0	2	I Ioh.	17	0	3
Eph.	56	2	6	Apoc.	46	0	3
Phil.	49	0	3				
Col.	12	0	0	Total N.T. :	1903	15	202
I Thess.	11	0	2				
II Thess.	6	0	3				

N.B. Ces chiffres sont calculés d'après l'*index* scripturaire de l'*In Isaiam*, au tome 73 A du *Corpus Christianorum*, bien qu'il comporte quelques erreurs et des omissions.

Note sur « In Isaiam » 2, 4 c
(PL 24, 46 AB)

Commentant, au livre I, le verset d'Isaïe : « On ne lèvera plus l'épée nation contre nation, et l'on ne s'entraînera plus au combat » (= *Is.* 2, 4 c), Jérôme, qui en voit la réalisation à la naissance du Christ, invoque à l'appui de cette interprétation le témoignage des « histoires anciennes ». « Veteres reuoluamus historias », écrit-il, « et inueniemus usque ad uicesimum octauum annum Caesaris Augusti, cuius quadragesimo primo anno Christus natus est in Iudaea, in toto orbe terrarum fuisse discordiam (...) Orto autem Domino Saluatore quando sub praeside Syriae Cyrino prima est in orbe terrarum facta descriptio et euangelicae doctrinae pax Romani imperii praeparata, tunc omnia bella cessauerunt et nequaquam per oppida et uicos exercebantur ad proelia, sed ad agrorum cultum (...) et in diebus eius orta est iustitia et multitudo pacis. »

On ne voit pas très bien pourquoi les éditeurs successifs (Martianay, Migne, Adriaen) invoquent à ce propos le ch. 22 du *Diuus Augustus* de Suétone, qui mentionne simplement la fermeture à trois reprises du temple de Janus par Auguste sans la moindre indication de date. Plus convaincante est leur référence à la *Praeparatio Euangelica* I, 4, 3-4. Eusèbe y développe en effet longuement le thème de la coïncidence entre l'unification du monde romain par Auguste, qui met un terme aux divisions et aux guerres, et la manifestation du Christ. On pourrait penser aussi à son *Commentaire sur Isaïe* où l'on trouve la même idée (*In Is.* 2, 1-4 : Eus. W. 9, 15), mais la présentation qu'en fait Eusèbe y est plus générale et plus rapide. L'emprunt direct à la *Praeparatio Euangelica* est attesté en particulier par la reprise de l'évocation de l'entraînement militaire jusque dans les campagnes et par la présence, à la fin du développement de Jérôme, du verset 7 du Psaume 71 qui, chez Eusèbe, est bloqué, en une référence unique aux « prophètes », avec le verset d'Isaïe commenté ici. En l'occurrence, ce ne sont donc pas les « histoires anciennes » que Jérôme a en tête.

La première phrase du passage fait d'autre part difficulté. Migne rattache les précisions chronologiques qu'elle donne, et qui ne viennent pas d'Eusèbe, à ces lignes du ch. 8 (10-11) de l'*Aduersus Iudaeos* attribué à Tertullien : « ... Cleopatra conregnauit Augusto annis XIII ; post Cleopatram Augustus aliis annis XLIII imperauit, nam omnes anni imperii Augusti fuerunt L et VI. Videmus autem quoniam in quadragesimo et primo anno imperii Augusti, quo post mortem Cleopatrae XXVIII anno imperauit, nascitur Christus. Et superuixit idem Augustus, ex quo natus est Christus, annis XV » (éd. Kroymann, CC 2, 1360). Mais ni Migne ni Martianay n'ont bien vu le problème que pose le texte même de Jérôme et qui avait arrêté Scaliger. Il ne fait pas de doute, en effet, que Jérôme y oppose la période agitée qui précède la naissance du Christ à la paix qui s'installe ensuite. L'indication de date, donnée avec précision par Jérôme (« la 28ᵉ année... »), doit donc logiquement nous amener aux abords de la naissance du Christ. C'est bien le cas, si l'on compte les années d'Auguste du lendemain d'Actium (ou, comme dit Tertullien, *post Cleopatram*). Si on les comptait, pour la première comme pour la deuxième date, à partir de son consulat de 43, comme le proposait Scaliger, selon le système le plus courant qui fait naître le Christ la 41ᵉ année d'Auguste, (cf. Tertullien *l.c.* ; voir aussi la *Chronique* d'Eusèbe), la 28ᵉ année ne correspondrait à aucun événement significatif : aucune coïncidence, en particulier, avec les dates de fermeture du temple de Janus en 29, 25 et 8 av. J.-C.

On ne s'explique donc pas la présence de l'incise *(cuius... Iudaea)* qui semble bien redoubler purement et simplement dans une autre chronologie l'indication déjà donnée. Supposer que Jérôme ait voulu donner ici conjointement les deux datations, comme l'avait fait Tertullien, ne paraît pas soutenable, quoi qu'en pense Migne (cf. *Interpr. Chron. Eus.*, note à l'année 41 d'Auguste, PL 27, 558 B). Une juxtaposition aussi maladroite ne peut, à mon sens, remonter jusqu'à lui. La mention, à cette place, de la naissance du Christ anticipe d'ailleurs sur le début de la deuxième phrase » (« orto autem Domino... »), au détriment de la correspondance antithétique entre les deux versants du texte.

Ne pourrait-on voir dans l'incise qui fait difficulté une glose, passée dans le texte, d'un lecteur ancien qui, ayant mal compris l'indication de Jérôme, et peut-être influencé par le passage de l'*Aduersus Iudaeos*, aura éprouvé le besoin de préciser la référence au Christ selon la chronologie qui lui était familière ? La précision géographique *in Iudaea*, parfaitement superflue, plaide également en faveur de l'hypothèse d'une glose.

Note sur « In Sophoniam » 2, 13
(PL 25, 1370 B)

Dans un passage de son *Commentaire sur Sophonie* (PL 25, 1370 B), Jérôme paraît renvoyer, pour une double interprétation de Ninive, non seulement à son *Commentaire sur Nahum* (« In Nahum uero super mundo intellegentiam *temperauimus* ») qui en effet lui est antérieur, mais aussi à son *Commentaire sur Jonas* (« In Iona quidem Niniuen... ecclesiam *interpretati sumus* de gentibus congregatam ») dont le prologue indique pourtant sans la moindre ambiguïté qu'il est postérieur « d'environ trois ans » (« triennium circiter fluxit... ») à l'*In Sophoniam* comme à l'*In Nahum*.

Il y a là une difficulté sérieuse, car sur la chronologie relative de ces trois commentaires : Nahum, Sophonie, Jonas, aucun doute n'est possible.

Il faut ajouter au dossier un autre passage de l'*In Nahum*, où Jérôme déclare avoir interprété Ninive comme ce monde-ci « et in Iona et in hoc propheta » (*ibid.* 1252 A). Il pourrait à la rigueur ne penser ici qu'au prologue du commentaire qu'il est en train d'écrire : après avoir souligné que les deux prophètes se suivent dans les LXX « car ils prophétisent sur la même ville » (*ibid.* 1231 A), il y indique en effet que « tout ce qui est dit à présent contre Ninive est prédit de façon figurée du monde » (*ibid.* 1232 A). Mais cette explication ne vaut pas pour l'*In Sophoniam* ; en effet l'interprétation qu'il y donne de Ninive repentie (c'est-à-dire l'église rassemblée des nations) n'apparaît nulle part ailleurs sous sa plume avant l'*In Ionam*. Or les verbes qu'il emploie *(interpretati sumus, temperauimus)* impliquent bien que ce n'est pas au simple texte prophétique qu'il pense mais à un commentaire de lui. La contradiction est donc totale.

Une chose est sûre : c'est dans les mois où il rédige l'*In Nahum*, puis l'*In Sophoniam*, que Jérôme découvre la double exégèse de Ninive que reflètent ces commentaires et qui se retrouvera dans l'*In Ionam*. Il est plus que probable qu'il a fait cette découverte à la lecture des commentaires correspondants d'Origène et peut-être, dès cette date, de celui de Jonas, qu'il a pu parcourir pour la rédaction de l'*In Nahum*. L'enthousiasme qu'il manifeste dans le *De uiris illustribus* (75 : PL 23, 685 A) pour les vingt-cinq volumes d'Origène sur les petits prophètes n'exclurait pas qu'il les ait même tous lus avant d'entreprendre les siens. Mais il reste à expliquer que, dès le premier, c'est-à-dire l'*In Nahum*, en tout cas dès l'*In Sophoniam*, il renvoie à une exégèse qu'il aurait déjà donnée de Jonas. L'hypothèse de rééditions remaniées de ces commentaires est peu satisfaisante, en tout cas très fragile. Et si Jérôme s'était d'abord lancé dans la rédaction de l'*In Ionam*, on s'expliquerait mal non seulement qu'il ait entrepris et mené à bien les commentaires de cinq autres prophètes avant de l'achever, mais qu'il ait encore attendu trois ans pour le terminer et le publier.

Sur le passage de l'*In Sophoniam*, Y.M. Duval qui a bien vu ces problèmes (voir *Le livre de Jonas...*, n. 47 et 49, p. 281-282) n'écarte pas l'hypothèse que Jérôme ne fasse « que reproduire, en la prenant à son compte, une indication d'Origène ». Moins nécessaire, l'hypothèse vaudrait aussi pour l'*In Nahum*. Si l'on pouvait en être certain, cela nous apprendrait au moins qu'Origène avait suivi pour sa part dans la rédaction de ses commentaires l'ordre des LXX, qui l'amenait à expliquer Jonas avant Nahum et Sophonie. Quant à Jérôme, on peut lui supposer d'autant moins de scrupule à démarquer ici sa source qu'il n'avait nullement prévu de s'en tenir aux cinq titres effectivement terminés au moment du *De uiris* ; cet ouvrage fait état, en effet, de « beaucoup d'autres travaux sur les prophètes qu'il a alors en chantier et qui ne sont pas encore achevés » (*De uir.* 135 : PL 23, 719 A). Ces intentions d'alors peuvent suffire à expliquer qu'il ait renvoyé en quelque sorte par anticipation à des exégèses qu'il croyait devoir développer sous peu dans un commentaire dont il avait peut-être déjà à l'esprit les lignes générales et dont la rédaction n'a dû d'être retardée qu'à des causes extérieures.

Les étymologies des noms bibliques dans l'« In Isaiam »

Les passages de l'*In Isaiam* dont la référence est donnée entre parenthèses ne présentent pas explicitement le rapport du nom à sa traduction, mais utilisent celle-ci, généralement dans le cours d'un développement d'exégèse spirituelle.

Après chaque référence au *Liber Nominum Hebraicorum* est indiqué entre parenthèses le livre biblique sous lequel le nom concerné y figure. Si une référence est en *italiques*, les significations données par l'*In Is.*, et par le *Lib. Nom. Hebr.* sont partiellement ou entièrement différentes.

Noms	In Isaiam (PL 24)	Lib. Nom. Hebr. (Lagarde)
ABRAHAM	483 B : pater multarum gentium	*3,3* (Gen.) ; *60,8* (Mt.) ; *72,13* (Iac.) ; *73,23* (Ro.) ; *76,2* (2 Cor.) et *14* (Gal.) ; *77,25* (Hebr.) ; *81,9* (Barn.)
ACHAZ	24 B : tenens siue robustum	*51,30* (Mich.)
	228 B : κατάσχεσις i.e. obtentio siue professio	
ACHOR	620 C : conturbati...	*24,5* (Ios.) ; *49,19* (Is.)
	638 B : turbationis ac tumultus	
AEGYPTVS	250 A : (= mesraim cf. 178 C) ἐκθλίβουσα i.e. tribulans siue ad angustiam redigens	(8,15 Gen.) 2,29 (Gen.) ; *66, 28* (Act.) ; *73,14* (Iud.) ; *77, 25* (Hebr.) ; 80,11 (Apoc.)
	259 D : persequens siue tribulans	
	276 C : (hebraice dicitur mesraim) ἐκθλίβουσα i.e. tribulans et coarctans (cf. 355 D)	
AELAM	270 C : ascensus eorum	*56,7* (Dan.) ; *57,25* (Ez.)
AETHIOPES	259 D : humiles atque deiecti	
AGALLIM	232 C : uituli uel arenarum tumuli	cf. eglaim *50,1* (Is.) ?
AMALEC	57 A : deuorans et lingens	3,2 (Gen.)
AMOS ('amôṣ)	22 D : fortitudo siue robustus	44,22 (2 R) ; 66,31 (Act.) « ... si tamen ab aleph littera incipiatur et finiatur in sade. »
	24 B : fortis atque robusti...	
AMOS ('amôs)	22 D : populus durus uel grauis	*51,20* (Am.)
ANATOTH	142 A : paupercula uel oboediens siue humilis	*24,28* (Ios.)
AR	231 C : ἀντίδικος i.e. aduersarius	*15,26* (Num.)
ARABIA	265 B : uesperam	*76,13* (Gal.)
	265 C : uesperae et occidentis	
ARABS	215 A : occidentalis et uespertinus (cf. 215 D)	21,19 (Dt.) ; *66,29* (Act.)
ARAM	102 C : excelsus atque sublimis	2,26 (Gen.) ; 71,18 (Act.)
ARIEL	328 B : leo Dei ; cf. 328 C	37,19 (2 Sam.) ; 44,17 (2 R) ; 56,27 (Ez.)
	330 D : leonem fortissimum	
ARNON	234 D : illuminatio eorum	*15,25* (Num.) ; *23,27* (Ios.) ; *44,13* (2 R).
AROER	174 B : myrice ; cf. 241 C.	*16,6* (Num.) ; *23,28* (Ios) ; *53,15* (Hier.) « sed melius myrice ».
ASSYRII	279 A : arguentes	*2,16* (Gen.) ; cf. Assur *2,21* (Gen.) ; *15,28* (Num.)
AZOTVS	259 C : (hebraice dicitur esdod) ignis generationis	67,3 (Act.) ; *24,2* (Ios.)
BABEL	: Voir BABYLON	
BABYLON	51 A : σύγχυσις confusio cf. 135 A	3,18 (Gen.) ; 25,6 (Ios.) ; 48,11 (Ps.) ; *72,20* (1 Petr.) ; *80,15* (Apoc.)

Noms	*In Isaiam* (PL 24)	*Lib. Nom. Hebr.* (Lagarde)
	205 D : (hebraice dicitur Babel) confusio (cf. 207 A, 214 A, 214 D, 215 A, 217 B, 221 C, 233 D)	
	263 C : totius mundi confusio cf. 431 A, 461 D, 463 B	
BARACHIAS	115 C : benedictio Domini	*49,21* (Is.) ; 60, 27 (Mt.)
BASAN	51 A : αἰσχύνη i.e. ignominia	*16,18* (Num.)
	365 C : uberrima et pinguis	*45,3* (Act.)
BEEN	361 A : probamentum et firmitas siue... inquisitio	
BOSRA	371 B : munitam atque circumdatam siue firmatam cf. 371 C	*3,26* (Gen.) ; *49,22* (Is.)
	611 A : firma atque munita	
CARIATH	328 C : uillam (lingua Syra dicitur Cartha)	*17,6* (Num.) ; *57,5* (Ez.)
CARIATHIARIM	328 C : uilla siluarum	*26,3* (Ios.) ; *35,4* (1 Sam.) ; *53,22* (Hier.)
CARMELVS	238 A : circumcisionis notitiam cf. 375 A	*26,7* (Ios.) ; *41,11* (1 R)
	335 C : circumcisionis scientia	
CEDAR	266 C : tenebrae cf. 425 B, 591 A	*4,6* (Gen.) ; *48,13* (Ps.) ; *57,5* (Ez.)
CHALDAEI	214 D : quasi daemonia	*4,22* (Gen.) ; *57,11* (Ez.)
	431 A : daemones cf. 461 D	
	279 A : (in hoc loco) quasi ubera	*4,22* (Gen.) ; *57,11* (Ez.)
CHANAAN	256 C : quasi commotio siue quasi respondens	*4,14* (Gen.) ; *17,11* (Num.) ; *41,17* (1 R)
	277 C : fluctuantes atque commoti	
	278 C : quasi fluctuatio siue commotio	
CHERVBIN	93 C : scientiae multitudo cf. 649 A	*4,11* (Gen.) ; *12,20* (Ex.) ; *17,15* (Num.) ; 35,7 (1 Sam.)
CHETIM	: Voir CITII	
CITII	275 C : (hebraice dicitur chetim) mare congelascens	*4,3* (Gen.)
	279 A : plaga consummata siue perfecta	
DAMASCVS	240 D : sanguinis osculum aut sanguinem bibens aut sanguis cilicii (cf. 241 C)	5,6 (Gen.) ; *41,19* (1 R) ; *68,13* (Act.) ; *75,18* (1 Cor.) ; *76,6* (2 Cor.) et *17* (Gal.)
DAVID	271 A : manu fortis cf. 672 A ; (585 C)	*35,11* (1 Sam.) ; 61,9 (Mt) ; *68,13* (Act.) ; *74,3* (Ro.) ; *77,29* (Hebr.) ; *79,5* (2 Tim.) ; *80,16* (Apoc.) ; *81,11* (Barn.)
DEDAN	266 A : iudicia et grande iudicium	*54,3* (Hier.)

Noms		In Isaiam (PL 24)	Lib. Nom. Hebr. (Lagarde)
DIBON	170 C :	fluens	*17,19* (Num.) ; *26,25* (Ios.) ; *54,4* (Hier.)
	231 D :	fluxus eorum	
	234 A :	fluentes lacrimas	
DIMON	170 C :	(una urbs et per M et per B litteram scribitur) silentium	
	232 C :	sufficiens maeror	49,28 (Is.)
	234 A :	sufficiens dolor siue maeror	
DVMA	193 B :	silentium	5,8 (Gen.) ; *26,28* (Ios.)
	264 B :	uel similitudinem uel silentium cf. 264 D	
EDOM	610 D :	et terrenus et cruentus	*5,24* (Gen.) ; *12,29* (Ex.)
ELAMITAE	261 B :	despicientes	*50,4* (Is.) ; *68,21* (Act.)
	270 C :	contemptores	
ELEALE	232 C :	ascensio (cf. 233 A ; 237 D)	49,30 (Is.)
ELIACIM	200 A :	Deus resurgens	
	274 B :	resurgens Deus siue Dei resurrectio	45,20 (2 R) ; *61,16* (Mt.)
ELIM	232 C :	arietes siue fortes (cf. 234 A)	*13,4* (Ex.) ; *50,5* (Is.)
EMMANVEL	109 B :	nobiscum Deus cf. 111 A	49,30 (Is.)
EPHA	591 A :	resolutus siue effundens	50,5 (Is.) ; *6,3* (Gen.) ; *13,4* (Ex.)
EPHRAIM	130 C :	fructus afferre	*5,26* (Gen.) ; *17,25* (Num.) ; *66,15* (Ioh.) ; 81,12 (Barn.)
ESDOD	:	Voir AZOTUS	
ESEBON	168 C :	cogitatio	*17,26* (Num.) ; *54,8* (Hier.)
	232 C :	cogitationes cf. 233 A, 236 C, 237 C	
EZECHIAS	24 B :	imperium Domini	
GABAON	325 B :	collis	*27,28* (Ios.)
GEBIM	142 B :	colles	*50,7* (Is.)
GETHSEMANI	530 A :	uallem adipeam uel pinguissimam	61,22 (Mt.)
HEBRAEVS	256 B :	περάτην i.e. transitorem, qui de loco transit ad locum	12,7 et 23 (Ex.) ; 35,16 (1 Sam.) ; 68,22 (Act.), etc.
HELCIAS	274 B :	partis Domini	45,14 (2 R)
HELLEL	119 A :	profanus	
HIERVSALEM	24 B :	uisio pacis cf. 269 D, 274 B, 330 D, 345 D, (45 B, 358 A, 369 A, 470 C, 495 C)	50,9 (Is.) ; 74,17 (Ro.) ; 75,23 (1 Cor.) ; *62,5* (Mt.)
IACOB	217 A :	qui supplantauit	7,19 (Gen.) ; 61,27 (Mt.) ; 78,5 (Hebr.)

Noms		In Isaiam (PL 24)	Lib. Nom. Hebr. (Lagarde)
IASA	232 C :	factum siue mandatum (cf. 233 A)	18,27 (Num.)
IASVB	103 B :	reliquus atque conuertens	18,28 (Num.) ; 50,8 (Is.)
	380 B :	relictum	
IAZER	237 B :	fortitudo eorum	18,26 (Num.) ; 28,7 (Ios.) ; 54,23 (Hier.)
IDVMAEA	264 C :	terrena cf. 264 D, 371 A	63,22 (Marc.)
IEBVS	270 A :	conculcatio	13,23 (Ex.)
IESVS	153 A :	saluator cf. 187 A	13,28 (Ex.) ; 61,24 (Mt.) ; 77,11 (Col.) ; 78,4 (Hebr.) ; 80,21 (Apoc.)
IOATHAM	24 B :	Domini perfectio	46,5 (2 R) ; 61,30 (Mt.)
ISAIAS	24 B :	saluatus Domini	69,3 (Act.)
ISRAEL	27 B :	mens uidens Deum	13,21 (Ex.)
	217 A :	qui mente conspicit Deum cf. 259 A	
	266 D :	mente cernens Deum	
	285 B :	hominis uidentis Deum	63,22 (Marc) ; 74,15 (Ro.) ; 76,20 (Gal.) ; cf. Hebr. Quaest. in Gen. 32, 28-29
	435 B :	proprie iuxta... litterarum fidem I. rectus Dei dicitur. Vir autem uidens Deum non in elementis sed in sono uocis est.	
ISSACHAR	227 B :	est merces cf. 316 C	7,19 (Gen.) ; 80,21 (Apoc.)
IVDA	24 B :	confessio cf. 117 A, (225 A, 256 C, 270 D, 274 B), 292 D	7,19 (Gen.) ; 74,15 (Ro.) ; 78,4 (Hebr.)
IVDAEA	292 D :	Iuda siue Iudaea quod interpretatur utrumque confessio	
LIBANUS	335 B :	dealbatio	
LVD	669 C :	utilitas	8,3 (Gen.) ; cf. Luth 8,5 (Gen.) ; 50,11 (Is.)
LVITH	232 C :	genae cf. 233 C	50,11 (Is.)
MADAI	214 A :	mensura siue a potente uel forti	8,12 (Gen.)
MADIAN	141 C :	ex iudicio	8,18 (Gen.) ; 14,3 (Ex.) ; 70,4 (Act.)
	591 A :	(in hoc loco) iniquitas	= 50,13 (Is.)
MEDABA	232 C :	de saltu (cf. 232 D)	19,8 (Num.)
MEMPHIS	253 C :	os uel ex ore	50,14 (Is.)
MESRAIM	:	Voir AEGYPTVS	
MOAB	231 A :	de patre siue aqua paterna cf. 231 B, 292 A	8,17 (Gen.) ; 14,6 (Ex.)
MOSOCH	669 C :	extensio	8,13 (Gen.) ; 50,15 (Is.) ; 58,6 (Ez.)

Noms	In Isaiam (PL 24)		Lib. Nom. Hebr. (Lagarde)
NABAIOTH	591 A :	prophetiae	9,7 (Gen.)
NABO	232 C :	sessio uel prophetia cf. 232 D	50,19 (Is.) ; cf. 50,17 (Is.)
	450 B :	prophetia et diuinatio	
NEMRIM	232 C :	pardi siue praeuaricatores (cf. 233 C)	50,17 (Is.)
OOLIBA	38 A :	tabernaculum meum in ea	58,12 (Ez.)
OPHEL	361 A :	tenebrae siue nubilum	
ORONAIM	232 C :	foramen maeroris (cf. 233 C)	50,21 (Is) ; 55,9 (Hier)
OZIAS	24 B :	fortitudo Domini	50,21 (Is.)
PERSAE	261 B :	tentantes	56,18 (Dan.)
PHANVEL	93 A :	facies Dei	6,22 (Gen.) ; 32,17 (Iudic.) ; 64,21 (Luc)
PHARAO	253 A :	dissipator et diuisus et in partes uarias separatus	6,13 (Gen.) ; 13,6 (Ex.) ; 69,6 (Act.) ; 74,10 (Ro.) ; 78,1 (Hebr.)
PHILISTHIIM	229 C :	cadentes poculo	6,12 (Gen.)
PHVD	669 C :	oris exclusio	6,11 (Gen.) ; 50,6 (Is.) ; 57,28 (Ez.)
RAPHAIM	242 C :	gigantes	9,23 (Gen.) ; 29,28 (Ios.) ; 59,29 (Iob)
REBECCA	115 D :	patientiam	9,23 (Gen.) ; 74,29 (Ro.) ; 81,16 (Barn.)
SABAMA	236 D :	attolens altitudinem	50,27 (Is.) ; 55,21 (Hier.)
	237 B :	non solum extollens altitudinem sed et conuersio aliqua	20,28 (Num.) ; 30,5 (Ios.)
SALOMON	672 A :	pacificus	71,5 (Act.) ; 63,5 (Mt.)
SAMARIA	130 C :	(cf. 130 C : custodire)	47,12 (2 R) ; 50,26 (Is.) ; 71,4 (Act.)
SAMARITANVS	265 A :	custos	cf. 66,3 (Luc)
SAMMAI	119 A :	dissipator	
SARA	115 D :	ἄρχουσα i.e. princeps	72,25 (1 Petr.) ; 73,7 (2 Petr.) ; 75,1 (Ro.) ; 78,14 (Hebr.)
SARGON	259 B :	princeps horti (cf. 259 C)	50,28 (Is.)
SAVL	585 C :	expetitum uel infernum	11,5 (Gen.) ; 14,27 (Ex.) ; 36,22 (1 Sam.) ; 71,16 (Act.)
SEGOR	232 C :	parua	10,25 (Gen.)
	233 B :	paruulum... parua	
SEIR	192 C :	hispidus et pilosus cf. 264 B, (265 A)	10,27 (Gen.) ; 20,17 (Num.)
SENAAR	80 B :	excussio dentium	10,16 (Gen.) ; 56,19 (Dan.)
SERAPHIM	93 C :	ἐμπρησταί quod nos dicere possumus incendentes siue comburentes	50,24 (Is.)
	96 A :	incendens	

Noms		In Isaiam (PL 24)	Lib. Nom. Hebr. (Lagarde)
SIDON	276 A :	uenatrix cf. 276 B	63,9 (Mt.) ; 23,9 (Dt.)
SION	154 B :	speculam cf. 266 D, 345 D, 470 C, 491 B, (45 B, 358 A, 495 C)	39,25 (2 Sam.) ; 43,12 (1 R) ; 50,25 (Is.) ; 75,2 (Ro.) ; 78,15 (Hebr.) ; 81,17 (Barn.)
SOBNAS	275 B :	conuertere nunc, siue conuersio	47,19 (2 R) ; 50,28 (Is.)
SOR	:	Voir TYRVS	
TABEEL	104 A :	bonus deus cf. 105 B	51,3 (Is.)
TANIS	253 A :	mandatum humile (cf. 253 C)	51,3 (Is.) ; 58,29 (Ez.)
	340 A :	mandato humili atque deiecto	
THARSIS	275 C :	contemplatio siue exploratio gaudii	43,26 (1 R)
	669 B :	exploratio gaudii (cf. 277 A)	
	279 C :	(secundum aliam interpretationem) consummatio sex siue laetitiae	
THARTAN	259 B :	turrem dedit uel superfluus uel elongans	47,29 (2 R)
THEMAN	266 A :	auster atque perfectio	11,22 (Gen.) ; 15,3 (Ex.) ; 51,27 (Am.)
THVBAL	669 C :	(siue Thobel) ductus ad luctum uel conuersus aut uniuersa	11,17 (Gen.)
TYRVS	275 C :	(lingua hebraea sor dicitur) angustia (cf. 277 A, 278 C, 279 A)	63,27 (Marc)
	277 C :	tribulationis et angustiae	30,20 (Ios.)
VRIAS	115 B :	lux Domini	40,14 (2 Sam.)
	263 A :	οὐρίαν (LXX) quod quidam lumen Domini interpretari putat	
ZACHARIAS	115 B :	memoria Domini	51,4 (Is.) ; 63,16 (Mt.)

BIBLIOGRAPHIE

Première section

I — ŒUVRES DE JÉRÔME

Texte latin

Dans l'état actuel de l'édition des œuvres de Jérôme, il a paru commode de renvoyer encore — sauf exceptions indiquées plus bas — à la *première* édition de la *Patrologie latine* (= PL) de Migne (Paris, 1845), dont la pagination est reproduite en particulier dans les marges des volumes parus du *Corpus Christianorum, series latina* (= CC. Voir *Index hiéronymien*). Quand le cas se présente, les divergences textuelles entre les deux éditions sont signalées dans les notes. Pour le *Commentaire sur Isaïe* qui se trouve dans le tome 24 de la *Patrologie* (= CC 73 et 73 A), seul est indiqué le numéro de la colonne suivi de la lettre repère (par ex. 240 B). Pour les autres œuvres s'y ajoute l'indication du tome (par ex. PL 25, 115 D).

Les exceptions concernent les œuvres suivantes :

— Les références au *Livre des noms hébreux* sont données à la fois à la *Patrologie* (PL 23) et aux pages et lignes de l'édition Lagarde (*Onomastica sacra*[2], 1887), reproduite dans CC 72.

— Les *Commentarioli in psalmos* et les *Tractatus* variés qu'a édités G. Morin dans les *Anecdota Maredsolana* III, 1 à 3 (1895-1903) sont cités sous la double référence à cette édition (« Morin » = *Anec. Mar.* III, 1 et 2 ; « Morin⁰ » = *Anec. Mar.* III, 3) et au *Corpus Christianorum* (CC 72 et 78) qui la reproduit.

— Les références à la traduction par Jérôme de la *Chronique* d'Eusèbe renvoient à l'édition Helm (GCS, Eusebius Werke 7, *Die Chronik des Hieronymus*, 1956).

— Les références aux *Lettres* renvoient, sans indication de page, à l'édition Hilberg (CSEL 54 à 56, 1910-1918). Les chiffres qui suivent le numéro de la lettre indiquent les paragraphes et, éventuellement, les repères marginaux complémentaires.

Traduction française

La traduction française complète la moins ancienne des œuvres de Jérôme est celle de J. Bareille (Paris, 1878). Mais elle fourmille de fautes matérielles, d'approximations et d'erreurs qui interdisent d'y recourir. En règle générale, excepté pour le *Commen-*

taire sur Jonas, le *Commentaire sur Matthieu* et l'*Apologie contre Rufin* parus dans la collection « Sources chrétiennes » et pour les *Lettres*, traduites par J. Labourt dans la « Collection des Universités de France », c'est, sauf indication contraire, dans une traduction personnelle que je cite les œuvres de Jérôme.

II — AUTEURS GRECS ET LATINS

Texte

Les éditions utilisées sont mentionnées dans les notes et à l'*index* des auteurs anciens. Elles sont empruntées en général à l'une ou l'autre des collections suivantes :

CC	=	*Corpus Christianorum, series latina*, Turnhout.
CCG	=	*Corpus Christianorum, series graeca*, Turnhout.
CSEL	=	*Corpus Scriptorum Ecclesiasticorum Latinorum*, Vienne.
CUF	=	*Collection des Universités de France*, Paris.
GCS	=	*Die griechischen christlichen Schriftsteller*, Berlin.
MGH	=	*Monumenta Germaniae historica*, Hanovre.
PG	=	*MIGNE, Patrologie grecque*, Paris.
PL	=	*MIGNE*, Patrologie latine, Paris
SCh	=	*Sources chrétiennes*, Paris.

Traduction française

D'une manière habituelle, lorsqu'une œuvre figure dans la « Collection des Universités de France », la collection « Sources chrétiennes » ou la « Bibliothèque augustinienne », la traduction en est empruntée à ces éditions. Sauf indication contraire, les autres textes anciens sont cités dans une traduction personnelle.

III — BIBLE

Texte hébreu

— *Biblia Hebraica Stuttgartensia*, éd. Kittel, rééd. K. Elliger-W. Rudolph, Stuttgart, 1968.

Texte grec

— *Septuaginta*, éd. Rahlfs, 8e éd., Stuttgart, 1965.
— *Septuaginta. Vetus testamentum graecum auctoritate societatis litterarum Gottingensis editum*, en cours de publication, Göttingen, 1931 s. Le livre d'*Isaïe* occupe le t. XIV (éd. Ziegler, 2e éd., 1967).
— *Nouum Testamentum Graece*, éd. Nestle, Stuttgart, 1941.

Texte latin. a) *Vetus Latina* :

— *Bibliorum sacrorum latinae uersiones antiquae seu uetus Italica*, éd. P. Sabatier, 3 vol., Paris, 1751.
— *Itala. Das neue Testament in altlateinischer Überlieferung*, éd. Jülicher, 4 vol. (= Évangiles), 2e éd., Berlin, 1963-1976.
— *Vetus Latina. Die Reste der altlateinischen Bibel*, éd. Vetus Latina Institut, Beuron, en cours de publication, Freiburg im Breisgau, 1949 s. (Livre d'*Isaïe* non paru).

─────── b) *Vulgate :*

— *Biblia sacra iuxta latinam uulgatam uersionem ad codicum fidem,* en cours de publication, Roma, 1926 s. Le livre d'Isaïe occupe le tome XIII (1969).

— *Biblia sacra iuxta latinam uulgatam uersionem,* éd. Weber, 2 vol., 2ᵉ éd., Stuttgart, 1975.

Traduction française

Le texte des citations bibliques faites par Jérôme et les auteurs anciens ne correspondant pas nécessairement à celui qui a servi de base aux traductions françaises modernes, il était impossible d'utiliser à leur propos ces traductions. Tous les textes bibliques ont donc fait l'objet d'une traduction personnelle, inspirée parfois de l'une des traductions suivantes :

— *La Bible* (Ancien Testament), éd. Dhorme, Bibliothèque de la Pléiade, 2 vol., Paris, 1956-1959.

— *La Bible,* éd. Osty, Paris, 1973.

— *La Bible de Jérusalem,* nouv. éd., Paris, 1973.

— *Traduction œcuménique de la Bible,* Paris, 1972-1975.

Deuxième section

I — Ouvrages généraux

Altaner (B.) et Stuiber (A.), *Patrologie,* 9ᵉ éd., Freiburg im Breisgau, 1978.

Berardino (A. di), *Patrologia,* vol. III, *Dal Concilio di Nicea (325) al Concilio di Calcedonia (451). I Padri Latini,* Roma, 1978.

Biblia patristica. Index des citations et allusions bibliques dans la littérature patristique, 3 vol. parus, Paris, 1975-1980.

Daniélou (J.) et Marrou (H.), *Nouvelle Histoire de l'Église,* t. I : *Des origines à saint Grégoire le Grand,* Paris, 1963.

Davidson (B.), *The analytical Hebrew and Chaldee Lexicon,* London, 1956.

Dekkers (E.), *Clauis Patrum Latinorum* (= Sacris Erudiri 3), 2ᵉ éd., Steenbrugge, 1961.

DB — Dictionnaire de la Bible, Paris, 1895-1912.

DBS — Dictionnaire de la Bible, Supplément, Paris, 1928 s.

DHGE — Dictionnaire d'histoire et de géographie ecclésiastiques, Paris, 1912 s.

DS — Dictionnaire de spiritualité, ascétique et mystique, Paris, 1932 s.

DTC — Dictionnaire de théologie catholique, Paris, 1903-1972.

Geerard (M.), *Clauis Patrum Graecorum,* 4 vol., Turnhout, 1974-1983.

Hatch (E.) et Redpath (H.A.), *A concordance to the Septuagint and the other greek versions of the Old Testament,* 2 vol., Graz, 1954.

Kittel (G.), *Theologisches Wörterbuch zum Neuen Testament (TWNT),* Stuttgart, 1932 s.

LANGEVIN (P.-E.), *Bibliographie biblique I. 1930-1970, II. 1930-1975*, Québec, 1972 et 1978.

LAUSBERG (H.), *Handbuch der literarischen Rhetorik, Eine Grundlegung der Literaturwissenschaft*, München, 1960.

PEULTIER (E.), ÉTIENNE (L.), GANTOIS (L.), *Concordantiarum uniuersae Scripturae sacrae Thesaurus*, 2ᵉ éd., Paris, 1939.

QUASTEN (J.), *Initiation aux Pères de l'Église*, 3 vol., trad. franç., Paris, 1955-1963.

SCHMOLLER (A.), *Handkonkordanz zum griechischen Neuen Testament*, 15ᵉ éd., Stuttgart, 1973.

ThLL — *Thesaurus Linguae Latinae*, Leipzig, 1900 s.

VAN DER MEER (F.) et MOHRMANN (C.), *Atlas de l'Antiquité chrétienne*, éd. franç., Paris-Bruxelles, 1960.

II — ÉTUDES PARTICULIÈRES

ABEL (F.M.), *Le Commentaire de saint Jérôme sur Isaïe*, dans la *Revue biblique*, nouvelle série, 13, 1916, p. 200-225.
Saint Jérôme et les prophéties messianiques, *ibid.* 13, 1916, p. 423-440 ; 14, 1917, p. 247-269.

AIGRAIN (R.), Article *Apollinaire*, dans le *DHGE*, t. III, 1924, col. 962-982.

AMELLI (A.), *Un trattato di S. Girolamo scoperto nei codici di Montecassino*, dans *Rivista di Studi religiosi* I, 1901, p. 193-204.

ANTIN (P.), *Autour du songe de saint Jérôme*, dans la *Revue des études latines* 41, 1963, p. 350-377 (= *Recueil sur saint Jérôme*, coll. Latomus XCV, Bruxelles, 1968, p. 71-100).
Essai sur saint Jérôme, Paris, 1951.
Introduction à l'édition du *Sur Jonas* de Jérôme, SCh 43, Paris, 1956.
Recueil sur saint Jérôme, coll. Latomus XCV, Bruxelles, 1968.
Saint Jérôme et son lecteur, dans les *Recherches de science religieuse* 34, 1947, p. 82-99 (= *Recueil sur saint Jérôme*, p. 345-363).

ARAZY (A.), *The appellations of the Jews (Ioudaios, Hebraios, Israel) in the literature from Alexander to Justinian*, 2 vol., New York, 1978 (microfilm MTN 78 - 03061).

ARNS (E.), *La technique du livre d'après saint Jérôme*, Paris, 1953.

AUVRAY (P.), *Comment se pose le problème de l'inspiration des Septante*, dans la *Revue biblique* 59, 1952, p. 321-336.
Isaïe 1-39, Paris, 1972.

BARDY (G.), *Didyme l'Aveugle*, Paris, 1910.
La littérature patristique des « Quaestiones et Responsiones » sur l'Écriture sainte, dans la *Revue biblique* 41, 1932, p. 210-216, 341-369, 515-537.
Les traditions juives dans l'œuvre d'Origène, dans la *Revue biblique* 34, 1925, p. 217-252.
Saint Jerôme and the greek thought, dans *A monument to saint Jerome* (voir F.X. Murphy), 1952, p. 83-112.

Saint Jérôme et ses maitres hébreux, dans la *Revue bénédictine* 46, 1934, p. 145-164.

BARR (J.), *Saint Jerome's appreciation of Hebrew*, dans *Bulletin of the John Ryland's Library* 49, 1967, p. 281-302.

BARTHÉLEMY (D.), *Études d'histoire du texte de l'Ancien Testament* (= Orbis biblicus et orientalis 21), Fribourg, 1978.
L'Ancien Testament a mùri à Alexandrie, dans *Theologische Zeitschrift* 12, 1956, p. 358-370.
Les devanciers d'Aquila, Leiden, 1963.
Origène et le texte de l'Ancien Testament, dans *Epektasis*, Mélanges offerts au Cardinal Jean Daniélou, Paris, 1972, p. 247-261.
« Quinta » ou version selon les Hébreux ? dans *Theologische Zeitschrift* 16, 1960, p. 342-353.

BATE (H.N.), *Some technical terms of greek exegesis*, dans *The Journal of theological studies* 24, 1922, p. 59-66.

BEAUCHAMP (P.), *Le récit, la lettre et le corps*, Paris, 1982.
L'interprétation figurative et ses présupposés, dans les *Recherches de science religieuse* 63, 1975, p. 299-312 (= *Le récit, la lettre et le corps*, p. 57-69).
L'un et l'autre Testament, Paris, 1976.

BERNARDI (J.), *La prédication des Pères Cappadociens*, Publications de la Faculté des Lettres et sciences humaines de l'Université de Montpellier 30, Montpellier, 1968.

BODIN (Y.), *Saint Jérôme et l'Église*, Paris, 1966.

BONSIRVEN (J.), *Textes rabbiniques des deux premiers siècles chrétiens*, Roma, 1955.

BOOTH (A.D.), *The chronology of Jerome's early years*, dans *Phoenix* 35, 1981, p. 237-259.
The date of Jerome's birth, dans *Phoenix* 33, 1979, p. 346-353.

BOUWMAN (G.), *Des Julian von Aeclanum Kommentar zu den Propheten Osee, Joel und Amos, Ein Beitrag zur Geschichte der Exegese*, Analecta Biblica 9, Roma, 1958.

BRAUN (R.), *Deus christianorum. Recherches sur le vocabulaire doctrinal de Tertullien*, 2ᵉ éd., Paris, 1977.

BRAVERMAN (J.), *Jerome's Commentary on Daniel. A study of comparative jewish and christian interpretations of the Hebrew Bible* (The classical biblical Quarterly, Monograph Series 7), Washington, 1978.

BRUGNOLI (G.), *Donato e Girolamo*, dans *Vetera Christianorum* 2, 1965, p. 139-149.

BÜCHSEL (F.), Article ἀλληγορέω, dans le *TWNT*, t. 1, 1933, p. 260-264.

BUFFIÈRE (F.), *Les mythes d'Homère et la pensée grecque*, Paris, 1956.

BURSTEIN (E.), *La compétence de Jérôme en hébreu*, dans la *Revue des études augustiniennes* 21, 1975, p. 3-12.

CAVALLERA (F.), *Saint Jérôme et la Bible*, dans le *Bulletin de littérature ecclésiastique* 22, 1921, p. 214-227 et 265-284.
Saint Jérôme, sa vie et son œuvre, Première partie, t. I et II, Louvain-Paris, 1922.

CHAVOUTIER (L.), *Querelle origéniste et controverses trinitaires à propos du « Tractatus contra Origenem de visione Isaiae »*, dans *Vigiliae christianae* 14, 1960, p. 9-14.

CLAESSON (G.), *Index Tertullianeus*, 3 vol., Paris, 1974-1975.

CONDAMIN (A.), *Les caractères de la traduction de la Bible par saint Jérôme*, dans les *Recherches de science religieuse* 2, 1911, p. 425-440 et 3, 1912, p. 105-138.
L'influence de la tradition juive dans la version de saint Jérôme, ibid. 5, 1914, p. 1-21.

COTTINEAU (L.), *Chronologie des versions bibliques de saint Jérôme*, dans *Miscellanea Geronimiana*, Roma, 1920, p. 42-68.

COURCELLE (P.), *Les lettres grecques en Occident de Macrobe à Cassiodore*, Paris, 1943, 2ᵉ éd., 1948.

CROUZEL (H.), *Bibliographie critique d'Origène* (= Instrumenta Patristica 8), Steenbrugge, 1971, et *Supplément I* (= *ibid.* 8 A), Steenbrugge, 1982.
La distinction de la « typologie » et de « l'allégorie », dans le *Bulletin de littérature ecclésiastique* 65, 1964, p. 161-174.

DANIÉLOU (J.), *Histoire des doctrines chrétiennes avant Nicée : I. Théologie du judéo-christianisme ; II. Message évangélique et culture hellénistique aux IIᵉ et IIIᵉ siècles ; III. Les origines du Christianisme latin*, 3 vol., Paris, 1958, 1961 et 1978.
Les divers sens de l'Écriture dans la tradition chrétienne primitive, dans *Ephemerides Theologicae Lovanienses* 24, 1948, p. 119-126.
L'unité des deux Testaments dans l'œuvre d'Origène, dans la *Revue des sciences religieuses* 22, 1948, p. 27-56.
Origène, Paris, 1948.
Origène comme exégète de la Bible, dans *Studia Patristica I* (= TU 63), Berlin, 1957, p. 280-290.
Sacramentum futuri. Études sur les origines de la typologie biblique, Paris, 1950.
Traversée de la mer Rouge et baptême aux premiers siècles, dans les *Recherches de science religieuse* 33, 1946, p. 402-430.

DEKKERS (E.), *Hieronymus tegenover zijn lezers*, Handelingen van het XXVIᵉ Vlaams Filologencongres, Gent, 1967, p. 125-135.

DEN BOER (W.), *Hermeneutic problems in early christian literature*, dans *Vigiliae christianae* 1, 1947, p. 150-167.

DEVREESSE (R.), Article *Chaînes exégétiques grecques*, dans *DBS*, t. I, 1928, col. 1084-1233.
La méthode exégétique de Théodore de Mopsueste, dans la *Revue biblique* 53, 1946, p. 207-241.
L'édition du Commentaire d'Eusèbe de Césarée sur Isaïe, dans la *Revue biblique* 42, 1933, p. 540-555.

DHORME (E.), *Introductions à La Bible*, t. I et II (Ancien Testament), Bibliothèque de la Pléiade, Paris, 1956-1959.

DOIGNON (J.), *Hilaire de Poitiers avant l'exil*, Paris, 1971.
Introduction à l'édition du *Sur Matthieu* d'Hilaire de Poitiers, SCh 254, Paris, 1978.

DOUTRELEAU (L.), Introduction et notes à l'édition du *Sur Zacharie* de Didyme l'Aveugle, SCh 83-85, Paris, 1962.

DREYFUS (P.), *Le vocabulaire de l'amour de Dieu dans la Bible*, dans *Israël et Nous* 21, oct. 1962, p. 28-36.

DUVAL (Y.M.), *Aquilée et la Palestine entre 370 et 420*, dans *Antichità Altoadriatiche* 12, 1977, p. 263-322.
Le Livre de Jonas dans la littérature chrétienne grecque et latine. Sources et influence du « Commentaire sur Jonas » de saint Jérôme, 2 vol., Paris, 1973.

Estin (C.), *Saint Jérôme traducteur des psaumes*, thèse de 3ᵉ cycle ronéot., 2 vol., Paris, 1977.

Fahey (M.A.), *Cyprian and the Bible : a study in third-century exegesis*, Tübingen, 1971.

Fontaine (J.), *Isidore de Séville et la culture classique dans l'Espagne wisigothique*, vol. 1 et 2 : 2ᵉ éd. revue et corrigée ; vol. 3 : Notes complémentaires et supplément bibliographique, Paris, 1983.
La littérature latine chrétienne (= Coll. « Que sais-je ? » 1379), Paris, 1970.

Ginzberg (L.), *Die Haggada bei den Kirchenvätern*, VI. *Der Kommentar des Hieronymus zu Jesaja*, dans *Jewish Studies in memory of George A. Kohut*, New York, 1935, p. 279-314.

Goelzer (H.), *Étude lexicographique et grammaticale de la latinité de saint Jérôme*, Paris, 1884.

Gozzo (S.), *De sancti Hieronymi Commentario in Isaiae librum*, dans *Antonianum* 35, 1960, p. 49-80 et 169-214.

Grant (R.M.), *The letter and the spirit*, London, 1957.

Gregg (J.A.F.), *The commentary of Origen upon the Epistle to the Ephesians*, dans *The Journal of Theological Studies* 3, 1902, p. 233-244 ; 398-420 ; 554-576.

Grützmacher (G.), *Hieronymus, eine biographische Studie zur alten Kirchengeschichte*, 3 vol., Berlin, 1901-1908 (réimp. anast. 1969).

Guillet (J.), *Les exégèses d'Alexandrie et d'Antioche. Conflit ou malentendu ?* dans les *Recherches de science religieuse* 34, 1947, p. 257-302.

Guinot (J.N.), *L'exégèse de Théodoret de Cyr d'après son Commentaire In Isaiam*, thèse de doctorat d'État, Université de Lyon II, 1975, ex. dactyl.

Hagemann (W.), *Wort als Begegnung mit Christus. Die christozentrische Schriftauslegung des Kirchenvaters Hieronymus* (= Trierer Theologische Studien 23), Trier, 1970.

Hagendahl (H.), *Jerome and the Latin Classics*, dans *Vigiliae christianae* 28, 1974, p. 216-227.
Latin Fathers and the Classics. A study on the Apologists, Jerome and other christian Writers, (= Studia graeca et latina Gothoburgensia VI, Göteborgs Universitets Arsskrift, vol. 64, 2) Göteborg, 1958.

Hamblenne (P.), *La longévité de Jérôme : Prosper avait-il raison ?* dans *Latomus* 28, 1969, p. 1081-1119.

Hanson (R.P.C.), *Allegory and Event. A study of the sources and significance of Origen's interpretation of Scripture*, London, 1959.

Harl (M.), *Origène et la fonction révélatrice du Verbe incarné* (= Patristica Sorbonensia 2), Paris, 1958.
Origène et les interprétations patristiques grecques de l'« obscurité » biblique, dans *Vigiliae christianae* 36, 1982, p. 334-371.

Hartmann (L.N.), *Saint Jerome as an exegete*, dans *A monument to saint Jerome* (voir F.X. Murphy), 1952, p. 35-81.

Holtz (L.), *Donat et la tradition de l'enseignement grammatical*, Paris, 1981.

JAY (P.), « *Allegoriae nubilum* » *chez saint Jérôme*, dans la *Revue des études augusti- niennes* 22, 1976, p. 82-89.
Jérôme auditeur d'Apollinaire de Laodicée à Antioche, ibid. 20, 1974, p. 36-41.
La datation des premières traductions de l'Ancien Testament sur l'hébreu par saint Jérôme, ibid. 28, 1982, p. 208-212.
Le vocabulaire exégétique de saint Jérôme dans le « *Commentaire sur Zacharie* », ibid. 14, 1968, p. 3-16.
Saint Jérôme et le triple sens de l'Écriture, ibid. 26, 1980, p. 214-227.
Sur la date de naissance de saint Jérôme, dans la *Revue des études latines* 51, 1973, p. 262-280.

JELLICOE (S.), *The Septuagint and modern Study*, Oxford, 1968.

JUNGMANN (J.A.), *Missarum sollemnia*, trad. fr., 3 vol., Paris, 1951-1953.

JUNOD (É.), *Remarques sur la composition de la* « *Philocalie* » *d'Origène par Basile de Césarée et Grégoire de Nazianze*, dans la *Revue d'histoire et de philosophie religieu- ses* 52, 1972, p. 149-156.

KAISER (O.), *Der prophet Jesaja Kapitel 1-12*, 2ᵉ éd., Göttingen, 1963.
Der prophet Jesaja Kapitel 13-39, Göttingen, 1973.

KANNENGIESSER (C.), *L'exégèse d'Hilaire*, dans *Hilaire et son temps*, Actes du Colloque de Poitiers (29 sept.-3 oct. 1968), Paris, 1969, p. 127-142.
L'héritage d'Hilaire de Poitiers, dans les *Recherches de science religieuse* 56, 1968, p. 435-456.

KELLY (J.N.D.), *Jerome, his life, writings and controversies*, London, 1975.

KERRIGAN (A.), *Saint Cyril of Alexandria interpreter of the Old Testament*, Roma, 1952.

KIHN (H.), *Theodor von Mopsuestia und Junilius Africanus als Exegeten*, Freiburg im Breisgau, 1880.

KRAUSS (S.), *The Jews in the works of the Church Fathers, VI. Jerome*, dans *The Jewish Quarterly Review* 6, 1894, p. 225-261.

LA BIBLE ET LES PÈRES, Colloque de Strasbourg (1-3 oct. 1969), Paris, 1971.

LAISTNER (M.L.W.), *The study of s. Jerome in the early Middle Ages*, dans *A monument to saint Jerome* (voir F.X. Murphy), 1952, p. 233-256.

LAMMERT (F.), *De Hieronymo Donati discipulo* (= Commentationes Philologicae Ie- nenses 9, 2), Leipzig, 1912.

LOI (V.), *Il termine* « *mysterium* » *nella letteratura latina cristiana prenicena*, dans *Vigilae christianae* 19, 1965, p. 210-232 et 20, 1966, p. 25-44.

LOONBEEK (R.), *Étude sur le* « *Commentaire d'Isaïe* » *attribué à saint Basile*, Mémoire de licence dactylographié, Louvain, 1955.

LUBAC (H. de), *A propos de l'allégorie chrétienne*, dans les *Recherches de science religieuse* 47, 1959, p. 5-43.
Exégèse médiévale. Les quatre sens de l'Écriture, Première partie, t. I et II (= coll. Théologie 41), Paris, 1959.
Histoire et Esprit. L'intelligence de l'Écriture d'après Origène (= coll. Théologie 16), Paris, 1950.
« *Sens spirituel* », dans les *Recherches de science religieuse* 36, 1949, p. 542-576.
« *Typologie* » *et* « *allégorisme* », ibid. 34, 1947, p. 180-226.

LÜBECK (E.), *Hieronymus quos nouerit scriptores et ex quibus hauserit,* Leipzig, 1872.

LUNDBERG (P.), *La typologie baptismale dans l'ancienne Église,* Uppsala, 1942.

MARIÈS (L.), *Études préliminaires à l'édition de Diodore de Tarse sur les psaumes,* Paris, 1933.
Extraits du Commentaire de Diodore de Tarse sur les psaumes. Préface du Commentaire, prologue du psaume 118, dans les *Recherches de science religieuse* 9, 1919, p. 79-101.

MARROU (H.I.), *Histoire de l'éducation dans l'Antiquité,* 6ᵉ éd. revue et augmentée, Paris, 1965.
Saint Augustin et la fin de la culture antique, 4ᵉ éd., Paris, 1958.

MEERSHOEK (G.Q.A.), *Le latin biblique d'après saint Jérôme* (= Latinitas Christianorum Primaeua 20), Nijmegen-Utrecht, 1966.

MICHAÉLI (F.), Notes au livre de *Daniel,* Bible de la Bibliothèque de la Pléiade.

MISCELLANEA GERONIMIANA, Scritti varii pubblicati nel XV centenario dalla morte di san Girolamo, Roma, 1920.

MOHRMANN (C.), *Études sur le latin des chrétiens,* 4 vol., Roma, 1961-1977.
« Sacramentum » *dans les plus anciens textes chrétiens,* dans *The Harvard Theological Review* 47, 1954, p. 141-152 (= *Études sur le latin des chrétiens,* t. I, p. 233-244).

MONDÉSERT (C.), *Clément d'Alexandrie. Introduction à l'étude de sa pensée religieuse à partir de l'Écriture* (= coll. Théologie 4), Paris, 1944.

MURPHY (F.X.), *A monument to saint Jerome. Essays on some aspects of his life, works and influence,* ed. by F.X.M., New York, 1952.

NAUTIN (P.), *Études de chronologie hiéronymienne* (393-397), dans la *Revue des études augustiniennes* 18, 1972, p. 209-218 ; 19, 1973, p. 69-86 et 213-239 ; 20, 1974, p. 251-284.
La date des Commentaires de Jérôme sur les épîtres pauliniennes, dans la *Revue d'Histoire ecclésiastique* 74, 1979, p. 5-12.
La date du « De uiris inlustribus » *de Jérôme, de la mort de Cyrille de Jérusalem et de celle de Grégoire de Nazianze, ibid.* 56, 1961, p. 33-35.
Origène, sa vie et son œuvre, t. I, Paris, 1977.

O' MALLEY (T.P.), *Tertullian and the Bible. Language, imagery, exegesis,* (= Latinitas Christianorum Primaeua 21), Nijmegen-Utrecht, 1967.

PAREDI (A.), *S. Gerolamo e S. Ambrogio,* dans les *Mélanges Eugène Tisserant,* vol. 5, p. 183-198, Città del Vaticano, 1964.

PEASE (A.S.), *Medical allusions in the works of saint Jerome,* dans *Harvard studies* 25, 1914, p. 73-86.

PENNA (A.), *Principi e carattere dell' esegesi di san Gerolamo,* Roma, 1950.
San Gerolamo, Roma, 1949.

PÉPIN (J.), *A propos de l'histoire de l'exégèse allégorique : l'absurdité signe de l'allégorie,* dans *Studia Patristica I* (= TU 63), p. 395-413, Berlin, 1957.
Mythe et Allégorie. Les origines grecques et les contestations judéo-chrétiennes, 2ᵉ éd., Paris, 1976.

PERI (V.), *Omelie origeniane sui Salmi. Contributo all' identificazione del testo latino* (= Studi e Testi 289), Città del Vaticano, 1980.

PIROT (L.), *L'œuvre exégétique de Théodore de Mopsueste*, Roma, 1913.

PIZZOLATO (L.F.), *La dottrina esegetica di sant' Ambrogio* (= Studia Patristica Mediolanensia 9), Milano, 1978.

PONTET (M.), *L'exégèse de saint Augustin prédicateur* (= coll. Théologie 7), Paris, 1945.

QUAIN (E.A.), *Saint Jerome as a Humanist*, dans *A monument to saint Jerome* (voir F.X. Murphy), 1952, p. 201-232.

RIEDMATTEN (H. de), *Le texte des fragments exégétiques d'Apollinaire de Laodicée*, dans les *Recherches de science religieuse* 44, 1956, p. 560-566.

RÖHRICH (A.), *Essai sur saint Jérôme exégète*, Genève, 1891.

RONDEAU (M.J.), *Les Commentaires patristiques du Psautier (IIIᵉ-Vᵉ siècle) : I. Les travaux des Pères grecs et latins sur le Psautier. Recherches et bilan ; II. Exégèse prosopologique et théologie*, 2 vol., Orientalia christiana analecta 219 et 220, Roma, 1982-1983.

SANDERS (L.), *Études sur saint Jérôme*, Bruxelles-Paris, 1903.

SAVON (H.), *Maniérisme et allégorie dans l'œuvre d'Ambroise de Milan*, dans la *Revue des études latines* 55, 1977, p. 203-221.
Saint Ambroise devant l'exégèse de Philon le juif, 2 vol., Paris, 1977.

SCHADE (L.), *Die Inspirationlehre des heiligen Hieronymus* (= Biblische Studien 15, 4-5), Freiburg im Breisgau, 1910.

SCHATKIN (M.A.), *The influence of Origen upon st Jerome's Commentary on Galatians*, dans *Vigiliae christianae* 24, 1970, p. 49-58.

SIMON (Marcel), *La polémique antijuive de saint Jean Chrysostome et le mouvement judaïsant d'Antioche*, dans les *Mélanges Franz Cumont*, Bruxelles, 1936, p. 403-421 (repris dans les *Recherches d'histoire judéo-chrétienne*, Paris, 1962, p. 140-153).
Verus Israel. Études sur les relations entre chrétiens et juifs dans l'empire romain (135-425), Paris, 1948, réimpr. avec un post-scriptum, 1964.

SIMON (Richard), *Histoire critique du texte du Nouveau Testament*, Rotterdam, 1689.
Histoire critique du Vieux Testament, Rotterdam, 1685.

SMEETS (J.), *Traditions juives dans la Vulgate de Daniel et le commentaire de Jérôme*, Service international de documentation judéo-chrétienne, vol. 12, 2, Rome, 1979, p. 16-26.

SPICQ (C.), *Esquisse d'une histoire de l'exégèse latine au Moyen Age*, Paris, 1944.

SUTCLIFFE (E.F.), *The KOINH « diuersa » or « dispersa » ? St Jerome PL 24, 548 B*, dans *Biblica* 36, 1955, p. 213-222.

TERNANT (P.), *La θεωρία d'Antioche dans le cadre des sens de l'Écriture*, dans *Biblica* 34, 1953, p. 135-158 ; 354-383 ; 456-486.

TIBILETTI (C.), *Cultura classica e cristiana in san Girolamo*, dans *Salesianum* 11, 1949, p. 97-117.

TOMSIN (A.), *Étude sur le Commentaire virgilien d'Aemilius Asper*, Paris, 1952.

TRETTEL (G.), *Terminologia esegetica nei sermoni di san Cromazio di Aquileia*, dans la *Revue des études augustiniennes* 20, 1974, p. 55-81.

V ACCARI (A.), *Bollettino geronimiano*, dans *Biblica* 1, 1920, p. 379-396 et 533-562.
   I fattori dell' esegesi geronimiana, ibid., p. 457-480. (= *Scritti di erudizione e di filologia*, t. 2, p. 147-170).
   La θεωρία *nella scuola esegetica di Antiochia, ibid.*, p. 3-36 (= *Scritti...* t. 1, p. 101-142).
   Scritti di erudizione e di filologia, 2 vol., Roma, 1952 et 1958.

W ESTERMANN (C.), *Das Buch Jesaja Kapitel 40-66*, Göttingen, 1966.

INDICES

INDICES

I — Index hiéronymien

Hebraicae Quaestiones in Genesim,
PL 23 - CC 72

In Abdiam, PL 25 - CC 76

In Aggaeum, PL 25 - CC 76 A

In Amos, PL 25 - CC 76

II — Index des Auteurs Anciens

A. AUTEURS GRECS

B. AUTEURS LATINS

III — Index des Mots[1]

A. MOTS HÉBREUX
(Voir aussi l'ANNEXE VIII)

[1] Ne figurent dans cet *Index* que les occurrences des mots hébreux, grecs ou latins, qui ont retenu l'attention dans le cours du texte ou d'une note, à l'exclusion de leur présence occasionnelle dans un texte cité en note.

B. MOTS GRECS

C. MOTS LATINS

IV — Index des noms[1]

(1) Figurent dans cet *Index* les seuls noms de personnages de l'Antiquité (à l'exclusion des noms bibliques), dans la mesure où on les rencontre dans le cours du texte ou des notes, et non à l'occasion d'une simple référence ou d'un titre d'ouvrage. Pour les noms d'auteurs anciens on se reportera donc également à l'index de ces auteurs.

Table des matières

Achevé d'imprimer sur les presses de l'Imprimerie Graphique de l'Ouest
Le Poiré-sur-Vie (Vendée)
Dépôt légal : Avril 1985 - N° d'impression : 6896